Handbuch für Bausachverständige

Handbuch für Bausachverständige

Technische und rechtliche Informationen für die Praxis

herausgegeben von

Prof. Dipl.-Ing. Matthias Zöller, Architekt und ö.b.u.v. Sachverständiger für Schäden an Gebäuden und
Dr. iur. Mark Seibel, Vizepräsident des Landgerichts Siegen

begründet von Dipl.-Ing. (FH) Michael Staudt, Architekt

bearbeitet von

Dipl.-Ing. (FH) Thorsten Andreas, Vors. Richter am LG Holger Beger,
RA Dr. Peter Bleutge, Dipl.-Ing. Andreas Borrmann, Prof. Dr.-Ing. Eric Brehm,
RA Thomas Bretz, Dipl.-Ing. Architektin Maria Dilanas, LL.M.,
Dipl.-Ing. (FH) Ralf Finger, Dr.-Ing. Werner Hörenbaum,
Dipl.-Ing. (FH) Architekt Ingo Kern, Dipl.-Ing. Architektin Géraldine Liebert,
Dipl.-Ing. Architekt Martin Mohrmann, Dr.-Ing. Heribert Oberhaus,
Prof. Dipl.-Ing. Rainer Pohlenz, Martin Schauer,
Vizepräsident des LG Dr. iur. Mark Seibel,
Dipl.-Ing. (FH) Architekt Werner Seifert, Dipl.-Ing. Silke Sous,
RA Dr. Marc Steffen, Prof. Dr.-Ing. Sylvia Stürmer,
Dipl.-Ing. Helge-Lorenz Ubbelohde, Dr.-Ing. Jürgen Warkus,
RA Dipl.-Ing. (DH) Alexander Weber, RA Prof. Dr. Mark von Wietersheim,
PD Dr.-Ing. habil. Stefan Wirth, Prof. Dipl.-Ing. Matthias Zöller

5., vollständig überarbeitete Auflage

Fraunhofer IRB | Verlag

Reguvis

Bibliografische Information der Deutschen Nationalbibliothek
Die Deutsche Nationalbibliothek verzeichnet diese Publikation in der Deutschen Nationalbibliografie; detaillierte bibliografische Daten sind im Internet über http://dnb.d-nb.de abrufbar.

Reguvis Fachmedien GmbH
Amsterdamer Str. 192
50735 Köln
service@reguvis.de
www.reguvis.de

Fraunhofer Informationszentrum Raum und Bau IRB
Nobelstraße 12
70569 Stuttgart
Tel.: +49 (0) 711/970-2500
Fax: +49 (0) 711/970-2508
irb@irb.fraunhofer.de
www.baufachinformation.de

ISBN (Print): 978-3-8462-1480-0
ISBN (E-Book): 978-3-8462-1481-7

ISBN (Print): 978-3-7388-0884-1
ISBN (E-Book): 978-3-7388-0886-5

Titelabbildung: © Prof. Dipl.-Ing. Matthias Zöller
Satz: Cicero Computer GmbH, Bonn
Druck und buchbinderische Verarbeitung: Appel & Klinger Druck und Medien GmbH, Schneckenlohe

Printed in Germany

Die einzige Konstante im Universum ist die Veränderung.
(Heraklit von Ephesos)

Vorwort

Die vierte Auflage dieses Handbuchs wurde gut angenommen. Heraklit (der griechische, vorsokratische Philosoph, nicht die Holzwolle-Dämmplatte) hatte aber Recht: Veränderungen sind das einzig Beständige. So war es an der Zeit, an dieser Informationsgrundlage für Bauschadenssachverständige (oder vereinfacht: Bausachverständige) weiter zu arbeiten.

Die vorliegende fünfte Auflage ist nicht nur eine „Modellpflege", sondern eine vollständige Neubearbeitung der Themen, die überwiegend von neu gewonnenen Autoren bearbeitet wurden. Mit der Fülle der für Bausachverständige nötigen Informationen dient das Handbuch als Nachschlagewerk und als Fachbuch.

Der gänzlich neu gestaltete technische Teil in Kapitel 4 enthält „Kurzbeiträge" zu ausgewählten, wichtigen Themen der Bautechnik. Diese werden in der nun nahe an das Handbuch rückenden „Bautechnischen und -rechtlichen Themensammlung" mit jeweils eigenen Themenheften vertieft. Umgekehrt wird die Themensammlung Bezug auf dieses Handbuch nehmen.

Das Werk richtet sich sowohl an neu Interessierte als auch an „alte Hasen" im Sachverständigenwesen. Dazu sind die Beiträge von Praktikern für die Praxis geschrieben. So finden Sie, liebe Leser, in diesem Handbuch alle benötigten Informationen zu den Anforderungen an Sachverständigengutachten, zur Durchführung von Ortsbesichtigungen, zur Gutachtenerläuterung vor Gericht, zur Haftung von Sachverständigen, zur Bauabnahme und zu vielen weiteren praxisrelevanten Themen.

Das Handbuch enthält aber nicht nur praktische Handlungsempfehlungen, sondern setzt sich auch mit der Diskussion zwischen Juristen und Sachverständigen, also mit dem interdisziplinären Grenzbereich von Recht und Technik, auseinander. Sachverständige sollen brauchbare Gutachten ausarbeiten. Dazu ist der „Blick über den Tellerrand" erforderlich, ohne in Gutachten die Grenze von Technik zu Recht zu überschreiten. Regelmäßig wird diese Grenze aber nicht richtig eingeschätzt: Sachverständige urteilen nicht selten nach Maßstäben von Rechtsverpflichtungen. Andererseits glauben Juristen hin und wieder, Technikern z.B. vorgeben zu können, was Sachverständige technisch für richtig zu halten haben. Das zeigt ein grundlegendes und tiefes Missverständnis, das auf einem Kommunikationsproblem zwischen Technik und Recht beruht. Man könnte das mit zwei Personen vergleichen, die sich auf Französisch und Italienisch unterhalten möchten. Beide Sprachen haben den gleichen Ursprung, dennoch verstehen sich die beiden nicht.

Für die Brauchbarkeit ihrer Gutachten müssen Sachverständige wissen, was Juristen zur abschließenden rechtlichen Beurteilung benötigen. Gutachten sollen „den Ball im Abstand von 5 m vor das Tor legen und dazu noch den Tormann in die Pause schicken – den Ball ins Tor kicken, müssen letztlich aber Juristen"! Das heißt: Sachverständige bereiten mit ihren Gutachten juristische Entscheidungen vor, sie fällen diese aber nicht. Dazu gibt das Handbuch Einblicke in die jeweiligen Sichtweisen von Juristen und Sachverständigen zu Regelwerken, die für Sachverständige keine rechtliche Bindung entfalten, deren Rechtsbedeutung aber von der sachverständigen Bewertung abhängt.

Mit seinen zahlreichen Praxishinweisen, Mustertexten und Checklisten ist das Handbuch ein unverzichtbares Hilfsmittel für die tägliche Arbeit von Bausachverständigen. Der Buchmarkt bietet zwar viele Einzelwerke zu ähnlichen Themen an, aber keine vergleichbar umfassende und praxisorientierte Erfassung der notwendigen Hilfsmittel, die Bausachverständige bei ihrer Arbeit brauchen.

Herr Dipl.-Ing. *Michael Staudt*, der dieses Handbuch als Herausgeber begründet und bis zuletzt aktiv mitgeprägt hat, ist als Mitherausgeber ausgeschieden. Wir danken Herrn *Staudt* sehr für sein Engagement, ohne das dieses Handbuch nicht zu dem geworden wäre, was es heute ist.

Trotz aller Bemühungen ist uns bewusst, dass auch dieses Handbuch nicht perfekt sein kann. Für weiterführende Anregungen, Hinweise und Kritik sind wir Ihnen, liebe Leser, daher schon jetzt dankbar.

Wir haben uns dazu entschieden, in diesem Buch weitgehend nur die männliche Bezeichnung betroffener Personenkreise zu nennen. Das dient der Vereinfachung sowie besseren Lesbarkeit und soll kein Geschlecht ausschließen.

Abschließend möchten sich die Herausgeber bei allen Autoren, dem Verlag und der Lektorin Frau *Bettina Borchfeldt* für deren intensive und hilfreiche Mitarbeit bedanken.

Es bleibt der Wunsch, in weiteren Auflagen das Handbuch nicht nur zu aktualisieren, sondern auch weitere Themen aufzunehmen, die in einigen Jahren Bausachverständige beschäftigen oder gar „plagen" werden.

Neustadt an der Weinstraße,
im März 2024

Prof. Matthias Zöller
Dipl.-Ing. Architekt

Wenden,
im März 2024

Dr. iur. Mark Seibel
Vizepräsident des Landgerichts Siegen

Inhalt

Teil 2: Tätigkeit für Gerichte

Teil 3: Rechtliche Einordnung

Teil 4: Ausgewählte Beispiele der Bautechnik

Teil 1:

Sachverständigengutachten

1.1 Aufgabenstellungen an Sachverständige: Beweismittel, Aufklärung und Berater für Gerichte sowie im privaten Auftrag

Ingo Kern

Übersicht

Bis hin zur Neuzeit war überwiegend Gott für die Wahrheit zuständig, die sich auf Erden niemals ganz enthüllte und vom Menschen nur aufgrund von Gnade und Erleuchtung erahnt werden konnte. Das vertragliche Miteinander war nicht selten die Folge einer Kette von Hoffnung, gewöhnlichen Fehlern und Irrtümern. Auf der Grundlage der Hinwendung zur Rationalität kam der Mensch jedoch zur Ansicht, es gehe um die wirkliche, dem Beweis und der zwischen rational denkenden Menschen kommunikativ vermittelbaren Wahrheit. Im Zentrum des Erlangens und Vermittelns dieser (technischen) Wahrheit steht heute der Sachverständige.

Wenn neun das eine bekunden und der Sachverständige das andere, kann das Gericht gleichwohl dem einen glauben, wenn es dafür rationale, mittelbare und nachvollziehbare Gründe hat und der Sachverständige das volle Vertrauen genießt. Die Qualität des Bauprozesses hängt daher fundamental davon ab, wie gut die Gerichte (Auftraggeber) und die von ihnen beauftragten Sachverständigen kommunizieren und zusammenarbeiten.

Ein Sachverständiger hat den Interessen der Objektivität zu dienen. Der Kern des Begriffs erschließt sich leicht, aber die Grenzen sind wie immer schwierig. Das führt dazu, dass man sich, wenn man Verantwortung trägt, über den Sinn und Zweck und die Einbettung eines solchen Begriffs in Hinblick auf die Methoden der Beweismittelgewinnung unbedingt vertiefte Gedanken machen muss. Es gibt mehrere Beweismittel: Zeugen, Urkunden, Sachverständigengutachten, Augenschein. Ein Richter darf daher nicht, wie im Fernsehen, abends noch mal schnell den Tatort besichtigen oder ein paar alte Kumpels anrufen und sie am Telefon befragen. Er muss sich voll auf seine „Gutachter" verlassen können. Daraus ergeben sich hohe Anforderungen, insbesondere an die gerichtlich tätigen Gutachter, denen nicht nur bautechnischer Sachverstand, sondern auch Grundkenntnisse des materiellen Rechts und des Prozessrechts abverlangt werden, wie Redekunst und Körpersprache. Zwischen einem Baurechtler und einem Bauingenieur klafft ein mentaler Abgrund, der sich nach dem Ende des Universalgelehrtentums schwer überbrücken lässt. Juristen denken pyramidenförmig von oben nach unten. Sie sind stets auf der Suche nach einem begrifflichen System, das sich als einigermaßen schlichte Hierarchie von Tatsachenbeschreibungen und Normebenen verstehen lässt. Es ist Juristen egal, wie ein Auto heißt und welche Vorzüge es hat, solange es ausreicht zu wissen, dass es eine bewegliche Sache ist. Das klingt einfach, ist aber schwierig und das Vertrackte ist, dass das Verhältnis von Konkretheit und Abstraktion abweichend vom alltäglich Gewohnten verstanden werden muss.[1] Anders gesagt: Erfolgreiche Kommunikation ist die Mutter der Wahrheit. Das ergibt sich übrigens schon aus der Genesis, in der am Anfang der Wahrheit nicht das Atom, sondern das Wort war. Das alles, technischen Sachverstand, juristisches Grundwissen und erfolgreiche Kommunikation zusammenzuführen und zweckentsprechend für die Bearbeitung eines konkreten Falles einzusetzen, ist für alle Beteiligten eine anspruchsvolle Aufgabe an der Schnittstelle zwischen Recht, Technik und der Kunst der Rede.[2]

1.1.1 Beweismittel

Der gerichtliche Sachverständige wird formal als Hilfsperson des Gerichtes tätig, um dessen nicht vorhandenes Fachwissen aufzufüllen. Es gibt im Bauprozess jedoch keine „Beweisregeln“: Kein Beweisergebnis hat eine allein formal bestimmte Beweiskraft. Der Inhalt einer Zeugenaussage, die Auslegung eines Bauvertrags, die Baubeschreibung, die Feststellung eines Sachverständigen: All das sind „Indizien“, und sie alle müssen als Inbegriff der Hauptverhandlung gewertet werden – nicht isoliert, formal, mathematisch, quantitativ, sondern zusammenfassend, verstehend, wertend. Das ist eine schwierige Aufgabe. Wenn man damit vor dem Fernsehkrimi scheitert, ist das zu verschmerzen. Wenn jemand für Fehler eines Sachverständigen („Ich war mir irgendwie sicher, dass es so ist“) in die Insolvenz geht oder ein Berufsleben zerstört wird, ist das kein Spaß, auch für die Richter nicht.[3] Bei einem Neubaumangel hat es derjenige am leichtesten, der aus der Ferne sagt, das ist einmal wieder typisch für die moderne Architektur. Wer herausbekommen muss, welche Fehler, Zufälle und Verantwortlichkeiten wann und wie zusammenwirkten, um das Drama zu verursachen, hat es da schwerer. Und im Gegensatz zum Fernsehkrimi kommt es im Leben ziemlich häufig vor, dass man bei aller Anstrengung und gutem Willen sagen muss, dass man etwas nicht weiß und auch nicht herauskriegen kann. Auch ein „ich weiß es nicht“ ist eine Hundertprozentaussage. Man muss sich nur trauen. Aber dazu muss man stets einen Schritt zurücktreten und sagen: Ich mache das, weil ich zuständig bin, weil mir die Aufgabe „anvertraut“ ist, und nicht irgendwem.

Bei Zivilprozessen in Bausachen ist der Sachvortrag der Parteien häufig kompliziert, detailreich und kontrovers. Manche Beweisbeschlüsse sind unklar und teilweise widersprüchlich. Vielfach ist die Beweislage aufgrund sich widersprechender Zeugenangaben und schlecht dokumentierter früherer Bauzustände schwierig. Bauprozesse zeichnen sich durch viele Mängelrügen und Mängelarten aus. Komplexe technische Sachverhalte und Abgren-

1 *Fischer,* Welterklärer, Problemerfinder, Bedenkenträger, in: Spiegel Panorama, 22.1.2021.
2 *Leupertz/Hettler,* Der Bausachverständige vor Gericht – Praxisleitfaden, S. 5.
3 S. dazu *Fischer,* Nicht jeder wird gefragt. Aus Gründen, in: Spiegel Panorama, 29.1.2021.

zungsfragen bezüglich Ursächlichkeit und Mitverantwortlichkeit machen sie zeitaufwendig und schwerfällig. Muss man Sätze dreimal lesen, weil sie verschachtelter sind als der raffinierteste Krimiplot, dann sind sie vortrefflich zum Konservieren von vom Aussterben bedrohter Begriffe geeignet. Definitionskonglomerate, Imponderabilien, Floskelkoffer oder Tuttifrutti – der Vortrag wird sowieso „vollumfänglich bestritten".

Das Gelingen einer Beweisaufnahme mit Sachverständigen hängt häufig entscheidend von einer kooperativen Zusammenarbeit zwischen Gericht und Sachverständigen ab. Aufgabe des Richters ist es, den aufklärungsbedürftigen Tatsachenkern des Streitstoffes herauszuarbeiten und hieraus diejenigen Fragen zu generieren, zu deren Beantwortung die Fachkenntnisse des Sachverständigen benötigt werden. Ein klärendes Telefongespräch mit dem Richter kann (auch vor der Beschlussfassung) zu einer besseren Aufgabenstellung führen. Vor diesem Hintergrund erlangt die in § 404a ZPO niedergelegte Leitungs- und Weisungsbefugnis des Gerichts besondere Bedeutung, die allerdings nicht nur Befugnis, sondern auch Verpflichtung ist. Erforderlichenfalls muss das Gericht dem Sachverständigen durch Anweisungen verdeutlichen, worauf genau der Gutachtenauftrag abzielt und welche Tatsachen für die Begutachtung zugrunde zu legen sind – § 404a Abs. 2, 3 ZPO. Abgesehen davon, dass die Gerichte dieser Pflicht sehr oft nicht nachkommen, bahnen sich solche brennenden Fragen in der Praxis oft erst während des Ortstermins an. Dann muss der Sachverständige selbst entscheiden (können), was zu tun ist.

Er überschreitet jedoch dann seine Befugnisse und begeht einen schweren Fehler, wenn er seine Kompetenzverteilung missachtet und die Begutachtung auf ungeeigneten oder ungeklärten Rechts- oder Tatsachengrundlagen fortsetzt. Eine zielführende Kooperation zwischen Gericht und Sachverständigen setzt deswegen Kommunikation voraus, die aber nur dann Früchte trägt, wenn der Sachverständige sich in die Grundprinzipien richterlicher Arbeitstechnik hineinzuversetzen in der Lage ist und er seinerseits über elementare Grundlagen des Prozessrechts und des materiellen (Bau-)Rechts verfügt.

Der Gutachter ist das Auge des Gerichts, das zweite Gesicht. Er ermöglicht dem Richter den Blick hinter die Kulisse. Sein Gutachten entscheidet fast immer über den Ausgang des Prozesses. Eine 1982 veröffentlichte Untersuchung hat offenbart, dass Richter in 95 % der Fälle den von ihnen ausgesuchten gerichtlichen Sachverständigen folgen[4]. Nach wie vor gilt deshalb der schon 1993 zitierte Satz des damaligen BGH-Senatsmitglieds Quack: „Verlorene Gutachten sind verlorene Prozesse"[5]. Der Sachverständige ist und bleibt nun einmal die „Schlüsselfigur" des Prozesses[6]. Ein Gericht ist nur befugt, einen angebotenen Sachverständigenbeweis nicht zu erheben, wenn es für die Streitfrage über eine hinreichende eigene Sachkunde verfügt, was in aller Regel nicht der Fall sein wird.

In ihrer Eigenschaft als Organe der Rechtspflege schalten Juristen gelegentlich in den Kanzleimodus und werfen den Schachtelsatzgenerator an. Sie sind da, wo sie agieren, in fast jeder Hinsicht zu Hause: Ort, Anlass, Programm und Kommunikationsform entsprechen ihrer professionellen Routine; sie fürchten sich jedenfalls nicht an der Oberfläche dieser Vertrautheit. Da darf der Unterfertigte hiermit den Eingang des oben bezeichneten Schreibens

4 *Ulrich*, in: Pieper/Breunung/Stahlmann, Sachverständige im Zivilprozess – Theorie und Dogmatik des Sachverständigenbeweises, 1982, S. 5.

5 *Quack*, BauR 1993, S. 161.

6 *Werner/Pastor*, Der Bauprozess, Rn. 3106.

in gegenständlicher Angelegenheit in unserer Kanzlei bestätigen und die Glaubhaftmachung des vollen Beweises anempfehlen. Außerdem wäre das Vorgehen kausal für die Verauslagung der Kosten und, insoweit nicht unangemessen, von einem zusätzlichen, zeitnah zu realisierenden Sicherungsbedarf auszugehen. Dann noch ein paar Scheinzusammenhänge und potenzielle Kausalitäten in einer Suppe von Begriffen aufkochen und das Bauchgefühl des Publikums weiß, wohin die Reise geht. So werden Wichtel zu Riesen und Banalitäten zum Blickfang. Das Gegenstück zu diesem Bekenntnis ist der alte, auch vom Apostel Paulus überlieferte Satz „Der Buchstabe tötet, der Geist macht lebendig".[7]

In selber Eigenart bedienen sich aber auch Sachverständige einer eigenen Sprache beim Beschreiben technischer Sachverhalte: „Der Einbau von Zahnleisten und Windbrettern darf als äußerer Abschluss von Ortgangkanten den Mindestbelüftungsquerschnitt nicht einengen, wobei hier Traufenfußstücke mit flachen Wellenbergen vorzuziehen sind." Mit Zahnleiste meint der Sachverständige mitnichten eventuelle Strukturkomponenten der primären Mundhöhle. Fachausdrücke können, wenn dies nicht bemerkt wird, zu folgenreichen Missverständnissen führen. So ist eine „Fehlschalung" nicht eine falsche Schalung, wie etwa ein Fehlurteil ein falsches Urteil ist, sondern eine Maßnahme zur Überbrückung eines Zwischenraums zwischen zwei Schaltafeln, die beim Betonieren einer Geschossdecke verwendet werden und eine Fehlstelle auf der Unterseite des Betons hinterlassen, die anschließend überspachtelt oder in anderer Weise geschlossen werden muss.[8] Schlechte Umfragewerte liegen nur an einer mangelhaften Kommunikation an sich guter Inhalte.

Der Floskelkoffer ist das Pendant zur Fehlschalung. Stilblüten in geschwollenem Papierdeutsch und aufgeblähte Wörter erschweren das Verständnis auf allen Seiten. Ein guter Autor aber kombiniert sachliche Korrektheit mit sprachlicher Treffsicherheit und Einfachheit. Ein Weg, sich einfacher und zugleich kürzer auszudrücken, ist das Gesundschrumpfen oder das Ersetzen durch modernere oder schlichte Wörter. Warum schreiben Gutachter in der passiven Leidensform? Sachverständige sprechen gern vom „Unterzeichnenden" und pflegen im Gutachten durchweg die Passivform in der dritten Person. Die Bücher über den gallischen Krieg sind genauso aufgebaut.[9] Julius Caesar beschrieb seine Handlungen auch in der dritten Person, um den Anschein von Objektivität und Bescheidenheit zu erwecken. Für die Ich-Form spricht aber, dass das Gutachten meine persönliche Beurteilung und Bewertung darstellt. Das banalste und wichtigste Argument: Wer verständlich redet und schreibt, wird besser verstanden. „Ich habe festgestellt, dass… ." Wer gut verstanden wird, bleibt in Erinnerung. Das Verstandenwerden bleibt die Messlatte für die Schärfe der wichtigsten Waffe: Der Sprache.[10] Sprache bedeutet mehr als eine Krücke für Lebewesen, die der Kommunikation durch Telepathie nicht mächtig sind. Dass Menschen ungern Kompliziertes lesen und es schwer verstehen, ist nicht neu. Schon der deutsche Dichter Gotthold Ephraim Lessing[11] reimte im 18. Jahrhundert: „Wer wird nicht ein Klopstock loben? Doch wird ihn jeder lesen? – Nein."

---

7 2. Brief des (Apostel) Paulus an die Korinther, Kap. 3 Vers 6.

8 *Bayerlein*, Praxishandbuch Sachverständigenrecht, 6. Aufl. 2021, S. 476.

9 Commentarii de Bello Gallico ist ein Bericht des römischen Feldherrn Gaius Iulius Caesar über den Gallischen Krieg (58 bis 51/50 v. Chr.).

10 *Engelken*, Klartext für Anwälte – Verständliche Kommunikation in Wort und Schrift, 2010, S. 23.

11 Gotthold Ephraim Lessing, * 22.01.1729, † 15.02.1781.

1.1.2 Kommunikation

Die Kunst, als „lebendes Beweismittel" Sachverhalte dem Gericht und den Parteien gegenüber verständlich zu kommunizieren, ist die Königsdisziplin. Kommunikation findet immer auf zwei Ebenen statt, auf der Beziehungsebene und auf der Sachebene (das sog. Eisberg-Modell).

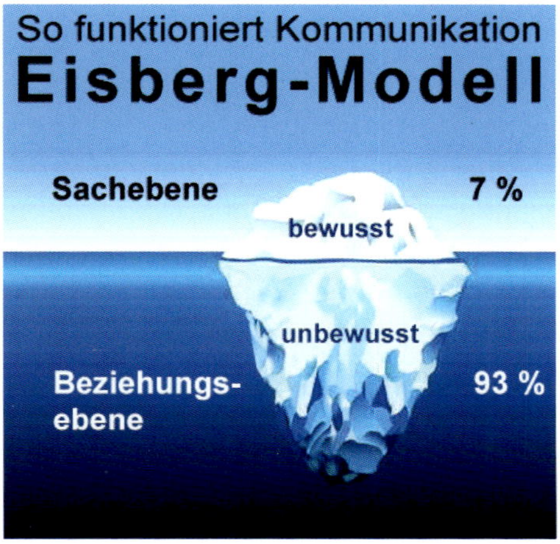

Abbildung 1: Eisberg-Modell; Quelle: Ingo Kern

Jede noch so sachliche Gesprächsführung wird immer von einer Beziehungsebene begleitet. Das Ohr unserer Mitmenschen wird über Gefühle erreicht, wobei wissenschaftliche Untersuchungen belegen, dass man Menschen, die man sympathisch findet, als kompetenter einschätzt.[12] Ohne eine funktionierende Beziehungsebene findet keine Kommunikation statt. Grundsätzlich werden mit Worten nur sachliche Umstände vermittelt. Die Überzeugung des Zuhörers wird nur zu 7 % durch Inhalte erreicht. Die ausschlaggebende Übermittlungs- und Überzeugungskraft erreichen Sie mit einem Löwenanteil von 93 % durch Ihre Stimme und Körpersprache.[13] Menschen entscheiden sich immer für oder gegen Sympathie. Neutral geht nicht.

Vertrauen ist ein Geschenk, das man vor allem Menschen schenkt, die einem nah, natürlich, warm und zugewandt erscheinen. Ohne Vertrauen keine Marke – und ohne eine gute Gutachtensubstanz kein Vertrauen. Sympathie schenkt man Menschen, mit denen man sich identifizieren kann, d.h., mit denen man Ähnlichkeiten empfindet. Wer Vertrauen genießt, wird überzeugen. Bereits Aristoteles[14] entdeckte das „rhetorische Dreieck" (Redner – Zuhörer – Sache). Er war der festen Überzeugung, dass Redner sich zunächst auf die Stimmung der Zuhörer einstellen sollten. Es mag überraschend klingen, dass so etwas wie Stimmung von Aristoteles als Überzeugungsmittel angesehen wurde. Die Überraschung

12 Baster Speck Mastertrain, Seminar Verhalten vor Gericht – Rhetorik für Sachverständige, Institut für Sachverständigenwesen e.V.

13 36. Sachverständigen-Forum 2015 der IHK Heilbronn-Franken, Baster Speck Mastertrain – Rhetorik für Sachverständige; Gordon-Studie; *Gordon*, Familienkonferenz.

14 * 384 v. Chr. in Stageira; † 322 v. Chr. in Chalkis.

schwindet aber, wenn fassbar wird, dass zum Aufnehmen der Argumente nicht nur klarer und kühler Verstand erforderlich ist, sondern dass es dazu auch einer gewissen Gemütslage bedarf. Aristoteles erklärte, dass ein und derselbe Mensch anders urteilt, wenn er liebt oder wenn er hasst. Haben die Argumente des Redners, wie gut sie auch begründet waren, doch nicht vollständig überzeugen können, bleiben Zweifel zurück. Nehmen wir nun an, dieser Hörer sei in einer optimistischen Stimmungslage, so ist es sehr gut möglich, dass er dem Redner zugeneigt ist und ihm seinen Beifall schenkt. Ist er aber missmutig gestimmt, wird er dem Zweifel nachgeben und seinen Beifall vorenthalten.

Dieses Schema ist von solcher Allgemeinheit, dass es sowohl auf die Gerichtsrede als auch auf eine politische Rede vor dem Volk zutrifft. In jedem Fall haben wir es zu tun mit dem Redner, einem Thema, über das er redet und dem Hörer. Der direkte Weg entspricht der Beziehungsebene, also der großen, unbewussten Ebene im Eisberg-Modell. Der indirekte Weg führt über das Thema, den weniger erfolgreichen Weg, quasi die Spitze des Eisbergs. Es liegt also auf der Hand, dass man mit Argumenten, die nur der Sache dienen, kaum punkten wird. Nur auf dem direkten Weg werden Sie Ihren Zuhörer dazu bringen, Ihrer Rede zu folgen. Vertrauenswürdige und vertrauenstiftende Charaktereigenschaften müssen aus Ihrer Rede hervorleuchten. Wir erreichen das Ohr unserer Zuhörer auf direktem Weg über Gefühle.

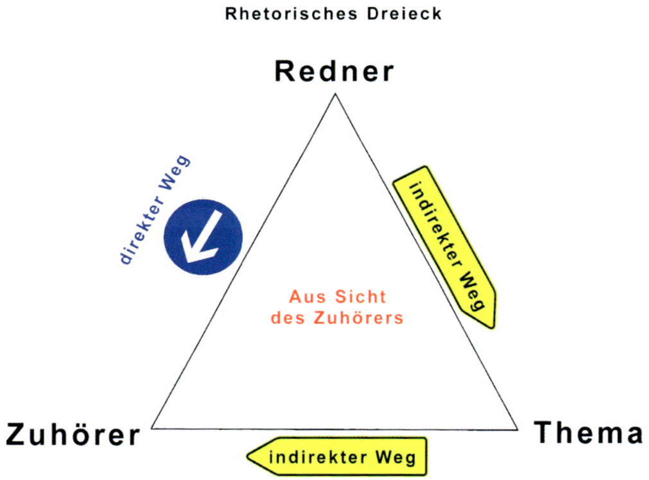

Abbildung 2: Rhetorisches Dreieck; Quelle: Ingo Kern

Lieschen Müller wird ihren Nachbarn vermutlich nicht nach einem Spezialisten fragen, der über wissenschaftliche Abhandlungen zur Erlangung der Doktorwürde doziert. Sie wird ihn fragen: „Weißt Du einen Gutachter, der das gut erklären kann?" Es hilft dem Gutachter nicht, nur fachlich gut zu sein. Ist er persönlich nicht überzeugend, wird er keine Akzeptanz erfahren. Das gilt für den Richter gleichermaßen. Nur wenn der Vorsitzende überzeugend argumentieren kann, wird er die Parteien vergleichen können.

„Wie kann ich andere dazu bringen, mir zu helfen, das zu bekommen, was ich will?" Die rhetorische Herausforderung in dieser Situation liegt darin, Ausdrucksmöglichkeiten zu finden, die Verständnisbrücken schaffen. Das menschliche Gehirn ist in zwei Hälften geteilt. Diese haben für unser Denken unterschiedliche Funktionen: Die linke Gehirnhälfte ist für das rational-abstrakte Denken zuständig. Sie arbeitet analytisch, während die rechte Hemisphäre Dinge und Zusammenhänge ganzheitlich erfasst. Sie arbeitet bildhaft, symbolhaft, assoziativ. Mit rational-logisch-analytischen Argumenten sprechen Sie nur die linke Gehirnhälfte Ihrer Zuhörer an. Sie erreichen sie also nur halb. Um auch deren rechte, emotionale Seite zu fesseln, helfen Bilder. Die erste Form von Visualisierung besteht dann aus einer lebendigen Gestik und Körpersprache. Eine bedeutungssynchrone, engagierte und zugewandte Körpersprache kann dabei ein erhebliches Maß an Klarheit, Nachdruck, Eindruck und Glaubwürdigkeit erzeugen. Sie können Rhetorik zum fachlichen Polarisieren oder zum gewinnenden Überzeugen einsetzen, Sie können sich mit Ihren Worten Gegner schaffen oder Verbündete.

1.1.3 Anhörung

Auch wenn das Gericht keine Fragen an den Sachverständigen hat, können die Prozessparteien die Anhörung des Sachverständigen verlangen. Die Parteien sind dabei nicht verpflichtet, den Gutachter vorab über die Fragen in Kenntnis zu setzen. Häufig werden Fragen aus prozesstaktischen Überlegungen bewusst zurückgehalten. Man hofft auf einen „Überraschungseffekt" (zu welchem Zweck auch immer). Im Anhörungstermin braucht der Sachverständige nicht etwa sein schriftliches Gutachten erneut vorzutragen. Fragen, die Unverständnis offenbaren und dem Sachverständigen vielleicht verwunderlich erscheinen mögen, dürfen grundsätzlich gestellt werden. Die wichtigen Grenzen zwischen zulässigen und unzulässigen Fragen verlaufen anders, denn zulässig sind alle Fragen, die ihrem Gegenstand nach entscheidungserhebliche Punkte betreffen und der Form nach nicht zu beanstanden sind. Unzulässig dagegen sind Fragen, die über den Gutachtenauftrag hinausgehen, das Beweisthema nicht betreffen oder in keinerlei Zusammenhang stehen, wie Wiederholungsfragen, Rechtsfragen, Suggestivfragen[15] oder Fangfragen[16]. Durch den Richter sind solche Fragen nicht immer sofort zu unterbinden. Er ist in einer ähnlichen Lage wie ein Fußballschiedsrichter, der jedes Spiel zerstört, wenn er zu kleinlich pfeift, andererseits aber durch zu große Zurückhaltung dazu beitragen kann, dass das Spiel zu ruppig wird und ihm zusehends entgleitet.[17]

Außer unzulässigen Fragen gibt es insbesondere solche von Anwälten, die zwar zulässig sind, aber vom Sachverständigen als unangenehm oder unangebracht empfunden werden. Sie werden in einem befremdlichen Ton gestellt, sind herablassend, herausfordernd, ungeduldig, vorwurfsvoll. Manche Sachverständige fühlen sich in solchen Situationen vom Gericht im Stich gelassen. Begehen Sie nicht den Fehler, sich in eine Art verbalen Nahkampf zu begeben. Halten Sie den Blickkontakt mit dem Vorsitzenden aufrecht. Ein fragender Blick oder ein Zögern wird dem Richter vermitteln, dass die Zumutbarkeitsgrenze überschritten wurde. Der Richter wird dann den Fragenden ersuchen, sachlicher zu sein und

15 Fragen, die dem Befragten die Antwort mehr oder minder in den Mund legen.
16 Fragen, in denen etwas vorausgesetzt wird, was erst noch zu beweisen ist.
17 *Bayerlein*, Praxishandbuch Sachverständigenrecht, 6. Aufl. 2021, S. 430.

den unangebrachten Ton zu unterlassen. Versucht der Anwalt Sie in der Anhörung mit einer endlosen Schachtelfrage zu verunsichern, dann wenden Sie Ihren Blick zum Richter: „Herr Vorsitzender, ich habe das nicht verstanden. Können Sie mir die Frage erklären?" Sind Vorhaltungen verletzend und der Richter greift nicht ein, bitten Sie den Vorsitzenden, diese Attacken wörtlich ins Protokoll aufzunehmen. Strafbare Handlungen, die in der Sitzung begangen werden, hat das Gericht nach § 183 GVG (Gerichtsverfassungsgesetz) im Protokoll festzuhalten, wenn der strafantragsberechtigte Verletzte darum bittet. Die Aufzeichnung wirkt erfahrungsgemäß mäßigend und warnend.

1.1.4 Redekunst

Eleganter als das Gerichtsverfassungsgesetz sind rhetorische Techniken und Stilmittel. Nicht Angriffe sind das Schlimmste, was Ihnen passieren kann, gefährlicher ist die Angst davor. Wenn Sie Unsicherheit zeigen, werden Sie gejagt; wenn Sie schwanken, werden Sie gestürzt. Insofern besteht die erste Empfehlung zur Selbstbehauptung darin, sich persönlich und inhaltlich gut vorzubereiten. Es gibt eine große Bandbreite erprobter Techniken, um auf Einwände, Provokationen und Fangfragen, die Ihnen in den Weg gestellt werden, professionell und zielorientiert zu reagieren. Dabei hilft es, wenn Sie den Einwender grundsätzlich ausreden lassen, dabei ruhig stehen bleiben und einen festen Blick bewahren. Jeder scheiternde Redeversuch eines Sprechers bedeutet einen Minuspunkt für ihn. Die schärfste Waffe ist immer eine Gegenfrage (AF-Technik: Anerkennen – Fragen): „Ich kann verstehen, dass Sie viel von mir erwarten. Worauf wollen Sie hinaus?" „Ich sehe keinen technischen Zusammenhang in der Frage. Auf welchen Punkt beziehen Sie sich?" Wer fragt, der führt. Wer fragt, erhält Informationen. Wer fragt, gewinnt Zeit. Unangemessen wäre es auf jeden Fall, sich wie ein Schüler, der bei einer Wissenslücke ertappt wurde, zu verhalten. Jede Formulierung wie ein „Nein … falsch … aber" weckt neuen Widerstand. Menschen wollen kein „Nein." Worthülsen „ich sag´ mal … also ganz ehrlich … eigentlich" wirken als Schwachmacher. Die Alternative liegt in Formulierungen wie etwa: „Ja, das ist eine Möglichkeit, was halten Sie davon, wenn…?" Ihr freundliches und anerkennendes Auftreten nimmt den Druck, bevor Sie mit einer Frage antworten. Doch Vorsicht beim Zuspruch: Unterscheiden Sie im Einzelfall, ob eine faktische Zustimmung „Ja, Sie haben vollkommen recht… (ich bin für die Klärung der Frage hier)" oder nur eine soziale Anerkennung besser ist: „Ich kann Ihrer Argumentation grundsätzlich folgen… (darf ich Ihnen erklären, was ich mir dabei gedacht habe?)".

Lassen Sie sich nicht auf Diskussionen ein. „Das, worum es hier geht und worauf es mir ankommt, ist…". Und dann können Sie eine kurze Zusammenfassung bringen und an dem Punkt weitermachen, an dem Sie gerade sind. Falls Sie jemand auf beleidigende Art angreifen sollte, können Sie das im ersten Zug in seiner Wirkung entschärfen, wenn Sie den Angreifenden bitten, seine Aussage zu wiederholen. Anschließend können Sie Ihre Souveränität demonstrieren, indem Sie noch einmal in aller Ausdrücklichkeit und in einer überspitzen Formulierung nachsagen, was er vorgeworfen hat: „Meine Damen und Herren, Sie haben es gehört: Herr Müller hat gesagt, ich sei ein Nichtskönner. Nun bin ich froh zu wissen, was er von mir hält, und komme zu meinem nächsten Punkt." Sollte Ihr Zuhörer Ihnen vorwerfen, Sie hätten anscheinend keine Ahnung, können Sie entgegnen: „Sie verwenden bereits zweimal den Begriff ‚anscheinend'. Was wollen Sie damit vermitteln?" Sind Sie nach einem Angriff zunächst ratlos, kann Ihnen auch helfen, einfach den Nachbarn des Angreifers zu fragen, wie er zu dem Vorwurf steht. Im Diskussionsverlauf können Sie weitere Personen durch Fragen aktivieren und als Moderator abwechselnd das Wort erteilen, ohne selbst Stellung zu beziehen. Wenn die Diskussion ausufert, brechen Sie ab und stellen fest, dass es offensichtlich unterschiedliche Auffassungen gibt, und fahren mit dem nächsten Punkt fort.

Zuhörer können nur im Kopf nach Hause tragen, was Sie im Kopf behalten können. Das Gutachten muss fachlich und persönlich überzeugend sein. Dieses muss sich in Ihrem Produkt, dem Gutachten und Ihrem Verhalten gegenüber den Beteiligten widerspiegeln. Dazu gehören der Aufbau und die Formulierung, also nicht nur der fachliche Inhalt, sondern auch die Präsentation. Ist es unlogisch aufgebaut, unglaubwürdig oder nicht nachvollziehbar, wird es für den Richter erforderlich werden, im Gewirr von „Kraut und Rüben" durch hartnäckiges und ungeniertes Fragen bis zum Verstehen jedes Fachausdrucks Fehlverständnisse zu vermeiden. Im Besonderen sollten Sachverständige auch anerkennen, dass es seitens der Justiz Berufsanfänger(innen) gibt, deren technisches Verständnis hinter dem eines lang gedienten Richters zurückbleiben kann. Der „Jetzt-hab-ich´s-verstanden-Effekt" macht jeden glücklich.

1.1.5 Gutachten und Beweisbeschluss

Im Folgenden sollen keine Empfehlungen für den Gutachtenaufbau, zur Schriftgröße oder zu Zeilenabständen aufgezählt werden, wobei die namentliche Benennung des Richters auf dem Deckblatt bei der Zuordnung von Ergänzungsgutachten hilfreich sein kann. Eine Verwertbarkeit hängt von der Kenntlichmachung von Grundlagen und Unklarheiten ab. Welche Informationen hatte der Gutachter, was wurde ihm erzählt? Ist beim Parteivortrag unklar, welche Voraussetzungen der Gutachter hatte, wird das Privatgutachten wertlos. Sind Unklarheiten nicht beseitigt, müssen diese erkennbar sein: „Ich treffe folgende Annahme…". Die Fluktuation bei der Justiz macht es einem richterlichen Nachfolger sonst unmöglich, solche Divergenzen genau zu fassen.

Beweisbeschlüsse können Interpretationsobjekte sein. Jede Interpretation ist Verstehen, Sinnermittlung. Banale Angaben, wie die streitgegenständliche Adresse, fehlen oft. Nebulöse Verweise zu Aktenblättern, die wiederum Querverweise enthalten, erschweren das Verständnis. Der erforderliche Umfang von Feststellungen ist fallweise derart weit gefasst, dass kein klares Erscheinungsbild konkretisiert wird und der Sachverständige sich die Anknüpfungstatsachen erst noch mühsam zusammentragen muss. Enthält ein Beweisbeschluss bereits eindeutige und präzise Formulierungen, sollten sie im Gutachten zitiert werden. Eine gute sachverständige Expertise trennt in „Feststellungen" und „Bewertungen". Das hat pragmatische Gründe, denn der Richter differenziert auch zwischen „Tatbestand" und „Entscheidungsgrundlage". Ein ähnlich aufgebautes Gutachten unterstützt also die richterliche Arbeitsweise. Technische Zusammenhänge können mit Fotos veranschaulicht werden. Aber das Bild stirbt für sich allein, wenn der Kontext fehlt. „Hier sehen Sie den Riss (roter Pfeil)." Auf Quellenangaben sollte im Gutachten ebenso wenig verzichtet werden wie auf ein Rechtschreibprogramm. Vorsicht ist geboten bei scheinbaren Lappalien.

Das Hilfsverb „müssen" sollte ausschließlich bei unausweichlichen bautechnischen Notwendigkeiten gebraucht werden. Die DIN 820[18] gibt Entscheidungshilfen für die Verwendung modaler Hilfsverben. Gebraucht der Gutachter „muss", lässt die unbedingte Forderung keinen Spielraum mehr für Alternativen.

Dass irgendwelche Menschen, Prozessvertreter, Bauherren, Nachbarn, Kläger und Beklagte meinen oder behaupten, sie selbst hätten das anders bewertet, ist möglich, aber ohne Belang. Es gibt Tausende, die immerzu behaupten, sie hätten irgendetwas Bedeutendes anders gewertet, gedacht oder vorhergesagt, wenn man sie gefragt und gelassen hätte. Hat man aber nicht, und zwar aus Gründen. Die Gerichte müssen im Einzelfall, so gut sie können, das Gewicht und die Bedeutung der einzelnen Beweisergebnisse (des Sachverständigen) werten und zu einem Gesamtergebnis kommen. Entscheiden setzt Gewissheit voraus. Der Weg dorthin ist im Bauprozess in erster Linie der objektive und neutrale Sachverständigenbeweis. Das ist die individuelle Verantwortung jedes Sachverständigen und jedes Richters, die ihnen niemand abnehmen kann: Sich selbst darüber klar zu werden, ob er oder sie „überzeugt" ist: „Absolut sicher", nicht „fast" und auch nicht „ziemlich". Dass andere anderer Ansicht sind, ist kein Argument dafür oder dagegen; es ist normal. Aber wir Sachverständige können mit einem nachvollziehbaren, transparenten und überzeugenden Gutachten einen wichtigen Baustein zu dieser Entscheidungsfindung von Auftraggebern und Gerichten beitragen.

Die Sachverständigentätigkeit hat erhebliche Bedeutung nicht nur bei der gerichtlichen Klärung der Tatsachengrundlage, sondern auch bei der Auskunfts-, Beratungs-, Prüf- und Überwachungstätigkeit. Die zunehmende Kompliziertheit technischer und wirtschaftlicher Sachverhalte, die daraus resultierende Unsicherheit bei der Beurteilung und nicht zuletzt die Notwendigkeit und das Bedürfnis, Entscheidungen abzusichern sowie Verantwortung zu delegieren, haben die Nachfrage nach Sachverständigenleistungen in den letzten Jahrzehnten stark ansteigen lassen. Etwa ein Drittel der von den Industrie- und Handelskammern öffentlich bestellten Sachverständigen übt heute die Sachverständigentätigkeit hauptberuflich aus. Der fachliche Inhalt der privaten Sachverständigentätigkeit ist prinzipiell deckungsgleich mit der gerichtlichen Tätigkeit und umfasst die klassische Einteilung:

- Auskunft geben aus seinem Wissensgebiet,
- Tatsachen aufgrund des besonderen Wissens feststellen,
- Beurteilung von Sachverhalten, möglicherweise verbunden mit
- konkreten Ratschlägen zur Lösung eines Problems.

Im Vergleich zur gerichtlichen Tätigkeit geht der Arbeitsbereich des privaten Sachverständigen allerdings prinzipiell weiter als im Gerichtsauftrag und umfasst auch Beratungstätigkeiten, schiedsgutachterliche Aufgaben, Beteiligung bei einvernehmlicher Streitbeilegung (Mediation) und Kontroll- und Prüftätigkeiten.[19]

Richter legen großen Wert auf eine schlüssige Zusammenfassung im Gutachten. Ein kurzes Fazit ist für die Justiz von zentraler Bedeutung. Der Richter liest es oft zuerst. Das Resümee

18 DIN 820-2:1996-06 sowie DIN 820-2:2012:12 Normungsarbeit – Gestaltung von Dokumenten.
19 *Bleutge/Roeßner*, Praxishandbuch Sachverständigenrecht, 2. Kap. § 8 Rn 4.

ist eine enorme Hilfe, weil es schnell die Übersicht ermöglicht, auch wenn es nur darum geht, den Verhandlungstermin anzuberaumen. Ist es komplex? Wie viel Zeit wird die Verhandlung in Anspruch nehmen? Die kurze Bilanz hat weiteren Nutzen: Das Gutachten liegt dem Gericht endlich vor, die Parteien warten sehnsüchtig darauf. Der Richter verschafft sich mit der Kurzfassung eine schnelle Vorstellung, bevor er es an die Parteien verschickt.

1.1.5.1 Rechtliche Ausführungen

Sachverständige haben eine große Scheu vor Rechtsausführungen, obwohl sich der Gutachter stets auf Schritt und Tritt an der Schnittstelle zum Recht bewegt.[20] Zwar landen Befangenheitsanträge laufend im Gerichtsbriefkasten. Aber nur bei unmotivierten Rechtsausführungen landen die wenigen erfolgreichen Befangenheitsanträge einen Treffer. Beweisbeschlüsse mit Rechtsaussagen sind so häufig wie das falsch geschriebene „s" mit Apostroph: „Muss die Rechnung bezahlt werden?" „Hätte der Beklagte beraten müssen?" „Der Sachverständige soll die Verschuldensbeiträge quotieren." Bezieht der Gutachter dazu Stellung, so kann das keinen Grund für eine objektive Befangenheit darstellen. Ganz im Gegenteil sollte der Gutachter dann Rechtsgesichtspunkte herausstellen: „Wenn die Parteien sich darüber besprochen haben...".[21] Wird er anschließend nach einer Quote gefragt, genügt eine Angabe wie etwa ein Viertel bis drei Viertel, wobei er dabei von „Verursachung" spricht und die technische Begründung voranstellt. Die endgültige Quotierung liegt in der Folge beim Gericht. Ein Minderungsbetrag sollte grundsätzlich den vollständigen Mangelbeseitigungskosten gegenüberstehen, wobei eine eventuelle Kostenspanne einer Erklärung bedarf.

Ergebnisse sind im Klardeutsch prägnant darzustellen. Sind sie nicht stichfest abgrenzbar, sollte auf ein schwammiges „Herumeiern" verzichtet werden. Ist eine 100%-Aussage nicht möglich, wird der Grad der Wahrscheinlichkeit herausgestellt, wobei ein „ich weiß es nicht" auch ein objektives Ergebnis sein kann. Der Rest ist richterliche Beweiswürdigung.

1.1.5.2 Einstehen für unrichtige Gutachten

Was ist ein unrichtiges Gutachten? Bei Licht betrachtet ist diese Frage zunächst leicht zu beantworten, wenn die Unrichtigkeit auf dem Inhalt beruht, weil etwa Tatsachen verkannt, Materialfehler übersehen, Fehlerquellen verschwiegen, Quellen der Erkenntnis nicht (richtig) benannt oder Unverträglichkeiten verschiedener Werkstoffe missachtet werden. Ebenso können falsche Schlussfolgerungen oder das Suggerieren ungerechtfertigter Sicherheiten geeignet sein, die Abrissbirne an das Gutachten zu setzen. Schwieriger wird es, wenn das Gutachten zwar zu richtigen Ergebnissen gelangt, aber Zwischenschritte unrichtig sind und wegen der unrichtigen Zwischenschritte falsche Überzeugungen entstehen.

---

20 *Kniffka*, Vorsitzender Richter am BGH a.D., positionierte sich diesbezüglich in aller Deutlichkeit und erklärte am 7.4.2014 auf den Aachener Bausachverständigentagen: „Sachverständige haben mit Rechtsfragen zu tun" und „Recht und Technik können nicht auseinandergehalten werden" und „ohne Vorfragen rechtlicher Art ist die Erledigung des Gutachtens nicht möglich".

21 Beitrag vom Vorsitzenden Richter *Weder* (LG München I) auf dem 86. Bauschädenforum Oktober 2015, Rottach-Egern.

Mitursächlichkeit genügt – im Privatauftrag – grundsätzlich für die Haftung jedes Beteiligten. Urteile des Amtsgerichts oder des Landgerichts können mit dem Rechtsmittel der Berufung angefochten werden, wenn berechtigte Zweifel an der Richtigkeit des Gutachtens bestehen. Eine neue Beweisaufnahme wird jedoch nur durchgeführt, wenn das Berufungsgericht konkrete Anhaltspunkte für Zweifel hat, dass die erstinstanzlichen Feststellungen richtig bzw. vollständig sind. Die ganze Beweisaufnahme kann dann wieder bei null anfangen; die Beweismittel werden noch mal unmittelbar verwertet und das Berufungsgericht entscheidet über die Feststellung des Sachverhalts neu, im Bedarfsfall unter Hinzuziehung eines neuen Sachverständigen. Anders bei der Revision: Das ist ein Verfahren zur Prüfung von „Rechtsfehlern". Technische Sachverständigenfehler im Vorfeld können im allgemeinen keinen Grund für eine Revision liefern.

Noch schwieriger wird es, wenn das Gutachten zwar fachlich richtig, aber sprachlich so schwer verständlich ist, dass es den Leser zu einem Missverständnis drängt. Freilich sollte man fragen, welches Blümchen im Garten der Vielfältigkeit gerade nicht verstanden wird. Aber wenn man zu wissen, ahnen oder zumindest fantasieren glaubt, es verstanden zu haben, hat man andererseits keinen Anlass zu fragen, weil einem nichts fragwürdig erscheint.

Über die „(un-)richtige" Gutachtenerstattung existieren jede Menge Vermutungen, Fehlvorstellungen, Beurteilungen und Gerüchte. Manche meinen oder verlangen, Sachverständige sollten eine Art von Automat sein, in die man oben Sachverhalte und Normen einspeist und unten ein – möglichst immer und überall gleiches – Ergebnis herauszieht. Das ist Unsinn, ändert aber nichts an der Erfolgshaftung im Privatauftrag. Ein Gutachten ist keine vom Herrn des Universums erlassene Verwaltungsvorschrift. Richtig ist, dass auch im Verstehen von Gutachten ein erheblicher Anteil an Auslegung liegt – vorzugsweise von erfahrenen Juristen und Technikern. Diese ist im Zentrum der Aufmerksamkeit, wie jedermann weiß, fehleranfällig, subjektiv und manipulierbar und soll eine finale Ordnung schaffen, die drei Pharaonen- und Kaiser-von-China-Dynastien lang hält. Insofern kann es sich als vorteilhaft erweisen, wenn man im gerichtlichen Verfahren den Richter oder die Richter nach Erhalt der Akte anruft und Unklarheiten beseitigt und im Privatauftrag eine gemeinsame vertragliche Regelung für die Zusammenarbeit und inhaltliche Ausgestaltung des Gutachtens erstellt.

1.1.5.3 Kurzgutachten

Im Kurzgutachten liegen die Unterschiede zum Vollgutachten meist darin begründet, dass Anknüpfungstatsachen und Befundtatsachen nur stichwortartig dargestellt werden, und dass die daraus gezogenen Schlussfolgerungen nur bedingt nachprüfbar sind, aber dennoch für den Fachmann in eingeschränktem Rahmen nachvollziehbar und plausibel sein müssen. Das Ergebnis darf sich durchaus vom Ergebnis eines Vollgutachtens unterscheiden, weil die Präzision eines Vollgutachtens nicht in allen Fällen erreicht wird. So wie jemand, der sich nicht zum Kochen, sondern nur zum Würzen herablässt. Es gilt zwar der Satz „In der Kürze liegt die Würze", aber die Würze kann bei einem Kurzgutachten durchaus mit einer Fehlerquote oder Streubreite, mithin mit einem Ungenauigkeitsrisiko, verbunden sein. Das muss der Sachverständige jedem Auftraggeber vor Auftragsannahme erläutern; in diesem Zusammenhang ist der mit dem Gutachten verfolgte Zweck zu berücksichtigen. Selbstverständlich müssen alle übrigen Pflichten eines Vollgutachtens wie unabhängige, unparteiische, gewissenhafte, weisungsfreie und persönliche Leistungserbringung auch bei einem Kurzgutachten erfüllt werden, wozu insbesondere auch eine persönliche Objektsbesichtigung gehört, es sei denn, es wird ein Gutachten nach Aktenlage verlangt. Daran führt kein Weg vorbei. Regeln und ihre strenge Einhaltung sind das Salz im Leben der Menschen. Unverzichtbar.

Gibt man in juris den Suchbegriff „Kurzgutachten" ein, erhält man mehrere hundert Treffer; beschränkt man die Recherche auf die Rechtsprechung, sind es nur einige wenige. Wenn man wissen möchte, wer denn solche Kurzgutachten anbietet, erfährt man bei Google: Prüforganisationen und Einzelsachverständige, die teilweise auch öffentlich bestellt sind; sie werben damit, dass diese Gutachten preiswerter seien als Vollgutachten und mit ihrer Hilfe dennoch die damit verfolgte Zielsetzung erreicht werden könne. § 36 I GewO spricht nicht nur von (Voll-)Gutachten, sondern in gleicher Weise von „Sachverständigenleistungen- und Aufgaben". Nach § 36 II GewO können auch eingeschränkte Gutachten vom öffentlich bestellten Sachverständigen erbracht werden. In § 9 Muster-SVO kommt das Wort „Gutachten" gar nicht mehr vor, sondern es ist nur noch von der „Erbringung von Leistungen" die Rede. Mithin gehören zu den Leistungen eines Sachverständigen auch Kurzgutachten. Demnach sind Kurzgutachten grundsätzlich zulässig, müssen aber den Vorgaben der gewissenhaften Aufgabenerfüllung entsprechen. Wichtig ist der letzte Satz in der Muster-SVO des DIHK nach Kapitel 8.3.7: „Ist eine Schlussfolgerung nicht zwingend, sondern nur nahe liegend und ist das Gefolgerte deshalb nicht erkenntnissicher, sondern nur mehr oder weniger wahrscheinlich, so muss dies der Sachverständige im Gutachten deutlich zum Ausdruck bringen." Sollte also das Kurzgutachten keine ausreichende Richtigkeit bieten können, ist dies kenntlich zu machen und die Bereitschaft zur Erstattung eines Vollgutachtens erkennen zu lassen.

Geschuldet wird bei einem Kurzgutachten nicht dieselbe Ausführlichkeit der Begründung und Präzision der Schlussfolgerungen wie bei einem Vollgutachten, sowohl was die Nachvollziehbarkeit und Nachprüfbarkeit als auch was das Ergebnis angeht, zumal der Auftraggeber wegen des geringeren Preises ein Ungenauigkeitsrisiko in Kauf nimmt oder sogar in Kauf nehmen muss. Häufig werden gegen Kurzgutachten wegen fehlender Vollwertigkeit rechtliche Bedenken geltend gemacht, die Rechtsprechung akzeptiert sie jedoch bei entsprechender Aufgabenstellung. Der Auftraggeber nimmt ein Ungenauigkeitsrisiko in Kauf.

Gegen die Erstattung von Kurzgutachten und ihrer entsprechenden Bezeichnung bestehen also keine Bedenken, wenn zuvor im Auftrag und später im Gutachten die Leistung konkret beschrieben und der Verwendungszweck eingeschränkt wird. Entscheidend sind also immer Auftrag und Inhalt, nicht die namentliche Bezeichnung. Als Grundregel des Gesetzes gegen unlauteren Wettbewerb (UWG) gilt die Pflicht zur Wahrheit und Klarheit. Öffnung des Denkens, Sprechens und Austauschs. Anerkennung von Differenzen und Grenzen. Ohne das geht es nicht. Es gilt, auch wenn mancher es nicht glauben möchte: „Was draufsteht, muss auch drin sein."[22]

---

22 *Bleutge*, Das Kurzgutachten: ein unbekanntes Wesen – Praxis und Theorie im Widerstreit, DS 7-8/2015, S.172–181.

1.1.5.4 Aufklärung und Berater für Gerichte sowie im privaten Auftrag

Der größte Mangel ist jener der fehlenden Kommunikation. Das gilt in der Ehe ebenso wie beim Hausbau oder bei der Sachverständigentätigkeit. Man kann dem Menschen nicht in den Kopf hineinschauen. Das ist eine ebenso banale wie bedeutsame Tatsache. Man kann aber miteinander sprechen, denn Sprache bedeutet mehr als eine Krücke für Lebewesen, die der Kommunikation durch Telepathie nicht mächtig sind. In aller Regel sind Richter den Personen, die sie als Gutachter beauftragen, rechtlich überlegen. Sie sind da, wo sie agieren, außerdem in fast jeder Hinsicht „zu Hause": Ort, Anlass, Programm und Kommunikationsform entsprechen ihrer professionellen Routine; sie fürchten sich jedenfalls nicht an der Oberfläche dieser Vertrautheit. Von den Tiefen und Untiefen der Bautechnik und all ihren Facetten haben Richter jedoch häufig so viel Ahnung wie vom bayerischen Volkstanz in Kanada. Sie sind auf unsere Augen und Erfahrung angewiesen, nicht zuletzt auch bei der Abfassung eines Beweisbeschlusses oder bei der Evaluierung des zuständigen Fachbereichs für die Beantwortung spezieller Fragen.

Zwischen Sachverständigen und Auftraggeber besteht ganz überwiegend jenes für den Werkvertrag typische Informationsgefälle. Ähnliches gilt auch im Verhältnis zu den Parteien und zum Richter – mit Ausnahme des werkvertraglichen Aspekts. Der Auftraggeber kennt die technischen Belange weniger gut als der Sachverständige. Die Frage der Aufklärungspflicht ist im Allgemeinen eine rechtliche. Der Sachverständige sollte keineswegs passiv auf Vorgaben des Bauherrn zur Konkretisierung der Leistungsziele warten. Im privatrechtlichen Verhältnis sollte der Sachverständige spätestens mit der Auftragserteilung seine Leistungsziele proaktiv abfragen, umfassend beraten und etwaige Nachteile und Risiken offenbaren, wobei alle Umstände zu berücksichtigen sind, die dem Vertrag zugrunde liegen.[23] Es ist beachtenswert, dass sogar eine Norm die wirksame Kommunikation als wesentlichen Faktor für einen nachhaltigen Erfolg bezeichnet. Eine derartige Kommunikation solle aussagekräftig, zeitnah und kontinuierlich erfolgen. Die Kommunikation solle auch die Möglichkeit für Rückmeldungen einschließen und darauf abgestimmt sein, sich mit Veränderungen im Umfeld aktiv zu befassen.[24] Das heißt, ein Mangel wird nicht etwa im Zuge von Perfektion oder Routine vermieden, sondern durch Informationsaustausch.

Beratungspflichten werden in der baurechtlichen Literatur üblicherweise im Zusammenhang mit der Frage diskutiert, ob das Werk mangelfrei erstellt worden ist bzw. ob dem Besteller ein Schadensersatzanspruch wegen fehlerhafter Beratung zusteht. Dabei wird häufig ein wesentlicher Aspekt übergangen: Schon für die Bestimmung der geschuldeten Leistung kann es von ausschlaggebender Bedeutung sein, ob vorvertragliche Beratungspflichten bestanden und erfüllt worden sind. Der größte Irrtum ergibt sich nämlich daraus, jemandem eine Torte aufzudrängen, die er überhaupt nicht essen möchte. Die geschuldete Leistung wird also in diesen Fällen maßgeblich davon bestimmt, ob der Vertragspartner seiner vorvertraglichen Beratungspflicht nachgekommen ist oder nicht. Haftungsrisiken sind

23 *Leupertz/Preussner/Sienz*, Bauvertragsrecht, Kommentar, S. 264 Rn. 115; OLG Celle, B. v. 28.9.2016, 7 U 77/1 6, IBRRS 2017, S. 0800.

24 DIN EN ISO 9004:2009-12 Leiten und Lenken für den nachhaltigen Erfolg einer Organisation – Ein Qualitätsmanagementansatz.

beherrschbar durch Kommunikation. Es genügt, ein Realist zu sein. Etwas anderes gilt natürlich, wenn der Besteller fachkundig ist und genau weiß, worauf er sich einlässt. Einer der häufigsten Planungsfehler ist der Beratungsfehler zu Zielkonflikten: Zielkonflikte des Bauherrn werden nicht aufgedeckt.[25] Insgesamt wird man umdenken müssen: Der (Werk-)Erfolg ist nicht (nur) durch Erreichen des Ziels gekennzeichnet, sondern (auch) durch den Weg dahin,[26] weil davon auszugehen ist, dass sich der nicht fachkundige Auftraggeber auf den Sachverständigen als seinerseits fachkundigen (Vertrags-)Partner verlässt.[27] Der Wille erzeugt die Macht, nicht das Wissen.

1.1.5.5 Gerichtssachverständiger darf keinen Fachgutachter beauftragen

In mancherlei Hinsicht sind Privatgutachter Schlüsselfiguren in gerichtlichen Verfahren; nämlich dann, wenn sie über eine besondere Expertise verfügen, derer sich ein Gerichtssachverständiger bedienen muss, weil er sie selbst nicht hat. Auch Googlen hilft nur wenig. So ist es eben: Sogar für die Schafzucht und das Kuchenbacken sind ein paar Fachkenntnisse nützlich. Die Rettung liegt oftmals darin, seine eigenen Grenzen erfassen zu können, wie es sich ja auch für den Internisten empfiehlt, den Unterschied zwischen Arterien und Blattadern zu kennen. So kann beispielsweise die Beauftragung eines (nicht öffentlich bestellten) Geochemikers einen grundsätzlichen Einblick in den isotopischen Fingerabdruck von Schadwässern liefern. Der Gerichtssachverständige ist dann in der Lage, mithilfe eines Privatgutachtens zwischen Regenwasser, Wasser aus Altschäden, Leitungswasser, Kondensat u.v.m. zu differenzieren und das Ergebnis in ein tragfähiges Gutachten zu integrieren.

Aus dem Blickwinkel eines Urteils des OLG Düsseldorf[28] will ich auf eine Perle hinweisen, die sich indirekt auf den Privatsachverständigen und direkt auf den gerichtlichen Kollegen auswirken kann und die noch nicht die angemessene öffentliche Würdigung gefunden hat. Was diese Zuarbeit anbelangt, offenbart das Votum ein Bedürfnis nach Betonung. Die Beauftragung eines Sondersachverständigen durch den vom Gericht beauftragten Sachverständigen mit der Beantwortung von Fragen, die nicht unmittelbar zum Bestellungsgebiet gehören, ist unzulässig. Das gilt unabhängig davon, ob das Gericht diese Beauftragung erlaubt. Tut er es doch, ist sein Gutachten nicht verwertbar und der Vergütungsanspruch (für den weiteren Sachverständigen) entfällt. Man kann das so oder so finden, der Sachverhalt ist aber sehr übersichtlich und enthält keine weiteren Geheimnisse. Wem da nur einfällt, das müsse relativiert werden, der hat die Klarheit des Urteils wirklich noch nicht verstanden. Gerichtsgutachter dürfen Sachverständige mit fremdem Tätigkeitsfeld – auch unter positiver Kenntnis des Gerichts – nicht einbeziehen, um dann die jeweiligen Erkenntnisse zusammenzuführen. Es lässt sich, so haben wir gehört, nicht mehr völlig ausschließen, dass dann irgendwer auf seinen Kosten sitzen bleiben wird.

Das gilt jedoch nach Meinung des Senats nicht für Hilfskräfte. Hilfskräfte sind nach der Definition des Senats nur solche Personen, die auf demselben Gebiet wie der beauftragte

25 *Ganten/Kindereit*, Typische Baumängel, S. 48 ff. Rn. 3.
26 *Werner/Pastor*, Der Bauprozess, S. 502 Rn. 875 (BGH NJW-RR 1987, S. 664; NJW-RR 1996, S. 1396).
27 *Leupertz/Preussner/Sienz*, Bauvertragsrecht, Kommentar, S. 281 Rn. 156.
28 OLG Düsseldorf, B. v. 29.11.2018, I-10W160/18, IBR 9/2019, S. 524.

Sachverständige tätig sind, seinen fachlichen Weisungen und seiner Kontrolle in jeder Phase unterliegen. Voraussetzung sei jedoch, dass der Sachverständige diese Zuarbeit auch selbst erledigen könne.[29] Die Entscheidung des Oberlandesgerichts befasst sich nicht mit der Frage der Beauftragung von Untersuchungen, die der Gerichtssachverständige bei Dritten in Auftrag gibt. Seien es Materialuntersuchungen, Prüflaboratorien oder Ähnliches. Nicht selten handelt es sich aber auch hier um Sachverständigenleistungen. Wann es sich noch um Hilfsdienste Dritter handelt, kann also auslegungsbedürftig sein.

Deshalb muss die Einschaltung weiterer (Fach-)Sachverständiger auf die Anregung des Gerichtssachverständigen hin vom beauftragenden Gericht selbst erfolgen. Die Einschaltung Dritter muss transparent sein. Den Prozessparteien sollte stets die Gelegenheit gegeben werden, darüber befinden zu können, ob sie eine weitere Erhöhung des Kostenvorschusses tragen wollen.

29 *Sturmberg*, IBR 9/2019, S. 524: „Gerichtssachverständiger darf keinen anderen Gutachter (unter-)beauftragen."

1.2 Gutachten: induktive Vorgehensweise, Gliederung von Gutachten, Tipps zur Gestaltung von Gutachten, Sprache

Matthias Zöller

Übersicht

1.2.1 Leitsätze

Verlorene Gutachten sind verlorene Verfahren.

Das Wort ist die Waffe von Sachverständigen.

Gutachten müssen die zu bearbeitenden Fragen objektiv richtig, transparent, nachvollziehbar, im Rahmen des objektiv Möglichen präzise und leicht verständlich bearbeiten. Sachverhalte, die für die Begutachtung ohne Bedeutung sind, sollten in Gutachten nicht aufgenommen werden.

Gutachten sollen induktiv von der Basis zur Spitze aufbauen, zielgerichtet zum Ergebnis arbeiten.

Gutachten sollen von vorne nach hinten möglichst ohne Querverweise zu anderen Teilen des Gutachtens lesbar sein. Lesern kann in einer Welt der schnellen Nachrichten mit grafischen „Augenfängern" nicht (mehr) zugemutet werden, lange Texte ohne optische Gliederungen zu lesen oder gar zu verstehen. Gliederungen in Teilkapitel mit Überschriften, die zum Inhalt leiten, sowie die Einstreuung von Grafiken, Fotos u.a. sind nötig, um bei Lesern Interesse am Weiterlesen und Verstehen zu wecken.

Inhalte sollen sich im Lesefluss zusammenfügen. Gutachten sollen nicht nur verständlich sein, wenn sich Leser vergleichbar zu Anleitungen moderner Möbelhäuser alles selbst zusammensuchen müssen, also einen langen Text nur verstehen, wenn sie ständig Querverweisen auf andere Textstellen nachgehen, in Foto- und Plananlagen blättern oder gar Quellen selbst recherchieren müssen.

1.2.2 Grundsätze für die Erstattung von Gutachten

Gutachten können nur „richtig" in Bezug auf die Aufgabenstellung und die verwendeten Erkenntnisgrundlagen sein. Fehlinterpretationen sind in der Regel die Folge einer nicht klar benannten und damit eingegrenzten Aufgabenstellung.

Nicht mit den wirklichen Tatsachen übereinstimmende Ergebnisse sind meist die Folge von falschen oder ggf. unvermeidbar lückenhaften Erkenntnisquellen.

1.2.2.1 Inhalt und Form des Sachverständigengutachtens

Für Sachverständigengutachten gelten folgende Grundsätze:

- Beschränkung auf eigene Sachkunde;
- Beschränkung auf die Aufgabenstellung;
- Wahrung der Objektivität (technisch richtiges Gutachten, nicht aus kurzfristigem Interesse im Sinne für Auftraggeber parteiinteressengeleitete, inhaltlich falsche Gutachten verfassen, ggf. Aufgabe ablehnen);
- begründete und für Nichtsachkundige nachvollziehbare Darstellung;
- Auftraggeber, Aufgabenstellung und Untersuchungsrahmen müssen für Dritte erkennbar bleiben.

Sachverständige sollten sich im Klaren sein, dass ihre Gutachten durch Dritte verwendet werden können (Abbildung 1).

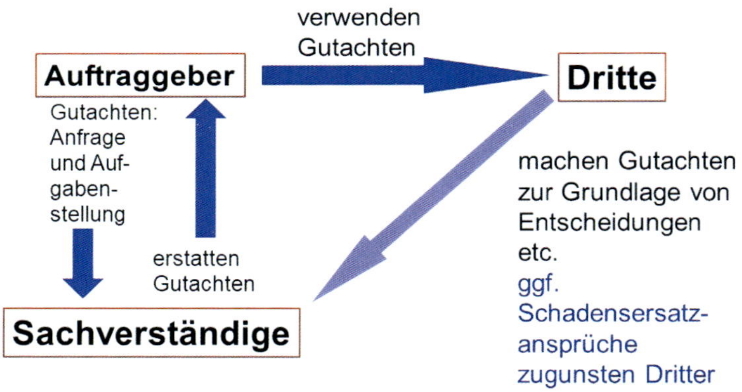

Abbildung 1: Verwendung von Gutachten durch Dritte; Quelle: Matthias Zöller

Der Ausschluss einer Haftung durch Dritte widerspricht häufig dem Gutachtenzweck. Werden Gutachten für die Verwendung von Dritten verfasst, lassen sich Haftungsansprüche von Dritten kaum rechtswirksam ausschließen. Stützt sich z.B. ein betroffener Dritter auf ein Gutachten, das nicht von ihm beauftragt, aber ihm zweckentsprechend überlassen wurde, entwickeln darin getroffene Aussagen Schutzwirkung zugunsten des Dritten (siehe Beitrag 3.3). Allerdings werden die Ansprüche gegenüber den Sachverständigen als Autoren der Gutachten im Allgemeinen nicht und nur in besonderen Fällen über diejenigen hinausgehen, die Vertragspartner von Sachverständigen sind, die Aufraggeber. Dazu sollten Haftungsbeschränkungen nicht nur im Vertrag, sondern auch in Gutachten abgebildet werden, damit Dritte darüber informiert sind.

Die Berufung auf „Unparteilichkeit" oder „bestes Wissen und Gewissen" ist überflüssig, da keine Selbstverständlichkeiten zugesichert werden sollten. Solche „Floskeln" könnten zudem den Verdacht des Gegenteils erwecken („warum hat der/die SV das nötig").

Inhaltliche Aufgaben sind u.a.:

- Feststellungen und Dokumentationen;
- Ermittlung technischer Ursachen;
- Bewertung der Schadensgeneigtheit bei Fehlern;
- Schlussfolgerungen zur Verantwortlichkeit unter „üblichen" Maßstäben, unter Vorbehalt zu stellende oder, besser, keine juristische, würdigende Auseinandersetzung mit vertraglichen Leistungsverpflichtungen;
- Abschätzung notwendiger Maßnahmen (Instandsetzung schadhafter Bauteile, Nacherfüllung zur Beseitigung von Fehlern oder Mängeln, früher: „Nachbesserung");
- Schätzung der Nacherfüllungskosten/Minderwerte/Minderungen oder Werterhöhungen, Abgrenzung von „Sowieso-Kosten".

Sachverständige haben einen Erforschungsauftrag, sie sollen Anknüpfungstatbestände nutzen, um Sachverhalte, nach denen gefragt wurde, aufzuklären.

Gerichtlich tätige Sachverständige haben keinen Ausforschungsauftrag, sie dürfen sich nicht mit Sachverhalten beschäftigen, für die es keinen Anknüpfungstatbestand zu den zu bewertenden Sachverhalten gibt. Vermeiden Sie Hinweise auf nicht mit Ihrem Auftrag zusammenhängende Sachverhalte, z.B. bei Aufgaben zu Rissen Hinweise zum Schallschutz, Wärmeschutz etc., solange sich keine Anknüpfungstatbestände ergeben.

Bei im privaten Auftrag tätigen Sachverständigen kann dies anders sein, da sich für Auftraggeber Fragestellungen oft nicht erschließen. Dies betrifft z.B. Aufträge von Versicherungen, die lediglich eine Schadensmeldung von ihren Kunden oder Anspruchstellern erhalten, aber selbst noch keine Sachverhalte in Erfahrung bringen konnten. Aber auch in anderen Auftragsverhältnissen kennen oft Auftraggeber keine Details zu den zu bearbeitenden Fragen. In diesen Fällen können Sachverständige einen Ausforschungsauftrag haben.

1.2.2.2 Induktive Arbeitsweise

Arbeiten Sie induktiv, indem Sie von der Basis zur Spitze, dem Ergebnis, aufbauend hinarbeiten. Die grundlegende Gliederung von Gutachten wird in Kapitel 1.2.3 dieses Beitrags behandelt, der auf dem Grundsatz der induktiven Arbeitsweise aufbaut (Abbildung 2).

Abbildung 2: Prinzipdarstellung der induktiven Arbeitsweise: von der Basis zur Spitze; Quelle: Matthias Zöller

Arbeiten Sie vom Allgemeinen ins Spezielle. So sollten Sie z.B. erst einen Raum beschreiben, dann die Oberflächen, dann Ergebnisse von Untersuchungen.

Vermeiden Sie Widersprüche zwischen den Arbeitsphasen. Wenn Sie z.B. bei der Beschreibung Ihrer Feststellungen von einem „fehlenden" Bodenablauf sprechen, wird es in der Bewertungsphase schwierig, glaubwürdig darzustellen, dass der nicht erforderlich und nur nicht vorhanden ist. Daher sollten Sie bei Feststellungen wertende Begriffe vermeiden, z.B. „fehlen" oder gar „mangelhafter Weise" statt wertneutral „nicht vorhanden".

Die Bewertungsgrundlagen sollten vorbereitend zur späteren Bewertung zusammengestellt werden. Lassen Sie alles weg, was für die spätere Bewertung nicht erforderlich ist.

Arbeiten sie „positiv": vermeiden Sie die Auflistung von nicht vorhandenen Erkenntnisquellen, wenn diese für die Bewertung nicht erforderlich sind. Geben Sie die verwendeten Quellen an, beschränken Sie sich dabei aber auf das Wesentliche. Nicht verwendete oder nicht vorhandene Quellen sollten nur dann angegeben werden, wenn sie für die Bewertung wesentlich wären, aber (aus welchen Gründen auch immer) nicht zur Verfügung gestellt werden konnten. Nur in Ausnahmefällen sollten Sie sich auf unveröffentlichte Manuskripte beziehen.

Wenn vertragliche Vereinbarungen Gegenstand der Beurteilung sein sollten, stehen diese in gerichtlichen Verfahren unter dem Vorbehalt, dass Ihnen das Gericht eine Anweisung erteilt, diese als Grundlage Ihrer Bewertung zu verwenden. Da solche Anweisungen regelmäßig nicht erfolgen, müssten Sie dazu um Anweisung bitten. Alternativ stellen Sie Ihre Bewertung unter den Vorbehalt, in dem Sie solche Vorgaben nicht als gegeben und zwingend einzuhalten beschreiben, sondern als Vergleich zu Ihren Feststellungen. Damit eröffnen Sie die juristische Würdigung, die technische Sachverständige nicht vornehmen dürfen. Gleiches gilt allerdings auch für die Erstattung von Gutachten für private Auftraggeber, wobei Sie zu verwendende Unterlagen bereits in Ihrem Vertrag beschreiben sollten, damit Ihnen später kein Vorwurf gemacht werden kann, welche Unterlagen Sie „unterschlagen" hätten.

Fassen Sie die wesentlichen Aussagen der vertraglichen Vereinbarungen (falls vorhanden) und von Schriften wie Technischen Empfehlungen, z.B. DIN-Normen, Richtlinien oder Herstellerempfehlungen, in Ihren Worten zusammen und geben Sie knapp wieder, worauf es bei der Bewertung ankommt. Nicht hilfreich für die Transparenz des Gutachtens ist, Teile von Schriften wiederzugeben, die für die Bewertung ohne Belang bleiben.

Gegebenfalls sind einzelne Ausschnitte aus den Vereinbarungen bzw. den Technischen Empfehlungen, den sog. Regelwerken, zu zitieren, allerdings nur, wenn sich aus diesen Vorgaben für die konkrete Bewertung ganz wesentliche Aussagen ergeben; bitte keine übermäßig langen Zitate oder gar ganze Regelwerke beiheften.

In der anschließenden Bewertungsphase vergleichen Sie den von Ihnen erkannten Zustand mit den kritisch bewerteten Sollvorgaben. Nur bei Vollerhebungen können Sie umfassend vorhandene Zustände erkennen. Daher sollten Sie, solange Sie nur an einzelnen Stellen untersuchen und damit nur zu diesen Erkenntnissen gewinnen können, nicht durch den Begriff „Ist-Zustand" den Eindruck erwecken, dass Ihre Feststellungen auch den „Ist-Zustand" beschreiben.

1.2.2.3 Erzählerperspektive, Ich-Form

Die in Gutachten notwendige Objektivität könnte verleiten, dass Sie von sich in der „dritten Person" sprechen.

Gutachten sind persönlich zu erstatten. Sie sollten daher die „Erzählerperspektive" mit der „Ich-Form" wählen. Damit dokumentieren Sie, dass Sie das Gutachten persönlich und aus Ihrer Sicht erstatten. Formulierungen wie z.B. *„der Unterzeichner"* irritieren und geben eine Neutralität vor, als ob das Gutachten jemand anders und nicht Sie selbst geschrieben hätte.

Beschreiben Sie das, was Sie persönlich feststellen, z.B.: *„während der Ortsbesichtigung habe ich die schadensgegenständlichen Bereiche untersucht und dabei Folgendes festgestellt"*.

1.2.2.4 Sprachstil

Es ist bekannt, dass Techniker keine Literaten sind. Dennoch ist in Gutachten die Sprache Ihr Werkzeug, Ihre Waffe. Drücken Sie sich klar und zielgerichtet aus. Vermeiden Sie lange und verschachtelte Sätze, bei denen einzelne Elemente zu einer Satzschlange kombiniert werden. Trennen Sie lange Sätze in mehrere. Orientieren Sie sich am natürlichen Sprechen. Vermeiden Sie die Substantivierung von Verben (anstelle *„ein Ablösen der Sockelfliesen hat nicht stattgefunden"* liest sich folgende Formulierung besser: *„die Sockelfliesen haben sich nicht abgelöst"*). Vermeiden Sie unpersonifizierte Personen (*„man betritt den Raum von"*; besser: *„der Raum wird betreten")*.

Schreiben Sie mit möglichst einfachem Satzaufbau und beschränken Sie Sätze, wo es geht, möglichst auf eine Aussage.

Dazu folgender Negativbeispielsatz:

> *Abweichend von DIN-Normen besteht im privaten Wohnungsbau üblicherweise nicht die Notwendigkeit eines Fugenplans wie im industriellen Bereich bei großen Bodenflächen mit speziellen Anforderungen an Begrenzung der Einflüsse aus thermischen Längenänderungen bei den im Industriebereich wegen großer Flächen üblichen Konstruktionsanforderungen auch unter Berücksichtigung von Relaxationen, die bei älteren Konstruktionen spannungsabbauend wirken.*

Wie oft haben Sie diesen Satz gelesen, um zu verstehen, um was es geht? Lange Sätze und ungewohnte Begriffe strengen an, sie verhindern, dass Leser Gedankengänge verstehen. Man liest über Unverständliches weg und versteht vieles nicht.

Füllwörter verbessern nicht, sondern mindern das Verständnis. Die „Abdichtung im Bereich von der Dachkonstruktion" ist eine Abdichtung auf oder am Dach, „Bereich" und „Konstruktion" sind überflüssig.

Der Inhalt des o.a. Beispielsatzes liest sich so besser:

> *Die im Industriebau häufig großen Bodenflächen sollten durch Fugen unterteilt werden. Zwar bauen sich Spannungen im Laufe der Zeit ab. Fugen vermindern aber das Risiko, dass thermisch bedingte Längenänderungen zu unkontrollierten Rissen führen. Im Wohnungsbau mit üblich zugeschnittenen Wohnräumen sind aber keine Fugen in den üblicherweise kleinen Estrichfeldern notwendig. Randfugen sind handwerkliche Selbstverständlichkeit, die nicht von Architekten geplant werden müssen.*

Sachverständige sollten ihr Handwerk, das Wort und die Sprache als ihr Werkzeug, als ihr Instrument, so beherrschen, dass sie Inhalte an die Augen von Lesern und in deren Empfängerhorizont transportieren können. Gutachten sollten ohne größeren Aufwand Inhalte „rüber bringen". Vermeiden Sie Verweise auf z.B. Foto- oder Plananlagen, fügen Sie Fotos und Pläne in Gutachten ein. Damit vermeiden Sie, dass Fotos und Pläne nicht zur Kenntnis genommen werden, weil ständiges Hin- und Herblättern oder Wechseln von Dokumenten an Bildschirmen mühselig ist. Grafische Darstellungen lockern Texte auf und wecken Interesse.

Fotoanlagen sind nur angemessen, wenn Bauzustände minutiös mit vielen Fotos dokumentiert werden, die einen Gutachtentext erschlagen könnten.

Plananlagen sind sinnvoll, wenn maßstabsgerechte Pläne für Gutachten wichtig sind, die größer als DIN A4 sind. Meistens lassen sich aber Pläne als dann zwar nicht lesbare, verkleinerte Übersichten in Gutachten einfügen. Lesbare Details können aber in Folgegrafiken als Auszüge vergrößert dargestellt werden.

Vermeiden Sie „Floskeln", z.B.: *ordnungsgemäßes Vorgehen, fach- und sachgerechte Ausführung, DIN-gerecht, Ausführungen nach allgemein anerkannten Regeln der Technik, Überprüfung des geplanten Aufbaus und Umsetzung der geschuldeten Leistung.*

Feststellungen sollten im Präsens formuliert werden, wenn Sie davon ausgehen können, dass zum Zeitpunkt der Gutachtenerstattung die festgestellten Zustände noch gegeben sind. Verwenden Sie eine Vergangenheitsform, wenn dies nicht (mehr) zutrifft.

1.2.2.5 Wortwahl

Fachbegriffe sind in technischen Gutachten nötig. Sie sollten aber nicht im Übermaß eingesetzt und bei der ersten Verwendung erklärt werden. Im weiteren Text sollten diese Begriffe nicht durch Synonyme ersetzt werden. So sind Gutachten für technische Laien verständlich. Das bedeutet nicht, dass Ihre Ausdrucksweise platt und banal werden soll. Versuchen Sie, den Leser durch textliche Qualität an der Stange zu halten. Synonyme allgemein üblicher Begriffe gestalten Texte interessanter und sollten zur Vermeidung von Langeweile verwendet werden.

Vermeiden Sie, wo es möglich ist, Rechtsbegriffe. Dazu zählt auch der Begriff *Mangel*. Zwar stellen regelmäßig Beweisbeschlüsse auf Mängel ab. Mängel liegen vor, wenn Ausführungen von vertraglich vereinbarten Sollbeschaffenheiten abweichen. Welche vertraglichen Inhalte können aber Sachverständige erkennen, wenn z.B. Verträge nicht vollständig vorliegen, durch Vertragsfortschreibung weiterentwickelt wurden, auf Bezug genommene Dokumente nicht richtig sind? Es ist die Normalität beim Bauen, vertragliche Inhalte einvernehmlich zu ändern, etwa in Gesprächen mit Kunden, Bauherren oder anderen Auftraggebern. Wenn z.B. ein in einem Leistungsverzeichnis beschriebener Dämmstoff nicht verfügbar ist, Dachdecker einen anderen, gleichwertigen oder vielleicht sogar besseren Dämmstoff vorschlagen, liegt eine Abweichung vom Leistungsverzeichnis, aber nicht vom vertraglichen Soll vor. Solche Vorgänge können Sachverständige nicht prüfen und müssen das auch nicht, weil Änderungen der Rechtswürdigung unterliegen. Die technische Klärung der Verwendungseignung oder Kausalität kann mit dem Begriff *Fehler* erfasst werden.

Ob eine Unregelmäßigkeit in der Bandbreite des vertraglichen Solls liegt und damit mangelfrei ist oder bereits außerhalb des vertraglichen Leistungssolls bereits ein Mangel ist, können Sachverständige nicht abschließend beurteilen, sondern lediglich beraten. Vermeiden Sie daher den Begriff *Hinzunehmende Unregelmäßigkeit*.

Gleiches gilt für den Begriff *allgemein anerkannte Regeln der Technik*. Dieser Begriff beinhaltet Kriterien, die nicht durch technisch tätige Sachverständige aufgeklärt werden können (siehe dazu die Beiträge 1.3 und 1.6 von *Seibel* und *Zöller* in diesem Handbuch). Allgemein anerkannte Regeln der Technik sind ein rechtliches Konstrukt mit technisch, demoskopisch und wissenschaftlich zu klärenden Inhalten, wovon Sachverständige nur den technischen Teil von Kausalität und Verwendungseignung bearbeiten können. Sachverständige sind keine Demoskopen und keine Wissenschaftsinstitute. Wenn Sie den Begriff verwenden, erwecken sie den Anschein, eine Frage nach anerkannten Regeln der Technik beantworten zu können, obwohl wesentliche Aspekte außerhalb des Sachgebiets Schäden an Gebäuden liegen.

Verwenden Sie technische zutreffende Begriffe. Ein berühmtes Beispiel ist die sprachliche Verwirrung um *Isolierung*. Werden Wände *isoliert*, können Sie abgedichtet, wärmegedämmt werden oder eine Schalldämmung erhalten. Wände werden also nicht *isoliert*, sondern abgedichtet oder gegen Schallübertragungen oder Wärmeströme gedämmt. Elektrotechnische Installationen dagegen werden isoliert, d.h., sie erhalten eine vollständige Trennung gegen elektrischen Stromfluss.

Wenn also Sachverständige von *isolierten* Wänden sprechen, ruinieren sie das Vertrauen in ihre Kompetenz.[1] Verwenden Sie richtige Formen bei der Substantivierung von Adjektiven, z.B.: *dicht* wird zu *Dichtheit* und nicht zu Dichtigkeit, *steif* zur *Steifheit* und nicht zur Steifigkeit, während aber *feucht* zur *Feuchtigkeit* wird und nicht zu Feuchtheit, *dauerhaft* wird zu *Dauerhaftigkeit*.

Sanieren ist unbestimmt, während *Instandhaltung* der Oberbegriff für *Inspektion* (Feststellung von Zuständen), *Wartung* (Maßnahmen zum Erhalt von gewünschten Zuständen) und *Instandsetzung* (Maßnahmen zur Wiederherstellung von gewünschten Zuständen) ist. *Modernisierung* dagegen bedeutet den Austausch eines Bauteils gegen eines, das modernen Anforderungen entspricht. Wer den Begriff *Sanierung* verwendet, sollte wissen, dass im Nachhinein Inhalte zugunsten von Bestellern ausgelegt werden können.

1.2.2.6 Seitengestaltung

Vermeiden Sie zu große Leerräume auf Seiten. Wenn Sie für ein neues Hauptkapitel eine neue Seite beginnen möchten, sollte die Seite zuvor zumindest zur Hälfte mit Text gefüllt sein. Wenn nur wenige Zeilen am Blatt oben „schweben", schließen Sie mit dem Folgekapitel an den vorherigen Text an.

1.2.2.7 Urheberrecht bei der Quellenverwendung

Beachten Sie das Urheberrecht, das im Urheberschutzgesetz geregelt ist.[2]

Der Kauf einer Ausgabe einer Technischen Empfehlung, etwa einer DIN-Norm oder einer Richtlinie, räumt lediglich Leserecht ein, nicht aber das Recht, für nicht gerichtliche Tätigkeiten den Text wiederzugeben. Das trifft auch für Teile von Texten zu.

In Gutachten, die für Gericht erarbeitet werden (dazu zählen gerichtliche Gutachten und privat erstattete Gutachten, die ein gerichtliches Verfahren vorbereiten und Privatgutachten, die als Beweismittel in Gerichtsverfahren eingeführt werden) darf zitiert werden. Das bedeutet, dass aus Regelwerken jeweils zielgerichtet (nicht überbordend umfassend) im aufgabenbezogenen notwendigen Umfang zitiert werden darf.

Bei Privatgutachten, die nicht in Erwartung oder in Zusammenhang mit gerichtlichen Verfahren verfasst werden, gilt das Urheberschutzgesetz. Danach dürfen urheberrechtlich geschützte Werke, also z.B. DIN-Normen, Fachregeln von Verbänden etc., nicht ohne Erlaubnis zitiert werden, auch nicht ausschnittsweise. Erlaubt ist lediglich das Zitieren von bibliografischen Angaben sowie den Überschriften und den dazugehörenden Kapitelnummern.

Solche Texte sollten deswegen in eigenen Worten wiedergegeben werden, solange keine gesonderte Lizenz für das Zitieren erworben wird. DIN z.B. stellt dazu ein Formular zur Verfügung, mit dem die geplante Wiedergabe eingetragen und unter Angabe des Verwendungszwecks sowie der Anzahl der Veröffentlichung eine Lizenz gegen Gebühr beantragt werden kann.

1 *Dilanas*, Fluch der Akribik: Verständliche Gutachten durch eindeutige Formulierungen, Aachener Bausachverständigentage 2023, Gebäudehülle und Innenräume: Abdichtungen, Brandschutz, Begrünungen.

2 *Boldt*, Quellenverwendung in privaten und gerichtlichen Gutachten, Aachener Bausachverständigentage 2017 Bauwerks-, Dach- und Innenraumabdichtung: Alles geregelt?.

Bislang allerdings wurden Verstöße gegen das Gesetz seitens von Veröffentlichungsrechte-inhabern im Allgemeinen nicht verfolgt, solange nur einzelne Textpassagen unter Angabe der Quelle zitiert wurden. Herausgebende Organisationen haben schließlich ein Interesse, dass ihre Regelwerke angewendet werden.

1.2.3 Grundgliederung von Gutachten

Das Gutachten sollte folgende Elemente aufweisen (vgl. auch Abbildung 2).

[Deckblatt]

Das Deckblatt sollte ein „Plakat" sein. Sie brauchen nicht alle Details anzuführen, da Sie das im ersten Kapitel ohnehin tun müssen. Es genügt, auf dem „Plakat" nur die Verfahrensart (Selbständiges Beweisverfahren oder Rechtsstreit), die Prozessbeteiligten, das Gericht sowie das Aktenzeichen zu nennen.

Bei privaten Aufträgen sind auf dem Deckblatt ein Titel als Kurzform zum Gutachteninhalt und der Auftraggeber zu nennen.

Selbstverständlich muss das Deckblatt Angaben zu Ihnen, also Ihren Namen, Adresse und eventuell Kontaktdaten, enthalten.

Auch sollte das Erstattungsdatum des Gutachtens auf dem Deckblatt vermerkt sein, damit Leser nicht erst am Ende des Gutachtens das Datum des Gutachtens suchen müssen.

[Inhaltsverzeichnis]

Vor umfangreicheren Texten in Gutachten ist ein Inhaltsverzeichnis sinnvoll oder ggf. nötig, damit bereits beim Aufschlagen des Gutachtens der Inhalt stichpunktartig erkennbar wird. Nur bei kurzen Gutachten aus wenigen Seiten kann auf ein Inhaltsverzeichnis verzichtet werden.

Gegebenenfalls können vor kürzeren Gutachten entsprechend kurze Inhaltsverzeichnisse auf einer ersten halben Seite abgebildet werden und das erste Kapitel bereits auf dieser Seite beginnen, damit nicht zu viele Leerräume entstehen.

Prüfen Sie die Bildung von Überschriften in Ihren Gutachtentexten auch danach, ob Sie beim Lesen des Inhaltsverzeichnisses bereits erkennen, was in den einzelnen Kapiteln behandelt wird. Es ist nicht sinnvoll, Kapitel mit z.B. *Beweisfrage 1* zu überschreiben, da Inhaltsverzeichnisse dadurch nicht mehr brauchbar sind. Wenn sich ein Kapitel mit Rissen befasst, gehört darüber eben das Wort *Risse*. In darunter angeordneten Kapiteln muss das Wort Risse nicht mehr wiederholt werden, da sich aus der Hierarchie ergibt, dass sich z.B. Feststellungen auf Risse beziehen, wenn diese ein Teilkapitel werden.

Vermeiden Sie eine größere als eine dreistufige Gliederungstiefe, weil das unübersichtlich wird. Oft lassen sich Oberpunkte vermeiden, indem Kapitel nicht ineinander verschachtelt, sondern additiv hintereinandergestellt werden.

1. Auftraggeber (bzw. ernennendes Gericht), Gegenstand des Gutachtens

Benennung des ernennenden Gerichts, Zitat der Fragen (Zitate kennzeichnen, z.B. durch Kursivschrift)

Beispiel:

Das Landgericht Köln hat mich im Verfahren (Rechtsstreit oder Beweisverfahren)

Max Meyer, Adresse

(RA Paragraf, Adresse)

gegen

Siggi Schmidt, Adresse

(RA Gesetz, Adresse)

mit Beschluss vom … zum/zur Sachverständigen ernannt, zu den in der Folge zitierten Beweisfragen ein schriftliches Sachverständigengutachten zu erstatten:

A. Fassade

Liegen an der Fassade folgende Mängel vor?

Auf welche Ursachen sind die Mängel zurückzuführen?

Mit welchen Maßnahmen und welchem Aufwand können die Mängel beseitigt werden?

B. Flachdach

Liegen am Flachdach folgende Mängel vor?

Auf welche Ursachen sind die Mängel zurückzuführen?

Mit welchen Maßnahmen und welchem Aufwand können die Mängel beseitigt werden?

2. Grundlage des Gutachtens

Hinweis: beschränken Sie sich auf das Notwendige. Was im Gutachten nicht verwendet wird, sollte nicht genannt werden.

Sie brauchen auch keine Negativliste anzuführen. Wenn es z.B. keine vertraglichen Unterlagen gibt, brauchen Sie dazu auch kein Kapitel.

2.1 Ortsbesichtigung

Hinweis: Es genügt, das Datum und die Teilnehmer zu benennen. Wann und wie Sie eingeladen haben, müssen sie nicht darlegen. Bei Zweifeln werden Details zu Ihrer Einladung gesondert zu klären sein.

Falls Sie keine Ortsbesichtigung benötigen und keine durchführen, sondern ein Gutachten auf Grundlage vorliegender Dokumente erstatten, sollte dieses Kapitel entfallen. Falls Sie es aber für wesentlich halten, zu erklären, dass Sie keine Ortsbesichtigung benötigen, können Sie das selbstverständlich auch tun.

Textbeispiel:

Am 31. Februar 2032 habe ich eine Ortsbesichtigung vorgenommen, an der folgende Personen teilnahmen:

Für die Antragsteller: Max Meyer, RA Paragraf

Für die Antragsgegnerin: Siggi Schmidt, RA Gesetz

Während der Ortsbesichtigung habe ich die Wohnung in Augenschein genommen sowie Feststellungen getroffen.

2.2 Urkunden

Nennen Sie nur Dokumente, soweit Sie diese auch im Gutachten verwenden. Dazu zählen z.B.: Bautagebuch, Pläne, Baubeschreibung, Planzeichnungen.

Beziehen Sie sich nur einmal oder wenige Male auf eine Quelle, kann diese in Fußnoten genannt werden. Das erleichtert das Lesen.

2.3 Technische Empfehlungen

Bitte verwenden Sie die offizielle Zitierweise, z.B.

(1) DIN 18560 2:2009-09 Estriche im Bauwesen-Teil 2: Estriche und Heizestriche Estriche auf Dämmschichten;

Empfehlung: Dokumente, auf die Sie später Bezug nehmen wollen, sollten Sie mit einer gesonderten Nummerierung kenntlich machen, indem Sie diese z.B. mit (nn) kennzeichnen. Dann können Sie später im Text abkürzen und auf die hier genannte Quelle verweisen, z.B.: die Estrichnorm DIN 18560 (1) ...

2.4 Literatur

Auch bei der Literaturbenennung die offizielle Zitierweise verwenden, z.B.:

(5) Oswald, R.; Rojahn, H: Schäden an genutzten Flachdächern. Reihe Schadenfreies Bauen, Band 35. IRB-Verlag, Stuttgart, 2005

3. Allgemeine Angaben zur Situation

Dieses Kapitel ist eine Serviceleistung für Ortsunkundige. Leser können die örtlichen Gegebenheiten besser verstehen, wenn Sie die „Umgebung" der zu beurteilenden Stellen beschreiben.

Dazu gehört die allgemeine Beschreibung der Rahmensituation, z.B. die Art des Gebäudes, die Anzahl der Stockwerke, die Lage und Ausrichtung des Gebäudes, die Beschreibung der streitgegenständlichen Bereiche im Gebäude etc.

Bitte hier keine konkreten Feststellungen zu den Beweisfragen und keine Konstruktionsdetails beschreiben sowie keine Angaben von Parteien wiedergeben.

4. Angaben von Beteiligten

Wenn jemand während der Ortsbesichtigung etwas beiträgt, bilden Sie ein eigenes Kapitel in Überschriftebene 1 „Angaben der Parteien", indem Sie protokollieren, wer was wozu gesagt hat.

In Kapiteln, in denen Sie Ihre Wahrnehmungen wiedergeben, dürfen solche Angaben nicht eingemischt werden, weil dadurch der Leser den Eindruck gewinnen könnte, dass Sie sich Parteivorträge zu eigen machen. Das wiederum könnte Besorgnis der Befangenheit auslösen.

Kapitel mit Feststellungen und Bewertungen

In den folgenden Kapiteln folgen Beschreibungen Ihrer Feststellungen, wobei Sie diese nicht mit „Ist-Zustand" verknüpfen sollten, solange sie diesen nicht umfassend, z.B. durch vollständige Erhebungen, erkunden. Insbesondere bei Bauteilöffnungen gewinnen Sie nur an Teilstellen Erkenntnisse. Zu nicht geöffneten Bauteilschichten haben Sie keine Wahrnehmungen und können nur aus Ihren Erkenntnissen Schlüsse ziehen. Dabei können Sie aber Varianzen nicht ausschließen, also nicht genau beschreiben, ob an nicht freigelegten Stellen die an Öffnungsstellen erkannte Sachverhalte auch woanders zutreffen. Beschränken Sie daher die Beschreibung Ihrer Wahrnehmungen auf „Feststellungen".

Wenn Fragen z.B. ein Flachdach, weitere z.B. Innenraumabdichtungen und z.B. eine dritte Wohnraumlüftungen betreffen, hängen diese nicht zusammen. Dann sollten Sie nicht zunächst alle Feststellungen zu allen Fragen beschreiben, dann die Bewertungsgrundlagen zu allen Fragen erläuternd zusammenfassen und anschließend alle Aspekte bewerten, da Leser entweder ständig blättern müssen oder den Zusammenhang verlieren. Stellen Sie sich vor, ein Gutachten zu 20 oder 50 nicht im Zusammenhang stehenden Fragen zu lesen, in dem zunächst alle Feststellungen beschrieben sind usw., bei dem dann noch alle Fotos und Pläne in Anlagen abgebildet sind – da werden Sie schon viel Kaffee benötigen, um nicht den Überblick zu verlieren. Muten Sie das den Lesern Ihres Gutachtens nicht zu. Bieten Sie Service, aber keine Servicewüste an.

Bearbeiten Sie daher nicht zusammenhängende Sachverhalte in jeweils eigenen, kleinen Gutachten.

In den folgenden Beispielkapiteln gehe ich beispielhaft von zwei nicht miteinander zusammenhängenden Sachverhalten aus.

Die Unterkapitel sind nur für zu bearbeitende Fragen zu bilden. Nicht gestellte Fragen dürfen nicht beantwortet werden. Wenn nicht nach Maßnahmen oder Kosten gefragt wurde, darf es dazu keine Kapitel geben.

Bei Fragen, die nicht auf Kausalzusammenhänge von Eigenschaften des Werks mit eventuellen Schäden abstellen, sondern darauf ob eine Bauweise oder eine Bauart verwendungsgeeignet ist, darf in der Kapitelüberschrift zur Bewertung nicht Schadensursache stehen, da es dann keine Schäden gibt.

5. (Sachverhalt 1, z.B.:) Risse

5.1 Feststellungen

Beschreibung von Rissen nach deren Lage, Verlauf, Breiten, eventuellen Höhenversätzen u.a., nach Rissarten getrennt. Bilden Sie ggf. Teilkapitel für eigene Rissbeschreibungen, damit sich Leser besser orientieren können und beim wiederholten Lesen Textstellen schneller finden.

5.2 Technische Empfehlungen

In diesem Kapitel können Sie zielgerichtet Inhalte von Technischen Empfehlungen zusammenfassen, was z.B. DIN- Normen, Richtlinien oder andere Schriften bezüglich der zu bearbeitenden Frage empfehlen.

Vermeiden Sie längere Zitate, fassen Sie sinnvolle Kriterien in eigenen Worten zusammen. In Gutachten, die gerichtliche Verwendung finden (können), sind kurze, prägnante Zitate möglich. In Privatgutachten, die nicht zur Vorbereitung oder als Beweismittel für Gerichte verfasst werden, beachten Sie die o.a. urheberschutzrechtlichen Hinweise.

Wenn bestimmte DIN-Normen u.a. nicht für die Fragebearbeitung einschlägig sind oder den zu beurteilenden Sachverhalt nicht ausreichend gut beschreiben, können Sie dennoch auf diese Dokumente eingehen, wenn Sie davon ausgehen, dass diese üblicherweise herangezogen werden. Angaben in Dokumenten, die nicht einschlägig sind, also nicht zum zu bearbeitenden Sachverhalt passen, sollten nicht herangezogen werden.

Auch können Sie Erkenntnisse aus Dokumenten gewinnen, deren Anwendungsbereich auf den ersten Blick nicht einschlägig ist, also nicht zu Ihrer Frage passt. Bei der Bearbeitung von Fragen z.B. zur Frostbeständigkeit von Natursteinen können Werte zur Feuchteaufnahme im Baugrund helfen. Dagegen legt z.B. die Abdichtungsnorm für erdberührte Bauteilflächen – außerhalb ihres Anwendungsbereichs – Festlegungen zur Herkunft von Wasser im Baugrund fest, die fachtechnisch unrichtig sind. Diese Norm ist für die Herkunft von Wasser im Baugrund nicht einschlägig.

5.3 Bewertung (oder) Ursachenbeschreibung

Technische Bewertungen sollen auf technischen Vorgängen beruhen. Beschreiben Sie mechanische oder andere Vorgänge, die zu den Schäden geführt haben. Klären Sie z.B. darüber auf, warum ein Riss entstanden ist. An vorspringenden, kerbartigen Ecken oder an Einschnürungen konzentrieren sich Zugspannungen. Risse entstehen bei Überschreitung von Zugspannungen, die ein Stoff aufnehmen kann.

Beachten Sie, dass Korrelation nicht Kausalität ersetzt. Schadensphänomene können in zeitlicher Folge eines bestimmten Sachverhalts entstehen, ohne dass kausale Zusammenhänge bestehen. Eine Bezugnahme auf eine Technische Empfehlung, etwa auf eine DIN-Norm, ersetzt keine Kausalitätsklärung. So können feuchtigkeitsbedingte Erscheinungen an Wänden ggf. auf ungünstige raumklimatische Verhältnisse zurückzuführen sein. Nicht vorhandene Abdichtungen auf Bodenplatten aus Stahlbeton sind zwar möglicherweise in einem Vertrag als Sollbeschaffenheit beschrieben, können aber nicht zur Feuchtigkeitsflecken an Wänden beitragen, wenn diese lediglich an Einzelstellen auftreten, es keinen kausalen Zusammenhang zur Feuchtigkeit aus erdberührten Bereichen geben kann. Dann müssen andere Ursachen vorliegen.

5.4 Maßnahmen (nicht: Sanierung!)

In diesem Kapitel sollten Sie – unter der Voraussetzung, dass Sie danach gefragt wurden – notwendige Maßnahmen ggf. in Varianten beschreiben, um einen Zustand zu erzielen, der kein erneutes Schadensbild aus der festgestellten Ursache erwarten lässt. Dabei ist nach Technischen Empfehlungen zu differenzieren, die ausschließlich für einmalig auftretende Vorgänge gedacht sind, z.B. Schrumpf- und Schwindvorgänge von Zementestrichen, und solche Einwirkungen, die wiederkehren (das sind z.B. thermische oder dynamische Einwirkungen).

Falls Sie der Auffassung sind, dass die Inhalte von Technischen Empfehlungen nicht passen, sollten Sie dies diskutieren und Ihre ggf. in Varianten zu entwickelnden Empfehlungen nachvollziehbar begründen. Pauschale Begründungen unter Hinweis auf DIN-Normen o.Ä. genügen nicht!

Wenn Ursachen abgeklungen sind, können Schäden ohne Bearbeitung von Ursachen beseitigt werden bei ausreichender Sicherheit, dass keine erneuten Schäden auftreten. Schadensbeseitigungsmaßnahmen sollen sich nicht am Maximum, sondern an einem möglichen Minimum orientieren, das eine hinreichende Verwendungseignung sicherstellt.

5.5. Verantwortlichkeit

Die Frage nach der Verantwortlichkeit ist in Gerichtsgutachten etwas heikel, weil diese überwiegend auf rechtliche Schuldverhältnisse abstellt. Es ist aber gerade nicht Sache von gerichtlichen Sachverständigen, diese zu klären, sondern lediglich eine Grundlage für die juristische Bewertung vorzubereiten.

Da die meisten Vertragsverhältnisse keine besonderen Vereinbarungen enthalten, insbesondere keine handwerklichen Selbstverständlichkeiten, können und müssen in vielen Fällen Gutachten zur Klärung von bauüblichen und vertragsunabhängigen Wissenshorizonten der Baubeteiligten beitragen. Sachverständige bewegen sich dabei auf einem schmalen Grat, die vertragsunabhängigen Selbstverständlichkeiten darzustellen und ggf. vertragliche, gesonderte Vereinbarungen unberührt zu lassen, die in eine anschließende juristische Würdigung einfließen (müssen).

Berücksichtigen Sie das bei der Formulierung, vermeiden Sie Begriffe, die auf Schuld, fahrlässiges Handeln oder Vergleichbares abstellen. Ohne besondere gerichtliche Hinweise ist nur auf Üblichkeiten im Bauwesen abzustellen.

Üblicherweise werden von Architekten nicht alle Arbeiten im Detail überwacht. Auch ist es bei Werkplanung nicht üblich, handwerkliche Selbstverständlichkeiten darzustellen. Dazu zählt z.B. die Ausbildung von Randfugen von Estrichen. Allerdings kann während der Bauüberwachung Bauleitern auffallen, wenn Randfugen nicht vorhanden sind oder verschossen wurden. Bauleiter führen im Allgemeinen keine Feuchtigkeitsmessungen des Untergrunds zur Feststellung der Belegereife durch. Allerdings überwachen sie im Allgemeinen, dass spätestens von nachfolgenden Unternehmern die Feuchtigkeitsgehalte in Estrichen zur Feststellung der Belegereife gemessen werden.

Sachverständige haben aber üblicherweise keine Erkenntnisse darüber, ob solche Messungen und mit jeweils welchem Ergebnis durchgeführt wurden, ob bei zu hohen Restfeuchten Bedenken gegen eine zu frühe Belegung angemeldet wurden und wie von Auftraggeberseite reagiert wurde. Sachverständige haben daher keine Möglichkeit, eine juristische Zuordnung vorzunehmen, denn diese Sachverhalte sind Sachverständigen in der Regel weder bekannt, noch braucht sie das zu interessieren.

Bedenkenhinweispflichten sind ein juristischer Akt, den Sachverständige nicht klären können und auch nicht müssen. Sachverständigengutachten sollten keine rechtliche Würdigung enthalten. Daher sind Formulierungen geeignet wie z.B.:

> *Es ist üblich, dass ausführende Unternehmer Untergründe prüfen, auf denen sie aufbauend arbeiten. So hätte der Fliesenleger den Untergrund prüfen sollen. Falls er auf einem nicht geeigneten Untergrund den Fliesenbelag verlegen musste, hätte er Bedenken anmelden können. Ob er dies tat, ist mir nicht bekannt.*

Damit stellen Sie klar, dass Sie kein abschließendes Urteil fällen, sondern nur auf bauübliche Gegebenheiten hinweisen. Es könnte ja sein, dass ein Fliesenleger Bedenken angemeldet hat, Sie das aber nicht wissen.

6. (Sachverhalt 2, z.B.:) Abdichtung

Zu weiteren Themen der Gutachtenaufgabe sind die Kapitel analog zu denen des vorherigen Kapitels darzustellen.

7. Beantwortung der Beweisfragen

In diesem Kapitel sind die Beweisfragen entweder knapp (z.B. als Unter-Überschriftsebene 2) oder, je nach Länge des Gutachtens bzw. Komplexität der Sachverhalte, zusätzlich nochmals vollständig zu zitieren, damit Leser nicht ständig blättern müssen.

Die Fragen sollen jeweils ausführlich genug, aber so knapp wie möglich beantwortet werden. Lassen Sie aber eine banale Beantwortung mit *ja* oder *nein* weg.

Da eilige Leser Gutachten nicht von vorne nach hinten lesen, sondern zuerst das letzte Kapitel mit Beantwortung der Beweisfragen, sollten Sie eine Hilfestellung anbieten und die in diesem letzten Kapitel eines Gutachtens knappe Beantwortung mit Querverweisen versehen, damit Leser die ausführlicheren Darstellungen in den Hauptkapiteln des Gutachtens finden, ohne lange suchen zu müssen.

Dazu füge ich im folgenden als Beispiel die Beantwortung der Frage nach den Rissursachen ein:

Rissursachen

> *Auf welche Ursachen sind die Mängel zurückzuführen?*

Hinweis: Wie ausgeführt, können Sie nicht alle Aspekte von Mängeln bearbeiten, da Sachverständige keine Demoskopen sind und üblicherweise kein wissenschaftliches Institut betreiben. Es ist aber müßig, dies ggf. wiederholt erklären zu wollen. Beantworten Sie lediglich den Teil des Mangels, den Sie bearbeiten können und der in Ihr Sachgebiet fällt: die technischen Zusammenhänge, die sich unter dem Fehlerbegriff zusammenfassen lassen.

Der Text in einem solchen Kapitel könnte daher wie folgt gestaltet werden:

Die Risse sind auf mehrere Ursachen zurückzuführen:

- die zu frühe Belegung des Estrichs mit den Fliesen;
- eine fehlende Bewegungsfuge in Estrich und Belag bzw. unzureichende Belegereife (Riss 1);
- die fehlende Ausbildung einer Bewegungsfuge im Fliesenbelag bei einer aus einer Scheinfuge sich entwickelten Randfuge (Riss 2);
- die zu geringe Biegezugfestigkeit der Estrichplatte in Verbindung mit der fehlenden Belegereife des Estrichs (Risse 3-5).

Die Ursachen sind in Kapitel 5.3 dieses Gutachtens ausführlich erläutert.

Abschluss des Gutachtens

Nach dem letzten Kapitel sollte das Gutachten durch eine kurze Textpassage abgeschlossen werden. Dazu können Sie Angaben der Bestandteile des Gutachtens einfügen.

Beispiel:

Dieses Gutachten besteht aus xx Seiten (z.zzz Zeichen) und einer Anlage mit yy Seiten.

Ort, den 32. Februar 2035

(Name)

Bitte verwenden Sie keine überflüssigen Formulierungen, z.B.:

das Gutachten wurde nach bestem Wissen und Gewissen erstattet

oder

ich beziehe mich auf meinen geleisteten Eid.

Es ist eine Selbstverständlichkeit, dass öffentlich bestellte und vereidigte Sachverständige Gutachten nach diesen Kriterien erarbeiten, weswegen dies nicht mehr versichert werden muss. Bei privat tätigen Sachverständigen wird dies gleichermaßen unterstellt. Vorsätzliche falsche Angaben in Gutachten können sehr unangenehme Folgen für Autoren von Sachverständigengutachten haben, weswegen diese schon im Interesse des Eigenschutzes keine vertrauenserschütternden Gefälligkeitsgutachten erstatten sollten.

1.3 Die Bedeutung der „allgemein anerkannten Regeln der Technik" für die Baumangelbeurteilung – Darstellung aus juristischer Sicht

Mark Seibel

Übersicht

1.3.1 Einführung

Die folgenden Ausführungen behandeln eine der grundlegendsten – und zeitlos aktuellen – Fragen des privaten Baurechts: Wann ist eine Bauleistung mangelhaft?

Dass diese Problematik insbesondere im privaten Bauprozess eine wichtige Rolle spielt, braucht nicht näher erläutert zu werden. Der Autor kann aus eigener Erfahrung bestätigen, dass bei der Beantwortung dieser Frage vielfach große Unsicherheiten bei allen Beteiligten – seien es Richter, Rechtsanwälte, Vertreter von Bauunternehmen oder Bauherren – bestehen. Dies hängt vor allem damit zusammen, dass eine bauvertragliche Leistung ihrer Natur nach technischen Charakter hat. Das ist auch der Grund dafür, warum in diesem Zusammenhang technische Standards und technische Regelwerke (DIN-Normen etc.) relevant werden. Der Rechtscharakter und die Wirkungsweise solcher technischen Regeln werden jedoch häufig missverstanden.[1]

Im Folgenden wird dargestellt, welche Leistung der Bauunternehmer aufgrund des mit dem Besteller geschlossenen Werkvertrages/Bauvertrages schuldet bzw. welche Leistung der Besteller nach dem Inhalt des Vertrages redlicherweise erwarten kann. Dabei wird schnell klar, dass technische Standards zu beachten sind – die „allgemein anerkannten Regeln der (Bau-)Technik" dienen als Mindeststandard eines Bauvertrages. Insofern ist fraglich, wie der Inhalt der „allgemein anerkannten Regeln der Technik" zu bestimmen ist. An dieser Stelle wird oft pauschal darauf hingewiesen, dieser Standard werde durch technische Regelwerke (DIN-Normen etc.) ausgefüllt. Ob dies zutrifft, wird zu untersuchen sein. Die folgende Darstellung beschränkt sich aber nicht nur auf dogmatische Ausführungen, sondern verdeutlicht anhand von ausgewählten Beispielen aus der höchst- und obergerichtlichen Rechtsprechung das Zusammenspiel zwischen der Beurteilung der Qualität einer Bauleistung und technischen Regelwerken.

1.3.2 Die Leistungspflicht des Bauunternehmers

1.3.2.1 Die nach dem Vertrag geschuldete Leistung

Um zu beantworten, ob eine mangelhafte Bauleistung vorliegt, muss zunächst geklärt werden, welche Leistung der Bauunternehmer nach dem vereinbarten Vertragsinhalt zu erbringen hat. Ob ein Gewerk mangelfrei ist, richtet sich – sofern zwischen den Vertragsparteien nichts anderes vereinbart wurde – nach dem Leitbild der §§ 631 ff. BGB (BGB-Vertrag) bzw. § 13 Abs. 1 VOB/B (VOB-Vertrag).[2] Die vorgenannte Einschränkung folgt aus dem Umstand, dass die Vertragsparteien aufgrund der ihnen zustehenden Privatautonomie ohne Weiteres über dem Norminhalt liegende Anforderungen vertraglich vereinbaren können. Im Rahmen der nun folgenden Untersuchung sollen allein die Sachmangelkriterien von Interesse sein.

1. Zunächst hat der Werkunternehmer nach § 633 Abs. 2 BGB dafür einzustehen, dass sein Gewerk die *vertraglich vereinbarte Beschaffenheit* aufweist (§ 633 Abs. 2 Satz 1 BGB – **1. Sachmangelvariante**).
2. Soweit eine Beschaffenheit vertraglich nicht vereinbart wurde, muss sich das Gewerk für die *nach dem Vertrag vorausgesetzte Verwendung* eignen (§ 633 Abs. 2 Satz 2 Nr. 1 BGB – **2. Sachmangelvariante**).

1 Siehe zu technischen Standards und technischen Regelwerken auch folgende Veröffentlichungen des Autors: *Seibel*, Der Stand der Technik im Umweltrecht (Diss. 2003); *Seibel*, Baumängel und anerkannte Regeln der Technik, 2009, Rn. 10 ff.; *Seibel*, in: Nicklisch/Weick/Jansen/Seibel, Kommentar zur VOB/B, 5. Aufl. 2019, § 13 Rn. 29 ff.

2 Ausführlich zu den einzelnen Sachmangelkriterien: *Seibel*, Baumängel und anerkannte Regeln der Technik, Rn. 82 ff.; *Seibel*, ZfBR 2009, S. 107 ff.; *Seibel*, BauSV 4/2023, S. 55 ff.

3. Ansonsten muss sich das Gewerk für die *gewöhnliche Verwendung* eignen und eine *Beschaffenheit* aufweisen, die bei Werken der gleichen Art *üblich* ist und die der Auftraggeber nach der Art der Leistung erwarten kann (§ 633 Abs. 2 Satz 2 Nr. 2 BGB – **3. Sachmangelvariante**).

Weiterhin muss die Werkleistung – auch wenn dies im Unterschied zu § 13 Abs. 1 Satz 2 VOB/B nicht ausdrücklich im Wortlaut von § 633 Abs. 2 BGB erwähnt wird – auf allen vorgenannten Stufen zumindest auch den **„allgemein anerkannten Regeln der Technik"** (stillschweigend vereinbarter **Mindeststandard**[3]) entsprechen.

Der Wortlaut von § 633 Abs. 2 BGB ist vom Gesetzgeber „unglücklich" formuliert worden. Nach § 633 Abs. 2 Satz 1 BGB liegt zunächst dann ein Sachmangel vor, wenn das Werk nicht die *vertraglich vereinbarte Beschaffenheit* einhält (§ 633 Abs. 2 Satz 1 BGB). § 633 Abs. 2 Satz 2 BGB betrifft nach seinem Wortlaut hingegen nur diejenigen Sachmangelfälle, in denen eine vertragliche Vereinbarung über die Beschaffenheit des Werkes zwischen den Parteien nicht getroffen wurde. In dem zuletzt genannten Bereich unterscheidet das Gesetz noch danach, ob sich das Werk für die *nach dem Vertrag vorausgesetzte Verwendung* (§ 633 Abs. 2 Satz 2 Nr. 1 BGB) oder – wenn eine solche fehlt – für die *gewöhnliche Verwendung* (§ 633 Abs. 2 Satz 2 Nr. 2 BGB) eignet. Nur im Falle der gewöhnlichen Verwendungseignung soll das Werk zudem noch der *üblichen Beschaffenheit* entsprechen, die der Besteller nach der Art des Werkes erwarten kann.

Intention der Neufassung von § 633 BGB durch das Schuldrechtsmodernisierungsgesetz war die Anpassung an Art. 2 der europäischen Verbrauchsgüterkaufrichtlinie. Dadurch sollte im Kauf- und Werkvertragsrecht ein einheitlicher Sachmangelbegriff eingeführt werden. Aus den Erwägungsgründen zur Verbrauchsgüterkaufrichtlinie geht hervor, dass die dort genannten Sachmangelvarianten *kumulativ* gelten sollen.[4] Das bedeutet, dass die Elemente der Beschaffenheit und des Verwendungszwecks nach der Richtlinie grundsätzlich nebeneinander gelten und sich keinesfalls gegenseitig ausschließen. Diese Anforderungen finden sich im Wortlaut von § 633 Abs. 2 BGB nicht wieder. Das Gesetz scheint vielmehr ausdrücklich zwischen der Beschaffenheit und dem Verwendungszweck im Sinne eines Alternativverhältnisses differenzieren zu wollen.

Würde man strikt nach dem Wortlaut von § 633 Abs. 2 BGB vorgehen, so hätte dies beispielsweise zur Folge, dass ein Gewerk schon dann mangelfrei wäre, wenn allein die vertraglich vereinbarte Beschaffenheit – u.a. die Ausführungsvorgabe – eingehalten würde. Nach dem Wortlaut von § 633 Abs. 2 Satz 2 BGB („*Soweit* die Beschaffenheit nicht vereinbart ist, ...") käme es in diesem Fall überhaupt nicht mehr auf die Verwendungseignung – weder die vertraglich vorausgesetzte noch die gewöhnliche – an.

Dass dies nicht richtig sein kann, ergibt sich schon daraus, dass der Werkunternehmer dem Besteller gegenüber vor allem für den mit dem Gewerk bezweckten *funktionalen Werkerfolg* einzustehen hat. Die Werkleistungspflicht ist stets erfolgsbezogen zu betrachten.

---

3 Dazu: BGH, U. v. 10.7.2014 – VII ZR 55/13, MDR 2014, S. 1020; BGH, U. v. 20.12.2012 – VII ZR 209/11, MDR 2013, S. 585 Rn. 23; *Seibel*, Baumängel und anerkannte Regeln der Technik, Rn. 96 ff. m.w.N.

4 Ebenso: *Thode*, NZBau 2002, S. 297 ff.

Dies wird umso deutlicher, wenn man sich folgendes Beispiel vergegenwärtigt:

Beispiel

Der Besteller schließt mit dem Unternehmer einen Vertrag über die Errichtung des Daches einer Lager- und Produktionshalle. Nach Fertigstellung der Arbeiten zeigt sich, dass das Dach nicht regendicht ist.

Es ist nicht zweifelhaft, dass das Dach im Ergebnis – auch bei Wind – regendicht sein muss, um mangelfrei zu sein.[5] *Nach der Rechtsprechung des BGH entspricht dies der von den Vertragsparteien (jedenfalls stillschweigend) vereinbarten Funktionstauglichkeit der Werkleistung (= Unterfall der vertraglich vereinbarten Beschaffenheit).*

Wollte man § 633 Abs. 2 BGB auf diesen Fall allein nach seinem Wortlaut anwenden, müsste eine Mangelhaftigkeit des Daches schon deswegen ausscheiden, weil die vertraglich vereinbarte Beschaffenheit (Ausführungsvorgabe) von dem Unternehmer eingehalten worden ist. Es ist offenkundig, dass dieses Ergebnis nicht überzeugen kann. In dem Leistungsverzeichnis waren zwar konkrete Ausführungsvorgaben enthalten. Zugrunde lag jedoch immer die Vorstellung, dass sich das Dach später für die nach dem Vertrag (stillschweigend) vorausgesetzte – wenigstens aber die gewöhnliche – Verwendung eignet und einer üblichen Beschaffenheit entspricht. Dies ist nur dann der Fall, wenn es auch dicht ist („funktionaler Werkerfolg"). Eine andere Auslegung würde den Willen der Parteien – insbesondere des Bestellers – in einem ganz wesentlichen Punkt unberücksichtigt lassen.

Das dargestellte Beispiel zeigt, dass die **Sachmangelkriterien in § 633 Abs. 2 BGB** nicht alternativ, sondern **kumulativ angewandt werden müssen**. § 633 Abs. 2 BGB ist daher – entgegen seines missverständlichen Wortlauts – im Hinblick auf die Verbrauchsgüterkaufrichtlinie richtlinienkonform (kumulative Geltung der Sachmangelkriterien) auszulegen, um zu sachgerechten Ergebnissen zu gelangen.[6]

Zurück zu den „**allgemein anerkannten Regeln der Technik**":

Vor allem innerhalb der gewöhnlichen Verwendungseignung sind die „allgemein anerkannten Regeln der Technik" von erheblicher Bedeutung.[7] Dieser Standard ist nämlich in der Regel vom Bauunternehmer einzuhalten, soweit dadurch die geschuldete Gebrauchstauglichkeit gewährleistet wird.[8] Damit wird deutlich, dass der für die Bestimmung der Mangelhaftigkeit maßgebliche (Mindest-)Standard die „allgemein anerkannten Regeln der Technik" sind. Dies wird für den *VOB-Werkvertrag* ausdrücklich in § 4 Abs. 2 Nr. 1 Satz 2 VOB/B sowie in § 13 Abs. 1 Satz 2 VOB/B geregelt. Das gilt aber ebenso für den *BGB-Werkvertrag*. Nach ständiger Rechtsprechung des BGH sichert der Bauunternehmer beim Vertragsschluss nämlich stillschweigend zumindest das Einhalten der „allgemein anerkannten

5 Ein Dach muss grundsätzlich (auch bei Wind) regendicht sein; vgl. BGH, U. v. 11.11.1999 – VII ZR 403/98, MDR 2000, S. 449.

6 *Thode*, NZBau 2002, S. 297 ff.

7 Vgl. BGH, U. v. 14.5.1998 – VII ZR 184/97, MDR 1998, S. 1026.

8 Dazu: BGH, U. v. 9.7.2002 – X ZR 242/99, NJW-RR 2002, S. 1533, 1534; BGH, U. v. 28.10.1999 – VII ZR 115/97, NJW-RR 2000, S. 309, 310.

Regeln der (Bau-)Technik" zu.[9] Dieser vom BGH aufgestellte Grundsatz folgt letztlich aus der Überlegung, dass der Bauunternehmer eine besondere Fachkunde in seinem Tätigkeitsbereich besitzt, auf die der Bauherr vertrauen kann und darf. Aufgrund dieser (stillschweigend) zugrunde gelegten Kenntnis des Bauunternehmers hat der Bauherr (zumindest) einen Anspruch auf Beachtung der in der Baupraxis bekannten und bewährten Vorgehensweisen – also der „allgemein anerkannten Regeln der Technik". Diesen Standard hat der Bauunternehmer nach höchstrichterlicher Rechtsprechung *zum Zeitpunkt der Abnahme* einzuhalten (maßgeblicher Beurteilungszeitpunkt).[10]

Dass die „allgemein anerkannten Regeln der Technik" erst nach der Überprüfung der vertraglich vereinbarten Beschaffenheit zu beachten sind, ergibt sich auch daraus, dass die Parteien im Rahmen einer solchen Vereinbarung qualitativ höherwertige Anforderungen als diejenigen der „allgemein anerkannten Regeln der Technik" zugrunde legen können.[11] So können sie etwa die Geltung des (höherwertigen) „Standes der Technik" vereinbaren. Sollte dies der Fall sein, ist verständlich, dass selbst beim Erfüllen der „allgemein anerkannten Regeln der Technik" ein Mangel vorliegt, da dann die erhöhten vertraglichen Anforderungen nicht eingehalten werden.

Die Frage, welche Leistung vom Bauunternehmer zu erbringen ist, kann sowohl für den VOB-Werkvertrag als auch für den BGB-Werkvertrag wie folgt zusammengefasst werden:

Der Bauunternehmer hat primär die vertraglich vereinbarte Beschaffenheit – einschließlich der vereinbarten Funktionstauglichkeit – einzuhalten. Sollte sein Gewerk in technischer Hinsicht mangelfrei sein, jedoch nicht dem Vertragsinhalt entsprechen, liegt gleichwohl ein Mangel vor. Insofern kommt es auf die „allgemein anerkannten Regeln der Technik" (noch) nicht an.

Beispiel

*Die Ausführung einer Parkhausdecke in einer geringeren als der vertraglich vereinbarten Betongüte (Güteklasse **C 20/25** [alte Bezeichnung: B 25] **statt C 30/37** [alte Bezeichnung: B 35]) reicht für die geplanten Nutzlastfälle (noch) aus. Bei Verwendung der vertraglich vereinbarten Betonqualität (C 30/37) wäre aber eine noch höhere Tragfähigkeit, Haltbarkeit und Nutzungsdauer erreicht worden.[12] Auch wenn mit der tatsächlichen Bauausführung die statischen Anforderungen nach den „allgemein anerkannten Regeln der Technik" (noch) eingehalten worden sind, folgt ein Mangel bereits daraus, dass der Bauherr einen Anspruch auf eine höherwertigere Ausführung hatte, die nicht eingehalten wurde. Die „Ist-Beschaffenheit" weicht im Beispielsfall also negativ von der vertraglich vereinbarten „Soll-Beschaffenheit" ab.*

9 BGH, U. v. 14.5.1998 – VII ZR 184/97, MDR 1998, S. 1026.

10 Vgl. BGH, U. v. 14.5.1998 – VII ZR 184/97, MDR 1998, S. 1026.
Beachte zudem: § 13 Abs. 1 Satz 1 und Satz 2 VOB/B.

11 Siehe zur Vereinbarung von über den „allgemein anerkannten Regeln der Technik" liegenden Anforderungen: OLG Frankfurt, U. v. 26.11.2004 – 4 U 120/04, juris; OLG Stuttgart, U. v. 12.5.2004 – 3 U 185/03, juris.

12 Zu diesem Beispiel: BGH, U. v. 9.1.2003 – VII ZR 181/00, MDR 2003, S. 564 ff.

Sollte eine Beschaffenheit vertraglich nicht speziell vereinbart worden sein, ist zu prüfen, ob sich die Bauleistung für die nach dem Vertrag vorausgesetzte bzw. die gewöhnliche Verwendung eignet und ob insofern die „allgemein anerkannten Regeln der Technik" eingehalten werden.

1.3.2.2 Die „allgemein anerkannten Regeln der (Bau-)Technik"

1.3.2.2.1 Inhaltsbestimmung

Es fragt sich, welchen Inhalt die im Rahmen dieses Vortrages schon mehrfach angesprochenen „allgemein anerkannten Regeln der Technik" haben.

In diesem Zusammenhang kann auf die Rechtsprechung des Reichsgerichts zu den „allgemein anerkannten Regeln der Baukunst" gemäß § 330 StGB a.F. (jetzt: § 319 StGB n.F. – „allgemein anerkannte Regeln der Technik") zurückgegriffen werden. Nach den Ausführungen des Reichsgerichts ist eine Regel dann allgemein anerkannt, wenn sie die ganz vorherrschende Ansicht der (technischen) Fachleute darstellt.[13] Ausgehend davon setzt eine „allgemein anerkannte Regel der Technik" damit zunächst voraus, dass sie sich in der Wissenschaft als (theoretisch) richtig durchgesetzt hat (*allgemeine wissenschaftliche Anerkennung*). Dabei genügt es aber nicht, dass eine Regel im Fachschrifttum vertreten oder an Universitäten gelehrt wird. Sie muss auch Eingang in die Praxis gefunden und sich dort überwiegend bewährt haben (*praktische Bewährung*).[14]

Insgesamt lassen sich die „allgemein anerkannten Regeln der (Bau-)Technik" wie folgt definieren:

*Eine technische Regel ist dann allgemein anerkannt, wenn sie der Richtigkeitsüberzeugung der vorherrschenden Ansicht der technischen Fachleute entspricht (1. Element: **allgemeine wissenschaftliche Anerkennung**) und darüber hinaus auch in der (Bau-)Praxis erprobt und bewährt ist (2. Element: **praktische Bewährung**).*[15]

An dieser Stelle ist darauf hinzuweisen, dass der Normgeber, wenn er von den „**anerkannten Regeln der Technik**" spricht, verkürzt auf die „allgemein anerkannten Regeln der Technik" Bezug nimmt. Inhaltlich lässt sich zwischen diesen Begriffen keinerlei Unterschied feststellen.[16] Das zeigt schon allein die historische Herleitung dieses Technikstandards ganz deutlich.[17] In technikrechtlicher Hinsicht müsste der Gesetzgeber daher richtigerweise immer von den „allgemein anerkannten Regeln der Technik" sprechen, weshalb die Verwendung des Begriffs „anerkannte Regeln der Technik" (z.B. in § 4 Abs. 2 VOB/B, § 13 Abs. 1 VOB/B) unpräzise ist.

---

13 RG, U. v. 11.10.1910 – IV 644/10, RGSt 44, S. 75, 79.

14 Näher zum Inhalt der „allgemein anerkannten Regeln der Technik": *Seibel*, in: Nicklisch/Weick/Jansen/Seibel, VOB/B, § 13 Rn. 29 ff.; *Seibel*, Baumängel und anerkannte Regeln der Technik, Rn. 20 ff.

15 Siehe auch: OLG Hamm, U. v. 18.4.1996 – 17 U 112/95, juris.

16 Ebenso nach ausführlicher Analyse: *Marburger*, Die Regeln der Technik im Recht, 1979, S. 146. Die Auffassung von *Weyer*, IBR 2008, S. 381 (Praxishinweis), der glaubt, es gebe keine allgemeine Anerkennung, ist zweifelhaft. Vertiefung: *Seibel*, ZfBR 2008, S. 635 ff. m.w.N.

17 Ausführlich: *Seibel*, ZfBR 2008, S. 635 ff.

Von den „allgemein anerkannten Regeln der Technik" unterscheidet sich der **„Stand der Technik"** hingegen grundlegend. Ohne das an dieser Stelle näher vertiefen zu können – dies würde den Umfang dieses Beitrags sprengen –, sei darauf hingewiesen, dass der „Stand der Technik" den Maßstab an die Front der technischen Entwicklung verlagert und insofern – unter Verzicht auf das Kriterium der allgemeinen Anerkennung – eine im Vergleich zu den „allgemein anerkannten Regeln der Technik" gesteigerte Dynamik vermittelt.[18] Daher kann verkürzt zusammengefasst werden, dass der „Stand der Technik" auf einer höheren Stufe – gerade was die Aktualität technischer Neuerungen angeht – steht. Eine allgemeine Anerkennung im Sinne einer vorherrschenden Mehrheitsauffassung setzt sich demgegenüber langsamer durch. Beide Standards sind damit strikt voneinander zu trennen.[19]

Dieser schon seit Langem bekannte Grundsatz wird auch in jüngeren Gerichtsentscheidungen und Veröffentlichungen immer wieder verkannt, indem beide Begriffe verwechselt oder sogar miteinander kombiniert werden.[20] Soweit *Zöller/Boldt*[21] zuletzt[22] für das Werkvertragsrecht eine **Begriffsmischung („anerkannter Stand der Technik")** vorgeschlagen haben, ist das **unzutreffend**. Diesen Technikstandard gibt es nicht. Zu beachten ist – dies entspricht auch gefestigter Rechtsprechung des BVerfG[23] –, dass der Stand der Technik bewusst auf das Merkmal einer (allgemeinen) Anerkennung verzichtet und damit im Vergleich zu den „allgemein anerkannten Regeln der Technik" eine gesteigerte technische Fortschrittlichkeit (Dynamik) gewährleistet, weil dort die Erprobung und Bewährung einer technischen Regel nicht vorausgesetzt werden.[24] Das bedeutet: Eine „allgemeine Anerkennung" und ein „Stand" sind in (technik-)rechtlicher Hinsicht inhaltlich keinesfalls gleich zu behandeln und können daher begrifflich – ohne dass dies bloße Wortklauberei wäre – auch nicht einfach miteinander kombiniert werden. Unabhängig davon ist die Begriffsmischung „anerkannter Stand der Technik" in der Sache nicht weiterführend.

Es soll nicht verschwiegen werden, dass der **„Stand von Wissenschaft und Technik"** nach absolut h.M. („3-Stufen-Theorie") der dynamischste Standard ist. Dieser Standard, der vor allem im Atomrecht (z.B. § 7 Abs. 2 Nr. 3 AtomG) Verwendung findet, wird für den privaten Bauvertrag jedoch kaum praktisch relevant.[25]

18 Näher zum „Stand der Technik": *Seibel*, Der Stand der Technik im Umweltrecht, S. 31 ff.; *Seibel*, Baumängel und anerkannte Regeln der Technik, Rn. 14 ff.

19 Weitere Einzelheiten: *Seibel*, Baumängel und anerkannte Regeln der Technik, Rn. 26; *Seibel*, NJW 2013, S. 3000 ff.

20 Beispiele dazu: *Seibel*, NJW 2013, S. 3000 ff.

21 *Zöller/Boldt*, Baurechtliche und -technische Themensammlung, Heft 8 (Anerkannte Regeln der Technik), S. 89 ff.; ebenso: *Zöller*, IBR 2017, S. 601 f.

22 Dieser Vorschlag ist nicht neu; siehe dazu z.B. schon: *Sass*, NZBau 2014, S. 137, 139 ff.

23 BVerfG, Beschl. v. 8.8.1978 – 2 BvL 8/77, NJW 1979, S. 359, 361 f. Siehe auch: *Breuer*, AöR 101, 1976, S. 46, 67 f.

24 Ausführlich dazu: *Seibel*, Baumängel und anerkannte Regeln der Technik, Rn. 26, 33 ff.; *Seibel*, NJW 2013, S. 3000 ff.; *Seibel*, BauR 2004, S. 266 ff. – jeweils m.w.N.

25 Näher zum „Stand von Wissenschaft und Technik": *Seibel*, Baumängel und anerkannte Regeln der Technik, Rn. 27 ff.

1.3.2.2.2 Konkretisierung der „allgemein anerkannten Regeln der Technik" durch technische Regelwerke (DIN-Normen etc.)

Die vorstehende Definition der „allgemein anerkannten Regeln der Technik" hilft allein nicht wesentlich weiter:

Wie soll man die bei den Fachleuten vorherrschende Ansicht und die praktisch erprobten technischen Regeln konkret bestimmen?

Zu klären ist, wie dieser Standard konkretisiert und damit für den Einzelfall handhabbar gemacht werden kann. Am einfachsten lässt sich eine solche Konkretisierung dadurch erreichen, dass man auf technische Regelwerke abstellt, die für das jeweils betroffene Gewerk Anforderungen in Form von Wertangaben enthalten. Solche Angaben finden sich in vielen technischen Regelwerken (etwa DIN-Normen). Es stellt sich die Frage, in welcher Beziehung technische Regelwerke zu den „allgemein anerkannten Regeln der Technik" stehen. Insofern wird vielfach darauf hingewiesen, dass die „allgemein anerkannten Regeln der Technik" alle überbetrieblichen technischen Regelwerke umfassen.[26] Solche sind insbesondere:

- ***DIN-Normen,***
- ***ETB,***
- ***VDI-Richtlinien,***
- ***VDE-Vorschriften,***
- ***Flachdachrichtlinie,***
- ***mündlich überlieferte technische Regeln,***[27]
- evtl. auch ***Herstellerempfehlungen***.[28]

Einer solchen Aussage kann nicht bedingungslos zugestimmt werden, weil eine differenzierte Betrachtung angezeigt ist. Es ist nämlich zu bedenken, dass das Einhalten der Werte der soeben dargestellten technischen Regelwerke nicht zwangsläufig dazu führt, dass auch die „allgemein anerkannten Regeln der Technik" erfüllt werden.

An dieser Stelle muss man sich zunächst den *Rechtscharakter* solcher überbetrieblichen technischen Regelwerke verdeutlichen. **DIN-Normen** sind keine Rechtsnormen, sondern **private technische Regelungen mit Empfehlungscharakter**. Technischen Regelwerken kann somit keine zwingende „Bindungswirkung" im Hinblick auf die Konkretisierung der „allgemein anerkannten Regeln der Technik" zukommen. Solche Regelwerke können die „allgemein anerkannten Regeln der Technik" wiedergeben, jedoch auch hinter diesen zurückbleiben.[29]

---

26 Siehe auch: *Manteufel*, in: Werner/Pastor, Der Bauprozess, 18. Aufl. 2023, Rn. 1927.

27 Zu den Möglichkeiten der Ermittlung nicht schriftlich festgelegter „allgemein anerkannter Regeln der Technik": *Seibel*, BauR 2014, S. 909 ff.

28 Ausführlich zur Bedeutung von Herstellerempfehlungen: Beitrag 1.4.

29 Siehe z.B.: BGH, U. v. 14.5.1998 – VII ZR 184/97, MDR 1998, S. 1026.

Weiterhin ist vor allem das **Alter solcher Regelwerke**[30] zu beachten: Sind technische Regelwerke seit langer Zeit unverändert geblieben, stellt sich die Frage, ob diese überhaupt noch die *derzeit* vorherrschende Ansicht der Fachleute wiedergeben. Sollten sie veraltet sein, scheidet eine Konkretisierung der „allgemein anerkannten Regeln der Technik" aus. Dies wird umso deutlicher, wenn man sich vergegenwärtigt, dass die Anerkennung technischer Regeln nicht etwas einmal und für alle Zeit Festgeschriebenes darstellt. Die Anerkennung von technischen Regeln ändert sich im Laufe der Zeit und unterliegt einem ständigen Wandel. Allein mit dem Einhalten der Werte in DIN-Normen etc. kann somit nicht sicher festgestellt werden, dass auch zwangsläufig die derzeit „allgemein anerkannten Regeln der Technik" beachtet werden. Anhaltspunkte dafür, dass DIN-Normen etc. veraltet sind, können z.B. Publikationen in der Fachliteratur liefern, die sich kritisch mit bestehenden DIN-Normen etc. auseinandersetzen.[31]

Dieser Aspekt macht die Sache vor allem für den Bauunternehmer sehr aufwendig: Er muss sich mit den jeweiligen Regeln der Bautechnik in allgemeiner Hinsicht und in seinem Fachgebiet genau vertraut machen, um sicherzugehen, dass seine Bauausführung mangelfrei ist. Sollten die einschlägigen DIN-Normen etc. aktuell sein und die dort angegebenen Verarbeitungsmethoden bzw. sonstigen Empfehlungen der überwiegenden Auffassung der Fachleute entsprechen, reicht deren Einhalten aus. Anderenfalls muss die Bauleistung abweichend davon ausgeführt werden. Wenn der Bauunternehmer dies nicht hinreichend beachtet und sein Gewerk so ausführt, wie er es evtl. schon seit langer Zeit – vielleicht sogar ohne Beschwerden seiner Auftraggeber – macht, läuft er Gefahr, sich in einem Bauprozess darüber „belehren" lassen zu müssen, dass die von ihm erbrachte Bauleistung trotzdem mangelhaft ist, weil die überwiegende Ansicht der Fachleute mittlerweile anders vorgeht. Der in der Praxis vielfach anzutreffenden „**DIN-Gläubigkeit**" der Baubeteiligten ist damit eine klare Absage zu erteilen.[32]

Ungeachtet dessen sind überbetriebliche technische Regelwerke für die Konkretisierung der „allgemein anerkannten Regeln der Technik" dennoch von besonderer Relevanz:

*Es besteht eine **widerlegbare Vermutung** dafür, dass kodifizierte technische Regelwerke (DIN-Normen etc.) die „allgemein anerkannten Regeln der Technik" wiedergeben.[33] Grundlage dieser Vermutung ist wohl das normierte, transparente **Verfahren der Einführung von DIN-Normen** (vgl. DIN 820), die letztlich aufgrund der vorherrschenden Ansicht der technischen Fachleute erstellt werden sollen.[34] Diese Vermutung ist jedoch widerlegbar. Eine DIN-Norm kann dann keine Geltung (mehr) beanspruchen, wenn z.B. Anhaltspunkte dafür bestehen, dass sie veraltet ist.*

30 Ausführlich zur Aktualität technischer Regelwerke: Beitrag 1.5.

31 Vgl. OLG Nürnberg, U. v. 12.11.2015 – 13 U 577/12, IBR 2018, S. 454 (zur DIN 1045).

32 Ausführlich dazu: *Seibel*, BauSV 6/2008, S. 59 ff.; *Seibel*, BauSV 1/2010, S. 58 ff.; *Seibel*, BauSV 4/2023, S. 55 ff. – jeweils m.w.N.

33 Zu dieser Vermutungswirkung und ihren Folgen für die Beweislast: *Manteufel*, in: Werner/Pastor, Der Bauprozess, Rn. 1929.

34 Vgl. *Seibel*, BauSV 1/2022, S. 54 ff.; *Seibel*, Der Stand der Technik im Umweltrecht, S. 155 f.; *Manteufel*, in: Werner/Pastor, Der Bauprozess, Rn. 1929.

Umgekehrt kann überbetrieblichen technischen Regelwerken im Hinblick auf die Konkretisierung der „allgemein anerkannten Regeln der Technik" jedenfalls eine *Negativwirkung* attestiert werden:

Werden die nach DIN-Normen etc. maßgeblichen Werte nicht eingehalten, wird (regelmäßig) ein Verstoß gegen die „allgemein anerkannten Regeln der Technik" anzunehmen sein. Dies gilt vor allem dann, wenn die DIN-Norm bereits älteren Datums ist.

Nur wenn man die vorstehenden Ausführungen berücksichtigt, wird deutlich, warum der BGH z.B. in seinem Urteil vom 14.5.1998[35] folgende Leitsätze formuliert hat:

„Welcher Luftschallschutz geschuldet ist, ist durch Auslegung des Vertrages zu ermitteln Sind danach bestimmte Schalldämm-Maße ausdrücklich vereinbart oder jedenfalls mit der vertraglich geschuldeten Ausführung zu erreichen, ist die Werkleistung mangelhaft, wenn diese Werte nicht erreicht sind.

Liegt eine derartige Vereinbarung nicht vor, ist die Werkleistung im allgemeinen mangelhaft, wenn sie nicht den zur Zeit der Abnahme anerkannten Regeln der Technik als vertraglichem Mindeststandard entspricht.

Die DIN-Normen sind keine Rechtsnormen, sondern private technische Regelungen mit Empfehlungscharakter. Sie können die anerkannten Regeln der Technik wiedergeben oder hinter diesen zurückbleiben."

Bei der Prüfung, ob technische Regelwerke den „allgemein anerkannten Regeln der Technik" entsprechen, empfiehlt sich folgende **vierstufige Prüfungsreihenfolge**:[36]

1. Zunächst muss die DIN-Norm etc. überhaupt für den betreffenden technischen Bereich einschlägig sein (Geltungsbereich und Schutzzweck der Norm).
2. Weiterhin ist zu prüfen, ob die DIN-Norm etc. den betreffenden technischen Bereich abschließend, d.h. lückenlos und vollständig, erfassen will. Eine Konkretisierungswirkung scheidet aus, wenn die DIN-Norm etc. hinsichtlich des einschlägigen technischen Sachverhalts Regelungslücken aufweist.
3. Sind die ersten beiden Punkte geklärt, muss sich die DIN-Norm etc. am Inhalt der „allgemein anerkannten Regeln der Technik" messen lassen.
4. Schließlich dürfen die in der DIN-Norm etc. enthaltenen und ursprünglich einmal den „allgemein anerkannten Regeln der Technik" entsprechenden Anforderungen ihre allgemeine Anerkennung nicht wieder verloren haben (technischer Fortschritt – „Altersproblematik")

35 BGH, U. v. 14.5.1998 – VII ZR 184/97, MDR 1998, S. 1026. Diese Grundsätze hat der BGH später fortgeführt und weiterentwickelt: BGH, U. v. 14.6.2007 – VII ZR 45/06, MDR 2007, S. 1252 ff.

36 Dazu schon: *Kamphausen*, BauR 1983, S. 175 f.

1.3.2.2.3 Konkretisierung der „allgemein anerkannten Regeln der Technik“ außerhalb schriftlicher technischer Regelwerke

Auch wenn schriftliche technische Regelwerke bei der Konkretisierung der „allgemein anerkannten Regeln der Technik“ eine große Rolle spielen, wird dieser Technikstandard nicht allein durch schriftlich niedergelegte Regelwerke konkretisiert. Trotz der in Deutschland vorhandenen „Normenflut“ gibt es immer noch technische Bereiche, in denen die anerkannten und bewährten Vorgehensweisen keinen Eingang in schriftliche Regelwerke wie z.B. DIN-Normen gefunden haben, sondern allein nach den (überlieferten) Erfahrungen der Handwerker zu beurteilen sind. Als Beispiel sei hier nur das Zimmererhandwerk genannt.[37]

Für den Sachverständigen erweist sich die Feststellung der „allgemein anerkannten Regeln der Technik“ außerhalb von schriftlich niedergelegten technischen Regelwerken als sehr problematisch. Vor dem gleichen Problem steht der Sachverständige, wenn er überprüfen will, ob die in einem schriftlichen technischen Regelwerk enthaltenen Anforderungen (noch) aktuell sind, d.h., ob diese auch derzeit (noch) der vorherrschenden Ansicht der Fachleute entsprechen und praktisch bewährt sind.

In solchen Fällen stehen dem Sachverständigen – neben seiner eigenen Erfahrung und Fachkunde – insbesondere folgende **Möglichkeiten zur Konkretisierung der „allgemein anerkannten Regeln der Technik“** zur Verfügung:[38]

- eigene wissenschaftliche Untersuchungen (z.B. Baustoffprüfungen, Labortests, Berechnungen),
- Untersuchung und Auswertung von Schadensfällen,
- Literaturauswertung,
- Analyse von Statistiken,
- fachlicher Erfahrungsaustausch (z.B. innerhalb von sog. Bausachverständigen-Netzwerken),
- evtl. auch Durchführung einer Befragung der maßgeblichen Fachleute.

Ob die zuletzt genannte Möglichkeit der Befragung von Fachleuten eine taugliche Methode zur Ermittlung der überwiegend anerkannten und in der Praxis bewährten Vorgehensweise in einem technischen Bereich darstellt, wird zu Recht bezweifelt.[39] *Jagenburg*[40] hat – unter Bezugnahme auf die Ausführungen von *Oswald*[41] – gegen die **Tauglichkeit von Meinungsumfragen** insbesondere folgende Bedenken vorgebracht:

37 Vertiefung: Siehe zur Entwicklung der „allgemein anerkannten Regeln der Technik“ bei handwerklichen Holztreppen von den seit Jahrhunderten überlieferten Erfahrungen der Handwerker bis hin zum Regelwerk Handwerkliche Holztreppen (erstmals erschienen 1998 [1. Aufl.]): *Seibel/Kanz*, in: Seibel/Zöller, Baurechtliche und -technische Themensammlung, Heft 5 (Handwerkliche Holztreppen).

38 Siehe auch: *Jagenburg*, Jahrbuch Baurecht 2000, S. 200, 208 f.; *Kamphausen/Warmbrunn*, BauR 2008, S. 25, 28; *Oswald*, db 9/98, S. 123, 130; *Seibel*, ZfBR 2008, S. 635 ff.

39 *Jagenburg*, Jahrbuch Baurecht 2000, S. 200, 209 f.; *Oswald*, db 9/98, S. 123, 130.

40 *Jagenburg*, Jahrbuch Baurecht 2000, S. 200, 209.

41 *Oswald*, db 9/98, S. 123, 130.

„Dagegen sind Meinungsumfragen unter Bausachverständigen (…) aus den von Oswald angeführten Gründen nachdrücklich abzulehnen. Zum einen ist schon die Auswahl derer, die an einer solchen Meinungsumfrage beteiligt werden, subjektiv-willkürlich, jedenfalls nicht kontrollierbar und ebenso zufällig wie die Zahl der Antworten, da anzunehmen ist, daß nicht jeder, der angeschrieben worden ist, auf eine solche Anfrage antwortet. Zum anderen kann der Kreis der Fachleute, die über die Frage der Praxisbewährung und Anerkennung einer Bauweise urteilen, nicht auf Bausachverständige beschränkt werden, die es nur mit einer ebenso zufälligen Zahl und Auswahl von Bauschadensfällen zu tun haben. Denn Bauschäden sind nur ein und nicht das einzige Beurteilungskriterium. Außerdem geht es den Bausachverständigen wie den Ärzten, Anwälten und Richtern: ihre Sicht beschränkt sich auf die ‚kranken' Fälle, mit denen sie es allein zu tun haben. Das verstellt den Blick für die Wirklichkeit und dafür, daß die Schadensfälle nicht die Regel, sondern die Ausnahme sind."

Diese Ausführungen von *Jagenburg* enthalten – vor allem im ersten Teil – einige überzeugende Ansatzpunkte, die dagegen sprechen, das Ergebnis einer Meinungsumfrage unter Fachleuten zur Konkretisierung der „allgemein anerkannten Regeln der Technik" heranzuziehen. Es dürfte äußerst **schwierig** sein, durch eine solche Befragung ein im Ergebnis **repräsentatives Meinungsbild zu erhalten**. Dabei erweist sich schon die Auswahl derjenigen Personen, die an einer solchen Umfrage beteiligt werden sollen, als problematisch. Sodann stellt sich auch die Frage, ob aus den Antworten verlässliche Rückschlüsse gezogen werden können/dürfen.

Entgegen *Jagenburg* erweist sich aber insbesondere die **Erfahrung aus Schadensfällen** als sehr wichtiges – wenn nicht sogar das wichtigste – Kriterium zur Bestimmung der Praxistauglichkeit einer Bauweise. Was sonst kann verlässlichere Rückschlüsse auf die Gebrauchstauglichkeit einer Bauweise geben als ein Schadensfall? Selbst wenn es sich dabei um einen Ausnahmefall handeln sollte.

1.3.2.2.4 Maßgeblicher Beurteilungszeitpunkt: grds. Abnahme

Die „allgemein anerkannten Regeln der Technik" hat der Auftragnehmer grundsätzlich **zum Zeitpunkt der Abnahme** (= maßgeblicher Beurteilungszeitpunkt; ausdrücklich in § 13 Abs. 1 Satz 2 und Satz 3 VOB/B genannt) einzuhalten.[42]

Problematisch kann das Abstellen auf den Zeitpunkt der Abnahme jedoch dann sein, wenn sich die **„allgemein anerkannten Regeln der Technik" während der Bauausführung und noch vor der Abnahme ändern**[43] – z.B. durch die Aktualisierung einer DIN-Norm. Hier bietet sich eine Differenzierung wie folgt an:

War die Änderung **für den Auftragnehmer vor der Bauausführung nicht vorhersehbar**, kann der Auftraggeber – worauf *Kniffka* zutreffend hinweist[44] – redlicher Weise nur erwarten, dass der Auftragnehmer eine Werkleistung nach den im Zeitpunkt der Bauausführung maßgeblichen „allgemein anerkannten Regeln der Technik" verspricht. Denn an-

42 Siehe z.B.: BGH, U. v. 14.11.2017 – VII ZR 65/14, MDR 2018, S. 140; BGH, U. v. 14.5.1998 – VII ZR 184/97, MDR 1998, S. 1026.

43 Vgl. auch: BGH, U. v. 14.11.2017 – VII ZR 65/14, MDR 2018, S. 140 Rn. 26 ff.

44 *Kniffka*, in: Kniffka, ibr-online-Kommentar Bauvertragsrecht 2017 (Stand: 21.8.2017), § 633 Rn. 34.

derenfalls müsste der Auftragnehmer nach der Änderung der „allgemein anerkannten Regeln der Technik" das Bauwerk direkt im Anschluss an die Bauausführung ändern, was niemand erwarten kann.

Das kann anders zu beurteilen sein, wenn die Änderung **für den Auftragnehmer schon vor der Bauausführung (sicher) vorhersehbar** war[45] – z.B. weil sie schon seit langer Zeit in den Fachkreisen diskutiert wurde und dort bekannt war.

Eine von den vorstehenden Aspekten zu trennende Frage ist diejenige nach den **Auswirkungen auf den Vergütungsanspruch** des Auftragnehmers. Das soll an dieser Stelle nicht weiter vertieft werden.[46]

In diesem Zusammenhang ist jedoch auf das **Urteil des BGH vom 14.11.2017** hinzuweisen, in dem alle zuvor genannten Gesichtspunkte und auch die Frage einer Vergütungsanpassung wie folgt zusammengefasst worden sind:[47]

„1. Der Auftragnehmer schuldet gemäß § 13 Nr. 1 VOB/B (2006) grundsätzlich die Einhaltung der allgemein anerkannten Regeln der Technik zum Zeitpunkt der Abnahme. Dies gilt auch bei einer Änderung der allgemein anerkannten Regeln der Technik zwischen Vertragsschluss und Abnahme.

2. a) In einem solchen Fall hat der Auftragnehmer den Auftraggeber regelmäßig über die Änderung und die damit verbundenen Konsequenzen und Risiken für die Bauausführung zu informieren, es sei denn, diese sind dem Auftraggeber bekannt oder ergeben sich ohne Weiteres aus den Umständen.

b) Der Auftraggeber hat sodann im Regelfall zwei Optionen.

Der Auftraggeber kann zum einen die Einhaltung der neuen allgemein anerkannten Regeln der Technik verlangen mit der Folge, dass ein aufwändigeres Verfahren zur Herstellung erforderlich werden kann, als im Zeitpunkt des Vertragsschlusses von den Parteien vorgesehen. Der Auftragnehmer kann, soweit hierfür nicht von der Vergütungsvereinbarung erfasste Leistungen erforderlich werden, im Regelfall eine Vergütungsanpassung nach § 1 Nr. 3 oder 4, § 2 Nr. 5 oder 6 VOB/B (2006) verlangen.

Der Auftraggeber kann zum anderen von einer Einhaltung der neuen allgemein anerkannten Regeln der Technik und damit von einer etwaigen Verteuerung des Bauvorhabens absehen."

Vertiefung zur Frage des Einhaltens der „allgemein anerkannten Regeln der Technik" während der Dauer der Verjährungsfrist von Mängelansprüchen: OLG Frankfurt – Blasbachtalbrücken-Urteil.[48]

---

45 Dazu: OLG Düsseldorf, U. v. 23.12.2005 – 22 U 32/04, juris (Inkrafttreten einer neuen Wärmeschutzverordnung vor dem Durchführen der Arbeiten).

46 Näher hierzu: *Kniffka*, in: Kniffka, ibr-online-Kommentar Bauvertragsrecht 2017 (Stand: 21.8.2017), § 633 Rn. 34 m.w.N.; vgl. auch: BGH, U. v. 14.11.2017 – VII ZR 65/14, MDR 2018, S. 140 Rn. 27 f.

47 BGH, U. v. 14.11.2017 – VII ZR 65/14, MDR 2018, S. 140 (amtl. Leitsätze 1, 2a, 2b i.V.m. Rn. 25 ff.).

48 OLG Frankfurt, U. v. 27.5.1981 – 17 U 82/80, NJW 1983, S. 456 ff. Kritisch hierzu: *Jagenburg*, NJW 1982, S. 2412, 2415.

1.3.3 Ausgewählte Beispiele aus der Rechtsprechung

Nach den bisher überwiegend dogmatischen Ausführungen soll im Folgenden anhand von ausgewählten Beispielen aus der höchst- und obergerichtlichen Rechtsprechung die Bestimmung des Inhalts der „allgemein anerkannten Regeln der Technik" und das Zusammenspiel mit technischen Regelwerken veranschaulicht werden.

1.3.3.1 BGH, Urteil vom 4.6.2009 – VII ZR 54/07[49]

Mit Schallschutzproblemen musste sich der BGH z.B. in seinem Urteil vom 4.6.2009 befassen.

„Rechtsfehlerhaft vertritt das Berufungsgericht jedoch die Auffassung, die Beklagte schulde nur einen Schallschutz, der den Mindestanforderungen der DIN 4109 genüge. Das Berufungsgericht geht davon aus, dass ein Erwerber einer Eigentumswohnung den Vertrag, in dem hinsichtlich der Schalldämmung auf die DIN 4109 Bezug genommen worden ist, in der Regel dahin verstehen muss, dass die Mindestanforderungen dieser Norm gemeint sind. Von dieser Regel will es offenbar eine Ausnahme nur zulassen, wenn eine besonders exklusive Wohnung erworben wird oder der Vertrag Rückschlüsse darauf zulässt, dass eine besonders hochwertige Schalldämmung hergestellt werden soll. Dieser Ansatz ist verfehlt. Welchen Schallschutz die Parteien eines Vertrages über den Erwerb einer Eigentumswohnung vereinbart haben, richtet sich in erster Linie nach der im Vertrag getroffenen Vereinbarung. Der Senat hat in seinem nach Erlass des Berufungsurteils veröffentlichten Urteil vom 14. Juni 2007 (…) darauf hingewiesen, dass insoweit die im Vertrag zum Ausdruck gebrachten Vorstellungen von der Qualität des Schallschutzes, also der Beeinträchtigung durch Geräusche, maßgeblich sind. Vorzunehmen ist eine Gesamtabwägung, in die nicht nur der Vertragstext einzubeziehen ist, sondern auch die erläuternden und präzisierenden Erklärungen der Vertragsparteien, die sonstigen vertragsbegleitenden Umstände, die konkreten Verhältnissen des Bauwerks und seines Umfeldes, der qualitative Zuschnitt, der architektonische Anspruch und die Zweckbestimmung des Gebäudes zu berücksichtigen sind (BGH, Urteil vom 14. Juni 2007 – VII ZR 45/06, a.a.O.).

Der Senat hat auch darauf hingewiesen, dass der Erwerber einer Wohnung oder Doppelhaushälfte mit üblichen Komfort- und Qualitätsansprüchen in der Regel einen diesem Wohnraum entsprechenden Schallschutz erwarten darf und sich dieser Schallschutz nicht aus den Schalldämm-Maßen nach DIN 4109 ergibt. Denn die Anforderungen der DIN 4109 sollen nach ihrer in Ziffer 1 zum Ausdruck gebrachten Zweckbestimmung Menschen in Aufenthaltsräumen lediglich vor unzumutbaren Belästigungen durch Schallübertragung schützen. Das entspricht in der Regel nicht einem üblichen Qualitäts- und Komfortstandard.

Der Senat hat ferner darauf hingewiesen, dass die Schallschutzanforderungen der DIN 4109 hinsichtlich der Einhaltung der Schalldämm-Maße nur insoweit anerkannte Regeln der Technik darstellen, als es um die Abschirmung von unzumutbaren Belästigungen geht. Soweit weitergehende Schallschutzanforderungen an Bauwerke gestellt werden, wie z.B.

49 BGH, U. v. 4.6.2009 – VII ZR 54/07, MDR 2009, S. 978 f. = IBR 2009, S. 447 ff. mit Anm. *Seibel*.

die Einhaltung eines üblichen Komfortstandards oder eines Zustandes, in dem die Bewohner „im Allgemeinen Ruhe finden", sind die Schalldämm-Maße der DIN 4109 von vornherein nicht geeignet, als anerkannte Regeln der Technik zu gelten. Insoweit können aus den Regelwerken die Schallschutzstufen II und III der VDI-Richtlinie 4100 aus dem Jahre 1994 oder das Beiblatt 2 zur DIN 4109 Anhaltspunkte liefern.

Diese Erwägungen gelten nicht nur dann, wenn die Parteien keine ausdrücklichen Vereinbarungen zum Schallschutz getroffen haben, sondern grundsätzlich auch dann, wenn sie hinsichtlich der Schalldämmung auf die DIN 4109 Bezug nehmen, wie das im zu beurteilenden Fall bezüglich der Trittschalldämmung geschehen ist. Denn auch in diesem Fall hat eine Gesamtabwägung stattzufinden, bei der die gesamten Umstände des Vertrages zu berücksichtigen sind. Der Umstand, dass im Vertrag auf eine Schalldämmung nach DIN 4109 Bezug genommen wird, lässt schon deshalb nicht die Annahme zu, es seien die Mindestanforderungen der DIN 4109 vereinbart, weil diese Werte in der Regel keine anerkannten Regeln der Technik für die Herstellung des Schallschutzes in Wohnungen sind, die üblichen Qualitäts- und Komfortstandards genügen (LG München I, IBR 2008, 727, mit Volltext in www.ibr-online.de). Der Erwerber kann ungeachtet der sonstigen Vereinbarungen grundsätzlich erwarten, dass der Veräußerer einer noch zu errichtenden Eigentumswohnung den Schallschutz nach den zur Zeit der Abnahme geltenden anerkannten Regeln der Technik herstellt (BGH, Urteil vom 14. Mai 1998 – VII ZR 184/97, BGHZ 139, 16, 18). Das hat auch die Beklagte in der Baubeschreibung unter dem Stichwort „Grundlagen der Planung und Ausführung" versprochen. Den Hinweis auf die DIN 4109 muss der Erwerber nicht dahin verstehen, der Unternehmer wolle davon abweichen. Vielmehr ist der Verweis auf die DIN 4109 redlicherweise lediglich dahin zu verstehen, dass ein diesem Normwerk entsprechender Schallschutz versprochen wird, soweit die DIN 4109 anerkannte Regel der Technik ist.

Will ein Unternehmer von den anerkannten Regeln der Technik abweichen, darf der Erwerber über den Hinweis auf die DIN 4109 hinaus eine entsprechende Aufklärung erwarten, die ihm mit aller Klarheit verdeutlicht, dass die Mindestanforderungen der DIN 4109 nicht mehr den anerkannten Regeln der Technik entsprechen, der Erwerber also einen Schallschutz erhält, der deutlich unter den Anforderungen liegt, die er für seine Wohnung erwarten darf (vgl. BGH, Urteil vom 16. Juli 1998 – VII ZR 350/96, BGHZ 139, 244; Urteil vom 9. Juni 1996 – VII ZR 181/93, BauR 1996, 732 = ZfBR 1996, 264; Urteil vom 17. Mai 1984 – VII ZR 169/82, BGHZ 91, 206; Kögl, BauR 2009, 156 f.).

Darüber hinaus können die sich aus den sonstigen Umständen des Vertrages ergebenden Anforderungen an den vertraglich vereinbarten Schallschutz nicht durch einen einfachen Hinweis auf die DIN 4109 überspielt werden. Die Gesamtabwägung wird vielmehr regelmäßig ergeben, dass der Erwerber ungeachtet der anerkannten Regeln der Technik einen den Qualitäts- und Komfortstandards seiner Wohnung entsprechenden Schallschutz erwarten darf. In der Regel hat der Erwerber keine Vorstellung, was sich hinter den Schalldämm-Maßen der DIN 4109 verbirgt, sondern allenfalls darüber, in welchem Maße er Geräuschbelästigungen ausgesetzt ist oder in Ruhe wohnen kann bzw. sein eigenes Verhalten nicht einschränken muss, um Vertraulichkeit zu wahren (BGH, Urteil vom 14. Juni 2007 – VII ZR 45/06, a.a.O.). Kann der Erwerber nach den Umständen erwarten, dass die Wohnung in Bezug auf den Schallschutz üblichen Qualitäts- und Komfortstandards entspricht, dann muss der Unternehmer, der hiervon vertraglich abweichen will, deutlich hierauf hinweisen und den Erwerber über die Folgen einer solchen Bauweise für die Wohnqualität aufklären. Auch insoweit kann dem nicht näher erläuterten Hinweis auf die DIN 4109 nur untergeordnete Bedeutung zukommen (vgl. auch OLG Stuttgart, BauR 1977, 279; OLG Nürnberg, BauR 1989, 740). Da zu den bei der Vertragsauslegung zu berücksichtigenden Umständen auch gehört, welcher Schallschutz nach den die anerkannten Regeln der Technik einzuhaltenden Bauweisen erbracht werden kann (BGH, Urteil vom 14. Juni 2007 – VII ZR 45/06, a.a.O.), kann sich im Einzelfall etwas anderes z.B. dann ergeben, wenn höhere Schalldämm-Maße als nach der DIN 4109 wegen der Besonderheiten der Bauweise nicht oder nur mit ungewöhnlich hohen Schwierigkeiten eingehalten werden können.

Die auf der fehlerhaften Auslegung des vertraglich geschuldeten Schallschutzes beruhende Abweisung der Klage kann daher nicht aufrechterhalten bleiben. Das Berufungsurteil ist aufzuheben und die Sache an das Berufungsgericht zurückzuverweisen. Für die neue Verhandlung weist der Senat auf Folgendes hin: Das Berufungsgericht muss die Vertragsauslegung nach den vorgenannten Kriterien erneut vornehmen. Maßgeblich ist, ob die Wohnung den üblichen Qualitäts- und Komfortstandards genügen sollte. Einen „herausgehobenen, exklusiven Eindruck" muss eine Wohnung nicht vermitteln, um als den üblichen Ansprüchen genügende Komfortwohnung einen Schallschutz über den Mindestanforderungen der DIN 4109 erwarten zu lassen. Der Sachverständige G. spricht sowohl im Gutachten vom 14. Juli 2004 als auch in seinem Schreiben vom 14. September 2004 von „hohem Wohnstandard" und bestätigt dies in seiner mündlichen Anhörung vor dem Berufungsgericht vom 13. Februar 2007. Die Baubeschreibung spricht an verschiedenen Stellen von „gehobener Ausstattung", „neuestem Stand", „repräsentativer Konstruktion", „hochwertiger Anlage". Treppen und Treppenhäuser werden „akustisch entkoppelt" und erhalten einen „hochwertigen Steinbelag". Die Wohnungseingangstüren werden in „schalldichter behindertengerechter Ausführung" beschrieben. Die Ver- und Entsorgungsleitungen werden „gegen Schallübertragung und Wärmeverlust isoliert". Die Rede ist von „geräuscharmen Spülkästen und Abluftanlagen". Die Werbeprospekte preisen die Anlage als „Wohnpark City E.", als „Wohn- und Geschäftsresidenz" an, als „ehrgeiziges Bauvorhaben, das sich von allen Seiten sehen lassen kann", mit „unverwechselbarer Architektur" und „lichtdurchfluteten Wohnungen". Der Kaufpreis der klägerischen Wohnung betrug 1996 583.000 DM für eine 110 qm große Maisonettenwohnung. Die Auslegung des Berufungsgerichts, damit sei kein exklusiver Standard vereinbart, muss mangels einer rechtzeitigen Rüge vom Senat hingenommen werden. Das Berufungsgericht wird seine Auffassung in der neuen Verhandlung jedoch prüfen und jedenfalls erwägen müssen, ob ein üblicher Komfort- und Qualitätsstandard vereinbart ist. Daran können keine ernsthaften Zweifel bestehen. Das Berufungsgericht wird deshalb auch zu prüfen haben, welcher Schallschutz für eine solche Wohnung vereinbart ist. Im Hinblick darauf, dass die Schallschutzwerte der VDI-Richtlinie 4100 für übliche Komfortwohnungen und die erhöhten Werte der DIN 4109 Beiblatt 2 offenbar identisch sind, gibt es deutliche Anhaltspunkte, dass jedenfalls diese Schallschutzwerte auch vereinbart sind. Das Berufungsgericht wird bei der Ermittlung des geschuldeten Schallschutzes auch berücksichtigen müssen, dass bei gleichwertigen, anerkannten Bauweisen der Besteller angesichts der hohen Bedeutung des Schallschutzes im modernen Haus- und Wohnungsbau erwarten darf, dass der Unternehmer jedenfalls dann diejenige Bauweise wählt, die den besseren Schallschutz erbringt, wenn sie ohne nennens-

werten Mehraufwand möglich ist. Ist eine Bauweise nicht vereinbart worden, so kann der Bauunternehmer sich zudem nicht auf Mindestanforderungen nach DIN 4109 zurückziehen, wenn die von ihm gewählte Bauweise bei einwandfreier Ausführung höhere Schalldämm-Maße ergibt (BGH, Urteil vom 14. Juni 2007 – VII ZR 45/06, a.a.O. Tz. 29; vgl. dazu auch Locher-Weiß, Rechtliche Probleme des Schallschutzes, 4. Aufl., S. 30).“

Die Entscheidung des BGH vom 4.6.2009 ist erfreulich klar und unmissverständlich. Ihr ist hinsichtlich der Ausführungen zum vertraglich geschuldeten Schallschutz uneingeschränkt zuzustimmen.

Die Anforderungen der DIN 4109 werden schon nach dieser Vorschrift selbst als **Mindestanforderungen an den Schallschutz im Hochbau** bezeichnet. Zweckrichtung dieser Vorschrift ist nach ihrer Ziffer 1. der Schutz von Menschen in Aufenthaltsräumen vor unzumutbaren Belästigungen. Schon danach ist klar, dass die DIN 4109 eine im modernen Wohnungsbau übliche Schallschutzqualität nicht konkretisieren kann. Bei der Präzisierung der „allgemein anerkannten Regeln der Technik“ kann sie somit nicht weiterhelfen.

Nun stellt sich die Frage, welche rechtlichen Konsequenzen eintreten, wenn **im Bauvertrag ausdrücklich „Schalldämmung nach DIN 4109“ vereinbart** wurde. Greift man im Rahmen der Mängelbeurteilung zunächst auf § 633 Abs. 2 Satz 1 BGB zurück, müsste man eigentlich zu dem Ergebnis gelangen, dass in diesem Fall mit dem Einhalten der Schalldämm-Maße nach DIN 4109 die vertraglich ausdrücklich vereinbarte Beschaffenheit eingehalten wurde und somit kein Baumangel vorliegen kann. Weit gefehlt: In seiner Entscheidung vom 4.6.2009 wies der BGH vollkommen zu Recht darauf hin, dass neben der ausdrücklichen vertraglichen Beschaffenheitsvereinbarung grundsätzlich immer auch die „allgemein anerkannten Regeln der Technik“ einzuhalten sind. Für den VOB/B-Vertrag folgt das direkt aus dem Wortlaut von § 13 Abs. 1 Satz 2 VOB/B; dies gilt unter Berücksichtigung des Gesetzgeberwillens jedoch unzweifelhaft auch für den BGB-Vertrag.[50] Unabhängig von dem Vertragswortlaut hat der Unternehmer damit grundsätzlich immer auch die „allgemein anerkannten Regeln der Technik“ zu beachten. Ungeachtet dessen erweist sich die Ermittlung des vertraglich geschuldeten Schallschutzes stumpf nur nach dem Wortlaut der Baubeschreibung etc. schon deswegen als untauglich, weil insofern natürlich – wie bei anderen Verträgen auch – die Begleitumstände in die Auslegung des Vertrages mit einbezogen werden müssen. Mit anderen Worten: Der im Vertrag zum Ausdruck gebrachte Erklärungsgehalt muss anhand der Begleitumstände des Einzelfalles sachgerecht nach dem objektiven Empfängerhorizont (§§ 133, 157 BGB) ausgelegt werden.

Kaum nachvollziehbar ist dabei, dass der 21. Zivilsenat des OLG Hamm (als Vorinstanz der BGH-Entscheidung vom 4.6.2009) den Erwerbern der Wohnung in seiner Entscheidung vom 13.2.2007[51] einfach unterstellte, diese hätten den vertraglichen Hinweis „Schalldämmung nach DIN 4109“ als Verweis auf die Mindestanforderungen der DIN verstehen müssen. Einerseits ist – wie der BGH in seinem die Entscheidung des OLG Hamm aufhebenden Urteil vom 4.6.2009 überzeugend ausführt – regelmäßig davon auszugehen, dass der Erwerber einer Wohnung keinerlei Vorstellung von den Schalldämm-Maßen der DIN 4109 und deren praktischer Bedeutung hat. Vielmehr verfügt der Bauunternehmer gegenüber

50 Siehe: BT-Drucks. 14/6040, S. 261 (linke Spalte unten).

51 OLG Hamm, U. v. 13.2.2007 – 21 U 1/06, juris. Dazu: *Seibel*, BauSV 2/2010, S. 67 ff.

dem Besteller/Erwerber über die überlegene Sachkunde. Den vertraglichen Hinweis auf die DIN 4109 muss ein Erwerber daher nicht ohne Weiteres dahin verstehen, der Unternehmer wolle negativ von den „allgemein anerkannten Regeln der Technik" abweichen. Der Verweis auf die DIN 4109 ist redlicherweise allein dahin zu verstehen, dass ein diesem Normwerk entsprechender Schallschutz versprochen wird, soweit die DIN 4109 anerkannte Regel der Technik ist. Das OLG Hamm hatte auch keinerlei Anhaltspunkte dafür, davon auszugehen, die Erwerber hätten über besondere technische Kenntnisse in diesem Bereich verfügt oder hätten sich mit einer qualitativ minderwertigeren Ausführung als der allgemein üblichen zufriedengeben wollen. Weiterhin ist zu beachten, dass in der Baubeschreibung an verschiedenen Stellen von „gehobener Ausstattung", „neuestem Stand", „repräsentativer Konstruktion", „hochwertiger Anlage" etc. und damit von einer qualitativ hochwertigen Ausführung die Rede war. Wieso sollte der Schallschutz dann nur entsprechend der DIN 4109 und damit unterhalb der „allgemein anerkannten Regeln der Technik" auszuführen gewesen sein?

Wollte man der Entscheidung des OLG Hamm vom 13.2.2007 folgen, hätte dies zudem die Folge, dass sich Bauunternehmer allein durch einen bloßen Hinweis im Bauvertrag ihrer Verpflichtung zum Einhalten der „allgemein anerkannten Regeln der Technik" entziehen könnten – dieses Ergebnis überzeugt nicht! Gerade unter Berücksichtigung der in technischer Hinsicht regelmäßig bestehenden fachlichen Disparität zwischen Bauunternehmer und Bauherr.

Der BGH wies in seiner Entscheidung vom 4.6.2009 auf einen wichtigen Grundsatz hin, der an dieser Stelle noch einmal deutlich herausgestellt werden soll:

Ein Bauunternehmer, der von den „allgemein anerkannten Regeln der Technik" vertraglich abweichen will, muss den Auftraggeber deutlich hierauf hinweisen und ihn über die Folgen einer solchen Bauweise aufklären.

Diesen Grundsatz hat der BGH später auch noch einmal wiederholt.[52] Die Möglichkeit des Unterschreitens der „allgemein anerkannten Regeln der Technik" im Bauvertrag darf jedoch nicht vorschnell verallgemeinert werden.[53]

1.3.3.2 OLG Stuttgart, Urteil vom 17.10.2011 – 5 U 43/11[54]

Eine Ausnahme von dem gerade dargestellten Grundsatz hat das OLG Stuttgart in seinem Urteil vom 17.10.2011 erkannt. Dem lag der Sachverhalt zugrunde, dass eine Bauträgerin (Klägerin) mehrere Architekten (Beklagte) mit der Planung u.a. von Reihenhäusern beauftragte. Im Architektenvertrag war u.a. geregelt, dass die Architekten das Projekt nach den Regeln der Baukunst ausführen sollten. Außerdem hatten sie für die Käufer der Häuser eine Baubeschreibung zu erstellen, wobei die Bauträgerin ihnen hierfür ein Konzept zur Verfügung stellte. Hinsichtlich des Schallschutzes waren in der für die Häuser erstellten Baubeschreibung folgende Formulierungen enthalten: „Schallisolierung nach DIN 4109" sowie „Die Reihenhaustrennwände werden zur besseren Schallisolierung in Stahlbeton hergestellt." Da die Trennwände später einschalig ausgeführt wurden, nahm die Bauträge-

52 Siehe: BGH, U. v. 20.12.2012 – VII ZR 209/11, MDR 2013, S. 585 Rn. 23.
53 Ausführlich dazu: *Seibel*, ZfBR 2010, S. 217 ff.
54 OLG Stuttgart, U. v. 17.10.2011 – 5 U 43/11, NJW 2012, S. 539 ff.

rin die Architekten wegen fehlerhafter Planung (Schallmängeln) auf Schadensersatz in Anspruch. Dies hat das OLG Stuttgart mit folgender Begründung abgelehnt:

„… scheidet im Streitfall ein Planungsfehler der Beklagten aus. Denn die Klägerin hat den Beklagten ausdrücklich die Anweisung zu einer einschaligen Planung erteilt, die damit Vertragsinhalt wurde. Selbst wenn eine einschalige Bauausführung zum Zeitpunkt der Planung der Beklagten bereits nicht mehr den allgemein anerkannten Regeln der Technik entsprochen haben sollte, scheidet eine Mängelhaftung der Beklagten aus, da diese Bauausführung von der Klägerin als Vertragssoll so vorgegeben war. Diese Anweisung der Klägerin geht dabei der allgemeinen vertraglichen Verpflichtung der Beklagten nach Ziff. 4, das Projekt „nach den Regeln der Baukunst (...) auszuführen", vor. (…) Die einschalige Bauausführung war eine bewusste Entscheidung der Geschäftsleitung der Klägerin. Auf dieser Grundlage hat die Klägerin die Kaufpreise gegenüber den Erwerbern kalkuliert. Der Zeuge (…) hat bestätigt (…), dass es zwischen allen Beteiligten klar war, dass die Reihenhäuser so wie bisher, nämlich einschalig wie bei den vorangegangenen Bauvorhaben (…) und einem weiteren Bauvorhaben (…), zu planen waren. Die Frage, wie mit einschaligen Haustrennwänden der Schallschutz zu gewährleisten sei, wurde ausdrücklich zwischen der Klägerin, dem Beklagten Ziff. 2, dem Ingenieurbüro (…) und dem Ingenieurbüro (…) diskutiert (…). Entsprechend hat sich die Klägerin (…) bereits beim Bauvorhaben (…) beim Bauphysiker (…), beim Statiker (…) und auch beim Beklagten Ziff. 2 ausdrücklich rückversichert, welchen Mindestquerschnitt die Haustrennwand haben muss, um den Mindestschallschutz nach DIN 4109 zu erreichen (…). Die Klägerin ließ dabei anfragen, ob es ausreiche, die Trennwände in Stahlbeton mit einer Stärke von lediglich 24 cm zu erstellen. Die Klägerin wurde vom Ingenieurbüro (…) daraufhin darüber informiert, dass mit 24 cm dicken Wänden der Schallschutznachweis – bezogen auf die Anforderungen der DIN 4109 – nicht geführt werden könne. (…) Dem Geschäftsführer der Klägerin war es damit nach allem klar, dass die einschalige Bauausführung gerade im Hinblick auf den Schallschutz problematisch sein kann. (…) Die Klägerin als Bauherrin hat sich damit bewusst dafür entschieden, die Häuser nur einschalig zu bauen und damit nur den Mindestschallschutz nach DIN 4109 zu gewährleisten. Dies war für die Beklagten verbindliche Planungsvorgabe. (…) Eine Verpflichtung der Beklagten, die Klägerin darüber aufzuklären, dass bei Reihenhäusern ein höherer, über die DIN 4109 hinausgehender Schallschutz normal ist, der nur durch Zweischaligkeit erzielt werden kann, bestand angesichts der eindeutigen Planungsvorgabe der Klägerin nicht."

Konsequent formulierte das OLG Stuttgart folgenden **Leitsatz** zu diesem Urteil:

„Ein Bauträger kann den mit der Planung von Reihenhäusern beauftragten Architekten nicht wegen Fehlplanung mit der Begründung in Haftung nehmen, das Bauwerk entspreche hinsichtlich des Schallschutzes – trotz Einhaltung der DIN 4109 – nicht dem Stand der Technik, da eine einschalige statt einer doppelschaligen Bauweise geplant worden sei, wenn er vom Fach ist und dem Architekten auf Augenhöhe gegenübersteht und die einschalige Bauweise nach Einschaltung von Schallschutzgutachtern gezielt von ihm aufgrund einer bewussten Entscheidung angeordnet worden ist und er schon vor Erstellung der Planung die Kaufpreise entsprechend verbindlich kalkuliert hat."

Vorstehende Ausführungen des OLG Stuttgart geben Anlass zu folgenden Hinweisen:

Ein **Unterschreiten des Mindeststandards „allgemein anerkannte Regeln der Technik"** durch den Unternehmer **muss die Ausnahme bleiben** und kommt grundsätzlich nur bei einem *umfassenden, fehlerfreien Hinweis auf sämtliche Folgen* in Betracht. Dabei muss der Unternehmer in diesem Hinweis die Unterschiede der späteren Bauausführung im Vergleich zur allgemein üblichen verständlich erklären und die Auswirkungen dieser Bauweise für die Wohnqualität darlegen. Willigt der Auftraggeber dann – trotz Kenntnis der Folgen – in das negative Abweichen von der allgemein üblichen Beschaffenheit ein, ist dies seine *privatautonom* getroffene Entscheidung, an der er sich später grundsätzlich festhalten lassen muss. An die Aufklärung durch den Unternehmer sind jedoch hohe Anforderungen zu stellen, weshalb von diesem Vorgehen grundsätzlich nur abgeraten werden kann.[55]

Diese Grundsätze können anders zu beurteilen sein, wenn der Vertragspartner des Unternehmers kein „normaler" (technisch unkundiger), sondern ein technisch versierter Auftraggeber ist – etwa ein Bauträger, der regelmäßig Bauvorhaben verwirklicht und um die besonderen Probleme z.B. im Bereich des Schallschutzes weiß. Ein solcher Auftraggeber verdient sicherlich weniger Schutz als ein privater Bauherr, der oft nur einmal in seinem Leben baut und in technischen Dingen völlig unerfahren ist. Sollte der Bauunternehmer also einen Vertrag mit einem erfahrenen Auftraggeber schließen, mag der bloße Hinweis auf eine technische Vorschrift genügen, um die darin verkörperten Anforderungen zur vertraglichen Beschaffenheit werden zu lassen. Dies wird in die vom BGH geforderte Gesamtabwägung mit einzubeziehen sein, was das OLG Stuttgart in seiner Entscheidung getan hat.

An dieser Stelle ist jedoch noch einmal deutlich zu betonen, dass es sich bei der Entscheidung des OLG Stuttgart um eine Ausnahme- bzw. Sonderkonstellation handelt, die nicht mit dem vom BGH am 4.6.2009 entschiedenen Sachverhalt vergleichbar ist.

1.3.3.3 OLG Hamm, Urteil vom 14.8.2019 – 12 U 73/18[56]

1.3.3.3.1 Entscheidung/Leitsätze

Der 12. Zivilsenat (einer der „Bausenate") des OLG Hamm hat – nach sachverständiger Beratung – in seinem Urteil vom 14.8.2019 bzgl. der in der Baupraxis weit verbreiteten Kombination aus Abdichtungen mit PMBC und wasserundurchlässigen Betonteilen eine Grundsatzentscheidung getroffen und hierzu folgende allgemeingültige Leitsätze[57] formuliert:

„1. Die Außenwandabdichtung mittels Kombinationslösung aus WU-Betonbodenplatte und kunststoffmodifizierter Bitumendickbeschichtung entspricht für den Wasserlastfall aufstauendes Sickerwasser – trotz Konformität mit den Regelungen der DIN 18195-6 bzw. DIN 18533 – nicht den anerkannten Regeln der Technik.

55 Dazu: *Seibel*, Baumängel und anerkannte Regeln der Technik, Rn. 223 ff.; *Seibel*, IBR 2009, S. 448.
56 OLG Hamm, U. v. 14.8.2019 – 12 U 73/18, NJW 2019, S. 3791 ff.
57 OLG Hamm, U. v. 14.8.2019 – 12 U 73/18, NJW 2019, S. 3791.

2. Die von der Regelung der vorgenannten DIN ausgehende Vermutungswirkung sieht der Senat – insbesondere aufgrund der Vielzahl an aufgetretenen Schadensfällen – als widerlegt an."

1.3.3.3.2 Begründung

Im zugrunde liegenden Fall trat unstreitig von außen Feuchtigkeit in die Kellerräume des neu errichteten Hauses ein; dort bestand der Wasserlastfall „aufstauendes Sickerwasser". Zur Begründung seiner oben dargestellten Leitsätze führte der 12. Zivilsenat des OLG Hamm in Rn. 96 ff. der Entscheidung[58] im Wesentlichen aus (Hervorhebungen durch den Autor):

„Der Sachverständige U hat festgestellt, dass die streitgegenständliche Kombinationsabdichtung für den Wasserlastfall aufstauendes Sickerwasser technisch nicht geeignet sei, eine dauerhafte Abdichtung herzustellen. Die generelle Schwäche der Kombinationsabdichtung liege im unteren Bereich der Abdichtung, nämlich dort, wo die kunststoffmodifizierte Bitumendickbeschichtung auf die Bodenplatte aufgeklebt werde. In diesem Bereich komme es zu Ablöseerscheinungen und Unterwanderungen. Zur Begründung hat der Sachverständige auf seine ***langjährige sachverständige Erfahrung*** *verwiesen. Im Rahmen seiner Anhörung im Senatstermin hat der Sachverständige erläutert, dass er* ***seit Beginn seiner Sachverständigentätigkeit im Jahre 2003 ca. 15–20 Fälle pro Jahr zu begutachten gehabt habe, in denen es im Falle der Verwendung der hier vorliegenden Kombinationsabdichtung bei aufstauendem Sickerwasser zu Wassereintritten ins Gebäudeinnere gekommen sei. Demgegenüber habe er lediglich einen Fall begutachtet, in dem es bei Verwendung einer Abdichtung durch Bitumenbahnen zu einem Wassereintritt gekommen sei, wobei der Schaden im begutachteten Fall auf einem offensichtlichen Ausführungsfehler beruht habe****.*

Seine Einschätzung, dass die Kombinationsabdichtung für den Wasserlastfall aufstauendes Sickerwasser technisch ungeeignet sei und damit nicht den anerkannten Regeln der Technik entspreche, ***hat der Sachverständige zudem mit dem Ergebnis einer von ihm im Jahr 2009 veranlassten Befragung aller zur damaligen Zeit öffentlich bestellten und vereidigten Sachverständigen mit den Fachgebieten Schäden an Gebäuden und Bauwerkssanierung begründet****. Die streitgegenständliche Kombinationsabdichtung sei von den Sachverständigen, die sich zurückgemeldet hätten, mehrheitlich als technisch ungeeignet eingestuft worden. (…)*

Dem ***Einwand der Bekl., der Sachverständige U könne nicht einschätzen, ob sich die streitgegenständliche Kombinationsabdichtung in der Praxis bewährt habe, weil er es als Sachverständiger ausschließlich mit Schadensfällen zu tun bekomme, kann ebenfalls nicht gefolgt werden****. Denn der Sachverständige hat, wie bereits dargelegt, nachvollziehbar erläutert, aus welchen Gründen die streitgegenständliche Abdichtungsmethode technisch ungeeignet ist und sich in der Praxis gerade nicht bewährt hat. Dass der Sachverständige es aufgrund seines Fachgebiets ausschließlich mit Schadensfällen zu tun hat, liegt in der Natur der Sache und vermag an seiner fachlichen Kompetenz*

58 OLG Hamm, U. v. 14.8.2019 – 12 U 73/18, NJW 2019, S. 3791 Rn. 96 ff.

zur Einschätzung der technischen Geeignetheit der streitgegenständlichen Abdichtungsmethode nichts zu ändern. Letztlich hat auch die Streithelferin zu 1 zugestanden, dass die ***Verwendung der streitgegenständlichen Abdichtungsmethode nicht ausschließlich schadens- und beanstandungsfrei geblieben*** *ist. Sie hat eingeräumt, dass es bei etwas mehr als 100 für den Wasserlastfall aufstauendes Sickerwasser mit der streitgegenständlichen Methode abgedichteten Kellern zu immerhin zwölf Beanstandungen gekommen sei. Dabei ist für die Einschätzung der technischen Geeignetheit der Abdichtungsmethode unbeachtlich, welche Ursache die beanstandeten Schadensfälle hatten. Denn auch* ***eine Abdichtungsmethode, die ausführungsfehleranfällig ist, kann nicht den anerkannten Regeln der Technik entsprechen****. (…)*

Auch die Verteidigung der Bekl., dass die ***generelle Eignung der kunststoffmodifizierten Bitumendickbeschichtung für den konkreten Lastfall bauaufsichtsrechtlich geprüft und zertifiziert worden*** *sei, vermag im Ergebnis nicht durchzugreifen. Der Sachverständige Uhat plausibel und nachvollziehbar dargelegt, dass das Vorliegen einer derartigen Prüfbescheinigung nichts an seiner Feststellung ändere, dass die streitgegenständliche Kombinationsabdichtung keine hinreichende Dichtigkeit erzeuge. Denn* ***eine derartige Prüfbescheinigung werde nach Durchführung von Untersuchungen „unter Laborbedingungen" (sauber, trocken, ohne Grate), die sich von den Bedingungen in tatsächlichen Baugruben wesentlich unterschieden, erteilt****. Zudem werde die* ***Dichtigkeit unter Laborbedingungen in einem Zeitraum von lediglich 28 Tagen überprüft****, so dass die Erteilung einer Prüfbescheinigung im Hinblick auf die dauerhafte Haltbarkeit der Abdichtungsmethode nicht aussagekräftig erscheine. (…)"*

1.3.3.3.3 Kritische Anmerkungen

Sollte es in dem vom 12. Zivilsenat des OLG Hamm entschiedenen Fall wegen eines Versagens der ausgeführten Abdichtungsmethode zu Wassereintritten in den Keller gekommen sein, steht werkvertragsrechtlich unzweifelhaft die Mangelhaftigkeit der Bauleistung des Unternehmers gemäß § 633 BGB bzw. § 13 VOB/B fest (Verstoß gegen die dauerhafte Gebrauchs- und Funktionstauglichkeit der Bauleistung).

Dieser Aspekt steht nicht im Fokus der folgenden kritischen Anmerkungen, sondern allein die vom 12. Zivilsenat des OLG Hamm allgemeingültig gehaltene Begründung, die der in der Baupraxis weit verbreiteten Kombination aus Abdichtungen mit PMBC und wasserundurchlässigen Betonteilen ganz generell die technische Geeignetheit und das Einhalten der „allgemein anerkannten Regeln der Technik" (a.a.R.d.T.) abspricht.

Um es gleich vorwegzunehmen: Die Entscheidung des 12. Zivilsenats des OLG Hamm überzeugt nicht. Sie ist deswegen zu Recht im Schrifttum mit großer Mehrheit[59] abgelehnt worden.[60]

Der Autor kann aus langjähriger eigener Erfahrung in allen zivilgerichtlichen Instanzen bestätigen, dass bei Bausachverständigen in Bauprozessen leider oftmals eine regelrechte

59 Siehe z.B.: *Herold*, BauSV 5/2019, S. 46 ff.; *Gottschalk/Kneißl*, BauSV 6/2019, S. 17 ff.; *Honsinger/Klingelhöfer*, BauSV 1/2020, S. 35 ff.; *Zöller*, IBR 2020, S. 1 f. Wenig überraschend verteidigt der vom 12. Zivilsenat des OLG Hamm beauftragte Sachverständige (dazu: Editorial, BauSV 1/2020, S. 3) die Entscheidung: vgl. *Swensson*, BauSV 1/2020, S. 29 ff.

60 Siehe ergänzend: *Seibel*, NZBau 2020, S. 558 ff.

„DIN-Gläubigkeit“ vorherrscht. Getreu dem Motto: Was in DIN-Normen etc. geschrieben steht, ist Gesetz.

Aus diesem Blickwinkel heraus ist die dargestellte Entscheidung des 12. Zivilsenats des OLG Hamm zunächst zu begrüßen, weil sie sich kritisch mit DIN-Normen (konkret: DIN 18195-6 bzw. DIN 18533) und deren Gültigkeit auseinandersetzt. Gleichwohl überzeugen weder die vom 12. Zivilsenat des OLG Hamm gewählte Begründung noch das allgemeingültig formulierte Ergebnis. Im Folgenden sollen die beiden aus Sicht des Autors relevantesten Kritikpunkte dargestellt werden.

1.3.3.3.3.1 Befragung durch den Gerichtssachverständigen im Jahr 2009

Der 12. Zivilsenat des OLG Hamm stützt seine Entscheidung einerseits auf die vom Gerichtssachverständigen im Jahr **2009 durchgeführte Befragung aller zur damaligen Zeit öffentlich bestellten und vereidigten Sachverständigen mit den Fachgebieten Schäden an Gebäuden und Bauwerkssanierung**. Die streitgegenständliche Kombinationsabdichtung sei dabei von **den Sachverständigen, die sich zurückgemeldet hätten (!)**, mehrheitlich als technisch ungeeignet eingestuft worden.

Gegen die Tauglichkeit dieser Befragung zur Ermittlung der technischen Geeignetheit einer Bauweise bestehen durchgreifende Bedenken.

Einerseits deswegen, weil die Befragung ca. vier Jahre vor Vornahme der streitgegenständlichen Abdichtungsarbeiten im Juli 2013 erfolgte. Insofern stellt sich zunächst die Frage der **Aktualität der Befragung**.

Andererseits wird schon seit langer Zeit bezweifelt, ob eine Befragung von Fachleuten eine taugliche Methode zur Ermittlung der überwiegend anerkannten und in der Praxis bewährten Vorgehensweise in einem technischen Bereich darstellen kann.[61] *Jagenburg*[62] hat – unter Bezugnahme auf die überzeugenden Ausführungen von *Oswald*[63] – gegen die **Tauglichkeit von Umfragen** zu Recht folgende Bedenken vorgebracht:

„Dagegen sind Meinungsumfragen unter Bausachverständigen (...) aus den von Oswald angeführten Gründen nachdrücklich abzulehnen. Zum einen ist schon die Auswahl derer, die an einer solchen Meinungsumfrage beteiligt werden, subjektiv-willkürlich, jedenfalls nicht kontrollierbar und ebenso zufällig wie die Zahl der Antworten, da anzunehmen ist, daß nicht jeder, der angeschrieben worden ist, auf eine solche Anfrage antwortet. Zum anderen kann der Kreis der Fachleute, die über die Frage der Praxisbewährung und Anerkennung einer Bauweise urteilen, nicht auf Bausachverständige beschränkt werden, die es nur mit einer ebenso zufälligen Zahl und Auswahl von Bauschadensfällen zu tun haben. Denn Bauschäden sind nur ein und nicht das einzige Beurteilungskriterium. Außerdem geht es den Bausachverständigen wie den Ärzten, Anwälten und Richtern: ihre Sicht beschränkt sich auf die „kranken“ Fälle, mit denen sie es allein zu tun haben. Das verstellt den Blick für die Wirklichkeit und dafür, daß die Schadensfälle nicht die Regel, sondern die Ausnahme sind.“

61 *Jagenburg*, Jahrbuch Baurecht 2000, S. 200, 209 f.; *Oswald*, db 9/98, S. 123, 130.
62 *Jagenburg*, Jahrbuch Baurecht 2000, S. 200, 209.
63 *Oswald*, db 9/98, S. 123, 130.

Diese Ausführungen von *Jagenburg* enthalten – vor allem im ersten Teil – einige überzeugende Ansatzpunkte, die dagegen sprechen, das Ergebnis einer Meinungsumfrage unter Fachleuten zur Konkretisierung der a.a.R.d.T. heranzuziehen. Es dürfte **äußerst schwierig** sein, **durch eine solche Befragung ein im Ergebnis repräsentatives Meinungsbild zu erhalten**. Dabei erweist sich schon die Auswahl derjenigen Personen, die an einer solchen Umfrage beteiligt werden sollen, als problematisch. Sodann stellt sich die Frage, ob aus den Antworten verlässliche Rückschlüsse gezogen werden können/dürfen.

Der 12. Zivilsenat des OLG Hamm hinterfragt in seiner Entscheidung nicht und teilt in den Entscheidungsgründen auch nicht mit, **wie viele öbuv Sachverständige** in der Befragung 2009 **insgesamt angeschrieben** worden sind und **wie viele davon überhaupt geantwortet** haben. Das ist für die Beurteilung, ob das Ergebnis der Befragung durch den Gerichtssachverständigen als (einigermaßen) repräsentativ gewertet werden kann, ein aus der Sicht des Autors wichtiger Aspekt.

Da zudem die **Art und Weise der Befragung** durch den Gerichtssachverständigen im Jahr 2009 vom 12. Zivilsenat des OLG Hamm nicht dargestellt wird, bestehen auch aus diesem Grund Bedenken gegen die Tauglichkeit dieser Befragung. Für die Beurteilung der Geeignetheit einer Befragung ist die Art und Weise der Fragestellung (objektiv, ergebnisoffen etc.) von entscheidender Bedeutung. Es kann bei einer Befragung außerdem einen großen Unterschied ausmachen, ob die Befragten **nach ihrer Meinung oder nach ihren konkreten Erfahrungen befragt** werden.

Insgesamt hinterfragt der 12. Zivilsenat des OLG Hamm bei seiner Entscheidung die Tauglichkeit und die Repräsentativität der Befragung durch den Gerichtssachverständigen im Jahr 2009 nicht hinreichend. Das Urteil bleibt insofern sehr oberflächlich.

1.3.3.3.3.2 Schadenserfahrungen des Gerichtssachverständigen und des 12. Zivilsenats des OLG Hamm

Der 12. Zivilsenat des OLG Hamm stützt seine Entscheidung andererseits sowohl auf die **Schadenserfahrungen des Gerichtssachverständigen** als auch auf seine **eigenen gerichtlichen Schadenserfahrungen**. Der Gerichtssachverständige habe überzeugend erläutert, dass er seit Beginn seiner Sachverständigentätigkeit im Jahr 2003 ca. 15 bis 20 Fälle pro Jahr zu begutachten gehabt habe, in denen es im Falle der Verwendung der hier vorliegenden Kombinationsabdichtung bei aufstauendem Sickerwasser zu Wassereintritten ins Gebäudeinnere gekommen sei. Demgegenüber habe er lediglich einen Fall begutachtet, in dem es bei Verwendung einer Abdichtung durch Bitumenbahnen zu einem Wassereintritt gekommen sei, wobei der Schaden im begutachteten Fall auf einem offensichtlichen Ausführungsfehler beruht habe. Danach und auch nach seinen eigenen Erfahrungen wegen einer „Vielzahl an aufgetretenen Schadensfällen" sieht der 12. Zivilsenat des OLG Hamm die von der DIN 18195-6 bzw. DIN 18533 ausgehende Vermutungswirkung, dass die darin enthaltenen technischen Vorgaben den a.a.R.d.T. entsprechen, als widerlegt an.

Diese Argumentation überzeugt schon deswegen nicht, weil die sowohl vom Gerichtssachverständigen („15 bis 20 Schadensfälle pro Jahr") als auch vom 12. Zivilsenat des OLG Hamm („Vielzahl an aufgetretenen Schadensfällen") erwähnten Erfahrungen **keine ausreichend objektiven Anknüpfungstatsachen** darstellen. Die eigenen Fallzahlen sowohl des Gerichtssachverständigen als auch des 12. Zivilsenats des OLG Hamm müssten – um

„ins rechte Licht" gesetzt zu werden – mit der Gesamtzahl der Verwendung von Kombinationsabdichtungen im Bauwesen in Deutschland verglichen werden. Ist diese Abdichtungskombination schon viele 100.000 Male angewandt worden[64], erweisen sich die vom Gerichtssachverständigen und vom 12. Zivilsenat des OLG Hamm zugrunde gelegten eigenen Zahlen als verschwindend gering. Es ist deswegen mehr als fraglich, ob sich darauf das Ergebnis stützen lässt, die in der Baupraxis weit verbreitete Kombination aus Abdichtungen mit PMBC und wasserundurchlässigen Betonteilen sei generell technisch ungeeignet und entspreche deswegen auch nicht den a.a.R.d.T.

Auch insofern bleibt das Urteil des 12. Zivilsenats des OLG Hamm angreifbar oberflächlich und ohne Bezugnahme auf objektivierte und ins richtige Verhältnis gesetzte Schadenszahlen.

Anlass zu einer intensiven und kritischen Auseinandersetzung sowohl mit der Befragung durch den Gerichtssachverständigen im Jahr 2009 als auch mit den eigenen Schadenserfahrungen bestand für den 12. Zivilsenat des OLG Hamm nicht zuletzt schon deswegen, weil die streitgegenständliche **Abdichtungsmethode für den konkreten Lastfall immerhin bauaufsichtsrechtlich geprüft und zertifiziert** worden ist; es liegen Verwendbarkeitsnachweise in Form von Prüfzeugnissen und Zulassungen durch das DIBt vor. Sollte diese Abdichtungsmethode viele 100.000 Male angewandt worden und im Verhältnis dazu lediglich in einer überschaubaren Anzahl schadensanfällig geworden sein, ist die Argumentation des 12. Zivilsenats des OLG Hamm nicht tragfähig, die Zulassungen und Nachweise dieser Methode seien irrelevant, weil sie „unter Laborbedingungen" (sauber, trocken, ohne Grate) erteilt worden seien, die sich von den Bedingungen in tatsächlichen Baugruben wesentlich unterscheiden würden.

1.3.3.3.4 Fazit

Aus den genannten Kritikpunkten kann die Einschätzung des 12. Zivilsenats des OLG Hamm, die in der Baupraxis weit verbreitete Kombination aus Abdichtungen mit PMBC und wasserundurchlässigen Betonteilen sei generell technisch ungeeignet und entspreche deswegen auch nicht den a.a.R.d.T., nicht überzeugen. Die Entscheidung bleibt in zwei wichtigen Bereichen (Tauglichkeit der Befragung durch den Gerichtssachverständigen im Jahr 2009; eigene Schadenserfahrungen des Gerichtssachverständigen sowie des 12. Zivilsenats des OLG Hamm) viel zu oberflächlich und bietet keine auf objektiver Basis nachprüfbare Argumentation.

Insgesamt verbleibt der Eindruck, dass es sich bei dem vom 12. Zivilsenat des OLG Hamm entschiedenen Schadensfall um eine solchen handelt, dessen Ursache ein bloßer Bauausführungsfehler sein könnte. Sollte das so sein, besteht keinerlei Anlass dazu, einer in der Baupraxis weit verbreiteten Kombinationsabdichtung die generelle Eignung abzusprechen.

Letztlich erweist sich der Hinweis des 12. Zivilsenats des OLG Hamm, *„Denn auch eine Abdichtungsmethode, die ausführungsfehleranfällig ist, kann nicht den anerkannten Regeln der Technik entsprechen.",* für die Baupraxis als inhaltsleere Floskel: Einem Bauausfüh-

64 Dazu: *Zöller*, IBR 2020, S. 1 f.

rungsfehler haftet regelmäßig ein Schadensrisiko an. Nach der Logik des 12. Zivilsenats des OLG Hamm dürften – um die a.a.R.d.T. einzuhalten – nur noch Bauweisen angewandt werden, die gar kein Ausführungsrisiko beinhalten.

Was dürfte zukünftig dann überhaupt noch gebaut werden?

1.3.4 Abschließende Hinweise

In diesem Beitrag wurde verdeutlicht, welchen Inhalt die „allgemein anerkannten Regeln der Technik" haben und warum sie die juristische Beurteilung der Mangelhaftigkeit einer Bauleistung im privaten Baurecht (auch zukünftig) prägen. Sofern die Parteien im Bauvertrag nicht etwas Abweichendes wirksam vereinbart haben (vertraglich vereinbarte Beschaffenheit, § 633 Abs. 2 Satz 1 BGB, § 13 Abs. 1 Satz 2 VOB/B), sind die „allgemein anerkannten Regeln der Technik" als Mindeststandard einzuhalten. Soweit *Zöller*[65] kürzlich darauf hingewiesen hat, die „allgemein anerkannten Regeln der Technik" seien aus praktischer Sicht „nicht mit belastbaren Inhalten hinterlegt" und dieser Technikstandard sei eine „juristische Illusion", gibt das Anlass dazu, sich intensiver mit der bisherigen (tradierten) Inhaltsbestimmung des Begriffs „allgemein anerkannte Regeln der Technik" auseinanderzusetzen. Nähere Ausführungen hierzu sind in Beitrag 1.6 enthalten. Ein Abgesang auf diesen in zahlreichen Gesetzen[66] verankerten Technikstandard ist aus juristischer Sicht aber der falsche Weg. Den von *Zöller*[67] zutreffend dargestellten Schwierigkeiten im Umgang mit dem unbestimmten Rechtsbegriff „allgemein anerkannte Regeln der Technik" kann ggf. durch eine inhaltliche Neuausrichtung des Begriffs Rechnung getragen werden. Hierzu wollen die Ausführungen in diesem Beitrag (1.3) und in Beitrag 1.6 einen Denkanstoß für die Leser geben.

65 *Zöller*, BauSV 3/2023, S. 56.

66 Öffentlich-rechtlich zuletzt z.B. in § 3 NELEV (Elektrotechnische-Eigenschaften-Nachweis-Verordnung) verwendet; privatrechtlich gilt der Begriff (unausgesprochen) sowohl nach § 633 Abs. 2 BGB (BT-Drucks. 14/6040, S. 261 rechte Spalte oben [zu § 633 Abs. 2 BGB]: *„Dass, soweit nicht etwas anderes vereinbart ist, die anerkannten Regeln der Technik einzuhalten sind, ist nicht zweifelhaft. Eine ausdrückliche Erwähnung bringt deshalb keinen Nutzen."*) als auch (ausdrücklich) nach § 13 Abs. 1 Satz 2 VOB/B.

67 *Zöller*, BauSV 3/2023, S. 56 ff. Siehe auch Beitrag 1.6.

1.4 Die Bedeutung von Herstellerempfehlungen für die Baumangelbeurteilung

Mark Seibel

Übersicht

1.4.1 Einführung

Herstellerempfehlungen[1] werden in privaten Bauprozessen häufig als Gradmesser für die Beurteilung der Qualität einer Bauleistung herangezogen.[2] Besteller berufen sich z.B. darauf, die vom Unternehmer ausgeführte Bauleistung sei – völlig unabhängig von einem Schadenseintritt – allein deshalb mangelhaft, weil sie von den Vorgaben einer Herstellerempfehlung abweiche. Umgekehrt tragen Bauunternehmer z.B. vor, ihre Werkleistung sei deswegen mangelfrei, weil sie genau nach den Verarbeitungsanweisungen des Herstellers vorgegangen seien.

1 Im Folgenden wird nicht zwischen den Begriffen „Herstellerrichtlinie", „Herstellervorgabe" und „Herstellerempfehlung" etc. unterschieden. Diese Begriffe werden synonym gebraucht.

2 Siehe zu den folgenden Ausführungen auch: *Seibel*, in: Nicklisch/Weick/Jansen/Seibel, Kommentar zur VOB/B, 5. Aufl. 2019, § 13 Rn. 78; *Seibel*, BauR 2012, S. 1025 ff.; *Seibel*, BauSV 4/2009, S. 60 ff.

Ausgehend von Beispielen aus der Rechtsprechung wird in diesem Beitrag dargestellt, wo Herstellerempfehlungen innerhalb der Systematik des werkvertraglichen Sachmangelrechts zu verorten sind[3] und ob diese in ihrer rechtlichen Bedeutung technischen Regelwerken, wie z.B. DIN-Normen, gleichgesetzt werden können; etwa mit der Folge, dass einem Verstoß gegen sie dieselbe (widerlegbare) Vermutungswirkung[4] wie einem Verstoß gegen DIN-Normen zukommt.

1.4.2 Beispiele aus der Rechtsprechung

Die Konsequenzen eines Verstoßes gegen Herstellerempfehlungen für die Baumangelbeurteilung sind in der obergerichtlichen Rechtsprechung wiederholt thematisiert worden. Die folgenden Beispiele[5] sollen einen ersten Eindruck von möglichen Lösungsansätzen vermitteln. Anschließend werden diese in einer Stellungnahme des Autors (dazu: 1.4.3) gewürdigt.

1.4.2.1 OLG Hamm, Urteil vom 17.2.1998 – 7 U 5/96[6]

Das OLG Hamm hatte sich in seinem Urteil vom 17.2.1998 mit der Mangelhaftigkeit der Verlegung von Fliesen auf eine Kalksandsteinmauer zu befassen. Es sah in der unterlassenen Vorbehandlung der Kalksandsteinfläche durch den Unternehmer mit folgender Begründung einen Mangel:

Zwar bestehe beim Einhalten der Anforderungen einer einschlägigen DIN-Norm eine Vermutung dafür, dass die „allgemein anerkannten Regeln der Technik" eingehalten worden seien. Diese Vermutung greife im Fall jedoch schon deswegen nicht ein, weil die DIN 18352 eine Vorbehandlung von Kalksandsteinmauern keineswegs für überflüssig erkläre. Der Bauunternehmer habe gegenüber dem Auftraggeber bei **zu glatten Flächen Bedenken** geltend zu machen. Außerdem habe die durchgeführte Beweisaufnahme ergeben, dass die **Mehrheit der Handwerker** in der Praxis tatsächlich noch eine **Vorbehandlung** der Kalksandsteinmauern durchführe. Des Weiteren sei zu berücksichtigen, dass die Produktempfehlung der **Kalksandsteinindustrie** bei der Verlegung von Fliesen auf Kalksandsteinmauerwerk eine Vorbehandlung der Oberflächen **„dringend" empfehle**. Dies alles bedeute im Ergebnis, dass es der üblichen und vorherrschenden Arbeitsweise in der Praxis entspreche, Kalksandsteinmauern vor dem Aufbringen von Fliesenbelag mit einem sog. Spritzbewurf vorzubehandeln.

Auch wenn es sich in diesem Fall nicht um eine klassische Herstellerempfehlung, sondern um eine Produktempfehlung eines Industrieverbandes handelte, hat das OLG Hamm aus dieser Empfehlung in überzeugender Weise Rückschlüsse auf die Baumangelbeurteilung gezogen.

3 Dazu auch: *Faust*, BauR 2013, S. 363 ff.; *Biernoth*, BauSV 2/2017, S. 66 ff.

4 Einzelheiten: Beitrag 1.3 (Abschnitt 1.3.2.2.2).

5 Die folgende Darstellung erhebt keinen Anspruch auf Vollständigkeit, sondern gibt eine Auswahl der aus Sicht des Autors besonders erwähnenswerten Gerichtsentscheidungen.

6 OLG Hamm, U. v. 17.2.1998 – 7 U 5/96, IBR 1998, S. 295 mit Anm. *Kamphausen*.

1.4.2.2 OLG Schleswig, Urteil vom 12.8.2004 – 7 U 23/99[7]

In seinem am 12.8.2004 verkündeten Urteil musste das OLG Schleswig entscheiden, ob ein Wärmedämmverbundsystem (WDVS) wegen Missachtung der Verarbeitungsempfehlungen des Herstellers mangelhaft war.

Das OLG sah die Mangelhaftigkeit bereits in dem Verstoß gegen eine zugesicherte Eigenschaft i.S.d. § 633 Abs. 1 BGB a.F. (das Angebot des Unternehmers lautete: „nach Werkvorschrift des Herstellers auszuführen"). Dass es bis dato nur zu haarfeinen Rissen gekommen und die Fassade nach wie vor funktionstauglich sei, sei im Hinblick auf die zugesicherte Eigenschaft unerheblich. Soweit der Sachverständige Verstöße gegen die „allgemein anerkannten Regeln der Technik" festgestellt habe, folge auch daraus eine Haftung des Unternehmers. Eine Werkleistung, die nicht den anerkannten Regeln der Technik entspreche, beinhalte das Risiko eines Schadens. Insofern reiche eine Verarbeitung entgegen den Herstellerempfehlungen aus. Diese führe mit Blick auf das vertraglich nicht übernommene Gebrauchsrisiko des Bestellers selbst dann zu einem Mangel, wenn das Werk ansonsten technisch nicht zu beanstanden sei.

1.4.2.3 OLG Köln, Urteil vom 22.9.2004 – 11 U 93/01[8]

Das OLG Köln erkannte in seinem Urteil vom 22.9.2004 den Mangel einer Kelleraußenwandabdichtung in dem Verstoß des Bauunternehmers gegen die Verarbeitungsanweisungen des Herstellers einer kunststoffmodifizierten Bitumendickbeschichtung (KMB). Dabei komme es nicht darauf an, ob bei einem Verstoß gegen die „allgemein anerkannten Regeln der Technik" ein Mangel nicht vorliege, wenn dieser Verstoß nicht mit einem Schaden oder einem tatsächlich nachweisbaren Risiko verbunden sei. Für die Annahme eines Baumangels reiche es schon aus, dass eine Ungewissheit über die Risiken des Gebrauchs existiere. Hier bestehe die ohne Weiteres vorhandene Gefahr, dass es infolge des Versagens der Dränage zu Wassereinbrüchen kommen könne. Zudem liege ein gravierender Mangel vor. Nach den Ausführungen des Sachverständigen sei bereits zweifelhaft, ob der Unternehmer mit der KMB überhaupt ein vertragsgemäßes Werk habe erbringen können.[9] Wenn eine KMB aufgebracht werde, müsse dies aber in jedem Fall sach- und fachgerecht entsprechend den Herstelleranweisungen erfolgen. Geschehe dies nicht (*Anmerkung: im Fall wurde die vom Hersteller vorgeschriebene Dicke der KMB nicht erreicht*), liege ein erheblicher Mangel vor.

1.4.2.4 OLG Köln, Urteil vom 20.7.2005 – 11 U 96/04[10]

In seinem Urteil vom 20.7.2005 musste das OLG Köln dazu Stellung nehmen, welche Konsequenzen das Abweichen von den Verlegeempfehlungen des Herstellers eines Parkettfußbodens (genauer: das Abweichen vom empfohlenen Mindestversatz) für die Bau-

7 OLG Schleswig, U. v. 12.8.2004 – 7 U 23/99, IBR 2004, S. 683 mit Anm. *Schulze-Hagen*.
8 OLG Köln, U. v. 22.9.2004 – 11 U 93/01, IBR 2004, S. 682 mit Anm. *Kamphausen*.
9 Ausführlich zur „Bitumendickbeschichtungsdiskussion": *Staudt/Seibel*, Baurechtliche und -technische Themensammlung 2011, Heft 2 (Bauwerksabdichtung); *Seibel*, Baumängel und anerkannte Regeln der Technik, 2009, Rn. 253 ff., 281 ff., 401 ff. – jeweils m.w.N.
10 OLG Köln, U. v. 20.7.2005 – 11 U 96/04, MDR 2006, S. 147 f. = IBR 2005, S. 530 mit Anm. *Ganten*.

mangelbeurteilung hatte. Das OLG verneinte mit folgender Begründung einen Mangel des Parkettbodens:

Der Werkunternehmer schulde ein auf Dauer mangelfreies, zweckgerechtes Werk, das den „allgemein anerkannten Regeln der Technik" entspreche. Ein Sachmangel werde nicht durch die bloße Abweichung von Herstellerrichtlinien begründet, sondern sei nur dann anzunehmen, wenn – insbesondere als Folge unbestimmter Regeln der Technik – eine Ungewissheit über die Risiken des Gebrauchs bestehe. In diesem Fall liege der Mangel nicht in dem Verstoß gegen die Richtlinien als solchem, sondern in der Risikoungewissheit. Das Risiko eines zukünftigen Schadenseintritts sei jedoch von allen gerichtlichen Sachverständigen ausgeschlossen worden. Aus dem Gesichtspunkt der Zusicherung einer Eigenschaft (§ 633 Abs. 1 BGB a.F.) folge ebenfalls kein Mangel, da der Unternehmer hier – auch unter Berücksichtigung der Garantiezusage des Herstellers – das Einhalten der Herstellerrichtlinien nicht zugesichert habe. Dazu bedürfe es besonderer Anhaltspunkte, die nicht gegeben seien.

Vertiefung: Auch das **OLG Frankfurt** hat schon entschieden, dass ein Verstoß gegen Herstellerempfehlungen nicht zwangsläufig einen Sachmangel darstelle. Herstellerempfehlungen seien jedoch zu beachten, wenn sie der Risikominimierung dienen würden und bei einem Verstoß gegen diese nicht auszuschließen sei, dass sich hierdurch gerade das durch die Herstellerempfehlung zu vermeidende Risiko realisiere.[11]

1.4.2.5 OLG Jena, Urteil vom 27.7.2006 – 1 U 897/04[12]

Das OLG Jena hatte sich in seinem am 27.7.2006 verkündeten Urteil mit der Frage zu befassen, ob die Fassadenarbeiten des Bauunternehmers wegen Nichteinhaltens der vom Hersteller vorgegebenen Mindestschichtdicke (3 bis 5 mm) der Spachtelmasse für einen Fassadenanstrich mangelhaft waren. Dies verneinte das OLG mit folgenden Überlegungen:

Zunächst sei nicht von einer Eigenschaftszusicherung im Sinne einer Beschaffenheitsvereinbarung zwischen den Parteien auszugehen, da nicht erkennbar sei, dass der Besteller auf das Einhalten der Herstellerrichtlinie besonderen Wert gelegt habe; ihm sei es unabhängig hiervon vielmehr auf den Erfolg (nivellierte Oberfläche und Putzflächenstruktur) angekommen. Nach den Feststellungen des gerichtlichen Sachverständigen habe die Spachtelung diesen Zweck im Wesentlichen erfüllt, weil keine unzulässigen Unebenheiten der Außenputzoberfläche zu verzeichnen seien. Allein das Abweichen von den Herstellerrichtlinien begründe keinen Mangel. Herstellerrichtlinien dürften nicht mit „allgemein anerkannten Regeln der Technik" – die immer einzuhalten seien und deren Nichtbeachtung wegen des Risikopotenzials regelmäßig einen Mangel begründe – gleichgesetzt werden. Allerdings seien Herstellerempfehlungen grundsätzlich einzuhalten und bei Nichtbeachtung derselben spreche aufgrund der damit einhergehenden Risikoungewissheit zunächst alles für einen Mangel des Werkes, d.h., der Verstoß gegen Herstellerempfehlungen führe grundsätzlich zur Vermutung der Mangelhaftigkeit. Diese Vermutung sei aufgrund der

11 OLG Frankfurt, U. v. 15.6.2012 – 2 U 205/11, IBR 2014, S. 540 mit Anm. *Seibel*.
12 OLG Jena, U. v. 27.7.2006 – 1 U 897/04, IBR 2009, S. 134 mit Anm. *Völkel*.

sonstigen Feststellungen des gerichtlichen Sachverständigen jedoch widerlegt; das Eintreten zukünftiger Schäden sei nicht zu befürchten.

1.4.2.6 OLG Celle, Urteil vom 11.6.2008 – 14 U 213/07[13]

Im Fall, der dem Urteil des OLG Celle vom 11.6.2008 zugrunde lag, hatten die Parteien für die Bauausführung eines WDVS ausdrücklich vereinbart, dass alle in Betracht kommenden DIN-Normen sowie die Einbau- und Verlegeempfehlungen der Hersteller gelten sollten. Unstreitig baute die Unternehmerin unter Abweichung von den Herstellerempfehlungen an den Stürzen der Öffnungen im Außenmauerwerk keine besonderen Brandschutzbarrieren ein und verwendete für die über den Außenwandöffnungen liegenden Teile der Wärmedämmung keinen besonders feuerbeständigen Werkstoff.

Das OLG Celle bewertete das WDVS als mangelhaft, weil es nicht die zwischen den Parteien vereinbarte Beschaffenheit (Einhaltung der Herstellerempfehlungen) aufweise, § 13 Nr. 1 Satz 2 VOB/B a.F. Nach dem im Werkvertragsrecht geltenden subjektiven Fehlerbegriff (Abweichung der Ist- von der Sollbeschaffenheit) sei unbeachtlich, ob es sich um eine wesentliche oder nur unwesentliche Abweichung von der vereinbarten Beschaffenheit handele. Da der herstellergerechte Einbau einen höheren Brandschutz gewährleistet hätte, sei die Werkleistung auch unabhängig von den „allgemein anerkannten Regeln der Technik" (Mindeststandard) mangelhaft.

1.4.2.7 OLG Schleswig, Urteil vom 31.7.2009 – 3 U 80/08[14]

In seinem Urteil vom 31.7.2009 musste das OLG Schleswig u.a. klären, ob die Abdichtung der Kelleraußenwand eines Altbaus gegen drückendes Wasser von außen mittels einer Bitumenacrylatabdichtung mangelhaft war.

Das OLG nahm dies schon deswegen an, weil die jedenfalls konkludent vereinbarte Beschaffenheit (Beseitigung von Durchfeuchtungserscheinungen) im Ergebnis nicht erreicht worden sei; vielmehr sei im Keller weiterhin Feuchtigkeit vorhanden. Unabhängig davon sei die Abdichtungsmaßnahme auch aus anderen Gründen mangelhaft: Bei der Beauftragung eines Werkunternehmers werde in der Regel stillschweigend vereinbart, dass dieser die anerkannten Regeln seines Fachs als Mindeststandard einhalte. Diese Regeln seien hier nicht schon deswegen verletzt worden, weil der Unternehmer die Abdichtung nicht entsprechend der DIN 18195 (Teil 6) vorgenommen habe. Diese DIN-Norm gelte nach ihrer Nr. 1.2 nicht für nachträgliche Abdichtungen in der Bauwerkserhaltung. Der gerichtliche Sachverständige habe jedoch unabhängig von der DIN-Norm festgestellt, dass die Arbeitsempfehlungen des Herstellers nicht beachtet worden seien. Der Hersteller empfehle das Produkt nämlich nur für Neu- und nicht für Altbauten, weil bei Letzteren vielfach unebene Untergründe vorhanden seien. Voraussetzung für die Verwendung bei Altbauten sei daher, dass der Untergrund vor dem Aufbringen der Abdichtung eben gemacht werde. Allein das Abweichen von Herstellerempfehlungen führe allerdings noch nicht zu einem Mangel, es sei denn, daraus entstehe eine Ungewissheit über die Risiken des Gebrauchs. Eine Abdichtung gegen drückendes Wasser müsse jedoch geeignet sein, Wasser tatsächlich vom Ein-

13 OLG Celle, U. v. 11.6.2008 – 14 U 213/07, IBR 2008, S. 643 mit Anm. *Schwenker.*
14 OLG Schleswig, U. v. 31.7.2009 – 3 U 80/08, IBR 2010, S. 321 mit Anm. *Völkel.*

dringen in das Gebäude abzuhalten. Dieser gewöhnlichen Verwendungseignung gemäß § 633 Abs. 2 Satz 2 Nr. 2 BGB werde die Abdichtung nicht gerecht, weil sie nach den Feststellungen des Sachverständigen zu dünn bzw. zu schlecht (Verarbeitung auf unebenem Untergrund ohne Vorbehandlung) sei, um anstehendes Wasser abhalten zu können.

1.4.2.8 OLG Brandenburg, Urteil vom 15.6.2011 – 4 U 144/10[15]

Gegenstand des Urteils des OLG Brandenburg vom 15.6.2011 war u.a. die Frage, ob der Gehbelag (Tech-Wood-Dielen) einer Schwimmsteganlage deswegen mangelhaft war, weil er entgegen den Herstellerempfehlungen verlegt wurde.

Das OLG erkannte die Mangelhaftigkeit darin, dass die Dielen nicht ausschließlich mit Montage-Clips – wie vom Hersteller empfohlen –, sondern auch mittels Schrauben befestigt worden seien. Teilweise seien die Schrauben zu tief eingeschraubt worden, weswegen sich bereits kleine Risse gezeigt hätten; die Mangelhaftigkeit liege insofern auf der Hand. Eine entgegen den Herstellerempfehlungen vorgenommene Verschraubung der Bretter stelle jedenfalls dann einen Mangel dar, wenn der Besteller hierdurch Gefahr liefe, die Herstellergarantie – mit der das Material vom Unternehmer sogar angepriesen worden sei – zu verlieren. Darüber hinaus begründeten die Verschraubungen auch deshalb einen Mangel, weil sie nach den Ausführungen des Sachverständigen ein ungehindertes „Arbeiten" der Dielen nur eingeschränkt zuließen und deswegen die Gefahr des (weiteren) Reißens der Bretter bestehe. Ein weiterer Mangel liege in den unregelmäßigen Fugenabständen der Dielen und dem Fehlen von Abstandshaltern (Montage-Clips). Der Sachverständige habe ausgeführt, bei einer Montage der Dielen mit Montage-Clips wäre ein gleichmäßiges Fugenbild zu erwarten gewesen.

1.4.2.9 OLG Celle, Urteil vom 29.11.2012 – 5 U 70/12[16]

Dem Urteil des OLG Celle vom 29.11.2012 lag folgender Sachverhalt zugrunde: Nach dem Fertigstellen der Fassade (Glas-Stahl-Konstruktion) traten Knackgeräusche auf, die der Besteller als Mangel ansah und deren Beseitigung er verlangte. Nach sachverständiger Beratung wurden in der Folgezeit Nacharbeiten an der Fassade vorgenommen; u.a. wurden dabei die ursprünglich durchgehenden vertikalen Pressleisten getrennt. Im folgenden Winter drang bei Niederschlag erhebliche Feuchtigkeit durch die Fassade ein. Die Nachbesserungsarbeiten an der Fassade bewertete das OLG Celle mit folgender Argumentation als mangelhaft:

Die abweichend von den Empfehlungen des Systemherstellers vorgenommene Sanierung der Fassade habe zu einer hinterläufigen vertikalen Stoßbildung geführt, durch die Schlagregen und ablaufendes Regenwasser direkt in die Konstruktion habe eindringen können. Zudem sei die innere Verglasungsabdichtung nicht entsprechend der in der Systemempfehlung vorgesehenen Abdichtung verarbeitet worden. Nach den Feststellungen des gerichtlich bestellten Sachverständigen sei damit die Funktionalität der Fassade nicht mehr gegeben. Die Herstellerempfehlungen seien zwingend einzuhalten, um die Funktionalität gerade auch in Bezug auf Feuchtigkeitserscheinungen zu gewährleisten. Werde von den

15 OLG Brandenburg, U. v. 15.6.2011 – 4 U 144/10, IBR 2011, S. 455 mit Anm. *Völkel*.
16 OLG Celle, U. v. 29.11.2012 – 5 U 70/12, IBR 2013, S. 161 mit Anm. *Rodemann*.

Verarbeitungsempfehlungen abgewichen, sei dafür das Einverständnis des Systemherstellers einzuholen und ggf. für die Abweichung vom geprüften System eine erneute Funktionsprüfung durchzuführen.

1.4.2.10 OLG Hamm, Urteil vom 2.9.2015 – 12 U 199/14[17]

In seinem Urteil vom 2.9.2015 musste das OLG Hamm entscheiden, ob die Montage von Rohrleitungen mangelhaft war, weil der Auftragnehmer die Montageanleitung des Herstellers nicht beachtet hatte, und ob dies letztlich ursächlich für den Eintritt eines Wasserschadens war. Das OLG Hamm bejahte die Mangelhaftigkeit der Montage der Rohrleitungen mit folgender Begründung:

Zwar stünden Montageanleitungen eines Herstellers nicht den anerkannten Regeln der Technik gleich. Daher stelle ein Verstoß gegen sie nicht zwangsläufig auch einen Ausführungsmangel dar. Zur vertraglich vereinbarten Beschaffenheit gehörten die Empfehlungen des Herstellers aber dann, wenn ihre Einhaltung vereinbart sei. Eine konkludente dahingehende Abrede könne im Einzelfall bejaht werden, wenn der Auftraggeber ein besonderes Interesse an dem Einhalten der Herstellerempfehlungen habe. Das sei regelmäßig dann der Fall, wenn die vom Hersteller vorgesehene Ausführungsart dazu diene, ein bestimmtes Risiko abzuwenden, dieses Risiko bei Nichtbeachtung bestehe und sich auf die Gebrauchsfähigkeit des Werkes auswirken könne. Denn Sicherheitsanforderungen fußten auf der Einschätzung des Herstellers zur Gefährdung seines Produkts und der dadurch entstehenden Risiken für den Betrieb und die Verkehrssicherheit. Ein Besteller sei regelmäßig nicht bereit, das Risiko einer anderen Einschätzung zu übernehmen. Vielmehr erwarte er, dass sich ein Fachunternehmen die sicherheitsrelevanten Empfehlungen eines Herstellers beschaffe und diese beachte.

Die streitgegenständliche Montageanleitung des Herstellers sehe vor, dass Formstücke und Formstückgruppen stets als Festpunkte auszubilden seien. Leitungsabschnitte mit Formstücken oder kurzen Rohren seien in so kleinen Abständen mit Rohrschellen zu befestigen, dass die Rohre und Formstücke nicht verschoben werden könnten. Diese Anforderungen dienten der Abwendung von Risiken, nämlich von Undichtigkeiten und Wasserschäden. Denn die vorgesehene Ausführungsart verfolge keinen Selbstzweck. Sie solle ersichtlich die dauerhafte Dichtigkeit der Rohrleitung gewährleisten und ein Verschieben von Rohren und Formstücken vermeiden. Die an die Montage gestellten Anforderungen fußten auf der Einschätzung des Herstellers zur Gefährdung der Dichtigkeit der Rohre und der dadurch entstehenden Risiken. Dabei sei auch die Vermeidung von Gefahren im Zusammenhang mit weiteren Arbeiten nachfolgender Gewerke vom Schutzzweck umfasst. Dass sich Muffenverbindungen bei Folgearbeiten lösen könnten, wenn es an einer hinreichenden Absicherung fehle, gehöre zum vorhersehbaren Risiko, stelle mithin eine durchaus naheliegende Gefahr dar. Auch eine dahingehende Gefährdung der dauerhaften Dichtigkeit der Rohrleitung solle durch die vorgesehene Ausführungsart vermieden werden. Insoweit könne dahingestellt bleiben, ob die Anforderungen über die anerkannten Regeln der Technik hinausgehen würden. Denn bei sicherheitsrelevanten Herstellerempfehlungen sei ein

17 OLG Hamm, U. v. 2.9.2015 – 12 U 199/14, IBR 2016, S. 391 mit Anm. *Bergmann-Streyl*.

Auftraggeber regelmäßig nicht bereit, das Risiko einer anderen Einschätzung zu übernehmen.

1.4.2.11 BGH, Urteil vom 23.7.2009 – VII ZR 164/08[18]

In seinem Urteil vom 23.7.2009 musste sich auch der BGH mit der Bedeutung von Herstellerempfehlungen beschäftigen. Dort war ein Fachunternehmen mit der Grundüberholung eines Motors beauftragt worden. Bei der Wartung wurden Befestigungsschrauben der Kontergewichte auf der Kurbelwelle nach deren Ausbau wiederverwendet, obwohl die Wartungsempfehlungen des Herstellers, die allerdings nur vom Hersteller autorisierten Vertragswerkstätten zugänglich waren, einen Austausch der Schrauben zwingend vorsahen. Nach der Inbetriebnahme des überholten Motors brachen einige der Schrauben ab, was erhebliche Schäden am Motor zur Folge hatte.

Der BGH führte aus, die gegen das Fachunternehmen gerichtete Schadensersatzklage könne nicht mit der vom Berufungsgericht (OLG Oldenburg) gegebenen Begründung abgewiesen werden, dem Unternehmen sei bei der Grundüberholung des Motors keine schuldhafte Pflichtverletzung anzulasten.[19] Welchen konkreten Inhalt ein Auftrag zur Grundüberholung eines Motors (Werkvertrag) habe, sei durch Auslegung zu ermitteln, §§ 133, 157 BGB. Beauftragt seien alle Leistungen, die für die fachgerechte Ausführung der Grundüberholung nötig seien. Ob ausgebaute Teile erneuert werden müssten, bestimme sich nach den „allgemein anerkannten Regeln der Technik". Über diese Regeln hinausgehende Anforderungen des Herstellers für die Grundüberholung und Wartung seien jedenfalls dann zu beachten, wenn sie die Sicherheit des Betriebs einer technischen Anlage beträfen. Diese Sicherheitsanforderungen fußten auf der Einschätzung des Herstellers zur Gefährdung seines Produkts und der dadurch entstehenden Risiken für den Betrieb und die Verkehrssicherheit. Ein Besteller sei regelmäßig nicht bereit, das Risiko einer anderen Einschätzung zu übernehmen. Vielmehr erwarte er, dass sich ein Fachunternehmen die Wartungsempfehlungen eines Herstellers beschaffe und diese beachte. Durch die eigenmächtige Entscheidung, einen Austausch der Schrauben zu unterlassen, habe das Unternehmen seine Leistungspflichten verletzt. Diese Pflichtverletzung habe es auch zu vertreten. Da dem Unternehmen bekannt gewesen sei, dass Befestigungsschrauben wegen möglicher Schadensrisiken nicht ohne Weiteres wieder zu verwenden seien, könne es sich nicht darauf berufen, die Wartungsempfehlungen seien nur vom Hersteller autorisierten Vertragswerkstätten zugänglich gewesen.

Dieses Urteil befasst sich zwar vorrangig mit einer schuldhaften Pflichtverletzung des Unternehmers, enthält jedoch – worauf später noch eingegangen wird – für die Baumangelbeurteilung verallgemeinerungsfähige Aussagen.

---

18 BGH, U. v. 23.7.2009 – VII ZR 164/08, IBR 2009, S. 511 mit Anm. *Seibel*.
19 Zur Untauglichkeit der Begründung des OLG Oldenburg schon: *Seibel*, IBR 2008, S. 1191 – nur online (Praxishinweis).

1.4.2.12 BGH, Urteil vom 21.4.2011 – VII ZR 130/10[20]

Im Fall, der dem Urteil des BGH vom 21.4.2011 zugrunde lag, war ein Unternehmer mit dem Einbau von Rundbogenfenstern beauftragt worden. Nach dem Anwendungsdiagramm des Herstellers der Fensterbeschläge durfte bei einem Fensterflügel mit einem Gewicht von 80 kg der Abstand zwischen dem oberen Lenkerlager und dem höchsten Punkt des Rundbogens nicht größer als 400 mm sein. Dieses Maß wurde bei den gelieferten Fensterflügeln, die ein Gewicht von 23,4 kg aufwiesen, um mehr als die Hälfte überschritten. Der Besteller sah den Mangel schon darin, dass die Vorgaben des Anwendungsdiagramms des Fensterbeschlagherstellers nicht eingehalten wurden.

Der BGH beurteilte dies anders und erkannte in folgenden Überlegungen des Berufungsgerichts (OLG Karlsruhe) keinen revisionsrechtlich relevanten Fehler: Das Einhalten der in dem Anwendungsdiagramm vorgegebenen Maße sei zwischen den Parteien nicht stillschweigend vereinbart worden. Die Überlegungen des BGH in seinem Urteil vom 23.7.2009 (dazu: 1.4.2.11), Herstelleranforderungen bzgl. der Sicherheit des Betriebs einer technischen Anlage seien stets beachtlich, könnten nicht auf den Fall übertragen werden. Die Maße des Anwendungsdiagramms orientierten sich an dem Höchstgewicht eines Fensterflügels von 80 kg, während die eingebauten Fensterflügel lediglich ein Gewicht von 23,4 kg aufwiesen. Hieraus folge nicht die Einschätzung des Herstellers, die Gebrauchstauglichkeit sei auch bei erheblich leichteren Fenstern vom Einhalten der Anforderungen des Anwendungsdiagramms abhängig. Zudem seien die Fenster funktionstauglich. Nach den Feststellungen des gerichtlichen Sachverständigen gelte ein Fenster in der Konstruktion nach den „allgemein anerkannten Regeln der Technik" als gebrauchstauglich, wenn es einer Dauerfunktionsprüfung (RAL-RG 607/3 bzw. DIN-Norm EN1191) standhalte. Diese Prüfung sei erfolgreich verlaufen.

1.4.3 Eigene Stellungnahme

1.4.3.1 Verortung von Herstellerempfehlungen innerhalb des werkvertraglichen Sachmangelrechts

Vorüberlegungen:

- Wird der funktionale Werkerfolg nicht erreicht (hält z.B. eine Kelleraußenwandabdichtung drückendem Wasser nicht stand), ist die Werkleistung zwangsläufig mangelhaft. Eine Herstellerempfehlung ist dann von vornherein für die Sachmangelbeurteilung unbeachtlich.
- Weiterhin sollte vorab immer geprüft werden, ob die Herstellerempfehlung den betreffenden Sachverhalt überhaupt umfasst (Klärung des sachlichen Anwendungsbereichs). Ist das zu verneinen, kann sie für die Sachmangelbeurteilung keine Relevanz haben (vgl. 1.4.2.12).

20 BGH, U. v. 21.4.2011 – VII ZR 130/10, IBR 2011, S. 399 mit Anm. *Schulze-Hagen*.

Scheitert eine Relevanz der Herstellerempfehlung nicht bereits an diesen Vorüberlegungen, empfiehlt sich bei der weiteren Prüfung eine Differenzierung nach den einschlägigen Sachmangelvarianten.

1.4.3.1.1 Vertragliche Beschaffenheitsvereinbarung

Zunächst können die Parteien eines Bau-/Werkvertrages das Einhalten von Herstellerempfehlungen zum Gegenstand der vereinbarten Beschaffenheit der Werkleistung machen, § 633 Abs. 2 Satz 1 BGB bzw. § 13 Abs. 1 Satz 2 VOB/B. Das kann ausdrücklich oder stillschweigend/konkludent geschehen. Dieses Sachmangelkriterium ist vorrangig vor allen anderen Mangelvarianten zu prüfen. Ein Verstoß gegen die vertraglich vereinbarte Beschaffenheit führt automatisch zu einem Mangel der Werkleistung, ohne dass es dann noch darauf ankommt, ob diese funktions- und gebrauchstauglich ist oder den „allgemein anerkannten Regeln der Technik" (vertraglicher Mindeststandard) entspricht. Dieses Ergebnis folgt allein aus der Abweichung der Ist- von der Sollbeschaffenheit und verdeutlicht den subjektiven Charakter des Sachmangelrechts.

1.4.3.1.1.1 Ausdrückliche Vereinbarung

Eine ausdrückliche Beschaffenheitsvereinbarung kann etwa dann vorliegen, wenn im Leistungsverzeichnis hinsichtlich der Bauausführung auf das Einhalten der entsprechenden Herstellerempfehlung Bezug genommen – diese mithin vereinbart – wird. Das war in den dargestellten Urteilen des OLG Schleswig (dazu: 1.4.2.2, noch zum alten Recht) und des OLG Celle (dazu: 1.4.2.6) der Fall, wobei im letztgenannten Urteil die Besonderheit bestand, dass der Unternehmer das Einhalten der Herstellerempfehlungen noch einmal ausdrücklich schriftlich gegenüber dem Besteller bestätigt hatte.

1.4.3.1.1.2 Konkludente Vereinbarung

Hinsichtlich der Annahme einer konkludenten Beschaffenheitsvereinbarung dürfte regelmäßig Zurückhaltung geboten sein.[21] Man wird nicht in jedem Fall davon ausgehen können, dass dem Besteller das Einhalten von Herstellerempfehlungen so wichtig ist, dass diese gleich zum Inhalt der werkvertraglichen Leistungspflicht des Unternehmers gemacht werden sollen. Vorrangig kommt es dem Besteller auf das Erreichen des werkvertraglichen Erfolges an; geschuldet ist ein dauerhaft funktions- und gebrauchstaugliches Werk.[22] Dieser „**funktionale Werkerfolg**" kann auch durch ein von der Herstellerempfehlung abweichendes Vorgehen erreicht werden – bekanntlich führen „viele Wege nach Rom".[23] Das OLG Jena (dazu: 1.4.2.5) hat zutreffend betont, es gebe regelmäßig keine Vermutung dahingehend, dass dem Besteller das Einhalten von Herstellerempfehlungen bei der Bauausführung wichtig sei. Insofern müssen immer besondere Umstände hinzutreten, die die Annahme einer diesbezüglichen Erwartungshaltung des Bestellers rechtfertigen.[24]

---

21 Natürlich hängt diese Beurteilung maßgeblich immer von den Umständen des Einzelfalles ab.

22 Vgl. BGH, U. v. 14.5.1998 – VII ZR 184/97, MDR 1998, S. 1026; BGH, U. v. 8.11.2007 – VII ZR 183/05, MDR 2008, S. 200 ff.

23 Siehe auch: *Schulze-Hagen*, IBR 2004, S. 683 (Praxishinweis).

24 Vgl. OLG Köln, U. v. 20.7.2005 – 11 U 96/04, MDR 2006, S. 147 f. = IBR 2005, S. 530 mit Anm. *Ganten*.

Solche besonderen Umstände können sich aus dem Zweck der jeweiligen Herstellerempfehlung ergeben. Mit der Verwendung eines bestimmten Produkts dürfte regelmäßig auch vereinbart sein, dass der Unternehmer die Herstellerempfehlungen jedenfalls insoweit beachtet, als die **Funktionalität** oder die **Verkehrssicherheit** betroffen sind – zwei aus Sicht des Bestellers sehr relevante Aspekte. Diese Einschätzung dürfte letztlich auch dem Urteil des BGH vom 23.7.2009 (dazu: 1.4.2.11; diesem folgend: OLG Hamm, dazu: 1.4.2.10) zugrunde gelegen haben. Dort wird verallgemeinerungsfähig ausgeführt, der Besteller sei regelmäßig nicht bereit, eine andere als die vom Hersteller vorgenommene Risikoeinschätzung zu übernehmen. Damit lässt sich festhalten: Trifft eine Herstellerempfehlung Aussagen dazu, wie der werkvertragliche Erfolg – z.B. die dauerhafte Haltbarkeit eines Bauprodukts – nach Einschätzung des Herstellers am besten erreicht werden kann, wird man in aller Regel annehmen können, dass dem Besteller deren Einhalten wichtig und dies für den Unternehmer auch erkennbar ist. Mit diesen Überlegungen wird der Weg zur konkludenten Beschaffenheitsvereinbarung geebnet.[25]

Eine Beschaffenheitsvereinbarung kann auch unter dem Gesichtspunkt einer **Herstellergarantie** in Betracht kommen. Im Fall des OLG Brandenburg (dazu: 1.4.2.8) hatte der Unternehmer ein spezielles Produkt mit der Herstellergarantie, die eine Verarbeitung nach den Herstellerempfehlungen voraussetzte, angepriesen. Da der Unternehmer diese Empfehlungen bei der Bauausführung missachtete, sah das OLG den Mangel in der Gefahr des Verlustes der Herstellergarantie. Nach der Entscheidung des OLG bleibt unklar, welche Sachmangelvariante dieses zugrunde gelegt hat. Insofern dürfte die Annahme einer (zumindest) konkludenten Beschaffenheitsvereinbarung naheliegen. Nachrangig kommt evtl. auch die Sachmangelvariante des § 633 Abs. 2 Satz 2 Nr. 2 BGB in Betracht.

1.4.3.1.2 Gewöhnliche Verwendungseignung und übliche Beschaffenheit

Sofern keine Beschaffenheitsvereinbarung vorliegt, können Herstellerempfehlungen insbesondere bei der Frage relevant werden, ob sich die Werkleistung für die gewöhnliche Verwendung[26] eignet und eine Beschaffenheit aufweist, die bei Werken der gleichen Art üblich ist und die der Besteller nach der Art des Werkes erwarten kann, § 633 Abs. 2 Satz 2 Nr. 2 BGB bzw. § 13 Abs. 1 Satz 3 Nr. 2 VOB/B.

Vergleicht man diese Regelung mit dem Kaufvertragsrecht, fällt auf, dass Äußerungen von Herstellern im Rahmen der dortigen Sachmangelbeurteilung schon nach dem Gesetzeswortlaut Bedeutung erlangen können. Nach § 434 Abs. 1 Satz 3 BGB gehören zur üblichen Beschaffenheit u.a. Eigenschaften, die der Käufer nach den öffentlichen Äußerungen des Herstellers insbesondere bei der Kennzeichnung über bestimmte Eigenschaften der Sache erwarten kann. Überträgt man diese Interessenlage auf das Werkvertragsrecht, hätte es durchaus nahegelegen, jedenfalls Verarbeitungsempfehlungen des Herstellers eines Bauprodukts, die die Funktionalität oder die Verkehrssicherheit betreffen, innerhalb von § 633 Abs. 2 BGB zu erwähnen. Der Gesetzgeber hat davon aber bewusst abgesehen.[27]

25 Kritisch: *Schulze-Hagen*, IBR 2004, S. 683 (Praxishinweis).

26 Die Sachmangelvariante des § 633 Abs. 2 Satz 2 Nr. 1 BGB bzw. § 13 Abs. 1 Satz 3 Nr. 1 VOB/B (Eignung für die nach dem Vertrag vorausgesetzte Verwendung) soll hier ausgeblendet werden, weil sie praktisch kaum Bedeutung hat. Ist eine Verwendung vertraglich vorausgesetzt, liegt in den allermeisten Fällen bereits eine Beschaffenheitsvereinbarung vor.

27 Siehe: BT-Drucks. 14/6040, S. 261 (linke Spalte [zu Satz 2]).

Dass bedeutet jedoch nicht, dass Herstellerrichtlinien für die Sachmangelbeurteilung im Werkvertragsrecht an dieser Stelle unbeachtlich wären. Folgt aus dem Nichteinhalten von Herstellerrichtlinien eine **Ungewissheit über die Risiken des zukünftigen Gebrauchs** der Werkleistung, die nach dem Vertrag nicht eintreten darf und die der Besteller deswegen nicht hinnehmen muss, liegt ein Mangel vor.[28] Unklarheiten über die Gebrauchstauglichkeit einer Werkleistung gehen zulasten des Unternehmers, worauf z.B. das OLG Köln (dazu: 1.4.2.3) zu Recht hingewiesen hat. Unerheblich ist, ob es bereits zu einem Schadenseintritt gekommen ist.[29] Genau genommen liegt die Mangelhaftigkeit in diesem Fall jedoch allein in der vom Sachverständigen festzustellenden Risikoungewissheit und nicht primär in dem Verstoß gegen die Herstellerrichtlinien. Darauf haben das OLG Köln (dazu: 1.4.2.4) und das OLG Schleswig (dazu: 1.4.2.7) zutreffend hingewiesen.

Was sich für die gewöhnliche Verwendung eignet und eine übliche Beschaffenheit aufweist, wird maßgeblich durch die „allgemein anerkannten Regeln der Technik" bestimmt.[30] Da dieser Standard aber nicht nur bei § 633 Abs. 2 Satz 2 Nr. 2 BGB, sondern grundsätzlich auf allen Stufen des Sachmangelrechts zu beachten ist – gleichsam eine unerwähnte vierte Sachmangelvariante des § 633 Abs. 2 BGB darstellt[31] –, wird der Frage, inwiefern Herstellerempfehlungen zur Bestimmung der „allgemein anerkannten Regeln der Technik" herangezogen werden können, im Folgenden ein eigener Gliederungspunkt gewidmet.

1.4.3.1.3 „Allgemein anerkannte Regeln der Technik"

Bekanntermaßen haben die „allgemein anerkannten Regeln der Technik" für die Beurteilung der Mangelhaftigkeit einer Bauleistung eine enorme Bedeutung.[32] Sie – und nicht etwa der „Stand der Technik" – gelten im Bauvertragsrecht als grundsätzlich einzuhaltender Mindeststandard, dessen Beachtung der Unternehmer nach ständiger Rechtsprechung des BGH[33] bei Vertragsschluss (jedenfalls stillschweigend) zusichert und dessen Beachtung der Besteller redlicherweise auch erwarten kann. Ein Verstoß gegen die „allgemein anerkannten Regeln der Technik" führt regelmäßig – sofern die Parteien keine davon abweichende Beschaffenheit wirksam vereinbart haben[34] – zur Mangelhaftigkeit der Werkleistung.

28 Dazu: *Manteufel*, in: Werner/Pastor, Der Bauprozess, 18. Aufl. 2023, Rn. 2215, 2004.

29 OLG Düsseldorf, U. v. 14.7.1995 – 22 U 46/95, IBR 1995, S. 466 mit Anm. *Schulze-Hagen*; *Seibel*, Baumängel und anerkannte Regeln der Technik, Rn. 103 f. m.w.N.

30 Vgl. BGH, U. v. 14.5.1998 – VII ZR 184/97, MDR 1998, S. 1026; BGH, U. v. 28.10.1999 – VII ZR 115/97, NJW-RR 2000, S. 309, 310; BGH, U. v. 9.7.2002 – X ZR 242/99, NJW-RR 2002, S. 1533, 1534.

31 Einzelheiten: Beitrag 1.3 (Abschnitt 1.3.2.1) und *Seibel*, Baumängel und anerkannte Regeln der Technik, Rn. 96 f.

32 Ausführlich zu den „allgemein anerkannten Regeln der Technik": Beitrag 1.3.

33 Vgl. z.B.: BGH, U. v. 14.5.1998 – VII ZR 184/97, MDR 1998, S. 1026; BGH, U. v. 20.12.2012 – VII ZR 209/11, MDR 2013, S. 585 Rn. 23; BGH, U. v. 10.7.2014 – VII ZR 55/13, MDR 2014, S. 1020 Rn. 17.

34 An das wirksame Unterschreiten der „allgemein anerkannten Regeln der Technik" im Bauvertrag (sog. Beschaffenheitsvereinbarung nach unten) sind hohe Anforderungen zu stellen; siehe: Beitrag 1.3 (Abschnitte 1.3.2.1 und 1.3.3.2) und OLG München, U. v. 26.2.2013 – 9 U 1553/12 Bau, IBR 2014, S. 137 mit Anm. *Seibel*; *Seibel*, ZfBR 2010, S. 217 ff. m.w.N.

1.4.3.1.3.1 Konkretisierung durch Herstellerempfehlungen?

Fraglich ist, ob Herstellerempfehlungen die „allgemein anerkannten Regeln der Technik" konkretisieren und auch insoweit die Baumangelbeurteilung beeinflussen können.

Damit ein technisches Regelwerk als den „allgemein anerkannten Regeln der Technik" zugehörig angesehen werden kann, müssen die darin enthaltenen Vorgaben einerseits in der Wissenschaft als theoretisch richtig anerkannt und andererseits in der Praxis erprobt sein und sich dort überwiegend bewährt haben. Dabei ist es erforderlich, dass die technische Regel (auch aktuell noch!) der vorherrschenden Ansicht der Fachleute entspricht. Dies verdeutlicht, dass recht hohe Anforderungen an die allgemeine Anerkennung einer technischen Regel gestellt werden.[35]

Für DIN-Normen ist anerkannt, dass diese als private technische Regelungen mit Empfehlungscharakter zur Konkretisierung der „allgemein anerkannten Regeln der Technik" herangezogen werden können. Eine Missachtung (einschlägiger) DIN-Normen begründet nach h.M. die (widerlegbare) Vermutung eines Verstoßes gegen die „allgemein anerkannten Regeln der Technik".[36]

Der Grund für diese Vermutung dürfte vor allem darin liegen, dass DIN-Normen vor ihrem Erlass in einem Fachausschuss eingehend diskutiert und mehrheitlich verabschiedet worden sind. Das spricht auf den ersten Blick dafür, solchen technischen Normen grundsätzlich zu attestieren, bei ihrer Gründung seien die vorherrschenden und in der Baupraxis bewährten Vorgehensweisen zugrunde gelegt worden – jeweils mit der Einschränkung, dass diese Vermutung jederzeit widerlegt werden kann. Das ist insbesondere dann der Fall, wenn die in einer DIN-Norm enthaltenen Vorgaben veraltet und damit überholt sind (Beispiel: DIN 4109[37])

Richtet man den Blick auf Herstellerempfehlungen, fällt auf, dass diese – in aller Regel – nicht in einem Ausschuss diskutiert und verabschiedet werden, sondern bei ihnen vielmehr allein die Interessen des Produktherstellers im Vordergrund zu stehen scheinen. Es darf jedoch nicht übersehen werden, dass auch die Neutralität von DIN-Ausschüssen aufgrund ihrer Besetzung durchaus fraglich sein kann. Außerdem: Muss die Interessenlage von Herstellern bei der Erarbeitung von Empfehlungen nicht zwangsläufig objektiv ausgerichtet sein? Vorrangig muss den Herstellern doch daran gelegen sein, durch die in ihren Empfehlungen z.B. enthaltenen Verarbeitungsanweisungen eine dauerhafte Haltbarkeit ihres Bauprodukts sicherzustellen. Anderenfalls liefen sie Gefahr, wegen eines mangelhaften Produkts bzw. einer mangelhaften Verarbeitungsanweisung in Anspruch genommen zu werden. Aus diesem Blickwinkel scheinen DIN-Normen und Herstellerempfehlungen dasselbe Ziel erreichen zu wollen.

---

35 Näher dazu: Beitrag 1.3 (Abschnitt 1.3.2.2).

36 Siehe z.B.: BGH, U. v. 24.5.2013 – V ZR 182/12, MDR 2013, S. 961 Rn. 25 f. (allerdings ohne Begründung); OLG Hamm, U. v. 13.4.1994 – 12 U 171/93, NJW-RR 1995, S. 17, 18; OLG Stuttgart, U. v. 26.8.1976 – 10 U 35/76, juris; *Seibel*, in: Nicklisch/Weick/Jansen/Seibel, VOB/B, § 13 Rn. 73 ff.; *Seibel*, Baumängel und anerkannte Regeln der Technik, Rn. 146 ff.; *Manteufel*, in: Werner/Pastor, Der Bauprozess, Rn. 1929.

37 Ausführlich zur DIN 4109: *Seibel/Müller*, in: Staudt/Seibel, Baurechtliche und -technische Themensammlung 2011, Heft 1 (Schallschutz); *Seibel*, BauSV 2/2010, S. 67 ff.

Selbst wenn Herstellerempfehlungen von DIN-Normen abweichende technische Vorgaben enthalten,[38] muss dies nicht zwangsläufig negativ sein. Einerseits kann sich ein Hersteller im Interesse einer dauerhaften Haltbarkeit auch zu einer qualitativ höherwertigen Verarbeitungsweise als der bisher üblichen entschieden haben. Dann gehen Herstelleranweisungen sogar über die „allgemein anerkannten Regeln der Technik" hinaus. Im Fall, der dem Urteil des OLG Celle (dazu: 1.4.2.6) zugrunde lag, war dies hinsichtlich des Brandschutzes des WDVS offensichtlich so. Andererseits können Herstellerrichtlinien die „allgemein anerkannten Regeln der Technik" selbst verkörpern.[39] Dieser Standard kann z.B. durch neue Verarbeitungsanweisungen in Herstellerrichtlinien modifiziert worden sein, was so weit gehen kann, dass bislang gültige DIN-Normen nicht mehr maßgeblich sind. Sollte das im Bauprozess streitig werden, muss es sorgfältig geprüft und – mangels technischer Sachkunde des Gerichts – von einem Sachverständigen festgestellt werden. Dabei müssen DIN-Normen nicht immer ihre Gültigkeit verlieren. Neben den in solchen Normen enthaltenen Empfehlungen kann es durchaus auch noch andere Verarbeitungstechniken geben, die ebenso effektiv sind und die ebenfalls anerkannte Regel der Technik sein/werden können – viele Wege führen nach Rom.

1.4.3.1.3.2 Vermutungswirkung?

Als Zwischenergebnis kann zunächst festgehalten werden, dass Herstellerrichtlinien die „allgemein anerkannten Regeln der Technik" konkretisieren können. Ist daraus die weitere Schlussfolgerung zu ziehen, dass einer Bauausführung unter Missachtung von Herstellerempfehlungen die (widerlegbare) Vermutung eines Verstoßes gegen die „allgemein anerkannten Regeln der Technik" wie im Fall von DIN-Normen innewohnt?

Nach Ansicht des Autors sollte bei der Suche nach einer Antwort auf diese Frage wie folgt differenziert werden:

a) Bestehen neben Herstellerempfehlungen **konkurrierende technische Regelwerke** wie DIN-Normen, die z.B. andere Verarbeitungstechniken empfehlen, spricht viel dafür, der schon wegen der Art und Weise ihrer Entstehung prinzipiell „stärkeren" DIN-Norm[40] den Vorrang bei der Vermutungswirkung einzuräumen. Beruft sich ein Bauunternehmer im Prozess darauf, die in der DIN-Norm enthaltene Empfehlung sei im Vergleich zur Herstellerrichtlinie veraltet, muss er die Vermutungswirkung der DIN-Norm zu Fall bringen. Er muss dann beweisen, dass die von der DIN-Norm abweichende Ausführung qualitativ gleichwertig ist – insbesondere keine Ungewissheit über die zukünftige Gebrauchstauglichkeit besteht. Gerichte dürfen einen derartigen Vortrag nicht allein mit der Existenz einer DIN-Norm „abbügeln", sondern müssen sich sorgfältig mit ihm befassen. Letztlich wird ein Sachverständiger die technischen Unterschiede abschließend bewerten müssen.

b) Existieren neben Herstellerempfehlungen **keine konkurrierenden technischen Regelwerke**, bestehen grundsätzlich keine Bedenken, diese rechtlich wie DIN-Normen zu behandeln und bei ihrer Missachtung die (widerlegbare) Vermutung eines Verstoßes gegen

---

38 Das dürfte jedoch die Ausnahme sein, weil Herstellerempfehlungen oftmals inhaltlich bzw. sogar wörtlich mit DIN-Normen übereinstimmen. Dazu auch: *Crombach*, MDR 2006, S. 728, 729.

39 Ebenso: *Völkel*, IBR 2009, S. 134 (Praxishinweis).

40 *Crombach*, MDR 2006, S. 728, 729, hält Herstellerempfehlungen für „prinzipiell schwächer" als DIN-Normen.

die „allgemein anerkannten Regeln der Technik" anzunehmen. Zwar kann – wie bereits dargestellt – die Rechtsnatur von Herstellerempfehlungen nicht ohne Weiteres mit derjenigen von technischen Regelwerken wie z.B. DIN-Normen gleichgesetzt werden. Jedoch sollte nicht übersehen werden, dass Herstellerrichtlinien spezielle Empfehlungen geben. Wer sollte den „richtigen" Umgang z.B. mit einem Bauprodukt besser beurteilen können als der Hersteller selbst? Herstellerrichtlinien enthalten in aller Regel keine grundlosen Empfehlungen, sondern dienen vielfach dazu, Schadensrisiken zu minimieren oder eine längere Haltbarkeit sicherzustellen. Das spricht dafür, Herstellerempfehlungen ebenso wie DIN-Normen als **private technische Regelungen mit Empfehlungscharakter** anzusehen. Das gilt jedenfalls dann, wenn Herstellerempfehlungen Vorgaben zur Gebrauchs- bzw. Funktionstauglichkeit oder zur Produktsicherheit enthalten.[41] In solchen Fällen kann beim Nichteinhalten von Herstellerempfehlungen folgerichtig eine (widerlegbare) Vermutung dahin angenommen werden, dass dadurch das Risiko von Abnutzungen, Schäden oder Funktionsstörungen erhöht wird. Weiter reicht diese Vermutungswirkung jedoch nicht. Entgegen der Auffassung des OLG Jena (dazu: 1.4.2.5) kann ein Verstoß gegen Herstellerempfehlungen nicht direkt die Vermutung der Mangelhaftigkeit der Werkleistung[42] begründen, sondern allein diejenige eines Verstoßes gegen die „allgemein anerkannten Regeln der Technik". Wollte man das anders sehen, hätten Herstellerempfehlungen eine weiter reichende Vermutungswirkung als z.B. DIN-Normen. Dafür ist kein Grund ersichtlich.[43]

In der weiteren Konsequenz erscheint es sachgerecht, den Bauunternehmer bei einem Verstoß gegen Herstellerrichtlinien nachweisen zu lassen, dass mit der von ihm gewählten (abweichenden) Bauausführung ebenfalls ein dauerhaft gebrauchs- und funktionstaugliches Gewerk erreicht wird.[44] Beruft sich der Bauunternehmer darauf, dass trotz Abweichens von den Herstellerempfehlungen keine Ungewissheit über die Gebrauchstauglichkeit der Werkleistung bestehe, kann er sich im Bauprozess nur exkulpieren, wenn der gerichtlich bestellte Sachverständige diese Ansicht in technischer Hinsicht bestätigt.

41 Es wurde bereits dargestellt, dass solche Herstellerempfehlungen auch schon innerhalb der (konkludenten) Beschaffenheitsvereinbarung relevant werden können (siehe: 1.4.3.1.1.2).

42 Obwohl seine vorherigen Ausführungen noch zutreffend sind, vertritt auch *Crombach*, MDR 2006, S. 728, 729, in seinem Fazit diese fehlerhafte Vermutungswirkung.

43 Weitere Einzelheiten: *Seibel*, BauSV 4/2009, S. 60, 63.

44 Ähnlich: *Schulze-Hagen*, IBR 2004, S. 683 (Praxishinweis).

1.4.3.2 Abschließende Checkliste

Die folgende Checkliste[45] fasst die bisherigen Ausführungen noch einmal in einer Übersicht zusammen.

I. Vorprüfung	1. Ist die Werkleistung nicht funktionstauglich, liegt zwangsläufig ein Mangel vor. Eine Herstellerempfehlung ist dann für die Mangelbeurteilung von vornherein unbeachtlich. 2. Ist die Herstellerempfehlung auf den Fall überhaupt anwendbar? Falls nein: Keine Relevanz für die Mangelbeurteilung.
II. Vertraglich vereinbarte Beschaffenheit, § 633 Abs. 2 Satz 1 BGB bzw. § 13 Abs. 1 Satz 2 VOB/B	**1. Ausdrückliche Vereinbarung** Text des LV bzw. sonstige Vereinbarung der Parteien macht das Einhalten der Herstellerempfehlung zur Leistungspflicht. **2. Konkludente Vereinbarung** Hier ist Zurückhaltung geboten, weil der Besteller regelmäßig keinen Wert auf das Einhalten der Herstellerempfehlung, sondern vielmehr auf das Erreichen des Werkerfolgs legt. Beschaffenheitsvereinbarung kann anzunehmen sein, wenn die Herstellerempfehlung die Funktionstauglichkeit oder die Verkehrssicherheit des Gewerks betrifft. Besteht eine Herstellergarantie für ein Bauprodukt nur dann, wenn nach den Herstellerempfehlungen gebaut wird, kann eine (konkludente) Beschaffenheitsvereinbarung – evtl. auch die Sachmangelvariante des § 633 Abs. 2 Satz 2 Nr. 2 BGB – in Betracht kommen.
III. Gewöhnliche Verwendung und übliche Beschaffenheit, § 633 Abs. 2 Satz 2 Nr. 2 BGB bzw. § 13 Abs. 1 Satz 3 Nr. 2 VOB/B	Folgt aus dem Missachten einer Herstellerempfehlung eine Ungewissheit über die Risiken des zukünftigen Gebrauchs der Werkleistung, die der Besteller nach dem Vertrag nicht hinnehmen muss, liegt ein Mangel vor. Die Mangelhaftigkeit liegt dann primär in der Risikoungewissheit und nicht in dem Abweichen von der Herstellerempfehlung.

45 Dazu auch: *Seibel*, in: Nicklisch/Weick/Jansen/Seibel, VOB/B, § 13 Rn. 78.

IV. „Allgemein anerkannte Regeln der Technik", § 13 Abs. 1 Satz 2 VOB/B

1. Herstellerempfehlung kann selbst „allgemein anerkannte Regel der Technik" sein.
2. Begründet die Missachtung von Herstellerempfehlungen die (widerlegbare) Vermutung eines Verstoßes gegen die „allgemein anerkannten Regeln der Technik"?
a) Es existiert eine konkurrierende DIN-Norm o.Ä.:
→ Nein! DIN-Normen etc. dürften grds. vorrangig sein.
b) Es existiert keine konkurrierende DIN-Norm o.Ä.:
→ Ja! Gleichbehandlung mit der für DIN-Normen anerkannten Vermutungswirkung erscheint grds. gerechtfertigt.
Gerichte sollten entsprechendem Parteivortrag sorgfältig nachgehen und diesen durch einen Sachverständigen klären lassen!

1.5 Aktualität technischer Regelwerke und Gutachtenerstattung im Prozess

Mark Seibel

Übersicht

1.5.1 Einführung

Ein Sachverständiger wird wegen seines besonderen Fachwissens vom Gericht – gewissermaßen als dessen „Gehilfe"[1] – damit beauftragt, die im Rechtsstreit relevanten (technischen) Fachfragen, die das Gericht nicht selbst beurteilen kann, in seinem Gutachten zu bewerten. Im privaten Bauprozess müssen dabei überwiegend technische Fragen beantwortet werden. In den allermeisten Fällen beziehen sich Sachverständige im Rahmen ihrer Gutachtenerstattung bei der Beurteilung der Qualität einer Bauleistung auf technische Regelwerke wie z.B. DIN-Normen. Nach h.M.[2] gilt zwar die Vermutung, dass DIN-Normen grundsätzlich den „allgemein anerkannten Regeln der Technik"[3] (werkvertraglicher Mindeststandard) entsprechen. Diese Vermutung ist jedoch nicht unumstößlich, sondern widerlegbar – was sich z.B. gut anhand der DIN 4109 nachvollziehen lässt.

In diesem Zusammenhang stellt sich die Frage, ob sich (Bau-)Sachverständige im Rahmen der Erstattung ihres Gutachtens im Prozess mit der Bezugnahme auf ein technisches Regelwerk begnügen dürfen oder sie nicht in jedem Fall auch noch überprüfen müssen, ob die einschlägige technische Vorschrift tatsächlich (noch) dem derzeit überwiegend praktizierten Vorgehen der Fachleute entspricht und nicht bereits überholt/veraltet ist.[4]

Grundsätzlich greift dabei die bereits erwähnte Vermutung ein, dass eine technische Vorschrift den „allgemein anerkannten Regeln der Technik" entspricht. Diesbezüglich wird

1 Verbreitet werden Sachverständige als „Gehilfen" des Gerichts bezeichnet. Der Begriff „Berater" beschreibt die Funktion von Sachverständigen jedoch besser. Ebenso: *Greger*, in: Zöller, Kommentar zur ZPO, 35. Aufl. 2024, § 404a Rn. 1.

2 Siehe z.B.: BGH, U. v. 24.5.2013 – V ZR 182/12, MDR 2013, S. 961 Rn. 25 f. (allerdings ohne Begründung); OLG Hamm, U. v. 13.4.1994 – 12 U 171/93, NJW-RR 1995, S. 17, 18; OLG Stuttgart, U. v. 26.8.1976 – 10 U 35/76, juris; *Seibel*, in: Nicklisch/Weick/Jansen/Seibel, Kommentar zur VOB/B, 5. Aufl. 2019, § 13 Rn. 73 ff.; *Seibel*, Baumängel und anerkannte Regeln der Technik, 2009, Rn. 146 ff.; *Manteufel*, in: Werner/Pastor, Der Bauprozess, 18. Aufl. 2023, Rn. 1929.

3 Ausführlich zu den „allgemein anerkannten Regeln der Technik": Beitrag 1.3.

4 Ausführlich zur Aktualität technischer Regelwerke: *Seibel*, BauR 2016, S. 1085 ff.; *Seibel*, BauSV 1/2010, S. 58 ff.

vereinzelt die Ansicht vertreten, diese Vermutungswirkung dürfe vom Sachverständigen im Prozess nur auf entsprechendes Bestreiten einer der Parteien überprüft werden.[5] Die folgenden Ausführungen verdeutlichen, warum diese Auffassung unzutreffend ist. Um das Ergebnis vorwegzunehmen:

> *Ein (Bau-)Sachverständiger muss im Rahmen seiner Gutachtenerstattung im Prozess[6] immer von Amts wegen überprüfen, ob die von ihm angewandte technische Vorschrift tatsächlich (noch) aktuell ist und auch der überwiegenden Auffassung der Fachleute und dem Vorgehen in der Baupraxis entspricht.*

Anderenfalls besteht die Gefahr, dass der Sachverständige eine veraltete technische Vorschrift anwendet und in seinem Gutachten deswegen zu falschen Schlussfolgerungen gelangt.

1.5.2 Problemdarstellung

Für das Gericht ist die Entscheidung eines privaten Bauprozesses ohne Hinzuziehung eines Sachverständigen in den allermeisten Fällen – mangels eigener technischer Sachkunde – nicht möglich. Daher ist es gehalten, im Rahmen der Entscheidungsfindung einen Experten hinzuzuziehen, der zu den streitigen (technischen) Fragen fachlich fundiert Stellung nehmen kann. Häufig hat der Sachverständige dabei die – auch für technische Experten oft schwierige – Frage zu beantworten, ob die Bauausführung den „allgemein anerkannten Regeln der Technik" (Mindeststandard eines Werkvertrages[7]) entspricht.

Vertiefung:

Welchen Inhalt haben die „allgemein anerkannten Regeln der Technik"?

Zur Inhaltsbestimmung der „allgemein anerkannten Regeln der Technik" kann schon auf die Rechtsprechung des Reichsgerichts zu den „allgemein anerkannten Regeln der Baukunst" gemäß § 330 StGB a.F. (jetzt § 319 StGB – „allgemein anerkannte Regeln der Technik") zurückgegriffen werden. Nach den Ausführungen des Reichsgerichts ist eine Regel dann allgemein anerkannt, wenn sie die ganz vorherrschende Ansicht der (technischen) Fachleute darstellt.[8] Ausgehend davon setzt eine „allgemein anerkannte Regel der Technik" damit zunächst voraus, dass sie sich in der Wissenschaft als (theoretisch) richtig durchgesetzt hat (allgemeine wissenschaftliche Anerkennung). Dabei genügt es aber nicht, dass eine Regel im Fachschrifttum vertreten oder an Universitäten gelehrt wird. Sie muss auch Eingang in die Praxis gefunden und sich dort überwiegend bewährt haben (praktische Bewährung).

---

5 Vertreten z.B. von: *Mundt*, online-Leseranmerkungen vom 15.4.2008 und 16.4.2008 zu IMR 2008, S. 89 (abrufbar unter www.ibr-online.de).

6 Für das Privatgutachten gilt nichts anderes, weil Sachverständige auch insofern ein fachlich zutreffendes Gutachten zu erstatten haben. Ausführlich zur Bedeutung von Privatgutachten: Beitrag 2.7.

7 Ausführlich zu den „allgemein anerkannten Regeln der Technik" als grundsätzlichem Mindeststandard eines Bauvertrages: BGH, U. v. 10.7.2014 – VII ZR 55/13, MDR 2014, S. 1020; BGH, U. v. 20.12.2012 – VII ZR 209/11, MDR 2013, S. 585 Rn. 23; *Seibel*, in: Nicklisch/Weick/Jansen/Seibel, VOB/B, § 13 Rn. 40 ff.; *Seibel*, Baumängel und anerkannte Regeln der Technik, Rn. 96 ff. – jeweils m.w.N. Siehe außerdem: Beitrag 1.3 (Abschnitt 1.3.2.1).

8 RG, U. v. 11.10.1910 – IV 644/10, RGSt 44, S. 75, 79.

Die „allgemein anerkannten Regeln der (Bau-)Technik" lassen sich daher wie folgt **definieren:**

Eine technische Regel ist dann allgemein anerkannt, wenn sie

1. der Richtigkeitsüberzeugung der vorherrschenden Ansicht der technischen Fachleute entspricht

(1. Element: allgemeine wissenschaftliche Anerkennung)

und darüber hinaus

2. auch in der (Bau-)Praxis erprobt und bewährt ist

(2. Element: praktische Bewährung).[9]

Auf beiden Stufen 1. und 2. muss die jeweilige technische Regel der vorherrschenden Ansicht (Mehrheit) der technischen Fachleute entsprechen.

Da diese Definition der „allgemein anerkannten Regeln der Technik" vage und konkretisierungsbedürftig[10] bleibt, greifen Sachverständige verständlicherweise gerne auf einschlägige technische Regelwerke und die darin enthaltenen Vorgaben zurück – geben diese doch einen Anhaltspunkt dafür, welche Anforderungen in technischer Hinsicht an die betreffende Bauleistung zu stellen sind. Dann muss der Sachverständige im Rahmen seiner Gutachtenerstattung „nur" noch feststellen, ob die z.B. in einer DIN-Norm genannten Werte und/oder Verarbeitungsweisen eingehalten worden sind. Danach kann er – auf den ersten Blick betrachtet – verlässlich und für alle Prozessbeteiligten gut nachvollziehbar Stellung zur Qualität einer Bauausführung nehmen. Das führt leicht zu einer regelrechten „**DIN-Gläubigkeit**" getreu dem Motto *„Was in DIN-Normen geschrieben steht, ist Gesetz."* Zur Untermauerung dieser These wird oft darauf hingewiesen, dass die jeweilige technische Vorschrift schließlich in einem Normenausschuss vor deren Ausfertigung von Experten diskutiert und beraten worden sei. Das, was in solchen Normen geschrieben stehe, sei daher maßgeblich.

Der Autor hat schon oft darauf hingewiesen, dass einer solchen „DIN-Gläubigkeit" eine klare Absage zu erteilen ist.[11] Als Paradebeispiel kann in diesem Zusammenhang die DIN 4109[12] genannt werden, die in wesentlichen Teilen ihrer alten Fassungen von vornherein untauglich war, die im Wohnungsbau maßgeblichen Anforderungen eines üblichen Komfort- und Qualitätsstandards im Schallschutz zu definieren.[13] Dennoch ist diese Norm in vielen gerichtlichen Entscheidungen als maßgeblich angesehen worden, was sich letztlich nur mit einer „DIN-Gläubigkeit" erklären lässt.

Zurück zum Gutachtenauftrag des Sachverständigen: Dieser muss die Qualität einer Bauleistung in technischer Hinsicht beurteilen. Das heißt, er muss im Regelfall – sofern die Par-

9 Siehe z.B.: OLG Hamm, U. v. 18.4.1996 – 17 U 112/95, juris.

10 Zu den Konkretisierungsmöglichkeiten: Beitrag 1.3 (Abschnitte 1.3.2.2.2 und 1.3.2.2.3).

11 Siehe z.B.: *Seibel*, in: Nicklisch/Weick/Jansen/Seibel, VOB/B, § 13 Rn. 67 ff.; *Seibel*, Baumängel und anerkannte Regeln der Technik, Rn. 177 ff.; *Seibel*, NJW 2013, S. 3000 ff.; *Seibel*, BauSV 6/2008, S. 59 ff.

12 Ausführlich zum Schallschutz und zur DIN 4109: *Seibel/Müller*, in: Staudt/Seibel, Baurechtliche und -technische Themensammlung, 2011, Heft 1 (Schallschutz).

13 So schon: OLG Stuttgart, U. v. 24.11.1976 – 6 U 27/76, juris.

teien im Bauvertrag keine höherwertigen Anforderungen vereinbart haben[14] – beantworten, ob die Bauausführung den „allgemein anerkannten Regeln der Technik" (werkvertraglicher Mindeststandard) entspricht.

Für den Themenbereich „technische Regelwerke und allgemein anerkannte Regeln der Technik" gilt zunächst Folgendes:

Nach h.M.[15] besteht eine widerlegbare Vermutung dafür, dass kodifizierte technische Regelwerke (DIN-Normen etc.) die „allgemein anerkannten Regeln der Technik" wiedergeben. Dabei ist jedoch stets zu beachten, dass diese **Vermutung widerlegbar** ist.

> *Technische Regelwerke können die „allgemein anerkannten Regeln der Technik" wiedergeben, jedoch auch hinter diesen zurückbleiben.*

Das folgt im Wesentlichen aus zwei Gründen:

Erstens sind technische Vorschriften (wie z.B. DIN-Normen) keine Rechtsnormen, sondern „private technische Regelwerke mit Empfehlungscharakter".[16]

Zweitens bleibt die technische Entwicklung nicht stehen, sondern schreitet in den meisten Bereichen ständig voran (Dynamikorientierung der Technik[17]); z.B. dadurch, dass neue Baustoffe und Verarbeitungsweisen entdeckt und entwickelt werden. Werden technische Regelwerke sodann nicht fortlaufend den neuen Entwicklungen – sofern sich diese auch in der Baupraxis durchsetzen – angepasst, tritt leicht ein „Hinterherhinken" gegenüber dem technischen Erkenntnisstand ein. Dies verdeutlicht, warum die in technischen Regelwerken enthaltenen Anforderungen stets hinsichtlich ihrer Aktualität zu hinterfragen sind.

Im Folgenden wird die Frage untersucht, ob sich Sachverständige im Rahmen der Gutachtenerstattung im Prozess mit der Bezugnahme auf ein technisches Regelwerk begnügen dürfen oder sie nicht in jedem Fall (von Amts wegen) auch noch darlegen – jedenfalls aber prüfen und berücksichtigen – müssen, ob die Vorgaben einer für anwendbar gehaltenen technischen Vorschrift tatsächlich (noch) dem derzeit überwiegend praktizierten Vorgehen der Fachleute entsprechen und nicht bereits wegen einer Weiterentwicklung der Technik (z.B. wegen neuer Baustoffe oder Verarbeitungsmethoden) überholt sind.

---

14 Etwa das Einhalten des Technikstandards „Stand der Technik", der qualitativ im Vergleich zu den „allgemein anerkannten Regeln der Technik" auf einer höheren Stufe steht. Ausführlich dazu: *Seibel*, in: Nicklisch/Weick/Jansen/Seibel, VOB/B, § 13 Rn. 57 ff.; *Seibel*, Der Stand der Technik im Umweltrecht (Diss. 2003), S. 88 ff.; *Seibel*, NJW 2013, S. 3000 ff.; *Seibel*, BauR 2004, S. 266 ff. – jeweils m.w.N.

15 Siehe z.B.: BGH, U. v. 24.5.2013 – V ZR 182/12, MDR 2013, S. 961 Rn. 25 f. (allerdings ohne Begründung); OLG Hamm, U. v. 13.4.1994 – 12 U 171/93, NJW-RR 1995, S. 17, 18; OLG Stuttgart, U. v. 26.8.1976 – 10 U 35/76, juris; *Seibel*, in: Nicklisch/Weick/Jansen/Seibel, VOB/B, § 13 Rn. 73 ff.; *Seibel*, Baumängel und anerkannte Regeln der Technik, Rn. 146 ff.; *Manteufel*, in: Werner/Pastor, Der Bauprozess, Rn. 1929.

16 Ständige Rechtsprechung des BGH; siehe z.B.: BGH, U. v. 14.5.1998 – VII ZR 184/97, MDR 1998, S. 1026.

17 Zur Dynamikorientierung der Technik: *Seibel*, Der Stand der Technik im Umweltrecht, S. 1 ff.; *Seibel*, BauR 2005, S. 490 ff.

1.5.3 Prüfung der Aktualität technischer Regelwerke durch den Sachverständigen von Amts wegen?

1.5.3.1 Ablehnende Ansicht

Vereinzelt wird die Ansicht vertreten, dass wegen der schon oben dargestellten Vermutungswirkung, wonach technische Vorschriften (z.B. DIN-Normen) regelmäßig den „allgemein anerkannten Regeln der Technik" entsprechen, weder für das Gericht noch für den Sachverständigen von Amts wegen Anlass dazu bestehe zu hinterfragen bzw. zu prüfen, ob eine einschlägige technische Vorschrift tatsächlich den „allgemein anerkannten Regeln der Technik" entspreche. Das sei nur dann zu überprüfen, wenn es im Bauprozess von einer Partei bestritten und das Gegenteil substantiiert dargelegt werde. Beauftrage der Richter den Sachverständigen von sich aus mit der Überprüfung der Vermutungswirkung ohne ein entsprechendes Bestreiten einer der Parteien, soll dies sogar eine Befangenheit des Richters begründen können.[18]

1.5.3.2 Eigene Stellungnahme

Diese Ansicht ist unzutreffend.

Der Sachverständige ist im Rahmen der Gutachtenerstattung von vornherein – schon kraft seines Gutachtenauftrages – dazu verpflichtet, inzident mit zu überprüfen, ob eine evtl. einschlägige technische Vorschrift tatsächlich (noch) aktuell ist und auch der derzeit herrschenden Auffassung der Fachleute und der Baupraxis entspricht.

Der Sachverständige wird vom Gericht gerade wegen seiner besonderen Sachkunde damit beauftragt, diesem „unter die Arme" zu greifen und dabei aufgrund einer fachlich zutreffenden Beurteilung zu einer richtigen Beantwortung der Beweisfragen zu gelangen. Wollte man der zuvor dargestellten Gegenansicht folgen, würde dies zu dem absurden Ergebnis führen, dass ein Sachverständiger nur die „richtige" (= einschlägige) technische Vorschrift finden müsste und diese – ohne sich Gedanken über deren Aktualität und die neuesten technischen Entwicklungen zu machen – strikt auf den Fall anzuwenden hätte – sofern dem nicht eine der Parteien substantiiert entgegentritt. Das kann schon deswegen nicht richtig sein, weil der Sachverständige im Vergleich zum Gericht und den Parteien die überlegene Fachkenntnis besitzt. Das heißt, er muss aus dem Inbegriff seiner Fachkenntnis heraus auch die in der jeweiligen technischen Vorschrift genannten Anforderungen hinterfragen. Mit seinem Gutachten bescheinigt er schließlich, dass das von ihm gefundene Ergebnis „fachlich richtig" ist.

Außerdem erweist sich die zuvor dargestellte Ansicht auch deswegen als falsch, weil sie die Rechtsnatur von technischen Vorschriften missversteht. In vielen Fällen mag es zutreffend sein, dass technische Vorschriften die jeweils maßgeblichen Anforderungen wiedergeben. Zwingend ist das jedoch schon unter Berücksichtigung des **Rechtscharakters von technischen Vorschriften** – wie etwa DIN-Normen – nicht: Diese stellen gerade keine

18 So wörtlich: *Mundt*, online-Leseranmerkungen vom 15.4.2008 und 16.4.2008 zu IMR 2008, S. 89 (abrufbar unter www.ibr-online.de).

zwingenden gesetzlichen Normen, sondern lediglich „**private technische Regelungen mit Empfehlungscharakter**“[19] dar. Wenn ein Sachverständiger nicht von Amts wegen im Rahmen der Gutachtenerstattung überprüft, ob die jeweils einschlägige technische Vorschrift tatsächlich den zum betreffenden Beurteilungszeitpunkt maßgeblichen Maßstab markiert, besteht die Gefahr einer Fehleinschätzung. Dies deshalb, weil ansonsten evtl. die aktuellen technischen Entwicklungen unberücksichtigt bleiben würden und das Gericht allein wegen der Vermutungswirkung annehmen müsste, dass die DIN-Norm den „allgemein anerkannten Regeln der Technik“ entspricht. Der Sachverständige hat daher schon kraft seines Gutachtenauftrages die Pflicht, das Gericht vor einer Falschanwendung dieser Vermutungswirkung zu bewahren. Dies gilt natürlich nur für den Fall, dass eine technische Entwicklung außerhalb der DIN-Norm etc. tatsächlich stattgefunden hat und sich diese deswegen als nicht (mehr) zutreffend erweist. Anderenfalls verbleibt es bei der Vermutungswirkung.

> *Wer, wenn nicht der gerichtlich bestellte Sachverständige, soll denn sonst wissen, welche Entwicklungen in dem betreffenden Bereich stattgefunden haben und welche Verarbeitungsweise sich beispielsweise völlig unabhängig von einer technischen Vorschrift tatsächlich durchgesetzt hat? Wer soll den aktuell erreichten technischen Entwicklungsstand zum Zeitpunkt der Abnahme einer Bauleistung besser beurteilen können als der Sachverständige?*

Würde man die oben dargestellte Gegenansicht von *Mundt*[20] konsequent anwenden, wäre auch der Sachverständige „befangen“, wenn er von sich aus – also ohne Nachfrage des Gerichts und ohne entsprechendes Bestreiten einer der Parteien – eine technische Vorschrift wegen deren zwischenzeitlicher Überholung in seinem Gutachten für unanwendbar erklärt. Ein absurdes Ergebnis.

Ebenso wie der Vorwurf der „Befangenheit“ gegenüber dem Richter, der von sich aus beim Sachverständigen nach der Gültigkeit und Aktualität einer technischen Vorschrift nachfragt und damit die Vermutungswirkung überprüft. Worin soll in diesem Fall die Besorgnis eines Misstrauens gegen die unparteiliche Amtsausübung des Richters i.S.v. § 42 ZPO liegen? Etwa darin, dass der Richter die Grundlagen der Vermutungswirkung von sich aus hinterfragt? Diesen inhaltlichen Fragen müssen sich die Parteien eines Bauprozesses – insbesondere die Bauunternehmer – schon im Interesse einer sachlich richtigen Entscheidung stellen. Das zeigt im Übrigen auch die seit einer gefühlten Ewigkeit andauernde Diskussion um die Gültigkeit der DIN 4109.[21] Viele in technischer Hinsicht falschen Urteile wären in diesem Bereich vermieden worden, wenn die Anforderungen der DIN 4109 hinterfragt worden wären, ohne „blind“ eine Vermutungswirkung bzgl. des Einhaltens der „allgemein anerkannten Regeln der Technik“ anzunehmen.

---

19 BGH, U. v. 14.5.1998 – VII ZR 184/97, MDR 1998, S. 1026.

20 *Mundt*, online-Leseranmerkungen vom 15.4.2008 und 16.4.2008 zu IMR 2008, S. 89 (abrufbar unter www.ibr-online.de).

21 Ausführlich zum Schallschutz und zur DIN 4109: *Seibel/Müller*, in: Staudt/Seibel, Baurechtliche und -technische Themensammlung, Heft 1 (Schallschutz).

Aus dem Vorstehenden ergibt sich folgende Konsequenz:

Der Sachverständige ist schon kraft seines Gutachtenauftrages und nicht zuletzt unter Beachtung von § 839a BGB (Haftung des gerichtlichen Sachverständigen)[22] dazu verpflichtet, eine in technischer Hinsicht zutreffende Bewertung der im Prozess streitgegenständlichen Bauleistung vorzunehmen. Will er seine Feststellungen im Gutachten auf ein einschlägiges technisches Regelwerk stützen, muss er gleichzeitig immer prüfen, ob dieses Regelwerk auch noch dem aktuellen technischen Entwicklungsstand entspricht. Sollte dies – z.B. wegen mittlerweile in der Baupraxis geänderter Verarbeitungsmethoden – nicht (mehr) der Fall sein, muss er die entsprechende technische Vorschrift unberücksichtigt lassen und darlegen, warum diese (mittlerweile) unmaßgeblich (geworden) ist.

Diese Prüfung muss der Sachverständige **von Amts wegen** vornehmen. Sie ist **keinesfalls vom Parteivortrag abhängig**. Ansonsten wäre der Sachverständige dazu gezwungen, „sehenden Auges" eine unmaßgebliche – weil z.B. veraltete – Vorschrift solange zugrunde legen zu müssen, bis eine der Prozessparteien diese bzw. die Vermutungswirkung substantiiert angreift. Schon aufgrund der allgemein verbreiteten Erkenntnis, dass DIN-Normen etc. von der Baupraxis schnell überholt werden können (vgl. z.B. die Entwicklung der „alten" DIN 18195[23]) bzw. von vornherein ungeeignet sind (vgl. etwa die DIN 4109), kann es dabei auch dem Richter nicht verwehrt sein, den Sachverständigen von sich aus nach der Aktualität einer DIN-Norm und dem derzeit erreichten technischen Entwicklungsstand zu fragen. Eine Besorgnis der Befangenheit (§ 42 ZPO) begründet das ganz sicher nicht.

Manteufel[24] weist in diesem Zusammenhang zutreffend auf Folgendes hin:

> „DIN-Normen können deshalb, was im Einzelfall durch sachverständigen Rat zu überprüfen ist, die anerkannten Regeln der Technik widerspiegeln oder aber hinter ihnen zurückbleiben. Deshalb kommt es nicht darauf an, welche DIN-Norm gerade gilt, sondern darauf, ob die erbrachte Werkleistung zur Zeit der Abnahme den anerkannten Regeln entspricht. Aus diesem Grund ist in der Praxis auch für Sachverständige oftmals schwierig, die anerkannten Regeln der Technik für ein bestimmtes Gewerk verbindlich zu bestimmen; in keinem Fall darf aber die Prüfung unterlassen werden, ob die herangezogenen DIN-Normen (noch) den anerkannten Regeln der Technik entsprechen oder (schon) hinter diesen zurückbleiben."

Kniffka[25] sieht das ähnlich:

> „Im Hinblick darauf, dass sich die Bautechnik ständig fortentwickelt, bedürfen die Regelwerke einer strengen Prüfung, ob sie noch die anerkannten Regeln der Technik wiedergeben. Diese kann ebenfalls nur von Sachverständigen vorgenommen werden. Die Sachverständigen müssen vom Gericht geleitet werden. Die forensische Erfahrung lehrt, dass Sachverständige häufig davon ausgehen, die Regelwerke seien solange maßgebend, bis sie überarbeitet sind. Sie sind deshalb darüber zu informieren, dass das nicht so ist, und dass sie – wenn es darauf ankommt – gehalten sind, Ermittlungen darüber anzustellen, welche

22 Einzelheiten zur Haftung von Sachverständigen: Beitrag 2.11.

23 Ausführlich zur DIN 18195 – Teil 6: *Staudt/Seibel*, Baurechtliche und -technische Themensammlung, Heft 2 (Bauwerksabdichtung).

24 So: *Manteufel*, in: Werner/Pastor, Der Bauprozess, Rn. 1928 m.w.N.

25 So: *Kniffka*, in: Kniffka/Koeble, Kompendium des Baurechts (noch in der Vorauflage: 4. Aufl. 2014), 6. Teil Rn. 34.

> Bauweise sich im Beurteilungszeitraum als theoretisch richtig erwiesen und in der Praxis bewährt hat. Die Sachverständigen müssen auch von sich aus die Regelwerke kritisch überprüfen, wenn es Anhaltspunkte für die Untauglichkeit oder Unzweckmäßigkeit in bestimmten Varianten gibt. Sie können auf Literatur, Erfahrungssätze, Netzwerke, Mangel- bzw. Schadensstatistiken zurückgreifen."

Die zuletzt genannten Ansichten sind zutreffend, auch wenn etwas unklar bleibt, welche „Anhaltspunkte für die Untauglichkeit oder Unzweckmäßigkeit" *Kniffka* fordert. Nach Ansicht des Autors sollte ein Sachverständiger die Aktualität und Tauglichkeit eines technischen Regelwerks vielmehr stets kritisch überprüfen. Das gilt unabhängig von der widerlegbaren Vermutung, dass technische Vorschriften die „allgemein anerkannten Regeln der Technik" wiedergeben. Im Rahmen der Gutachtenerstattung ist der Sachverständige von Amts wegen dazu verpflichtet, Bedenken mitzuteilen, die – womöglich unter Berücksichtigung aktueller technischer Entwicklungen – gegen die Vermutungswirkung vorgebracht werden können bzw. müssen.

1.5.4 Fazit

Ein (Bau-)Sachverständiger muss im Rahmen seiner Gutachtenerstattung im Prozess immer von Amts wegen überprüfen, ob die von ihm angewandte technische Vorschrift und die darin enthaltenen Vorgaben tatsächlich (noch) aktuell sind und auch der überwiegenden Auffassung der Fachleute entsprechen. Anderenfalls läuft er Gefahr, ein fachlich nicht (mehr) zutreffendes Gutachten zu erstatten.

Auf diese Fachkenntnis darf das Gericht vertrauen: Es darf insbesondere davon ausgehen, dass der Sachverständige von Amts wegen darauf hinweist, falls Bedenken gegen die Anwendbarkeit einer einschlägigen technischen Vorschrift und damit gleichzeitig auch gegen die Vermutungswirkung bestehen. Das ist keinesfalls vom Parteivortrag abhängig.

Für den Sachverständigen hat dies zur Folge, dass er immer auf der „Höhe des technischen Fortschritts" sein und die technischen Entwicklungen genau kennen muss. Keine leichte Aufgabe, der man eigentlich nur durch ständige und intensive Fortbildung gerecht werden kann. Anderenfalls wird ein Sachverständiger nicht guten Gewissens attestieren können, sein Gutachten unter Beachtung des aktuellen technischen Entwicklungsstands erstattet zu haben. Die Erkenntnis „*Wer rastet, der rostet.*" gilt daher für Sachverständige uneingeschränkt.

1.6 Anerkannte Regeln der Technik: Bedeutung für Sachverständige

Matthias Zöller

Übersicht

1.6.1 Einleitung: Kommentar eines Sachverständigen zur rechtlichen Betrachtung der a.a.R.d.T.

Seibel hat in seinem vorangegangenen Beitrag die rechtliche Sichtweise erläutert, die sich auf die bisherige Rechtsprechung stützt. Diese Betrachtung befasst sich mit dem bisherigen Umgang mit dem Begriff der allgemein anerkannten Regeln der Technik und ist damit retrospektiver Natur.

Typische Bauleistungen können vor der Ausführung nicht bis ins Detail festgelegt werden. Das ist nur im seriellen Bauen möglich, wobei auch bei der industriellen Produktion von Massengütern fortlaufend optimiert wird. Solche Optimierungen sind bei Leistungen an Unikaten nicht möglich. In Bauwerkverträgen verbleiben Lücken, da diese zu einem größeren oder kleineren Anteil Entwicklungsverträge sind, in denen das Leistungssoll erst während der Leistungserbringung definiert werden kann. Selbst bei Vorgabe von detaillierten Leistungsbeschreibungen werden Anpassungen erforderlich.

Sachverständige können daher dem Gedanken folgen, dass ein Platzhalter für die verbleibenden Lücken in Bauwerkverträgen erforderlich ist, die naturgemäß nicht alle Bestandteile des Leistungssolls als Beschaffenheitsvereinbarung definieren können.

Allerdings beinhaltet der Begriff der allgemein anerkannten Regeln der Technik per Definition drei Aspekte, von denen im besten Falle nur einer von Sachverständigen bearbeitet werden kann und das in vielen Fällen auch nur durch Einschätzungen. Dabei spielt es eine nur untergeordnete Rolle, ob zwei der drei Aspekte zu einer Zweistufigkeit der Begriffsdefinition verknüpft werden, wie *Seibel* das aus juristischer Sicht nachvollziehbar dargelegt hat.

Aus Sicht eines Sachverständigen bestehen daran allerdings erhebliche Zweifel. Eine theoretisch-wissenschaftliche Anerkennung ist ein Merkmal, das durch wissenschaftliche Untersuchungen erkannt werden kann. Mehrheitsmeinungen in Fachkreisen stehen damit nicht unbedingt im Einklang. Es gibt viele Beispiele, dass Mehrheitsmeinungen in Fachkreisen auch diametral von wissenschaftlichen Sachverhalten abweichen können. Naturwissenschaftliche Zusammenhänge lassen sich nicht durch menschliche Meinungen determinieren, sonst hätten wir nicht ständig einen Zuwachs bei naturwissenschaftlichen Erkenntnissen. Beim Studieren von Technischen Empfehlungen entsteht leider hin und wieder der Verdacht, dass man in Arbeitsausschüssen glaubt, mit Mehrheitsmeinungen naturwissenschaftliche Zusammenhänge außer Kraft setzen zu können. Dabei wird, bislang folgenlos, gegen den wesentlichen Grundsatz in z.B. DIN 820-1[1] verstoßen, dass Technische Empfehlungen im Konsens festzulegen sind. Konsens liegt vor, wenn berechtigte Einwände aufgegeben werden. Wenn also auch nur ein berechtigter Einwand gegen eine Festlegung vorliegt und sich ein Mehrheitsbeschluss dagegen richtet, wurde eine Norm oder eine sonstige Technische Empfehlung nicht im Konsens verabschiedet. Sie kann dann nicht die Vermutung für sich in Anspruch nehmen, allgemein anerkannte Regel der Technik zu sein.[2]

Von den drei Aspekten

1. theoretisch wissenschaftliche Richtigkeit,
2. Mehrheitsmeinung in Fachkreisen und
3. Praxisbewährung

kann lediglich der erste Aspekt von Sachverständigen bearbeitet werden. Sachverständige sind keine Demoskopen, um den zweiten Aspekt untersuchen zu können. In der Regel betreiben sie auch keine wissenschaftlichen Institute, um ausreichend Fallzahlen zum Nachweis der Praxisbewährung vorlegen zu können.

Beantworten Sachverständige die Fragen nach allgemein anerkannten Regeln der Technik mit dem Inhalt dieser drei Aspekte, geben sie eine Einschätzung oder eine Meinung ab. Meinungen sind volatil, aber kein geeigneter Beweis.

Was aber wollen Juristen für Besteller mit der Forderung, dass allgemein anerkannte Regeln der Technik als Mindeststandard einzuhalten sind, erreichen?

Es geht um eine verlässliche Angabe, dass Bauwerkleistungen Eigenschaften aufweisen, die für eine vorgesehene wirtschaftliche Nutzungsdauer bei erwartbaren Einwirkungen, üblicher und möglicher Instandhaltung die uneingeschränkte Verwendungseignung erwarten lassen.[3] Dabei handelt es sich um perspektive Werte, die zum Zeitpunkt der Fertig-

1 DIN 820-1 Normungsarbeit – Teil 1: Grundsätze.

2 9. Deutscher Baugerichtstag – 12.–13.5.2023 in Hamm: Arbeitskreis V – Normung (AK-Leiter *Halstenberg*), gemeinsam mit Arbeitskreis VI – Sachverständigenrecht (AK-Leiter *Zöller*); https://baugerichtstag.de/wp-content/uploads/2023/01/Flyer_9.pdf; Thesenband: https://baugerichtstag.de/wp-content/uploads/2023/02/BauR-2023-Thesenheft.pdf.

3 Diese Definition lehnt sich an die der Anforderungen an Bauprodukte an, die im Anhang I der Bauprodukteverordnung enthalten ist.

stellung gegeben sein müssen. Ob sich diese Eigenschaften im konkreten Fall realisieren, hängt von vielen Faktoren ab, weswegen die Gewährleistung der vorgenannten Eigenschaften keine konkrete Beschaffenheitsgarantie der uneingeschränkten Verwendungseignung darstellt, sondern lediglich das Versprechen, dass diese zum Zeitpunkt der Abnahme und damit zum Zeitpunkt der Fertigstellung eingehalten werden wird. Schließlich gibt es viele Gründe, warum Dinge kaputt gehen. Gewährleistungsansprüche bestehen aber nur bei kausalen Zusammenhängen zwischen Schäden und Eigenschaften des Werks nach der sog. Keimtheorie. Solange Gewährleistungsansprüche durchsetzbar sind, kommt es nicht primär auf a.R.d.T. an, sondern danach. A.R.d.T. sollen für die gesamte Nutzungsdauer gewährleisten, dass keine auf den Eigenschaften des Werks beruhenden Schäden zu erwarten sind.

Diese nachvollziehbaren Anforderungen lassen sich aber nicht mit Inhalten definieren, die als verzeihendes Element vor über 100 Jahren im Strafrecht gebildet wurden. Es geht also nicht darum, den Platzhalter der allgemein anerkannten Regeln der Technik anzugreifen, sondern die aus Sicht von Technikern untragbare Definition durch eine zu ersetzen, mit der gearbeitet werden kann.

Auf die notwendige Transformation geht dieser Beitrag ein mit dem Ergebnis, dass allgemein anerkannte Regeln der Technik wie folgt definiert werden könnten:

Eine Regel soll

1. wissenschaftlich-theoretisch richtig sein,
2. an gebauten Beispielen, an denen zu erwartende Einwirkungen bereits vorlagen, evaluiert sein,
3. und perspektiv angemessene Fehlertoleranzzuschläge beinhalten, die retrospektiv angemessen zu reduzieren sind.

Die Evaluation ist keine Aufgabe an Sachverständige, sondern soll sich als verpflichtender Nachweis von Bauproduktenherstellern verstehen, die firmenintern solche Nachweise führen, aber leider nicht offenlegen.

Der dritte Aspekt der perspektiven Fehlertoleranzzuschläge ist von Verfassern von Technischen Empfehlungen darzustellen. Kommen Technische Empfehlungen dieser Aufforderung nicht nach, können etwa DIN-Normen, Richtlinien, Veröffentlichung von Verbänden oder Herstellerangaben nicht mit allgemein anerkannten Regeln der Technik gleichgestellt werden.[4]

Sachverständige können daher auch diese drei Aspekte nicht mit wissenschaftlicher Genauigkeit bearbeiten. Sachverständige werden sich auch dann auf Literatur und Erfahrungswerte stützen. Dennoch könnten Juristen und Sachverständige mit diesen Kriterien besser arbeiten als mit den zuvor kritisierten.

Diese Ausführungen werden in den nachfolgenden Kapiteln vertieft.

---

4 Siehe 9. Deutscher Baugerichtstag – 12.–13.5.2023 in Hamm: Arbeitskreis V – Normung (AK-Leiter *Halstenberg*), gemeinsam mit Arbeitskreis VI – Sachverständigenrecht (AK-Leiter *Zöller*); https://baugerichtstag.de/wp-content/uploads/2023/01/Flyer_9.pdf; Thesenband: https://baugerichtstag.de/wp-content/uploads/2023/02/BauR-2023-Thesenheft.pdf.

1.6.2 Fehler als Teilaspekt von Mängeln

Der Begriff Mangel bedeutet Abweichung vom vertraglichen Soll und ist damit zuerst ein Rechtsbegriff. Nach § 633 BGB liegt dann eine Abweichung vom vertraglichen Soll vor, wenn von einer Beschaffenheitsvereinbarung abgewichen wurde. Wenn keine diesbezügliche Vereinbarung vorliegt, muss ein Werk die vom Vertrag vorausgesetzte, sonst die gewöhnliche Verwendungseignung aufweisen und eine Beschaffenheit, die bei gleicher Art von Werken üblich ist. Darüber hinaus muss die Bestellererwartung nach Art des Werks erfüllt werden.

Die Verwendungseignung hat überwiegend technischen Charakter und kann in Sachverständigengutachten geklärt werden. Dabei geht es einerseits um die Aufklärung, ob ein Werk für die vorgesehene wirtschaftliche Nutzungsdauer und möglichen sowie üblichen Instandhaltungen verwendungsgeeignet ist und andererseits um das Aufzeigen von kausalen Zusammenhängen zwischen der Eigenschaft des Werks und eventuell daran entstandenen Schäden, die auf den Eigenschaften des Werks beruhen (Keimtheorie). Wenn zu erwarten ist, dass ein Werk perspektiv nicht seine Aufgabe erfüllen kann oder wenn es kausale Zusammenhänge zwischen Schäden am Werk und dessen Eigenschaften gibt, ist das Werk fehlerhaft.

Der technische Aspekt bezüglich der Art des Werks und ggf. auch die übliche Beschaffenheit bei gleicher Art von Werken kann ebenfalls in technischen Sachverständigengutachten aufgezeigt werden. In der o.a. Auflistung unterliegt aber die Frage, ob vertragliche Vereinbarungen als Beschaffenheitsvereinbarung wirksam sind, der rechtlichen Prüfung.

Die Fehlerbetrachtung ist ein Teil der Mangelbetrachtung. Da in das Sachgebiet von technischen Sachverständigen keine Rechtsfragen fallen, werden in deren Gutachten keine umfassenden Mangelbetrachtungen angestellt, sondern lediglich deren Teilaspekte der eventuellen Fehlerhaftigkeit oder Fehlerfreiheit, also ob ein Werk verwendungsgeeignet ist oder ob es kausale Zusammenhänge zwischen am Werk entstandenen Schäden und dessen Eigenschaften gibt.

Bei der Frage der Fehlerfreiheit bzw. Fehlerhaftigkeit geht es auch darum, wie bei eventuellen Fehlern Fehlerfreiheit erzielt werden kann. Dabei geht es nicht um Maßnahmen zur Erzielung einer Mangelfreiheit, sondern um einen Zustand, der die Verwendungseignung sicherstellt.

Technische Regeln sollen bei der Umsetzung von technischen Aufgaben helfen. Dazu müssen technische Regeln zuallererst technisch richtig sein. Technisch falsche Regeln sind grundsätzlich unbrauchbar.

Technische Regeln sollen sich mit Naturwissenschaft, mit Physik, Chemie und Biologie, mit der Mechanik, mit technischen Abläufen u.a. beschäftigen. Sie sind nicht geeignet, Fragen des gesellschaftlichen Zusammenlebens zu klären. Das ist auch nicht ihre Aufgabe.

Technische Regeln im Baubereich beschäftigen sich mit der Zukunft einer Sache sowohl für Ausgangsprodukte als auch Stoffnormen und deren Zusammenfügen als Verfahrensnormen. Sie sind perspektiv gedacht, also für Planung und Ausführung. Da Regeln nicht den objektbezogenen Einzelfall und nicht mögliche Varianzen von Bauprodukten sowie von

Bau- und Betriebsabläufen kennen können, beinhalten sie Vorhaltemaße, um den Erfolg unter Berücksichtigung von möglichen Varianzen sicherzustellen.

Technische Regeln unterliegen damit nicht den Grundsätzen der Entstehung von für gesellschaftliches Zusammenleben notwendigen rechtlichen Regeln. Auch eine Mehrheit einer Gesellschaft kann die Grundsätze von Naturwissenschaften nicht ändern. Oder einfach ausgedrückt: die Entwicklung von technisch *richtigen* Regeln ist keine basisdemokratische Angelegenheit.

Für technisch richtige Regeln kommt es daher nicht darauf an, nach in unserer Gesellschaft richtigerweise geschätzten demokratischen Regeln vorzugehen, auch wenn das in vielen Fällen eine Hilfestellung sein mag. Dennoch kann ein Einzelner richtig liegen, während eine große Mehrheit falsch liegen kann.

Der wesentliche Aspekt von technischen Regeln muss daher deren technische Richtigkeit sein, die sich nicht über demokratische Mehrheitsbeschlüsse nachweisen lässt.

1.6.3 A.a.R.d.T. und Mindeststandard

Oft wird darauf abgestellt, dass DIN-Normen und andere technische Regelwerke dann als Mindeststandard (unbedingt) einzuhalten sind, wenn sie vertraglich vereinbart sind oder sich durch Vertragsauslegung aus Sicht von Bestellern die Einhaltungsverpflichtung ergibt. Im Beweisbeschluss und in den zu bearbeitenden Fragen wird auch danach gefragt, ob Mängel vorliegen und auch darauf abgestellt, ob allgemein anerkannte Regeln der Technik (a.a.R.d.T.) eingehalten wurden. Als Grundlage für die Anwendung von technischen Regelwerken wird regelmäßig der technisch unbestimmte Begriff der (allgemein) anerkannten Regeln der Technik (a.a.R.d.T. oder a.R.d.T.) bemüht. Der Inhalt des Begriffs ist aber unbestimmt.

1.6.4 A.a.R.d.T.: Ursprung

Der Begriff a.a.R.d.T. wurde im Strafrecht gebildet. Das Reichsgericht urteilte am 26.6.1891 (Az IV D. 1621/91): *Der Begriff der allgemein anerkannten Regel der Baukunst ist nicht schon dadurch erfüllt, dass eine Regel bei völliger wissenschaftlicher Erkenntnis sich als richtig und unanfechtbar darstellt, sondern sie muss auch allgemein anerkannt, d.h. durchweg in den Kreisen der betreffenden Techniker bekannt und als richtig anerkannt sein.* Darauf Bezug nehmend urteilte das Reichsgericht am 11.10.1910 (Az. IV 644/10) zur strafrechtlichen Haftung des Handwerkers eines wegen nicht vorhandener Stoßlaschen eingestürzten Dachstuhls, der beim Bau einer Musikhalle in Nürnberg während der Bauzeit einstürzte, wodurch Arbeiter ums Leben kamen. Während die beiden Vorinstanzen den Unternehmer strafrechtlich in die Verantwortung nahmen, hob das Urteil des Reichsgerichts vom 11.10.1910 die vorinstanzlichen Urteile auf aufgrund dessen, dass der Aspekt der Bekanntheit und damit Anerkennung durchweg im betroffenen Fachkreis der hier in Rede stehenden Unternehmer nicht nachgewiesen werden konnte.

1.6.5 Entwicklung

Die Bedeutung des Begriffs der anerkannten Regeln der Technik ist somit nicht durch eine technische Entwicklung, sondern durch die Rechtsprechung geprägt worden. Erst danach hat sich entwickelt, dass anerkannte Regeln der Technik grundsätzlich bei allen Werkleistungen zu beachten sind. Aber nicht nur dort, sondern auch in anderen Anspruchsverhältnissen wird dieser Begriff bemüht, insbesondere bei Inanspruchnahmen auf Grundlage von deliktischen Handlungen. In dieser Rechtsbedeutung kommen die Inhalte der allgemein anerkannten Regeln der Technik der ursprünglichen Begriffsdefinition am nächsten.

Der Rechtsbegriff der allgemein anerkannten Regeln der Technik kommt also aus dem Strafrecht und wurde in das Werkvertragsrecht übertragen. Heute wird er in andere Rechtsgebiete gespiegelt.

1.6.6 Heute übliche Inhaltsdefinition der a.a.R.d.T.

Allgemein anerkannte Regeln der Technik haben rechtliche Bedeutung, ohne klare rechtliche Inhalte aufzuweisen. Allgemein anerkannte Regeln der Technik haben ausschließlich technische und demoskopische Inhalte. Der Begriff lässt sich nicht nach rechtlichen und technischen Betrachtungen aufteilen. Er ist eine Rechtsauffassung mit nicht rechtlichem Inhalt.

Eine Regel gilt als anerkannte Regel der Technik, wenn sie

1. wissenschaftlich theoretisch richtig ist (technisches Element, das z.B. durch Laborprüfungen festgestellt werden kann),
2. in Fachkreisen als richtig anerkannt wird (demoskopisches Element, das weder durch Juristen, noch durch Sachverständige, sondern durch Forschungsinstitute erfasst werden kann, die sich mit Umfragen beschäftigen)
3. und sich bei fortwährender Anwendung in der Praxis bewährt hat (demoskopisches und technisches Element, das durch Forschungsinstitute festgestellt werden kann, die in einem angemessenen Umfang Umfragen in einer repräsentativen Auswahl eines Fachkreises oder mehrerer Fachkreise von Baubeteiligten durchführen, auswerten und bewerten können – und nicht nur unter z.B. Sachverständigen).

Allerdings ist zu hinterfragen, ob diese seit vielen Jahren etablierte Definition heute noch passt und ob sowie wer in der Lage sein kann, die Frage nach der Einhaltung von allgemein anerkannten Regeln der Technik zu beantworten:

- Aspekt 1 der theoretisch-wissenschaftlichen Richtigkeit wird im Kreis von juristisch denkenden Menschen hin und wieder gleichgesetzt mit der Bekanntheit und der Durchsetzung in Fachkreisen. Das allerdings ist unbegründet. Bauübliche Ausführungen können zum Werkerfolg führen, das kann aber auch Zufall sein. Es gibt viele Beispiele im Baugeschehen, dass man etwas für notwendig hält, obwohl es ohne eine solche Maßnahme genauso gut geht oder umgekehrt, etwas weglässt und das nur gut geht, weil die angenommenen Einwirkungen nicht vorliegen. Die Nachweisführung der theoretisch-wissenschaftlichen Richtigkeit auf Grundlage von naturwissenschaftlichen Größen ist ein wichtiger Aspekt bei der Betrachtung der Geeignetheit von technischen Regeln.

- Aspekt 2 der Bekanntheit in Fachkreisen ersetzt nicht den Nachweis der wissenschaftlichen Richtigkeit. Ob etwas in Fachkreisen bekannt ist oder nicht, kann bei der Auswahl einer bestimmten Technik Vertrauen bilden, ersetzt aber nicht die technische Begründung. Mehrheitsmeinungen bestimmen nicht naturwissenschaftliche Zusammenhänge. Die Bekanntheit in Fachkreisen ist, wenn etwas schiefgeht oder zu erwarten ist, dass das passiert, irrelevant bezüglich verschuldensunabhängiger Pflichten und Obliegenheiten. Nach den o.a. Reichsgerichtsurteilen bildet die Bekanntheit in Fachkreisen ein verzeihendes, entlastendes Element, hat aber für die Geeignetheit der perspektiven Empfehlung einer Regel keine Bedeutung. Die Feststellung des Bekanntheitsgrads in Fachkreisen fällt nicht in das Sachgebiet von technischen Sachverständigen. Die Aufgabe kann von Forschungsinstituten übernommen werden, die in der Lage sind, statistisch repräsentative Umfragen durchzuführen. Das ist weder Juristen, noch Sachverständigen möglich.
- Aspekt 3, Praxisbewährung, kann in der heutigen Zeit selten nachgewiesen werden, da sich Bauprodukte und Bautechniken schneller ändern als vernünftige Beobachtungszeiträume für praktische Beobachtung andauern. Sachverständige sind im besten Fall in der Lage, aus ihrem persönlichen Erfahrungsschatz zu berichten, ob sich etwas in der Praxis bewährt oder das nicht der Fall ist. Damit erfährt man aber lediglich die Erfahrung eines Sachverständigen, die aber nicht den statistisch relevanten Nachweis der Praxisbewährung ersetzt. Für den Nachweis der Praxisbewährung müssten entsprechend ausgestattete Institute Untersuchungen an einer Vielzahl von Objekten vornehmen. In der heutigen Geschwindigkeit von Produktentwicklung kann der Nachweis der Praxisbewährung nur als Evaluation und somit als Kontrollinstrument der wissenschaftlichen Richtigkeit verstanden werden. Bewährt sich eine Bauweise oder ein Produkt im Einsatz realer Bedingungen der Baupraxis nicht, ist es nicht wissenschaftlich richtig.

Juristen können keine technischen Eigenschaften untersuchen, weswegen sie Sachverständige danach befragen. Sachverständige können zwar oft die theoretische Richtigkeit bewerten, also Element 1., diese oft aber auch nur einschätzen. Sachverständige sind regelmäßig nicht in der Lage, geeignete Umfragen in den jeweils betroffenen Fachkreisen durchzuführen,[5] weswegen sie weder Element 2. noch Element 3. feststellen können. Sachverständige äußern regelmäßig, wenn sie nach diesen Aspekten gefragt werden, eine persönliche Einschätzung, die sie aber aufgrund der ihnen regelmäßig nicht zugänglichen Möglichkeiten zu deren Bestimmung nicht belegen können.

Aufgrund der schwierigen bis fast unmöglichen Nachweisführung, dass die o.a. Aspekte 1. *und* 2. *und* 3. eingehalten sind, lässt sich die Forderung nach Einhaltung von a.a.R.d.T. nur noch als Beweis des Gegenteils führen. Jedem Baubeteiligten könnte so die Mangelhaftigkeit seiner Planung und seiner Ausführung nachgewiesen werden, da mindestens einer der Aspekte regelmäßig nicht nachgewiesen werden kann. Ist aber diese im Kern miss-

5 *Voit*, Statistische Auswertung als Grundlage der Anerkennung in Fachkreisen – was ist repräsentativ, was suggestiv? Beitrag zu Pro + Kontra – Das aktuelle Thema: Können Sachverständige a.R.d.T. festlegen? Aachener Bausachverständigentage 2020, 27./28.4.2020.

bräuchliche Anwendung wirklich gewollt? Können wir mit der heute häufig angenommenen Definition überhaupt noch arbeiten? Oder bedeutet diese Definition nicht vielmehr eine juristische Illusion?

1.6.7 Probleme bei der üblichen Inhaltsbestimmung

Die Inhaltsbestimmung der anerkannten Regeln der Technik ist aufgrund der zuvor genannten Elemente weder Juristen, noch Sachverständigen möglich.

Der Begriff der anerkannten Regeln der Technik kommt aus dem Strafrecht und wurde in einer Zeit geprägt, als sich die Bautechnik noch vergleichsweise langsam entwickelte. Um 1900 beschränkte sich die damals neue Bautechnik im Wesentlichen auf Mauerwerk aus Ziegel-, Natur-, Lehm- oder anderen Steinen sowie die Eisenbetonbauweise und Abdichtungsschichten durch Teerpappen und Bahnen. Weitgespannte Eisenkonstruktionen, später die Stahlbauweise, waren Sonderbauten vorbehalten, der beginnenden Hochhaustechnologie und dem Industriebau. Eine weitere Neuerung bestand in der Entwicklung von großflächigen Gläsern für Fensteranlagen. Ansonsten bediente man sich tradierter Techniken.

Heute dagegen entwickelt sich die Bautechnik durch die industrielle Produktion deutlich schneller als sich die meisten Bauprodukte in der Praxis bewähren können. Ich kann aus meiner Erfahrung als Sachverständiger und Leiter der Forschung am Aachener Institut für Bauschadensforschung gGmbH berichten, dass teilweise Materialeigenschaften sogar chargenabhängig variieren. Was heute als praxisbewährt erkannt wird, kann beim gleichen Produkt, das aufgrund der guten Erfahrungen neu erworben wird, schon nicht mehr der Fall sein. Die Feststellung der Praxisbewährung wird sich daher in vielen Fällen auf nur wenige Bauweisen, insbesondere aber auf wenige Bauprodukte, beschränken. Ansonsten beruhen Angaben zur Praxisbewährung regelmäßig auf persönlichen Einschätzungen, nicht aber auf empirischen Feststellungen.

Wenn die Praxisbewährung nicht mehr festgestellt werden kann, aber Voraussetzung für eine mangelfreie Bauleistung durch das Soll der Einhaltung von anerkannten Regeln der Technik sein soll, wird schon deswegen fast jede Bauleistung mangelbehaftet sein müssen. Dann aber sind Forderungen zur Einhaltung von anerkannten Regeln der Technik regelmäßig eine juristische Illusion, ein Missbrauchsinstrument gegenüber Baubeteiligten, die mindestens einen Nachweis eines der notwendigen Kriterien zur Einhaltung von anerkannten Regeln der Technik nicht führen können. Damit kann lediglich der Nachweis geführt werden, dass a.a.R.d.T. nicht eingehalten wurden. Das aber kann nicht im Sinne des Gesetzgebers sein und schon gar nicht im Sinne des Rechtsfriedens zwischen Baubeteiligten.

1.6.8 Stellungnahme des Justiziariats in DIN zur Anwendung von DIN-Normen

Zu den Aachenern Bausachverständigentagen 2022 wurde am 26.4.2022 im Rahmen der Diskussion pro und contra die Frage diskutiert, wer für Regelwerke haftet. An dieser Diskussion hat *Astrid Wirges* teilgenommen, die Leiterin des Justiziariats im DIN und Mitglied der Geschäftsführung im DIN e.V.

Astrid Wirges erläuterte, dass DIN-Normen vonseiten DIN als Empfehlungen herausgegeben werden und keine grundsätzliche Rechtsverpflichtung besteht, diese Normen einzuhalten. Das ist in der Geschäftsordnung von DIN, in DIN 820-1, entsprechend niedergelegt mit der Formulierung, dass DIN-Normen zur Anwendung freistehen und sich als anerkannte Regel der Technik etablieren sollen. Das bedeutet, dass nicht DIN für sich in Anspruch nimmt, dass DIN-Normen anerkannte Regel der Technik sind, sondern durch Anwendung diese zu anerkannten Regeln der Technik erhoben werden sollen.

Wenn andere Organisationen oder Institutionen der öffentlichen Hand DIN-Normen referenzieren, geschieht dies erst nach Erscheinen einer Norm, weswegen das DIN nicht für Referenzierungen verantwortlich ist und diese nicht regeln kann.

1.6.9 Bedeutung von Regelwerken

Technische Regelwerke werden nicht von demokratisch legitimierten Institutionen ausgearbeitet, etwa Organisationen der Bundesrepublik oder der Bundesländer, sondern von privatwirtschaftlich organisierten Verbänden oder Vereinen, z.B. dem Deutschen Institut für Normung DIN e.V. oder dem Zentralverband des Deutschen Baugewerbes ZDB. Technische Regelwerke entwickeln damit nicht von sich aus eine Rechtsrelevanz, sondern nur, wenn staatliche Institutionen technische Regelwerke referenzieren oder wenn technische Regelwerke als *allgemein anerkannte Regel der Technik* anzusehen sind.

Regelwerke, etwa DIN-Normen, werden oft von Juristen und, deren Auffassung gespiegelt, auch von Sachverständigen, hilfsweise und kurzerhand mit anerkannten Regeln der Technik gleichgesetzt. Das gründet auf dem höchstrichterlichen Grundsatz, dass DIN-Normen (eigentlich alle „Regelwerke" als Handlungsempfehlungen, die ein Verfahren z.B. nach DIN 820 durchlaufen) bis zum Beweis des Gegenteils die Vermutung innehaben, die Kriterien von a.a.R.d.T. zu erfüllen. Der Beweis, ob dies zutrifft oder nicht, unterliegt regelmäßig dem Sachverständigenbeweis. Es wäre ein unzulässiger Zirkelschluss, wenn sich Sachverständige auf die Vermutungsregel beziehen könnten. Ihnen steht diese Vermutungsregel nicht zu, da sie das Beweismittel sind.

Wenn die Vermutungsregel in dieser Grundsätzlichkeit zuträfe, würden Regelwerksverfasser oder -herausgeber auch für die Richtigkeit ihrer Regeln haften müssen, zumindest solange, bis sie selbst den Beweis führen, dass die von ihnen erarbeiteten oder herausgegebenen Regelwerke nicht dem Kriterium von anerkannten Regeln der Technik entsprechen. Wie oben ausgeführt, sagt die Norm für die Normungsarbeit DIN 820-1 nicht, dass DIN-Normen anerkannte Regeln der Technik sind, sondern sich diese erst als anerkannte Regel der Technik etablieren sollen. Diese Grundsätze lassen sich auch auf andere technische

Regelwerke als Handlungsempfehlungen übertragen. Die Anhebung von technischen Regeln zum Status der anerkannten Regeln der Technik passiert daher nicht von alleine, sondern dadurch, dass Anwender DIN-Normen (oder eben andere Regelwerke) als anerkannte Regel der Technik auffassen und anwenden. Anwender müssen daher eigenverantwortlich prüfen, ob nicht nur Normen, sondern grundsätzlich alle Regelwerke oder Verarbeitungsrichtlinien die Kriterien von anerkannten Regeln der Technik erfüllen können. Dabei kommt es aber nicht auf ein Regelwerk in Gänze, sondern auf jede Einzelbestimmung in einem Regelwerk an. Somit liegt die Verantwortung für die Richtigkeit eines Regelwerks nicht bei Regelwerksverfassern oder -herausgebern, sondern bei den Anwendern.

1.6.10 Regelwerke und Standards

Technische Empfehlungen in technischen Regelwerken haben sich auf technische Sachverhalte zu beschränken und sollen keine werkvertraglichen Leistungsverpflichtungen regeln. Sie sind keine Rechtsnormen, haben aber Rechtsfolgen, da sie – oft auch unvereinbart – in vertraglichen Verpflichtungen als notwendig unterstellt werden. Das setzt Vertrauen in deren Richtigkeit aber auch Notwendigkeit voraus.

Für Juristen sind Mängel ohne bauliche (Folge-)Schäden juristisch auch Schäden. Diese Auffassung folgt dem Gedanken, dass Besteller nicht auf eine zukünftige Schadensentwicklung ihrer Sache warten müssen, sondern die über einen üblichen Verschleiß hinausgehende, zu erwartende negative Entwicklung der Bauleistung bereits Schaden sind.

Um Rechtsfolgen haben zu können, sollen Regelwerke Standards bilden, die bei Unterschreitung Folgeschäden erwarten lassen. Juristen können Baubeteiligte nur verlässlich in Anspruch nehmen, wenn eine Bauleistung so beschaffen ist, dass sie nicht oder nur eingeschränkt verwendungsgeeignet ist. Wenn Regelwerke (nur) etwas beschreiben, was in Fachkreisen bekannt ist oder von dem man glaubt, wie allgemein gebaut wird, klären sie nicht gleichzeitig technische Notwendigkeiten. Wenn sie nicht Mindeststandards, sondern nur darüberliegende Anforderungen beschreiben, irritieren sie. Man könnte dann befürchten, dass die (fallbezogene) Verwendungseignung alleine wegen der Abweichung vom Regelwerk fehlt. Zwar lässt sich die konkrete Verwendungseignung unabhängig von Regelwerksempfehlungen durch Sachverständigenbeweis feststellen. Wenn Regelwerke ständig der Auslegung und Interpretation durch Sachverständige bedürfen, verspielen sie Vertrauen. Regelwerke sollen Festlegungen enthalten, deren Maßstäbe nicht frei wählbar sind. Einerseits sollen sie technische Notwendigkeiten als Standard beschreiben, andererseits sollen Baubeteiligte nicht durch unnötige Festlegungen zu Unnötigem verpflichtet werden.

1.6.11 Regelwerke schließen andere Lösungen nicht aus

Technische Regeln können eine Erkenntnisquelle für richtiges Handeln sein, sie schließen andere aber damit nicht aus. Regelwerke haben keinen Ausschließlichkeitsanspruch, sondern verstehen sich als Empfehlungen, die Funktion eines Bauteils oder eines Bauprodukts für die vorgesehene Nutzungsdauer unter möglichen und üblichen Instandhaltungen bei

erwartbaren Einwirkungen sicherstellen zu helfen. Dabei kann es objektbezogen erforderlich sein, von solchen Empfehlungen abzuweichen. Der Werkerfolg beschränkt sich nicht nur auf die Funktion des Objekts, sondern erstreckt sich auch auf die Wirtschaftlichkeit, Einklang mit nationalen und europäischen gesetzlichen oder vergleichbaren Vorgaben. Daneben können vergleichbare oder bessere Wege als Ziel stehen. Technische Regeln bieten damit keinen „Rechtsschutz", wenn bei deren Beachtung Aspekte und Ziele eines Werkvertrags unterschritten werden.

1.6.12 Folgen für die Anwendung von technischen Regeln

Da der Begriff der anerkannten Regeln der Technik nach der jetzigen Definition inhaltlich i.d.R. nicht mehr zu klären ist, beschränkt sich die Prüfpflicht eines Anwenders darauf, festzustellen oder einzuschätzen, ob die Beachtung einer Regel zur Verwendungseignung führt oder ob diese möglicherweise gefährdet sein kann. Dabei ist zu berücksichtigen, dass Regelwerke allgemeiner Natur sind und bereits der Transfer auf den konkreten Anwendungsfall Abweichungen von allgemein gehaltenen Regeln erfordern kann. Dies ist eine Pflicht, die gleichzeitig aber nichts anderes als ein Recht des Anwenders sein kann.

Wie *Astrid Wirges* zu den Aachener Bausachverständigentagen erläuterte (s.o.), bedeutet dies, dass Normen lediglich Empfehlungen enthalten, um den Werkerfolg erreichen zu können, aber Entscheidungen, welche Maßnahmen letztlich fallbezogen zu treffen sind, Anwendern der jeweiligen Norm obliegen. DIN-Normen des DIN e.V. enthalten keine rechtsverbindlichen Verpflichtungen auf Grundlage des Konstrukts der allgemein anerkannten Regeln der Technik. Das werden sie erst durch die Anerkennung des Anwenders oder dadurch, dass sie einen fallbezogenen Mindeststandard beschreiben, damit Bauprodukte für eine wirtschaftlich angemessene Nutzungsdauer bei zu erwartenden (auch ungewöhnlichen) Einwirkungen bei üblichen und möglichen Instandhaltungen gebrauchstauglich sind. Diese Definition findet sich in der Bauprodukteverordnung.[6] Diese richtet sich zwar nur nach den im öffentlichen Interesse stehenden Grundanforderungen, nicht nach werkvertraglichen Grundsätzen gemäß § 633 BGB. Dennoch enthält die Rechtsordnung auch die o.a. Definition, die den Grundsätzen des Werkerfolgs gerecht wird.

Daneben kann es eine rechtliche Anwendungspflicht geben, wenn Normen z.B. durch Benennung in der jeweils landesbezogenen Verwaltungsvorschrift Technische Baubestimmung (VV TB) genannt sind und dadurch bauordnungsrechtliche Relevanz entwickeln.

Die zuvor beschriebenen Probleme zeigen, dass die Forderung nach Einhaltung von allgemein anerkannten Regeln der Technik nicht mehr haltbar ist, da darüber annähernd jede Bauleistung mangelhaft wäre. Das war für den Verfasser Anlass, in Heft 8 der Baurechtlichen und -technischen Themensammlung[7] einen Vorschlag zu unterbreiten, die Lücke durch den nicht (mehr?) bestimmbaren Inhalt des Rechtsbegriffs der anerkannten Regeln

6 Anhang I zur Verordnung (EU) Nr. 305/2011 des Europäischen Parlaments und des Rats vom 9. März 2011 zur Festlegung harmonisierter Bedingungen für die Vermarktung von Bauprodukten (EU-BauPVO); die VO wurde am 4.4.2011 im EU-Amtsblatt veröffentlicht.

7 *Boldt/Zöller*, Anerkannte Regeln der Technik – Inhalt eines unbestimmten Rechtsbegriffs, Heft 8, Baurechtliche und -technische Themensammlung, 2017.

der Technik im Werkvertragsrecht zu schließen. Der ehemalige Vorsitzende des VII. Zivilsenats am BGH, Prof. Dr. *Rolf Kniffka*, hat in seinem Kommentar zu § 633 BGB die Problematik aufgegriffen.[8] Auch war der Verfasser Leiter des Arbeitskreises VI des 9. Deutschen Baugerichtstags, um einen Beitrag zur zukünftigen Bedeutung des Begriffs leisten zu können.[9]

Anwender von Normen und technischen Regeln haben für die Anwendung derselben einzustehen, da DIN-Normen und andere technische Regeln grundsätzlich nur Handlungsempfehlungen sind.

Das hat zur Folge, dass eine Rechtsverbindlichkeit durch Referenzierung durch die öffentliche Hand entstehen kann, damit liegt aber auch die Auslegung zur Anwendung der referenzierten Norm nicht mehr beim DIN e.V., sondern bei der öffentlichen Hand.

Wenn andere Organisationen oder die öffentliche Hand DIN-Normen referenzieren, geschieht dies nach Erscheinen einer Norm, weswegen der DIN e.V. nicht für die Referenzierung verantwortlich ist. Das passiert erst im Nachhinein, auch wenn im Rahmen von Überarbeitungen den Arbeitsausschüssen bewusst ist oder zumindest sein sollte, dass sie nicht nur ein technisches Regelwerk als Empfehlung verfassen, sondern eines, das durch Referenzierung Rechtskraft entfaltet. Leider ist aber den Mitarbeitern der jeweiligen Arbeitsausschüsse nicht hinreichend bewusst, welche Maßstäbe anzuwenden sind, wenn rechtsrelevante Regeln entwickelt werden. Aber auch für diese Normen gilt das zuvor Ausgeführte, die Verantwortung für die Richtigkeit dieser Normen wird nicht von DIN e.V. übernommen.

Damit sind aber Auslegungsfragen zum normativen Text einer bauordnungsrechtlich relevanten Norm nicht mehr Sache des zuständigen DIN-Normenausschusses, sondern Fragen, die an das zuständige Bauordnungsamt zu stellen sind.

Die Inanspruchnahme von Planern und Ausführenden für zum Teil erhebliche Summen nur wegen formaler Abweichungen von Regelwerksinhalten, ohne dass es ein technisches Problem gibt, sind nicht nur ein betriebswirtschaftliches Problem, das zu ungerechtfertigten Insolvenzen der Beteiligten führen kann. Auftraggeber, die rein auf Regelwerksanforderungen basierenden sachverständigen Beratungen vertrauen und dann um die (maximale) Mangelhaftigkeit ihrer Gebäude kämpfen, vernichten womöglich eigene Werte, da sie auf den zwar behaupteten, aber nicht existenten Fehlern selbst sitzen bleiben und ihre Immobilien teilentwerten können. Oder, noch schlimmer, sie tauschen völlig unnötigerweise Bauteile aus, erzeugen damit unnötigen Müll, verschwenden Ressourcen, erhöhen unnötigerweise den CO_2-Ausstoß und vernichten Kapital, das sie entweder ganz, zum Teil oder gar nicht von den Baubeteiligten bekommen. Damit sind nicht nur die Hausbesitzer als Verbraucher, sondern auch die Umwelt und damit die Gemeinschaft der Verbraucher

---

8 *Kniffka*, ibr-online-Kommentar Bauvertragsrecht, 24. Aktualisierung 2021, Stand: 7.6.2021, § 633 BGB Rn. 23.

9 9. Deutscher Baugerichtstag – 12.–13.5.2023 in Hamm: Arbeitskreis V – Normung (AK-Leiter *Halstenberg*), gemeinsam mit Arbeitskreis VI – Sachverständigenrecht (AK-Leiter *Zöller*); https://baugerichtstag.de/wp-content/uploads/2023/01/Flyer_9.pdf; Thesenband: https://baugerichtstag.de/wp-content/uploads/2023/02/BauR-2023-Thesenheft.pdf.

geschädigt. Das ist ein Anlass, das Kreislaufwirtschaftsgesetz auch in diesen Fällen (streng) anzuwenden und Schaden durch unnötige Bauleistungen abzuwenden.[10]

Darüber hinaus leidet das Vertrauen in Organisationen, die Regelwerke verfassen. Deren Regelwerke werden früher oder später ihre Bedeutung verlieren. Dieses Risiko ist heute schon an der nicht nur ausnahmsweise geübten Kritik an Regelwerken festzustellen.

Regelwerke dürfen also kein Sanktionsinstrument sein, wenn eine Abweichung von Einzelfestlegungen getroffen wurde und sich erst dadurch der Werkerfolg einstellt bzw. nicht geschmälert wird, da dann die Regelwerksfestlegung zumindest für den konkreten Fall überflüssig, unnötig oder gar falsch war.

Um Missverständnissen im Umgang mit Regelwerken vorzubeugen, ist es Aufgabe von Regelwerksverfassern, sich der Standards anzunehmen, damit ein Regelwerk juristisches Vertrauen genießen kann. Wie soll sonst ein Jurist einen Planer oder einen Unternehmer in Anspruch nehmen können, wenn bei der Unterschreitung eines in einem Regelwerk enthaltenen Standards für die vorgesehene Nutzungsdauer keine Schäden zu erwarten sind?

Hier kommen Sachverständige ins Spiel, die solche Sachverhalte aufklären sollen. Wenn sich Sachverständige aber nicht an konkreten Sachverhalten orientieren, sondern ausschließlich an perspektiven Regelwerksvorgaben, beraten sie nicht technisch, sondern stellen – als Rechtsberatung – auf die Einhaltung von Regelwerken ab. Wenn keine technische Notwendigkeit besteht, unterliegt es ausschließlich einer juristischen Prüfung, ob ein bestimmtes Regelwerk tatsächlich Vertragsgegenstand ist, der neben technischen Notwendigkeiten steht.

Sachverständigen kommt die Aufgabe zu, ausschließlich technisch aufzuklären und nicht an Buchstaben von Regelwerken zu kleben. Der Berufszweig wäre sonst überflüssig. Sachverständige sind weder Literaturbeschaffer noch Lesehilfen. Ein Jurist könnte auch ohne Hilfestellung durch einen Sachverständigen ein Regelwerk lesen und anwenden.

Sachverständige haben keine erzieherische Funktion. Ihnen fällt nur die Aufgabe der Aufklärung und der Beweisführung zu, nicht aber die, Baubeteiligte zu „bestrafen" – nach dem Motto „Hättest du nach dem Regelwerk gehandelt (also Verschulden), hättest du jetzt kein Problem und deswegen machst du noch mal alles neu." Dabei kennen Sachverständige nicht oder nur ausschnittsweise die Gründe, die zu einem Ergebnis geführt haben, und selten die eigentlichen Zusammenhänge, die oft tieferliegende, gesellschaftliche Ursachen haben. Diese nicht technischen Vorgänge sind Sache der juristischen Würdigung, die weitere Maßstäbe berücksichtigen soll als nur technische Erfordernisse.

Es kann nicht immer alles bleiben, von Bestellern ist nicht jegliche Art von Bauleistung hinzunehmen. Die Bewertung aber, ob eine Bauleistung verwendungsgeeignet ist oder nicht, darf sich nicht ausschließlich an juristischen Maßstäben orientieren. Sachverständige sollten sich auf ihre technische Aufgabe beschränken, die darin besteht, abzuschätzen, ob etwas uneingeschränkt verwendungsgeeignet ist und zum anderen, warum Dinge kaputtgehen, also kausale Zusammenhänge aufzuklären.

10 *Seibel*, Dispositionsfreiheit nach § 634 BGB contra Kreislaufwirtschaftsgesetz zur Schonung von Ressourcen, der Umwelt und Minderung von CO_2, Aachener Bausachverständigentage 2022.

Juristen können danach fragen, ob ein gewisses Regelwerk eingehalten wurde. Aus den in diesem Beitrag aufgezeigten Gründen ist es aber unzulässig, die Frage nach der Einhaltung von Regelwerken mit anerkannten Regeln der Technik zu verknüpfen. Es ist Aufgabe von Sachverständigen, gemäß ihrem ggf. geleisteten oder vor Gericht zu leistenden Eid darüber aufzuklären, ob sie die Frage nach a.a.R.d.T. beantworten können – oder nicht. Letzteres werden sie regelmäßig nur hinsichtlich der technischen Richtigkeit können, nicht aber hinsichtlich des Bekanntheitsgrads in einem bestimmten Fachkreis, da sie keine Demoskopen, sondern Techniker sind. Auch die Frage nach der Praxisbewährung werden sie nur nach der eigenen Erfahrung abschätzen können, aber nicht, ob sich eine Bauweise (durchweg?) in der Praxis bewährt hat, da sie regelmäßig keine Forschungsinstitute betreiben und auch deswegen nicht, weil sich Bauarten häufig schneller ändern als eine Praxisbewährung nachgewiesen werden kann.

Damit *dürfen* sich Sachverständige *nicht* ausschließlich auf Regelwerke stützen, sondern haben diese jeweils fallbezogen zu erklären. Falls sie das nicht können, haben sie das transparent zu machen. Die eigenen Grenzen zu kennen, ist eine Qualität und keine Schwäche. Nichts ist fataler als etwas vorzugaukeln, was unhaltbar ist. Damit würden Sachverständige zudem gegen ihren Eid verstoßen, der nicht auf die Beachtung und Umsetzung von obergerichtlichen Urteilen abstellt, sondern auf ein eigenes technisches Urteil auf Grundlage von bestem Wissen und Gewissen.

Aber selbst bei möglichen Einschränkungen der Verwendungseignung sollte nicht nur auf Wiederholung der Bauleistung mit Müllentstehung, Ressourcenverbrauch und CO_2-Ausstoß hingearbeitet und damit möglicherweise gegen das Kreislaufwirtschaftsgesetz verstoßen werden. Stattdessen sollten Lösungsvarianten für ein technisches Problem aufgezeigt werden. Dann kann im Rahmen der juristischen Würdigung noch immer entschieden werden, ob z.B. fehlerhafte Bauleistungen substituiert werden, durch Risikobetrachtungen geldwerte Nachteile aus vorgezogenen Instandhaltungsmaßnahmen entstehen oder Minderwerte durch Minderungen ausgeglichen werden können.

Regelwerke sollen helfen, die Verwendungseignung zu erzielen. Dabei sollen sie aber nicht über das Ziel hinausschießen und mehr fordern als notwendig, weil es werkvertraglich keine *sichere Seite* gibt, sondern lediglich ein Optimum aus verschiedenen Aspekten, worunter auch das Wirtschaftlichkeitsgebot zählt. Wird z.B. ein Gefälle einer Flachdachabdichtung geplant und unter Mehraufwand realisiert, kann dies ein wirtschaftlicher Schaden sein, wenn es auch ohne Gefälle geht. Es gibt viele dieser Art von Beispielen, die zeigen, dass gut gemeint nicht immer gut gemacht ist.

Regelwerke sind nicht bedeutungslos, wir brauchen sie. Es geht um das Ringen mit dem richtigen Umgang mit ihnen und darum, dass sich Regelwerksverfasser ihrer Verantwortung bewusst sind, damit Regelwerke verlässliche Partner des Baugeschehens sind und bleiben.

Es gibt keine von DIN veranlasste Rechtsrelevanz. Eine Norm „gilt" nicht im Sinne einer eigenständigen rechtlichen Verpflichtung, sondern sie enthält Handlungsempfehlungen. Werkvertraglich kann Normen nur gefolgt werden, wenn sie den Grundsätzen von allgemein anerkannten Regeln der Technik entsprechen. Dabei kommt es allerdings nicht auf den Bekanntheitsgrad in Fachkreisen an, sondern ausschließlich darauf, dass etwas theoretisch richtig ist und sich in der Praxis bewährt hat, wobei auch hier im besten Falle Evaluationen möglich sind.

Einmal getroffene Vereinbarungen können einvernehmlich im Rahmen des Baufortschritts und der damit verbundenen Bauentwicklung geändert werden. Dies ist bei den üblicherweise zu erstellenden Unikaten an der Tagesordnung, um das gewollte Ziel erreichen zu können. Mit Ausnahme von seriellem Bauen insbesondere in der industriellen Vorfertigung wird das fertige Produkt, das gebaute Gebäude, nicht bis ins letzte Detail, nicht bis zur letzten Schraube geplant und kann auch nicht geplant werden. So sieht z.B. die Honorarordnung für Architekten und Ingenieure (HOAI) einen zunehmenden Genauigkeitsgrad in den aufeinanderfolgenden Leistungsphasen vor. Mit Abschluss der Leistungsphase 3 der HOAI, die das Ausarbeiten der Planunterlagen für die Eingabe als Genehmigungsplanung beinhaltet, stehen lediglich Form, Maße und sehr grobe Details fest. Nach Abschluss der Leistungsphase 5, Werkplanung, werden Ausführungsdetails vorgegeben, die keine Werkstattplanung und keine handwerklichen Selbstverständlichkeiten enthalten. Die Planung wird über die Leistungsphasen 6 sowie 7 verfeinert und erst in der Leistungsphase 8 beim Bauen vervollständigt. Erst wenn das Gebäude errichtet ist, stehen alle Details fest.

Regelwerke sind als Handlungsempfehlungen gedacht, sie enthalten Vorhaltemaße für das noch nicht Bekannte. Werden Regelwerke in einer vergleichsweise frühen Phase der Planungsvertiefung und vor der Bauausführung vereinbart, wird damit Vertrauen in sie ausgedrückt. Allerdings können technische Regelwerke, die in Arbeitsausschüssen ausgearbeitet werden und deswegen abstrakt bleiben müssen, Anforderungen enthalten, die für konkrete Fälle ungeeignet sind.Festlegungen in Regelwerken sind für die Anwendung dann nicht geeignet, wenn sie z.B.

- für den betreffenden Bereich nicht einschlägig oder lückenhaft sind, und wenn es andere als in Regelwerken enthaltene Lösungswege gibt, die genauso gut oder gar besser zum Erfolg führen können;
- erwarten lassen, dass die Gebrauchstauglichkeit nicht erreicht wird;Aspekte des Werkserfolgs unberücksichtigt lassen und diese nicht erfüllt werden;
- Anforderungen beschreiben, die bautechnisch und gestalterisch unnötig sind, aber unnötige Kosten und Ressourcenverbrauch nach sich ziehen und damit gegen das Wirtschaftlichkeitsgebot (und ggf. auch das Kreislaufwirtschaftsgesetz) verstoßen.

In den jeweiligen Anwendungsbereichen von technischen Regeln wird definiert, für welche Phase des Bauens sie anzuwenden sind. Regelwerke sind zu einem sehr großen Anteil für die Planung und Ausführung gedacht und nur in gesonderten, jeweils eigens beschriebenen Teilen für die Bewertung von Vorhandenem. Bei Betrachtung dieser (seltenen) Fälle wird klar, dass die Prüfanforderungen auch erheblich von den Planungsanforderungen abweichen können, so z.B. im Beiblatt 2 zu DIN 18195[11] zur Messung von Schichtdicken von flüssig verarbeiteten Abdichtungen oder zur Bewertung von vorhandenem Gefälle von

11 DIN 18195 Beiblatt 2:2017-07, Abdichtung von Bauwerken – Beiblatt 2: Hinweise zur Kontrolle und Prüfung der Schichtdicken von flüssig verarbeiteten Abdichtungsstoffen.

Dachabdichtungen in DIN 18531[12] sowie der Flachdachrichtlinie des Zentralverbands des Deutschen Dachdeckerhandwerks ZVDH.

Es ist daher eine Rechtsfrage, ob Regelwerke bei der Betrachtung von Ausgeführtem unabdingbar heranzuziehen sind, aber keine technische. Da sich Sachverständigengutachten nicht mit Rechtsfragen zu beschäftigen haben, sondern technisch aufklären und beraten sollen, ist es eine ihrer Kernaufgaben, sich mit Regelwerken kritisch auseinanderzusetzen.

Daher dürfen sich nicht nur Sachverständige (insbesondere bei der nachträglichen Bewertung), sondern auch Baubeteiligte (bei der Planung und Entscheidung, wie etwas zu bauen ist) nicht nur auf Regelwerke stützen, sondern müssen sich kritisch mit ihnen auseinandersetzen. Das bedeutet systemimmanent, dass sie auch von Regelwerken abweichen dürfen und das ggf. auch müssen. Wird bei der Bewertung ausschließlich auf Regelwerksvorgaben abgestellt, handelt es sich nicht um eine technische Betrachtung, sondern um einen juristischen Abgleich, bei dem die sachverständige Bewertung ausbleibt.

Es mag sein, dass unter juristischen Aspekten vereinbarte Regelwerke als unabdingbarer Mindeststandard verstanden werden. Allerdings kann aus bisheriger Erfahrung bei der Erstattung von gerichtlichen Gutachten davon berichtet werden, dass unter Berücksichtigung des Vorherstehenden dies nicht zutrifft, wenn konkrete Vereinbarungen nach §§ 133 und 157 BGB nach dem wirklichen Willen der Parteien auch unter Berücksichtigung der zuvor genannten Stichpunkte ausgelegt werden. Da sich aber technische Sachverständigengutachten nicht mit Vertragsauslegungen zu beschäftigen haben und keine Rechtsfragen klären dürfen, dürfen sie sich auch nicht an eine rechtliche Vorgabe binden, sondern müssen technische Sachverhalte aufklären. Dazu gehört auch, Regelwerksinhalte nicht als zwingende Vorgabe anzusehen, sondern sie kritisch zu beleuchten.

Technische Relevanz entwickeln Regelwerke nur, wenn sie ausschließlich und nur durch Beachtung der darin enthaltenen einzelnen Regelungen im jeweiligen konkreten Anwendungsfall perspektiv Schäden vermeiden helfen, die sonst zu befürchten wären. Sonst ist die Frage, ob Regelwerke anzuwenden sind, ob sie Gültigkeit für den Einzelfall haben, rein rechtlicher Natur. Sachverständigengutachten sind technische Aufklärungs- und Beweismittel. Daneben können sie, als Aufklärungsmittel, Hinweise zu rechtlichen Grundlagen geben, z.B. Inhalte von Regelwerken aufklären, die aber in Gutachten nicht fallbezogen abschließend geklärt werden können, wenn sie ausschließlich rechtlicher Natur sind. Die beschriebenen Anforderungen unterliegen damit dem Vorbehalt der rechtlichen Würdigung, die in einem Sachverständigengutachten nicht vorzunehmen ist.

Regelwerke werden für die Planung und Ausführung verfasst und sind damit perspektive Handlungsempfehlungen.

Technische Regelwerke schließen nicht aus, sie erheben keinen Ausschließlichkeitsanspruch. Sie bilden nicht einzig mögliche Wege ab, um zum Ziel gelangen zu können und schließen nicht andere Möglichkeiten aus.

Perspektiv angelegte Regelwerke können retrospektiv nur bedingt angewendet werden, weil z.B. Vorhaltemaße bei der Bewertung von bereits Vorhandenem ihre Bedeutung ver-

12 DIN 18531-1:2017-07 Abdichtung von Dächern sowie von Balkonen, Loggien und Laubengängen – Teil 1: Nicht genutzte und genutzte Dächer – Anforderungen, Planungs- und Ausführungsgrundsätze.

lieren. So sind z.B. für das noch nicht Bekannte nötige Sicherheitszuschläge nicht mehr relevant, wenn bei der Bewertung die konkreten Eigenschaften des Vorhandenen geprüft wird. Bei der Bewertung finden Regelwerke regelmäßig nur dann Anwendung, wenn juristische Anforderungen z.B. an die Einhaltung von Beschaffenheitsvereinbarungen zu stellen sind. Sonst dienen sie lediglich der Orientierung als Hilfestellung, sie bilden aber keinen jeweils absoluten Maßstab.

Es gibt nach technischen Maßstäben keinen Gültigkeitszeitraum von technischen Regeln. Sie „gelten" nicht im Rechtssinne. DIN 820-2[13] trägt dem Rechnung, indem sie bei der Ausarbeitung von Normen den Arbeitsausschüssen auferlegt, im Anwendungsbereich der Norm auf die Anwendbarkeit einer Norm hinzuweisen und verbietet gleichzeitig, davon zu sprechen, dass eine Norm „gelte" (leider wird regelmäßig gegen diese klarstellende, aber auch DIN enthaftende Auflage verstoßen). Das bedeutet, dass bei einer späteren Betrachtung technische Zusammenhänge einer neueren Norm entnommen werden können und ältere, auch zurückgezogene Normen nicht ihre Relevanz verlieren müssen.

Juristisch und technisch gibt es somit unterschiedliche Ansätze, ob Regeln „einschlägig" sind. Nach juristischem Verständnis ist eine juristische Norm einschlägig, wenn sie z.B. durch Erlass rechtsrelevant wird und auf den Fall anwendbar ist. Das beinhaltet, dass solche Normen fallbezogen nicht zwingend zielführend sein müssen. Sie sind in der rechtsdogmatischen Folge dennoch zumindest zunächst zu beachten. Das trifft für technische Normen nach technischem Verständnis in dieser Form nicht zu. Technische Regelwerke sind einschlägig, wenn sie für die Planung, Ausführung oder auch für die Bewertung von bereits Ausgeführtem unter technischen Aspekten relevante Sachverhalte beschreiben. Im Vordergrund steht dabei der technische Zusammenhang, der nicht durch eine rechtliche Dogmatik dominiert wird, sondern durch naturwissenschaftliche Erkenntnisse. Daher kann ein Regelwerk für ein Sachverhalt selbst dann einschlägig sein, wenn es dafür nicht gedacht war. So können z.B. Stoffstrombeschreibungen, also die Durchströmbarkeit eines Stoffs mit Wasser, einer Norm für Baugrund auch für andere Stoffe, z.B. für Estriche, zutreffen. Genauso können z.B. Anforderungen an Hinterlüftungen in einer Regel für Holzschutz auch für Metallfassaden einschlägig sein, wenn es z.B. um Schutz gegen Insekten oder Kleintiere bzw. um grundsätzliche bauphysikalische Fragen geht.

Herstellerangaben sind ebenfalls als technische Handlungsempfehlungen zu verstehen. Zwar können sich Hersteller nicht für die Richtigkeit ihrer Angaben enthaften, wie das technische Regelwerke herausgebende Verbände oder Vereine in Geschäftsordnungen weitgehend können. Dennoch sind deren Handlungsempfehlungen, die vom Allgemeinen in die konkreten Fälle übertragen, nur dann als ausschließlich zu verstehen, wenn diese als solche gekennzeichnet sind oder Verbote formuliert werden. Ansonsten liegt auch hier die Verantwortung beim Anwender solcher Herstellerangaben.

Sachverständige sollen keine Rechtsfragen klären. Aufgrund ihrer Eigenschaft als Aufklärungsmittel können sie diese aber, vorbehaltlich der Rechtswürdigung, beraten. Regelwerke können Sachverständigen zur Orientierung und Erklärung von Sachverhalten dienen, wenn sie kausale Zusammenhänge aufklären oder Prognosen erstellen, ob eine Werk-

---

13 DIN 820-2:2022-12 Normungsarbeit – Teil 2: Gestaltung von Dokumenten.

leistung verwendungsgeeignet ist. Ob ein Regelwerk aber verpflichtend anzuwenden ist oder nicht, ist im Kern eine Rechtsfrage.

Bei der Bewertung in Gutachten sollten sich Sachverständige daher auf technische Sachverhalte beschränken. Rechtsaspekte sind als Beratung zu verstehen, die einer rechtlichen Würdigung nicht vorgreifen. Die Rechtsrelevanz von Regelwerken zählt dazu, da Sachverständigengutachten lediglich technische Prognosen zur Eignung oder Kausalitäten zwischen Schadensphänomenen und Eigenschaften des Werks klären können, nicht aber, ob Regelwerke fallbezogen rechtliche Anwendungsgrundlage haben.

1.6.13 Angepasste Definition zu a.a.R.d.T.

DIN-Normen und andere Technische Empfehlungen spielen eine wichtige Rolle. Sie müssen sich aber nach den Kriterien richten, die sie als nicht rechtliche Regeln mit Rechtsfolgen bewirken (können): Vertrauen in die Notwendigkeit eines Standards. Die Grundvoraussetzung für die Anerkennung einer Regel ist die Widerspruchsfreiheit und Richtigkeit einer Regel.

Die Anerkennung in Fachkreisen setzt einen bestimmten Kenntnisstand in diesen Kreisen voraus, ist heute regelmäßig nicht mehr feststellbar und ohnehin obsolet. Meinungen in Fachkreisen können Technik nicht dominieren, oder: Mehrheitsbeschlüsse können die Physik oder die Chemie nicht außer Kraft setzen.

Besteller werden also nicht durch die Einhaltung von Mehrheitsmeinungen geschützt, sondern durch Fehlertoleranzzuschläge, die mögliche Toleranzen von Bauprodukten und Bauweisen berücksichtigen sollen, aber nach der Ausführung einer Bauleistung entsprechend sachgerecht zurückzunehmen sind.

Die folgenden Anforderungen können Kriterien zur zeitgemäßen Definition von anerkannten Regeln der Technik sein:

1. Regelwerke und andere Technische Empfehlungen sollten theoretisch wissenschaftlich richtig sein.
2. Theoretisch wissenschaftliche Annahmen sollten an gebauten Objekten evaluiert werden.
3. Regelwerke und andere Technische Empfehlungen sollten als perspektive Empfehlungen für Planung und Ausführung und damit für das noch nicht Vorhandene Fehlertoleranzzuschläge beinhalten, die nach der Ausführung (angemessen) zurückzunehmen sind.

Die drei in Kombination zu erfüllenden Kriterien sind ausreichend scharf und schützen Besteller durch praktikable Evaluationen anstelle heute nicht mehr erbringbarer Nachweise der Praxisbewährung.

1.6.14 Zusammenfassung

1. Regelwerke werden als perspektive Hilfestellung von nicht demokratisch legitimierten Arbeitsausschüssen verfasst. Sie beanspruchen keinen Gesetzescharakter, sie sollen sich als anerkannte Regeln der Technik etablieren. Damit haften Regelwerksverfasser und -herausgeber nicht für die Richtigkeit ihrer Regeln, sondern Anwender von Regelwerken übernehmen die Verantwortung für diese.
2. Viele DIN-Normen und andere technische Regelwerke enthalten sinnvolle, richtige und belastbare (perspektive) Hilfestellungen.

   Die Vermutung aber, dass DIN-Normen oder andere Regelwerke – bis zum Beweis des Gegenteils – anerkannte Regeln der Technik seien, basiert auf rein juristischen Überlegungen und hat keine technische Begründung.

   Die Vermutung gründet auf der Annahme, dass technische Regeln ähnlich wie juristische Regeln erstellt werden und sie dadurch eine Art demokratische Legitimation entfalten. Das trifft aber nicht zu.

   Normen werden „hinter verschlossenen Türen" ausgearbeitet. In Normausschüssen Nichtmitarbeitende erhalten erstmals zum Erscheinen eines Normenentwurfs Kenntnis von deren Inhalten und haben dann die Möglichkeit, Einsprüche zu erheben. Allerdings werden diese Einsprüche nicht öffentlich-transparent beraten, sondern ebenfalls „hinter verschlossenen Türen". Zwar besteht dann noch die Option eines Schiedsverfahrens, das aber aufwendig ist und nicht immer zur Ausgewogenheit führt. Sachverständige dürfen damit nicht darauf vertrauen, dass Arbeitsausschüsse wie demokratisch legitimierte Organisationen arbeiten und dass DIN-Normen und in ähnlichen Verfahren ausgearbeitete Regeln anerkannte Regeln der Technik wiedergeben.
3. Sachverständige technischer Sachgebiete können nicht klären, ob Inhalte einer DIN-Norm oder die eines anderes Regelwerk den anerkannten Regeln der Technik entsprechen, weil sie dazu notwendige, aber nicht in ihr Sachgebiet fallende Kriterien nicht aufklären können.

   Wenn sie Fragen nach anerkannten Regeln der Technik beantworten, tun sie das im Glauben, etwas Richtiges getan zu haben und übersehen, dass sie keine Fragen beantworten dürfen, die nicht in ihr Sachgebiet fallen. Streng genommen verstoßen sie damit gegen ihren Eid.
4. Sachverständigen steht die Vermutungsregel nicht zu, da sie selbst Beweismittel sind, um zu belegen, ob eine Regel anerkannte Regel der Technik sein kann oder das Gegenteil der Fall ist. Es ist ein unzulässiger Zirkelschluss, anzunehmen, dass sich Sachverständige auf die Vermutungsannahme stützen können.

   Sachverständige sind nicht nur Beweismittel, sondern auch Aufklärungsmittel.

   Dazu zählt auch, dass sie im Transfer von abstrakt gehaltenen, nicht den konkreten Anwendungsfall kennenden Regelwerken zum konkreten Anwendungsfall nach technischen Notwendigkeiten differenzieren.

   Das bedeutet gleichsam, dass sie klären, welche Anforderungen in Regelwerken im konkreten Fall nicht erforderlich sind.

Darüber hinaus haben sie zu unterscheiden zwischen perspektiven Handlungsempfehlungen, die Vorhaltemaße beinhalten, und retrospektiven Betrachtungen, zu denen nicht nur Vorhaltemaße angemessen zurückzufahren sind, sondern bei denen auch zu klären ist, ob eine Regel im konkreten Fall überhaupt einschlägig ist.

5. Gerichte sind angehalten, Fragen nach anerkannten Regeln der Technik nicht an Sachverständige technischer Sachgebiete zu stellen, da sie nur Fragen zu stellen haben, die in Sachgebiete von Sachverständigen fallen. Die Frage nach anerkannten Regeln der Technik führt, genau genommen, bei technischen Sachverständigen in eine Zwickmühle, da sich von Gerichten ernannte Sachverständige möglicherweise verleitet sehen, Fragen in Beweisbeschlüssen zu beantworten, obwohl sie das in solchen Fällen umfänglich nicht können und, streng genommen, auch nicht dürfen.

   Beantworten sie dennoch die Frage nach a.a.R.d.T., können sie mit ihrer Einschätzung richtig liegen, obwohl sie nicht alle juristisch relevanten Aspekte dazu erforschen können. Man wird aber kein Verschulden feststellen können, weil viele Sachverständige glauben, diese Fragen beantworten zu können und sich nicht bewusst sind, dass das nicht der Fall ist. In der jeweils nachfolgenden juristischen Würdigung kann das Problem aber „schadensarm" behoben werden.

1.7 Genauigkeitsgrad und Variantenbildung im Sachverständigenbeweis

Ingo Kern

Übersicht

In Gerichtsverfahren haben Sachverständige regelmäßig die folgenden Fragen zu beantworten: Liegt ein Mangel vor? Wenn ja, wie kann dieser beseitigt werden und was kostet das? Die Frage nach der Beseitigung lässt sich formal einfach beantworten: „Bitte einmal neu machen." Als gerichtlich bestellter Gutachter sind Sie in dieser alternativlosen Frage gefangen und Ihre einzige freie Entscheidung besteht darin, ob man dabei heult und jammert – oder aber die Dinge mit Würde erträgt und der Mangel verbleibt, weil Alternativmaßnahmen ergriffen werden können.

Sachverständige müssen in Beweisbeschlüssen häufig bewerten, ob technische Regeln als Selbstzweck einzuhalten und Abweichungen zu bestrafen sind. Sie sollten aber Zusammenhänge aufklären und erläutern dürfen, worauf ein Schaden beruht, oder prognostizieren, ob die Sache unter konkreten Bedingungen gebrauchstauglich ist. Es geht darum, sinnvolle Varianten aufzuzeigen, diese dürfen aber in der Planung und Ausführung nicht dazu verleiten, von vornherein zu sparen. Wenn Fehler zu Schäden führen, sind Unternehmer regelmäßig (verschuldensunabhängig) in der Pflicht, diese zu beseitigen.[1] Variantenbildungen können in Gutachten aber helfen, technische Fragestellungen zu lösen. Diese bilden eine breitere Grundlage für eine folgende juristische Bewertung. Leider sind gerichtliche Beurteilungen überwachsen vom umständlichen Theater der Wirklichkeit und das (ungefragte) Aufzeigen mehrerer Möglichkeiten kann zur Besorgnis der Befangenheit führen, womit das Thema dann bedauerlicherweise guillotiniert ist. Probleme entstehen daher immer dann, wenn im Streitfall Prinzipienreiter die Praxis kompromisslos an der Theorie messen wollen, wobei man oft der Meinung ist, mit der Umsetzung technischer Standards gleichzeitig auch ein größtmögliches Maß an Qualität zu erhalten.[2]

1.7.1 Normgerechte Instandsetzungsziele?

Bekanntermaßen fließen theoretische Konstruktionsprinzipien in die Baupraxis nur so weit ein, wie sie für ein gebrauchstaugliches Ergebnis notwendig sind. Traditionelle Baugepflogenheiten haben sich nämlich nicht aus Theorien entwickelt, sondern Theorien sind das Ergebnis des Erfahrungsprozesses von Generationen. Varianten im Gutachten können insofern sinnvolle Alternativen zu „normgerechten Instandsetzungszielen" darstellen, die unter technisch-wirtschaftlichen Gesichtspunkten zwar nicht die „allgemein anerkannten

1 *Zöller*, Bauschäden in Beispielen, 50 typische Schadensfälle aus der Bausachverständigenpraxis, S. 213.
2 *Oswald*, db 09/2003, S. 114-118.

Regeln der Bautechnik" im engen Sinne widerspiegeln. Sie können aber trotzdem eine vollumfängliche, gebrauchstaugliche und dauerhafte Instandsetzung bedeuten. Man geht nämlich fehl in der Annahme, dass mit der schlichten Befolgung von normativen Standards stets auch die anerkannten Regeln der Technik eingehalten werden. Normen dürfen keine Rezeptbücher sein, die einer Wahrnehmungselite als Nahrung dienen. Sie sollen dort, wo dies möglich ist, die Freiheit für ingenieurmäßige Lösungen lassen, indem sie Ziele vorgeben und die Kriterien benennen, die dabei zu berücksichtigen sind. Wenn nichts Konkretes vereinbart ist, geht es im Kern um die Frage: Funktioniert es unter den individuellen Bedingungen?

Sachverständige sollten sich bei Instandsetzungsvorschlägen verantwortungsbewusst mit der Frage auseinandersetzen, ob Schäden im konkreten Anwendungsfall künftig verhindert werden können, der Mangelbeseitigungsvorschlag eine angemessene Fehlertoleranz aufweist und der (vertragsgemäße) Zustand herzustellen oder herstellbar ist. Der pauschale und bloße Vergleich mit Regelwerksanforderungen genügt nicht. Diese wurden für allgemeine Situationen, für Regelfälle, verfasst. Der Einzelfall kann davon abweichen.

Wie das Deutsche Institut für Normung in den Hinweisen für die Anwender von Normen formuliert, sind „DIN-Normen nicht die einzige, sondern eine Erkenntnisquelle für technisch ordnungsgemäßes Verhalten im Regelfall. Durch das Anwenden von Normen entzieht sich niemand der Verantwortung für eigenes Handeln." Handwerkliche Erfahrung lässt sich nicht in Normen erfassen und fachliches Wissen lässt sich nicht durch Normen und Vorschriften ersetzen. Viel zu häufig werden in der derzeitigen Praxis noch Standards auf der Basis gültiger DIN-Regelungen diskussionslos seitens der Planenden benutzt oder verlangt. Die Regeln des DIN sind zudem für die Anwendung im Neubaubereich ausgelegt. Für bestehende Gebäude sind sie vielfach ungeeignet oder nicht zutreffend. In den Regelwerken werden Anforderungen für die Planung und Ausführung beschrieben. Sie orientieren sich nicht an der konkreten Situation, sondern an allgemein zu erwartenden Einwirkungen. Beispielsweise sind keine späteren Maßnahmen gegen einmalig auftretende Einwirkungen nötig. Ist kein Schaden entstanden, sind sie überflüssig. Eine normierte technische Regel enthält nicht die optimale und einzige Lösung einer technischen Aufgabe. Auch bei einer Abweichung von DIN-Normen kann deren bezweckter Erfolg erreicht werden.[3] Es gibt sich widersprechende Normen, eine von beiden sollte dann auf jeden Fall weniger verlässlich sein. Die angemessene Anwendung von Normen oder Regelwerken sollte mit kritischem Verstand selbstverständlich sein. Technische Regeln sollen nicht als Pflichtenheft verstanden werden. Es geht um technische Notwendigkeiten – Brauchbarkeit und Gebrauchstauglichkeit. Die Erreichung eines Schutzzieles sollte im Mittelpunkt stehen und nicht das wortgetreue Nacheifern. Das Schutzziel wird erreicht, völlig egal ob eine Aufkantungshöhe bei Flachdächern 15 cm oder nur 12 cm beträgt. Wird eine Fachgröße einstweilen auf der zentimetergenauen Einhaltung der „15-cm-Regel" beharren, sollte man fragen, ob deren Historie bekannt ist. Mitnichten lag ihr Anfang in einer Norm. Sie war aufgekommen in grauer Vorzeit, als Maßangaben nicht in Zentimetern dosiert wurden. In jenen Tagen begnügte man sich noch mit dem einfachen Geheiß: „Die Pappbahnen werden so abgeschnitten, dass sie noch eine Hand breit über die Kante gebogen werden kön-

3 OLG Celle, U. v. 2.11.2011, 14 U 52/11, IBR 1/2012, S.17.

nen."[4] Das war hinreichend konkret, durchaus praktikabel und bewährt. Am Ende des Tages zählen Scharfsinn und Weitsicht. Normen sind so wenig enzyklopädische Richtlinien wie die Inquisition eine linksradikale Bürgerrechtsbewegung war. Manchmal muss mehr als das Geforderte gemacht werden, manchmal genügt auch weniger. Schließlich weiß die Türschwelle nicht, ob sie auf Sylt, im Keller oder auf der Zugspitze wasserdicht sein soll.

1.7.2 Praktisch und nützlich

Regelwerke stellen Handlungsempfehlungen dar und sollen Arbeitsbedingungen auf Baustellen berücksichtigen und Toleranzen zugestehen.[5] Bei der Mangelbeseitigung ist dem zu Beurteilenden ein angemessener Spielraum zuzugestehen, im Interesse des Auftraggebers gehandelt zu haben – dabei gilt insbesondere, sich kritisch mit Regeln auseinanderzusetzen.[6] Den Erfolg über Kompensationen zu erreichen, ist auch den einschlägigen Landesbauordnungen zu entnehmen.[7] Nach dem Brandschutzleitfaden des Bundesministeriums für Verkehr, Bau und Stadtentwicklung ist der Weg zum Erfolg so zu wählen und abzustimmen, dass insgesamt das erforderliche Sicherheitsniveau kostengünstig gesichert wird. Varianten sind demgemäß gewünscht und zulässig.[8] Die Musterbauordnung lässt Abweichungen zu, wenn nachweislich die Schutzziele des Brandschutzes auf einem anderen Weg erreicht werden können.[9] Wenn der gesunde Menschenverstand eine Rolle spielt, dann liegt es in der Hand des Praktikers, ob das Werk nützlich ist. Denn Nützlichkeit ist das angestrebte Ziel, nicht die Vertiefung von wissenschaftlichen Debatten.[10] Das eröffnet die Möglichkeit der Variantenbildung und bedeutet gleichzeitig, dass dem Sachverständigen ein angemessener Spielraum im Rahmen einer gebrauchstauglichen Lösungssuche zuzugestehen ist. Das ist ein baupraktischer Aspekt, der im Gutachten Niederschlag finden kann, wenn man ihn vorher mit dem Richter bespricht.

---

4 *Schrader/Reim*, Der Deutsche Dachdeckermeister, Band 1, 1911.

5 *Zöller*, IBR 3/2013, S.127-128.

6 *Zöller*, IBR 1/2017, S. 1-2.

7 *Motzke/Preussner/Kehrberg*, Die Haftung des Architekten, Rn. 45.

8 Stand Juli 2006, S. 9.

9 Musterbauordnung (MBO) § 67, Fassung November 2012, zuletzt geändert durch Beschluss der Bauministerkonferenz vom 21.9.2012.

10 *Schröder* in Franke/Kemper/Zanner/Grünhagen, VOB-Kommentar. Bauvergaberecht, Bauvertragsrecht, Bauprozessrecht, XXIV, S. 1694.

1.8 Maßnahmen und Kostenabschätzungen: Ziel und Grenzen im Gutachten

Ingo Kern

Übersicht

In Gutachten sollen vorrangig Tatsachen festgestellt, bei Schäden kausale Zusammenhänge geklärt und bei Mängeln an Bauteilen die Erfüllung vertraglicher Inhalte sowie die Schadensgeneigtheit bewertet werden. Regelmäßig werden Sachverständige in Beweisbeschlüssen auch nach den Maßnahmen und Kosten zur Beseitigung von Mängeln und bzw. oder Schäden gefragt. Wie genau aber können Kostenangaben in Gutachten sein? Maßnahmen und Kostenschätzungen in Sachverständigengutachten befassen sich selten mit ganzen Gebäuden, sondern meist mit einzelnen Teilen davon. Sie können zur Bemessung des dem Bauherrn zustehenden Schadenersatzes oder beispielsweise in einem selbständigen Beweisverfahren lediglich zum Zweck der Streitwertfestsetzung (§ 3 ZPO) dienen. Sie beruhen auch nicht auf einer Architekturplanung. Feststellungen in Gutachten können und sollen den Spielraum einer später folgenden Planung zur Maßnahme nicht so weit einschränken, dass der in der Gewährleistung stehende Planende und der ebenfalls in der Gewährleistung stehende Ausführende keine Verantwortung für ihre Leistungen mehr haben oder gegen ihre Überzeugung arbeiten müssen.

1.8.1 Toleranzrahmen

Nicht selten ergeben sich bei nachträglichen Maßnahmen Schwierigkeiten, die den Aufwand erhöhen. Mehrleistungen für zusätzliche Maßnahmen sind an der Tagesordnung, etwa weil sich der vorhandene Baustoff nicht wie gedacht ablösen lässt oder Arbeitsunterbrechungen aus Rücksichtnahme auf die Gebäudenutzung unumgänglich sind. Die Kostenangaben im Gutachten weisen daher einen vergleichsweise geringen Genauigkeitsgrad auf. Darauf sollte man deutlich hinweisen, denn selbst im Rahmen einer Kostenschätzung nach HOAI wird einem Architekten eine Toleranz von 30-40 % einzuräumen sein, im Rahmen der Kostenberechnung von 20-25 % und im Rahmen des Kostenanschlags von immerhin noch 10-15 %.[1] Übertragbar sollen diese auslegungsbedürftigen Angaben vorwiegend nicht sein, gleichwohl aber ein Schlaglicht werfen auf naturgemäße Ungenauigkeiten, die bei Anwendung von HOAI-Kriterien angelegt werden könnten. Eine gutachterliche Kosteneinschätzung stellt insofern nur eine Vorstufe zur HOAI-Ermittlung und mithin eine entsprechende, systemimmanente (größere) Unschärfe dar.

1 *Koeble*, in: Kniffka/Koeble/Jurgeleit/Sacher, Kompendium des Baurechts, Privates Baurecht und Bauprozess, 11. Teil. Recht der Architekten und Ingenieure, Rn. 874 S. 1346.

Wenn Beseitigungskosten ohne eine Architekturplanung nicht ermittelbar sind, müssen vom Sachverständigen hypothetische Kostenansätze herangezogen werden. Solche Kostenansätze sind Interpretationsobjekte und bisweilen entfernt von nachvollziehbaren Ansätzen. Richtig ist, dass in die gerichtliche Kosteneinschätzung ein erheblicher Anteil an Intuition eingeht. Dieser Sachverhalt ist sehr übersichtlich und enthält zunächst keine Geheimnisse. Ö.b.u.v. Sachverständige für Schäden an Gebäuden verfügen über fundierte Erfahrungen als Bauingenieure oder Architekten. Sie haben ein Gefühl entwickelt, was etwas kosten kann. Das klingt spontan einleuchtend, ist allerdings ungenau. Die wenigsten leiten (noch) Baustellen, schreiben aus, erstellen Preisspiegel und prüfen Rechnungen. An diesem Argument ist zweifellos etwas dran, denn die Einschätzung marktüblicher Einzelpreise ist ohne tägliche Baustellenpraxis schwierig. Sie sind volatil, bauvorhabenspezifisch und regionenabhängig. Die Beispiele bedeuten: Es sind eben nicht alle Parameter einrechenbar. Statt zu einer behaupteten klaren Kostenbestimmung gelangt man zu einem extrem voraussetzungsvollen, quantitativen Indiz, und wo die Ober- und Untergrenzen liegen, bleibt im schwer durchschaubaren Urgrund der Methodik. Diese (erdachten) Kosten liegen in der Natur von Sachverständigenschätzungen. Für genaue Kostenangaben muss eine Architekturplanung im Vorfeld eingeschaltet werden, sodass auf Basis klassischer Architektenarbeit eine Kostenschätzung erfolgen kann.

1.8.2 Keine falsche Genauigkeit

Parteien verlangen häufig präzise Auskünfte zur Kostenzusammensetzung, bisweilen werden ausführlich beschriebene Einzelschritte von Baumaßnahmen eingefordert, wenngleich zahlreiche Parameter in der Architekturplanung beheimatet sind. Präzise Einzelposten sind jedoch Bestandteil einer detaillierten Kostenberechnung bzw. eines Kostenanschlags nach HOAI. Die Kostenberechnung und der -anschlag sind die Ermittlung der Kosten auf der Grundlage der Planung; ihnen liegen durchgearbeitete Zeichnungen oder auch Detailzeichnungen, Mengenberechnungen und für die Berechnung und Beurteilung der Kosten relevante Erläuterungen zugrunde. Die Kostenschätzung einer Architekturplanung hat als erste Stufe den geringsten und die Kostenberechnung einen höheren Genauigkeitsgrad. Der in der Genauigkeitsskala folgende Kostenanschlag fasst die Angebote der Unternehmen zusammen. Mit der Projektentwicklung und -realisierung steigt der Genauigkeitsgrad von Kostenermittlungen. Die Kosteneinschätzung eines Gutachters kann dagegen auch als Leistungsphase 0, also als eine Vorstufe der Kostenschätzung, angesehen werden. Diese Phase geht gewiss nicht so weit, dass bereits Details eines Konstruktionsaufbaus bereit stehen. Sie ist dafür gedacht, dass Leistungsziele und Beschaffenheit eine hinreichende Basis für die weitere Klärung ermöglichen. Solche Planungsschritte sind vom Fachingenieur oder vom Fachunternehmen zu leisten – nicht vom Gerichtsgutachter.

Die Bewertung der Notwendigkeit und die damit verbundenen detaillierten Kosten lassen sich in der Regel nicht durch einen Sachverständigenbeweis klären, sondern durch die am Bau Beteiligten. Begleitende Fragen nach Maßnahmen zur Beseitigung von Mängeln oder der nachträglichen Vertragserfüllung einschließlich der Kosten können in gerichtlichen Gutachten nicht mit dem Genauigkeitsgrad einer Planung einer Architekten- und Ingenieurleistung beantwortet werden. Sollten sich sogar Varianten zur Nacherfüllung oder zu

Mangelausgleichsmaßnahmen ergeben, sind ggf. auch juristische Aspekte zu berücksichtigen, wenn etwa verschiedene Qualitäts- und Zuverlässigkeitsklassen tangiert werden. In einigen Fällen lassen sich Kosten in Gutachten nicht seriös bestimmen, ohne zuvor weitere solche Aspekte einfließen zu lassen. Einen Volltreffer hat der Gerichtsgutachter dann gelandet, wenn die eine Partei behauptet, die vom Gutachter ermittelten Kosten seien zu hoch, und die Gegenpartei Beschwerde führt, die Kosten seien viel zu niedrig.

Auch Angebotspreise weisen in der Praxis beim selben Bauvorhaben große Unterschiede auf, selbst wenn nur Fachfirmen anbieten und die Leistungen eindeutig beschrieben sind. Und selbst wenn der Leistungsumfang relativ genau zu definieren ist, kann die Kosteneinschätzung des Sachverständigen nie im Ergebnis zu einem tatsächlichen Marktpreis führen. Sie bleibt deshalb immer eine grobe Schätzung. In der Regel wird zur Ermittlung eines Marktpreises eine ausführliche Planung mit Varianten durchgeführt und auf dieser Grundlage eine Leistungsbeschreibung erstellt. Eine derartige Planung ist bei Gerichtsverfahren nicht zu leisten. Der Gutachter leistet keine Kostenermittlungen nach DIN 276. Es ist daher sinnvoll und plausibel, dass ein Sachverständiger die Mängelbeseitigungsmaßnahmen beispielsweise nicht so detailliert zu beschreiben braucht, um auf der Grundlage des Gutachtens ein Leistungsverzeichnis erstellen zu können,[2] denn ins Einzelne gehende Sanierungspläne oder Kostenvoranschläge sind nicht Gegenstand der gutachterlichen Tätigkeit.[3] Für ins Detail gehende Voranschläge sind fachingenieurmäßige Grundleistungen aus den einschlägigen Leistungsphasen der HOAI erforderlich. Auf diese Umstände sollte ein Sachverständiger bei Kostenschätzungen hinweisen und nicht darauf verfallen, eine falsche Genauigkeit zu suggerieren. Völlig fehlgeleitet sind Kostenschätzungen in Gutachten, die Preise auf Nachkommastellen angeben. Eine Rundung auf 50, 100 oder 500 Euro– je nach Umfang der Gesamtkosten – ist dabei ausreichend. Auch eine feine Aufgliederung von Maßnahmen täuscht einen Genauigkeitsgrad vor, der tatsächlich kaum exakt begründbar ist. Es ist in solchen Fällen immer zweckmäßig, dem Gericht in dem Gutachten zu offenbaren, welchen Genauigkeitsgrad eine solche Kostenschätzung haben kann, indem man z.B. darauf hinweist, dass ein endgültiges Kostenergebnis nur nach detaillierter Ausschreibung zu erlangen ist und erwähnt, dass es sich um eine grobe, überschlägliche Schätzung handelt.[4]

1.8.3 Kostenschätzung durch Firmenanfragen

Ein ganz anderes Genauigkeitsproblem als bei der werkvertragsrechtlichen Beurteilung ergibt sich bei der Frage, auf welcher Grundlage und mit welcher Exaktheit Sachverständige in ihren Gutachten Angaben zu den voraussichtlichen Kosten einer Mängelbeseitigung machen können und machen müssen. Die Quintessenz lässt sich wie folgt zusammenfassen: Bei einer noch nicht ausgeführten Mängelbeseitigung stehen die exakten Kosten nie fest. Die Anforderungen an einen schlüssigen Vortrag sind nicht hoch.[5] Als ziemlich

2 OLG Düsseldorf, B. v. 22.11.1991, 22 W 60/91, Umfang der Beweiserhebung im selbständigen Beweisverfahren, BauR 4/2014, S. 735.

3 BGH, U. v. 22.2.2001, VII ZR 115/99, IBR 2001, S. 254.

4 *Schild,* RWTH Aachen, ABST 1979, Podiumsdiskussion am ersten Tag.

5 OLG Stuttgart, U. v. 25.5.2011 – 9 U 122/10, IBR 8/2011, S. 457; BGH, IBR 2001, S. 254.

sichere – allerdings zeitaufwendige – Schätzmethode bietet es sich an, dass der Sachverständige schon während des Erkenntnisverfahrens, gleich einem Architekten, Kostenangebote von Drittunternehmen einholt. Darauf sollte man jedoch zuvor hinweisen bzw. sich die Freigabe durch das Gericht einholen. Kostenschätzungen auf der Basis von Firmenanfragen können gute, objektbezogene und marktübliche Schätzgrößen abgeben. Auf keinen Fall sollte der Sachverständige jedoch allein mit der Firma einen Ortstermin durchführen.

1.9 Ortsbesichtigungen und Bauteiluntersuchungen

Maria Dilanas

Übersicht

1.9.1 Heranziehung durch ein Gericht/außergerichtlicher Vertrag

1.9.1.1 Heranziehung durch ein Gericht

Die Heranziehung durch ein Gericht erfolgt durch einen Beschluss des Gerichts, der postalisch zugestellt wird. Wird das Verfahren bei Gericht als **Papierakte** geführt, erhält man ein Anschreiben sowie die Gerichtsakte. Handelt es sich um eine **elektronisch geführte Gerichtsakte**, so erhält man ein Anschreiben mit Zugangsdaten, über die man binnen 30 Tagen die elektronische Gerichtsakte über das Akteneinsichtsportal einsehen und als PDF-Datei herunterladen kann.

Wird man vom Gericht herangezogen, senden Gerichte ggf. eine Seite zur Bestätigung des Eingangs mit, die man unterzeichnet zurücksenden kann.[1] Zudem erhält man ein Merkblatt für Sachverständige, in welchem wesentliche Paragrafen der Zivilprozessordnung abgedruckt sind, zur Belehrung über Voraussetzungen, unter welchen man berechtigt ist, die Erstattung eines Gutachtens zu verweigern.

In den meisten Fällen erfolgt die Heranziehung durch ein Gericht ohne vorausgehende Nachfrage dazu, ob man sich in der Lage sieht, ein Gutachten zum jeweiligen Sachverhalt

1 Vor Bestätigung des Eingangs ist die Sichtung der Akte sinnvoll (Hinweise hierzu s.u.).

in der erforderlichen Zeit zu erstatten. Dies bedeutet, dass man in der Regel zusätzlich zu bereits länger eingeplanten anderen Tätigkeiten eine weitere Tätigkeit zu erbringen hat. Um eine unnötige Verfahrensverzögerung zu vermeiden, sollte man die Unterlagen des Gerichts binnen weniger Tage sichten.

Beim Eingang eines Gerichtsauftrags hat der Sachverständige nach § 407a Abs. 1 bis 4 ZPO mehrere Punkte zu prüfen. Sowohl in § 407a Abs. 1 ZPO als auch in § 407a Abs. 3 ZPO wird darauf hingewiesen, dass der Sachverständige den dort benannten Pflichten zur Klärung und zum Hinweis unverzüglich nachzukommen hat.[2]

§ 407a ZPO Weitere Pflichten des Sachverständigen

(1) [1]Der Sachverständige hat unverzüglich zu prüfen, ob der Auftrag in sein Fachgebiet fällt und ohne die Hinzuziehung weiterer Sachverständiger sowie innerhalb der vom Gericht gesetzten Frist erledigt werden kann. [2]Ist das nicht der Fall, so hat der Sachverständige das Gericht unverzüglich zu verständigen.

(2) [1]Der Sachverständige hat unverzüglich zu prüfen, ob ein Grund vorliegt, der geeignet ist, Misstrauen gegen seine Unparteilichkeit zu rechtfertigen. [2]Der Sachverständige hat dem Gericht solche Gründe unverzüglich mitzuteilen. [3]Unterlässt er dies, kann gegen ihn ein Ordnungsgeld festgesetzt werden.

(3) [1]Der Sachverständige ist nicht befugt, den Auftrag auf einen anderen zu übertragen. [2]Soweit er sich der Mitarbeit einer anderen Person bedient, hat er diese namhaft zu machen und den Umfang ihrer Tätigkeit anzugeben, falls es sich nicht um Hilfsdienste von untergeordneter Bedeutung handelt.

(4) [1]Hat der Sachverständige Zweifel an Inhalt und Umfang des Auftrages, so hat er unverzüglich eine Klärung durch das Gericht herbeizuführen. [2]Erwachsen voraussichtlich Kosten, die erkennbar außer Verhältnis zum Wert des Streitgegenstandes stehen oder einen angeforderten Kostenvorschuss erheblich übersteigen, so hat der Sachverständige rechtzeitig hierauf hinzuweisen.

(5) und (6) hier nicht abgebildet.

Hinweis

In § 407a Abs. 1 ZPO wird das Wort „Auftrag“ verwendet. Sachverständige sind jedoch nicht im Auftrag für Gerichte tätig. Ein Auftrag (siehe § 662 BGB) wird unentgeltlich besorgt. Gerichte ernennen Sachverständige (§§ 404, 407 ZPO) oder ziehen Sachverständige heran (§ 1 JVEG). Zwischen Gerichten und Sachverständigen besteht kein Vertragsverhältnis.

Häufig hört man, dass Sachverständige vom Gericht bestellt seien. Dies ist sprachlich unsauber. Die Bestellung ist ein hoheitlicher Akt, der von einer hierzu befugten Körperschaft ausgesprochen wird (IHK, HWK u.a.).

Sind Sachverständige für ein Gericht tätig, dann werden sie im konkreten Verfahren als Gerichtssachverständige bezeichnet. Außerhalb eines gerichtlichen Verfahrens dürfen sich Sachverständige nicht als Gerichtssachverständige bezeichnen.[3]

2 Unverzüglich in diesem Sinne bedeutet, dass eine Prüfung sowie die entsprechende Klärung bzw. der entsprechende Hinweis ohne schuldhaftes Zögern (gemäß § 121 Abs. 1 BGB) zu erfolgen hat, so auch MüKo-ZPO/*Zimmermann,* Band 2, § 407a ZPO Rn. 1a). Im Allgemeinen ist der Sachverständige gehalten, möglichst rasch, spätestens jedoch binnen 14 Tagen, zu antworten.

3 § 5 UWG ist zu beachten.

In der außergerichtlichen Tätigkeit werden Sachverständige auf Basis eines Werk- oder Dienstvertrags tätig (siehe Beitrag 3.1 in diesem Handbuch).

*Statt des Begriffs „Fachgebiet" ist in den Kammerregeln der bestellenden Körperschaften der Begriff „**Sachgebiet**" üblich.*

Zu § 407a Abs. 3 ZPO ist anzumerken, dass vom Gericht herangezogene Sachverständige die Tätigkeit nicht über Werkverträge auf Nachunternehmer (andere Sachverständige) übertragen dürfen. Werden weitere Sachverständige/Spezialisten benötigt, sollten diese über das Gericht herangezogen werden.

Im Allgemeinen sind folgende Dinge zu überprüfen:

- Besteht ein Grund für die Besorgnis einer Befangenheit (persönliche oder berufliche Beziehung zu einer der Parteien)?
- Fällt das Begutachtungsthema in das eigene Tätigkeitsfeld und sieht man sich in der Lage, die Begutachtung auf dem erwarteten fachlichen Niveau durchzuführen?
- Sind die Beweisfragen verstanden oder besteht Rücksprachebedarf mit dem Gericht?
- Werden weitere Personen für die Durchführung der Begutachtung benötigt (weitere Sachverständige oder Hilfspersonen)?
- Kann die Begutachtung in der benannten Frist erbracht werden?
- Werden besondere Untersuchungsmethoden (spezielle Messgeräte, Hinzuziehung einer Fremdfirma, Bauteilöffnungen etc.) erforderlich werden?
- Welcher Kostenaufwand wird voraussichtlich entstehen?
- Werden zusätzliche Informationen oder Unterlagen als Anknüpfungstatsachen benötigt?

Um diese Fragen beantworten zu können, ist ein unterschiedlich hoher Aufwand erforderlich. Zunächst sind hierbei nur die ersten beiden Fragen zu betrachten. Sollte die Besorgnis der Befangenheit bestehen (beispielsweise aktuelle Vertragsbeziehung mit einer der Parteien), dann ist das Gericht hierüber unmittelbar zu informieren.

Ist man mit einer der Parteien bekannt, da man bereits früher in anderer Sache beruflichen Kontakt hatte oder ein entfernter privater Kontakt bestand (beispielsweise Kind im gleichen Kindergarten), dann sollte dies im Antwortschreiben an das Gericht erwähnt werden. Das Gericht kann die Parteien hierzu hören und wird eine Entscheidung fällen, ob ein anderer Sachverständiger eingesetzt werden soll.

Falls das Begutachtungsthema außerhalb des eigenen Tätigkeitsfeldes liegt, sollte das Gericht hierüber ebenfalls unverzüglich informiert werden, wobei eine Papierakte direkt zurückgeschickt werden kann, damit diese einem anderen Sachverständigen zugeschickt werden kann. Ein Hinwies an das Gericht, in wessen Sachgebiet die Begutachtung fällt (beispielsweise Tragwerksplaner oder Landschaftsplaner), wird gerne angenommen, damit das Gericht zügig einen anderen Sachverständigen dieses Tätigkeitsbereichs heranziehen kann.

Einzuschaltende Labore sollten wie andere Sachverständige nicht im Nachunternehmervertrag von Sachverständigen beauftragt werden, sondern als eigenständige Sachverständige parallel vom Gericht ernannt werden (siehe Beitrag 2.12).

Ob einer der beiden oben genannten Hinderungsgründe besteht, ist in der Regel sehr rasch erkennbar. Eine solche kurze Einsicht in die Gerichtsakte, bei der erkannt wurde, dass beispielsweise das Thema außerhalb des eigenen Tätigkeitsbereichs liegt, wird nach JVEG nicht vergütet. Wird der Hinderungsgrund jedoch erst im Rahmen einer umfangreicheren Tätigkeit erkennbar (z.B., dass man zufällig mit den Mietern der zu begutachtenden Wohnung näher bekannt ist und deshalb eine Besorgnis der Befangenheit vorliegen könnte), dann kann ein Vergütungsanspruch für die bis dahin erbrachte Sichtung der Gerichtsakten bestehen.[4]

Für die Beantwortung der weiteren Fragen ist die Gerichtsakte zumindest insoweit zu sichten, dass man die oben genannten Fragen für sich beantworten kann. Es bietet sich an, hierbei unmittelbar Notizen zur Akte zu machen. In diesen Notizen sollte man festhalten, auf welchen Seiten der Akte sich die Informationen befinden, die für die Begutachtung von Belang sind, sodass man später die jeweiligen Stellen schnell wiederfinden kann.

In den **Notizen zur Akte** kann man beispielsweise folgende Informationen festhalten:

- Datum des Eingangs der Unterlagen;
- bis wann wird das Gutachten bei Gericht erwartet;
- Seite des Beweisbeschlusses;
- relevante Daten (Baujahr, Tag der Abnahme, Eintritt einer gerügten Beschädigung, Daten eines ggf. bereits erfolgten Instandsetzungsversuches etc.);
- Fundstelle zu später benötigten Informationen (z.B. Planunterlagen, Leistungsverzeichnisse, Bilder etc.)
- Notizen zu relevantem Vortrag der Parteien und dazu, ob dem Vortrag widersprochen wurde, ob der Sachverhalt also zwischen den Parteien streitig ist (bei Unklarheit kann hierzu das Gericht gehört werden);
- Fundstelle eines Protokolls zu einem Termin bei Gericht (so gegeben);
- Fundstelle zu bereits vorhandenen Gutachten von Dritten (so gegeben);
- Rückfragen, die man an das Gericht stellen möchte.

Zum Vortrag der Parteien bietet es sich an, einen tabellarischen Vergleich anzulegen, sodass man zum jeweiligen Sachverhalt die Darstellungen der Parteien übersichtlich vergleichen kann.

Ergänzend kann man auflisten, welche zusätzlichen Informationen und Anknüpfungstatsachen erforderlich oder sinnvoll wären, um das Gutachten erstatten bzw. schneller erstatten zu können (z.B. in der Gerichtsakte unerwähnte Daten, wie der Tag der Abnahme oder aber Grundriss- und Ansichtszeichnungen).

---

4 OLG Brandenburg, B. v. 22.11.2022 – 2 W 21/22.

Praxistipp

*Diese **Notizen zur Akte** sind im späteren Verlauf der Tätigkeit hilfreich, da man sich so vor der Durchführung der Ortsbesichtigung mit kurzem Zeitaufwand in den Sachverhalt nochmals einlesen kann, den Vortrag der Parteien bei der Ortsbesichtigung mitführen und bei der Erstattung des Gutachtens zügig auf die jeweiligen Fundstellen in der Gerichtsakte verweisen kann.*

Im Anschluss hieran wird man sich kurz damit befassen, welche möglichen Ursachen bereits anhand der Aktenlage denkbar sind oder aber bereits ausgeschlossen werden können. So kann der vor Ort erforderliche Untersuchungsaufwand grob abgeschätzt werden. Zudem ist der Aufwand für die Vorarbeiten (ggf. für den Kontakt zu anderen Personen, wie Firmen oder externen Sachverständigen, oder die Sichtung von Unterlagen) grob zu überschlagen. Zuletzt erstellt man eine grobe Schätzung für den Zeitaufwand der Ortsbesichtigung, inkl. der An- und Abfahrt sowie der Nacharbeiten und für die Erstattung des Gutachtens.

Erst durch diese **Vorarbeiten** ist es möglich, den erforderlichen Aufwand abzuschätzen und zu überprüfen, ob der Kostenvorschuss auskömmlich ist oder ein weiterer Kostenvorschuss nachgefordert werden müsste.[5]

Hierauf bestätigt man dem Gericht den Eingang der Unterlagen und hierbei die Bereitschaft zur Erstattung des Gutachtens. In diesem Schreiben benennt man einen ggf. über den bekannten Kostenvorschuss hinaus benötigten weiteren Kostenvorschuss, bittet um eine Verlängerung der Frist zur Erstattung des Gutachtens und erwähnt, welche weiteren Informationen und Anknüpfungstatsachen für die Erstattung des Gutachtens oder für die Beschleunigung der Bearbeitung zweckdienlich wären (jeweils soweit gegeben).

§ 407a Abs. 4 Satz 2 ZPO verpflichtet Sachverständige dazu, rechtzeitig darauf hinzuweisen, wenn die **Begutachtungskosten „erkennbar außer Verhältnis zum Wert des Streitgegenstandes stehen oder einen angeforderten Kostenvorschuss erheblich übersteigen“**. Dieser Satz soll dazu beitragen, die Parteien frühzeitig zur Abschichtung des Beweisumfangs zu bewegen und eine Einigung herbeizuführen.[6] Enthält der Beweisbeschluss mehrere Punkte, so kann ein solcher Hinweis auch anteilig zum Gesamtbetrag der Begutachtungskosten gemacht werden (wenn z.B. die Begutachtung und Kommentierung eines Türdrückers kostenträchtiger als dessen Austausch wäre). Der Hinweis ist dann zu machen, wenn die Kosten der Begutachtung mehr als die Hälfte der Kosten der Maßnahmen erreichen würden.[7]

5 So auch Bayerlein/Bleutge/Roeßner/*Westphal*, Praxishandbuch SV-Recht, § 14 Rn. 58, der darauf hinweist, dass eine solche erste Durchsicht zwar Zeit in Anspruch nimmt, hierdurch jedoch Verzögerungen vermeidet. Der Zeitaufwand für diese Durchsicht wird nach JVEG vergütet. So Bayerlein/Bleutge/Roeßner/*Bleutge*, Praxishandbuch SV-Recht, § 41 Rn. 41, Rn. 44.

6 Siehe BT-Drs. 11/3621, S. 39, dort in Begründung, Zweiter Teil Die einzelnen Vorschriften, Zu Artikel 1 – Änderung der Zivilprozessordnung, Zu Nummer 23 (§ 407a ZPO) im vierten Absatz.

7 OLG Zweibrücken, B. v. 10.7.2015 – 6 W 11/15; OLG Jena, B. v. 1.8.2014 – 7 U 405/12. Auch *Meyer/Höver/Bach*, § 8a JVEG Rn. 32.

Werden für die Begutachtung Messgeräte benötigt oder liegt ein besonderer Schweregrad der Begutachtungsaufgabe vor, so kann ein Antrag für eine Vergütung nach § 13 JVEG gestellt werden.[8] Der Antrag auf eine Vergütung nach § 13 JVEG ist zu begründen.[9] Zur Vergütung siehe Beitrag 2.8.

Ist unklar, von welchen Anknüpfungstatsachen ausgegangen werden soll (falls beispielsweise unterschiedliche Angaben zur vertraglich vereinbarten Leistung gemacht wurden), ist Rücksprache mit dem Gericht zu halten, damit dieses die Anknüpfungstatsachen gemäß § 404a Abs. 3 ZPO vorgeben kann. Das Gericht wird gemäß § 404a Abs. 5 ZPO die Parteien über diese Weisung informieren. Zur Leitung der Sachverständigen durch das Gericht siehe Beitrag 2.2.

Falls zusätzliche Anknüpfungstatsachen benötigt werden und Sachverständige daraufhin mitteilen, welche Anknüpfungstatsachen (Verträge, Ausschreibungen, Abrechnungen etc.) benötigt werden, begeben sie sich in eine Grauzone, die dazu führen könnte, einer Partei zu soufflieren, was deren Vortrag dienlich sein könnte. Durch solches Verhalten begibt man sich in die Nähe der bzw. in die Ausforschung. Dies birgt große Risiken für den Verfahrensverlauf.

Ebenso wie das Gericht haben auch Sachverständige das Verfahren mit den Unterlagen zu bestreiten, die seitens der Parteien hierfür an das Gericht eingereicht werden. Hier ist zu bedenken, dass es im Interesse einer der Parteien oder beider Parteien sein kann, bestimmte Unterlagen zurückzuhalten.

Deshalb sollten Sachverständige sich mit dem Gericht darüber abstimmen oder das Gericht darüber informieren, welche Unterlagen zur Bearbeitung des Verfahrens dienlich sein könnten (z.B. Leistungsverzeichnisse, Abrechnungen, Planunterlagen).

Praxistipp

▶ *Im Bauprozess, sowohl im selbständigen Beweisverfahren als auch im Zivilprozess, gilt der Grundsatz der Parteiherrschaft. Das bedeutet, dass die Prozessparteien bestimmen, welche Unterlagen dem Gericht vorgelegt werden und somit zur Grundlage des Sachverständigengutachtens werden. Zu den Leitplanken im Zivilverfahren siehe Beitrag 2.1.*

Würden Unterlagen direkt bei einer der Parteien angefordert, könnte ein solches Vorgehen die Besorgnis der Befangenheit begründen, insbesondere dann, wenn die andere Partei hierüber keine Kenntnis hatte.[10] Gleiches gilt, wenn mit einer der Parteien ein Telefonat

8 LG Köln, B. v. 27.8.2015 – 8 OH 38/14. Solche Geräte könnten eine Bauthermografiekamera, Messgeräte für Schallmessungen, Spezialgerät für bauforensische Untersuchungen, spezielle Mikroskope, Spezialkameras etc. sein, über die ein bestimmter Sachverständiger verfügt, wodurch die Kosten für die Hinzuziehung eines Fachingenieurs als Hilfskraft oder die Miete der Geräte eingespart werden können.

9 *Meyer/Höver/Bach*, § 13 JVEG, S. 265 erwähnt „besonders große Sachkunde und Kompetenz des Sachverständigen, eine besonders schwierige Beweisfrage, deren Beantwortung besonderes Wissen oder den Einsatz technisch anspruchsvoller und selten vorgehaltener Geräte erfordert", gestützt auf LG Köln, B. v. 13.3.2015 – 8 OH 38/14.

10 OLG Stuttgart, B. v. 4.8.2010 – 13 W 33/10.

geführt wird, ohne die andere Partei unmittelbar vom Inhalt des Telefonats in Kenntnis zu setzen.[11]

Falls Planunterlagen, wie Grundrisse oder Ansichten, für die Bearbeitung des Gutachtens zweckdienlich wären, beispielsweise um sich vor Ort direkt Eintragungen in Kopien der Unterlagen machen zu können bzw. sich ein Aufmaß zu ersparen, kann dies im Antwortschreiben an das Gericht erwähnt werden. Dies ist in der Regel unkritisch.

Bei der Bestätigung des Auftrags sowie im Gutachten empfiehlt es sich festzuhalten, welche Unterlagen eingegangen sind bzw. zur Grundlage des Gutachtens wurden. Dies ist insbesondere bei Papierakten von Belang, da diese im Laufe der Zeit bei Gericht erweitert werden und es später von Bedeutung sein könnte, einen Beleg vorweisen zu können, welche Aktenseiten man vor der Erstattung des Gutachtens kannte und welche ggf. nicht. Die Akte sollte hierbei auf Vollständigkeit geprüft werden, da es vorkommen kann, dass einzelne Seiten in einer Akte fehlen.

Sollten im Beweisbeschluss Rechtsfragen enthalten sein (beispielsweise wenn zu ermitteln ist, welche Leistung geschuldet wird), teilt man im Antwortschreiben dem Gericht mit, welche Fragen aus sachverständiger Sicht Rechtsfragen sein könnten und bittet um Weisung dazu, wie mit diesen Fragen zu verfahren ist. Insbesondere in selbständigen Beweisverfahren kann es vorkommen, dass man sich mit den Fragen einer Partei „gemäß Schriftsatz vom (Datum)" auseinanderzusetzen hat. Sind die Fragestellungen unklar, ist dies dem Gericht mitzuteilen. Durch den Hinweis und die Rückfrage schützt man sowohl den Verfahrensverlauf vor Störungen als auch die Vergütung, da für die Beantwortung von Rechtsfragen keine Vergütung erfolgt.[12] Das Gericht wird dann in der Regel die fragende Partei darum bitten, die Fragen umzuformulieren.

Wissenswertes zu Unterschieden zwischen selbständigem Beweisverfahren und Zivilprozess

Das selbständige Beweisverfahren basiert auf einer Antragsschrift, der Zivilprozess auf einer Klageschrift (§ 253 ZPO). Für die Parteien gilt die Erklärungspflicht über Tatsachen (§ 138 ZPO). Das Gericht ist an die Parteianträge gebunden (§ 308 ZPO). Während im Zivilprozess gemäß § 403 ZPO über „die zu begutachtenden Punkte" Beweis angetreten wird, besteht für das selbständige Beweisverfahren gemäß § 409 Abs. 2 ZPO eine Beschränkung zum Inhalt des Beweisbeschlusses auf „Tatsachen".[13] Ist im Rahmen eines gerichtlichen Verfahrens zu den Fragen einer Partei auszuführen und beinhalten diese Fragen Ausforschungsfragen oder Rechtsfragen, so besteht gemäß § 407a Abs. 4 Satz 1 ZPO die Pflicht, eine Klärung durch das Gericht herbeizuführen.

11 OLG Köln, B. v. 13.12.2010 – 11 W 83/10.

12 LSG Niedersachsen-Bremen, B. v. 8.3.2021 – L 7 KO 7/18.

13 Siehe § 485 Abs. 2 Nr. 1 bis 3 ZPO zur Zulässigkeit und § 487 Nr. 2 ZPO zum Inhalt des Antrages. Der BGH hatte mehrfach Anlass darauf hinzuweisen, dass in selbständigen Beweisverfahren Tatsachenfragen zu stellen sind, u.a. BGH, B. v. 8.10.2009 – V ZB 84/09, so auch LG Karlsruhe, B. v. 19.12.2018 – 3 OH 15/16. Ebenso hatten der BGH und andere Gerichte Anlass darauf hinzuweisen, dass Ausforschungsfragen unzulässig sind. Tatsachenfragen sind zum zugrunde liegenden Sachverhalt in Beziehung zu setzen, so BGH, B. v. 10.11.2015 –VI ZB 11/15. Hierzu ebenfalls OLG Düsseldorf, B. v. 22.11.1991 – 22 W 60/91.

Hierbei ist zu beachten, dass seitens des Gerichts nur im Zivilprozess eine Schlüssigkeits- und Erheblichkeitsprüfung durchgeführt wird.

Ein Sachvortrag zur Begründung eines Klageanspruchs ist dann schlüssig und erheblich, wenn der Kläger Tatsachen vorträgt, die

- in Verbindung mit einem Rechtssatz geeignet und erforderlich sind,
- geltend gemachtes Recht als in der Person des Klägers entstanden erscheinen zu lassen.

Dies bedeutet, dass im selbständigen Beweisverfahren durch das Gericht keine Überprüfung dahingehend erfolgt, ob ein seitens der Antragstellerseite thematisierter Sachverhalt zwischen den Parteien geschuldet war.

Die Beweislast trägt in der Regel diejenige Partei, die etwas begeht oder bestreitet. Durch das Verhalten einer Partei kann die Beweislast auf die andere Seite übergehen, z.B. dann, wenn die eine Seite keinen Zugriff auf Unterlagen hat oder wenn die Begutachtung eines Sachverhaltes verwehrt wird oder unmöglich gemacht wurde. Im Baurecht besteht die Vermutung, dass kodifizierte Regelwerke die anerkannten Regeln der Technik wiedergeben. Diese Vermutung ist jedoch widerlegbar.[14] Gelingt es einer Seite nachzuweisen, dass eine Leistung regelwerkskonform erbracht wurde, spricht der Beweis des ersten Anscheins dafür, dass die Ausführung fachgerecht ist. Dies wird als Hinweis (≠ Beweis) auf die Einhaltung der allgemein anerkannten Regeln der Technik gewertet. Wurde abweichend von Regelwerks- oder Herstellervorgaben gearbeitet, dreht sich die Beweislast um.

1.9.1.2 Außergerichtlicher Vertrag

Im Rahmen der **außergerichtlichen Tätigkeit** erfolgt die Beauftragung häufig nach einem Telefonat oder einer sonstigen Kontaktaufnahme. Es wird dazu geraten, bereits im Telefonat Notizen zum Gesprächsinhalt zu machen, um die wesentlichen Informationen festzuhalten. Wird man außergerichtlich tätig, sollte stets ein schriftlicher Vertrag aufgesetzt werden, in dem festgehalten wird, welche Leistungen zu erbringen sind. Der Hinweis, dass die Leistung ergebnisoffen erbracht wird, kann sinnvoll sein, da es immer wieder vorkommt, dass die Besteller eines Gutachtens erwarten, dass man das Gutachten gemäß ihren Erwartungen ausführt. Sachverständige werden stets neutral und unabhängig tätig.

Sowohl die Vergütung als auch die Fragen, wann und wie diese zu leisten ist, sollten stets schriftlich festgehalten werden. Bei Verträgen, die außerhalb des Sachverständigenbüros geschlossen wurden, sind Verbraucher gemäß § 312d BGB i.V.m. Art. 246a EGBGB zu informieren. Es ist eine Widerrufsbelehrung auszuhändigen, die den Vorgaben der Anlage 1 zu Artikel 246a EGBGB § 1 Abs. 2 Satz 2 entspricht. Zum Sachverständigenvertrag siehe Beitrag 1.13.

14 *Kniffka/Jurgeleit*, ibr-online-Kommentar BauVertrR, Stand 19.10.2023, § 633 Rn. 39; BGH, U. v. 24.5.2013 – V ZR 182/12; OLG Hamm, U. v. 13.4.1994 – 12 U 171/93; OLG Stuttgart, U. v. 26.8.1976 – 10 U 35/76.

1.9.1.3 Anlage des Projekts

Wird ein neues Projekt angelegt, sind die Daten zu erfassen, die für die Bearbeitung benötigt werden. Dies kann entweder mittels einer Software oder aber in Form eines Textdokuments erfolgen.

In der Regel werden folgende Daten im Projekt-Datenblatt abgelegt:

- Gericht und Parteien sowie Kontaktdaten der Prozessbevollmächtigten;
- Frist bis zur Abgabe des Gutachtens;
- Lage des Objekts;
- Datum des Termins der Ortsbesichtigung (sobald bekannt);
- sonstige Beteiligte (soweit gegeben, z.B. hinzugezogene Firmen oder am Verfahren nicht beteiligte Nutzer);
- Anzahl der angefragten Ausfertigungen des Gutachtens;
- Gutachten in Digital- oder in Papierform angefragt;
- Kontaktdaten weiterer Sachverständiger;
- Stundensatz (JVEG oder nach Vereinbarung).

Weitere Daten oder Informationen, die im Einzelfall von Relevanz sind, sollten ebenfalls aufgenommen werden .

1.9.2 Ortsbesichtigung

Im Rechtsstreit gibt es sowohl die **Ortsbesichtigung durch Sachverständige** als auch den **Ortstermin, in dem ein richterlicher Augenschein nach § 219 Abs. 1 ZPO** durchgeführt wird. Sollte es zum richterlichen Augenschein kommen, ergeht durch das Gericht eine formelle Ladung an alle. Nachfolgend wird auf die Ortsbesichtigung durch Sachverständige eingegangen.

Nach dem Antwortschreiben des Sachverständigen an das Gericht vergeht in vielen Fällen zunächst Zeit, bis eine Rückmeldung des Gerichts erfolgt, sei es zum Kostenvorschuss oder aufgrund des Eingangs weiterer Akten, die dann zu sichten sind. Im Rahmen einer außergerichtlichen Tätigkeit gehen ggf. vorab benötigte Unterlagen in der Regel sehr schnell ein, meist binnen weniger Stunden oder Tage.

Wenn für die Begutachtung bestimmte Witterungsverhältnisse erforderlich sind, kann es erforderlich sein, eine andere Jahreszeit abzuwarten oder aber eine stabile Wetterlage.

Wenn Bauteilöffnungen durchzuführen sind, ist Zeit für die Einholung von Angeboten und die Abstimmung mit den ausführenden Firmen zu berücksichtigen. Siehe hierzu Abschnitt 1.9.3.

Sobald die Voraussetzungen für den Beginn der Begutachtung vorliegen, wird der Termin für die Ortsbesichtigung abgestimmt.

1.9.2.1 Einladung zur Ortsbesichtigung

Zur Ortsbesichtigung werden die Teilnehmenden eingeladen.

Praxistipp

▶ *Gemäß § 214 ZPO wird eine Ladung von Amts wegen veranlasst. Sachverständige können nichts von Amts wegen veranlassen, Sachverständige laden ein.*

Bei der Tätigkeit für Gerichte ist es grundsätzlich zulässig, dass der Termin vonseiten des Sachverständigen festgelegt und den Parteien schriftlich mitgeteilt wird. Falls diese anwaltlich vertreten sind, erfolgt die Information schriftlich an die Anwaltskanzlei. Da es sehr häufig vorkommt, dass mindestens eine Partei bei einem einseitig durch Sachverständige vorgegebenen Termin verhindert ist, hat es sich bewährt, mögliche Termine zuvor abzustimmen.

Sind die Parteien anwaltlich vertreten, erfolgt die Abstimmung telefonisch mit deren Anwaltskanzleien. Wurden mit einer der Kanzleien ein oder mehrere Termine gefunden, die möglich wären, erfolgt die Abstimmung mit dem oder den Prozessbevollmächtigten der anderen Partei(-en.) Sollte kein passender Termin gefunden werden, so lässt man sich abermals mehrere Termine vorschlagen und stimmt diese mit der zuerst kontaktierten Kanzlei ab. So kann in aller Regel recht zügig ein Termin gefunden werden, der für alle Beteiligten möglich ist.

Alternativ kann eine Abstimmung per E-Mail oder über eine Terminfindungssoftware erfolgen (Doodle o.Ä, wobei aus Datenschutzgründen das Gerichtsaktenzeichen als Betreff verwendet werden kann, ohne die Parteien zu benennen). Die Abstimmung per E-Mail bietet sich an, wenn Parteien keine anwaltliche Vertretung haben oder eine Vielzahl Beteiligter zu koordinieren ist. Man sollte hierbei stets mehrere Termine vorschlagen und die Beteiligten um Rückmeldung aller bei ihnen möglichen Termine bitten. Sollte kein passender Termin gefunden werden, ist die Anfrage mit neuen Terminvorschlägen zu wiederholen.

Telefonate mit Parteien selbst sollten, wann immer möglich, vermieden werden, da die Beteiligten in solchen Telefonaten oft längere Gespräche zur Sache führen wollen. Sind Telefonate mit den Parteien unvermeidbar, ist es günstiger, solche Telefonate durch das Sekretariat führen zu lassen. In jedem Fall sollte bei direkten Telefonaten deutlich zum Ausdruck gebracht werden, dass kein Gespräch zur Sache geführt wird und alle Gespräche vor Ort zu führen sind, damit die andere(n) Partei(-en) den Inhalt des Gesprächs unmittelbar zur Kenntnis nehmen können. Erhält man von einer Partei gleichwohl telefonisch Informationen, so sind diese möglichst unmittelbar den anderen Parteien sowie dem Gericht schriftlich mitzuteilen.

Der telefonisch vorab abgestimmte oder über Umfragen gefundene Termin der Ortsbesichtigung sollte den Parteien schriftlich bekannt gegeben werden. Hierbei hat es sich bewährt, die Parteien um Rückmeldung zum Eingang der Einladung zu bitten. Dies kann per E-Mail oder per beigelegtem Rückschreiben erfolgen. So hat man einen Beleg dafür, dass der Termin seitens der Parteien zur Kenntnis genommen wurde. Dies ist wichtig, damit man einen Beweis dafür hat, dass die Einladung zugegangen ist.

Sollte eine der Parteien telefonisch nicht erreichbar sein, ist dieser Partei eine Einladung zuzusenden. In diesem Fall empfiehlt sich ein Einschreiben mit Rückschein, um den Zugang der Einladung belegen zu können.

Eine übliche Frist zwischen Einladung und Ortsbesichtigung ist 14 Tage. Kürzere Fristen sind in Abstimmung mit den Parteien möglich, wenn die Gefahr der Veränderung des zu begutachtenden Objekts besteht.

Im **Einladungsschreiben** sollten Datum, Uhrzeit und Ort der Ortsbesichtigung, das Gerichtsaktenzeichen, die Bezeichnungen der Parteien sowie das Aktenzeichen der jeweiligen Kanzlei vermerkt sein, damit die Unterlagen bei den Empfängern entsprechend zugeordnet werden können. Bei größeren Objekten sollte ein Treffpunkt benannt werden. Je nach Lage des Objekts kann man im Einladungsschreiben um die Reservierung eines Stellplatzes bitten. Dies bietet sich insbesondere dann an, wenn größere Messgeräte benötigt werden.

Es kann sinnvoll sein, das Gericht über den Termin der Ortsbesichtigung zu informieren und hierbei ggf. um Verlängerung der Bearbeitungsfrist zu bitten, falls keine zeitnahe Terminierung möglich war.

Wurde ein Termin gefunden, kann es vorkommen, dass eine Partei noch vor Erreichen des Termins um Verlegung bittet, wobei zumeist Gründe benannt werden. Einer begründeten Bitte um Terminverlegung wird vonseiten der Sachverständigen stattgegeben.[15]

Wenn die verhinderte Partei mitteilt, an der Ortsbesichtigung teilnehmen zu wollen, riskiert ein Sachverständiger, der hierauf keinen neuen Termin abstimmt, sondern den bereits gefundenen Termin in Abwesenheit dieser Partei durchführt, sich der Besorgnis der Befangenheit auszusetzen. Befangenheitsanträge führen zu einer deutlichen Verlängerung der Verfahren, bis hin zur Beauftragung eines anderen Sachverständigen, weshalb sie unbedingt zu vermeiden sind.

Kommt es wiederholt dazu, dass eine Partei um Verlegung eines bereits vereinbarten Termins bittet oder scheint sich eine Partei einer Terminfindung zu verwehren, ist das Gericht hierüber zu informieren. Nach Abwägung des Einzelfalls wird das Gericht eine Weisung nach § 404a Abs. 1 und 4 ZPO erteilen. Dem Gericht stehen Möglichkeiten zur Verfügung, die dem Sachverständigen verwehrt sind. So kann das Gericht den Parteien eine Ladung zu einem Ortstermin zustellen lassen, an die sich Parteien oft stärker gebunden fühlen als an die Einladung durch den Sachverständigen. Alternativ kann das Gericht einen Ortstermin zum richterlichen Augenschein bestimmen.[16]

15 Siehe § 227 Abs. 1 ZPO.

16 § 219 Abs. 1 ZPO. Es kann vorkommen, dass der Richter kurzfristig verhindert ist und den Sachverständigen zur Durchführung der Ortsbesichtigung in Abwesenheit des Richters ermächtigt.

1.9.2.2 Vorbereitung der Ortsbesichtigung

Eine gut vorbereitete und vor Ort gut organisierte Ortsbesichtigung stellt den benötigten Erkenntnisgewinn sicher und erleichtert die Bearbeitung des Gutachtens.

Für die Ortsbesichtigung sind die Beweisfragen mitzuführen (Papier oder digital auf einem Tablet). Ebenso sollten die Kontaktdaten der Parteien und sonstigen Teilnehmer, die Objektadresse und ein Medium (Papier/Tablet) für die Dokumentation der Teilnehmernamen und für Notizen und Skizzen vorgerichtet werden.

In den Tagen vor der Ortsbesichtigung sollten die Notizen zur Akte gesichtet werden (siehe Abschnitt 1.9.1.1). Man befasst sich damit, welche potenziellen Ursachen zu den Problemen geführt haben könnten, die Gegenstand der Beweisfragen sind. Bei mehreren denkbaren Ursachen erstellt man eine Liste der möglichen Ursachen, notiert zu den Ursachen weitere, typische Indizien, die man bei den einzelnen Ursachen parallel vorfinden würde. Diese gedankliche Vorarbeit stellt sicher, dass man vor Ort alle erforderlichen Feststellungen macht. Durch ein Ausschlussverfahren können vor Ort potenzielle Ursachen ausgeschlossen und so die noch verbleibenden potenziellen Ursachen eingegrenzt werden. Idealerweise verbleibt danach eine alleinig denkbare Ursache.

Es hat sich bewährt, zu den einzelnen Beweispunkten zu vermerken, welche Feststellungen, Messungen oder Untersuchungen vor Ort durchgeführt werden sollen.

Je nach Begutachtungsgegenstand können Planunterlagen, Auszüge aus der Gerichtsakte, Baubeschreibungen und Versicherungsurkunden vor Ort benötigt werden. Diese sind zusammenzustellen, ggf. als Kopie, um vor Ort Eintragungen vornehmen zu können.

Dazu, wie technische Erkenntnisse gewonnen werden können, finden Sachverständige für Schäden an Gebäuden reichhaltige Hinweise in der Fachliteratur.[17]

Wenn ein Diktiergerät oder Messgeräte benötigt werden, sind diese zu überprüfen und wenn erforderlich zu kalibrieren und/oder zu laden. Bei elektrisch betriebenen Messgeräten ist es sinnvoll, bei der Ortsbesichtigung Ersatzbatterien oder Ersatzakkus mitzuführen. Zusätzliche SD-Karten für die Digitalfotografie sind ebenfalls sinnvoll, falls es vor Ort zu einer Störung kommen sollte.

Sollen bei der Ortsbesichtigung Proben entnommen werden, so sind ausreichend große Verpackungen und Transportgefäße zu besorgen. Werden die Proben im Anschluss an ein Labor zu weiteren Untersuchungen versandt, ist es sinnvoll, vorab mit dem Labor die Maße und Mengen der zu entnehmenden Bauteilproben sowie das Verpackungsmaterial abzustimmen.

Wenn Hilfskräfte erforderlich sind, ist mit diesen die geplante Durchführung der Ortsbesichtigung und das Verhalten bei der Ortsbesichtigung vorab abzustimmen.

Ist die Begutachtung in größerer Distanz zum Sachverständigenbüro durchzuführen, sind die erforderlichen Reisezeiten zu prüfen, um eine ausreichend frühe Abfahrt sicherzustellen.

---

17 Beispielsweise *Hankammer*, Schäden an Gebäuden; *Hankammer*, Abnahme Band 1 und 2; *Patitz/v Wietersheim/Zöller*, in Seibel/Zöller, Bauteiluntersuchung; *Keldungs/Tilly*, Beweissicherung; *Ganten/Kindereit*, Typische Baumängel.

1.9.2.3 Durchführung der Ortsbesichtigung

Ortsbesichtigungen sind vom Sachverständigen persönlich durchzuführen.[18] Hilfskräfte können bei der Ortsbesichtigung unterstützen und sind hierbei ordnungsgemäß zu überwachen.

Die Ortsbesichtigung ist vom Sachverständigen zu leiten. Dies umfasst die Begrüßung, das Aufnehmen der Namen der Teilnehmenden, die Information der Teilnehmenden über den Ablauf und die Bestimmung der notwendigen Handlungen bei Bauteilöffnungen. Falls es erforderlich werden sollte, sind die Parteien im Verlauf der Ortsbesichtigung dazu anzuhalten, einen geordneten Ablauf zu ermöglichen. Ein souveränes, höflich bestimmtes und distanziertes Auftreten sichert einen ruhigen Ablauf. Beim Verhalten ist auf Neutralität und Unparteilichkeit zu achten.

Es ist üblich, pünktlich zu Ortsbesichtigungen zu erscheinen. Wenn eine Partei zur vereinbarten Zeit nicht vertreten ist, kann telefonisch Kontakt zur Kanzlei des Prozessbevollmächtigen bzw. zur Partei aufgenommen werden. Im Zweifel ist ca. 15 Minuten auf das Eintreffen zu warten. Danach kann mit der Ortsbesichtigung begonnen werden.

Bei der Aufnahme der Namen der Teilnehmenden sollte deren Zugehörigkeit dokumentiert werden (bei Terminen mit vielen Parteien im Mehrfamilienhaus z.B. die Wohnungsnummer und die Angabe, ob es sich um Mieter oder Eigentümer handelt). Planende sollten im Protokoll sowie im Gutachten mit ihren Berufsbezeichnungen aufgeführt werden. Bei Architekten ist zwischen angestellten Architekten und freien Architekten zu unterscheiden. Bauingenieure sind am Bau gemäß der offiziellen Bezeichnung als Tragwerksplaner zu führen (der umgangssprachliche Begriff „Statiker" ist zu vermeiden). Prüfingenieure und Prüfsachverständige für Standsicherheit sind je nach Bundesland mit ihrer offiziellen, in der Prüfverordnung oder Verordnung über die Prüfingenieure und Prüfsachverständigen benannten Bezeichnung zu führen (die umgangssprachliche Bezeichnung „Prüfstatiker" ist zu vermeiden). Grundsätzlich sind offizielle und über Verordnungen geregelte Bezeichnungen zu beachten. Sind Fachfirmen vertreten, ist es sinnvoll, die Position der teilnehmenden Person zu dokumentieren (Geschäftsführer, Meister, Geselle, Projektleiter etc.), um diese Angaben in das Gutachten aufnehmen zu können. Das am Bau übliche Duzen ist zu vermeiden, da dies eine Nähe zu einer der Parteien denkbar erscheinen lassen könnte.

Falls man einzelne Parteimitglieder oder sonstige Teilnehmer kennt, sollte man dies zu Beginn der Ortsbesichtigung bekannt geben.

Wird einer der Parteien von der anderen Partei vor Ort die Teilnahme an der Ortsbesichtigung verwehrt, so ist die Ortsbesichtigung abzubrechen.[19] Wenn ein Einvernehmen erzielt werden kann, dass sich eine Partei durch den Prozessbevollmächtigten vertreten lässt, so ist dies möglich, wenn hiergegen von keiner Seite Einwendungen vorgebracht werden.

Vor Ort ist die Zeit aufzuwenden, die man benötigt, um den Sachverhalt zu bedenken und zu entscheiden, ob weitere Feststellungen erforderlich sind, um alle benötigten Erkenntnisse zu gewinnen.

18 § 9 Sachverständigenordnung.
19 FG Hamburg, B. v. 21.2.2023 – 6 K 199/21.

Es versteht sich von selbst, dass Sachverständige bei einer Ortsbesichtigung mit den begutachteten Bauteilen sorgfältig umgehen und Beschädigungen an Bauteilen und Mobiliar zu vermeiden sind.

Es ist üblich, die Anwesenden im Verlauf der Ortsbesichtigung darüber zu informieren, was man jeweils macht. Messwerte können laut mitgeteilt werden. Protokolliert man Informationen, so kann man dies im Diktat laut tun oder handschriftlich, wobei man den Parteien mitteilen kann, was man sich notiert. So haben die Parteien die Möglichkeit, ergänzende oder korrigierende Anmerkungen zu machen, falls etwas falsch verstanden wurde. Andererseits birgt die Bekanntgabe von Notizen die Gefahr von vermeidbaren Disputen während der Ortsbesichtigung. Ortsbesichtigungen dienen der Wahrnehmung von Sachverständigen und nicht der Diskussion mit den Parteien.

Manche Sachverhalte scheinen vor Ort eindeutig zu sein. Dennoch ist es ratsam, keine vorschnellen Beurteilungen bekannt zu geben. Beim Überdenken von Erkenntnissen im Büro können sich weitere Gedanken ergeben, die von einer ersten, vor Ort gefassten Meinung abweichen. Dann widersprechen Ergebnisse im Gutachten den ersten Bekundungen während der Ortsbesichtigung, was Sachverständige unglaubwürdig erscheinen lassen kann.

Vielfach haben Parteien das Bedürfnis, während Ortsbesichtigungen Sachverständige von ihrer Sichtweise zu überzeugen oder auf bestimmte Punkte hinzuweisen. Oft werden zusätzliche Punkte vorgebracht, die kein Gegenstand des Beweisbeschlusses sind. Von deren Begutachtung ist in der Regel abzuraten. Ausnahmsweise können zusätzliche Punkte aufgenommen werden, wenn alle Parteien vertreten sind und zwischen den Parteien Einigkeit darüber besteht, weitere Sachverhalte aufnehmen zu lassen, weil dies prozessökonomischer ist als die Durchführung einer weiteren Ortsbesichtigung. Formal müsste das Gericht unmittelbar darüber informiert werden, weil sich eine Diskrepanz zwischen Beweisbeschluss und Gutachten ergeben wird. Praktisch werden solche Feststellungen rein vorsorglich gemacht. Nach der Ortsbesichtigung ist das Gericht über die von den Parteien gewünschte Erweiterung des Beweisbeschlusses zu informieren und entsprechend Kostenvorschuss nachzufordern. In der Regel werden Parteien Anträge zu Beweisbeschlüssen stellen, die Sachverständigen zugestellt werden. Erst dann dürfen Feststellungen verwertet werden.

In Punktesachen wird ggf. der Wunsch geäußert, von der Reihenfolge des Beweisbeschlusses abweichend vorzugehen. Hier bestimmen Sachverständige als Leitende der Ortsbesichtigung, ob von der geplanten Reihenfolge abgewichen wird. Dabei ist zu berücksichtigen, dass dem Wunsch auf Abweichung nachgekommen werden sollte, wenn der verfügbare Zeitrahmen einer Partei knapp bemessen und die Reihenfolge der Begutachtung umzustellen ist, um dieser Partei die Teilnahme zu ermöglichen. Die Abweichung von der Reihenfolge sollte im internen Ortsbesichtigungsprotokoll vermerkt werden, damit die jeweiligen Notizen und Bilder später korrekt zugeordnet werden können.

In manchen Fällen kommt es zwischen den Anwesenden zu Streit. Unter solchen Bedingungen kann nur sehr schwer gearbeitet werden. Deshalb ist es von großer Bedeutung für den Erfolg von Ortsbesichtigungen, dass Sachverständige diese aktiv führen. Gegebenenfalls sind die Parteien aufzufordern, ihren Streit zu beenden. Bei Auseinandersetzungen zwischen den Parteien hat es sich bewährt, diese um diejenige Ruhe zu bitten, die für eine rasche und konzentrierte Tätigkeit erforderlich ist. Es ist alles zu unterlassen, was aufseiten einer Partei die Besorgnis der Befangenheit begründen könnte. Vielfach reicht es aus, den Parteien zu erläutern, welche Tätigkeiten noch durchzuführen sind und wie lange die Ortsbesichtigung noch andauern wird. Mit einer Vorstellung über die weiteren Abläufe lässt sich in der Regel ein geordneter weiterer Ablauf erzielen. Wenn Situationen eskalieren sollten und Sachverständige unter diesen Rahmenbedingungen keine vernünftigen Feststellungen treffen können, können Ortsbesichtigungen in Ausnahmefällen abgebrochen werden.

Praxistipp

- *Bei der Ortsbesichtigung wird das Notwendige besprochen. Abschweifungen sind in Rechtsstreiten zu vermeiden und bei außergerichtlichen Begutachtungen unüblich.*
- *Da Juristen und Sachverständige gleichartige Begriffe mit unterschiedlicher Bedeutung verwenden, sollten diese Begriffe vor Ort und anschließend im Gutachten vermieden werden, um Missverständnisse zu vermeiden. So kann man, anstatt von einem Schaden zu sprechen, den Begriff Beschädigung oder einen anderen passenden Begriff verwenden. Da erst das Gericht darüber entscheidet, ob etwas ein Mangel im Rechtssinn ist, bietet es sich an, z.B. von einer unfertigen Bauleistung, einer verfärbten Oberfläche etc. zu sprechen. Konkrete Begriffe sorgen für Klarheit (z.B. Abweichung vom vorgegebenen Produkt, Fehlen einer Baustoffschicht etc.). Unbestimmte Rechtsbegriffe wie „anerkannte Regeln der Technik“ und „Stand der Technik“ sollte man bei Ortsbesichtigungen vermeiden, da sich hieraus Rechtsfolgen ergeben können.*
- *Bezeichnet ein Teilnehmer einen Baustoff und könnte es sich um einen anderen Baustoff handeln, so verwendet man den Überbegriff (z.B. Silikonfuge → Dichtstofffuge, Rigipsplatte → Trockenbauplatte etc.), um Missverständnissen vorzubeugen.*
- *Es ist von Vorteil, wenn man sich zur Beschreibung von Sachverhalten eine Auflistung von Begriffen und Adjektiven aneignet. Ein Riss kann beispielsweise als gerade, stufenförmig, verzahnt, mit Rissflankenversatz beschrieben werden. Formen können muschelförmig, vertieft, gebogen etc. sein.*[20]
- *Sowohl bei einer für Gerichte durchgeführten Begutachtung als auch im Rahmen einer Begutachtung in außergerichtlicher Tätigkeit sollte beachtet werden, dass die Auslegung von Verträgen Volljuristen obliegt, im Regelfall einem Gericht.*

Sachverständige sollten möglichst keine Fragen stellen, die als Ausforschung oder Zeugenbefragung verstanden werden könnten, da hierzu keine Berechtigung besteht.

Wenn der Begutachtungsgegenstand im Beweispunkt nur grob benannt ist (z.B. Stütze am Hauseingang oder Risse an der Westfassade), lässt man sich vor Ort erklären, welcher Sachverhalt gemeint ist. So wird verhindert, dass man Dinge aufnimmt, die von den Par-

20 Begriffe zu Formen z.B. in *Zürcher Hochschule für Künste,* Formguide/Formfächer.

teien ggf. nicht gerügt werden wollten. Hierbei ist zu bedenken, dass Sachverständige gehalten sind, sich strikt an den Beweisbeschluss zu halten und darüber hinaus keine weiteren Sachverhalte aufzunehmen.[21] Das Gericht und die Parteien, nicht Sachverständige, legen fest, was Gegenstand der Begutachtung ist.

Wenn Parteien von sich aus zur Sache berichten, sind diese Informationen zu protokollieren. Wenn Sachverhalte unterschiedlich geschildert werden, sind die jeweiligen Darstellungen zu protokollieren und ggf. nach dem Termin schriftlich dem Gericht mitzuteilen, damit die Parteien vor der Erstattung des Gutachtens auf streitigen Vortrag nochmals eingehen können.

Werden vor Ort Unterlagen an den Sachverständigen übergeben, ist abzuklären, ob diese Unterlagen parallel an das Gericht übergeben werden oder ob seitens des Sachverständigen nach der Ortsbesichtigung Kopien anzufertigen und an das Gericht weiterzuleiten sind, um alle Parteien über den Inhalt der Unterlagen informiert zu halten.

Sollte sich zeigen, dass ein Sachverhalt nur durch kostspielige Untersuchungen in einem weiteren Termin aufklärbar wäre, kann dies mitgeteilt werden. Falls eine Partei hierauf von sich aus über einen ihr bekannten Zustand berichtet,[22] dürfen Sachverständige diese Information zu Protokoll nehmen. Die Information sollte nach der Ortsbesichtigung gegenüber dem Gericht und den Verfahrensbeteiligten schriftlich dokumentiert werden. Hierbei ist es sinnvoll, festzuhalten, ob der Sachverhalt von beiden Seiten übereinstimmend beschrieben wird, ob vonseiten einer Partei Unkenntnis erwähnt oder eine andere Darstellung vorgebracht wird. Durch dieses Vorgehen kann erreicht werden, dass eine Partei einen Sachverhalt unstreitig stellt, um den Zeitaufwand für eine weitere Ortsbesichtigung und eine kostenträchtige Bauteilöffnung zu vermeiden. Ein solches Vorgehen ist prozessökonomisch und hält die insgesamt erforderliche Begutachtungszeit kurz. Allerdings trifft dies nicht für jeden Vortrag von Beteiligten während Ortsbesichtigungen zu. Wenn Angaben für die Bewertung nicht entscheidend für das Ergebnis von Gutachten sind, genügt es, dass Protokollierte im Gutachten wiederzugeben. Dabei ist darauf zu achten, dass Angaben von Beteiligten nicht mit eigenen Wahrnehmungen vermischt werden, weswegen solche Angaben nicht in die Kapitel mit der Beschreibung von Feststellungen aufgenommen werden sollen. Das würde ggf. Besorgnis der Befangenheit auslösen, weil unterstellt werden könnte, dass sich Sachverständige durch die Vermischung von Beschreibungen anderer Personen mit eigenen Wahrnehmungen Vorträge von Parteien zu eigen machen.

---

21 Wenn von den Parteien Risse an einer Stelle gezeigt werden, man jedoch weitere Risse sieht, die zur Beurteilung der Ursache von Bedeutung sind, so kann man diese im Rahmen von Übersichtsbildern mit aufnehmen. Wenn jedoch z.B. vor Ort darauf hingewiesen wird, dass die Farbabweichung an der Stütze links vom Hauseingang Beweisthema ist, dann darf die ggf. an der Stütze rechts vom Hauseingang vorhandene Abweichung nicht dokumentiert werden, weil der Beweisbeschluss auf keinen Fall eigenmächtig erweitert werden darf.

22 Beispielsweise über das Fehlen eines Baustoffs oder Bauteils unter anderen Bauteilen.

Praxistipp

Sachverständigen wird in Beweisbeschlüssen hin und wieder auferlegt, zu prüfen, ob ***Leistungen vertragskonform oder regelwerkskonform*** *sind. Sachverständige sollten sich in Gutachten auf die rein technischen Aspekte beschränken, also ob die Eigenschaften einer Sache* ***für den Anwendungszweck geeignet*** *und* ***funktionstauglich*** *sind. Leistungen, die von Regelwerksausführungen abweichen, können funktionstauglich und im jeweiligen Einzelfall fachgerecht sein. Die* ***Abweichung von einem Regelwerk*** *ist somit nicht automatisch mit dem Vorliegen eines Mangels (im Rechtssinn) gleichzusetzen, da DIN-Normen oder andere technische Empfehlungen als Handlungsempfehlungen für Planung und Ausführungen gedacht, aber für die Bewertung des Bestands nach Ausführung nur eingeschränkt verwendbar sind (siehe dazu die Beiträge 1.3 bis 1.6).*

Dies gilt insbesondere dann, wenn ein Regelwerk keine technischen oder das Baurecht konkretisierenden Mindestanforderungen benennt, sondern Qualitätsstandards. Zudem ist im Einzelfall zu beurteilen, ob die vor Ort – vor dem Hintergrund der beabsichtigten Nutzung und Nutzungsdauer – technisch erforderliche Leistung über den Mindestanforderungen liegen kann, die in einem Regelwerk benannt sind, oder aber im Einzelfall eine unterhalb eines Standards liegende Leistung zwischen den Parteien vereinbart wurde.[23] Ebenso ist denkbar, dass eine höhere Tragfähigkeit vorgesehen wurde, um einen späteren Umbau zu ermöglichen, oder dass festgelegt wurde, eine Putzabdichtung aus gestalterischen Gründen höherwertig auszuführen als technisch erforderlich. Es ist also eine sachverständige Auseinandersetzung notwendig, um die vorgefundenen Ausführungen mit den vertraglich vereinbarten und/oder technisch erforderlichen Leistungen vergleichen zu können.

Sachverständige haben bei Gericht eine beratende Funktion. Sie sollen einen technischen Sachverhalt aufklären und dem Gericht Hinweise zu Abweichungen, Funktionstauglichkeit und Bauüblichkeit geben.

Ob sich aus derartigen Abweichungen im Rechtssinn ein Mangel ergibt, ist eine Frage der Vertragsauslegung. Die Auslegung des Vertrags obliegt allein dem Gericht (§§ 133, 157 BGB, i.V.m. §§ 305 ff. BGB). Wenn der Vertragsgegenstand unbestimmt oder zwischen den Parteien streitig ist, soll das Gericht um Weisung gebeten werden (§ 404a ZPO).

1.9.2.4 Fotografien

Wenn möglich sollten die Sachverhalte vor Ort in der Reihenfolge des Beweisbeschlusses oder einer vorab festgelegten Reihenfolge begutachtet werden. Ist dies im Einzelfall nicht möglich, hat es sich bewährt, auf einem Blatt zu notieren, welcher Beweispunkt begutachtet wird. Von diesem Blatt wird eine Fotografie, z.B. neben der Untersuchungsstelle, angefertigt. Zudem können Notizen oder ein Blatt mit der Nummer des nachfolgend dokumen-

23 Beispielsweise weniger Steckdosen oder Auslässe für Deckenleuchten als in DIN 18015-2 für einen Raumtyp benannt.

tierten Beweispunkts jeweils vor dessen Begutachtung fotografiert werden, wodurch die Bilddokumentation Trennbilder enthält und ggf. Bilder zu Sachverhalten auch Monate nach der Ortsbesichtigung zugeordnet werden können.

Es sollten grundsätzlich Übersichtsbilder und Detailbilder angefertigt werden. Hierdurch kann die Lage der Bereiche für das Gericht dokumentiert und zugleich nachvollziehbar gemacht werden, wie die Zusammenhänge vor Ort sind oder weshalb eine lokale Störung für den Gesamteindruck diejenige Bedeutung besitzt, die ihr in der Beurteilung zugewiesen wurde.

Die Dokumentation nimmt Zeit in Anspruch. Man sollte sich nicht bemühen, den Aufwand geringer als notwendig zu halten, um den Termin für die anderen Anwesenden kürzer zu gestalten. Die bei der Ortsbesichtigung vermeintlich eingesparte Zeit kann dazu führen, dass eine zweite Ortsbesichtigung erforderlich wird, um weitere Untersuchungen durchzuführen oder um nicht mehr nachvollziehbare Bilder zuordnen zu können.

Sind ganze Räume, Wohnungen oder zusammenhängende Gebäudebereiche zu begutachten, ist es ratsam, eine einheitliche Begehungsrichtung beizubehalten (mit oder gegen den Uhrzeigersinn). Dies beschleunigt die Auswertung nach der Ortsbesichtigung.

Die Abbildung von Personen ist zu vermeiden. Ist dies teilweise nicht möglich, sind die Personen im Gutachten unkenntlich zu machen (dito bei Fotografien die mit der Wohnungseinrichtung abgebildet wurden).

1.9.2.5 Verwendung von Messgeräten

Im Rahmen der Begutachtung sind die erforderlichen Messgeräte einzusetzen. Bei den Messgeräten kann es sich um Messschablonen, Holzgliedermaßstäbe, Messkeile, Laser-Distanzmessgeräte, Wasserwaagen, Raumluftklimamessgeräte, CO_2-Messgeräte, Luftströmungsmessgeräte, Messgeräte zur Beurteilung der Baustofffeuchte, Schallmessgeräte, Bauthermografie, bauforensische Leuchten u.a. handeln.

Vor der Ortsbesichtigung sollten neue Messgeräte an anderen Gebäuden so lange genutzt werden, bis man mit der Verwendung der Messgeräte vertraut ist. Sind Aufmaßregeln zu beachten, wie DIN 18202, so sollte man sich vor der Ortsbesichtigung damit befassen, welche Aufmaßregeln zu beachten sind.

Messergebnisse können fotografisch oder schriftlich aufgenommen werden.

Bei der Durchführung der Messungen ist strikt zwischen Feststellung und subjektiver Wertung zu unterscheiden. Hohe Messwerte bei Messgeräten mit Kugelkopfelektrode können auf erhöhte Baustofffeuchte oder auf das Vorhandensein leitfähiger Stoffe hindeuten, wie Salze oder Metall. Schlussfolgerungen sind unter Berücksichtigung der Feststellungen gesondert zu treffen.

1.9.2.6 Beendigung der Ortsbesichtigung

Wenn einzelne Teilnehmer die Ortsbesichtigung während der Begutachtung verlassen, so ist es ratsam, einen Vermerk über die Uhrzeit und den zu der Zeit gegebenen Begutachtungsstand anzufertigen, damit im Anschluss nachvollzogen werden kann, welche Feststellungen die Partei vor Ort wahrgenommen hat oder über welche Feststellungen ggf.

eine Information an das Gericht oder, im außergerichtlichen Fall, an die andere Partei zu senden ist.

Die Ortsbesichtigung wird durch den oder die Sachverständige(n) beendet. Nach der Verabschiedung verlässt man das Gelände. Einseitige Gespräche mit Parteien sind nach Beendigung der Ortsbesichtigung zu vermeiden, damit kein Anschein der Besorgnis von Befangenheit entstehen kann.

1.9.2.7 Nach der Ortsbesichtigung

Nach der Ortsbesichtigung sollten möglichst noch am gleichen Tag erforderliche Notizen ergänzt werden. Digitalfotografien sollten übertragen und möglichst auf einem externen Medium gesichert werden. Bei der Ortsbesichtigung aufgenommene Diktate sind zu übertragen.

Es hat sich bewährt, nach Ortsbesichtigungen zumindest jenen Teil des Gutachtens zeitnah zu erstellen, der sich mit den Feststellungen vor Ort befasst, da dann die Erinnerungen noch frisch sind und man sich an Beobachtungen erinnert, zu denen man sich vor Ort ggf. keine Notiz angefertigt hatte.

Baustoffproben sollten, wenn sie sich durch Lagerung verändern können, zeitnah untersucht oder an ein Labor weitergeleitet werden. Bei feuchten Baustoffproben ist zu beachten, dass diese auf dem Postweg verschimmeln oder ihren Zustand verändern könnten. Eine nochmalige Rücksprache mit dem Labor kann erforderlich sein, falls der Zustand der entnommenen Proben von den zuvor besprochenen Maßen oder Eigenschaften abweicht.

Falls die Parteien bei der Ortsbesichtigung weitere Unterlagen zugesagt oder weitere Beweisfragen in Aussicht gestellt haben, ist das Gericht hierüber unverzüglich zu informieren. Hierbei sollte ein Datum benannt werden, bis zu welchem die Unterlagen bzw. Rückmeldungen im Sachverständigenbüro vorliegen müssten, um das Gutachten in der vom Gericht festgesetzten Frist zu erstatten. Hilfsweise ist um Fristverlängerung bis zu einem konkreten Datum bzw. einem relativen Zeitraum nach Eingang der Unterlagen bzw. Rückmeldungen im Sachverständigenbüro zu bitten.

Werden von einer Seite Unterlagen direkt an das Sachverständigenbüro eingereicht, sind diese unverzüglich allen Parteien und dem Gericht zur Kenntnis zu bringen, insofern nicht eindeutig erkennbar ist, dass diese Unterlagen bereits parallel dem Gericht zur Kenntnis gegeben wurden. Werden Unterlagen entgegengenommen, die dem Gericht unbekannt sind und werden diese nicht weitergeleitet, so kann dies die Besorgnis der Befangenheit begründen und zum Verlust der Vergütung führen, weil andere Parteien keine Kenntnis hatten, dass das Gutachten auf diesen Unterlagen aufbauen würde. . Es ist zu empfehlen, sich zu vergewissern, dass alle Beteiligten über alle Ausgangsdaten als Grundlage für Gutachten informiert sind.

Wenn sich während oder nach der Ortsbesichtigung ergibt, dass eine weitere Ortsbesichtigung für weitere Feststellungen erforderlich wird (ggf. durch Bauteilöffnung oder in anderer Witterung), sind die vorgenannten Schritte ab der Vereinbarung eines Termins zu wiederholen.

Praxistipp

Im gerichtlichen Verfahren steht ein Kostenvorschuss zur Verfügung. Dieser darf im Rahmen einer Tätigkeit zu den JVEG-Sätzen geringfügig überschritten werden. Ob die geduldete Überschreitung bei 20 % oder 25 % liegt, wird uneinheitlich gesehen.[24] *In der Literatur finden sich unterschiedliche Angaben.*[25]

Nach Meyer/Höver/Bach[26] *wäre die Grenze bei 20 % über dem Kostenvorschuss zu setzen, weil hinsichtlich anwaltlicher Rahmengebühren Gleiches gelte. Diese Begründung überzeugt nicht, weil zwischen den anwaltlichen Rahmengebühren und dem Begutachtungsaufwand in einer Bausache kein kausaler Zusammenhang besteht.*

Ist eine besondere Vergütung nach § 13 JVEG vereinbart, wird von vielen Gerichten keine Überschreitung des Kostenvorschusses geduldet.[27] *In diesem Fall ist auf die Auskömmlichkeit des Kostenvorschusses zu achten und ggf. rechtzeitig ein weiterer Kostenvorschuss anzufordern.*[28]

Achtung: *Wenn die Parteien im Verlauf der Begutachtung einen Teil der Beweispunkte aufgeben oder eine zuvor angekündigte Bauteilöffnung entbehrlich ist, ist zu beachten, dass der verfügbare Kostenvorschuss den Sachverständigen danach nur noch in vermindertem Umfang zur Verfügung steht, also um den so ersparten Aufwand gekürzt wird. In solchen Fällen kann bereits durch die Ausnutzung des benannten Kostenvorschusses eine „Überschreitung" erfolgen, was zu einer Kürzung der Vergütung innerhalb des Kostenvorschusses führen kann.*[29]

1.9.3 Bauteilöffnungen

Im Rahmen der Begutachtung von Gebäuden werden häufig kleinere oder größere Bauteilöffnungen benötigt, da Probeentnahmen oder sonstige zerstörende Untersuchungen erforderlich sind, um den Sachverhalt aufzuklären.

---

24 Duldung einer Überschreitung bis 20 %: OLG Hamm, B. v. 24.7.2014 – 24 U 220/12; OLG Düsseldorf, B. v. 20.10.2017 – 10 W 393/17; OLG Düsseldorf, B. v. 6.2.2018 – 10 W 22/18; OLG Düsseldorf, B. v. 5.9.2019 – 10 W 102/19. Duldung einer Überschreitung bis 25 %: OLG Jena, B. v. 1.8.2014 – 7 U 405/12 benennt 20 % bis 25 %, LG Neuruppin, B. v. 28.2.2017 – 1 O 34/16, sowie OLG Karlsruhe, B. v. 10.4.2017 – 13 W 25/17 und OLG Hamm, B. v. 2. 12.2016 – 25 W 231/16.

25 Bis 25 % öffnend *Greger* in Zöller ZPO, § 407a ZPO Rn. 3a. In BT-Drs. 17/11471, S. 260, wurde hinsichtlich der 20 %-Grenze auf eine ältere Auflage von Zöller ZPO verwiesen, dort zu § 407a ZPO. In der 33. Auflage von Zöller ZPO gibt *Greger* diese Begrenzung auf. Allerdings noch begrenzend auf 20 % ebenfalls *Greger* in Zöller ZPO, § 413, Rn. 8.

26 *Meyer/Höver/Bach,* § 8a JVEG Rn. 33, zu Rahmengebühren gemäß § 14 RVG.

27 Ein Toleranzbetrag von bis zu 20 % oder 25 % wird von manchen Gerichten bei einer Vergütung auf Basis von § 13 Abs. 1 JVEG bewilligt und von anderen verwehrt, weil der Sachverständige gemäß § 13 Abs. 1 Satz 1 JVEG erst nach Eingang des gesamten Kostenvorschusses heranzuziehen ist.

28 § 8a Abs. 4 JVEG.

29 OLG Oldenburg, B. v. 20.4.2022 – 14 W 15/22.

Der Einfluss einer Bauteilöffnung auf die Verfahrensdauer kann sehr bedeutsam sein. Die schnellste Bauteilöffnung ist diejenige, die nicht benötigt wird. Sachverständige sind deshalb dazu anzuhalten, zunächst darüber nachzudenken, ob die Bauteilöffnung durch Überlegungen, Messungen und andere Informationen (Pläne, Rechnungen, Fotos aus der Bauzeit etc.) ersetzt werden kann.

Die Entscheidung darüber, ob eine Bauteilöffnung durchzuführen ist, treffen Sachverständige.[30] Wird seitens des Gerichts oder der Parteien eine Bauteilöffnung erwartet und ist diese aus sachverständiger Sicht entbehrlich, so ist das Gericht darüber in Kenntnis zu setzen.

Ob Gerichte Sachverständige zur Durchführung einer Bauteilöffnung anweisen können, war lange Zeit umstritten. Dass sich keine einheitliche Linie der Gerichte erkennen ließ, hing damit zusammen, dass es viele unterschiedliche Arten von Bauteilöffnungen gibt. Die Urteile zu Bauteilöffnungen waren stets im Einzelfall und unter Berücksichtigung der jeweils konkret gegebenen Randbedingungen ergegangen. Hierzu erging 2020 eine höchstrichterliche Entscheidung, durch die klargestellt wurde, dass Sachverständige nicht in jedem Fall zu Bauteilöffnungen gezwungen werden können und Gerichte im Einzelfall eine Interessenabwägung zu treffen haben, wobei Haftungsrisiken der Sachverständigen zu beachten sind.[31]

Um Klarheit zu schaffen, ist zwischen unterschiedlichen Arten von Bauteilöffnungen zu unterscheiden. Es gibt beschädigungsfreie und beschädigende Bauteilöffnungen, Bauteilöffnungen in erkennbar beschädigten Gebäudeteilen, die nach Beendigung der Begutachtung zweifelsfrei erneuert oder instandgesetzt werden müssen. Es gibt beschädigende Bauteilöffnungen zur Klärung eines Sachverhalts. Es gibt Bauteilöffnungen, die durch technisch einfache Instandsetzungsmaßnahmen so verschlossen werden können, dass keine Verschlechterung des Bauteils zurückbleibt. Es gibt Bauteilöffnungen, deren Instandsetzung kaum oder nur mit großem wirtschaftlichem Aufwand möglich ist.

Es ist ein relevanter Unterschied, ob temporär eine Steckdose entfernt werden muss, um mit einem Messfühler in einer Trockenbauwand die Feuchte des Dämmstoffs messen zu können, oder ob im Foyer eines Theaters eine Bohrung in einer Wand mit kunstvoller Tadelaktbeschichtung erfolgen soll oder gar in einer Tiefgarage im Grundwasser eine Kernbohrung in einer weißen Wanne durchgeführt werden muss.

Wenn eine Bauteilöffnung erforderlich ist, ist unmittelbar zu klären wer hierzu die Zustimmungen und Angebote einzuholen hat, wer sie zu planen, zu organisieren, durchzuführen und zu überwachen hat, wer die Instandsetzung zu planen und zu überwachen hat, und in welcher Art und Weise die Instandsetzung zu erfolgen hat.

30 LG Köln, B. v. 18.6.2018 – 26 OH 6/17.

31 BGH, U. v. 23.9.2020 – IV ZR 88/19, zuvor ebenso OLG Frankfurt, B. v. 25.10.2017 – 1 W 52/17 und OLG Schleswig, B. v. 14.12.2017 – 16 W 152/17.

Voraussetzung für eine Bauteilöffnung ist stets die Zustimmung der Berechtigten. Hier sind Eigentümer, Mieter/Nutzer oder WEG-Mitglieder gemeint. Ohne die Zustimmung der Berechtigten oder die Anordnung eines Gerichts ist ein Eingriff in die Bausubstanz unzulässig.[32] Wurde dem Sachverständigen keine Zustimmung zur Durchführung einer Bauteilöffnung erteilt und besteht auch keine Anordnung nach § 144 Abs. 1 ZPO, so ist dringend davon abzuraten, unbefugt in das Eigentum einer Partei oder eines Dritten einzugreifen, da dies Sachbeschädigung wäre.

Die Erteilung der Zustimmung ist Sache der Berechtigten.[33] Die Einholung der Zustimmung obliegt der beweisbelasteten Partei.[34] Deshalb ist es ausreichend, das Gericht darüber zu informieren, dass im vorliegenden Fall eine Bauteilöffnung erforderlich ist und um die Einholung der Zustimmung der Berechtigten gebeten wird. Dies erspart Sachverständigen Zeit, die anderweitig verwendet werden kann.

Soll eine beschädigende Bauteilöffnung in einem Bereich erfolgen, der dem Gemeinschaftseigentum einer WEG zuzuordnen ist oder bei dem Mieter involviert sind, kommt es vor, dass die Zustimmung in ungenügender Form erklärt wird. Eine Abstimmung in einer Eigentümerversammlung reicht nicht aus, wenn nicht alle Eigentümer vertreten waren und einheitlich abgestimmt haben oder wenn die Abstimmung ohne Darlegung der Folgen der Bauteilöffnung erfolgte. Sind Mieter betroffen, wird häufig vergessen, deren Zustimmung ebenfalls einzuholen.

Deshalb hat es sich bewährt, bei der Bitte, eine Zustimmung einzuholen, zugleich mitzuteilen, wessen Zustimmung erbeten wird und eine Information dazu, wie die Bauteilöffnung durchzuführen ist, welcher Instandsetzungsaufwand bestehen kann und welche Folgen sich aus der Bauteilöffnung für das Gebäude ergeben. Dies insbesondere dann, wenn ggf. irreparable Veränderungen am Bauteil zurückbleiben werden. Idealerweise wird dieser Hinweis auf einem gesonderten Blatt erteilt, auf dem zugleich die Unterschriften der Berechtigten eingeholt werden können.

Vor der Durchführung der Bauteilöffnung hat sich der Sachverständige zu vergewissern, dass alle erforderlichen Zustimmungen vorliegen.

1.9.3.1 Nicht beschädigende Bauteilöffnung

Die unkritischste Bauteilöffnung ist die nicht beschädigende Bauteilöffnung, weil sie keine bleibenden Veränderungen am Gebäude/Bauteil hinterlassen wird.[35] Viele dieser Bauteilöffnungen können mit etwas handwerklichem Geschick von Sachverständigen selbst durchgeführt werden. Das Risiko einer Beschädigung von Bauteilen und Oberflächen ist gering und nach erfolgter Bauteilöffnung kann eine unmittelbare Instandsetzung durch Sachverständige oder eine Hilfskraft erfolgen.

---

32 Siehe §§ 123, 124 StGB Hausfriedensbruch, § 303 StGB Sachbeschädigung.

33 *Praun*, BauR 2013, S. 1938, Dies können WEG-Eigentümer oder Mieter sein, die am Verfahren nicht beteiligt sind.

34 OLG Celle, B. v. 7.4.2009 – 16 W 27/09, zweiter Leitsatz.

35 Hierunter fallen z.B. das Öffnen eines Pflasterbelags, der in ungebundener Weise verlegt ist, die Öffnung eines nicht verklebten Laminats, das Substrat eines Gründachs auf kleiner Fläche zur Seite zu schieben oder das temporäre Abschrauben von Bauteilen wie eines Sockelblechs oder der Ausbau einer Steckdose.

Durch eine Instandsetzung, die direkt im Anschluss an die Bauteilöffnung erfolgt, ist sichergestellt, dass sich aus der Bauteilöffnung keine schädigenden Einflüsse auf die Bauteile ergeben und die Gefahr der Verletzung Dritter (z.B. durch Stolpern an einem partiell geöffneten Pflasterbelag) vermieden wird.

Eine solch einfache, nicht beschädigende Bauteilöffnung kleineren Umfangs ist einem Sachverständigen bzw. dessen Hilfskraft zuzumuten.

Insofern bestehen keine Bedenken dagegen, dass ein Gericht einen Sachverständigen anweist, eine solche kleine, nicht beschädigende Bauteilöffnung selbst durchzuführen oder von einer von ihm hinzugezogenen Hilfskraft durchführen zu lassen.

In aller Regel kann für eine solche temporäre, nicht beschädigende Bauteilöffnung die Zustimmung vor Ort von den Anwesenden eingeholt werden, falls im Rahmen der Ortsbesichtigung erkannt wird, dass zur vollständigen Aufklärung der Sachlage lediglich ein kleiner, temporärer Eingriff benötigt wird, der noch im Termin sowohl technisch als auch optisch folgenlos wieder behoben werden kann.[36]

Neben den einfacheren Maßnahmen, die vom Sachverständigen oder seiner Hilfsperson rasch selbst durchgeführt werden können, gibt es auch komplexere Maßnahmen, die zwar eine umfangreichere Bauteilöffnung erfordern, die jedoch rückstandsfrei wieder beseitigt werden können.[37]

Sind nicht beschädigende Bauteilöffnungen notwendig, kann das Gericht auf Basis von § 144 Abs. 1 ZPO Dritte zur Duldung dieser Bauteilöffnungen verpflichten, sofern keine Wohnung betroffen ist.[38] Eine kurzfristige, nicht beschädigende Bauteilöffnung dürfte Dritten in aller Regel zumutbar sein, sodass § 144 Abs. 2 ZPO in solchen Fällen kaum greifen dürfte.

36 Typische Beispiele hierfür sind das Anheben von eingelegten Elementplatten in abgehängten Decken und die darüber befindliche Installation zu prüfen, die temporäre Demontage von Steckdosen, um die Art und Qualität sowie Luftdichtheit einer Hohlraumdose zu prüfen oder das Aufnehmen einzelner Pflastersteine oder Balkonplatten, um den darunter befindlichen Untergrund zu prüfen.

37 Typische Beispiele hierfür sind die Entfernung eines lose verlegten Balkonbelags, um die Beschaffenheit der darunter liegenden Abdichtung zu prüfen oder das Öffnen einer Baugrube im Bereich von lose verlegten Pflasterbelägen oder Beeten, um zu prüfen, wie weit die Dämmung vor der Kellerwand nach unten geführt ist.

38 BGH, B. v. 16.5.2013 – VII ZB 61/12, erster Leitsatz: „1. Ein Gericht kann einem am selbständigen Beweisverfahren nicht beteiligten Dritten nicht aufgeben, eine Bauteilöffnung in seiner Wohnung zum Zwecke der Beweissicherung zu dulden." Und zu einer nicht beschädigenden Bauteilöffnung einer abgehängten Decke zwecks Begutachtungszweck KG, B. v. 21.10.2005 – 7 W 46/05. In diesem Beschluss wurde dem Sachverständigen zugleich aufgegeben, die Bauteilöffnungen nach der Untersuchung wieder zu verschließen, was bei solchen rasch und ohne handwerkliches Geschick durchführbaren Tätigkeiten kein Problem darstellt.

Tabelle 1: Wann ist es sinnvoll, dass Sachverständige eine Bauteilöffnung selbst durchführen

Nicht beschädigende oder beschädigungsarme Bauteilöffnung	**Einfache Maßnahme, von einer Person zu erbringen**	**Komplexe Maßnahme, Handwerker und/oder Maschineneinsatz erforderlich**
Bauteilöffnung und Instandsetzung mit geringem Zeitaufwand möglich	kann von Sachverständigen selbst durchgeführt werden	Durchführung evtl. durch Sachverständige möglich, sonst durch Dritte
Bauteilöffnung und Instandsetzung mit hohem Zeitaufwand verbunden	Durchführung durch Dritte	Durchführung durch Dritte

1.9.3.2 Beschädigende Bauteilöffnung

Als beschädigende Bauteilöffnungen sind jene anzusehen, bei denen ein Bauteil oder eine Oberfläche so geöffnet wird, dass dieser bzw. diese nach der Bauteilöffnung nicht wieder in der vormals gegebenen Art und Weise verschlossen werden kann, also solche Bauteilöffnungen, nach denen eine technische und/oder optische Veränderung am Gebäude zurückbleiben wird.[39]

Ebenfalls als beschädigende Bauteilöffnungen anzusehen sind jene, nach denen die betroffenen Bauteile nur durch großflächige Maßnahmen in den vormals gegebenen technischen und/oder optischen Zustand zurückversetzt werden können.[40]

Bei beschädigenden Bauteilöffnungen sind zwei unterschiedliche Anlässe zu unterscheiden. Es gibt beschädigende Bauteilöffnungen, die Sachverständigen dazu dienen, unmittelbare Feststellungen zu treffen,[41] und beschädigende Bauteilöffnungen, durch die ein zu begutachtender Bereich freigelegt werden soll, bei denen Sachverständige mit der Begutachtung also erst nach der Bauteilöffnung beginnen.[42]

Die größte Zeitersparnis für den Verfahrensablauf ist erreichbar, wenn auf eine beschädigende oder anderweitig aufwendige Bauteilöffnung verzichtet werden kann. Sachverständige sollten deshalb stets zunächst überlegen, ob Sachverhalte durch Messen bzw. durch das Sichten von Dokumenten, Plänen oder Fotografien in erforderlichem Maße aufgeklärt

39 Typische Beispiele sind: Öffnung einer Flachdachabdichtung, einer Bauwerksabdichtung, eines betonierten Tiefgaragenbodens, eines Fliesenbelags.

40 Typische Beispiele sind: Öffnung einer Putzfassade, eines WDVS, einer gefliesten Duschwand, mit hierbei unvermeidbarer Beschädigung der Abdichtung.

41 Ein typisches Beispiel hierfür ist die Entfernung von Belägen, um mittels einer Messung der hierbei benötigten Kraft die Haftung des Belags am Untergrund zu prüfen.

42 Ein typisches Beispiel hierfür ist das Öffnen einer Baugrube, um danach die freigelegte Bauwerksabdichtung zu überprüfen oder die Entfernung eines Gründachaufbaus, um die Beschaffenheit der darunter liegenden Abdichtung zu begutachten.

werden können. Hierbei dürfen Sachverständige jedoch nicht so weit gehen, Feststellungen durch persönliche Meinungen zum Sachverhalt zu ersetzen.[43]

Eine Vermutung einer Partei, dass in einem anderweitig intakt wirkenden Bauteil eine fehlerhafte Ausführung vorhanden sein könnte, reicht noch nicht aus, um eine beschädigende Bauteilöffnung anzuweisen, wenn durch Messtechnik anderweitig Nachweise erlangt werden können.[44]

Sind beschädigende Bauteilöffnungen unvermeidbar, sollten Sachverständige anregen, dass die beweispflichtige Partei die Bauteilöffnung organisiert. Hierzu kann sich diese Partei eines hinzugezogenen Fachbetriebs bedienen. Sind umfangreiche Vor- und Instandsetzungsplanungen sowie eine Ausschreibung erforderlich, kann hierzu ein Architekturbüro herangezogen werden.

Die Tätigkeit von Sachverständigen sollte sich auf die Begutachtung selbst beschränken.

Bindet man Kapazitäten von Sachverständigen, indem diese die Organisation und Überwachung von ggf. lediglich vorbereitenden Bauteilöffnungen sowie die Planung und Überwachung der Instandsetzung durchführen sollen, dann fehlen diese Kapazitäten, um Gutachten zu bearbeiten. Die Bearbeitungsphase des jeweiligen Verfahrens sowie die Bearbeitungsphase anderer Gerichtsaufträge verlängern sich hierdurch.

Tabelle 2: Formen der Instandsetzung der beschädigenden Bauteilöffnung

beschädigende Bauteilöffnung	**Instandsetzung ohne technische/optische Nachteile möglich**	**Instandsetzung mit technischen/optischen Nachteilen**
Feststellung wird bei der beschädigenden Bauteilöffnung erlangt	Durchführung durch Sachverständige bzw. durch Dritte im unmittelbaren Beisein des Sachverständigen	
Feststellung wird nach der beschädigenden Bauteilöffnung erlangt	Durchführung durch Dritte, ggf. im Beisein des Sachverständigen	

Lehnen Eigentümer eine Bauteilöffnung ab, die für die Begutachtung erforderlich ist und teilt der Sachverständige dem Gericht mit, dass eine Beurteilung ohne Bauteilöffnung unmöglich sei, so kann hierdurch ein selbständiges Beweisverfahren beendet sein.[45] Die Hemmung der Verjährung endet hiermit.

Gerichte können festlegen, dass Bauteilöffnungen durch die beweispflichtige Partei veranlasst werden. Dies ist insbesondere bei vorbereitenden Bauteilöffnungen sinnvoll, in deren Zusammenhang keine Feststellungen gemacht werden müssen (z.B. Öffnung einer Baugrube).

43 So geschehen im Rahmen der Begutachtung, die zu folgendem, in Sachverständigenkreisen kritisch diskutiertem Urteil geführt hat: OLG Hamm, U. v. 14.8.2019 – 12 U 73/18.

44 OLG Koblenz, B. v. 31.2014 – 5 U 1310/13.

45 OLG München, B. v. 12.12.2019 – 20 W 1503/19.

1.9.3.3 Instandsetzung

Wenn kleinere Bauteilöffnungen durchgeführt werden (z.B. Entfernung einer Steckdose oder Aufnehmen einer lose verlegten Terrassenplatte), dann kann nach der Begutachtung eine Wiederherstellung des vormaligen Zustandes erfolgen.

Sachverständige sind jedoch nicht dazu verpflichtet, nach einer Bauteilöffnung den vormaligen Zustand wiederherzustellen.[46] Insbesondere dann, wenn der vormalige Zustand nicht fachgerecht war oder es sich um eine undichte Dachabdichtung handelte, kann von hinzugezogenen Handwerkern nicht verlangt werden, einen zuvor schadhaften Zustand wiederherzustellen, da dies haftungsrechtlich unzumutbar wäre.

Die Aufgabe der Sachverständigen ist die Begutachtung eines Sachverhalts. Instandsetzungen oder Instandsetzungsplanungen sind hingegen kein Bestandteil der Sachverständigentätigkeit.[47] Sind Sachverständige außergerichtlich tätig, kann eine Instandsetzungsplanung oder die Planung einer Veränderung eines vormaligen Zustandes hin zu einem neuen, ggf. anderen Zustand im Rahmen gesonderter Werkverträge vereinbart werden. Von Architekten und Ingenieuren ist hierbei die HOAI zu beachten.

46 OLG Köln, B. v. 14.9.2017 – 9 U 194/13.
47 LG Köln, B. v. 18.6.2018 – 26 OH 6/17.

1.10 Spezialuntersuchungen und Zuarbeit durch Fachsachverständige: Laborprüfungen, Materialbestimmungen und Eigenschaftsmessungen, zerstörungsarme und -freie Untersuchungsmethoden, Drohnen, digitaler Geräteeinsatz und Wärmebild

Ralf Finger/Andreas Borrmann/Thorsten Andreas

Übersicht

1.10.1 Einführung

Zur Beurteilung von Bauschäden und zur Analyse von Materialien und Bauteilen stehen den Sachverständigen eine Vielzahl von verschiedenen Untersuchungsmethoden zur Verfügung. Die Auswahl eines geeigneten Verfahrens sowie die Zuordnung der für das Verfahren zur Verfügung stehenden Prüf- und Messgeräte erfordert oftmals ein vertieftes Wissen, welches nicht jedem Sachverständigen ohne vorherige tiefergehende Recherche gleichermaßen zur Verfügung steht.

Daher haben die Autoren eine Tabelle[1] entwickelt, in der die Prüf- und Messverfahren zu den wichtigsten Themengebieten der Bauschadensanalyse aufgeführt sind. Diese Tabelle erhebt keinen Anspruch auf Vollständigkeit und soll nur einen ersten Überblick zur Orientierung verschaffen.

Im konkreten Fall ist selbstverständlich jeder Sachverständige dazu angehalten, sich vor der Auswahl eines geeigneten Prüf- und Messverfahrens über deren Möglichkeiten, Abhängigkeiten und konkreten Besonderheiten umfassend zu informieren.

Spezielle Prüf- und Messgeräte sind zudem oftmals teuer in der Anschaffung und können vielfach nur mit einer vorherigen intensiven Schulung durch Fachleute von ungeübten Laien ohne Einschränkung im Ergebnis fehlerfrei bedient werden. Daher lohnt sich die Anschaffung spezieller Geräte oftmals für die meisten Sachverständigen nicht.

Hier empfehlen wir Ihnen, sich vertrauensvoll an einen Spezialisten zu wenden und die erforderlichen Prüfungen, Messungen und Untersuchungen von diesem vornehmen zu lassen. Diese Fachsachverständigen finden Sie vielfach über die Internetseiten der entsprechenden Verbände und/oder über die Sachverständigenverzeichnisse der Industrie- und Handelskammern sowie der Ingenieur- und Architektenkammern. Auch der Kreis der sachverständigen Kollegen hilft Ihnen hier sicher gerne weiter.

Die Autoren sind der Auffassung, dass insbesondere für die Differenzdruckmessung (Blower-Door-Verfahren), aufwendige und belastbare Thermografie-Untersuchungen, aufwendige Kamerabefahrungen und digitale Bestandsaufnahmen über Laserscanner und Vermessungsdrohnen, spezielle Feuchtemessungen an großen Dach-, Fassaden- und Bodenflächen sowie für umfangreiche bauphysikalische Berechnungen zwingend Fachsach-

1 Die Tabelle können Sie über den folgenden Link abrufen: https://cloud.reguvis.de/s/TsnKNbBDNdpo7ab.

verständige hinzugezogen werden sollten, die mit diesen Messverfahren und der entsprechenden Software zur Auswertung vertraut sind und ausreichende Erfahrung haben.

Dass die chemischen und biologischen Analysen von entnommenen Proben sowie thermische und physikalische Untersuchungen von Material und Bauteilen von einem hierzu ausgestatteten und versierten Labor vorgenommen werden sollten, sehen wir als selbstverständlich an.

In den folgenden Abschnitten beschreiben wir einige spezielle Prüf- und Messverfahren zu ausgewählten Themengebieten näher und umfangreicher. Wir haben diese Verfahren ausgewählt, da wir der Auffassung sind, dass diese Verfahren bei richtigem Einsatz, nach einer ersten Orientierung mit den für uns Sachverständige üblichen aber zumeist einfachen Verfahren und Messgeräten, zu besseren und umfassenderen Ergebnissen führen, welche die Analyse von Bauschäden sinnvoll ergänzen, vertiefen und konkretisieren können.

1.10.2 Feuchtemessungen

1.10.2.1 Einführung

Eine zuverlässige Feuchtemessung eines Baustoffes stellt die Darr-Probe oder die CM-Messung dar. Die Nachteile dieser Verfahren liegen darin, dass die Messung mit der Zerstörung der Baustoffe einhergehen. Zudem liegen bei der Darr-Probe Messergebnisse erst nach mehreren Tagen vor. Die Probe muss ohne Zuführung von Feuchtigkeit dem Bauteil entnommen und dann umgehend ins Labor gebracht werden. Dann wird sie dort umgehend gewogen und bis zur Gewichtskonstanz getrocknet. Aus der Differenz zwischen feuchter und trockener Probe kann der genaue Feuchtegehalt berechnet werden.

Die Trocknung soll bei 105°C erfolgen. Bei dieser hohen Temperatur besteht das Risiko, dass bei mineralischen Baustoffen auch Kristallwasser ausgetrieben wird.

Bei calciumsulfatbasierten Systemen besteht bei dieser Temperatur die Gefahr der Ettringitbildung. Es sollte deshalb eine Trocknung bei 40–55°C erfolgen. Die Wassergehalte können im Sommer und im Winter zudem durch unterschiedliche Luftfeuchtigkeit in den Räumen schwanken.[2]

Die CM-Messung ist für den Boden- und Fliesenleger relevant, um die Belegreife des Estrichs zu prüfen. Für den Sachverständigen sind diese Messungen meistens nicht von Relevanz.

Ein neueres Verfahren zur Messung der Restfeuchte im Bodenbelag ist die KRL-Methode. Es wird die korrespondierende relative Luftfeuchte in Prozent gemessen, die sich im Gleichgewichtszustand einstellt.[3] Es wird ebenfalls wie bei der CM-Messung eine Probe aus dem Estrich genommen. Diese wird dann entsprechend zerkleinert und in einen KRL-Messbecher, PE-Gefrierbeutel oder eine CM-Flasche gefüllt. Die Materialprobe wird dann luftdicht

2 *Radtke*, Fehler gravimetrischer Feuchtemessungen – Praxiserfahrungen mit Darren und CM-Gerät, Aachener Bausachverständigentage 2020 (Hrsg. *Oswald/Zöller*).

3 KRL-Methode, Messung und Beurteilung der Feuchte von mineralischen Estrichen, TKB: Merkblatt 18, Stand 02-2021, Technische Kommission Bauklebstoffe (TKB) im Industrieverband Klebstoffe e.V., Düsseldorf.

abgeschlossen und eine Messsonde eingeführt. Geeignete Messgeräte sind in der Anlage 3 des Merkblatts 18[4] aufgelistet. Die Messsonde misst dann die relative Luftfeuchte in dem luftdicht abgeschlossenen Behälter oder dem PE-Gefrierbeutel.

Die KRL-Grenzwerte für die Belegreife betragen demnach:

- 80 % r.F. für unbeheizte Estriche;
- 75 % r.F. für beheizte Estriche.

Der Vorteil bei der Messung besteht darin, dass der Bodenleger nicht wissen muss, ob dem Estrich Trocknungsbeschleuniger zugegeben wurde und er, wie bei der CM-Messung dann erforderlich, den gemessenen Wert korrigieren muss.

Diese Messmethode kann in Verbindung mit der Darr- oder CM-Messung Rückschlüsse auf die Gefahr einer Schimmelbildung ermöglichen.[5]

Das Messverfahren ist in den Fachkreisen zurzeit als Ersatz für die CM-Messung umstritten und nicht allgemein anerkannt.[6] Dennoch könnte sich eine Entwicklung abzeichnen, dass sich die einfache, nicht den bei der CM-Messung möglichen Fehlern unterliegende und schnelle Messmethode etabliert.[7] Das wird am ehesten bei Baustoffen der Fall sein, die ein zur Luftfeuchte annähernd lineares Sorptionsfeuchteverhalten aufweisen und wo damit aus der relativen Feuchte der die Probe umgebenden Luft zuverlässig auf die Materialfeuchte geschlossen werden kann.

Elektronische Messverfahren ermöglichen eine zerstörungsfreie Messung der Feuchte in einem Baustoff. Die Messgeräte liefern dann aber in den meisten Fällen nur Relativwerte, aber keine absoluten Feuchtewerte.

Es gibt hierfür verschiedene Messtechniken, die je nach Baustoff und Größe der zu untersuchenden Fläche unterschiedlich gut geeignet sind.

Die Widerstandsmessung findet ihre Anwendung insbesondere im Holzbau. Die Widerstandmessung liefert ebenfalls schnelle Messergebnisse. Da die Elektroden hierfür jedoch in den Baustoff eindringen müssen, ist dieses Messverfahren nicht zerstörungsfrei.

Schnelle und zerstörungsfreie Messergebnisse liefern:

- kapazitive Feuchtemessung;
- Messung auf Basis der Mikrowellentechnik (auch für größere Flächendetektion);
- Neutronensonde (für größere Flächendetektion).

Die Verfahren haben ihre Vor- und Nachteile. Sie haben aber alle den Vorteil, dass sie zeitnahe Ergebnisse liefern und gleichzeitig eine zerstörungsfreie Messung ermöglichen.

---

4 Vgl. Fn. 3.

5 *Radtke*, Fehler gravimetrischer Feuchtemessungen – Praxiserfahrungen mit Darren und CM-Gerät, Aachener Bausachverständigentage 2020 (Hrsg. *Oswald/Zöller*).

6 Information des BEB Arbeitskreises „Sachverständige" 01/2021, April 2021, Bundesverband Estrich und Belag e.V.

7 Siehe *Arnold*, Beschleunigte und magere Estriche – Fette Schäden? KRL-Messung, Feuchtemessung und Bewertung, Deutscher Sachverständigentag 2021 für Parkett, Fußbodentechnik und Unterböden in Köln, Bundesverband Parkett und Fußbodentechnik, Berlin.

1.10.2.2 Widerstandsbasierte Messung

Dieses Messverfahren wird für Holzbaustoffe angewendet.

Die Messung erfolgt durch das Eintreiben von zwei Elektroden in den Baustoff. Die Nässe wird anhand der erhöhten Leitfähigkeit des feuchten Materials erkannt. Es wird eine Spannung an die beiden Elektroden gelegt. Über den Abstand der Elektroden und anhand der aufgebrachten Spannung lässt sich durch Messung des Widerstandes der Feuchtegehalt im Baustoff ermitteln. Es ist zu beachten, dass Bewehrungsmatten, Alukaschierungen und Versalzungen die Messwerte beeinflussen.

Der Feuchtegehalt des Holzes kann mittels Messtabellen annähernd genau mit diesem Messverfahren ermittelt werden. Prüfkörper stehen dabei zur Verfügung, mit denen man die Messgeräte vor Durchführung der Messung kalibrieren kann.

1.10.2.3 Kapazitive Feuchtemessung

Der Messkopf des Gerätes besteht aus einer Metallkugel an einem Metallstiel.

Bei der Messung bildet sich zwischen dem Baustoff und dem Kugelkopf ein Messfeld. In dem Kugelkopf befinden sich zwei Kondensatorplatten. An die erste Platte wird eine positive und an die zweite eine negative Spannung angelegt. Das hierbei entstehende elektrische Feld speichert elektrische Energie. Dieses Speichervermögen wird als Kapazität bezeichnet.

Die Kapazität wird durch den Stoff bestimmt, der die Kondensatorplatten trennt. Dieses wird als Dielektrikum bezeichnet. Er beeinflusst das Messfeld, obwohl er keinen Strom leitet.

Jedes Dielektrikum hat dabei eine Dielektrizitätszahl. Luft hat den Wert 1. Die Dielektrizitätszahl beschreibt für einen Baustoff, um wie viel die Kapazität gegenüber Luft erhöht ist. Wasser hat die Dielektrizitätszahl 80. Somit steigt bei dem Vorhandensein von Wasser die Kapazität deutlich an.

Bei dem Messverfahren handelt es sich um ein vergleichendes Messverfahren. Es erfolgt eine Vergleichsmessung in einem offensichtlich trockenen Bereich des zu untersuchenden Bauteils, die sog. Referenzmessung. Die Messung erfolgt dann im zu untersuchenden Bereich. Die Messergebnisse werden mit der Referenzmessung verglichen. Aus den Messergebnissen kann dann mit entsprechender Umsicht und Erfahrung eine Aussage zum Feuchtegehalt im Bauteil getätigt werden. Die Messwerte sind dimensionslose Relativwerte.

Die Messtiefe bei diesem Messverfahren liegt bei ca. 50 mm. Mit zunehmender Messtiefe wird das Ergebnis aber progressiv ungenauer, d.h., dass eine vertretbare Genauigkeit nur bei unmittelbarem Kontakt der Messsonde zum zu untersuchenden Untergrund oder im Abstand und höchstens von wenigen Millimetern vorliegt. Soweit sich Salze im zu messenden Bauteil befinden, werden die Messwerte durch die elektrische Leitfähigkeit der Salze verfälscht. Dieses Messverfahren kann in diesem Fall nicht angewendet werden. Stromleitungen oder metallische Ständerwände von Trockenbaukonstruktionen oder die Bewehrung in Beton verfälschen die Messergebisse.

1.10.2.4 Handhabung des Messgerätes

Wichtig bei der Handhabung der Kugel-Messelektrode ist die korrekte Handhabung der Messsonde. Diese Messsonde muss fest auf dem Baustoff aufliegen und senkrecht zur Oberfläche ausgerichtet sein. In den Eck- und Randbereichen muss die Sonde einen Mindestabstand von 8–10 cm zur Bauteilkante einhalten.

Bei den Kompaktgeräten und Kombigeräten muss die Hand beim Messen im hinteren Bereich angeordnet werden, um die Messwerte nicht zu beeinflussen. Bei Kombigeräten ist zudem darauf zu achten, dass das Messkabel nicht in der Nähe des Kugelkopfes vorbeiläuft, da durch das Induktionsfeld des Kabels die Messwerte ebenfalls verfälscht werden.

1.10.2.5 Mikrowellenmessung

Das Messverfahren basiert ebenfalls auf der dielektrischen Eigenschaft von Wasser. Die relative dielektrische Konstante von Wasser beträgt ca. 80, die relative dielektrische Konstante der meisten anderen Baustoffe liegt im Bereich von 2–10. Der Unterschied zwischen den Baustoffen und Wasser lässt sich deshalb relativ leicht messen.[8]

Da sich Mikrowellenfrequenzen mit der Antennentechnik im Sende- und Empfangskopf sehr gut bündeln lassen, können hohe Eindringtiefen der Wellen erzielt werden. Da gleichzeitig das Volumen des gemessenen Bereiches erfasst werden kann, ist es möglich, den relativen Feuchtegehalt eines Baustoffes zu messen, wenn der Wand- oder Bodenaufbau des Materials bekannt ist.

Die Mikrowellenmesstechnik hat zudem den Vorteil, dass in verschieden Schichten des zu untersuchenden Bauteils die Feuchtigkeit gemessen werden kann. Hierfür stehen Messköpfe zur Verfügung, die in unterschiedlichen Tiefen messen. Die Messtiefe kann aufgrund unterschiedlicher Messköpfe in Abstufungen von ca. 30 mm, 60 mm, 100 mm, 250 mm und 800 mm erfolgen.[9]

Eine Software zur Auswertung der Messergebnisse bietet die Möglichkeit, die Messergebnisse, die in unterschiedlichen Messtiefen ermittelt wurden, visuell darzustellen. Es lässt sich so optisch leicht erkennen, ob es sich bei der Feuchtigkeit in dem Bauteil um Feuchtigkeit handelt, die von außen eintritt, von unten aufsteigt oder sich auf der Innenseite einer Wand niederschlägt.

Das Messverfahren hat zudem den Vorteil, dass die Messergebnisse durch Salzablagerungen in einem Bauteil nicht beeinflusst werden, wie dieses z.B. bei altem Ziegelmauerwerk der Fall ist. Es ist aber auch hier zu prüfen, ob sich alukaschierte Bahnen im Bauteilaufbau befinden oder Bewehrungseisen. Seitens des Herstellers des Messgerätes können für definierte Baustoffe auch absolute Messungen der Bauteilfeuchte bestimmt werden. Dieses setzt aber einen homogenen Wandaufbau im Messbereich voraus. Die Messungen sollten

8 *Göller/Handro/Heinrich/Landgraf/Schnieber/Wagner,* Leckageortung und Detektion von Feuchteverteilungen mit den MOIST-Geräten, Deutsche Gesellschaft für zerstörungsfreie Prüfung, Fachtagung Bauwerksdiagnose, 21./22.1.1999; *Göller,* hf sensor GmbH Leipzig, MOISTSCAN – Multischicht-Feuchtescans auf großen Flächen in der Praxis, Fachtagung Bauwerksdiagnose.

9 *Göller,* hf sensor GmbH Leipzig, MOISTSCAN – Multischicht-Feuchtescans auf großen Flächen in der Praxis, Fachtagung Bauwerksdiagnose.

durch Referenz- oder Kontrollmessung verifiziert werden, z.B. mit der Darrmethode, da Inhomogenitäten andere falsche Anzeigewerte induzieren können, und wenn genauere Angaben zu Feuchtegehalten benötigt werden.

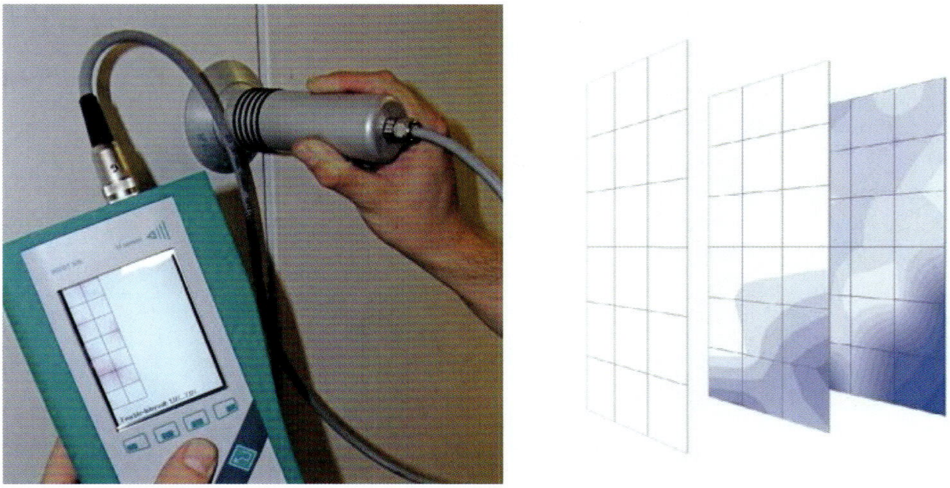

Abbildung 1: Multischicht-Rasterfeuchte-Bild – aufsteigende Feuchte im Volumen einer Wand; Quelle: hf sensor GmbH

1.10.2.6 Baufeuchtemessung über Radiometrie (Neutronensonde)

Über die zerstörungsfreie Messung mit der Neutronensonde können Feuchteverteilungen ohne jegliche Oberflächenzerstörung in Bauteilen und Baustoffen geprüft werden. Im Bereich der Analyse von Flachdach- und/oder Wand- und Estrichaufbauten ermöglicht dieses Prüfverfahren flächendeckende Aussagen über die quantitative Feuchtigkeitsverteilung im Bauteilaufbau.

Beim Messverfahren mittels Radiometrie werden Neutronen mit hoher kinetischer Energie (schnelle Neutronen) in die Materie eingestrahlt. Durch elastische Stöße an Atomkernen vergleichbarer Masse, in diesem Fall Wasserstoff mit einem Proton und einem Neutron im Kern, übergeben die Neutronen einen Teil ihrer kinetischen Energie und werden stark verzögert. Mit zunehmender Feuchte (gleichbedeutend mit einer erhöhten Anzahl an Wasserstoffatomen) werden also mehr schnelle Neutronen zu langsamen Neutronen abgebremst. Diese können mit einem Zählrohr erfasst und numerisch angezeigt werden. Aufgrund der radioaktiven Strahlungsquelle kann dieses Verfahren nur von entsprechend geschultem Personal eingesetzt werden. Diese Messmethode bietet sich für großflächige Untersuchungen an. Die Messtiefe des Gerätes ist von der Feuchtigkeit im Material abhängig. Sie liegt bei trockenen Baustoffen bei ca. 300 mm. Bei Baustoffen mit erhöhter Feuchtigkeit beträgt die Messtiefe dann nur noch ca. 100 mm.[10]

Die Erfassung von chemisch gebundenem Wasser führt zur Störung der Messergebnisse. Voraussetzung ist daher, dass die im Baukörper verwendeten Stoffe bekannt sind.

10 *Büchli*, Zerstörungsfreie Feuchtigkeitsmessung mit der Neutronensonde, QC-Expert AG.

Die verschiedenen Feuchtigkeitserscheinungen, wie z.B. Kondensatfeuchte, Restfeuchte, aufsteigende Feuchte, Feuchtenester oder auch mit Einschränkungen Leckagen, geben im Zuge der Neutronen-Rastermessung sehr unterschiedliche und damit typische Bilder ab, wie die unten dargestellten Beispiele verdeutlichen. Neben der Messfeldbildung zur Flächenrasterung kann eine spezielle Analysesoftware für weitere bauwerksdiagnostische Auswertungsmöglichkeiten verwendet werden. Zur Untersuchung großer horizontaler Flächen wird das Gerät auf Rollen montiert und kann dann leicht über die Flächen geschoben werden. Die Software bildet die Messdaten dann über GPS-Daten im Grundriss oder in der Dachaufsicht grafisch ab. Das Ergebnis ist auf der nachfolgenden Abbildung 2 exemplarisch dargestellt. Da die zu untersuchenden Bauteile oftmals eine komplexe Geometrie und eine Vielzahl von Durchdringungen mit verschiedensten Materialien aufweisen, können die Messergebnisse Fehler aufweisen und leicht fehlinterpretiert werden. Daher sollten die Messergebnisse durch Referenzmessungen mit gravimetrischen Verfahren evaluiert werden.[11]

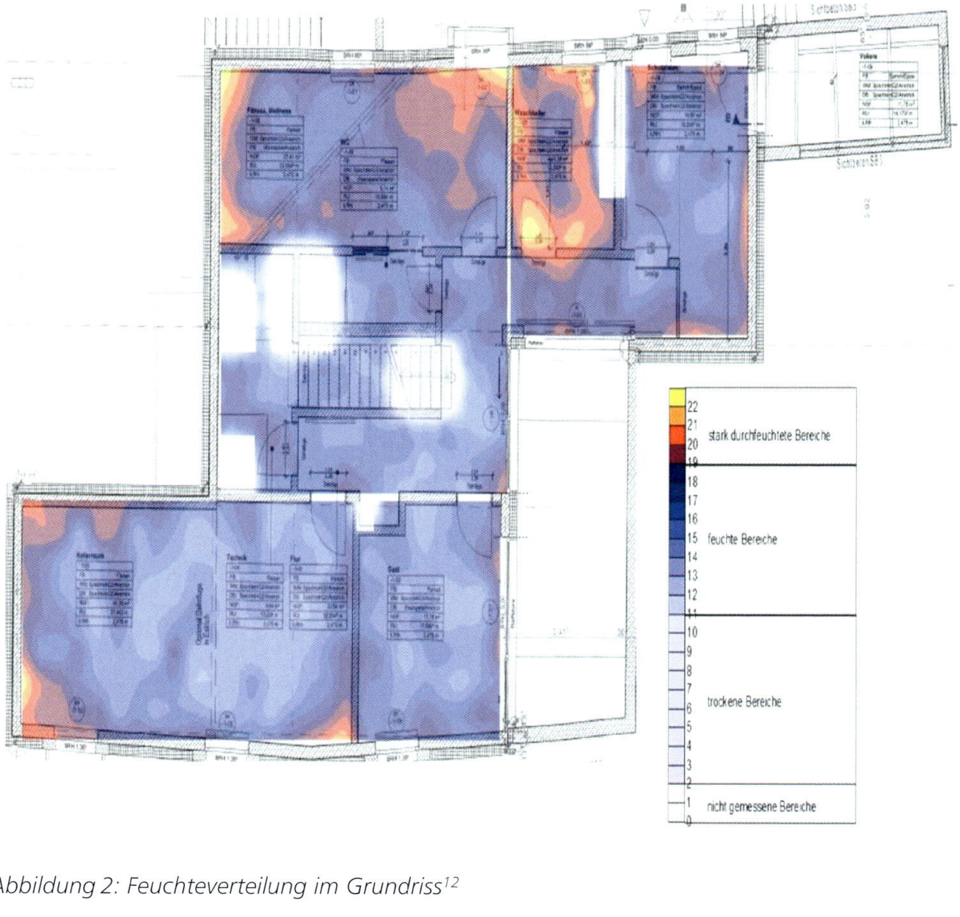

Abbildung 2: Feuchteverteilung im Grundriss[12]

11 *M. Resch*, Heinsberg.

12 Quelle: https://www.hoetger-service.de/.

1.10.2.7 Potenzialausgleichsmessung durch Elektroimpulsverfahren beim Flachdach

Das EFVM (Elektroimpulsverfahren) ist ein innovatives und zerstörungsfreies Verfahren der präzisen Potenzialausgleichsmessung, bei dem die Schadensstelle am Flachdach mithilfe einer Stromflussmessung geortet wird. Das Elektroimpulsverfahren beim Flachdach funktioniert wie folgt:

Es wird auf der Fläche des zu untersuchenden Flachdachs zunächst eine Ringleitung verlegt, die dann mit einem Impulsgenerator kombiniert wird. Daran anschließend wird ein dünner Wasserfilm auf die Dachoberfläche aufgebracht und dann eine Niedrigspannung angelegt. Der elektrische Impuls nutzt das Wasser als leitendes Medium und sucht auf dem kürzesten Weg den Gegenpol. Auf diese Weise ist es möglich, jedes Leck zu finden mittels EFVM, denn die Fließrichtung des elektrischen Stroms führt den ausführenden Messtechniker exakt und direkt zur schadhaften Stelle am Flachdach.

Die Leckortung mit der Potenzialausgleichsmessung mittels EFVM beim Dach ist eine Alternative zur Leckortung mit Gas und wird dort angewendet, wo die Leckortung mit Rauch- oder Tracergas nicht möglich ist. Das ist insbesondere auf begrünten oder bekiesten Flachdächern oder Dächern mit technischen Aufbauten der Fall. Sie kann sowohl auf horizontalen als auch auf geneigten oder vertikalen Flächen erfolgen und wird sogar für Teiche und Wasserbeckenabdeckungen eingesetzt.

Wurde eine Leckage geortet, wird diese „neutralisiert", sodass sie keinen Einfluss mehr auf die weitere Messung der Dachhaut hat. Das bedeutet entweder, dass sie direkt repariert wird oder dass um diese Leckage eine kleine separate Ringleitung gelegt wird, welche wiederum mit der äußeren Haupt-Ringleitung verbunden wird. In beiden Fällen stellt die betroffene (schadhafte) Stelle danach keine Leckage mehr für das Messverfahren dar und die restliche Dachfläche lässt sich weiter überprüfen.

Die Potenzialausgleichmessung ist ein zerstörungsfreies Leckortungs-Verfahren, welches auch bei begrünten Flachdächern einsetzbar ist. Allerdings ist hier nur eine Überprüfung der wasserführenden Ebenen möglich.[13] Die Untersuchungsergebnisse sollten kritisch hinterfragt werden und, wie bei allen an Bauteiloberflächen durchzuführenden Messungen, durch gravimetrische Referenzmessungen evaluiert werden.

1.10.2.8 Zusammenfassung

Die Messverfahren zur zerstörungsfreien Feuchtemessung sind hilfreich, um schnell und zerstörungsfrei Feuchteschäden einzugrenzen. Für alle Messverfahren ist eine ausreichende Erfahrung notwendig, um gemessene Werte richtig zu interpretieren.

Bei der kapazitiven Feuchtemessung ist darauf zu achten, dass die Messwerte nicht durch die fehlerhafte Handhabung des Gerätes verfälscht werden.

Im Normalfall liefern diese Verfahren nur einen Relativwert und lassen keine Aussage zum absoluten Wassergehalt in einem Bauteil zu. Der absolute Feuchtewert in einem Bauteil spielt aber in den meisten Fällen auch keine Rolle.

13 *M. Resch*, Heinsberg.

Insbesondere die Ergebnisse der Mikrowellenmessung, der Radiometrie sowie des Elektroimpulsverfahrens sind mit Sorgfalt und Vorsicht zu interpretieren. Die oftmals vorzufindenden komplexen Bauteile mit Materialwechseln im Aufbau sowie Durchdringungen und Einbauten von haustechnischen Komponenten können das Messergebnis verfälschen. Daher sollten die Ergebnisse dieser Messverfahren mit gravimetrischen Referenzmessungen evaluiert werden.

1.10.3 Optische Bauforensik

1.10.3.1 Einführung

Die Forensik ist die wissenschaftlich technische Untersuchung zur Aufklärung krimineller Handlungen. Die bildgebende optische Bauforensik setzt gleiche Techniken und Werkzeuge zur Ursachenklärung von Bauschäden ein und ist erst wenige Jahre im Einsatz. Ziel ist das Erkennen von Zusammenhängen und Ursachen bei der Aufklärung von Unregelmäßigkeiten und Schäden im Bauwesen durch Einsatz bildgebender Verfahren, die das Unsichtbare für das menschliche Auge sichtbar machen. Erzielt wird dies durch die gleichen Techniken, die auch zur Spurensuche bei Gewaltverbrechen eingesetzt werden: Forensikfilter vor Blitzlichtgeräten oder Tatortlampen und Forensikfilter vor normalen Kameras oder Forensikkameras.

1.10.3.2 Technischer Hintergrund

Der visuelle Bereich (VIS) des menschlichen Auges, den die meisten Menschen wahrnehmen können, erstreckt sich über eine Wellenlänge von ca. 400 nm (violett) bis ca. 720 nm (rot). Für die optische Bauforensik wird dieser Bereich ins nahe Ultraviolett (UV) bis ca. 320 nm und bis ins nahe Infrarot (IR) bis ca. 1100 nm erweitert. Das ist somit ein erweiterter Wellenlängenbereich, in dem sich die optische Bauforensik bewegt.

Es lassen sich vier unterschiedliche Grundtechniken der bildgebenden optischen Bauforensik unterscheiden:

1.10.3.3 Grundtechniken

1. VIS-Absorptionsbildanalyse

Hier handelt es sich um die normale Lichtbild-Fotografie. Farben entstehen dadurch, dass von einer Materialoberfläche bestimmte Wellenlängen aus dem weißen Tageslicht absorbiert werden. Der visuelle Wellenlängenbereich liegt herbei bei etwa 400 bis 720 nm. Jede normale Kamera ist hierfür geeignet.

2. UV-Absorptionsbildanalyse

Hierbei wird mittels einer Forensikkamera mit UV-Passfilter untersucht, wie viel Licht im Wellenlängenbereich von etwa 320 nm bis 400 nm absorbiert wird. Eine starke UV-Absorption erscheint im Bild dunkel, eine schwache UV-Absorption erscheint hell.

Diese Untersuchungsmethode eignet sich zur Erkennung von organischen Materialien, beispielsweise Pilzhyphen, Sporen, Enzymen und Metaboliten, da fast jedes organische

Material im Gegensatz zu rein mineralischen Baustoffen eine ausgeprägte UV-Absorption besitzt.

3. IR-Absorptionsbildanalyse

Dieses Verfahren wird auch Infrarot-Fotografie genannt. Es wird mittels einer Forensikkamera mit IR-Passfilter untersucht, wie viel Licht im Wellenlängenbereich von 720 nm bis 1100 nm absorbiert wird. Eine starke IR-Absorption erscheint im Bild dunkel, eine schwache IR-Absorption erscheint hell.

Da im Infrarotbild Ruß, elementarer Kohlenstoff, dunkle Metalloxide und Melanin dunkel erscheinen, jedoch nahezu alle anderen Materialien hell, ist diese Technik besonders für die Untersuchung von Brandrückständen, Schmutz und schwarzem Schimmel auf dunklen Untergründen geeignet.

4. Fluoreszenzbildanalyse

Die Fluoreszenzbildanalyse wird mit Forensiklampen und unterschiedlichen Leuchtköpfen oder Filtern vor der Leuchte mit scharf abgegrenzten Wellenlängen durchgeführt. Eine Forensikkamera ist für diese Untersuchung nicht erforderlich. Jede normale Kamera ist zur Durchführung dieser Untersuchung geeignet.

Das kurzwellige Erregerlicht wird zu Licht mit größerer Wellenlänge „umgewandelt" und vom beleuchteten Objekt abgestrahlt. Hierbei wird untersucht, in welchem Ausmaß das auf ein Untersuchungsobjekt angestrahlte, kurzweilige Erregerlicht in neues Licht einer längeren Wellenlänge umgewandelt wird. Mittels geeigneter Filter kann die Fluoreszenz sichtbar gemacht werden.

Mit der Fluoreszenzbildanalyse ist es möglich, beispielsweise transparente Schimmelpilze sichtbar zu machen. Weiterhin lassen sich verdeckte Wasserschäden, auch nach dem Trocknen, feststellen.

1.10.3.4 Werkzeuge

Folgende Werkzeuge werden für die bildgebende optische Bauforensik benötigt:

- Lichtquelle mit definiertem Licht einer bestimmten Wellenlänge, d.h. in der Regel mit Lichtquellenfilter;
- Kamera mit Kamerafilter, d.h., es kommt eine normale Kamera oder eine Forensikkamera zum Einsatz.

Eine normale Kamera reicht für 70 bis 80 % der Tätigkeiten der optischen Bauforensik aus. Für die übrigen Bereiche wird eine sog. Forensikkamera benötigt. Bei der Forensikkamera handelt es sich um eine Kamera mit einem erweiterten Wellenlängenbereich.

1.10.3.5 Anwendungsbereiche

Es besteht ein sehr breites Anwendungsspektrum der optischen Bauforensik, welches im Rahmen dieses Beitrags nur kurz angerissen werden kann.

Ein maßgebender Bereich ist das Erkennen von Wasserschäden, verdeckten Wasserschäden oder Feuchtespuren. Diese lassen sich feststellen, auch wenn bereits eine Trocknung erfolgte. Auch überstrichene oder behandelte Wasserränder sind feststellbar.

Erkennung von Wasserschäden und Feuchtespuren in Duschen und Bädern durch die in Grauwasser/Duschwasser enthaltenen Körperpflegemittel, Seife, Zahncreme und optische Aufheller. Grauwasser hat eine entsprechende Fluoreszenz, so können Undichtheiten in Bädern/Duschen schneller lokalisiert und der Ursache zugeordnet werden.

Schwarzwasser, d.h. häusliches Abwasser mit fäkalen Feststoffen aufgrund des Gallenfarbstoffes Urobilinogens, hat so starke Fluoreszenzsignale, dass diese selbst nach einer Reinigung noch nachgewiesen werden können. Dies erleichtert die Zuordnung von Undichtheiten und/oder Feuchteschäden.

Ein weiterer großer Anwendungsbereich ist die Untersuchung und Schimmeldetektion zur Erkennung von transparenten Schimmelpilzen. Viele Schimmelpilze sind im Anfangsstadium transparent, d.h. für das menschliche Auge nicht sichtbar.

Auch überstrichener, sichtbarer und unsichtbarer Schimmelpilz kann durch die Bauforensik sichtbar gemacht werden. Schimmelpilzdetektion oder auch eine Hilfe bei der Sanierung für die Endkontrolle sind ein großes Anwendungsgebiet.

Auch wenn Spuren bei Tageslicht nicht erkennbar sind, wird mit der optischen Bauforensik die schnelle Auffindung von verdeckten Schimmelpilzen sowie von zurückliegender Wasserwirkung ermöglicht.

Zudem kann die bildgebende optische Bauforensik als Indikator für Schadstoffbelastungen eingesetzt werden. Da viele Schadstoffe organischer Natur sind und auch eine jeweils typische Fluoreszenzzeichnung enthalten, lassen sich bspw. Polyzyklische aromatische Kohlenwasserstoffe (PAK) auch in kleiner Konzentration feststellen.

Hinsichtlich der PVC-Weichmacherproblematik kann die optische Bauforensik zumindest einen Indikator liefern, ob Weichmacher aus der Gruppe der ortho-Phthalate vorliegen. Die Weichmacher aus der Gruppe der ortho-Phthalate wurden von offiziellen Stellen als gesundheitlich bedenklich eingestuft. Daher ist deren Verwendung in Spielzeugen und bei Lebensmittelkontakt verboten. Zulässig ist der Einsatz in Bauprodukten, z.B. in PVC-Kabeln, PVC-Bodenbelägen und elastischen Klebstoffen. Weiterhin können „Weichmacherwanderungen“, z.B. zwischen Einrichtungsgegenständen und Bodenbelägen, sichtbar gemacht werden.

Die bildgebende optische Bauforensik kann zur Ursachenklärung von Enthaftungen, Ablösungen und zur Bruchbildanalyse herangezogen werden. Hierbei sind Untersuchungen von Deckschicht-Ablösungen am Parkett und Überprüfung des Klebstoffs möglich. Weiterhin kann eine Unterscheidung von tiefgründigem Holzbruch, tiefgründigem Estrichbruch, Unterscheidung von Kleber und Voranstrich vorgenommen werden.

Feststellungen von Anomalien in Produktion und Verarbeitung sowie Ausbesserungen, bei 2K-Produkten, beispielsweise zum Nachweis und zur Überprüfung von Härter-Anteilen bei der Mischung und Zubereitung von 2K-Produkten.

1.10.3.6 Zusammenfassung

Mittels der optischen Bauforensik können zerstörungsfrei Spuren sichtbar gemacht werden, die mit bloßem Auge nicht erkannt werden können. Auch größere Flächen können schnell untersucht werden und somit die bevorzugten Stellen für weitere Beprobungen,

Untersuchungen und Analysen lokalisiert werden. Der Einsatz der optischen Bauforensik ersetzt keine qualitativen Messungen und Analysen.

Ein großes Einsatzgebiet ist die Lokalisierung von Feuchtigkeit, Wasserschäden sowie sichtbarem und unsichtbarem Schimmel. Sanierungs- und Instandsetzungsmaßnahmen können mit dieser Methode überprüft werden.

Zu bedenken ist, dass der Einsatz der Bauforensik nicht trivial ist. Der Lern- und Übungsaufwand ist nicht zu unterschätzen. Es besteht die Möglichkeit, in diesem Zusammenhang auch auf Dienstleister oder Fachsachverständige zurückzugreifen, welche eine bauforensische Untersuchung im Auftrag für den Sachverständigen ausführen.[14]

1.10.4 Isotopenanalysen zur Ursachenbestimmung von Wasserschäden

1.10.4.1 Einführung

Zur Diagnose eines Wasserschadens kann eine Isotopenanalyse des Schadenwassers erstellt werden, um die Herkunft eines Wassers einzugrenzen. Die Analyse der Verteilung der verschiedenen Isotope von Wasserstoff und Sauerstoff in einer Wasserprobe wird bereits seit Jahrzehnten in einem bewährten Verfahren im Bereich der Geowissenschaften angewandt. Unter Zuhilfenahme von Referenzproben, beispielsweise des örtlichen Leitungswassers, und Vergleichsdaten zu regionalem und globalem Niederschlag, werden die Isotopenwerte in Kontext gesetzt. Die Isotopenverteilungen in Wasser verschieben sich in Abhängigkeit von den Randbedingungen. So kann beispielsweise zwischen Leitungswasser, Außenwasser und Kondenswasser unterschieden werden. Es ist auch möglich, mehrere Schadensursachen gleichzeitig zu prüfen.

1.10.4.2 Isotopenanalysen im Vergleich zu herkömmlichen Wasseranalysen

Die Isotopenanalyse unterscheidet sich grundsätzlich von einer herkömmlichen Wasseranalyse und bezieht sich auf die Verteilung von schweren und leichten Isotopen auf die Wassermoleküle selbst. Die Isotopenwerte sind somit unabhängig von der Art der Bausubstanz und deren Stoffen, die durch ein Schadwasser herausgelöst werden können. Dies bewirkt den hervorragenden Nutzen von Wasser- und Sauerstoffisotopen als Tracer zur Herkunftsbestimmung von Wasser im Bauschadensbereich.

---

14 Für den Abschnitt „1.10.3 Optische Bauforensik" wird auf die folgenden Quellen verwiesen: Vortrag Prof. Dr. *Rapp*, Leibnitz Uni Hannover (LUH) auf den Aachener Bausachverständigentagen am 28.4.2020; Seminar Optische Bauforensik am 16.3.2021 bei Prof. Dr. *Rapp* in Hannover; *Kraus-Johnsen* (Hrsg.), Schimmelpilz-Handbuch, Köln 2018; *Horn*, Inhouseseminar zur optischen Bauforensik am 4.7.2023 im Sachverständigenbüro *Thorsten Andreas*, Landau/Pfalz; *Mathes*, 11. Fachtagung „Der Bausachverständige" am 16.3.2023.

1.10.4.3 Praktische Beispiele

Dr. Sebastian Wiesmaier und Dipl.-Ing. (FH) Ingo Kern berichteten von erstaunlichen praktischen Erfahrungen. Bei den nachfolgend genannten Objekten scheiterten alle vorausgehenden konventionellen Untersuchungsmethoden.

Im Science Center Heilbronn konnten mittels Isotopenanalyse mehrere Wasserschäden im Bodenaufbau konkret zugeordnet werden. Hier wurden an verschiedenen Stellen aktuelle Schäden aus Außenwasser respektive Leitungswasser belegt und zugeordnet. Weiterhin wurde ein Altschaden aufgrund unzureichender Trocknung nach einem vorausgegangenen Wasserschaden festgestellt.

Im Goethe-Institut Dublin konnten mit dem Verfahren der Isotopenanalyse die Ursachen für verschiedene Wasserschäden an drei Wasserstellen aufgeklärt werden. Dabei wurden Undichtheiten einer Außenwandabdichtung durch die Feststellung von Grundwasser, die fehlerhafte Abdichtung im Bereich der Fensterelemente durch die Feststellung von Niederschlagswasser sowie ein Leitungswasserschaden nachgewiesen und zugeordnet.

1.10.4.4 Grenzen der Methode

Die Grenzen der Methode liegen in der Bestimmung von Wassertypen im Bereich der Haustechnik, die dem Leitungswasser in einem Objekt aufgrund technischer Umstände sehr ähnlich sind. Dies betrifft beispielsweise die Ähnlichkeit von Heizungswasser zu Leitungswasser. Weiterhin ist eine isotopische Unterscheidung von Abwasser im Vergleich zu Leitungswasser nur schwer möglich, da auch hier keine Verschiebung der Isotopenwerte feststellbar ist.

1.10.4.5 Zusammenfassung

Mittels Isotopenanalysen kann labortechnisch zwischen Niederschlagswasser, Leitungswasser und Kondenswasser unterschieden werden. Hierdurch ermöglichen es Isotopenanalysen, den Aufwand und die Kosten der Ursachenfindung des Schadens zu reduzieren. Es besteht die Möglichkeit, auf entsprechende Fachsachverständige oder Dienstleister zurückzugreifen, welche eine Isotopenanalyse, einschließlich Probeentnahme vor Ort und labortechnischer Auswertung, zur Untersuchung im Auftrag für den Sachverständigen ausführen.[15]

1.10.5 Drohnen

1.10.5.1 Einführung

Drohnen sind unbemannte Fluggeräte und können bei der Sachverständigentätigkeit sehr vielseitig eingesetzt werden, beispielsweise zur Feststellung von Gebäudeschäden, Durchführung von Beweissicherungen und Zustandsdokumentationen, Aufnahme von Außen-

15 Für den Abschnitt „1.10.4 Isotopenanalysen zur Ursachenbestimmung von Wasserschäden" wird auf die folgenden Quellen verwiesen: Vortrag *Wiesmaier* auf den Aachener Bausachverständigentagen am 28.4.2020; *Wiesmaier/Kern*, 11. Fachtagung „Der Bausachverständige" am 16.3.2023.

anlagen und Grundstücken bis hin zur Vermessung von Gebäuden und Geländeoberflächen. Weiterhin ist es möglich, mit den gewonnenen Daten nicht nur Foto- und Videoaufnahmen zu nutzen, sondern auch ein 3-D-Modell zu generieren.

Durch elektronische Regelung sind Drohnen in der Lage, eigenstabil und zuverlässig „out of the box" zu fliegen. Dies ermöglicht dem Sachverständigen, zunächst ohne umfangreiche Vorkenntnisse, Drohnen zu steuern. Für den gewerblichen Einsatz bedarf es allerdings einiger theoretischer Kenntnisse und flugpraktischer Fähigkeiten. Weiterhin müssen auch rechtliche Aspekte berücksichtigt werden, die sich aufgrund der rasanten Entwicklung aktuell in Änderung befinden. Es ist daher ausdrücklich zu empfehlen, dass sich der Sachverständige zum jeweiligen Zeitpunkt über die rechtlichen Anforderungen informiert.

Weiterhin sind auch einige Dienstleister auf dem Markt, welche im Auftrag entsprechende Leistungen anbieten. Diese erstrecken sich je nach Bedarf von der Dienstleistung des Drohnenbeflugs vor Ort mit Erstellung von Fotos und/oder Videos oder Datenwolken bis zur softwaretechnischen Auswertung, einschließlich eines 3-D-Modells.

1.10.5.2 Anwendungsbeispiele

Speziell für Gutachten zur Feststellung von Schäden an Gebäuden und auch Beweissicherungen an Grundstücken und Gebäuden liefern Drohnenaufnahmen zusätzliches Bildmaterial aus ungewöhnlicher Perspektive und ermöglichen somit eine ganzeinheitliche Betrachtung.

Mit der Drohne können Außenbereiche, insbesondere auch schwer zugängliche Bereiche, erfasst werden. Auch der Einsatz einer ersten orientierenden Befliegung des Objekts zur ersten Einschätzung und Ursachenfindung eines Fehlers ist möglich, bevor mit größerem Zeit- und Kostenaufwand Gerüste oder Hubarbeitsbühnen eingesetzt werden.

Weiterhin ist auch das Fliegen in Innenräumen möglich. Insbesondere bei der Erfassung von Details mit Raumhöhen ab 4 m liefert eine Drohnenaufnahme bessere Ergebnisse gegenüber einer fotografischen Aufnahme, da der normale Bildwinkel mit der Kamera und dem Teleobjektiv nicht ausreicht und genaue Fotos aus nächster Nähe erforderlich werden.

Die Drohne kann weiterhin für die Vermessung von Rissen und die Aufnahme von Schäden zur Dokumentation an unzugänglichen Gebäudestellen eingesetzt werden. Durch entsprechende Sensortechnik ist es möglich, Bilder in Millimeter-Auflösung messbar zu machen und mit Vermessungssoftware entsprechend auszuwerten. Durch diese Technik wird eine Dokumentation mit Maßen von Risslängen und -breiten direkt aus der Drohne ermöglicht, ohne hierfür Gerüste oder Hubarbeitsbühnen einzusetzen.

Weiterhin besteht die Möglichkeit der Erfassung historischer Gebäude und Denkmäler. Durch die neue Technik wird beispielsweise die detaillierte maßgenaue Erfassung des Gebäudebestands bzw. eines historischen Gebäudes ermöglicht.

In Verbindung mit der Thermografie besteht mithilfe der Drohne auch die Möglichkeit, ergänzend zur Video- und Fotokamera spezifische Thermografie-Anwendungen beispielsweise zur Überprüfung der Gebäudehülle oder auch die Prüfung von Fotovoltaik-Anlagen bis hin zur Überprüfung von Kühltürmen, Pipelines und Industrieanlagen auf thermische Unregelmäßigkeiten mithilfe eines Drohnenflugs vorzunehmen.

1.10.5.3 Ausblick

Für einzelne Kernaufgaben werden die Drohnen in Bezug auf ihren Einsatzzweck weiter optimiert. In weiterer Entwicklung werden Daten direkt als hochauflösende 3-D-Modelle berechnet. Durch ständige Verfeinerung der Anwendungen entstehen neue Auswertungsmöglichkeiten. Dem Sachverständigen für Schäden an Gebäuden wird mit den Möglichkeiten des Drohnenbeflugs nicht nur der freie Blick auf den Schaden eröffnet, sondern es werden sich auch neue Perspektiven für dieses Werkzeug ergeben.[16]

1.10.6 Digitale Objekt- und Schadensaufnahme

1.10.6.1 Verfahren

Zur digitalen Objekt- und Schadensaufnahme stehen außerhalb der zweidimensionalen Fotografie zwei weitere Verfahren zur Verfügung:

1. 3-D-Laserscanning

Bei diesem Verfahren sendet ein Lasergerät hochenergetische Lichtstrahlen aus, welche dann zeilenförmig oder rasterartig die Oberfläche eines Objekts überstreichen.

Die Laserstrahlen werden vom Objekt reflektiert und an die Empfangsoptik des Lasergerätes zurückgesendet. Mithilfe der Lichtwellenfrequenz und der Laufzeit des Laserstrahles berechnet das Gerät die dreidimensionale Lage jedes Punktes, der von dem zu scannenden Objekt reflektiert wird. Die genaue Lage der strukturierten Oberfläche des Objekts und die Textur der Oberfläche werden im dreidimensionalen Koordinatensystem festgelegt.

2. Orthofoto

Mittels einer speziellen Fototechnik, welche Verzerrungen bei der Aufnahme korrigiert und jedem Punkt im Bild eine genaue Koordinate der fotografierten Oberfläche zuordnet, wird eine dreidimensionale strukturierte Oberfläche in ein zweidimensionales Foto umgewandelt. Diese Daten sind digitalisiert und können somit auch digital weiterverarbeitet werden. Jedem Punkt (Pixel) im Foto ist hierbei eine Information über seine Lage im dreidimensionalen Koordinatensystem zugeordnet.

1.10.6.2 Punktwolke

Das Ergebnis der beiden Verfahren ist die sog. Punktwolke. Jeder Punkt in der Punktwolke ist durch eine X-, Y- und Z-Koordinate definiert. Im Verfahren 3-D-Laserscanning wird die Punktwolke direkt erzeugt. Das 3-D-Orthofoto wird über ein Rechenverfahren in eine digitale Punktwolke umgewandelt. Die beiden Verfahren können kombiniert werden und zu einer gemeinsamen Punktwolke zusammengefügt werden. Die Punktwolke ist in Ihrer Auflösung variabel und bietet ein maß- und bei Bedarf farbgetreues digitales dreidimensionales Abbild. Durch das Einfügen einer Oberflächentextur wird aus der Punktwolke ein exaktes 3-D-Modell des digitalisierten Objektes erstellt. Die Textur des Modells kann geän-

16 Für den Abschnitt „1.10.5 Drohnen" wird auf die folgende Quelle verwiesen: *Dieckert/Eich* (Hrsg.), Drohnen – Technik und Recht bei gewerblicher und behördlicher Nutzung, Köln 2018.

dert werden, womit z.B. vorhandene Schäden leichter erkannt werden. Selbst kleinste Details können dann problemlos über die Software aus allen erdenklichen Blickwinkeln betrachtet und beurteilt werden. Im 3-D-Modell gibt es diverse Tools, mit denen man ohne großen Aufwand Mengen ermitteln, Schäden markieren, dreidimensional vermessen, kommentieren und dokumentieren kann.[17]

1.10.6.3 Anwendungsbereiche

Die Einsatzmöglichkeiten beider Verfahren sind vielfältig:

- In der Architektur und Innenarchitektur kann durch die digitale Bestandsaufnahme millimetergenau dreidimensional geplant werden.
- Beim Denkmalschutz und der Denkmalpflege ist es möglich, ein Gebäude exakt zu vermessen. Es kann z.B. abgebaut und an anderer Stelle wieder aufgebaut werden.
- Bei der Überwachung von Bauteilen können zu unterschiedlichen Zeiten Scans erstellt und überlagert werden. Auswertungen können somit die zeitabhängigen Veränderungen aufzeigen (z.B. Rissvergrößerungen, Verformungen, Materialausbrüche).
- Beide Verfahren sind innen wie außen zur Schadensfeststellung und Schadenskartierung anwendbar.
- Zur Beweissicherung im Zuge geplanter Baumaßnahmen bieten sich ebenfalls kombinierte Verfahren mit Laserscanning und Fotodokumentation an.
- Digitale Höhenmodelle und Geländeaufnahmen können im Straßen- und Landschaftsbau Anwendung finden.
- In der Archäologie kann das Verfahren zur Rekonstruktion eingesetzt werden.

1.10.6.4 Werkzeuge

Für die unterschiedlichen Messverfahren gibt es eine Vielzahl von Messwerkzeugen, oftmals auch in Kombination miteinander.

Das bekannteste und am meisten verwendete Gerät ist der ortsfeste Laser. Dieser wird auf ein Stativ montiert. Mit einem ortsfesten Laser werden z.B. große Innenräume oder auch Fassaden bis zu einer gewissen Höhe gescannt. Das Lasergerät kann aber auch zusammen mit einer 3-D-Kamera auf den Schultern getragen werden, z.B. wenn verwinkelte Gebäude mit vielen kleinen Räumen erfasst werden. In großen Betriebs- und Produktionshallen oder Parkhäusern und Versammlungsstätten kommen fahrbare Scanner zum Einsatz.

Bei hohen Gebäuden, wie Kirchen, Hochhäusern und Lager- oder Produktionshallen, wird für die digitale Bestandsaufnahme der Fassaden- und Dachflächen eine Vermessungsdrohne eingesetzt. An die Drohne ist eine Kamera zur Aufnahme von Orthofotos montiert. Fahrbare und selbstfahrende, fernbedienbare Scanner können zusätzlich mit GPS ausgerüstet werden. Diese sind dann in der Lage, z.B. in Parkhäusern Risse im Betonboden aufzunehmen. Diese Daten sind über eine spezielle Software teilweise automatisiert auswert-

17 Vgl. auch den Vortrag von *Borrmann/Finger* auf den Aachener Bausachverstandigentagen 2021.

bar. Durch das GPS-Signal sind die vorgefundenen Risse örtlich festgelegt und so leicht zu lokalisieren.[18]

1.10.7 Instationäre Berechnungen des feuchte- und wärmetechnischen Verhaltens von Bauteilen

1.10.7.1 Einführung

Ein bisher gängiges Verfahren zur Beurteilung des Feuchtehaushalts eines Bauteils durch Betrachtung des auftretenden Diffusionstransports stellt das Perioden-Bilanzverfahren (Glaser-Verfahren) nach DIN 4108-3 dar. Dieses Verfahren berücksichtigt jedoch weder den kapillaren Feuchtetransport im Bauteil noch dessen sorptive Aufnahmefähigkeit für ausfallende Feuchte. Ferner kann das mit stationären Zuständen unter pauschalen Blockrandbedingungen arbeitende Verfahren weder kurzfristige Ereignisse abbilden noch Regen und Strahlung berücksichtigen.

Um die erforderlichen Berechnungen hierzu exakter und sicherer durchführen zu können, wurden vom Fraunhofer Institut die Software WUFI® und von mehreren Hochschulen unter Federführung der TU Dresden die Software DELPHIN® entwickelt. Zudem wurde von der TU Dresden zur Berechnung von Innendämmsystemen die Software COND® entwickelt, welche hier aber nur zur Information aufgeführt und nachfolgend nicht näher beschrieben wird.

Diese Programme (COND® eingeschränkt) erlauben die realitätsnahe Berechnung des instationären hygrothermischen Verhaltens von Bauteilen und Gebäuden unter natürlichen Klimabedingungen.

Als Randbedingungen können gemessene Außenklimawerte, einschließlich Schlagregen und Sonneneinstrahlung, verwendet werden, wodurch sich das Verhalten mehrschichtiger Bauteile, zweidimensionaler Anschlüsse und sogar mehrzonaler Gebäude unter Einfluss natürlicher Bewitterung realistisch untersuchen lässt. Nicht berücksichtigt werden Wärme- und Dampftransport infolge von Luftströmungen, durch Schwerkraft oder von Druckunterschieden angetriebene Sickerströme sowie elektrokinetische oder osmotische Effekte.

Die Schichtenfolge des Bauteils wird über einen grafischen Editor eingegeben; die jeweiligen Materialkenndaten können einer mitgelieferten Materialdatenbank entnommen oder vom Benutzer eingegeben werden.

Während der Berechnung ermitteln die Programme in Zeitschritten die Entwicklung des Temperatur- und des Feuchteprofils im Bauteil. Die berücksichtigten Transportmechanismen sind Wärmeleitung, Wasserdampfdiffusion und Kapillarleitung. Die Speicherfähigkeiten der Materialien für Wärme und Feuchte werden durch die spezifische Wärmekapazität bzw. die Feuchtespeicherfunktion beschrieben.

18 Vgl. auch den Vortrag von *Borrmann/Finger* auf den Aachener Bausachverständigentagen 2021.

Der zeitliche Verlauf der berechneten Größen kann in Form von Kurven dargestellt oder zur Weiterverarbeitung in eine Textdatei ausgegeben werden. Es ist möglich, die zeitliche Abfolge aller berechneten Temperatur- und Feuchteprofile animiert als Film darzustellen.

Die Programme werden zur Bewertung bestehender Bauten, zur Planung in den Bestand eingreifender Maßnahmen wie Renovierung, Umnutzung oder nachträgliche Dämmung eingesetzt. Bei der Neuentwicklung von Bauteilen und -materialien oder bei der Übertragung existierender Bauweisen in andere Klimazonen kann deren Eignung bereits vorab rechnerisch untersucht werden. Bei Schadensfällen können diese Programme die Abklärung eventueller hygrothermischer Ursachen unterstützen; im Rahmen des Denkmalschutzes können sowohl mögliche Schadensursachen als auch die Auswirkungen verschiedener Gegenmaßnahmen untersucht werden.

Konkrete Fragestellungen, die in solchen Zusammenhängen meist untersucht werden, sind u.a.: Die Austrocknungsdauer von Baufeuchte und ihre Auswirkungen auf den Wärmeschutz, auf Frostschäden usw., die Wasseraufnahme bei Schlagregen und das Trocknungspotenzial, das Risiko für Tauwasserausfall, die Tauwassermenge und das Trocknungsvermögen.

1.10.7.2 Anwendungsbereiche

Anwendung finden diese Daten bei Feuchtenachweisen für kritische Baukonstruktionen (im Vergleich zu vereinfachten Verfahren, wie z.B. dem Periodenbilanz-Verfahren oder COND®) und sind Grundlage für

- die Beurteilung von baukonstruktiven Details (Wärmebrücken, lokale Taupunktunterschreitung);
- Optimierung von Konstruktionsdetails (Neubau/Sanierung);
- Denkmalschutz und Restaurierung (Salztransport und -kristallisation, z.B. Entsalzung);
- Optimierung von Bauwerkstoffen (z.B. Calciumsilikat-Platte);
- die Beurteilung luftdurchströmter Konstruktionen (Außenwände im Leichtbau, hinterlüftete Fassaden, Dächer).[19]

1.10.8 Infrarot-Thermografie

1.10.8.1 Einführung

In der Infrarot-Thermografie wird berührungslos die elektromagnetische Strahlung eines Körpers gemessen.[20] Die Entdeckung der Infrarotstrahlung erfolgte durch den Techniker und Musiker *Friedrich Wilhelm Herschel*, der feststellte, dass bei der Zerlegung des Sonnenlichtes in einzelne Farben durch ein Prisma die höchsten Temperaturen jenseits des roten Endes angezeigt wurden. Dieser Bereich der elektromagnetischen Wellen ist für das Auge nicht mehr sichtbar.

19 Siehe auch unter www.bauklimatik-dresden.de; https://wufi.de/de/.

20 *Zimmermann/Zimmermann*, Lehrbuch der Infrarotthermografie, 2012.

Durch den Einsatz von thermischen Kameras kann dieser für das menschliche Auge nicht sichtbare Wellenbereich erfasst und sichtbar gemacht werden. Dieses Messverfahren wird insbesondere in Bereichen der Elektrotechnik, der Industrie und im Bauwesen genutzt, um Bauteile zu überwachen, zu untersuchen und Qualitätskontrollen durchzuführen.

1.10.8.2 Technischer Hintergrund

Die Infrarotstrahlung ist für das menschliche Auge nicht sichtbar. Der Lichtwellenbereich von ca. 0,38 bis 0,78 µm umfasst das Spektrum des für das menschliche Auge sichtbaren Bereiches.

Die Wellenlänge, in der die technische Temperaturmessung mit thermischen Kameras erfolgt, bewegt sich dabei zwischen 0,78 und 1,4 µm im sog. nahen Infrarotbereich, der sich an den roten Bereich anschließt.[21]

Der gesamte Infrarotbereich umfasst die Wellenlänge von 0,78 bis 1000 µm und ist gegliedert in nahes Infrarot (NIR), mittleres Infrarot (MIR) und fernes Infrarot (FIR).

Jeder Körper oberhalb des absoluten Nullpunktes strahlt Wärme ab. *Max Planck* entwickelte im Jahr 1900 das Plancksche Strahlungsgesetz. Dieses sagt aus, dass bei steigender Temperatur eines Körpers die Strahlung jeder Wellenlänge zunimmt und dabei die Wellenlänge mit der maximalen Strahlung immer kürzer wird.

Wichtig bei der Durchführung der Messung mit der thermischen Kamera ist die korrekte Einstellung des Emissionswertes ε.

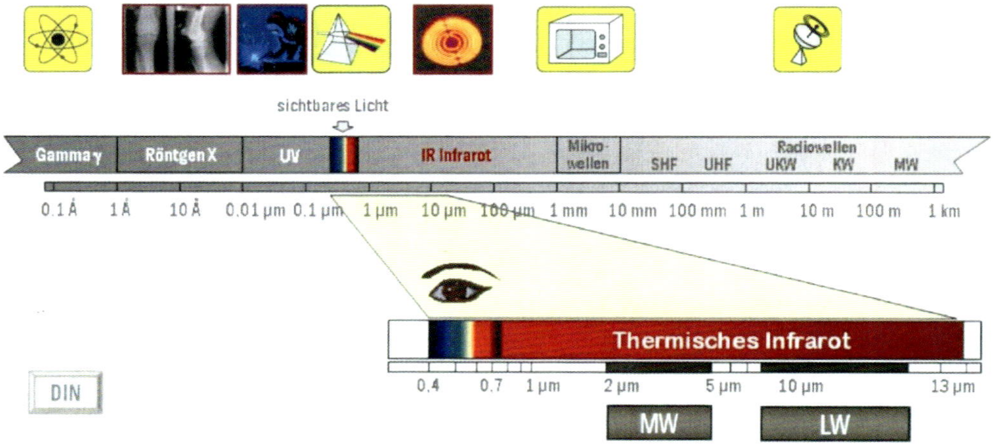

Abbildung 3: Spektrum der elektromagnetischen Strahlung mit der Wellenlänge und dem Wellenbereich des thermischen Infrarotlichts, der zur Temperaturmessung genutzt wird[22]

21 *Schneider*, Einführung in die praktische Infrarot-Thermografie, 2. Aufl. 2022.

22 VATH-Richtlinie: Bauthermografie, zur Planung, Durchführung und Dokumentation infrarotthermografischer Messungen an Bauwerken oder Bauteilen von Gebäuden, 04-2023, Bundesverband für angewandte Thermografie e.V.

Dieser Wert ε beschreibt die Effizienz, mit der ein Gegenstand Infrarotstrahlung abgibt bzw. reflektiert. Wenn dieser Wert bei der Durchführung der Messung nicht korrekt eingestellt ist, werden falsche Messwerte ermittelt.

Die Wellen des nahen Infrarotbereiches können von einer thermischen Kamera durch Verwendung von Objektiven aus Germanium auf einem hinter der Linse liegenden Detektor erfasst werden. Die Kamera wandelt dann die Temperaturmessungen in ein für das menschliche Auge sichtbares radiometrisches Bild um. Die unterschiedlichen Temperaturen werden dabei durch eine Farbscala definiert, die in der Aufnahme des Bildes seitlich als Legende dargestellt wird.

Um das Bild besser interpretieren zu können, hinterlegen einige Systemhersteller hinter der Infrarotmessung ein Foto des gemessenen und detektierten Bereiches, damit das Infrarotbild dem aufgenommenen Bereich im Nachhinein einfacher zugeordnet werden kann.

1.10.8.3 Werkzeuge

Zur Anwendung kommen thermische Kameras, die von unterschiedlichen Herstellern angeboten werden. Die Kosten für eine Kamera reichen von 500 Euro bis zu Beträgen über 100.000 Euro.

Die Qualität einer thermischen Kamera wird insbesondere durch drei Kriterien bestimmt:

1. Die Thermische Auflösung (NETD = Noise Equivalent Temperature Difference [K])

Je niedriger der NETD-Wert ist, desto besser ist die thermische Auflösung des Bildes.

Der NETD-Wert beschreibt die kleinste unterscheidbare Temperaturdifferenz, die vom Detektor in der Kamera bei einer Infrarotaufnahme erfasst werden kann. Es handelt sich um die rauschäquivalente Temperaturdifferenz.

Dies ist wichtig für den Bereich niedriger Objekttemperaturen, wie sie bei Bauobjekten vorkommen, und im Messbereich kleiner Temperaturdifferenzen,[23] damit die Temperaturdifferenzen von der Kamera dargestellt werden können.

2. Die geometrische Auflösung

Maßgebend für die geometrische Auflösung sind die Größe der Einzeldetektorelemente (Pixel) und deren Anzahl auf dem Detektor. Zudem spielt auch die Brennweite des verwendeten Objektivs eine Rolle für die Auflösung.

3. Die zeitliche Auflösung

Die zeitliche Auflösung spielt bei dynamischen Prozessen und Aufnahmen von Videosequenzen (z.B. Erwärmung einer Radachse, die rotiert) eine Rolle. Im Bereich des Bauwesens ist diese Kennzahl üblicherweise nicht von Bedeutung, da im Zuge der Bauteiluntersuchungen meistens keine dynamischen Prozesse dokumentiert werden.

Seitens der Hersteller wird eine jährliche Kalibrierung der Kamera empfohlen.

---

23 *Schneider*, Einführung in die praktische Infrarot-Thermografie, 2. Aufl. 2022.

1.10.8.4 Anwendungsbereiche

Grundsätzlich setzt der Einsatz der Thermografie viel Erfahrung und eine fundierte Ausbildung voraus. Eine geeignete fachliche Qualifikation ist nachzuweisen. Die Ausbildung und der Nachweis des ausreichenden Fachwissens sind vom Bundesverband für angewandte Thermografie e.V. geregelt (VATH-Ausbildungs- und Prüfungskonzept zum VATH-Messtechniker sowie zum VATH-Sachverständigen).

Die DIN EN 16714-1:2016-11[24] unterscheidet bei den Zielstellungen der Messungen:[25]

- Qualitative Thermografie:

  keine Messung von Temperaturen und Temperaturdifferenzen, Anwendung für Leckageortungen und Bauteilstörungen
- Vergleichende Thermografie:

  Vergleich der thermischen Signatur (bau)gleicher Prüfobjekte, Darstellung von Temperaturdifferenzen, Anwendung bei der Ermittlung von Wärmebrücken
- Quantitative Thermografie:

  Messung der Strahlungswerte und Ermittlung der Absoluttemperaturen

Bei der Durchführung der Messung können Bildausschnitt, Temperaturbereich (Level = Helligkeit/Span = Kontrast), Bildschärfe sowie Fokussierung eingestellt werden.

Eine schlechte Fokussierung führt zu Messfehlern und kann im Nachhinein nicht mehr korrigiert werden.

Um ein aussagekräftiges Infrarotbild zu erhalten, das die korrekte Strahlungssituation darstellt, müssen Level und Span optimal aufeinander abgestimmt werden. Die meisten Kameras bieten als Funktion einen solchen automatischen Abgleich an.

Es gibt aber auch Anwendungsbereiche, in denen für den Sachverständigen der Einsatz einer thermischen Kamera hilfreich ist und die Bewertung von Schadenssituationen unterstützen kann. Dieses sind insbesondere Untersuchungen aus dem Bereich der qualitativen Thermografie, die es dem Sachverständigen ermöglichen, vor einer Bauteilzerstörung gezielt den Bereich zu ermitteln, in dem Bauteilöffnungen vorgenommen werden.[26]

1. Zur Überprüfung der Luftdichtheitsebene eines Gebäudes können in Kombination einer thermischen Kamera mit der Differenzdruckmessung (Blower-Door-Verfahren) Leckagen in der Luftdichtheitsebene zerstörungsfrei geortet werden. Es wird hierzu eine Kamera mit einer thermischen Auflösung ≤ 30 mK empfohlen.

---

24 DIN EN 16714-1 2016-11: Thermografische Prüfung Teil 1: Allgemeine Grundlagen.

25 VATH-Richtlinie: Bauthermografie, zur Planung, Durchführung und Dokumentation infrarotthermografischer Messungen an Bauwerken oder Bauteilen von Gebäuden, 04-2023, Bundesverband für angewandte Thermografie e.V.; *Blug*, Thermografie, Inhouseseminar ifib Warstein am 16.5.2023.

26 VATH-Richtlinie: Bauthermografie, zur Planung, Durchführung und Dokumentation infrarotthermografischer Messungen an Bauwerken oder Bauteilen von Gebäuden, 04-2023, Bundesverband für angewandte Thermografie e.V.; *Blug*, Thermografie, Inhouseseminar ifib Warstein am 16.5.2023.

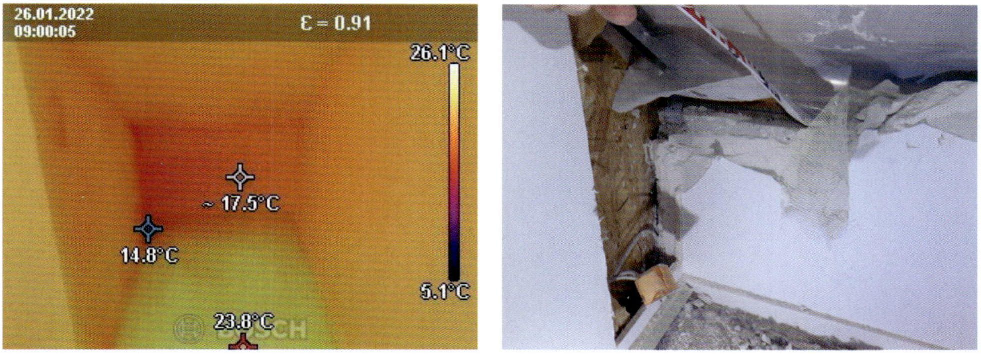

Abbildung 4: Beispiel für die Überprüfung der Luftdichtheitsebene mit der thermischen Kamera in Verbindung mit einer Differenzdruckmessung (Blower-Door-Test) und anschließender gezielter Bauteilöffnung; Quelle: Andreas Borrmann

2. Die energetische Qualität von Fenstern und Türen kann untersucht werden. Die Untersuchung sollte dabei vorrangig von innen erfolgen.

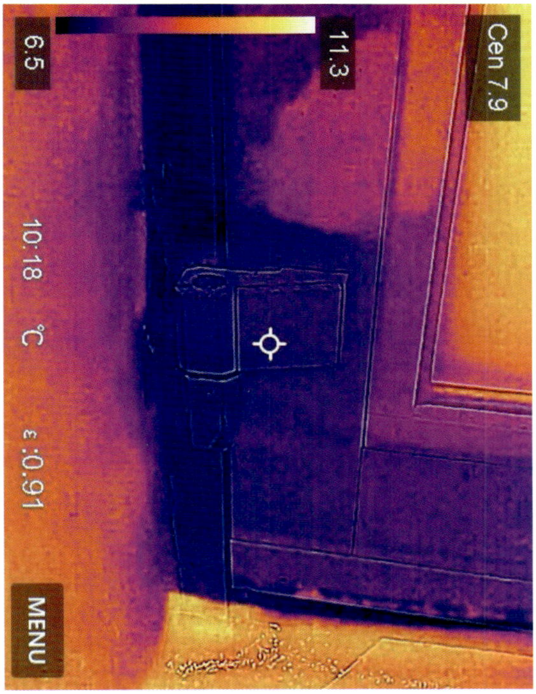

Abbildung 5: Thermografische Untersuchung einer Wohnungsabschlusstür zum Laubengang. Starker Temperaturabfall im Schwellenbereich und im Laibungsbereich; Quelle: Andreas Borrmann

3. Leckageortungen bei Wasserschäden von Leitungssystemen können zerstörungsfrei erfolgen. Das Detektieren von Heizungs- und Kälteleitungen sollte dabei zu Beginn der Aufwärm- bzw. Abkühlphase erfolgen, da die Rohrregister aufgrund der dichten Verle-

gung oder Tiefe der Verlegung in der Betondecke eine Überdeckung ihrer Wärme- bzw. Kältestrahlung bewirken. Die einzelnen Rohrleitungen sind dann auf der thermografischen Aufnahme nicht mehr erkennbar.

4. Die Restfeuchte in Bauteilen führt dazu, dass Feuchtigkeit im Zuge des Abtrockens auf der Bauteiloberfläche verdunstet. Es entsteht dabei Verdunstungskälte. Mit der thermischen Kamera können die Durchfeuchtungen der Bauteile sichtbar gemacht werden.

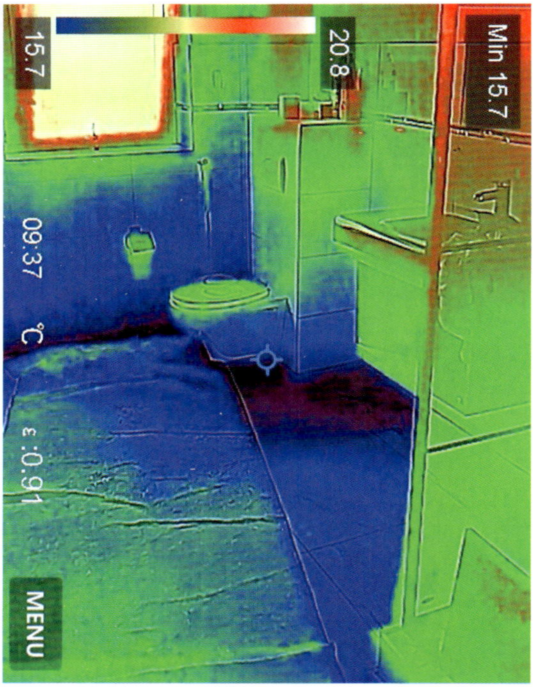

Abbildung 6: Thermografische Untersuchung eines Badezimmers, das nach einem Wasserschaden technisch nicht getrocknet wurde. Restfeuchte ist im Bereich der aufgehenden Wand und im Boden vorhanden. Die Messwerte wurden durch eine kapazitive Feuchtemessung bestätigt; Quelle: Andreas Borrmann

1.10.8.5 Zusammenfassung

Die Thermografie ermöglicht es, ein Wellenspektrum des für das menschliche Auge nicht sichtbaren Lichts sichtbar zu machen. Die grundlegenden physikalischen Gesetze für die Infrarot-Thermografie sind kompliziert. Die fachgerechte Nutzung einer thermischen Kamera kann deshalb nur gelingen, wenn die physikalischen Grundlagen und das Verständnis für die Messtechnik vorhanden sind. Die Anwendung der thermischen Kameras sollte deshalb von ausgebildeten Spezialisten erfolgen.

Es gibt Einsatzbereiche der Infrarot-Thermografie, bei denen die Verwendung der thermischen Kamera den Sachverständigen bei der zerstörungsfreien Schadensermittlung und Untersuchung von Bauteilen sinnvoll unterstützen kann. Leckageortung und die Ursachenermittlung von Wasserschäden können ebenfalls durch den Einsatz der thermischen Kameras unterstützt werden.

1.11 Bauzustandsdokumentation und baubegleitende Beratung zur Qualität

Helge-Lorenz Ubbelohde

Übersicht

1.11.1 Bauzustandsdokumentation

1.11.1.1 Zielstellung der Bauzustandsdokumentation

Im Rahmen der Durchführung von Bauvorhaben ergeben sich schon vor Baubeginn bis zur Abnahme und darüber hinaus umfassende Bauzustandsdokumentationsaufgaben. Diese lassen sich wie folgt strukturieren:

1. Bauzustandsdokumentation an Gebäuden, wenn in der Nachbarschaft gebaut wird, um bei Schäden in Folge des Bauvorhabens eine Haftungsabgrenzung zu ermöglichen.
2. Dokumentation von Bauzuständen und Fehlern während der Bauphase, um die ausführenden Gewerke mit den Fehlern dahingehend zu konfrontieren, um eine Fehlerbeseitigung zu bewirken.
3. Bauzustandsdokumentation für den Fall, dass Gewerke – aus welchen Gründen auch immer – ihre Arbeit einstellen und der Bautenstand zu dokumentieren ist.
4. Fehlererfassung im Zuge der Abnahme mit dem Ziel, die Fehler für das Abnahmebegehren zu dokumentieren und darüber hinaus handhabbar die Gewerke zur Fehlerbeseitigung aufzufordern.
5. Fehlerverfolgung nach Abnahme im Rahmen der Gewährleistung.

Zusätzlich zu der Dokumentation von Bauzuständen und Fehlern können selbstverständlich auch Fehlerbeseitigungszustände dokumentiert und den erfassten Fehlern zugeordnet werden.

Im Hinblick auf vorstehende Aufgaben ergeben sich nachstehende Anforderungen an eine Bauzustandsdokumentation, um möglichst prozessoptimiert und strukturiert arbeiten zu können.

1. Die Bauzustände und Fehler müssen im Rahmen der Dokumentation eindeutig einer Örtlichkeit zugewiesen werden können. Es ist zwingend erforderlich, dass dokumentierte Bauzustände und Fehler eindeutig wiederauffindbar sind.
2. Die Bauzustände und Fehler müssen eindeutig beschrieben werden, möglicherweise textlich oder mit Unterstützung von Fotoaufnahmen/Videos. Die Merkmale eines Bauzustandes oder eines Fehlers müssen dabei objektiv nachvollziehbar sein.
3. Ein optimiertes Dokumentationssystem sollte in der Lage sein, die aufgenommenen Informationen möglichst einfach an Prozessbeteiligte zu verteilen und diese in den Informationsfluss mit einzubinden.
4. Im Hinblick auf den Bauprozess oder auch im Hinblick auf eine Fehlerverfolgung müssen die aufgenommenen Daten und Bauzustände möglichst arbeitsoptimiert weiterverarbeitet werden können. Aus der Dokumentation heraus sollte die Möglichkeit bestehen, beispielsweise Anschreiben an Gewerke, Fehlerbeseitigungsaufforderungen, Fristsetzungen oder ähnlichen rechtskonformen Schriftverkehr zu generieren.
5. Aus der Dokumentation muss eine rechtssichere Fehlerliste generierbar sein, die auch in übliche Dateiformate wie Excel-Listen oder Word-Dateien exportiert werden kann. Dabei ist sicherzustellen, dass bei dem Datenexport keine Fehler verloren gehen.

1.11.1.2 Umfang der Bauzustandsdokumentation

Bauzustandsdokumentationen an Gebäuden, neben denen gebaut werden soll, sind zwingend erforderlich, um rechtssicher Schäden – die im Zuge des Bauvorhabens entstehen – gegenüber dem ursprünglichen Bauzustand abgrenzen zu können. Insofern empfiehlt es sich grundsätzlich bei Lückenschließungen oder Bebauungen, die an Bestandsgebäude angrenzen, eine umfassende Bauzustandsdokumentation durchzuführen. Die Bauzustandsdokumentation sollte sich auf alle relevanten Bauteile und ggf. Außenanlagen beziehen. Relevant sind alle Bauteile und Außenanlagen, die im Einflussbereich des Bauvorhabens liegen. Der Einflussbereich kann sich unterschiedlich darstellen je nach Bauvorhaben, Bauverfahren oder ggf. dem Umstand, dass eine Grundwasserabsenkung stattfindet. Bei Grundwasserabsenkungen ergeben sich bundesweit teilweise behördliche Auflagen über den Umfang durchzuführender Bauzustandsdokumentationen. Ausgegangen wird hierbei in der Regel von dem Absenktrichter des Grundwassers um das Bauvorhaben herum. Bis zu einem gewissen Abstand von der Baugrube entfernt. Im Bereich des Absenktrichters, bestehen dann ggf. Anforderungen, Fassaden und sämtliche Innenbereiche einer Beweissicherung zu unterziehen. Ab eines gewissen Radius beschränken sich die Beweissicherungsmaßnahmen in der Regel auf die Fassaden und Treppenhäuser oder auch nur auf die Fassaden der benachbarten Gebäude. Die Anforderungen sind bei den Behörden zu erfragen, um das geplante Bauvorhaben ordnungsgemäß durchzuführen.

Häufig wird davon ausgegangen, dass der Einflussbereich eines üblichen Bauvorhabens mit Unterkellerung sich auf einen Abstand von ca. 15–20 m von der Baugrubengrenze entfernt erstreckt. Beauftragt werden dann in der Regel Bauzustandsdokumentationen der angrenzenden Fassaden (Giebelwände und Fassaden im Abstandsbereich von 15–20 m und möglicherweise angrenzende Wohnungen). In der Regel ergibt sich bei mehrgeschossigen Wohnungsbauten in dem Einflussbereich von 20 m auch die Notwendigkeit, zumindest ein Treppenhaus der Bauzustandsdokumentation zu unterziehen.

Je nach gewähltem Bauverfahren, auch zur Herstellung der Baugrube, kann sich der Einflussbereich vergrößern. Für den Fall, dass ein Baugrubenverbau beispielsweise im Rammverfahren vorgesehen ist, können sich Erschütterungen, je nach Bodenbeschaffenheit, durchaus auch auf Bauteile übertragen, die in einem größeren Abstand als 15–20 m von der Baugrubengrenze entfernt liegen.

Im Vorfeld einer Bauzustandsdokumentation ist somit mit den Beteiligten abzuklären, in welchem Umfang die Bauzustandsdokumentation sinnvollerweise durchgeführt werden sollte. Für den Fall, dass mit Erschütterungen zu rechnen ist, empfiehlt es sich ebenfalls, im Vorfeld der Durchführung der Leistung abzuklären, ob nicht ein Monitoring mit vorgesehen werden sollte, um die sich auf die Bauwerke übertragenen Erschütterungen zu erfassen.

Aus Sicht der Sachverständigen sollte der Umfang so gewählt werden, dass gesichert alle Bauteile einer Bauzustandserfassung unterzogen werden, bei denen die Möglichkeit besteht, dass die Baumaßnahmen schädigende Einflüsse auslösen können. Nichts ist ärgerlicher, wenn Schäden im Rahmen der Baumaßnahme bemängelt werden, eine teilweise Bauzustandsdokumentation erfolgte und der geschädigte Bereich von der Bauzustandsdokumentation nicht erfasst wurde.

1.11.1.3 Technische Voraussetzungen zur Bauzustandserfassung

Im Wesentlichen handelt es sich bei den Aufgaben zur Bauzustandserfassung um eine visuelle Bestandserfassung. Vorschäden an der Gebäudesubstanz, die überdeckt wurden, beispielsweise durch Oberflächenbeläge wie Wandbeläge, Boden oder auch abgehängte Decken, werden in der Regel im Rahmen einer Bestandsaufnahme nicht mit erfasst. Für den Fall, dass es sich bei der Konstruktion in verdeckten Bereichen um eine als kritisch einzuschätzende Konstruktion handelt, muss überlegt werden, ob nicht zur Durchführung der Bestandserfassung Bauteilöffnungen oder Maßnahmen ergriffen werden, um die Konstruktion einsehen zu können. Eine Möglichkeit zur Einschätzung der Notwendigkeit großflächigerer Freilegungsmaßnahmen besteht in der Durchführung von endoskopischen Untersuchungen, um eine Voreinschätzung zu bekommen, ob sich hinter abgehängten Decken oder auch Wandtäfelungen konstruktive Schäden dokumentieren.

Die Bauzustandserfassung beispielsweise bei unverputztem Kellermauerwerk oder auch Giebelwandmauerwerk/Schornsteinmauerwerk in Dachgeschossen kann ebenfalls problematisch sein, da Rissbildungen/Gefügestörungen aufgrund aussandender Fugen im Wesentlichen visuell kaum feststellbar sind. Hier besteht in der Regel nur die Möglichkeit, den Bauzustand möglichst umfassend fotografisch zu dokumentieren, wobei darauf zu achten ist, dass die zu dokumentierenden Flächen zoniert werden sollten und zugewiesene maßlich abgegrenzte Oberflächenzonen dann abfotografiert werden können. Die Zonierung und die Zuordnung der Fotodokumentation müssen nachvollziehbar in dem Bericht dargestellt werden.

Technisch ergeben sich unterschiedliche Möglichkeiten der Erfassung:

1. Fotografische Erfassung

   Die Fotografie ist eine der wesentlichen Dokumentationsformen im Rahmen einer Bauzustandserfassung. Wichtig ist, dass die Aufnahmen richtig belichtet sind und eine hinreichende Schärfe aufweisen, damit die zu dokumentierenden Risse und Schäden eindeutig zu erkennen sind. Aus den fotografischen Aufnahmen muss die räumliche Zuordnung klar erkennbar sein. Der Schadensumfang und der Rissverlauf sind in jedem Falle so darzustellen, dass im Rahmen einer Nachbegehung die Wiederauffindbarkeit und sich darstellende Veränderungen eindeutig festgestellt werden können. Hinsichtlich der örtlichen Zuordnung empfiehlt es sich, neben der fotografischen Darstellung in Plänen eine Zuordnung der einzelnen Aufnahmen zu dokumentieren. Häufig ist man mit Bauzustands- und Beweissicherungsberichten konfrontiert, die als Ansammlung einzelner Fotos übergeben werden. Häufig genug ist die Qualität der fotografischen Aufnahmen nicht ausreichend und es fällt schwer, im Rahmen von Nachbegehungen die zunächst dokumentierten Schadensbilder wiederzufinden, geschweige denn Veränderungen zum ursprünglichen Zustand festzustellen.

2. 3-D-Fotografie

   3-D-Fotografie ist im Rahmen von Bauzustandsdokumentationen in der Regel nur sinnvoll, um räumliche Gegebenheiten zu dokumentieren. Detaillierte Schadensbilder/Rissbilder lassen sich mithilfe der 3-D-Fotografie nur unzureichend darstellen. Bei Verwendung von 3-D-Fotografie sind weitere Hilfsmittel notwendig, um Schadensbilder und Rissverläufe nachvollziehbar hinsichtlich deren Risslänge und Rissbreite zu dokumentieren.

3. Kartierungen

   Um eine eindeutige Beschreibung von Schadensbildern hinsichtlich deren Örtlichkeit und bei Rissverläufen hinsichtlich Rissverlauf, Risslänge und Rissweite zu erhalten, ist es notwendig, Kartierungen der geschädigten Bereiche anzufertigen. Erfahrungsgemäß haben sich hierbei vorgefertigte Raumbücher, in denen Einzelräume dargestellt und einzelne Wandflächen dokumentiert werden, bewährt. Nachstehendes Beispiel zeigt exemplarisch die Dokumentation einer Schadensaufnahme in einem Raum. Der Raumgrundriss ist hierbei schematisch dargestellt. Die einzelnen Wandflächen sind durchnummeriert und in ihrer Abwicklung ebenfalls dargestellt. In den Wandabwicklungen sind dann die festgestellten Rissverläufe hinsichtlich Verlauf, Länge und Rissweite dokumentiert. Unterstützt wird die Dokumentation durch fotografische Aufnahmen. Die Bildnummern sind dann der Kartierung zu entnehmen. Es empfiehlt sich, die Rissverläufe fotografisch ebenfalls zu dokumentieren und die Rissweiten mithilfe von Rissmaßstäben ebenfalls abzufotografieren.

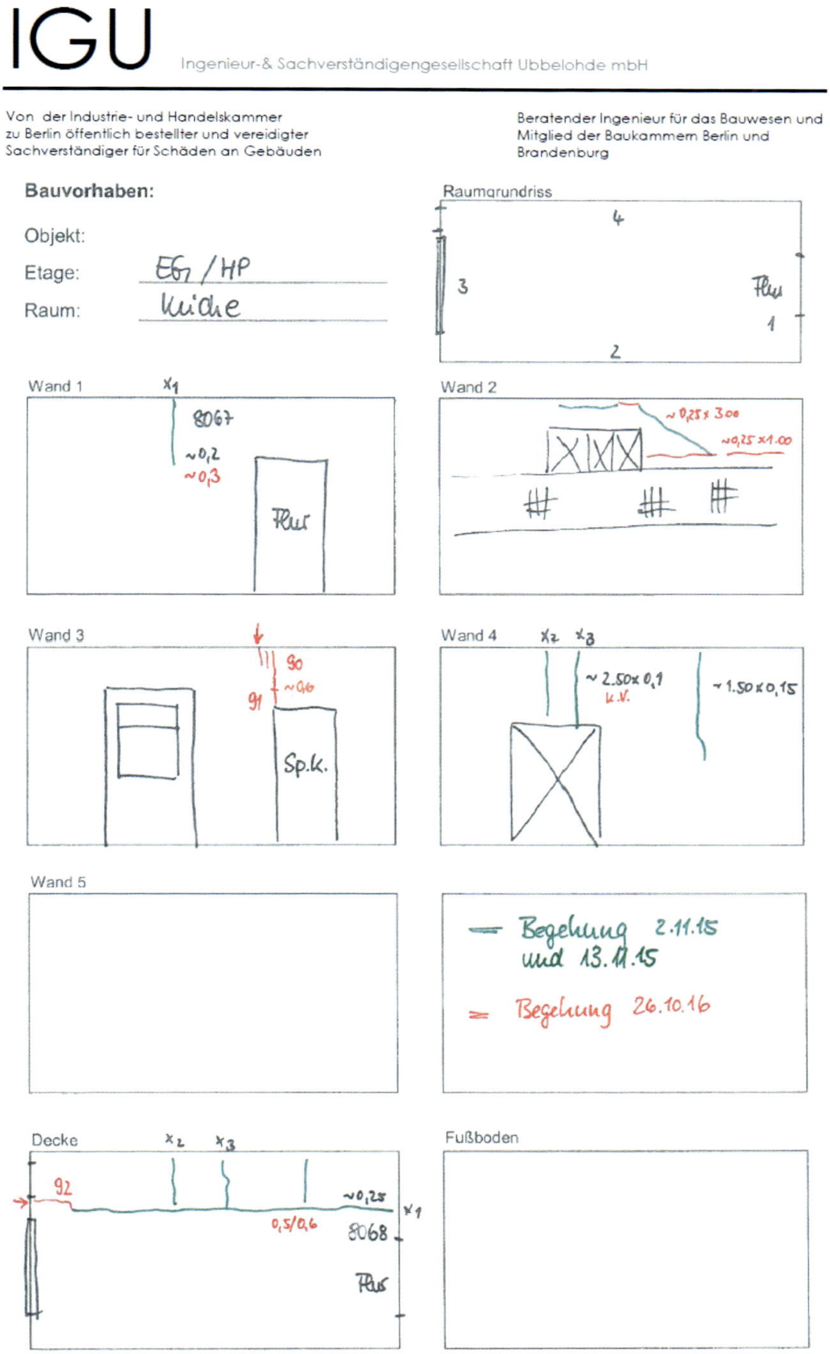

Abbildung 1: Beispiel Raumbuch; Quelle: Helge-Lorenz Ubbelohde

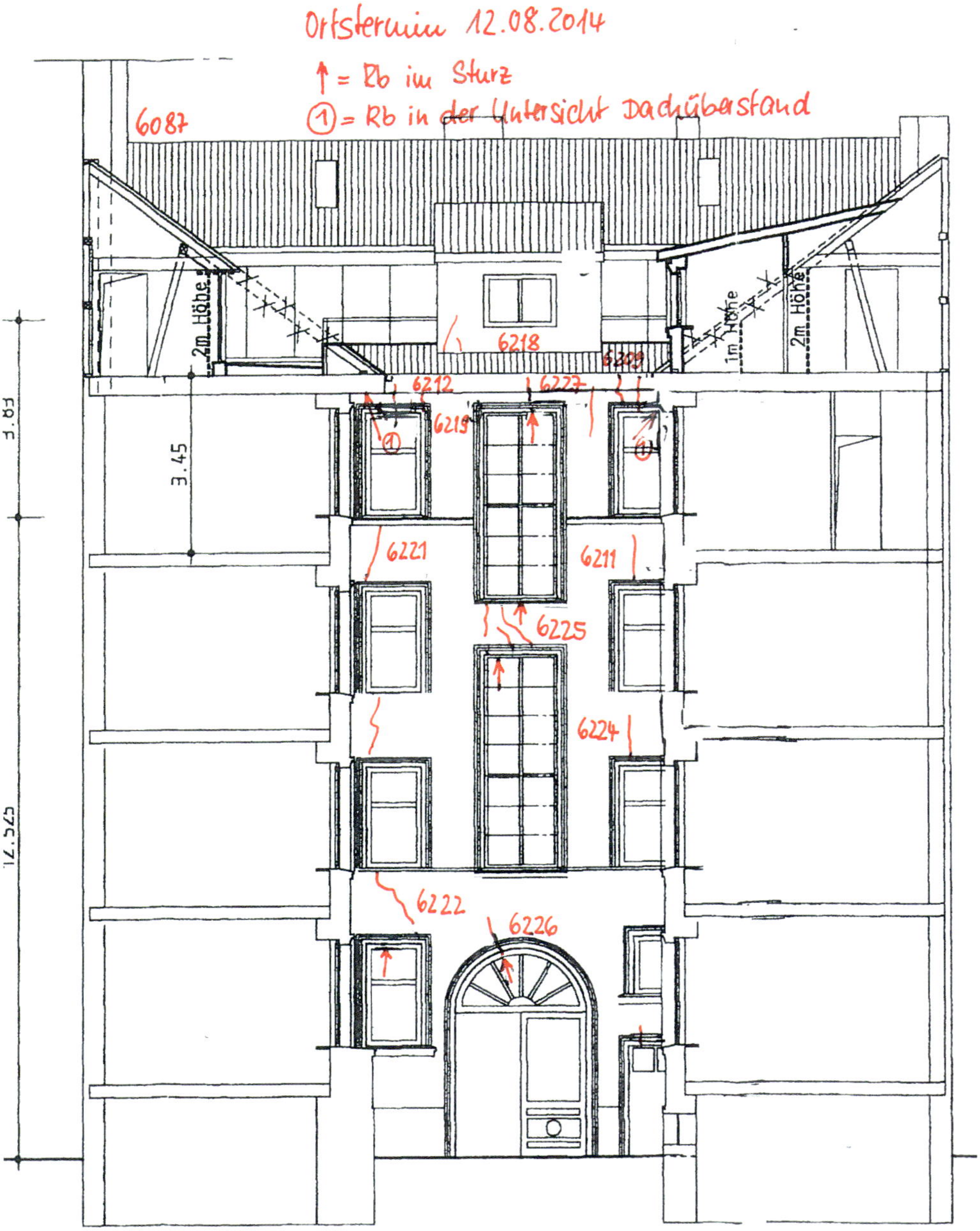

Abbildung 2: Fassadenkartierung; Quelle: Helge-Lorenz Ubbelohde

Erfahrungsgemäß zeigt sich bei Nachbegehungen, dass Schadensbilder und Rissverläufe nur anhand einer in sich schlüssigen Kartierung wiederauffindbar sind und Veränderungen hinsichtlich Verlauf, Länge und Rissweite relativ einfach dokumentiert werden können. Die einzelnen Nachbegehungen können dann in der Kartierung zur Erstbegehung mit aufgenommen werden. Die Feststellungen zu den einzelnen Terminen werden dann sinnvollerweise in unterschiedlichen Farben dokumentiert, um im Ergebnis nachvollziehbar die Schadensentwicklung überprüfen zu können.

Bei der Dokumentation von Schäden, beispielsweise an Fassaden, empfiehlt sich ebenfalls eine Kartierung in einem Ansichtsplan oder in einer Skizze der Fassadenansicht. Rissverläufe sollten hier abgetragen werden. Die Schädigungen sollten ebenfalls fotografisch dokumentiert werden und die Bildnummern in der Kartierung mit übertragen werden. Häufig besteht im Rahmen von Bauzustandserfassungen nicht die Möglichkeit, mit einem Sky-Lift die Fassaden abfahren zu können. Bauzustandserfassungen erfolgen in der Regel von der Geländeoberkante aus, sodass es zwingend erforderlich ist, die Fassade mithilfe von Ferngläsern oder starken Teleobjektiven abzufahren, um Schäden/Rissbildungen zu dokumentieren und entsprechend vergrößert auch darstellen zu können. Auch hier ist darauf zu achten, dass die zur Verfügung stehende Technik ausreichend qualitätsgerechte Aufnahmen liefert.

Kartierungen sind ebenfalls von wesentlicher Bedeutung, da sich die Rissverläufe in Flächenbereichen oder bezogen auf das gesamte Gebäude besser nachvollziehen lassen, um ggf. im Rahmen einer Sachverständigeneinschätzung von den Rissverläufen auf mögliche Rissursachen rückschließen zu können. Im Rahmen von Bauzustandserfassungen stellt sich häufig die Frage nach der Schadensursache. Erfahrungsgemäß ist es teilweise schwer möglich, bei räumlichen Erfassungen von Schäden in Wohnungen auf die Rissverläufe bezogen auf die Gebäudesubstanz hinreichend Rückschlüsse ziehen zu können. Dies fällt erheblich leichter bei vorliegenden Kartierungen.

4. Risslupe/Risskarte

   Im Rahmen der Bauzustandserfassung ist ein übliches Boardmittel eine Risskarte, um die Rissweiten im Bestand feststellen und dokumentieren zu können. Ebenfalls empfiehlt es sich eine Risslupe oder eine vergrößernde Lupe mitzuführen. Gerade im Rahmen von Nachbegehungen stellt sich in Flächenbereichen, die möglicherweise im Rahmen der Ersterfassung nicht dokumentiert wurden, häufig die Frage, ob ein Riss bereits vorhanden war oder neu entstanden ist. Ein Hinweis darauf, ob ein Riss ein Altriss ist, ergibt sich durch Verunreinigungen der Rissflanken. Mit einer Lupe besteht in der Regel die Möglichkeit, die Rissflanken zu überprüfen, gerade im Hinblick auf Ablagerungen und Verunreinigungen. Nicht verunreinigte Rissflanken deuten darauf hin, dass es sich möglicherweise um einen neu entstandenen Riss handelt.

Im Rahmen von Nachbegehungen sollte auch darauf geachtet werden, ob Wandbeläge Schäden aufweisen. Tapetenaufwölbungen und Faltenbildungen bei Tapeten sind ein Hinweis darauf, dass unterhalb der Tapete Risse entstanden sind. Derartige Schadensbilder sind ebenfalls im Rahmen der Bauzustandsdokumentation/Beweissicherung mit aufzunehmen und zu dokumentieren.

Häufig zeigen sich Putzflächen mit erheblichen Rissbildungen (netzartige Rissbildungen). Im Rahmen der Bauzustandserfassung ist sachverständigenseits einzuschätzen, inwieweit derartige Schadensbilder, die in der Regel nicht auf bauliche Formänderungen zurückzuführen sind, sondern ihre Ursachen in Schwindeinflüssen haben oder andere material- oder verarbeitungsbedingte Ursachen aufweisen, im Detail mit aufzunehmen sind, oder ob es ausreichend ist, hier einen Hinweis zu geben, dass sich in einem definierten Flächenbereich ein netzartiges Rissbild dokumentiert. Die Rissbildung sollte fotografisch belegt werden, ohne dass jedoch im Rahmen einer Kartierung jeder einzelne Riss nachvollziehbar dargestellt werden muss. Eine Ursachenabgrenzung ist sachverständigenseits im Rahmen der Bauzustandserfassung vorzunehmen.

1.11.1.4 Begleitende Maßnahmen zur Feststellung von Schadensursachen im Rahmen einer Bauzustandsdokumentation

Die die benachbarten Gebäude zu einem Bauvorhaben beeinflussenden Faktoren sind in der Regel Erschütterungen oder Setzungen. Je nach eingesetzter Technologie ist einzuschätzen, welche der Faktoren ausschlaggegebend sein können für eine Negativbeeinflussung der benachbarten Bebauung. Gerade bei Lückenschließungen werden häufig HDI-Verfahren zur Unterfangung von Bestandsgebäuden eingesetzt. Hier muss mit Setzungen gerechnet werden, die schadensbeeinflussend sein können. Bei derartigen Maßnahmen sollten baubegleitend Dokumentationsverfahren/Monitoringverfahren eingesetzt werden, um einen Abgleich zwischen Schadenseintritt, Schaden und Ursache zu ermöglichen. Begleitende Monitoringverfahren ergeben sich exemplarisch wie folgt:

1. Geodätische Beweissicherung

   Grundsätzlich besteht immer die Möglichkeit, bei benachbarten Gebäuden Vermessungsbolzen zu setzten, um dann in regelmäßigen Abständen eine Vermessung dieser ursprünglich gesetzten Bolzen vornehmen zu können. Hieraus ergibt sich eine geodätische Beweissicherung, die ermöglicht, Formänderungen, Setzungen von einzelnen Gebäudeteilen zu dokumentieren. Nachstehend ergibt sich exemplarisch ein Beispiel einer geodätischen Beweissicherung einer Giebelwand, eines Bestandsgebäudes angrenzend an ein benachbartes Bauvorhaben. Durch den Verlauf der Vermessung lassen sich Formänderungen rechtzeitig erkennen.

Richtungsanzeige der Bewegung (D m-n):

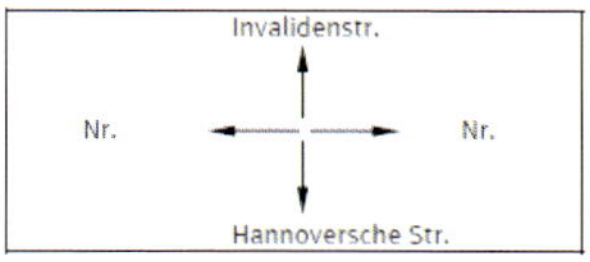

Hinweis: Die Lagegenauigkeit (Meßtoleranz) der gemessenen Kontrollpunkte beträgt +/- 3mm.
Die unten aufgeführten Messwerten liegen innerhalb der Meßtoleranz.

Datum:	16.04.2010	17.04.2010	19.04.2010		20.04.2010			
Punktnr.	1. Messung (Nullmessung)	2. Messung	3. Messung		4. Messung		5. Messung	
		D 2-1 [mm]	D 3-2 [mm]	D3-1 [mm]	D 4-3 [mm]	D 4-1 [mm]	D 5-4 [mm]	D 5-1 [mm]
LP1	x	0	← 1	← 1	↘ 1	↙ 1		
LP2	x	↑ 1	↙ 2	← 1	↗ 1	↙ 0		
LP3	x	↑ 1	↓ 2	↓ 1	↘ 1	↘ 1		
LP4	x	↖ 1	↙ 1	↘ 1	↘ 1	↙ 1		
LP5	x	↑ 1	↙ 1	↘ 1	↘ 1	0		
LP6	x	0	↖ 1	↖ 1	↘ 1	↙ 1		

Abbildung 3: Beispiel geodätische Beweissicherung; Quelle: Helge-Lorenz Ubbelohde

2. Verformungsanalyse im Laserscanverfahren

   Eine weitere Möglichkeit, Bauteilverformungen über einen längeren Zeitraum zu dokumentieren, besteht in der Möglichkeit einer Verformungsanalyse im Laserscanverfahren. Hierbei wird das zu beurteilende Bauvorhaben vor Durchführung der Maßnahme in benachbarten Bereichen gescannt. Anschließend nach Durchführung oder während Durchführung der Baumaßnahmen kann das Objekt wiederum gescannt werden. Die Scans werden anschließend mithilfe der Datenverarbeitung verglichen. Im Rahmen der Verformungsanalyse zeigen sich Differenzen und Veränderungen des baulichen Zustandes. Nachstehendes Beispiel zeigt die Verformungsanalyse im Laserscanverfahren an einer Schleusenkonstruktion im Rahmen von benachbarten Tiefbauarbeiten.

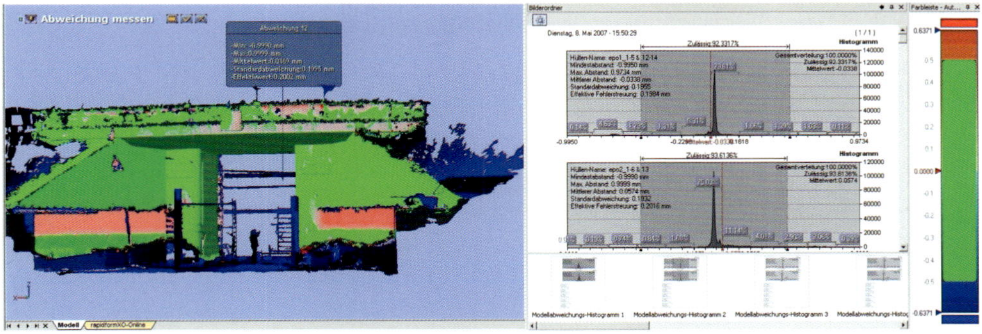

Abbildung 4: Beispiel Laserscan; Quelle: Helge-Lorenz Ubbelohde

3. Elektronisches Monitoring von Rissveränderungen

   Bestehende Risse können einem Monitoring unterzogen werden durch Installation von Wegaufnehmern, die Veränderungen des Risses elektronisch aufzeichnen. Das Monitoring kann so eingesetzt werden, dass bei Überschreitung eines Grenzwertes eine Alarmierung erfolgt, sodass dann aktiv eingegriffen werden kann. Derartige Monitoringmaßnahmen sind immer dann sinnvoll, wenn an Bestandsgebäuden deutliche Rissschädigungen vorliegen und mit einer Gefährdung durch das benachbarte Bauvorhaben gerechnet werden muss. Nachstehendes Beispiel zeigt ein Monitoring eines Rissverlaufes in einem Gebäude, wobei die Veränderung des Risses in allen drei Dimensionen aufgezeichnet wird. Die unmittelbare Datenauslesung zeigt hierbei eine hohe Frequenz mit geringer Amplitude. Hierbei handelt es sich um thermische Einflüsse im Tagesverlauf, die mit aufgezeichnet werden. In der Gesamtauswertung sind derartige Einflüsse auszublenden, sodass sich ein Verformungsgradient ergibt, der dann Auskunft darüber gibt, wie sich ein Riss verändert.

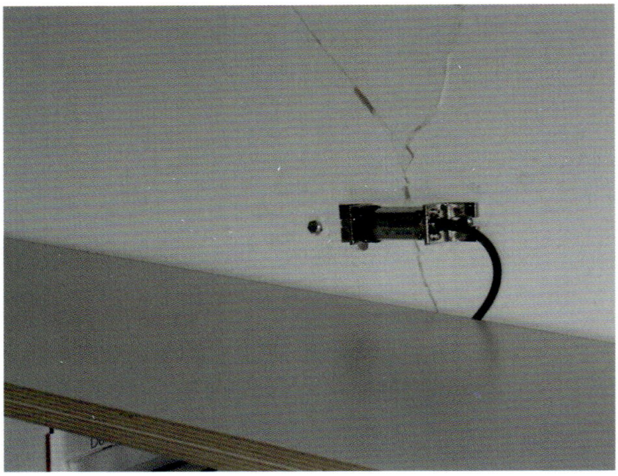

Abbildung 5: Fotografische Aufnahme eines Monitoringsystems; Quelle: Helge-Lorenz Ubbelohde

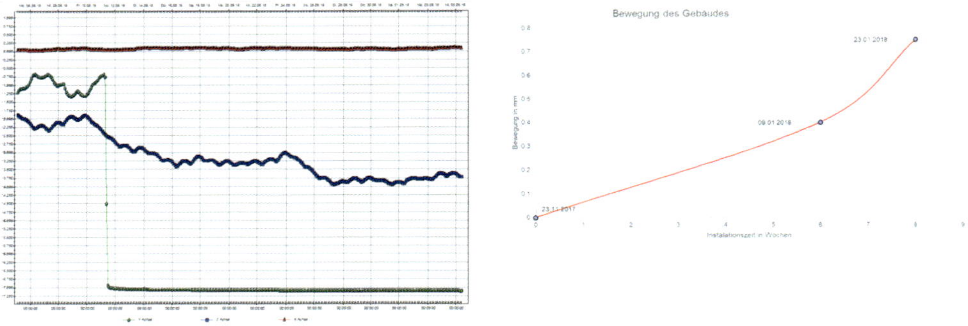

Abbildung 6: Messaufnahme und der daraus entwickelte Gradient; Quelle: Helge-Lorenz Ubbelohde

4. Erschütterungsmessungen

   Für den Fall, dass mit Erschütterungen und Erschütterungsübertragungen gerechnet werden muss, kann es sinnvoll erscheinen, ein Erschütterungsmonitoring im Bestandsgebäude mit vorzusehen. Die handelsüblichen Erschütterungsmonitore sind in der Lage, kleinfrequente Erschütterungsübertragungen aufzuzeichnen. In der Regel besteht auch hier die Möglichkeit, Grenzwerte einzugeben und eine Alarmierung vorzusehen, um bei Grenzwertüberschreitung eine Information an den Überwachenden weiterzuleiten. Wichtig ist für ein funktionsfähiges Erschütterungsmonitoring, dass die Erschütterungsmonitore an der richtigen Stelle im Bestandsgebäude platziert werden. Im Vorfeld eines Monitorings ist es somit zwingend erforderlich, sich mit der Technologie der Baumaßnahme in den benachbarten Bereichen auseinanderzusetzen. Hierbei ist abzuschätzen, welche Bauteile des Bestandsgebäudes am ehesten durch Erschütterungsübertragung geschädigt werden können. Die Erschütterungsmonitore sind dann an diesen Stellen zu installieren. In der Regel handelt es sich um die an die Bauvorhaben angrenzenden Wände/Decken.

5. Rissmonitore

   Häufig eingesetzt und üblich sind Rissmonitore, die im Bereich von bestehenden Rissen angesetzt werden, um dann in regelmäßigen Abständen abgelesen zu werden. Hieraus ergibt sich ein Verlauf über die Veränderung der Rissbildung, wobei die Ablesung visuell erfolgt.

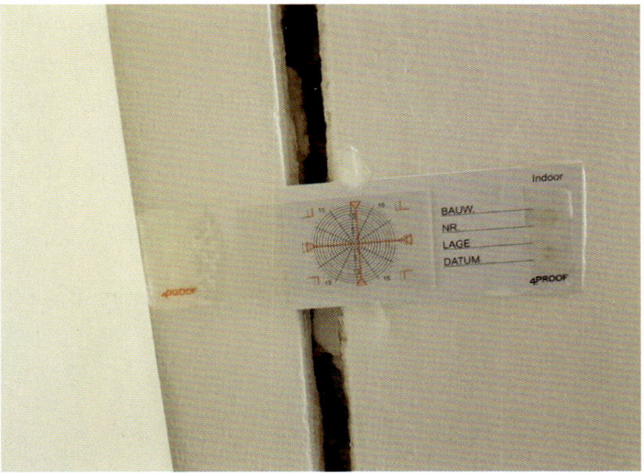

Abbildung 7: Bild Rissmonitor; Quelle: Helge-Lorenz Ubbelohde

Am Markt gibt es unterschiedliche Ausführungen von visuell ablesbaren Rissmonitoren. Das Problem der Genauigkeit der Ablesung ergibt sich im Wesentlichen bei einigen Rissmonitoren aufgrund der Dicke der mit einer Skalierung versehenen Plexiglasscheibe. Bei unterschiedlichem Ablesewinkel führen unterschiedliche Brechungen zu Ablesefehlern, die bei geringen Rissveränderungen zu Fehlinterpretationen führen können. Wichtig bei einem solchen visuellen Monitoring ist somit, dass ein und derselbe Mitarbeiter die Ablesungen aus dem jeweils gleichen Betrachtungswinkel vornimmt. Handelsüblich sind mittlerweile auch Rissmonitore, die einen solchen Ablesefehler im Wesentlichen ausschließen.

6. Gipsplomben

   Ein Monitoring mit Gipsplomben ist immer dann sinnvoll, wenn Veränderungen sofort erkennbar sein sollten. Eine Gipsplombe, die richtig gesetzt wurde, reißt unmittelbar bei Formänderungen. Die sich tatsächlich einstellenden Veränderungen sind teilweise bei Gipsplomben schwer ablesbar. Sinnvoll sind Gipsplomben aus Sachverständigensicht immer dann, wenn ein Indikator benötigt wird, der anzeigt, dass Formänderungen wirksam werden. Bei einem Einreißen einer Gipsplombe ist dies unmittelbar ablesbar, sodass weitere Überprüfungen und Messungen durchgeführt werden können.

1.11.1.5 EDV-gestützte Dokumentationssysteme

Um die komplexen Aufgaben und Anforderungen der Bauzustandsdokumentationen zu erfüllen, haben sich am Markt diverse EDV-gestützte Dokumentationssysteme etabliert. Je nach System variieren die Schwerpunkte in Bezug auf die zuvor aufgeführten Anforderungen sowie auch der Komfort bei der Aufnahme von Bauzuständen und Fehlerdokumentationen sowie im Hinblick auf die Möglichkeiten der Weiterverarbeitung der aufgenommenen Daten. Aufgabenspezifisch besteht die Notwendigkeit der Nutzer, sich am Markt zu orientieren und unterschiedliche Dokumentationssysteme miteinander zu vergleichen, um festzustellen, welches systembezogen auf die abverlangten Aufgaben den meisten Komfort und die höchste Komplexität bietet.

Nachstehend dargestellt ist eine Möglichkeit der EDV-gestützten Dokumentation:

<table>
<tr><td>Pos. 1.1
Kategorie: Allgemein
Bereich: KG, Fahrrad-raum
Status: Offen</td><td>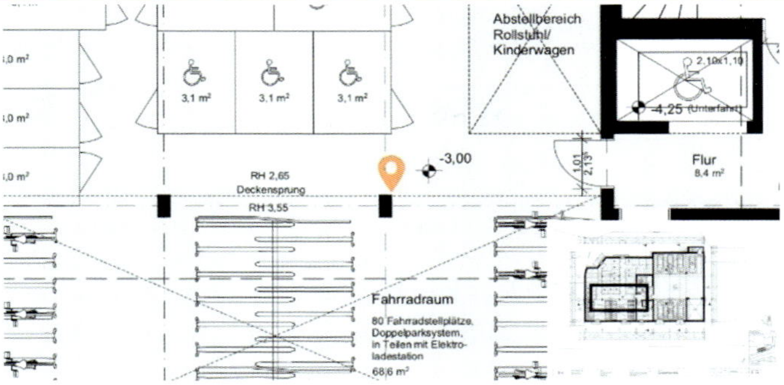
</td></tr>
<tr><td></td><td>Ortstermin
27.6.2023, 11:34 Uhr</td></tr>
<tr><td>Anmerkung/Fehler</td><td>Betonfehlstellen an der Oberseite der Stütze. Exemplarisch. Ausbesserungen an mehreren Stellen im Keller notwendig.
</td></tr>
</table>

Abbildung 8: Möglichkeit der EDV-gestützten Dokumentation[1]

Bei dem hier dargestellten System können ähnlich wie bei anderen Systemen Gebäudepläne zur Vorbereitung der Arbeit mit dem System eingelesen werden. Mit einem Tablet oder Laptop besteht dann die Möglichkeit, im Objekt die Pläne aufzurufen und ortsbezogen Planausschnitte zu generieren. In dem Planausschnitt können dann Markierungen (Pins) gesetzt werden, die die örtliche Lage eines Fehlers oder eines Bauzustandes eindeutig definieren.

Dem Pin zugeordnet werden dann vor Ort direkt aufgenommene Fotos, Diktate oder auch handschriftliche Anmerkungen und Skizzen. Damit ergibt sich die eindeutige Dokumenta-

1 Verwendetes Dokumentationssystem: docu tools GmbH, Softwareentwickler aus Wien; selbsterstelltes Dokument. Quelle der Abbildung: Helge-Lorenz Ubbelohde.

tion eines Bauzustandes und Fehlers sowohl im Hinblick auf die Merkmale als auch im Hinblick auf die Örtlichkeit.

Die so aufgenommenen Fehler lassen sich weiterverarbeiten und beispielsweise zu einer Fehlerliste zusammenführen, die dann in ein Excel- oder Word-Format umgewandelt werden kann. Im Umgang mit Fehlerlisten ist insbesondere im Rahmen von Abnahmen darauf zu achten, dass die verwendeten Programmversionen kompatibel sind, da ansonsten das Risiko besteht, dass einzelne Fehler verloren gehen. Es muss zwingend erforderlich sichergestellt sein, dass alle dokumentierten und aufgenommenen Fehler bei Exportvorgängen auch in den veränderten Dateiformaten wiederauffindbar sind.

Komplexe Dokumentationssysteme bieten ebenfalls die Möglichkeit, die aufgenommenen Fehler Gewerken zuzuordnen, um dann vorgefertigte, rechtskonforme Anschreiben an die Gewerke zu versenden. Der Versand kann direkt aus dem System per E-Mail erfolgen. Die Dokumentationssysteme bieten zum Teil auch die Möglichkeit über App-Funktionen einer Kommunikation mit den ausführenden Gewerken. Werden Gewerke über App-Funktionen mit in das Dokumentationssystem integriert, können aufgenommene Fehler direkt den Gewerken zugestellt werden. Die Gewerke haben dann die Möglichkeit, über die App-Funktion die Fehlerbeseitigung einschließlich einer fotografischen Dokumentation freizumelden und in dem System wieder einzustellen.

Bei komplexen Bauvorhaben besteht beispielsweise auch die Möglichkeit, raumweise Barcodes zu generieren, die dann in den Räumen physisch hinterlegt werden. Eine mit dem System arbeitende Person hat dann die Möglichkeit, den Barcode mit einem Tablet oder einem Handy einzulesen, um unmittelbar die raumbezogene Fehlersituation abrufen zu können. Ebenfalls bestehen dann in der raumbezogenen Fehlerdokumentation die Möglichkeiten der Weiterverarbeitung, beispielsweise der Freimeldung von Fehlern bei erfolgter Fehlerbeseitigung.

Fast sämtliche Systeme bieten die Möglichkeit in der Ablage, den einzelnen dokumentierten Bauzuständen und Fehler weitere Informationen und Dokumente hinzuzufügen, wie beispielsweise zugrunde zu legende Normenwerke oder ähnliche Richtlinien, Schriftverkehr oder weitere relevante Unterlagen.

Vorstehende Ausführungen zeigen, dass die am Markt befindlichen Systeme eine hohe Komplexität erreicht haben. Bei konsequenter Anwendung und Integration in ein Bauvorhaben ergeben sich in jedem Fall deutlich optimierte Prozesse.

Für den Sachverständigen bedeutet dies, dass von ihm aufgenommene Fehler oder Bauzustände bei Kompatibilität mit den Dokumentationssystemen, die auf der Baustelle verwendet werden, direkt von den Baubeteiligten und Verantwortlichen weiterverarbeitet werden können und beispielsweise auch in ein Gesamtfehlersystem eines Bauvorhabens mit integrierbar sind. Im Hinblick auf eine erfolgreiche Qualitätsberatung besteht in jedem Fall die Notwendigkeit, dass die vom Sachverständigen aufgenommenen Bauzustände und Fehler allgemein verfügbar sind und in der Eindeutigkeit der Dokumentation weiterverarbeitet werden können, um eine zuverlässige Fehlerbeseitigung zu ermöglichen. In der Regel ist es dem Sachverständigen im Rahmen von baubegleitenden Qualitätskontrollen nur eingeschränkt möglich, Fehlerbeseitigungsmaßnahmen zu bestätigen. Über ein Dokumentationssystem hat der Sachverständige jedoch die Möglichkeit, die Fehlerbeseitigungsbestätigungen der Gewerke und der Projektverantwortlichen eindeutig nachzuvollziehen, um dann ggf. anhand von Fotos oder weiteren Dokumentationsunterlagen zu einer Fehlerbeseitigung Erklärungen abgeben zu können.

Da die von den Sachverständigen verwendeten Dokumentationssysteme nicht immer direkt kompatibel sind mit den Dokumentationssystemen, die auf den Baustellen eingesetzt werden, besteht grundsätzlich die Möglichkeit des Exportes der Daten in Excel oder Word. Die so exportierten Dateien können der Baustelle zur Verfügung gestellt werden, um dann in das dortige Dokumentationssystem eingelesen zu werden. Hierbei ist jedoch wiederum sicherzustellen, dass Datenverluste sicher vermieden werden.

Der Autor verwendet im eigenen Büro mittlerweile ebenfalls ein Dokumentationssystem. Es ist festzustellen, dass der sinnvolle Einsatz eines Dokumentationssystems einen relativ hohen Einarbeitungsaufwand erfordert, um auch das Verständnis für das System zu wecken. Ebenfalls ergibt sich ein relativ hoher Einarbeitungsaufwand, um die Komplexität eines Dokumentationssystems nutzen zu können, um dann zu optimierten Prozessen zu gelangen. Nach der Einarbeitungsphase steht dem Sachverständigen jedoch ein System zur Verfügung, welches besser als das bisher übliche Handwerkszeug (Fotos und Diktat) die Möglichkeit einer gesicherten Dokumentation bietet. Die Qualität der Dokumentationen der Bauzustände und Fehler ist in der Regel um ein Vielfaches besser bei Verwendung von entsprechenden Dokumentationssystemen.

1.11.1.6 Schlussfolgerungen

Im Rahmen jeder Baumaßnahme ist die Bauzustandsdokumentation zwingend erforderlich, um einerseits Verantwortlichkeiten abzugrenzen, und um darüber hinaus bauliche Zustände und Fehler festzuhalten. Bauzustandsdokumentationen können durch Monitoringverfahren ergänzt werden, um auch die Nachvollziehbarkeit von Schadensursachen im Rahmen von Baumaßnahmen zu erleichtern.

Zentral und wesentlich ist bei jeder Bauzustandsdokumentation, dass die Bauzustände und Fehler eindeutig örtlich zuordenbar sind und ebenso eindeutig hinsichtlich des Fehler- oder Schadensymptoms beschrieben werden. Nur so kann auch zu einem späteren Zeitpunkt die Dokumentation nachvollzogen und können Veränderungen festgestellt werden.

Der Umfang einer Bauzustandsdokumentation ist abhängig von der Bauaufgabe so zu wählen, dass einerseits behördliche Auflagen erfüllt werden und andererseits möglichst alle Konstruktionsbereiche erfasst werden, die Veränderungen im Rahmen eines Bauvorhabens unterliegen.

Die gewählten Dokumentationssysteme zur Fehlerverfolgung sind außerdem so zu wählen, dass prozessoptimiert Fehler und Schadensbilder dokumentiert und kommuniziert werden können.

Technologisch bietet der Markt ein umfangreiches Spektrum an Hilfsmitteln, um eine Bauzustandsdokumentation möglichst optimal zu gestalten. Alle zur Verfügung stehenden Hilfsmittel sind sinnvoll und ingenieurmäßig, bezogen auf zu dokumentierende Bauvorhaben, auszuwählen.

1.11.2 Baubegleitende Beratung zur Qualität

1.11.2.1 Zielstellung

Baubegleitende Qualitätsberatungen erhalten zunehmend einen nicht unwesentlichen Stellenwert bei der Durchführung von Bauvorhaben.

Auftraggeber werden häufig von der Vorstellung getragen, dass sie durch die Beauftragung von Sachverständigen mit baubegleitender Qualitätskontrolle völlig fehlerfreie Gebäude erhalten. Reicht es dann aus, lediglich stichprobenartige Untersuchungen und Überprüfungen durchzuführen? Oder müssen Sachverständige zu jeder Zeit an jeder Stelle jeden Handschlag überprüfen?

Kann davon abgesehen werden, Bereiche, die bei stichprobenartigen Überprüfungen nicht mehr einsehbar sind, z.B. geschlossene Installationsschächte, nicht zu überprüfen, beispielsweise Brandschottungen in Decken?

Im Vertrauen auf ihre überdurchschnittliche Sachkunde werden Sachverständige häufig für Tätigkeiten bei qualitätssichernden, präventiven Maßnahmen von Teilleistungen bzw. von gesamten baulichen Anlagen in Anspruch genommen, obwohl Sachverständige die Anlagen nicht gebaut, sondern lediglich während der Errichtung angesehen haben. Die Werkleistung am Objekt ist nicht vertraglicher Gegenstand, sondern der Vorgang der baubegleitenden Qualitätssicherung. Der Werkerfolg von Sachverständigen ist daher die Sorgfalt bei Untersuchung und Dokumentation, aber nicht das gebaute Werk. Die oft erst im Nachhinein formulierten Erwartungen sind häufig unangemessen und übertrieben, die oft als Mangelrüge formulierten Inanspruchnahmen entsprechen auch nicht der üblichen Beschaffenheit bei gleicher Art von Werken, nämlich der baubegleitenden Aufsicht und Dokumentation von Feststellungen. Solche unangemessenen Inanspruchnahmen lassen sich zielführend vermeiden, wenn der Beratungsumfang sowie die Dokumentationen evtl. notwendiger Bauteilöffnungen im Vertrag beschrieben werden.

Der Umfang bei Qualitätskontrollen sollte vertraglich hinreichend klar und für Verbraucher verständlich vereinbart werden, um das Haftungsrisiko auf ein kalkulierbares Maß zu reduzieren.

Dieser Beitrag versucht, anhand von Beispielen für Sachverständige solche alltäglichen Fragen zu strukturieren und handhabbare Vorschläge zu unterbreiten, um das Haftungsrisiko bei derartigen Tätigkeiten kalkulierbar zu gestalten.

1.11.2.2 Grundlagen zur baubegleitenden Beratung

Für Qualitätskontrollen, die eine Beratung darstellen, wollen Auftragnehmer als Bauherren bestätigt bekommen, dass die Bauleistung bei Fertigstellung dem geschuldeten Vertragssoll entspricht und frei von wesentlichen Fehlern ist. Falls Abweichungen vom Vertragssoll vorliegen, sollen diese dokumentiert werden.

Abbildung 9: Beispiel Dampfsperre; Quelle: Helge-Lorenz Ubbelohde

Da Feststellungen von Sachverständigen Rechtsfolgen auslösen können, sind Art und Umfang der beratenden Tätigkeit einzugrenzen. Sachverständige sollten nur so weit Erklärungen abgeben, wie sie aufgrund eigener Wahrnehmungen Einblick in Vertragssoll einerseits und baulichen Ausführungen andererseits haben. Bewertungen sollen primär auf eigenen Wahrnehmungen beruhen. Sachverständigen werden häufig umfassende Planungsunterlagen vorgelegt. Angaben von Dritten, z.B. in vorgelegten Plänen, Leistungsverzeichnissen oder Gutachten, sind klar von eigenen Wahrnehmungen abzugrenzen. Rechtlich relevante Erklärungen sollten vermieden werden, auch wenn technische Bewertungen diese vorbereiten sollen.

Verdeckte Bereiche sind, wie es der Begriff schon ausdrückt, nicht zugänglich. An diesen können keine Feststellungen getroffen werden, ob z.B. die Ausführung der Ausführungsplanung entspricht. Sachverständige können häufig nicht einschätzen, ob die zur Verfügung gestellten Pläne ausführungsrelevant sind und das Vertragssoll umfassend beschreiben. Ggf. sind Baubeschreibungen, Projektänderungsanzeigen und Zusatzvereinbarungen abzufordern, um das Vertragssoll zu erfassen.

Der Umfang der Tätigkeit von Sachverständigen ist jedoch nicht nur abhängig von der vertraglich vereinbarten Leistung, sondern auch von den zugrunde zu legenden Qualitätsanforderungen, die üblicherweise erwartet werden können. Es sei darauf hingewiesen, dass eine erbrachte Bauleistung als fehlerhaft eingeschätzt werden kann für den Fall, dass sie der üblichen Erwartungshaltung eines nicht fachmännischen Auftraggebers nicht entspricht. Hieraus ergeben sich besondere Risiken bei einem nicht eindeutig in den Baubeschreibungen definierten Leistungsumfang. Im Vorfeld der Tätigkeit sollten sich Sachverständige somit genau mit den zur Verfügung gestellten Grundlagen beschäftigen und nicht eindeutige Beschreibungen von Bauleistungen mit Auftraggebern abstimmen.

1.11.2.3 Qualitätsanforderungen

Sachverständige haben zu klären, welche Anforderungen an das Bauwerk bestehen. Es reicht nicht, z.B. nur auf DIN-Normen oder technische Regelwerke abzustellen. Qualitätsanforderungen ergeben sich aus den bauvertraglichen Vereinbarungen. Des Weiteren sollen oft Ausführungen zu DIN-Normen bzw. technischen Regelwerken, technischen Baubestimmungen und dem Bauordnungsrecht genügen und daneben verwendungsgeeignet sein. Dazu kommen Baubeschreibungen, Planunterlagen und Leistungsverzeichnisse als Bewertungsgrundlage.

Baubeschreibungen und Ausführungsplanungen reichen oft nicht, um das jeweilige Vertragssoll zu definieren. Sachverständige sollten daher transparent machen, welche Lücken ggf. bei den Bewertungsvoraussetzungen vorliegen, um nicht „aufs Glatteis zu geraten":

1. Qualitäten

   In Baubeschreibungen sind häufig Formulierungen wie „in gehobener Qualität" zu lesen. Diese Formulierung lässt großen Spielraum für Interpretationen, die Anlass für spätere Streitigkeiten sein können. Daher sollte im Vorfeld geklärt werden, was unter „gehobener Qualität" verstanden wird.

2. Ungenaue Beschreibung

   Zu erbringende Leistungen werden häufig sehr allgemein formuliert, beispielsweise „Bestandsfenster sind tischler- und malermäßig zu überarbeiten".

Abbildung 10: Bestandsfenster sind zu überarbeiten; Quelle: Helge-Lorenz Ubbelohde

Die tischler- und malermäßige Überarbeitung eines Fensters kann das Gang- und Schließbarmachen eines Fensters und das einfache Anschleifen sowie Überstreichen der Rahmen bedeuten. Ebenfalls kann darunter verstanden werden, dass umfangreiche, tischlermäßige Auswechselungen an den Bestandsfenstern erfolgen, der Altanstrich vollständig entfernt und von Grund auf neu aufgebaut wird. Das sind jeweils sehr unterschiedliche Leistungen, die näher zu beschreiben sind.

3. Material und Verfahren

   Formulierungen wie „Ausführung einer vertikalen Sperrung der Kelleraußenwand" sind unklar. Ist damit eine Abdichtung an der Kelleraußenwand mit einer Dickbeschichtung, einer mineralischen Dichtschlämme, einer flexiblen Polymerdichtschlämme oder einer Bitumenschweißbahn gemeint? Sachverständige haben auch die Erfordernisse zur Verwendungseignung und der üblichen Beschaffenheit zu berücksichtigen. „Allgemein anerkannte Regeln der Technik" sind dabei grundsätzlich als problematisch einzuschätzen, weil nach den üblichen, bisherigen Definitionen nur nachgewiesen werden kann, dass sie nicht eingehalten sind. Damit ist dieser Begriff zurzeit ein Missbrauchsinstrument gegen Baubeteiligte.

Sachverständige werden häufig um eine Einschätzung gebeten, ob eine Norm als anerkannte Regel der Technik a.R.d.T. eingeschätzt werden kann. Mittlerweile gibt es über 25.000 Normen für das Bauwesen, von denen über 5.000 für Architekten relevant sein können. Darüber existieren eine unüberschaubare Anzahl von Richtlinien, Merkblättern und Produktverarbeitungshinweisen. Diese Flut stellt alle Baubeteiligten und Sachverständigen vor nicht bewältigbare Probleme und kaum einer ist in Anbetracht kurzer Überarbeitungszyklen in der Lage, solche umfassenden Schriften zu überblicken.

Da Normen in der Rechtsprechung der Vermutung – bis zum Beweis des Gegenteils – unterliegen, a.R.d.T. zu sein, müssten sich Sachverständige als Beweismittel damit auseinandersetzen, ob sie das sind oder nicht, und zwar bezüglich aller darin enthaltenen Teilbeschreibungen. Das aber können sie nicht, da es sich bei Sachverständigen weder um Demoskopen zur Untersuchung eines Anerkennungsgrads, noch um Forschungsinstitute zur Untersuchung der Praxisbewährung handelt. Daher sollten keine Bestätigungen bzgl. a.R.d.T. ausgestellt werden, sondern sich Beratungen auf belastbare Einschätzungen beschränken, ob ein Werk im jeweils konkreten Fall unter Einbeziehung möglicher Einwirkungen für eine vorgesehene, sonst übliche Nutzungsdauer sowie übliche und mögliche Instandhaltungen verwendungsgeeignet sein wird.

Da Bauvorhaben Unikate sind, die individuell geplant und ausgeführt werden, bedarf es handhabbarer und überschaubarer Regelwerke. Das Bauregelwerk tendiert jedoch in eine völlig andere Richtung. Gesetzliche und normative Anforderungen, sei es an die Gebäudeenergieeffizienz, die Schalldämmung oder den Brandschutz, werden stetig in bereits nicht mehr praktikable bzw. nicht mehr bezahlbare Höhen geschraubt. Bemessungsnormen für Statik und Bauphysik werden von Experten derart verwissenschaftlicht, dass sie nur noch mit speziellen EDV-Tools anwendbar sind. Gerade bei Maßnahmen im Bestand ist der Aufwand einer computergestützten Berechnung regelmäßig unangemessen. Eine Kontrolle der Bemessungsergebnisse ist für die Bauausführenden praktisch nicht mehr möglich, da die Programm-Tools Blackboxes sind und selbst Prüfingenieure für Bautechnik sich gezwungen sehen, Bemessungsergebnisse durch Vergleichsrechnungen zu prüfen, da der Rechengang nicht mehr nachvollziehbar ist. Das Bauregelwerk verabschiedet sich zunehmend von den Bedürfnissen der Planung und der Baupraxis.

In Sachverständigeneinschätzungen schlummern daher hohe Risiken, insofern nicht geeignete Beschreibungen in Verträgen zum Leistungssoll der Beratung vereinbart werden.

Daneben sollten sich Berufsverbände oder -netzwerke abstimmen, um zu herausragenden Fragestellungen in Technischen Empfehlungen, z.B. DIN-Normen, Positionen zu beziehen.

Durch Qualitätsprüfungen sollte sichergestellt werden, dass Anforderungen des Bauordnungsrechts eingehalten werden. Dazu zählen die Grundanforderungen hinsichtlich mechanischer Festigkeit und Standsicherheit, Brandschutz, Wärmeschutz, Gesundheitsschutz und Umweltschutz als bauordnungsrechtlich zu berücksichtigende Anforderungen.

Durch Umsetzung der Bauproduktenverordnung als EU-Recht sind die bislang bauordnungsrechtlich üblichen, produktqualitätssichernden Mechanismen der bauaufsichtlichen Zulassung der Bauregelliste im Einzelfall seit Oktober 2016 nicht mehr wirksam. Um den neuen Anforderungen gerecht zu werden, wurde Ende Mai 2017 ein Entwurf einer Musterverwaltungsvorschrift „Technische Baubestimmungen MVVTB" vorgelegt. Der Entwurf manifestiert einen für die Baupraxis sehr kritischen Umbruch im Bauordnungsrecht, weg von Anforderungen an Bauprodukte und hin zu Anforderungen an Bauwerke. Insbesondere für kleine, mittelständische Unternehmen und Planungsbüros ist es nicht mehr möglich, Bauprodukte umfassend zu bewerten. Auch Sachverständige für Schäden an Gebäuden können das nicht. Die daraus resultierende immense Verantwortung ist nicht tragbar.

Die Prüfung und Bewertung von für den Einsatz geeigneten Bauprodukten erfordert Expertenwissen und zusätzliche Personalkapazitäten sowie Zeit und Verantwortung. Daraus resultieren sicherlich Mehrkosten in der Bewertung eingesetzter Bauprodukte. Es gibt aber keine Qualifikationsanforderung zur Auswahl beim Erwerb von Bauprodukten. Bauherren, Architekten und Unternehmer sind überfordert, geeignete Produkte zu finden. Hierbei müssen Erwerber auf die Kennzeichnung an Produkten vertrauen, können aber nicht die Leistungsdaten im Detail prüfen. Eine Kennzeichnung beispielsweise durch das früher übliche Ü-Zeichen ist nicht mehr zulässig. Europäische Prüfnormen als Grundlagennormen und darauf aufbauende CE-Kennzeichnungen sind dazu da, den Handel mit Bauprodukten zu ermöglichen, sichern aber nicht deren Brauchbarkeit im eingebauten Zustand.

Zur Feststellung und Sicherung von Qualitätsanforderungen, insbesondere auch hinsichtlich der Grundanforderungen des Bauordnungsrechts, entfällt die bislang gesicherte Grundlage durch z.B. bauaufsichtliche Zulassungen, Zustimmungen im Einzelfall. Diese haben nicht mehr den bauordnungsrechtlichen Status wie bisher, sondern können grundsätzlich nur noch als qualifiziertes Gutachten über die Produktqualität herangezogen werden. Wenn Zulassungen ihre Gültigkeit verlieren, stellt sich die Frage, inwieweit auch die Zulassungen bei der Prüfung der Produktanforderungen weiterhin als qualifiziertes Gutachten zur Sicherstellung einer Produktqualität mit herangezogen werden können. Hierzu gibt es weder in der Rechtsprechung noch in der praktischen Durchführung Erfahrungen, die der Tätigkeit von Sachverständigen zugrunde gelegt werden können. Als Beispiel seien sog. streichbare, d.h. flüssig zu verarbeitende Abdichtungssysteme zu erwähnen: Dachabdichtungsbeschichtungen werden von Produktherstellern gerne als Stand der Technik definiert. Seitens von Sachverständigen werden derartige Systeme häufig als unerprobt dargestellt. Die Frage, ob es sich hierbei um ein Abdichtungssystem gemäß dem Stand der Technik oder den allgemein anerkannten Regeln der Technik handelt, lässt sich nicht klären. Dazu bedarf es Informationen über die Verwendungseignung nach Gebrauch.

Ein weiteres Beispiel stellen mineralische Abdichtungssysteme beispielsweise im Schwimmbadbau dar. Auch hier gehen die Auffassungen hinsichtlich der Übereinstimmung mit dem Stand der Technik oder auch den allgemein anerkannten Regeln der Technik und Baukunst auseinander.

Da sowohl unter Fachleuten als auch in der Rechtsprechung der Fehlerbegriff unter Berücksichtigung der allgemein anerkannten Regeln der Technik sowie des Stands der Technik sehr unterschiedlich interpretiert wird, sollten Sachverständige im Vorfeld ihrer Tätigkeit klären, welche Systeme zur Anwendung gelangen sollen bzw. welche Erwartungshaltungen bei den Vertragspartnern bestehen. Nur bei einer Klärung offener Sachverhalte sind Sachverständige in der Lage, eine Überwachung hinsichtlich der geforderten Qualität vorzunehmen.

Zusätzlich erschwert ist die Tätigkeit von Sachverständigen dadurch, dass sich der Fehlerbegriff in der Rechtsprechung an der üblichen Erwartungshaltung des Nutzers orientieren kann. Um dieses zu veranschaulichen, sei folgendes Beispiel erläutert:

Bemängelt wurde im Rahmen der Nutzung eines Reihenhauses, dass sich der Fußboden in den Randbereichen insbesondere unter Schränken, Kommoden und anderen Möbelstücken um bis zu 5 mm gegenüber der Sockelleiste absenkte. Bei dem Objekt handelte es sich um ein Bauträgerobjekt. Generalunternehmer war eine skandinavische Firma, die die Reihenhaussiedlung in Holzständerbauweise ausführte. Die Decken waren ebenfalls als Holzbalkendecken mit Trockenschüttung und Trockenestrich (Fermacel-Bodenplatten) ausgeführt. Eine zusätzliche Randunterstützung der Fermacel-Bodenplatten in den Wandanschlussbereichen war nicht vorgesehen, insbesondere auch um eine schalltechnische Entkopplung und funktionierende Trittschalldämmung aufrechtzuerhalten. Im Ergebnis der Begutachtung musste festgestellt werden, dass die vorgefundenen Absenkungen als konstruktionsüblich einzuschätzen und nicht fehlerhaft sind. Ausführungsfehler konnten nicht festgestellt werden. Die Konstruktion entsprach darüber hinaus einschlägigen Richtlinien und Normen. Die Eigentümer des Objekts haben in der Folge der Begutachtung Klage gegenüber dem Bauträger erhoben und die Fehlerbeseitigung gefordert, obwohl sachverständig auf der Grundlage einschlägiger Richtlinien bezogen auf die gewählte Gebäudekonstruktion keine Fehlerhaftigkeit eingeschätzt wurde. Das Gericht hat entschieden, dass es sich tatsächlich um einen vertraglichen Fehler handelt, da die vorgefundenen Absenkungen über das Maß einer üblichen Erwartungshaltung eines Nutzers hinausgehen. Als übliches Maß einer Erwartungshaltung wurden Zementestriche angeführt, die in schwimmender Ausführung in den Wand-/Anschlussbereichen in der Regel deutlich geringere Absenkungen aufweisen.

Die technisch begründete Aussage und Einschätzung des Sachverständigen wurden in der Folge durch ein Gerichtsurteil infrage gestellt. Dazu ist allerdings anzumerken, dass sich jedes Gerichtsurteil mit Einzelfällen beschäftigt und nicht jedes falsche Urteil auf Fehlern eines Gerichts beruht, sondern regelmäßig auf Schwächen von Parteivorträgen. Solche Urteile werden zwar gerne als Präzedenzfälle bemüht, falsche Urteile können das aber nicht sein.

Abbildung 11: Absenkung des Fußbodens; Quelle: Helge-Lorenz Ubbelohde

1.11.2.4 Umfang und Genauigkeitsgrenzen

Grundsätzlich kann von einer Beauftragung von Sachverständigen zum einen während der Bauphase/vor Beginn der Baumaßnahme bzw. nach weitestgehendem Abschluss der Baumaßnahme ausgegangen werden.

Vor Beginn der Baumaßnahme bzw. während der Baumaßnahme geschlossene Verträge beinhalten als Leistungsziel beispielsweise eine baubegleitende Qualitätsüberwachung in Verbindung mit einer Abnahmebegleitung nach Fertigstellung der Baumaßnahme.

Bei vorgenannten Beauftragungen handelt es sich nicht um Dienstleistungs-, sondern um Werkverträge mit der Konsequenz, dass der vertraglich vereinbarte Erfolg geschuldet wird. Als Beispiel sei hier das Urteil hinsichtlich der Haftung eines der technischen Überwachungsvereine im Rahmen baubegleitender Qualitätsüberwachungsmaßnahmen genannt. Die diesbezüglichen Verträge wurden als Werkverträge mit der Folge eines geschuldeten Erfolgs eingeschätzt.

Was aber ist der Erfolg in einem Beratungsvertrag, der nicht das gebaute Werk beinhaltet, sondern eine Beratung?

Der Umfang der Leistungen sowie die Genauigkeitsgrenzen der Tätigkeit des Sachverständigen ergeben sich in Abhängigkeit von dem Vertragssoll und von der Sorgfaltspflicht der Auftragnehmer.

1.11.2.4.1 Vertragliche Grenzen der Überwachungstätigkeit

Unter Zugrundelegung vorgenannter Anmerkungen sollten somit folgende Sachverhalte im Rahmen des Vertrags zwischen dem Auftraggeber und dem Sachverständigen möglichst genau beschrieben und definiert werden.

1. In jedem Fall sollte vermieden werden, eine Qualität vertraglich zuzusichern. Hierzu sind Sachverständige im Rahmen ihrer Tätigkeit als baubegleitende Überwachende nicht in der Lage. Sie können lediglich eine Qualität der Überwachung zur Qualität beschreiben.

Die Fehlerquellen und die Durchsetzbarkeit von Feststellungen auf der Baustelle liegen außerhalb des Einflussbereiches von Sachverständigen.

2. Eine vollständig durchgängige Überwachung sämtlicher Leistungen können Sachverständige nicht erbringen. Gewerke können nur stichprobenartig geprüft werden. Darauf sollte vertraglich hingewiesen werden. Darüber hinaus ist zu klären, ob Sachverständige sämtliche oder nur einzelne Gewerke des Bauvorhabens überwachen und ebenso, welche Überwachungsstufen vorzunehmen sind, beispielsweise Kellerabdichtung, Dachabdichtung, Heizung, Lüftung, Sanitär oder ähnliche, in sich abgegrenzte Leistungsstufen.

3. Bei der Überwachung eines Bauvorhabens können sich Sachverständige nur auf die überprüfbaren Leistungsbestandteile beschränken. Bei der Überwachung z.B. von kunststoffmodifizierten Beschichtungen auf einer WU-Betonsohle in einer Tiefgarage können Sachverständige vorbereitende Tätigkeiten wie Aufrauen des Untergrunds, Reinigen, Grundieren und Aufbringen der systemabhängigen Beschichtungen überwachen. Eine Überwachung der Materialqualität ist nur eingeschränkt möglich. Im Rahmen einer diesbezüglichen Überprüfung der Ausführungsqualität sollte im Vorfeld der Ausführung überprüft werden, ob die verwendeten Materialien tatsächlich verseifungsstabil sind, um bei Rissbildungen in der WU-Konstruktion ein Verseifen der Grundierung und ein Hohllegen der kunststoffmodifizierten Beschichtung zu vermeiden. Nach Fertigstellung des Objekts zeigte sich jedoch in einem konkreten Fall, dass sich die Beschichtung auf der Sohle der Tiefgarage im Bereich von Rissbildungen abhob und die Grundierung verseift war.

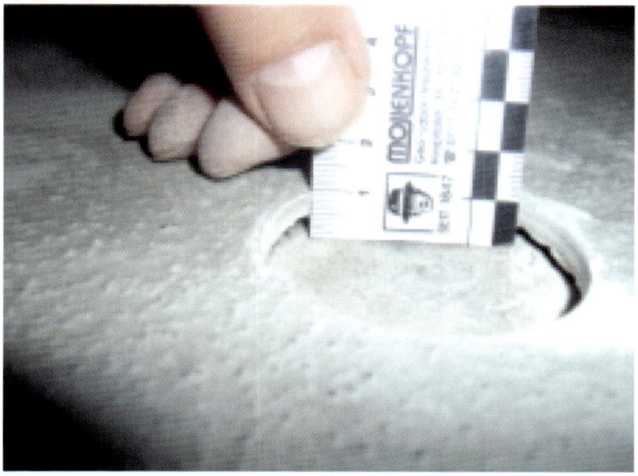

Abbildung 12: Überprüfung der Beschichtung; Quelle: Helge-Lorenz Ubbelohde

Laboruntersuchungen ergaben, dass die verwendete Grundierung tatsächlich nicht, wie in den Produktinformationen vorgegeben, verseifungsstabil war. Möglicherweise wurde auf der Baustelle ein fehlerhaftes Produkt, ein von den Produktinformationen abweichendes Produkt oder ein anderes verwendet, nachdem sich Bauüberwachende zuvor von der Richtigkeit eines bestimmten Produkts überzeugt hatten.

Diesbezügliche Feststellungen sind für Sachverständige kaum oder nicht möglich, sodass eine Inanspruchnahme des Sachverständigen bezüglich einer evtl. Garantie, dass Feststellungen überall zutreffen oder Produkte die angepriesenen Eigenschaften erfüllen, vertraglich ausgeschlossen werden sollte.

4. Um den Anforderungen an eine hohe Qualität gerecht zu werden, sollte möglichst eine durchgängige Überwachung sämtlicher Gewerke erfolgen, wobei nochmals darauf hingewiesen wird, dass die Einzelüberwachung der Gewerke wiederum nur stichprobenartig erfolgen kann. Um vertraglich zu dokumentieren, welche Leistungen Sachverständige auch bei einer durchgängigen Überwachung erbringen, wird empfohlen, einen individuellen, objektabhängigen Überwachungsplan zu erstellen und abzustimmen. Im Überwachungsplan sollten folgende Inhalte gegliedert werden:

   a) Gewerk,

   b) Bauteilbeschreibung,

   c) Überprüfungsleitung,

   d) voraussichtlicher Termin der Überprüfung und weitere Anmerkungen.

   Der Überwachungsplan kann beispielsweise nach nachfolgendem Muster erstellt werden:

Nr.	**Gewerk**	**Bauteilbeschreibung**			**Überprüfungsleistung**	**Voraussichtlicher Termin der Prüfung**	**Anmerkungen**
		Bauteil	Geschoss	Lage			
1	Rohbau	Bodenplatte	EG		Maßhaltigkeit der Bodenplatte und Betonüberdeckung der Bewehrung; Medienrohrleitung	19. KW	
2	Maurer, Abdichtungsarbeiten	EG Mauerwerk	EG		Ausführungsqualität Mauerwerk, Überbindemaße, fachgerechter Verband, maßliche Übereinstimmung mit der Planung, Spritzwasserabdichtung	Anfang 21. KW	

Nr.	Gewerk	Bauteilbeschreibung			Überprüfungsleistung	Voraussichtlicher Termin der Prüfung	Anmerkungen
3	Beton- und Maurerarbeiten	1. OG Mauerwerk	1. OG		Fachgerechte Ausführung Mauerwerk 1. OG und Stahlbetondecke über EG sowie Ringankerausbildung	22. KW	
4	Zimmerarbeiten und Dacheindeckung, Dachklempner	Dach	1. OG		Fachgerechte Ausführung des Dachstuhls und fachgerechte Anbindung der Dachtragkonstruktion im Ringankerbereich, fachgerechte Dacheindeckung, fachgerechte Ausführung der Unterspannbahn		

Indem Auftraggeber einen derart detaillierten Überwachungsplan erhalten, der sich an der Ausführungsplanung des Objekts bzw. der Bauzeitenplanung orientiert, ist vertraglich definiert, in welchem Leistungsumfang der Sachverständige tatsächlich tätig wird. Hieraus ergeben sich die Genauigkeitsgrenzen seiner Tätigkeit im Rahmen baubegleitender Qualitätsüberwachungsmaßnahmen.

1.11.2.4.2 Sorgfaltspflichten von Sachverständigen

Neben dem Vertragssoll sind es die Sorgfaltspflichten von Sachverständigen, die den Umfang und den Rahmen ihrer Tätigkeit definieren. Die Sorgfaltspflichten gliedern sich zum einen in den eigenen Qualitätsanspruch, zum anderen in die Notwendigkeit zur Überwachung kritischer Bauausführungen.

1. Eigener Qualitätsanspruch

Hinsichtlich der vom Sachverständigen gestellten Anforderungen werden sich immer Unterschiede zwischen den Auffassungen der Sachverständigen ergeben. Einen eindeutigen Maßstab beispielsweise für handwerkliche Qualitäten erbrachter Leistungen zu finden, ist häufig schwierig. Die Anforderungen, die seitens des Qualitätsüberwachenden erwartet werden, orientieren sich somit immer auch an einem subjektiven eigenen Qualitätsanspruch.

Als Beispiel sei hier die Welligkeit von Putzoberflächen im Rahmen der DIN 18202 genannt. Selbst für den Fall, dass bei einer geputzten oder gespachtelten Wandoberfläche die Anforderungen hinsichtlich der Ebenheitstoleranzen gemäß DIN 18202 eingehalten sind, können sich handwerkliche Unzulänglichkeiten mehr oder minder deutlich abzeichnen. Hier obliegt es dem Sachverständigen, seine Anforderungen an eine einwandfreie handwerkliche Qualität durchzusetzen.

Ein weiteres Beispiel ist die Anforderung hinsichtlich der Einheitlichkeit der Farbe bei durchgefärbten mineralischen Putzen.

Abbildung 13: Dunkler Putz; Quelle: Helge-Lorenz Ubbelohde

Bei durchgefärbten dunkleren Putzen ist es oft schwierig, handwerklich eine einheitliche Farbgebung zu erhalten. Auch in Abhängigkeit von der Erwartungshaltung des Bauherrn oder Auftraggebers sind hier die Qualitätsmaßstäbe durch den Sachverständigen individuell festzulegen.

Neben der Überprüfung der Einhaltung starrer technischer Normungen ist vielerorts die persönliche Einschätzung des Sachverständigen im Hinblick auf eine zu erbringende Qualität gefordert und durch den Sachverständigen durchzusetzen.

2. Überwachung kritischer Bauausführungen

Bei jedem Bauvorhaben gibt es Bauausführungen, die grundsätzlich als besonders kritisch einzuschätzen sind. Die Abwägung, ob eine Bauausführung als kritisch einzuschätzen ist, ergibt sich aus der allgemeinen fachlichen Diskussion bzw. auch der allgemeinen fachlichen Erfahrung dahingehend, bei welchen Ausführungen mit einer hohen Fehlerquote gerechnet werden muss. Ausführungsarten, die als besonders kritisch eingestuft werden, sind in jedem Fall durch den Sachverständigen oder Qualitätsüberwacher im Rahmen seiner Tätigkeit zu kontrollieren. Es kann erwartet werden, dass der Qualitätsüberwacher bei kritischen Bauausführungen weitestgehend durchgängig seiner Überwachungsleistung nachkommt, um der Erfahrung einer hohen Fehlerquote gezielt entgegenzuwirken. Hierbei handelt es sich in jedem Fall um eine Notwendigkeit im Rahmen der Sorgfaltspflicht des Sachverständigen bei Qualitätsüberwachungsmaßnahmen. Beispielhaft seien folgende kritische Bauausführungen genannt:

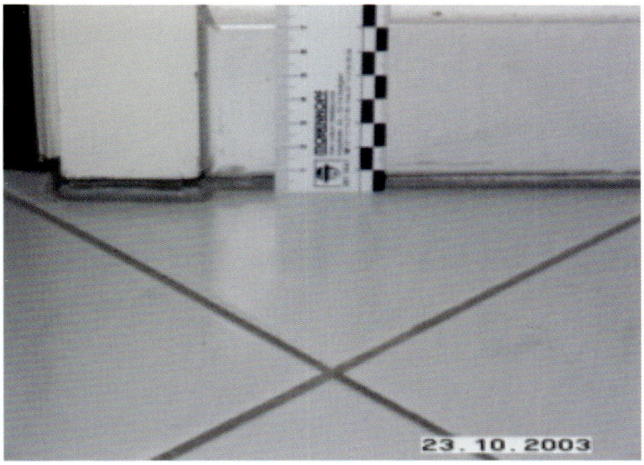

Abbildung 14: Absenkung; Quelle: Helge-Lorenz Ubbelohde

Abbildung 15: Dampfsperre; Quelle: Helge-Lorenz Ubbelohde

Ausführung von Trockenschüttungen mit Trockenestrichen beispielsweise bei Altbausanierungsmaßnahmen

Es ist bekannt, dass derartige Ausführungen häufig zu erhöhten Absenkungserscheinungen des Fußbodenaufbaus und zu Abrissen in den flankierenden Wandanschlussbereichen führen. Derartige Absenkungen sind häufig Ursache für Streitigkeiten im Hinblick auf die Ausführungsqualität. Um derartigen Streitigkeiten vorzubeugen und Fehler zu vermeiden, ist eine durchgängige Überwachung der Leistungen bei der Ausführung von Trockenschüttungen und Trockenestrichen unabdingbar.

Ausführung von Dampfsperren

Die Ausführung von Dampfsperren muss im Rahmen baubegleitender Qualitätsüberwachungsmaßnahmen zwingend erforderlich mitüberwacht werden. Fehler bei der Bauausführung führen zu Leckagen, die nach Fertigstellung des Objekts meist nur mit hohem apparativem Aufwand lokalisiert werden können. Der anschließende Sanierungsaufwand ist nochmals um ein Vielfaches höher, sodass in Kenntnis des Umstandes, dass Dampfsperren häufig fehlerhaft ausgeführt werden, eine weitestgehend durchgängige Überwachung im Rahmen der Bauausführung erfolgen muss.

Abbildung 16: Bituminöse Dickbeschichtungen; Quelle: Helge-Lorenz Ubbelohde

Bituminöse Dickbeschichtungen

Bituminöse Dickbeschichtungen waren und sind weiterhin Gegenstand umfangreicher Fachdiskussionen. Auch wenn Dickbeschichtungen nunmehr in der Neufassung der DIN 18195 enthalten sind, ist deren Ausführung als kritische Bauausführung einzuschätzen, da die Fehleranfälligkeit relativ hoch ist. Insofern ist eine ständige Überwachung zwingend erforderlich, um eine möglichst hohe Ausführungsqualität zu erhalten.

Nach Abschluss der Baumaßnahme erfolgt die Beauftragung in der Regel entweder zur abnahmebegleitendenden Tätigkeit (Erstellen von Fehlerlisten) oder auch im Hinblick auf die Erklärung der Abnahme bzw. von Fertigstellungsbescheinigungen.

Im Hinblick auf die Aufstellung von Fehlerlisten stellt sich die Frage nach der Notwendigkeit durchzuführender detaillierter Untersuchungen, um die fachgerechte fehlerfreie Ausführung möglichst in sämtlichen Konstruktionsbereichen bestätigen zu können. Hier bewegt sich der Sachverständige im Spannungsfeld von „verdeckten Fehlern" und der Sorgfaltspflicht bei der Erbringung seiner vertraglich geschuldeten Leistung. In jedem Fall sind die Fehlerlisten so zu formulieren, dass Abweichungen der Ist-Beschaffenheit von der vertraglich geschuldeten Soll-Beschaffenheit dokumentiert werden. Um diesem Auftrag gerecht zu werden, sind zum einen Überprüfungen durch Inaugenscheinnahme üblich. Darüber hinaus ist zu klären, ob Planüberprüfungen durchgeführt werden sollen, um die vorhandene Ist-Beschaffenheit im Hinblick auf das Vertragssoll prüfen zu können. Das Gleiche gilt für die Überprüfung von Baubeschreibungen und weiteren vertragsgegenständlichen Unterlagen. Um Ausführungsfehler bei Beauftragung nach Durchführung der Ausführung feststellen zu können, können beispielsweise auch einfache Maßnahmen ergriffen werden, ohne großen Eingriff in die Bausubstanz.

Abbildung 17: Aufschieben eines Dachsteines zur Überprüfung der Unterspannbahn; Quelle: Helge-Lorenz Ubbelohde

Es ist z.B. relativ einfach möglich, durch Aufschieben eines Dachsteines im Traufenbereich die Ausführungsqualität des Anschlusses der Unterspannbahn an das Einhangblech zu überprüfen. Weitere, mit geringem Aufwand durchführbare Untersuchungen sind beispielsweise Maßhaltigkeitsüberprüfungen, Gefälleüberprüfungen auf Balkonen, Überprüfung der Abdichtung unter Wannen, u.a. durch Öffnen der Revisionsklappen.

Neben den Überprüfungen durch Inaugenscheinnahme bzw. der Durchführung von Untersuchungen mit geringem Untersuchungsaufwand besteht selbstverständlich heutzutage auch die Möglichkeit, mit aufwändigen Diagnoseverfahren Ausführungsfehler zu lokalisieren.

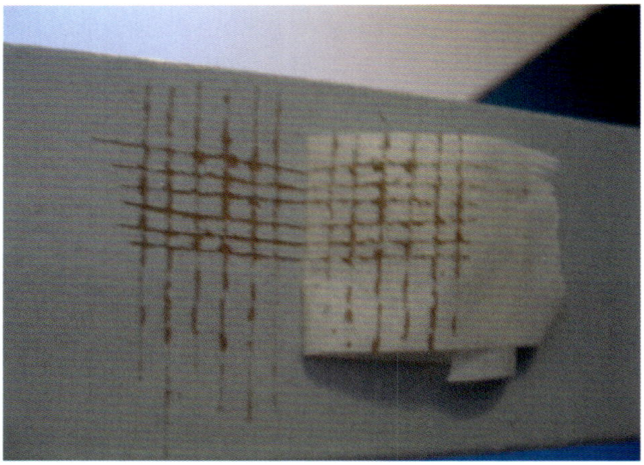

Abbildung 18: Gitterschnittprüfung; Quelle: Helge-Lorenz Ubbelohde

Im Rahmen der Begehungen zur Qualitätsüberwachung ist ebenfalls die Frage zu stellen, inwiefern sicherheitsrelevante Bauausführungen detailliert überprüft werden müssen. Dies kann teilweise einen erheblichen Umfang erreichen. Es stellt sich z.B. die Frage, ob sämtliche Brandschutzklappen in einem Objekt im Hinblick auf ihre Funktionsfähigkeit durch den Sachverständigen nochmals zu überprüfen sind. Es wird darauf hingewiesen, dass es für den Sachverständigen sehr schwer möglich ist, die genaue Lage der Brandschutzklappen und den gesamten Umfang aufzuspüren und zu überprüfen. In solchen Fällen sollte im Rahmen der Beauftragung des Sachverständigen klar herausgestellt werden, dass sich der Sachverständige möglicherweise auf die Sachkundeüberprüfungen beziehen kann, auch wenn sich hieraus nicht zwangsläufig die Sicherheit einer sachgerecht ausgeführten Leistung ergibt, da erfahrungsgemäß die Sachkundeüberprüfungen im Zuge des Bauablaufs durchgeführt werden und sich über einen längeren Zeitraum erstrecken. Durch den Sachkundigen durchgeführte Überprüfungen können somit infolge der Baudurchführung überholt werden, sodass sich trotz Sachkundeüberprüfung Fehler an den Anlagen zum Zeitpunkt der Abnahmebegehung dokumentieren können.

Bei komplexeren Gebäuden ist beispielsweise auch eine detaillierte Überprüfung sämtlicher Datenpunkte der MSR und GLT durch den Sachverständigen im Rahmen der Abnahmebegehungen kaum möglich. Ob sämtliche Störungen tatsächlich wie vertraglich vereinbart durch die MSR/GLT signalisiert werden, ist kaum überprüfbar.

Auch bei der Prüfung von Heizungssystemen ergeben sich Grenzen hinsichtlich der Sorgfaltspflicht des Sachverständigen. Selbst für den Fall, dass stichprobenartige Ausführungskontrollen erfolgten, ist es beispielsweise bei komplexen Heizungssystemen, die unter Verwendung von Pressfittings hergestellt wurden, nicht möglich, zuverlässig eine Aussage im Hinblick auf die uneingeschränkte Dichtigkeit des Rohrnetzes zu treffen. Es gehört sicherlich zu den Sorgfaltspflichten des Sachverständigen, die Druckprüfungsprotokolle zu den Rohrnetzen in Augenschein zu nehmen und zu überprüfen. Selbst bei sachgerechter Ausführung der Druckprüfung und bei positivem Ergebnis kann material- und konstruktionsbedingt nicht zuverlässig eine spätere Undichtigkeit beispielsweise auch an überhaupt nicht gepressten Fittings sachverständig ausgeschlossen werden.

Die derzeitig am Markt befindlichen Pressfittings können bei Druckprüfungen auch im ungepressten Zustand dicht sein. Das Rohrnetzsystem kann über einen längeren Zeitraum auch unter Heizungsbetrieb keine Undichtigkeiten aufweisen, bevor es dann zu Leckagen an einem beispielsweise nicht gepressten Fitting kommt. Andererseits ist eine Überprüfung sämtlicher Pressfittings durch den Sachverständigen im Rahmen der baubegleitenden Qualitätsüberprüfungsmaßnahmen kaum möglich. Trotz der in angemessener Weise anzusetzenden Sorgfaltsverpflichtung des Sachverständigen können bei derartigen Systemen Fehler nicht uneingeschränkt zuverlässig ausgeschlossen werden.

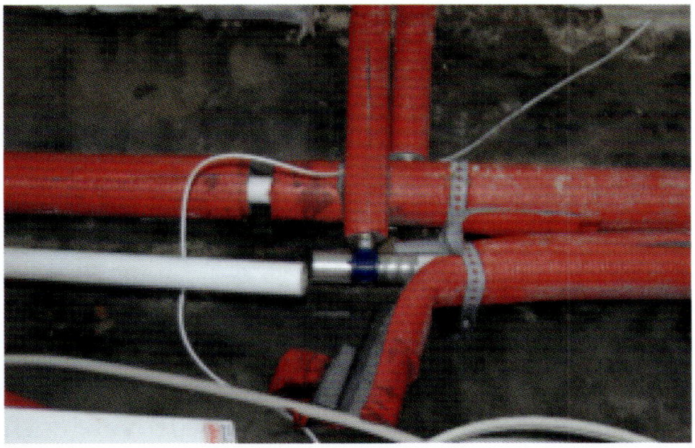

Abbildung 19: Rohrnetzsystem; Quelle: Helge-Lorenz Ubbelohde

Die Liste durchführbarer Untersuchungen oder Festlegungen hinsichtlich des Umfangs zu erbringender Leistungen zum Aufspüren von Fehlern bzw. Abweichungen der Ist-Beschaffenheit von der vertraglich geschuldeten Soll-Beschaffenheit ist beliebig fortsetzbar. Dieser Umstand belegt, dass der Sachverständige nicht alles überprüfen kann, sondern sich auf kritische Bauteile beziehen muss und unter Berücksichtigung seiner Sorgfaltspflicht prüft.

Aufgrund vorgenannter vertraglicher Einbindung des Sachverständigen erscheint es zur Vermeidung einer haftungsmäßigen Inanspruchnahme zwingend erforderlich, im direkten Auftragsverhältnis mit dem Auftraggeber die mögliche Genauigkeit bei der Durchführung von Qualitätskontrollen im Rahmen baubegleitender Qualitätsmaßnahmen eindeutig zu formulieren.

1.11.2.5 Der Einfluss durch das EU-Bauproduktenrecht auf die Beratung zur Qualität

Mit Umsetzung der EU-Bauproduktenverordnung wurde in Deutschland das bislang gültige Bauordnungsrecht im Oktober 2016 außer Kraft gesetzt. Bislang konnte man sich als Bauunternehmer, Planer und auch Abnehmender darauf verlassen, dass Bauprodukte, die eine bauaufsichtliche Zulassung aufweisen, oder Bauverfahren und Systeme, die eine Zustimmung im Einzelfall aufweisen oder der Bauregelliste B Teil 1 entsprechen; die bauordnungsrechtlichen Grundanforderungen hinsichtlich der mechanischen Festigkeit und Standsicherheit bezüglich des Brandschutzes, Schallschutzes und Wärmeschutzes sowie hinsichtlich des Gesundheitsschutzes und Umweltschutzes erfüllen. Produkte, die ein Ü-Zeichen aufwiesen, konnten ebenso gesichert angewendet werden. Um die Anforderungen an ein Bauprodukt zu formulieren, konnte sich der Planer auf die uns allen bekannten produktqualitätssichernden Mechanismen beziehen. Die Qualität der angewendeten Produkte war ebenso gesichert kontrollierbar.

Im Wesentlichen definierte die Bauregelliste nationale Zusatzanforderungen an Bauprodukte, die europäisch harmonisierten Produktnormen (hEN) unterliegen und die CE-Kennzeichnung tragen. Die nationalen Zusatzanforderungen waren notwendig, da die im Auftrag der Europäischen Kommission im Normungsverfahren formulierten Anforderungen an Bauprodukte erhebliche Lücken im Hinblick auf die Sicherheit sowie den Gesundheits- und Umweltschutz aufweisen. In Deutschland wurde der Weg beschritten, die bestehenden Lücken in der europäischen Bauproduktennormung national nachzuregeln.

Das Urteil des EuGH forderte in Bezug auf den Umgang mit harmonisierten Spezifikationen eine Umstellung des bauaufsichtlichen Konzeptes, insbesondere die Umstrukturierung im Bereich der Bauregellisten und der Liste der technischen Baubestimmungen. In der Folge veranlassten die Länder zum Jahresende 2015 die Streichung der nationalen Zusatzanforderungen zu den drei urteilsgegenständlichen Produktgruppen aus der Bauregelliste B Teil 1. Ab März 2015 wurde dann von Bund und Ländern in enger Abstimmung mit der EU-Kommission ein weitergehendes Verfahren konkretisiert, das aufgrund bestehender Kritikpunkte der EU-Kommission bis heute nicht abgeschlossen werden konnte. Zielsetzung des Konzeptes ist es, keine Anforderungen mehr an Bauprodukte, sondern nur noch an Bauwerke/Bauteile zu stellen. Damit wird der bisher staatlich sichergestellte bauordnungsrechtliche Grundsatz vorbeugender Gefahrenabwehr aufgegeben, die sichere Verwendbarkeit von Bauprodukten zu gewährleisten. Stattdessen wird beispielsweise auf ein Prinzip „freiwilliger Herstellererklärungen" über die Produktqualität gesetzt. Für die rechtskonforme Verwendung von Bauprodukten sollten dabei allerdings die am Bau Beteiligten, sprich Planer, Unternehmer und Abnehmende, verantwortlich sein. Im Hinblick auf die Umsetzung wurde somit im Laufe des Jahres 2016 eine Novelle der Musterbauordnung (MBO) erarbeitet und anschließend zur Notifizierung bei der EU-Kommission eingereicht. Das Verfahren endete mit Ablauf der Stillhaltefrist am 19.8.2016 zunächst ohne gravierende Änderungen. Darüber hinaus wurde eine Verwaltungsvorschrift Technische Baubestimmungen (VV TB) entwickelt, für die am 21.7.2016 das europäische Notifizierungsverfahren eingeleitet, aber bis heute nicht beendet wurde. Ziel ist es, dass die auf der Basis der Musterbauordnung zu novellierenden Landesbauordnungen und die VV TB möglichst gleichzeitig in Kraft treten. Die Einführung der Landesbauordnungen in den jeweiligen Bundesländern wurde zunächst mit Ausnahme von Sachsen-Anhalt bis zum Abschluss des Notifizierungsverfahrens der VV TB ausgesetzt. Da nunmehr zahlreiche Kritikpunkte der EU-Kommission an dem eingereichten Entwurf der VV TB bestehen, wurden auf deutscher Seite nicht einigungsfähige Problemfälle teilweise entfernt. Beispielsweise handelt es sich hierbei auch um Regelungen zum Frostwiderstand von Mauersteinen. Hierdurch werden wiederum Regelungslücken in Kauf genommen, um politisch eine Einigung zu ermöglichen. Rechtssicherheit in der Umsetzung von Bauvorhaben wird hierbei jedoch nicht erreicht.

Obwohl der nationale Umbau des Bauordnungsrechtes derzeitig bei Weitem nicht abgeschlossen ist, deutliche Regelungslücken bestehen und Übergangsregelungen nicht vereinbart sind, wurde mit Ausgabe einer neuen Bauregelliste ab 16.10.2016 für die Produkthersteller jede Verpflichtung aufgehoben, im Bereich harmonisierter Bauprodukte zusätzliche Verwendbarkeits- und Übereinstimmungsnachweise zu erbringen. Die Änderungen der Bauregelliste B Teil 1 betrafen zahlreiche harmonisierte Bauprodukte und hier vor allem Produkte mit nationalen Zusatzanforderungen auf der Basis allgemeiner bauaufsichtlicher Zulassungen. Das Ü-Zeichen hat in den entsprechenden Bereichen ebenfalls zu dem Zeitpunkt formal seine Gültigkeit verloren. Seit der Umstellung wird von der Bauaufsicht zumindest formal nicht mehr beanstandet, dass Produkte hinsichtlich ihrer Qualitäten lediglich eine CE-Kennzeichnung aufweisen und der Leistungsnachweis durch eine rechtskonforme Leistungserklärung nach der Bauproduktenverordnung erklärt wird. Die so geänderte Vollzugspraxis entbindet jedoch den Bauherrn und insbesondere die Entwurfsverfasser, die Unternehmen und Qualitätsprüfenden nicht von der Verpflichtung zur Einhaltung der Anforderungen, die durch öffentlich-rechtliche Vorschriften an bauliche Anlagen gestellt werden.

Um die seit 16.10.2016 bestehende Situation zumindest einigermaßen abzufangen, wurden seitens der Länder Übergangsregelungen in Form von Vollzugshinweisen mit teilweise unterschiedlichem Wortlaut und abweichenden Regelungsinhalten eingeführt. Diese sind u.a. auf den Internetseiten des DIBt einzusehen und sollten unbedingt projektbezogen beachtet werden, da die Inhalte der Erlasse in einigen Punkten landesspezifisch abweichen. Beispielsweise wird nicht in allen Erlassen darauf hingewiesen, dass eine allgemein bauaufsichtliche Zulassung oder ein allgemein bauaufsichtliches Prüfzeugnis, deren Nebenbestimmungen nicht mehr eingehalten werden, oder eine bauaufsichtliche Zulassung oder allgemein bauaufsichtliches Prüfzeugnis, deren Befristung abgelaufen ist, z.B. insofern als freiwilliger Nachweis zugrunde gelegt werden können.

Danach gilt, dass bei Bauprodukten, die die CE-Kennzeichnung nach der Bauproduktenverordnung tragen und für die nationale Zusatzanforderungen entfallen sind, grundsätzlich zur Darlegung des bauaufsichtlichen Anforderungsniveaus Leistungserklärungen auf Basis von harmonisierten europäischen Normen bzw. europäischen technischen Bewertungen (ETA), allgemein bauaufsichtliche Prüfzeugnisse oder Zulassungen, während ihrer ausgewiesenen Geltungsdauer als Nachweis weiter herangezogen werden können. Daneben wird jedoch der Weg zu einer „freiwilligen Herstellererklärung" grundsätzlich eröffnet. Die freiwilligen Herstellerkennzeichnungen beziehen sich allerdings nach Aussage der Baustoffindustrie auf Anforderungsdokumente und bestätigen, dass die in den Anforderungsdokumenten formulierten Anforderungen erfüllt werden. Solange keine einheitlichen Anforderungsdokumente bestehen, ergeben somit auch freiwillige Herstellererklärungen keinen Sinn. Grundsätzlich würden solche Erklärungen dann funktionieren, wenn seitens der Bauaufsicht erklärt würde, dass die Anforderungsdokumente die bauordnungsrechtlichen Anforderungen erfüllen. Ein solcher Schritt würde zukünftig hinreichend Sicherheit für die Bauschaffenden bringen und die Baustoffhersteller mit in die Verantwortung nehmen. Einheitliche europäische Anforderungsdokumente bestehen nicht. National ergeben sich weiterhin unterschiedliche Anforderungen an Gebäude und Bauprodukte. Erst wenn einheitliche europäische Anforderungsniveaus formuliert sind, können auch abgestimmte einheitliche Bewertungsdokumente erstellt werden, die dann die Voraussetzung für die Einführung harmonisierter Normen sind. Derzeitig besteht beispielsweise das Problem, dass zur Qualitätssicherung von Bauprodukten und für einen geregelten europäischen Binnenmarkt einheitliche europäische Prüfnormen nicht bestehen. Bauprodukte, die in unterschiedlichen europäischen Ländern geprüft werden, werden mit voneinander abweichenden Baustoffkennwerten gekennzeichnet, sodass ein Produktdeklaration eines Produktes aus einem europäischen Ausland nicht zwangsläufig das Qualitätsniveau des gleichen Bauproduktes hat, unter der Voraussetzung, dass dieses beispielsweise in Deutschland geprüft wurde. Solange keine einheitlichen europäischen Prüfnormen bestehen, kann sich somit der Planer und Abnehmende nicht auf Produktdeklarationen verlassen. Wird beispielsweise ein Wärmedämmstoff im europäischen Ausland geprüft, ergibt sich ein Wärmedurchgangswert, der durchaus von dem Wärmedurchlasskoeffizienten abweichen kann, für den Fall, dass das Produkt in Deutschland geprüft wurde. Sollte der Wärmedämmwert von dem Erwerber eines Objektes bezweifelt werden und eine Prüfung vorgenommen werden, kann es zu Abweichungen kommen. Hieraus ergeben sich nicht einschätzbare und nicht überschaubare Haftungsrisiken.

Auf Drängen namhafter Spitzenverbände der Bauindustrie hat die Bundesregierung fristgerecht im April 2017 in beiden vorgenannten Verfahren vor dem europäischen Gericht Klage gegen die EU-Kommission eingereicht. Es sei jedoch der Hinweis erlaubt, dass es hierbei lediglich um zwei von ca. 80 betroffenen Produktgruppen geht, bei denen derzeitig eine unsichere Situation besteht. Im August 2017 teilte der Pressedienst des damaligen Bundesministeriums für Umwelt, Naturschutz, Bau und Reaktorsicherheit mit, dass das hohe Schutzniveau von Bauprodukten und Bauwerken in Deutschland erhalten bleibt. Dies hat die Bauministerkonferenz der Länder beschlossen. Grundlage des Beschlusses war eine Verständigung des Ministeriums mit der EU-Kommission. Diese sieht vor, dass Deutschland vorübergehend Anforderungen beispielsweise an das Glimmverhalten von Bauprodukten stellen kann, bis diese in die europäische Produktnorm aufgenommen worden sind. Mit der Verständigung wurde auch ein Vertragsverletzungsverfahren der EU-Kommission gegen Deutschland eingestellt. Hierbei handelt es sich um einen Teilerfolg. Grundsätzlich bleibt das Problem, wie zuvor beschrieben, bestehen. Die Übergangsregelungen belasten Bauherren, Planer und Bauunternehmen, da die Verantwortlichkeiten und Haftungspflichten von Produktherstellern zu eben diesen Gruppen verschoben werden.

Vom Deutschen Beton- und Bautechnikverein e.V., der Gemeinschaft für Überwachung im Bauwesen, dem Hauptverwand der Deutschen Bauindustrie e.V. und dem Zentralverband des Deutschen Baugewerbes wurde ein Rechtsgutachten zur Bauproduktenverordnung in Auftrag gegeben. In dem Gutachten wird darauf hingewiesen, dass zu einer vollumfänglichen Genehmigungsplanung nach HOAI die Berücksichtigung sämtlicher in der VV TB aufgeführten Vorschriften und insbesondere technischen Anforderungen an Bauprodukte zählt. Zu einer vollständigen Ausführungsplanung zählt laut Rechtsgutachten u.a. auch die Prüfung der Verwendbarkeit von Bauprodukten. Hieraus ergibt sich, dass schon der Planer sicherstellen muss, dass die bauordnungsrechtlichen Grundanforderungen durch die in der

Planung berücksichtigten Bauprodukte erfüllt werden. Auf der Grundlage der derzeitigen Rechtssituation kann dieses jedoch nicht mehr uneingeschränkt gesichert erfolgen. Für eine Übergangszeit besteht sicherlich die Möglichkeit, bauaufsichtliche Zulassungen, die noch nicht ihren Geltungsbereich überschritten haben, oder Produktdeklarationen, die sich auf die Bauregelliste 2015/2 beziehen, zugrunde zu legen. Produktkennzeichnungen und Deklarationen zu einzelnen Leistungsdaten, bei Produkten, die aus dem Ausland kommen, sind nicht gesichert. Eine detaillierte Produktprüfung sprengt den Rahmen der Planungsleistung unter Berücksichtigung der Honorierung nach der HOAI, sodass in jedem Falle eine Diskrepanz zwischen zu erbringender Leistung und Honorierung gegeben ist.

Für eine Baustelle bedeutet das, das Wareneingangskontrollen gewissenhafter und konsequenter durchgeführt werden müssen und bei der Anlieferung stets ein Abgleich der Produktdeklarationen, Lieferscheine und der Leistungserklärungen mit den Ausschreibungs- und Planungsanforderungen erfolgen muss. Es ist zu prüfen, ob das angelieferte Bauprodukt tatsächlich alle in der Planung benannten Merkmale erfüllt. Im Zweifelsfall sind Bauprodukte zurückzuweisen. Sofern beispielsweise Nachunternehmer mit eigenem Material arbeiten, sind im Nachunternehmer-Werkvertrag alle aus dem Hauptvertrag resultierenden Produktanforderungen zu verankern. Besondere Nachweise wie Prüfzeugnisse etc. müssen ebenfalls vereinbart werden.

Die Sachverständigen, die mit der Qualitätsprüfung beauftragt sind, müssen ebenfalls das Konglomerat der Produktanforderungen und deren Übereinstimmung mit dem Bauordnungsrecht und den kaufvertraglichen Regelungen im Blick haben. Unter Berücksichtigung der vorstehenden Randbedingungen ist eine rechtssichere Bestätigung, dass die Bauprodukte, die lediglich eine Deklaration gemäß Bauproduktenverordnung aufweisen, tatsächlich den bauordnungsrechtlichen Grundanforderungen entsprechen, nicht möglich. In seinem Vertrag muss der Sachverständige darauf achten, dass mit seiner Einschätzung diesbezüglich die Haftung nicht auf ihn übertragen wird. Prognostisch kann davon ausgegangen werden, dass für den Zeitraum der nächsten fünf Jahre aufgrund der derzeitig noch vorhandenen Geltungsdauer der bauaufsichtlichen Zulassungen qualifizierte Nachweise zu Produktleistungen vorliegen und relativ rechtssichere Produkte, die noch eine bauaufsichtliche Zulassung aufweisen, angewendet werden können. Nachdem die Geltungsdauer der bauaufsichtlichen Zulassung abgelaufen ist, stellt sich tatsächlich die Frage, ob die diesbezüglichen Zulassungen weiterhin als qualifiziertes Gutachten zum Nachweis der Produktleistung herangezogen werden können. Es ist in jedem Falle anzuzweifeln, dass innerhalb der nächsten fünf Jahre tatsächlich die als besonders kritisch detektierten Produktnormen harmonisiert sind und ein einheitliches, abgestimmtes europäisches Anforderungsniveau besteht. Ebenso ist anzuzweifeln, dass die für harmonisierte Bauprodukte notwendigen Prüfnormen innerhalb der nächsten fünf Jahre als europäisch harmonisierte Prüfnormen eingeführt werden können.

Die Wohnungswirtschaft ist derzeitig bestrebt, Zusatzanforderungen zur Einhaltung der bauordnungsrechtlichen Anforderungen, beispielsweise unter Berücksichtigung der Anforderungen der Bauregelliste 2015/2, in zivilrechtlich wirksamen Anforderungsdokumenten zu formulieren, die dann Grundlage sind für die Vergabe von Bauleistungen. Derzeitig ist es jedoch schwierig, alle in der Wertschöpfungskette Bau Beteiligten einschließlich der Bauindustrie zusammenzuführen, um ein abgestimmtes zivilrechtlich wirksames Anforderungsdokument zu formulieren. Sollte zu gegebener Zeit ein derartiges Anforderungsdokument vorliegen und in dem Anforderungsdokument ebenfalls mit enthalten sein, nach welchen Prüfnormen die Leistungswerte von Bauprodukten nachzuweisen sind, besteht für die Planer und Sachverständigen durchaus die Möglichkeit, dann Leistungserklärungen der Hersteller, die sich auf Anforderungsdokumente beziehen, als Grundlage für eine Qualitätseinschätzung heranzuziehen. Der Weg dahin erscheint derzeit jedoch noch lang und steinig. sodass nur geschlussfolgert werden kann, dass Übergangsregelungen als Hilfskrücken herangezogen werden müssen und Rechtssicherheit bei Planung und Überwachung nur eingeschränkt gegeben ist.

1.11.2.6 Vertragliche Vereinbarungen

Der Umfang und die Genauigkeitsgrenzen bei Qualitätskontrollen ergeben sich gemäß Vorgenanntem zunächst aufgrund der Sorgfaltspflicht des Sachverständigen, seiner eigenen Qualitätsanforderungen sowie unter Berücksichtigung der bauvertraglich geschuldeten Leistungen. Darüber hinaus sind eindeutige vertragliche Aussagen zwischen Auftraggeber und Qualitätsüberwacher über die zu erbringenden Leistungen unerlässlich, da die vielfältigen Fehlerquellen während eines Bauprozesses nicht wirtschaftlich überprüfbar sind. Um eine eindeutige Haftungsbeschränkung zu erhalten, sind detaillierte Aussagen über den Umfang durchzuführender Überwachungsleistungen und der Durchführung zusätzlicher Verfahren zwingend erforderlich.

Als Fehlerquellen ergeben sich insbesondere folgende zu berücksichtigende Einflüsse:

1. Unklare, nicht eindeutige bauvertragliche Regelungen;
2. Planungsfehler; sowohl fachlich als auch Abweichungen vom Vertragssoll;
3. Materialfehler;
4. Ausführungsfehler; verdeckt oder Abweichungen von der Planung bzw. verarbeitungsbedingte Ausführungsfehler.

Um die Tätigkeit des Überwachenden zu definieren, ergeben sich folgende Hinweise im Hinblick auf die vertraglichen Vereinbarungen zwischen Auftraggeber und Qualitätsüberwacher:

1. Ein gegenbestätigter projektbezogener Überwachungsplan ist zwingend erforderlich, um den Umfang der Überwachungsleistung in Abstimmung mit dem Auftraggeber festzuschreiben.
2. Es muss eine genaue Festschreibung der zu überwachenden Leistungen erfolgen. Im Rahmen der Formulierung zu erbringender Leistungen sollte Folgendes beachtet werden:
   a) Ausschluss von Materialprüfungen und Ausschluss von Prüfungen der Leistungsdaten angewendeter Bauprodukte;
   b) Ausschluss von statischen Überprüfungen und Bewehrungsabnahmen, falls gewünscht;
   c) keine Überwachung der Fehlerbeseitigung;

d) nur Sichtüberprüfungen oder auch vertiefte Prüfungen, wobei festzulegen ist, welche zusätzlichen Untersuchungen und welcher Untersuchungsaufwand tatsächlich geschuldet sind;

e) erfolgen Planüberprüfungen bzw. Überprüfungen weiterer vertragsgegenständlicher Unterlagen wie Baubeschreibungen, Leistungsverzeichnisse etc.

Rechtsbegriffe sind im Hinblick auf die technischen Voraussetzungen im Vertrag mit dem Sachverständigen zu definieren.

Weitere Festlegungen sind ggf. erforderlich und ergeben sich in Abhängigkeit von den zu überwachenden Bauvorhaben.

Ebenfalls von Bedeutung ist es, einen Ausschluss für verdeckte Leistungen zu formulieren.

1.11.2.7 Schlussfolgerungen

Die Notwendigkeit hoher Genauigkeitsgrenzen bei der Durchführung von Qualitätsberatungen orientiert sich zum einen an dem vertraglich geschuldeten Erfolg, zum anderen orientiert sich der Umfang zu erbringender Leistungen selbstverständlich auch an dem Qualitätsanspruch des Sachverständigen. Für den Fall, dass sich hierbei fließende Übergänge zwischen notwendigerweise zu erbringender Leistung und möglicherweise zu erbringender Leistung ergeben, die im Schadensfall Interpretationsspielraum ermöglichen, sollten klare vertragliche Formulierungen bzw. Haftungsausschlüsse Grundlage der Tätigkeit des Sachverständigen sein.

Im Rahmen baubegleitender Qualitätsberatungen werden vom Sachverständigen Fehler und Bauzustände dokumentiert. Die Anforderungen an eine solche Dokumentation sind relativ hoch, da Bauzustände und Fehler eindeutig nachvollziehbar formuliert und örtlich zugewiesen werden müssen. Digitale Baudokumentationssysteme bieten eine gute Möglichkeit, den Sachverständigen im Rahmen seiner Tätigkeit zur Feststellung von Bauzuständen oder auch im Rahmen von baubegleitenden Qualitätsberatungen zu unterstützen. Die vom Sachverständigen aufgenommenen Fehler und Bauzustände lassen sich in der Folge gut im Fehlerverfolgungssystem der Baustelle integrieren, um sicherzustellen, dass die vom Sachverständigen aufgenommenen Fehler und Bauzustände auch zuverlässig im Rahmen einer Fehlerbeseitigung bearbeitet werden können. Eine in sich geschlossene, zuverlässig arbeitende Dokumentationssoftware ist mittlerweile eine Grundvoraussetzung für den Sachverständigen, um im Rahmen von baubegleitenden Qualitätsberatungen unter Berücksichtigung optimierter Arbeitsprozesse mit der Baustelle zu kommunizieren und Informationen auszutauschen. Die Sachverständigen sind angehalten, sich der Entwicklung anzuschließen, um marktgerecht die ihnen gestellten Aufgaben zu erfüllen.

1.12 Bauteilöffnung und Bauteilzerstörung

Mark von Wietersheim

Übersicht

1.12.1 Einführung

Die Aufgabe von Sachverständigen ist es, verkürzt formuliert, den Zustand einer Sache festzustellenund diesen zu bewerten. Oft ist aber die zu begutachtende Sache nicht frei zugänglich. Wie erhalten Sachverständige Zugang zum zu begutachtenden Gegenstand? Welcher Zustand ist nach den Untersuchungen wiederherzustellen?

Diese Fragen werden in diesem Beitrag für gerichtlich ernannte und privat beauftragte Sachverständige behandelt.

1.12.2 Der gerichtlich bestellte Sachverständige

In selbständigen Beweisverfahren oder streitigen Gerichtsverfahren können sich die Parteien zum Beweis der ihnen obliegenden Sachverhalte auf das Gutachten eines vom Gericht zu ernennenden Sachverständigen berufen. Gerichtlich tätige Sachverständige werden nicht von sich aus tätig, sondern durch gerichtliche Heranziehung. Bei streitigen Gerichtsverfahren entscheidet das Gericht über ein bestimmtes Beweisangebot, beim selbständigen Beweisverfahren geben Antragsteller Richtung und Tiefe der Untersuchung vor.

Aufgrund der Tätigkeit für das Gericht sind Sachverständige im Rahmen des spezifischen Auftrags an die gleichen Grenzen gebunden wie das Gericht. Was Richter nicht dürfen, trifft auch auf Sachverständige zu.

Welche Aufgaben gerichtlich tätige Sachverständige haben, ergibt sich aus dem Beweisbeschluss. Dieser wiederum stützt sich auf die Schriftsätze der Parteien zu dem, was sie als Sachverhalt vortragen und mit einem Beweisangebot versehen. Speziell für Gutachten müssen die Parteien die „zu begutachtenden Punkte" angeben.

1.12.2.1 Bauteilbeschädigungen für Untersuchungen oder Probeentnahmen

Eingriffe in die vorhandene Substanz können nötig sein, um zu untersuchende Bauteilschichten freizulegen und um Proben zu entnehmen. Dazu kann es erforderlich sein, Bauteile zu beschädigen.

Bei diesen Fällen ist die rechtliche Lage ganz eindeutig.

Probeentnahmen, Probebohrungen und ähnliche Leistungen können für Begutachtungen erforderlich sein. Die Begutachtung der Gegenstände haben Sachverständige selbst vorzunehmen. Freilegungen oder Entnahmen dürfen Sachverständige selbst vornehmen oder dazu Gehilfen einschalten. Das Recht zu diesen Eingriffen ergibt sich – gegenüber den Parteien des Rechtsstreits – unmittelbar aus der Anleitung des Gerichts im Rahmen des Beweisbeschusses. Sachverständige müssen nicht auf eine konkrete Weisung zur Anleitung der Durchführung von Untersuchungen warten. Dazu fehlt den Gerichten das fachliche Wissen, sie können Sachverständigen nicht aufgeben, wie und in welchem Umfang Untrersuchungen erforderlich sind.

Es stellt sich bei Eingriffen eine Reihe von Anschlussfragen, insbesondere dann, wenn Eingriffe nicht vollständig folgenlos bleiben können und ob die Beteiligten solche Folgen hinnehmen müssen. Rechtsprechung und juristische Literatur zu dieser Frage gibt es praktisch nicht.

Die von den Eingriffen Betroffenen sind über die notwendigen Maßnahmen zu informieren und auf die Risiken und Folgen hinzuweisen. Sind Betroffene auch die beweisbelastete Partei, können sie überlegen, ob sie diese Risiken wirklich eingehen wollen oder ggf. von ihrem Beweisangebot abrücken.

Denkbar ist auch, dass die nicht beweisbelastete Partei den Eingriff erdulden muss. Für den Beweisführer, der nicht unmittelbar von den Folgen eines Eingriffs betroffen ist, gibt es dann keinen Handlungsdruck, er trägt schließlich kein Risiko. Dennoch kann sich der Eigentümer der Sache entschließen, den aus seiner Sicht zu gefährlichen Eingriff zu verweigern. Prozessual dürfte dies so zu werten sein, dass er die Beweisführung der anderen Partei vereitelt, sodass der zu beweisende Sachverhalt als bewiesen gilt. Allerdings liegt keine Beweisvereitelung vor, wenn der Partei der Eingriff in sein Eigentum nicht zumutbar war.[1]

Insoweit können sich Sachverständige auf § 404a ZPO – Leitung der Tätigkeit des Sachverständigen – berufen und das Gericht um Weisungen hinsichtlich ihrer Tätigkeit bitten. Dies sollten sie insbesondere dann tun, wenn Zweifel an der Rechtmäßigkeit bestimmter Maßnahmen bestehen könnten.

1 OLG Braunschweig, U. v. 29.1.2004 – 8 U 173/99, NZBau 2004, S. 550.

Auch soweit es um die Folgen eines beschädigenden Eingriffs geht, gibt es kaum Rechtsprechung. Sachverständige dürfen keine Situationen zurücklassen, von denen akute Gefahren für Leib und Leben ausgehen.

Deutlich schwieriger wird es beim „Rückgängigmachen" der Eingriffe. Lassen sich diese überhaupt ohne Risiko „rückgängig" machen?

Nach der Entscheidung des OLG Stuttgart[2] muss der Sachverständige einen zerlegten Motor jedenfalls dann zusammenbauen, wenn der Eigentümer seine Zustimmung zur Zerlegung des Motors erkennbar daran geknüpft hat, dass der Motor nach Abschluss der Begutachtung wieder zusammengebaut wird.

Diese – überdies isoliert gebliebene – Entscheidung ist also für Fälle nicht hilfreich, in denen sich der Eigentümer vor Beginn der Arbeiten nicht äußert.

Sachverständige sollten sich daher vor Durchführung der Untersuchungen überlegen, welche Folgen etwa eine Probeentnahme haben könnte, und die Parteien hierauf hinweisen. Bereits zu diesem Zeitpunkt sind mögliche und ggf. beabsichtigte „Wiederherstellungsarbeiten" zu beschreiben. Verbleibt nach Untersuchungen ein Provisorium, sollte er dies angekündigen und die betroffene Partei auf die weiteren erforderlichen Arbeiten hinweisen. Hinweise sind auch dann oft sinnvoll, wenn der Sachverständige von einer Selbstverständlichkeit ausgeht, weil Parteien oft selber nicht fachkundig sind.

1.12.2.2 Andere Vorbereitungsarbeiten

Anders und leider nicht so eindeutig ist die rechtliche Einschätzung bei Vorbereitungs- oder Freilegungsarbeiten. Das Freilegen einer zu begutachtenden Sache kann sehr aufwendig sein.

Leider gibt es hierzu in der Rechtsprechung ganz unterschiedliche und einander widersprechende Ansätze.[3] Auch der BGH hat hierzu in aktuellen Entscheidungen keine Klarheit geschaffen. In der Entscheidung vom 23.9.2020[4] prüft der BGH, ob das OLG sein Ermessen, ob der Sachverständige zur Vornahme einer Bauteilöffnung angewiesen wird oder nicht, ordnungsgemäß wahrgenommen hat. Ausdrücklich offengelassen wird aber, ob das Gericht zu einer solchen Weisung überhaupt berechtigt gewesen wäre. Man kann sagen, dass dies im entschiedenen Fall für das Ergebnis nicht relevant war, da die Ermessensausübung nach Auffassung des BGH nicht zu beanstanden ist. Zumindest für die Betrachtung hier ist die Entscheidung des BGH bedauerlich, zumal zukünftig Instanzgerichte vor die Aufgabe gestellt werden, eine Ermessensentscheidung zu treffen, ohne zu wissen, ob sie tatsächlich zwei Entscheidungsmöglichkeiten haben, sich also für und auch gegen die Anweisung des Sachverständigen entscheiden können.

2 OLG Stuttgart, B. v. 13.9.2005 – 13 W 43/05, OLGR 2006, S. 769.

3 Vertiefende Darstellungen aus jüngerer Zeit – mit allerdings sehr unterschiedlichen Ergebnissen: *Hunold*, BauR 2016, S. 911; *Bruns*, BauR 2015, S. 183; *Kern*, BauR 2014, S. 60; *Motzke*, BauR 2013, S. 304.

4 BGH, U. v. 23.9.2020 – IV ZR 88/19, https://juris.bundesgerichtshof.de.

Eine ganze Reihe von Gerichten meint, der Sachverständige sei nicht dazu verpflichtet, solche Vorbereitungsmaßnahmen selbst durchzuführen.[5] Diese Gerichte verlangen von der beweispflichtigen Partei die Bereitstellung der notwendigen Handwerker, Maschinen etc.

Die wesentlichen Argumente dieser Gerichte gegen eine entsprechende Verpflichtung des Sachverständigen sind:

- Die Bauteilöffnung käme einer unzulässigen Amtsermittlung gleich und widerspräche dem Grundsatz, dass die Parteien die prozessentscheidenden Tatsachen selbst beibringen müssen.
- Der Sachverständige habe nicht immer die notwendigen handwerklichen Fertigkeiten bzw. nicht die Ausbildung für die Bauteilöffnung und eine nachfolgend erforderliche Wiederherstellung des ursprünglichen Zustands.
- Eine entsprechende Verpflichtung käme einem Kontrahierungszwang gleich, würde also dem Sachverständigen Vertragspartner aufzwingen, die er freiwillig nicht beauftragen würde.
- Der Sachverständige könne sich nicht gegen Schäden und Mängel versichern.
- Es bestehe das Risiko, dass es wegen Mängeln, die aus Anlass der Eingriffe oder der nachfolgenden Wiederherstellung des ursprünglichen Zustands entstehen, zu Folgeprozessen komme.
- Letztlich hätten allein die Parteien ein Interesse an einer umfassenden Kosten-Nutzenabschätzung und seien daher diejenigen, die über die Durchführung von Vorbereitungsmaßnahmen etc. entscheiden müssten.
- Als maßgebliches juristisches Argument stützten sich die Entscheidungen darauf, dass dem Gericht für solche Maßnahmen nach §§ 404a, 407 ZPO gar kein Anordnungsrecht zustehe.

Andere Gerichte folgen der entgegengesetzten Auffassung und verlangen vom Sachverständigen, selbst oder durch Handwerker die vorbereitenden Maßnahmen durchzuführen.[6] Bemerkenswert an dieser Aufzählung ist nicht zuletzt, dass beim OLG Frankfurt verschiedene Senate bei dieser Frage unterschiedliche Auffassungen haben.

Die Auffassung dieser Gerichte lässt sich in folgenden Punkten zusammenfassen:

- Nur wenn der Sachverständige selbst oder durch einen unter Aufsicht arbeitenden Unternehmer die Bauteilöffnung vornimmt, besteht kein Risiko von Beweisverlust/-vereitelung.

---

5 OLG Rostock, B. v. 4.2.2002 –7 W 100/01, BauR 2003, S. 757; OLG Frankfurt, B. v. 13.11.2003 – 15 W 87/03, OLGR 2004, S. 145; OLG Braunschweig, U. v. 29.1.2004 – 8 U 173/99, NZBau 2004, S. 550; OLG Hamm, B. v. 18.10.2005 – 26 U 16/04, zitiert nach IBR-online; OLG Bamberg, B. v. 9.1.2002 – 4 W129/01, BauR 2002, S. 829; OLG Celle, B. v. 7.4.2009 – 16 W 27/09, BauR 2009, S. 1476; LG Kiel, B. v. 30.1.2009 – 9 OH 49/07, zitiert nach IBR-online; OLG Düsseldorf v. 13.2.2014 – I-22 U 82/13, zitiert nach IBR-online.

6 OLG Frankfurt, U. v. 26.2.1998 – 18 U 50/95, BauR 1998, S. 1052; OLG Düsseldorf, U. v. 16.1.1997 – 23 W 47/96, BauR 1997, S. 697; OLG Stuttgart, B. v. 13.9.2005 – 13 W 43/05, OLGR 2006, S. 769; OLG Celle, B. v. 8.2.2005 – 7 W 147/04, BauR 2005, S. 1358; OLG Jena, B. v. 18.10.2006 – 7 W 302/06, BauR 2007, S. 441; offengelassen z.B. in OLG Oldenburg, B. v. 21.11.2013 – 3 W 30/13, zitiert nach IBR-online.

- Es ist selbstverständlicher Teil der Aufgabe des Sachverständigen, die tatsächlichen Voraussetzungen für eine Gutachtenerstattung zu schaffen.
- Der Sachverständige kann die Kosten für Hilfspersonen weitergeben und trägt daher insoweit kein Kostenrisiko.
- Im medizinischen Bereich ist eine entsprechende aktive Vorgehensweise allgemein üblich. Ein Grund für eine unterschiedliche rechtliche Betrachtung wird nicht gesehen.
- Der Sachverständige hat, falls die Vorbereitungs- und Nachbereitungsarbeiten zu Mängeln oder Schäden führen, Rückgriffsansprüche gegen die beauftragten Firmen.
- Führt der Sachverständige selbst Leistungen aus, wird er dies in der Regel nur im Rahmen eines Handwerksbetriebes tun, der wiederum versichert ist.
- Die Vorschrift des § 404a ZPO wird von diesen Gerichten so verstanden, dass den Gerichten durchaus ein entsprechendes Anordnungsrecht zusteht.

1.12.2.3 Keine ausdrückliche Anordnung des Gerichts

Es kommt in vielen Fällen vor, dass die Notwendigkeit vorbereitender Maßnahmen vom Gericht im Beweisbeschluss nicht angesprochen wird – entweder weil das Gericht die Notwendigkeit solcher Leistungen nicht gesehen hat oder weil es die Entscheidung hierzu vergessen hat.

Typischerweise ist für den sachkundigen Gutachter bereits aus dem Gutachterauftrag erkennbar, ob und ggf. welche vorbereitenden Leistungen erforderlich sind. Es spricht auch nichts dagegen, einmal vorab an dem zu begutachtenden Gebäude oder Grundstück vorbeizufahren und so die Notwendigkeit von vorbereitenden Maßnahmen festzustellen.

Sind diese Maßnahmen im Beweisbeschluss nicht angesprochen, sollte der Sachverständige nicht von sich aus tätig werden, sondern das Gericht informieren und dessen Reaktion abwarten. Im Interesse der Parteien an einem möglichst zügigen Verfahren sollte dieser Dialog mit dem Gericht möglichst frühzeitig stattfinden.

Der Sachverständige sollte sich bei allen Zweifelsfragen an das Gericht wenden. Gerade angesichts der uneinheitlichen Haltung der Gerichte hat er gute Chancen, dass vom Gericht eine Anweisung an die Parteien ergeht und der Sachverständige so um das Problem herumkommt.

Hilfreich ist es in vielen Fällen, bei der Rückfrage am Gericht die aus Sicht des Sachverständigen bestehende Rechtslage darzustellen. Stellt sich der Sachverständige ablehnend, wird dies das Gericht sicherlich dahingehend nachdenklich machen, ob es sinnvoll ist, ihn mit den Maßnahmen zu beauftragen.

Um auch die Parteien von seinem Ansatz zu überzeugen, sollte der Sachverständige darauf hinweisen, dass die entstehenden Kosten von den Parteien in die Kostenerstattung eingebracht werden können.

1.12.2.4 Wiederherstellung

Grundsätzlich muss der Sachverständige bei einer von ihm selbst durchgeführten Vorarbeit nur vor Gefahren sichern. Dies betrifft z.B. hergestellte Öffnungen oder hervorstehende scharfe Gegenstände. Mehr muss der Sachverständige in der Regel nur auf ausdrückliche Weisung des Gerichts machen.

Allerdings muss der vom Sachverständigen hergestellte Zustand technisch einwandfrei sein und die Benutzbarkeit der betroffenen Sache sichern. Wenn der Sachverständige ein Dach für eine Probeentnahme öffnet, muss er es nach der Begutachtung auch wieder verschließen, und zwar dauerhaft wind- und regendicht. Provisorien darf der Sachverständige nicht hinterlassen.

Der Sachverständige muss außerdem berücksichtigen, dass eine Partei und insbesondere ein Dritter oft nur unter der Bedingung einer Begutachtung zustimmen, dass hinterher der ursprüngliche Zustand wiederhergestellt wird. Tut der Sachverständige dies nicht von sich aus, kann ihn das Gericht dazu anweisen. Bei Zweifeln sollte der Sachverständige daher bereits vor der Begutachtung bei Gericht anfragen, welche wiederherstellenden Maßnahmen verlangt werden.

Im Übrigen verläuft der Streit zwischen den Gerichten ganz ähnlich und mit den gleichen Argumenten wie bei den Freilegungsarbeiten. Viele der zitierten Urteile gehen auch auf beide Fragen ein.

Unklar kann bei der Wiederherstellung der Umgang mit fehlerhaften Sachen sein. War eine Sache vor der Begutachtung fehlerhaft, gibt es zwei denkbare Möglichkeiten der Wiederherstellung: Der Sachverständige kann entweder den bisher vorhandenen, fehlerhaften Zustand wiederherstellen oder er kann einen anderen, fehlerfreien Zustand herstellen, also den Fehler (zumindest teilweise) beseitigen. Allerdings dürfte sich dieses Problem in der Praxis in aller Schärfe nur sehr selten stellen, weil Sachverständige meist nur Proben entnehmen bzw. musterhaft einige Stellen begutachten. Nehmen Sachverständige z.B. durch eine Kernbohrung eine Probe von einer Abdichtungsschicht und erkennen sie deren Fehlerhaftigkeit, sind das Loch in der Abdichtung und die Kernbohrung zu verschließen, nicht aber flächendeckend die gesamte Abdichtung auszutauschen.

1.12.2.5 Risikohinweis des Sachverständigen (Bauteilöffnungsgutachten)

Der Sachverständige muss Gericht und Parteien eindeutig auf die mit dem Eingriff verbundenen Folgen und Risiken hinweisen. Ob es sich um als selbstverständlich anzusehende – und dann nicht mitzuteilende – Folgen handelt, ist auch aus Sicht des ggf. laienhaft Rechtsuchenden zu ermitteln.

Dies kann bei unkomplizierten Fällen in einem kurzen mündlichen – aber zu dokumentierenden – Hinweis erfolgen. In allen anderen Fällen sollte der Sachverständige schriftlich auf die Bauteilöffnung eingehen und Gericht und Parteien vor Augen führen, welche Maßnahme durchzuführen ist und welche Risiken bestehen. Auf dieser Grundlage kann das Gericht die Parteien anhören und ihre Einwendungen und ggf. prozessualen Konsequenzen erfahren.

Bei diesem auch als „Bauteilöffnungsgutachten" bezeichneten Hinweis muss der Sachverständige auch auf die schonendste Art eingehen, das geringste Risiko erläutern und die spätere Bauteilschließung berücksichtigen.

Das Bauteilöffnungsgutachten sollte auf folgende Punkte eingehen:

- Gründe für die Erforderlichkeit einer Bauteilöffnung;
- Hinweis auf die Vorgehensweise mit möglichst geringen Schäden;
- Möglichkeiten und Aussagekraft einer stichprobeweisen Untersuchung;
- mit der Bauteilöffnung verbundene Risiken;
- Möglichkeit und Kosten der annähernden Wiederherstellung des ursprünglichen Zustands;
- voraussichtlich verbleibende Beeinträchtigungen;
- die Frage, wer als Handwerker oder Unternehmer geeignet ist;
- die Frage, ob ein Bauleiter erforderlich ist;
- voraussichtliche Gesamtkosten und eventuell erforderlicher Risikozuschlag.

Diese Hinweise sollte der Sachverständige machen. Unterlässt der Sachverständige eine erforderliche Bauteilöffnung und führt er daher eine unvollständige Beweisaufnahme aus, ohne auf die Möglichkeit weiterer technisch möglicher und wirtschaftlich vertretbarer Maßnahmen hinzuweisen, kann er jedenfalls nach einer Entscheidung des OLG Stuttgart als befangen abgelehnt werden. Die Entscheidung über die Ablehnung ist jedoch jeweils im Einzelfall zu treffen.[7]

1.12.2.6 Hinweise des Sachverständigen

Der Sachverständige wird vom Gericht regelmäßig mit der Beauftragung aufgefordert, die voraussichtlichen Kosten anzugeben. Dabei sind natürlich ggf. auch die Kosten für die Beauftragung eines Handwerkers oder Unternehmers zu berücksichtigen.[8] Auf dieser Grundlage fordert das Gericht von der beweisbelasteten Partei – ggf. anteilig von mehreren Beteiligten – einen Vorschuss an. Erst nach Eingang des Vorschusses beginnt die Beweisaufnahme.

Werden nicht vorhersehbare Maßnahmen bzw. Eingriffe der hier besprochenen Art erforderlich, sollte der Sachverständige unbedingt das Gericht informieren und auf die weiteren Kosten hinweisen. Mit dieser Information sollte der Sachverständige den Hinweis verbinden, dass er ohne diese Maßnahmen nur ein eingeschränktes Gutachten abgeben kann. Dieser Hinweis ist für Gericht und Parteien wichtig, um über das weitere Vorgehen entscheiden zu können. Das Gericht muss sich positionieren, ob es den Sachverständigen oder eine der Parteien auffordert, die Maßnahmen vorzunehmen.

Reagiert das Gericht nicht auf den Hinweis des Sachverständigen, gibt er das Gutachten ab, das ihm im Rahmen des Vorschusses möglich ist. Hat der Sachverständige auf diese Einschränkung vorab hingewiesen, muss er sich vom Gericht keinerlei Vorwürfe gefallen lassen.

7 OLG Stuttgart, B. v. 28.2.2012 – 10 W 4/12, NZM 2012, S. 427.
8 OLG Hamm, B. v. 2.12.2011 – 25 W 200/11, BauR 2012, S. 679.

1.12.2.7 Rechtsmittel der Parteien

Lehnt das Gericht es ab, den Sachverständigen zur Bauteilöffnung anzuweisen, gibt es hiergegen nach der Rechtsprechung des BGH kein Rechtsmittel.[9] Zwar betraf die Entscheidung ein selbständiges Beweisverfahren, seine tragenden Gedanken sind aber auf das Hauptsacheverfahren zu übertragen: Der BGH hat sich auf § 404a Abs. 1, Abs. 4 ZPO gestützt und herausgestellt, dass das Gericht von Amts wegen (und nicht auf ein „Gesuch" hin) die Pflicht hat, die Tätigkeit des Sachverständigen zu leiten. Das OLG Köln[10] hat schon früher darauf hingewiesen, dass im normalen Verfahren sowieso kein Rechtsmittel gegeben ist, und es hat geprüft, ob für selbständige Beweisverfahren ausnahmsweise etwas anderes gilt, was es im Ergebnis abgelehnt hat.

Allerdings ist die vom OLG Köln entschiedene Rechtsfrage umstritten. So hatten einige Gerichte, gestützt auf §§ 490 Abs. 1, 567 Abs. 1 Nr. 2 ZPO, ein Beschwerderecht bejaht.[11] Eine Beschwerde sei zulässig, weil die Ablehnung der Anweisung zur Bauteilöffnung letztlich die Zurückweisung eines Gesuchs darstelle.

1.12.2.8 Erstattung der Kosten für vorbereitende Maßnahmen

Übernimmt eine der Parteien die erforderlichen vorbereitenden Maßnahmen, sind die hierfür entstehenden Kosten als notwendige Kosten der Rechtsverfolgung im Kostenfestsetzungsverfahren zu berücksichtigen.[12] Allerdings handelt es sich nicht um Gerichtskosten, sondern um außergerichtliche Kosten. Dies hat der BGH überzeugend für einen Fall begründet, in dem die Parteien für die außergerichtlichen Kosten eine abschließende Regelung getroffen hatten, sodass eine Ausgleichung nach der für Gerichtskosten geltenden Regelung (erfolglos) angestrebt wurde.[13]

Beauftragt der Sachverständige Handwerker oder Unternehmen für vorbereitende Maßnahmen, sind die hierdurch entstehenden Kosten Teil der ihm insgesamt zu erstattenden Kosten.[14]

1.12.2.9 Verfahren bei Weigerung des Sachverständigen

Will sich ein Sachverständiger gegen die Anweisung des Gerichts, eine Bauteilöffnung vorzunehmen, wehren, muss er sich an das Gericht wenden. Die Verpflichtung des Sachverständigen zur Erstellung seines Gutachtens ist ausdrücklich in § 407 Abs. 1 Satz 1 ZPO geregelt.

Gerichte haben dem Sachverständigen teilweise ein eigenes Beschwerderecht zugestanden, allerdings ohne nähere Auseinandersetzung mit der Frage, ob ihm ein solches über-

---

9 BGH, B. v. 15.01.2020 – VII ZB 96/17; so auch schon OLG Köln, B. v. 15.3.2010 – 11 W 14/10, zitiert nach IBR-online.

10 OLG Köln, B. v. 15.3.2010 – 11 W 14/10, zitiert nach IBR-online.

11 OLG Jena, B. v. 18.10.2006 – 7 W 302/06, BauR 2007, S. 441; OLG Celle, B. v. 8.2.2005 – 7 W 147/04, BauR 2005, S. 1358.

12 OLG Frankfurt, B. v. 14.8.2008 – 18 W 149/07, zitiert nach IBR-online.

13 BGH, B. v. 24.2.2021 – VII ZB 55/18, https://juris.bundesgerichtshof.de.

14 Vgl. z.B. OLG Hamm, B. v. 2.12.2011 – 25 W 200/11, BauR 2012, S. 679.

haupt zusteht.[15] Da mittlerweile durch den BGH[16] klargestellt ist, dass noch nicht einmal den Parteien ein Rechtsmittel gegen die Ablehnung einer Anweisung an den Sachverständigen zusteht, sind diese vereinzelten Entscheidungen mit Vorsicht zu bewerten.

Von einigen Autoren wird außerdem angenommen, dass der Sachverständige das Recht zu einer Art „Remonstration" hat, die angelehnt sein soll an die beamtenrechtliche Regelung des § 56 Abs. 2 BBG. Diese Remonstration hat aber nur die Funktion eines Bedenkenhinweises und entspricht nicht einem Rechtsmittel. Dennoch kann der Sachverständige ausführlich auf seine Rechtsauffassung hinweisen und auf diese Weise Überzeugungsarbeit in Richtung des Gerichts leisten.

Eine andere Möglichkeit, eine Gutachtenaufgabe zurückzugeben, setzt nach § 407a Abs. 1 ZPO voraus, dass der Auftrag außerhalb des Fachgebietes des Gutachters liegt.

Der Sachverständige kann weiter darum bitten, gemäß § 408 Abs. 1 Satz 2 ZPO von seiner Aufgabe entbunden zu werden. Diesem Ansinnen werden die Gerichte in der Regel nachkommen, da eine zeitnahe Gutachtenerstellung bei einer derartigen Weigerung nicht zu erwarten ist.

Allerdings kann insbesondere dann, wenn die Voraussetzungen des § 407a Abs. 1 ZPO nicht vorliegen, dies dazu führen, dass der Gutachter seinen Vergütungsanspruch verliert, denn regelmäßig werden die von ihm bisher erbrachten Leistungen nicht verwendbar sein und ein neu bestellter Sachverständiger wird sie erneut ausführen müssen.

1.12.2.10 Beteiligung Dritter

Die vom Sachverständigen zu begutachtende Sache ist nicht immer im Eigentum der Parteien. Häuser oder Wohnungen sind oft zwischenzeitlich verkauft.

Wenn der neue Eigentümer die zerstörenden Eingriffe verbietet, so darf sich der Sachverständige nicht einfach über dieses Verbot hinwegsetzen.

Richtigerweise informiert er das Gericht über die Weigerung des Dritten. Nur das Gericht kann den Dritten dazu verpflichten, die Eingriffe hinzunehmen. Rechtsgrundlage hierfür ist § 144 ZPO.[17] Die Vorschrift lautet:

§ 144 ZPO Augenschein; Sachverständige

(1) [1]Das Gericht kann die Einnahme des Augenscheins sowie die Hinzuziehung von Sachverständigen anordnen. [2]Es kann zu diesem Zweck einer Partei oder einem Dritten die Vorlegung eines in ihrem oder seinem Besitz befindlichen Gegenstandes aufgeben und hierfür eine Frist setzen. [3]Es kann auch die Duldung der Maßnahme nach Satz 1 aufgeben, sofern nicht eine Wohnung betroffen ist.

(2) [1]Dritte sind zur Vorlegung oder Duldung nicht verpflichtet, soweit ihnen diese nicht zumutbar ist oder sie zur Zeugnisverweigerung gemäß den §§ 383 bis 385 berechtigt sind. [2]Die §§ 386 bis 390 gelten entsprechend.

(3) Die Vorschriften, die eine auf Antrag angeordnete Einnahme des Augenscheins oder Begutachtung durch Sachverständige zum Gegenstand haben, sind entsprechend anzuwenden.

---

15 OLG Oldenburg, B. v. 21.11.2013 – 3 W 30/13; OLG Rostock, B. v.4.2.2002 – 7 W 100/01, BauR 2003, S. 757.

16 BGH, B. v. 15.1.2020 – VII ZB 96/17, https://juris.bundesgerichtshof.de.

17 KG, B. v. 21.10.2005 – 7 W 46/05, NZBau 2006, S. 717.

Allerdings muss sich der Eingriff im Rahmen des Zumutbaren halten, außerdem darf nicht die Wohnung des Dritten betroffen sein, weil diese grundgesetzlich besonders geschützt ist. Als „Wohnung" im Sinne des Gesetzes gelten auch nicht allgemein zugängliche Nebengebäude und Garagen.[18] Damit sind dieser Handlungsmöglichkeit deutliche Grenzen gesetzt.

Unzumutbarkeit dürfte vorliegen bei einem hohem Schadensrisiko bzw. Gefährdungspotenzial oder wenn bleibende Schäden – auch ästhetischer Art – sicher oder auch nur wahrscheinlich sind.

Das Verfahren zur Verpflichtung des Dritten ist nach Ansicht des OLG Stuttgart ein Zwischenstreit, bei dem der Dritte zwingend und förmlich beteiligt werden muss.[19] Die Entscheidung erfolgt durch Zwischenurteil mit der Möglichkeit der sofortigen Beschwerde. Das OLG Stuttgart wendet über § 144 Abs. 2 Satz 2 ZPO die Vorschriften der §§ 386 ff. ZPO an.

Umstritten ist auch, ob § 144 ZPO im selbständigen Beweisverfahren Anwendung finden kann.[20]

1.12.2.11 Haftung des Sachverständigen

Es darf nicht verwundern, dass nach dem Vorgesagten hoch umstritten ist, ob und auf welcher Grundlage ein Sachverständiger für Mängel oder Schäden haftet, die bei der Ausführung seiner Arbeiten entstehen. Die Diskussion wird dadurch erschwert, dass es zu dieser Frage praktisch keine Gerichtsentscheidungen gibt – anders als bei der Haftung für ein unrichtiges Gutachten.

Es spricht einiges dafür, dass der gerichtliche Sachverständige selbst nur ausnahmsweise haftet. Er ist nur der verlängerte Arm des Gerichts, das seinerseits nur unter den engen Voraussetzungen des § 839 BGB haftet.

Sieht sich ein Sachverständiger gezwungen, zerstörende Arbeiten vorzunehmen, sollte er dennoch auf jeden Fall ein Fachunternehmen beauftragen. Auf diese Weise hat er wenigstens gegen dieses Rückgriffsmöglichkeiten.

§ 839a BGB enthält eine Haftung des Sachverständigen für den Fall, dass er vorsätzlich oder grob fahrlässig ein unrichtiges Gutachten erstattet. Diese Regelung gilt aber nur für Fehler bei der Erstellung des Gutachtens selbst, nicht für andere Schäden.[21]

In der Literatur wird vereinzelt diskutiert, dass der Justizfiskus den Sachverständigen von solchen Ansprüchen freistellen müsste.[22]

Eine persönliche Haftung könnte möglicherweise auch aus §§ 823, 831 BGB wegen fahrlässiger Beschädigung infrage kommen. Dem Sachverständigen ist jedoch zu empfehlen, die Arbeiten durch Handwerker oder Bauunternehmer durchführen zu lassen. In diesem Fall könnte er allenfalls wegen Fehler bei der Auswahl haften, § 831 BGB.

18 BGH, U. v. 17.7.2009 – V ZR 95/08, NZBau 2009, S. 653.
19 OLG Stuttgart, B. v. 11.1.2011 – 10 W 56/10, NZBau 2011, S. 427.
20 Ausführlich *Hunold*, BauR 2016, S. 911.
21 So LG Kiel, B. v. 30.1.2009 – 9 OH 49/07, zitiert nach IBR-online.
22 *Dötsch*, NZBau 2008, S. 221.

Besonders zu warnen ist vor Anweisungen des Gutachters an nicht von ihm selbst beauftragte Handwerker. Nicht diese, sondern allenfalls die Parteien des Rechtsstreits sind seine Ansprechpartner. In diesem Fall übernimmt der Gutachter selber und außerhalb seiner vom Gericht vorgegebenen Aufgabe die Aufgaben eines Planes und deswegen haftet der Gutachter wegen dieser Anweisungen selbst und persönlich. Solche Anweisungen beruhen nicht auf der ihm erteilten Gutachtenaufgabe und er erteilt sie daher auf eigenes Risiko.

1.12.3 Der außergerichtlich beauftragte Sachverständige

1.12.3.1 Umfang der Arbeiten

Auch beim außergerichtlich tätigen Sachverständigen stellt sich die Frage, ob er für seine Begutachtung Vor- und Nacharbeiten ausführen muss. Dies muss sich in erster Linie aus dem Vertrag mit dem Sachverständigen ergeben. Steht dort nichts zu Freilegungsarbeiten, muss der Sachverständige diese auch nicht ausführen.

Gleiches gilt für nachfolgende Arbeiten, wobei natürlich auch in diesem Fall kein gefährlicher Zustand hinterlassen werden darf.

Zum Zeitpunkt des Vertragsabschlusses kann der Sachverständige oft gar nicht wissen, welchen Zustand die zu begutachtende Sache hat. Vielleicht ist sie bereits freigelegt. Gleiches gilt für die Nacharbeiten: Die Parteien können durchaus ein Interesse daran haben, dass die zu begutachtende Sache nicht wieder zugebaut wird. Kommt es nämlich zu einer Mangelbeseitigung, erhöht dies natürlich die Kosten der Beseitigungsarbeiten.

Der Sachverständige muss daher bereits bei den Vertragsverhandlungen darauf achten, dass seine Pflichten genau definiert sind, und den Vertrag daraufhin auswerten. Muss er Freilegungs- und Wiederherstellungsarbeiten übernehmen, muss er dies natürlich bei seiner Kalkulation berücksichtigen.

Als wichtigste Punkte sollten im Sachverständigenvertrag zumindest geregelt sein:

- Umfang der Begutachtung,
- Rahmenbedingungen,
- Vorbereitung und Nachbereitung,
- vom Auftraggeber zu stellende Unterlagen,
- vom Auftraggeber vorzunehmende Vorarbeiten,
- Nachunternehmereinsatz,
- Vergütung,
- Haftung/Haftungsausschluss,
- Termine.

1.12.3.2 Haftung des Sachverständigen

Sofern sich der Sachverständige vertraglich zu Freilegungs- und Wiederherstellungsarbeiten verpflichtet hat, so ist dies ein ganz normaler Werkvertrag. Der Sachverständige haftet also wie jeder Bauunternehmer für Schäden und Mängel seiner Arbeiten.

Natürlich haftet er auch für die Richtigkeit seines Gutachtens. Er sollte daher auf jeden Fall in seinem Vertrag Regelungen zur Haftung vorsehen.

1.12.3.3 Beteiligung Dritter

Auch bei außergerichtlichen Begutachtungen kann es vorkommen, dass die zu begutachtende Sache nicht dem Auftraggeber des Sachverständigen gehört. In diesem Fall hat es allein der Eigentümer in der Hand, ob der Sachverständige die Sache begutachten kann, und natürlich muss er jeglichem zerstörenden Eingriff zustimmen.

Verbietet der Dritte die zerstörende Freilegung oder Untersuchung, muss der Sachverständige seinen Auftraggeber benachrichtigen. Auf keinen Fall darf der Sachverständige auf eigene Faust vorgehen und sich über das Verbot hinwegsetzen.

1.13 Das handwerkliche Sachverständigenwesen

Martin Schauer

Übersicht

1.13.1 Einführung

Die Gründung der Zünfte bis in das 16. Jahrhundert und die Überwachung handwerklicher Leistungen durch „Schaumeister" können als wesentliche Entwicklungsstufen zum heutigen öffentlich bestellten und vereidigten (ö.b.u.v.) Sachverständigen im Handwerk angesehen werden.[1] Bis dahin wurden Handwerker mit schweren Polizeistrafen für begangene Fehler in der Leistung oder der Preisberechnung belegt. Damals bis heute gilt das bewährte Prinzip: Aus der Praxis – für die Praxis. Die Kontrolle guter Arbeit sollte durch die Handwerker selbst beurteilt werden. So wurden die Schaumeister zunächst durch die Zünfte eingesetzt; ab dem 18. Jahrhundert in den Dienst des Staates gestellt und auf die gewissenhafte Erfüllung ihres Amtes verpflichtet. Sie waren gewissermaßen die Vorläufer der öffentlich bestellten und vereidigten Sachverständigen im Handwerk.[2] Eine gesetzliche Lösung wurde schließlich im Jahr 1929 mit der damaligen Handwerksnovelle und der Änderung der Gewerbeordnung gefunden. Nach dem Zweiten Weltkrieg wurde in 1953 mit Inkrafttreten der Handwerksordnung wieder eine einheitliche gesetzliche Grundlage geschaffen; den Handwerkskammern wurde als Körperschaft des öffentlichen Rechts für ihren Wirtschaftsbereich die hoheitliche Aufgabe zugesprochen, Sachverständige zur Begutachtung von Waren, Leistungen und Preisen von Handwerkern öffentlich zu bestellen und zu vereidigen. Mit weiteren Novellen wurden die Aufgaben der Sachverständigen im Handwerk präzisiert bzw. erweitert, sodass nun auch abstrakte Wertgutachten erstellt werden können.[3] „Der traditionelle Praxisbezug der Sachverständigen im Handwerk trägt wesentlich

1 Vgl. *Schulz*, Handwerk, Zünfte und Gewerbe, 2010.
2 *Heck*, Der Sachverständige des Handwerks, in „Wir deutschen öffentlich bestellten und vereidigten Sachverständigen …" eine Chronik des BVS, 2007.
3 *Fährmann*, Das handwerkliche Sachverständigenwesen, DS 2023 S. 83.

zur Akzeptanz der Gutachten, insbesondere bei den betroffenen Berufskollegen, bei. Er bewahrt gleichzeitig vor einer generalisierenden Betrachtungsweise etwa eines akademischen ‚Bausachverständigen', dem manchmal die für eine überzeugende Begutachtung notwendige fachlich-technische Tiefe in der Vielfalt der Technik und beruflichen Fachregeln von allein 15 Bau- und Ausbauhandwerken fehlt und bei dessen Gutachten die Gefahr besteht, dass dem ‚theoretischen Überbau' zu viel Platz eingeräumt wird".[4]

Im Handwerk sind in 2023 ca. 5.100 ö.b.u.v. Sachverständige verfügbar, die meisten in den Bau- und Ausbauhandwerken sowie technischen Handwerken. Damit stellt das Handwerk auch einen bedeutenden Teil der ö.b.u.v. Bausachverständigen:

Tabelle 1: Handwerke/Bestellungsgebiete für Sachverständige im Handwerk[5]

HWO – Anlage A | zulassungspflichtige Handwerke	
Maurer und Betonbauer	Ofen- und Luftheizungsbauer
Zimmerer	Dachdecker
Straßenbauer	Wärme-, Kälte- und Schallschutzisolierer
Stuckateure	Maler und Lackierer
Gerüstbauer	Schornsteinfeger
Metallbauer	Kälteanlagenbauer
Klempner	Installateur und Heizungsbauer
Elektrotechniker	Tischler
Glaser	Fliesen-, Platten- und Mosaikleger
Estrichleger	Parkettleger
Rolladen- und Sonnenschutztechniker	Schilder- und Lichtreklamehersteller
Raumausstatter	
HWO – Anlage B | zulassungsfreie Handwerke	
Gebäudereiniger	
HWO – Anlage B | handwerksähnliche Gewerbe	
Bodenleger	Fuger (im Hochbau)
Betonbohrer und –schneider	Rohr- und Kanalreiniger
Einbau von genormten Baufertigteilen	

4 *Heck*, Der Sachverständige des Handwerks, in „Wir deutschen öffentlich bestellten und vereidigten Sachverständigen ..." eine Chronik des BVS, 2007.

5 Diese Liste erhebt keinen Anspruch auf Vollständigkeit. Bei „exotischen" Handwerken bzw. handwerksähnlichen Gewerben wurde in der Sachverständigendatenbank des Handwerks (https://svd-handwerk.de/suche.php) nach Einträgen gesucht; wurde eine solches Bestellungsgebiet nicht gefunden, ist dieses hier nicht aufgeführt.

Im Land des Akademisierungswahns[6] scheint der Run auf Studienplätze ungebrochen groß zu sein. Das Handwerk ist weiterhin und weitgehend unattraktiv; das Ansehen insbesondere der Sachverständigen auch? Die Geringschätzung des Handwerks erfährt den Höhepunkt im Schimpfwort „Banause" (das Wort „Banause" kommt vom altgriechischen *bánausos* und heißt dort „Handwerker")[7]. Aus ethischer Sicht stellt dieser diskreditierte Berufsstand regelmäßig mit den Händen etwas Nützliches her; als edler und wertvoller gilt jedoch nach wie vor die Beschäftigung mit der Erkenntnis. „Hört man sich heute im akademischen Betrieb um, dann gilt der Theoretiker mehr als der Praktiker"[8]; bedeutet: Mundwerk > Handwerk.

In der damaligen Neuerscheinung des Praxisbuches „Der Sachverständige des Handwerks" 1974[9] (dieses Buch liegt derzeit mit der 6. Auflage aus 2009 vor; die 7. Auflage ist für 2026 angekündigt) richtet der Autor an die Verantwortlichen folgende Mahnung: „Das Ansehen des gesamten Handwerks leidet unter Sachverständigen, deren Arbeit und Auftreten einen nicht zu verbergenden Mangel an Kenntnissen verrät. Sachverständige aus anderen Wirtschaftsbereichen werden diesen ungeeigneten Helfern vorgezogen. Dieser allgemein und überall zu beobachtende Trend verstärkt sich immer mehr, solange die Verantwortlichen untätig zusehen. Eines Tages wird man sich daher die Frage stellen lassen müssen, warum dem Handwerk das elementare Recht, seine eigenen Erzeugnisse und seine eigenen Leistungen selbst zu begutachten, verloren ging. Solchen Anfängen, die sich nicht nur in einem Handwerk abzeichnen, muss gewehrt werden. Am sichersten ist das durch eine umfassende Unterrichtung des Sachverständigen über sein Amt, seine Aufgabe und seine Rechtsstellung zu erreichen."

Diese massive Kritik dürfte die Verantwortlichen wachgerüttelt haben, denn in der Folgezeit wurden Anstrengungen unternommen, um dieses Bild positiv zu verändern. In einer Masterarbeit und Untersuchung zum deutschen Handwerk[10] wird nachgewiesen, dass die Anforderungen und auch die persönlichen Voraussetzungen an einen Sachverständigen des Handwerks ein hohes Niveau besitzen. Auf dem 3. Würzburger Symposium „Sachverständige im Handwerk" im Jahr 2023 resümierten mehrere Referenten, dass gerade der Praxisbezug und die pragmatische Herangehensweise zu den Stärken der handwerklichen Sachverständigen zählen. Dass hierbei immer Luft nach oben ist, wird in den Abschnitten 1.13.3 bis 1.13.5 thematisiert. Vom Grundprinzip her verfügt gerade das deutsche Handwerk – viele europäische Länder beneiden uns um unser „Duales Ausbildungssystem" mit anschließender Meisterqualifikation – über ein bewährtes Berufszulassungssystem.

6 *Nida-Rümelin*, Der Akademisierungswahn – Zur Krise beruflicher und akademischer Bildung, 2014.
7 *Janich*, Handwerk und Mundwerk – Über das Herstellen von Wissen, 2015.
8 *Nida-Rümelin*, Der Akademisierungswahn – Zur Krise beruflicher und akademischer Bildung, 2014.
9 *Haas*, Der Sachverständige des Handwerks – Ein Handbuch für die Praxis, 1974.
10 *Finkbeider*, Der Markt in Europa. Ein Tätigkeitsfeld für Sachverständige des Handwerks – Eine Untersuchung im deutschen Handwerk, Masterarbeit, 2010.

1.13.2 Gesetzliche Grundlagen – Berufszulassungssystem im Handwerk

Die Rechtsgrundlagen für die öffentliche Bestellung und Vereidigung von Sachverständigen im Handwerk sind im Gesetz zur Ordnung des Handwerks (HwO) gelegt.[11] Nach § 91 Abs. 1 Nr. 8 HwO gehört insbesondere zu den Aufgaben der Handwerkskammern „Sachverständige zur Erstattung von Gutachten zu Leistungen und Tätigkeiten des Handwerks und deren Wert nach den §§ 36 und 36a der Gewerbeordnung öffentlich zu bestellen und zu vereidigen".

Die Bestellungsvoraussetzungen sind in den von den Handwerkskammern erlassenen Sachverständigenordnungen geregelt:[12]

Als Sachverständiger einer Handwerkskammer kann nur öffentlich bestellt und vereidigt werden, wer

1. a) *in ihrer Handwerksrolle als Inhaber oder als Gesellschafter einer Personengesellschaft bzw. Geschäftsführer oder Vorstand einer juristischen Person eingetragen ist und dabei in seiner Person die Eintragungsvoraussetzungen erfüllt oder als Betriebsleiter verzeichnet ist oder*
   b) *als Inhaber, Gesellschafter einer Personengesellschaft bzw. Geschäftsführer oder Vorstand einer juristischen Person in ihrem Verzeichnis der zulassungsfreien Handwerke oder der handwerksähnlichen Gewerbe eingetragen ist. Gleiches gilt für Gesellschafter von dort eingetragenen juristischen Personen, die in diesem Unternehmen handwerklich tätig sind.*
2. *über eine ausreichende Lebens- und Berufserfahrung verfügt,*
3. *die persönliche Eignung insbesondere Zuverlässigkeit sowie die körperliche und geistige Leistungsfähigkeit entsprechend den Anforderungen des beantragten Sachgebiets besitzt;*
4. *seine besondere Sachkunde (erheblich über dem Durchschnitt liegende Fachkenntnisse und Fertigkeiten), die notwendige praktische Erfahrung und die Fähigkeit, Gutachten zu erstatten, nachweist; § 36a GewO gilt entsprechend;*
5. *über die zur Ausübung der Tätigkeit als Sachverständiger erforderlichen Einrichtungen verfügt;*
6. *in geordneten wirtschaftlichen Verhältnissen lebt;*
7. *die Gewähr für Unparteilichkeit und Unabhängigkeit bei der Erstattung von Gutachten sowie für die Einhaltung der Verpflichtungen eines öffentlich bestellten und vereidigten Sachverständigen bietet,*
8. *nach Maßgabe der gesetzlichen Vorschriften jederzeit und uneingeschränkt für die Sachverständigentätigkeit zur Verfügung steht.*

---

11 Gesetz zur Ordnung des Handwerks (Handwerksordnung, HwO) vom 17.9.1953; Vollzitat: „Handwerksordnung in der Fassung der Bekanntmachung vom 24. September 1998 (BGBl. I S. 3074; 2006 I S. 2095), die zuletzt durch Artikel 2 des Gesetzes vom 9. November 2022 (BGBl. I S. 2009) geändert worden ist".

12 Mustersachverständigenordnung des Zentralverbandes des Deutschen Handwerks (ZDH).

Nach der Gewerbeordnung § 36 sind Sachverständige, die u.a. auf den Gebieten der Wirtschaft tätig werden wollen, auf Antrag öffentlich zu bestellen, wenn sie auf dem betreffenden Sachgebiet die hierfür besondere Sachkunde nachweisen.[13]

Mit der Lehre, Gesellen- und Meisterprüfung ist der Handwerksmeister durch seine Berufsbildung und seinen Berufsabschluss sowohl in den fachlichen als auch von seinen handwerklichen Fertigkeiten ein Spezialist seines Fachs und damit die häufigste Bestellungsvoraussetzung. Da die Sachverständigenordnung Bezug auf den gesamten Katalog der Eintragungsmöglichkeiten der Handwerksordnung nimmt, gibt es weitere Eintragungsmöglichkeiten für die Handwerksrolle; damit werden auch die Bestellungsmöglichkeiten z.B. auf Hochschulabsolventen und staatlich geprüfte Techniker erweitert. So finden sich in den Sachverständigenlisten der Handwerkskammer häufig auch Personen mit einem Bauingenieurabschluss.[14] Die abgeschlossene Meisterprüfung ist jedoch immer noch der Regelfall der Bestellungsvoraussetzung. Dies trägt wesentlich zur Akzeptanz von Sachverständigengutachten bei betroffenen Berufskollegen bei.

Selbstverständlich reicht ein Meisterabschluss allein zur Sachverständigenbestellung nicht aus. Nach § 3 der Sachverständigenordnung soll die Handwerkskammer den zuständigen Fachverband und/oder die zuständige Innung vorher anhören. Die Handwerkskammer kann weiterhin vom Antragsteller zum Nachweis seiner besonderen Sachkunde auf seine Kosten die Teilnahme an Schulungsveranstaltungen verlangen und ihn verpflichten, sich auf seine Kosten einer Überprüfung durch ein Fachgremium zu stellen. Die Handwerkskammer kann ferner Stellungnahmen fachkundiger Dritter einholen und sonstige Erkenntnisquellen nutzen.

Grundsätzlich werden Sachverständige für das „komplette Handwerk" öffentlich bestellt (z.B. Zimmererhandwerk, Dachdeckerhandwerk, Elektrotechnikerhandwerk usw.). Dies entspricht der Struktur der Berufsbilder im Handwerk.

Wenn jedoch ein besonderer Bedarf für spezielle Leistungen eines Handwerks besteht, können Personen auch nur für „Teilgebiete" bestellt werden (z.B. Dachdecker: Teilgebiet Wärmeschutz, Elektrotechniker: Teilgebiet Blitzschutz). Über das Teilgebiet hinaus dürfen diese Sachverständigen dann nicht tätig werden. Der Zentralverband des Deutschen Handwerks hält für solche Teilgebiete der Sachverständigen im Handwerk aktualisierte Listen/Merkblätter zum Sachverständigenwesen vor.

Eine „Schwerpunktbildung" in einem Handwerk liegt vor, wenn Sachverständige für das gesamte Handwerk oder ein Teilgebiet bestellt sind, jedoch auf einem bestimmten Gebiet besonders vertiefte Qualifikationen oder Spezialkenntnisse nachgewiesen haben.

---

13 Gewerbeordnung GewO, Ausfertigungsdatum: 21.6.1869; Vollzitat: „Gewerbeordnung in der Fassung der Bekanntmachung vom 22. Februar 1999 (BGBl. I S. 202), die zuletzt durch Artikel 21 des Gesetzes vom 19. Dezember 2022 (BGBl. I S. 2606) geändert worden ist" Stand: Neugefasst durch Bek. v. 22.2.1999 I 202 zuletzt geändert durch Art. 21 G v. 19.12.2022I2606.

14 *Fährmann*, Das handwerkliche Sachverständigenwesen, DS 2023 S. 83.

1.13.3 Besonderheiten im handwerklichen Sachverständigenwesen

Die Handwerkskammern gehen im Regelfall davon aus, dass Sachverständige im Handwerk deren Gutachtertätigkeit nebenberuflich ausführen. Dies soll gewähren, dass die aktive praktische Befassung mit dem Handwerk zu einer hohen Akzeptanz insbesondere bei Berufskollegen führt. Dabei wird auch der Umstand berücksichtigt, dass der Sachverständige und Unternehmer stets auf dem aktuellen Stand technischer Neuerungen und Preisentwicklungen steht. Vor diesem Hintergrund ist die „Nebenberuflichkeit" des Sachverständigen im Handwerk nicht in einem abwertenden Sinne zu verstehen.[15] Es ist jedoch eine Entwicklung zu mehr „Vollzeit-Sachverständigen" im Handwerk zu verzeichnen; genaue Zahlen sind dem Autor nicht bekannt. Die Anforderungen in der Wirtschaft sind in den letzten Jahrzehnten ständig gewachsen, dies wirkt sich auch auf die Sachverständigentätigkeit aus. Die Komplexität mancher Handwerke sowie das Umfeld, in dem sich Sachverständige bewegen, führen dazu, dass eine Nebentätigkeit als Sachverständiger infrage gestellt werden muss. Viele Handwerksberufe haben sich weiterentwickelt; die eigentliche handwerkliche Tätigkeit, handwerkliche Kunst, handwerkliche Fähigkeiten sind in den Hintergrund gerückt und von technischen Innovationen überholt worden. Entsprechende Bestellungsgebiete bzw. Sachverständige befassen sich daher weniger mit einer handgemachten Tätigkeit als mit der Erkenntnis bzw. der Theorie. Die tägliche praktische Tätigkeit spielt dabei eine untergeordnete Rolle. Aus der Sicht des Autors soll in solchen Handwerken weiterhin die Berufsbildung mit Meisterabschluss und anschließender mehrjähriger Praxis als grundsätzliche Bestellungsvoraussetzung gelten. Mit Aufnahme der Sachverständigentätigkeit ist jedoch eine weitere praktische Betätigung im gleichen Handwerk aus den genannten Gründen nicht grundsätzlich geboten. Die volle Konzentration auf die Sachverständigentätigkeit hat viele bedeutungsvolle Argumente:

An ö.b.u.v. Sachverständige werden Anforderungen gestellt, welche weit über die überdurchschnittlichen Fachkenntnisse hinausgehen:

- So müssen prozessuale Abläufe bei Gericht, Kenntnisse des Urheberrechts und des Datenschutzes beherrscht werden.
- Sachverständige müssen über Grundkenntnisse der Zivilprozessordnung (ZPO) und der Strafprozessordnung (StGB) verfügen.
- Im Hinblick auf die immer komplexeren Zusammenhänge z.B. in den technisch geprägten Handwerken werden die Anforderungen an die Sachverständigengutachten fortwährend höher. So müssen Erkenntnisquellen richtig zitiert, Abbildungen, Tabellen, Zeichnungen hinreichend beschriftet und Regelwerke korrekt bezeichnet werden.[16]
- Findet schließlich die Anhörung statt, sieht sich der vom Gericht beauftragte Sachverständige in der Regel drei Juristen und möglicherweise weiteren Privatgutachtern ge-

15 *Haas*, Der Sachverständige im Handwerk, 5. Aufl. 2001.

16 *Wirwohl*, Sachverständigengutachten – richtig zitieren, Tagungsband 3. Würzburger Symposium: Sachverständige im Handwerk, 2023.

genüber. Gerade bei eskalierenden Sitzungen benötigt der Sachverständige „ein dickes Fell" und beim Umgang mit diesen Situationen viel Erfahrung.[17]

- Um die Vergütung bei Gericht geltend zu machen, müssen Seminare für das Rechnungsschreiben besucht werden. Denn das „Gesetz über die Vergütung von Sachverständigen, Dolmetscherinnen, Dolmetschern, Übersetzerinnen und Übersetzern sowie die Entschädigung von ehrenamtlichen Richterinnen, ehrenamtlichen Richtern, Zeuginnen, Zeugen und Dritten" ist so kompliziert angelegt, dass ein Jurist resümierte: „Ohne juristischen Beistand könnten die Sachverständigen kaum mehr eine gerichtsfeste Honorarrechnung erstellen".[18] Wie will der Sachverständige im Nebenerwerb dies realisieren?
- Weitere und abweichende Anforderungen stellen sich den Sachverständigen bei Versicherungsgutachten oder Leistungen für die Privatwirtschaft.

Bei dieser Fülle von Ansprüchen an die handwerkliche Sachverständigentätigkeit fällt es schwer, darauf zu vertrauen, dass eine solche Tätigkeit im „Nebenerwerb" gelingt. Zudem verpflichtet sich der Sachverständige durch Eid auf die Sachverständigenordnung zur Erstattung von Gutachten gegenüber Gerichten und Verwaltungsbehörden. Wie sollen Sachverständige dies leisten, wenn sie bereits im eigenen Unternehmen stark ausgelastet sind?

Es gibt weitere Gründe, die Sachverständigentätigkeit von anderen Ausübungen zu trennen:

Im Handwerk findet gegenüber den anderen Bestellungsorganisationen die Sachverständigentätigkeit in einem besonderen Umfeld statt. Es bestehen teilweise enge Bindungen an die Kreishandwerkerschaft, Innung, übergeordnete Verbände, Fachausschüsse usw. Die Übernahme einer Funktion als Obermeister oder Dozent in einer Bildungsstätte stellt eine Herausforderung im Hinblick auf die Objektivität, Neutralität, Unparteilichkeit und Unabhängigkeit dar. So hat es der Autor bei seinen Vorträgen erlebt, dass seine Kritik an fehlerhaften technischen Regelwerken von Sachverständigenkollegen deshalb ausgeschlagen wurde, da sie im Widerspruch zur Verbandsarbeit bzw. den Zielen der Wissensvermittlung in den verbandseigenen Schulungsstätten steht. Wenn Fachverbände ö.b.u.v. Sachverständige in ein Normengremium berufen, ist ebenfalls Vorsicht geboten. Fachverbände verfolgen in Normengremien u.a. auch die wirtschaftlichen Interessen ihrer Handwerks-Mitglieder. Ö.b.u.v. Sachverständige, welche an solchen Zielen mitwirken, sind gehalten, mehrere Identitäten aufzubauen, wenn sie weiterhin eine gewissenhafte, unabhängige und weisungsfreie Sachverständigentätigkeit gemäß dem geleisteten Eid verfolgen. Es sind daher u.a. folgende Grundanforderungen an ö.b.u.v. Sachverständige im Handwerk zu stellen: „… die Freiheit von starken Bindungen in der beruflichen Sphäre und von wirtschaftlichen Abhängigkeiten".[19]

17 *Schauer*, Sachverständigenarbeit im Handwerk – Aspekte aus der täglichen Arbeit, Tagungsband 3. Würzburger Symposium: Sachverständige im Handwerk, 2023.

18 *Bleutge, P.*, Vergütung der gedanklichen Vorarbeit, DS 2022, Nr. 12 S. 315.

19 *Haas*, Der Sachverständige im Handwerk, 5. Aufl. 2001.

Die öffentliche Bestellung liegt im Interesse der Öffentlichkeit. Ö.b.u.v. Sachverständige müssen daher das uneingeschränkte Vertrauen aus dem Blickwinkel der Öffentlichkeit genießen. Wie können Sachverständige dieses Vertrauen entwickeln, wenn sie gleichzeitig Unternehmer sind und im Betriebsalltag u.a. eine maximale Gewinnerzielung verfolgen und enge Bindungen mit Handwerksorganisationen pflegen?

Eine weitere prekäre Situation entsteht, wenn ein Sachverständiger mit seinem Unternehmen eine Ausübeberechtigung zu Arbeiten im Netz bei einem Netzbetreiber hat und damit in einem gewissen Abhängigkeitsverhältnis steht. Kann er dann gewissenhaft und unparteiisch in einem Streitfall zwischen einem Kollegen und dem Netzbetreiber gutachterlich tätig werden?

Die Auflistung zeigt, dass viele Aspekte für eine Konzentrierung auf die Sachverständigentätigkeit sprechen. Es gibt weitere Argumente: Ein Sachverständiger kann nach § 406 der Zivilprozessordnung aus denselben Gründen, die zur Ablehnung eines Richters berechtigen, abgelehnt werden. Ein Richter darf gemäß § 4 des Deutschen Richtergesetzes Aufgaben der rechtsprechenden Gewalt und Aufgaben der gesetzgebenden oder der vollziehenden Gewalt nicht zugleich wahrnehmen. Weiterhin hat er sich innerhalb und außerhalb seines Amtes, auch bei politischer Betätigung, so zu verhalten, dass das Vertrauen in seine Unabhängigkeit nicht gefährdet wird. Auch kann er nicht gleichzeitig Richter und Anwalt sein. Es ist daher naheliegend, dass auch ö.b.u.v. Sachverständige sich vergleichbaren Beschränkungen unterwerfen. Die Vollzeitausübung des Sachverständigenamtes bei Wegfall starker Bindungen im beruflichen Umfeld bietet hierbei eine grundlegende Voraussetzung.

1.13.4 Zustandsbericht: Anforderung und Qualifizierung für den Sachkundenachweis

Im Bundesgebiet gibt es derzeit keine einheitlichen Anforderungen an die Vorbereitungslehrgänge und den Nachweis der besonderen Sachkunde für ö.b.u.v. Sachverständigen-Anwärter im Handwerk (in vielen Bestellungsgebieten anderer Körperschaften auch nicht). Während die Berufsaus- und Weiterbildung im Handwerk im Berufsbildungsgesetz und der Handwerksordnung detailliert geregelt ist, müssen sich Sachverständigen-Anwärter quasi autodidaktisch für ihre spätere Tätigkeit fortbilden. So bieten u.a. das Institut für Sachverständigenwesen, Köln (IFS)[20] und die Akademie des Handwerks, Schloss Raesfeld[21] diverse Tagesseminare bzw. Grund- und Aufbauseminare zu den Grundlagen der Sachverständigentätigkeit an. Eine umfassende und zielgerichtete Qualifizierung bzw. Vorbereitung für den Sachkundenachweis als ö.b.u.v. Sachverständige an insgesamt 32 Tagen wird derzeit nur für des IHK-Bestellungsgebiet „Schäden an Gebäuden“ vom IFS angeboten. Weiterhin gibt es u.a. einen Zertifikatslehrgang für „Immobilienbewerter (IFS)“. Festzuhalten ist, dass es derzeit für Sachverständigen-Anwärter aus dem Handwerk kein bundeseinheitliches Vorgehen bezüglich der Vorbereitung auf die Prüfung zur besonderen Sachkunde und zur anschließenden ö.b.u.v. Sachverständigentätigkeit gibt.

20 Institut für Sachverständigenwesen e.V., Hohenstaufenring 48-54, 50674 Köln.

21 Schloss Raesfeld – Bildungsstätte des Handwerks e.V./Akademie des Handwerks Schloss Raesfeld, Freiheit 25-27, 46348 Raesfeld.

Das Durchschnittsalter von ö.b.u.v. Sachverständigen im Handwerk liegt wie bei anderen Bestellungskörperschaften bei ca. 60 Jahren.[22] Viele davon werden in wenigen Jahren ausscheiden. Demgegenüber stehen nur wenige Sachverständigen-Anwärter und die regelmäßig extrem hohe Durchfallquote bei den Prüfungen zur besonderen Sachkunde. Wenn nicht kurzfristig effektive Maßnahmen ergriffen werden, können die Handwerkskammern ihre Aufgaben gemäß der Handwerksordnung bzw. dem Interesse der Öffentlichkeit an der Auswahl einer ausreichenden Zahl von Sachverständigen nicht mehr nachkommen.

1.13.5 Forderung: Bundeseinheitliche Regelungen für Sachverständigen-Anwärter

In zahlreichen Publikationen wird stets die Bedeutung der ö.b.u.v. Sachverständigen hervorgehoben. Der Rechtsfriede wäre ohne Sachverständige empfindlich gestört, da Rechtsstreitigkeiten unaufklärbar wären. Daher wurden den Selbstverwaltungskörperschaften der Wirtschaft die Aufgabe zugeteilt, Sachverständige öffentlich zu bestellen. Im Handwerk muss derzeit resümiert werden, dass von ehemals ca. 7.000 ö.b.u.v. Sachverständigen in 2009[23] nur 5.100 in 2023 bei hohem Durchschnittsalter übrig geblieben sind.[24] Die weitere Abnahme wird sich demnach zeitlich verschärfen! Die wenigen Anwärter für das Sachverständigenwesen werden von Prüfungskommissionen – in der Regel sind es Fachverbände – mit höchsten Durchfallquoten erwartet. Es muss an dieser Stelle infrage gestellt werden, ob Fachverbände, deren Verbandszweck nicht die Förderung und die Beschäftigung mit dem Sachverständigenwesen beinhaltet, grundsätzlich geeignet sind, eine sachgerechte Prüfung für Anwärter zu erarbeiten, durchzuführen und zu dokumentieren. Fachverbände besitzen sicherlich die außerordentlich hohe Fachkompetenz im jeweiligen Gewerk und sind auf dem Stand der Technik. Wenn jedoch Anwärter bei der Sachkundeprüfung – auch mehrmals – an Umständen scheitern, da ihnen beispielsweise Ausforschungsbeweisbeschlüsse sowie exotische Fachfragen entsprechend der speziellen Neigung der Prüfer vorgelegt werden, entspricht dies nicht den angemessenen Grundsätzen zur Überprüfung der besonderen Sachkunde von Sachverständigen. Von Anwärtern kann ein hoher Erfahrungsschatz beim Bearbeiten von Gerichtsangelegenheiten nicht verlangt werden, wenn die ZPO ihnen grundsätzlich die Betätigung bei Gericht bislang verweigert.

Im Urteil des OVG Lüneburg 7 LA 79/08 vom 31.7.2009 heißt es: „Die Prüfung des Erfordernisses der besonderen Sachkunde soll nicht die vom Bundesverfassungsgericht als verfassungswidrig bezeichnete ‚konkrete Bedürfnisprüfung' für die öffentliche Bestellung von Sachverständigen (BVerfG, Beschl. v. 25.3.1992 – 1 BvR 298/86 – BVerfGE 86, 28 ff.) ersetzen, indem eine positive Zulassungsentscheidung von so hohen Anforderungen abhängig gemacht wird, dass ihnen von vornherein nur ein kleiner Personenkreis genügen kann. § 36 GewO hat nur den Zweck, die Auswahl zwischen qualifizierten und unqualifizierten Sachverständigen zu erleichtern (BVerfG, a.a.O.). Ein Nachweis herausragender Fähigkeiten ist daher in der Regel nicht gefordert. Die Anforderungen an den Qualifikationsnach-

22 *Fährmann*, Das handwerkliche Sachverständigenwesen, DS 2023 S. 83.
23 *Haas/Frost,* Der Sachverständige im Handwerk, 6. Aufl. 2009.
24 *Fährmann*, Das handwerkliche Sachverständigenwesen, DS 2023 S. 83.

weis dürfen nicht überspannt werden. Im Rahmen der Bestellungspraxis ist neben der fachlichen Kompetenz der Bewerber auch das Interesse der Öffentlichkeit an der Auswahl unter einer ausreichenden Zahl von Sachverständigen zu berücksichtigen (vgl. BVerfG, a.a.O.)."

So dürfte es zielführend sein, bei einer Überprüfung der besonderen Sachkunde von Sachverständigen – neben der Bewertung eingereichter Sachverständigengutachten, Fachaufsätze, Kenntnisse zum Umfeld der Sachverständigentätigkeit (ZPO, StGB Versicherungsrecht usw.) – in einem Fachgespräch herauszuarbeiten, ob bei Anwärtern eine positive Prognose besteht, dass sie ihre Aufgaben unabhängig, weisungsfrei, persönlich, gewissenhaft und unparteiisch erfüllen werden.

1.13.6 Empfehlung: Weiterentwicklung des handwerklichen Sachverständigenwesens

Wie bereits dargelegt, herrscht in Deutschland immer noch eine problematische Wertschätzungshierarchie. Das sonderliche Verhältnis zur körperlichen Arbeit der altgriechischen Philosophenfürsten hat sich bis in unsere Zeit festgesetzt: „Der Physiker ist angesehener als der Ingenieur, und dieser wieder mehr als der Handwerker, dem der Physiker noch seine Geräte und der Theoretiker die Daten des Experimentalphysikers verdanken."[25] Sachverständige aus dem Handwerk werden daher gegenüber den „akademischen Kollegen" überdurchschnittlich mehr leisten müssen, um ein vergleichbares Ansehen zu genießen, wie dies derzeit Frauen gegenüber Männern im Berufsalltag beklagen. Ohne Anspruch auf Vollständigkeit und Richtigkeit sollen daher im Folgenden Aspekte für eine offensive Weiterentwicklung des handwerklichen Sachverständigenwesens aufgelistet werden.

1.13.6.1 Strukturierte Weiterbildung zum Sachverständigen

Ö.b.u.v. Sachverständige haben einen erheblichen Einfluss auf den Ausgang eines Gerichtsverfahrens. „Da das Gericht das Sachverständigengutachten mangels eigener Sachkunde nur eingeschränkt überprüfen kann, kommt das Gutachten eines Sachverständigen in seiner Bedeutung einem Richterspruch gleich."[26] Der Rechtsfriede in unserem Land ist daher in erheblichem Maß von Sachverständigengutachten abhängig, die von hoher Qualität und Gewissenhaftigkeit geprägt sind. Der bislang vorgesehene Weg einer autodidaktischen Weiterbildung bis zur besonderen Sachkundeprüfung bzw. Aufnahme der Sachverständigentätigkeit ist daher mit einem dicken Fragezeichen zu versehen. Die Tätigkeit der ö.b.u.v. Sachverständigen muss das uneingeschränkte Vertrauen aus dem Blickwinkel der Öffentlichkeit aufweisen. Die in den Sachverständigenordnungen geforderte unabhängige, weisungsfreie, persönliche, gewissenhafte und unparteiische Erfüllung solcher Aufgaben – und dies in einem juristisch geprägten Umfeld – dürfte kaum im Selbstunterricht bzw. durch Buchen einiger weniger Tagesseminaren vermittelbar sein. Ein zielführender

25 *Janich*, Handwerk und Mundwerk – Über das Herstellen von Wissen, 2015.
26 *Kniffka/Koeble/Jurgeleit/Sacher*, Kompendium des Baurechts, 5. Aufl. 2020, 20. Teil Rn. 34.

Lehrgang sollte hierbei aus Inhalten des Sachverständigenwesens, juristischem Basiswissen und den Fachinhalten der jeweiligen Bestellungsgebiete zusammengesetzt sein.

Sachverständigenwesen

Ideen für diesen Teillehrgang:

- Inhalt der Sachverständigenordnung sowie Richtlinien zur Sachverständigenordnung
- Gerichtsgutachten
- Versicherungsgutachten
- Privatgutachten
- Wertermittlung
- Unbestimmter Rechtsbegriff der anerkannten Regeln der Technik

Juristisches Basiswissen

Die Sachverständigenarbeit findet nicht nur bei Gericht in einem rechtlichen Umfeld statt; „Sachfragen sind immer auch eingebettet in Rechtsfragen"; daher sollten Sachverständige über ein rechtliches Grundwissen verfügen, welche sie u.a. davor bewahrt, in die Falle der Beantwortung von Rechtsfragen hineinzugeraten.

Ideen für Inhalte dieses Teillehrgangs:

- ZPO, selbständige Beweisverfahren, Klageverfahren
- StGB – Ablauf des Strafverfahrens (Ermittlungsverfahren, Anklage/Zwischenverfahren, Hauptverfahren/Hauptverhandlung), Beweissicherung
- Versicherungsrecht
- BGB, VOB
- Sachverständigentätigkeit im Ausland

Teillehrgang Fachinhalte

Mit der Meisterprüfung ist der Handwerker bereits Spezialist seines Fachs.[27] Im Urteil OVG Lüneburg 7 LA 79/08 vom 31.7.2009 heißt es: „Die Prüfung des Erfordernisses der besonderen Sachkunde soll nicht die vom Bundesverfassungsgericht als verfassungswidrig bezeichnete „konkrete Bedürfnisprüfung" für die öffentliche Bestellung von Sachverständigen (BVerfG, Beschl. v. 25.3.1992 – 1 BvR 298/86 – BVerfGE 86, 28 ff.) ersetzen, indem eine positive Zulassungsentscheidung von so hohen Anforderungen abhängig gemacht wird, dass ihnen von vornherein nur ein kleiner Personenkreis genügen kann." Vielmehr ist der kritische Umgang mit technischen Regelwerken (DIN, VDE, Regelwerke der Verbände usw.) zu vermitteln. Auch die Grenzen technischer Regelwerke, welche Vorgaben für ein in der Zukunft zu errichtendes Werk beschreiben und in der Retrospektive – bei der Beurteilung in der Vergangenheit erzeugter Leistungen – ggf. nur sehr eingeschränkt zur Beurteilung herangezogen werden können, sind zu erörtern.[28] Solche Inhalte können bei-

27 *Haas*, Der Sachverständige im Handwerk, 5. Aufl. 2001.
28 *Zöller*, Gefälle in Abdichtungsregeln – normativer Stand?, BauSV 1/2022.

spielsweise durch Fachverbände im Beisein erfahrener ö.b.u.v. Sachverständige geschult werden.

1.13.6.2 Bundeseinheitliche Prüfung zur besonderen Sachkunde

Der Nachteil bisheriger Praxis mit hohen Durchfallquoten und fragwürdigen Bewertungen in den Prüfungen zur besonderen Sachkunde wurde hinreichend dargelegt. Ein Weiterso stellt den Erfolg der Aufgaben der Handwerkskammern, Sachverständige zur Erstattung von Gutachten zu Leistungen und Tätigkeiten des Handwerks und deren Wert nach den §§ 36 und 36a der Gewerbeordnung öffentlich zu bestellen und zu vereidigen, infrage. Im Urteil des OVG Lüneburg 7 LA 79/08 vom 31.7.2009 heißt es weiter: „Ein Nachweis *herausragender Fähigkeiten* ist daher in der Regel nicht gefordert. Die Anforderungen an den Qualifikationsnachweis dürfen nicht überspannt werden. Im Rahmen der Bestellungspraxis ist neben der fachlichen Kompetenz der Bewerber auch das Interesse der Öffentlichkeit an der Auswahl unter einer ausreichenden Zahl von Sachverständigen zu berücksichtigen (vgl. BVerfG, a.a.O.)." Die Prüfung zur besonderen Sachkunde im Hinblick auf die anschließende öffentliche Bestellung und Vereidigung sollte von einer geeigneten Institution durchgeführt werden, welche mit dem Sachverständigenwesen vertraut ist. Aus der Sicht des Autors würde sich das Institut für Sachverständigenwesen e.V. (Hohenstaufenring 48-54, 50674 Köln – IfS) bestens für die zentrale Organisation solche Prüfungen eignen. Das IfS beschäftigt sich seit jeher mit der Entwicklung und Standardisierung von fachlichen Voraussetzungen und Überprüfungsrichtlinien in zahlreichen Sachgebieten. Damit unterstützt das IfS die Bestellungskörperschaften (Architektenkammern, Handwerkskammern, Industrie- und Handelskammern, Ingenieurkammern, Landwirtschaftskammern) bei der Überprüfung der besonderen Sachkunde für die öffentliche Bestellung und Vereidigung von Sachverständigen. Es sorgt zudem mit dafür, einen bundesweit einheitlichen Qualitätsstandard von Sachverständigen zu fördern.[29] Zudem ist das IfS europäisch und international aktiv und bietet mit seiner von der Deutschen Akkreditierungsstelle (DAkkS) nach DIN EN ISO/IEC 17024 akkreditierten Zertifizierungsstelle (IfS-Zert) eine international be- und anerkannte Qualifizierung an. Bereits heute sind auf den Internetseiten des IfS vorbereitete Dokumente verfügbar (https://ifsforum.de/publikationen/bestellungsvoraussetzungen), welche ggf. noch zu ändern/erweitern sind:

- „Erläuterungen zur Suche nach Fachlichen Bestellungsvoraussetzungen und Fachgremien",
- „Grundsätze für die Überprüfung der besonderen Sachkunde von Sachverständigen",
- „Leitfaden für Fachgremiumsmitglieder und Vertreter der geschäftsführenden IHK zur Durchführung des mündlichen Fachgesprächs".

Zu den Trägern des Instituts gehören neben den Architekten- und Ingenieurkammern, Industrie- und Handelskammern und Landwirtschaftskammern auch zahlreiche Handwerkskammern sowie als Dachorganisation der Zentralverband des Deutschen Handwerks. Auch aus dieser Perspektive dürfte die volle Anerkennung zu erwarten sein. Weiterhin wird das IfS von zahlreichen Sachverständigenverbänden und -organisationen getragen. Die

29 IfS; Internet: https://ifsforum.de/ueber-uns/aufgaben-und-ziele.

bundeseinheitliche Durchführung zur Überprüfung der besonderen Sachkunde von Sachverständigen würde damit eine erhebliche Aufwertung bei vielen Aspekten erfahren:

- Einheitliche Geschäfts- und Verfahrensordnung
- Festlegung der Aufgaben des Fachgremiums
- Festlegungen zur Berufung der Prüfungsgremiumsmitglieder
- Festlegungen zur Gliederung der Überprüfung (Vorlegen von Unterlagen usw.)
- Klärung der Aspekte Belehrung und Befangenheit
- Festlegungen zur Dokumentation/Ergebnisniederschrift

Eine Vereinheitlichung der Prüfung bei hoher Qualität ist auch deshalb geboten, da neben der öffentlichen Bestellung und Vereidigung von Sachverständigen (nur in Deutschland) die Zertifizierung von Sachverständigen nach DIN EN ISO/IEC 17024 – europaweit – an Bedeutung gewinnt. Die Bezeichnung „öffentlich bestellter und vereidigter Sachverständiger" ist ebenso wie die Bezeichnung „Zertifizierter Sachverständiger gemäß DIN EN ISO/IEC 17024" geschützt. In 2009 wurde das Monopol der Kammern, Sachverständige zu berufen und zu überwachen, aufgebrochen. Die Gewerbeordnung wurde um den § 36a ergänzt, gleichzeitig wurde das Akkreditierungsstellengesetz[30] erlassen, wodurch die Einrichtung und die Aufgaben der Akkreditierungsstellen geregelt werden. Das Ziel der DIN EN ISO/IEC 17024-Akkreditierung ist es, eine hochwertige Qualifizierung von Sachverständigen durch ein anspruchsvolles, faires und transparentes Qualifizierungssystem zu schaffen, das europaweit anerkannt ist. Ein Weiterso könnte dazu führen, dass die öffentliche Bestellung von Sachverständigen an Bedeutung verliert und die Handwerkskammern damit Einfluss und das elementare Recht verlieren, ihre handwerklichen Erzeugnisse und Leistungen durch Sachverständige des Handwerks zu begutachten.

1.13.6.3 Gleichstellung der „Vollerwerb-Sachverständigen" im Handwerk

Wie bereits dargelegt, gehen die Handwerkskammern davon aus, dass die Sachverständigentätigkeit im Handwerk nebenberuflich erfolgt. Aus der Sicht des Autors überwiegen bei zahlreichen Bestellungsgebieten, wie z.B. den Bau- und Ausbaugewerken sowie den technischen Handwerken, die Vorteile einer Vollzeitausübung. In anderen Bestellungsgebieten mag es wichtige Gründe für die nebenberufliche Ausübung geben, insbesondere dann, wenn die alleinige Sachverständigentätigkeit nicht zu einem auskömmlichen Einkommen führt. Die hauptberufliche Sachverständigentätigkeit im Handwerk sollte in der Sachverständigenordnung der nebenberuflichen Ausübung gleichgestellt werden. Die bisherige Ansicht, dass eine qualitativ hochwertige Sachverständigentätigkeit im Handwerk nur unter Berücksichtigung und aus der Erfahrung der täglichen handwerklichen Betriebspraxis möglich ist, dürfte überholt sein.

30 Gesetz über die Akkreditierungsstelle (Akkreditierungsstellengesetz – AkkStelleG) vom 31.7.2009; Vollzitat: „Akkreditierungsstellengesetz vom 31. Juli 2009 (BGBl. I S. 2625), das zuletzt durch Artikel 2 Absatz 12 des Gesetzes vom 20. Dezember 2022 (BGBl. I S. 2752) geändert worden ist", Stand: Zuletzt geändert durch Art. 2 Abs. 12 G v. 20.12.2022 I 2752.

1.13.6.4 Erweiterung der Sachverständigenordnung um den Aspekt „Ressourcenschonung"

Ein modernes Handwerk muss in seinem Handeln auch gesellschaftliche, klimatische sowie Aspekte der Ressourcenschonung integrieren. Es dürfte gesellschaftlicher Konsens sein, dass wir im gleichen Umfang wie in den vergangenen Jahrzehnten nicht weiter natürliche Ressourcen verbrauchen können. Dies muss sich auch in der Sachverständigenarbeit widerspiegeln. Bewertungen, Sanierungsvorschläge usw. müssen dabei auch im Einklang mit dem Kreislaufwirtschaftsgesetz zur Schonung von Ressourcen, der Umwelt und Minderung von CO_2 stehen.[31] Die Berücksichtigung solcher Aspekte stellt jedoch im Hinblick auf die Besorgnis der Befangenheit für den Sachverständigen eine Gefahr dar, wenn eine Partei sich dabei benachteiligt fühlt und dabei ein parteiisches Verhalten sieht. Die Sachverständigenordnung sowie die angehängten Richtlinien sollten daher um diesen Aspekt erweitert werden; Vorschlag am Beispiel der Sachverständigenordnung der Handwerkskammer für Unterfranken:[32]

III. Pflichten der öffentlich bestellten und vereidigten Sachverständigen

§ 9 Unparteiische Aufgabenerfüllung

(1) Der Sachverständige hat seine Aufgaben unabhängig, weisungsfrei, persönlich, gewissenhaft und unparteiisch zu erfüllen und seine Gutachten in diesem Sinne nach bestem Wissen und Gewissen zu erstatten. Der Sachverständige hat vor Annahme von Aufträgen und während deren Ausführung auf Gründe hinzuweisen, die geeignet sind, Misstrauen gegen seine Unparteilichkeit zu rechtfertigen.

Ändern/Erweitern zu:

(1) Der Sachverständige hat seine Aufgaben unabhängig, weisungsfrei, persönlich, gewissenhaft, unparteiisch und ***unter dem Aspekt der Ressourcenschonung*** *zu erfüllen und seine Gutachten in diesem Sinne nach bestem Wissen und Gewissen zu erstatten. Der Sachverständige hat vor Annahme von Aufträgen und während deren Ausführung auf Gründe hinzuweisen, die geeignet sind, Misstrauen gegen seine Unparteilichkeit zu rechtfertigen.*

§ 15 Haftungsausschluss/Haftpflichtversicherung

15.1 Strenger Maßstab für gutachterliche Tätigkeit

Der Sachverständige handelt jedoch dann nicht schuldhaft, wenn er zu dem Zeitpunkt, zu dem er seine Leistungen erbringt, diese bei gewissenhafter Prüfung und nach Ausschöpfung aller Erkenntnisse – des Standes der Technik, der Erkenntnisse der Wissenschaft oder der Erfahrungen der Praxis – als richtig ansehen durfte.

31 *Seibel*, Dispositionsfreiheit nach § 634 BGB contra Kreislaufwirtschaftsgesetz zur Schonung von Ressourcen, der Umwelt und Minderung von CO_2, Aachener Bausachverständigentage 2022, 2022.

32 Sachverständigenordnung der Handwerkskammer für Unterfranken in der Fassung vom 17.7.2014; Download unter https://www.hwk-ufr.de/downloads/sachverstaendigenordnung-und-richtlinien-78,4470.pdf.

Ändern/Erweitern zu:

Der Sachverständige handelt jedoch dann nicht schuldhaft, wenn er zu dem Zeitpunkt, zu dem er seine Leistungen erbringt, diese bei gewissenhafter Prüfung und nach Ausschöpfung aller Erkenntnisse – des Standes der Technik, der Erkenntnisse der Wissenschaft, der Erfahrungen der Praxis oder ***im Sinne der Ressourcenschonung*** *– als richtig ansehen durfte.*

Sachverständige können sich dann im Sinne solcher Bewertungen und bei der Androhung eines Antrags auf Besorgnis der Befangenheit auf die Sachverständigenordnung berufen.

1.13.6.5 Öffentliche Bestellung und Zertifizierung

Wie bereits gezeigt, wird insbesondere europaweit die Zertifizierung von Sachverständigen nach DIN EN ISO/IEC 17024 an Bedeutung gewinnen. In verschiedenen Untersuchungen wurde festgestellt, dass die Anforderungen an Sachverständige für die Gerichtsarbeit in europäischen Ländern vergleichbar sind.[33] Die gleichzeitige öffentliche Bestellung und Vereidigung sowie Zertifizierung nach DIN EN ISO/IEC 17024 wäre nachvollziehbar sowie zu forcieren und würde die Position der Sachverständigen im europäischen Markt aufwerten.

1.13.6.6 Sachverständigentätigkeit und Karriere in der beruflichen Laufbahn

Die Attraktivität eines Berufstandes hat immer auch damit zu tun, welche Ziele erreicht werden können. Das Handwerk bzw. die Berufsbildung konkurriert hier mit dem hochschulischen Qualifizierungsweg, dem höhere Entwicklungschancen eingeräumt werden. Die Tätigkeit des ö.b.u.v. Sachverständigen ist in den Mittel- und Realschulen, Gymnasien und Berufsschulen kaum bekannt. Werden Schülerinnen und Schüler über die zusätzliche Stufe auf der beruflichen Karriereleiter und der Betätigung als ö.b.u.v. Sachverständiger informiert, könnte dies zwei Effekte zur Folge haben:

1. Die Attraktivität handwerklicher Berufe wird gesteigert.
2. Nachwirkend kann dies zu mehr Sachverständigen-Anwärtern führen.

1.13.7 Schlussbemerkung

Das handwerkliche Sachverständigenwesen steht vor großen Herausforderungen, für die es jedoch Lösungsansätze und -ideen gibt. Die vergangenen Novellen haben gezeigt, dass mit geeigneten Reaktionen auf Veränderungen bzw. Aktionen, die in die Zukunft gerichtet sind, nicht nur Probleme gelöst, sondern auch Gestaltungsspielräume genutzt werden können.

33 *Floter*, Das Sachverständigenwesen in Europa – Aktuelle Fragen, Antworten und Perspektiven, DS 2007 S. 8; *Bleutge, K.*, Das Sachverständigenwesen in Europa – andere Länder, andere Sitten?, DS 2008 S. 283.

Teil 2:

Tätigkeit für Gerichte

2.1 Leitplanken im Zivilverfahren: der Parteivortrag

Holger Beger

Übersicht

2.1.1 Einführung

Der bürgerliche Rechtsstreit vor Gericht ist geprägt von der Kommunikation verschiedenster Beteiligter. Sein Ergebnis nähert sich umso stärker dem hehren Ideal von Wahrheit und Gerechtigkeit an, auf das die Richterinnen und Richter ihren Amtseid leisten, je besser und transparenter diese Kommunikation zwischen den einzelnen Beteiligten sich vollzieht. Nur dann, wenn die Beteiligten das Gefühl haben, dass sie alle über das Gleiche reden oder schreiben, besteht zumindest eine Chance, dass sowohl das technische als auch das juristische Endergebnis eines (Bau-)Prozesses eine Akzeptanz findent, die über die gesetzlich (§ 322 ZPO) durch die Rechtskraft eines Urteils erzwungene Akzeptanz hinausreicht.

Im deutschen Zivilprozess gilt der sog. Beibringungsgrundsatz. Das bedeutet, dass es Sache der Parteien ist, vor allem unter Mithilfe der für sie tätigen Rechtsanwälte, den Gegenstand ihrer Streitigkeit eigenverantwortlich durch den Vortrag im Prozess zu bestimmen. Niedergelegt ist dies in den §§ 129, 137 und 138 ZPO, wonach die mündliche Verhandlung vor Gericht durch Vortrag in Schriftsätzen vorbereitet wird, auf dieses Vorbringen in der Verhandlung Bezug genommen werden kann und dieses Vorbringen des Prozessgegners auch bestritten oder der Gegner mit einer Gegenbehauptung belegt werden kann. Zudem weist die Vorschrift des § 313 Abs. 2 ZPO für die Gestaltung des vom Richter am Abschluss der Instanz zu erlassenden Urteils darauf hin, dass das bis zum Schluss der mündlichen Verhandlung in Schriftsätzen oder mündlich dargelegte Parteivorbringen jedenfalls in der gebotenen Kürze darzustellen ist. Die gelegentlich zu beobachtende Handhabung von Bauprozessen durch die Prozessbeteiligten kann einen manchmal daran zweifeln lassen, ob diese gesetzlich den Beteiligten zugewiesenen Verantwortlichkeiten auch für diese Verfahren gelten. Wer längere Zeit in bürgerlich-rechtlichen Streitigkeiten vor Gericht tätig ist, die Bauvorhaben unterschiedlichster Art zum Gegenstand haben, kann dem geflügelten Wort „der Bauprozess wird vom Sachverständigen entschieden" kaum ausweichen. Dieser Beitrag soll zeigen, dass das jedenfalls in dieser Eindimensionalität und Schlichtheit unzutreffend ist, weil „der Sachverständige als Entscheider" innerhalb von Leitplanken tätig ist oder jedenfalls tätig sein sollte, die ihm von Dritten namentlich Parteien und Gericht gezogen werden.

Die Tätigkeit des Sachverständigen in einem bürgerlichen Rechtsstreit unterscheidet sich fundamental von der Tätigkeit im Rahmen eines privaten Auftrages. Seine im Rechtsstreit zu entfaltende Tätigkeit vollzieht sich innerhalb von gesetzgeberischen Vorschriften zum formalisierten Ablauf eines Verfahrens mit vielen, streitenden Beteiligten. Zu diesem Verfahren wird der Sachverständige in der Regel erst mittels Beweisbeschluss hinzugezogen, wenn die Kommunikation der Parteien und weiterer Beteiligter, hier als Parteivortrag bezeichnet, in einer ersten Stufe durch das Gericht geprüft, geordnet und auf dieser Basis ein der Streitentscheidung zugrunde zu legender Sachverhalt erarbeitet worden ist. Diese im (Bau-)Prozess dem Gericht obliegende Ordnungs- und Sachverhaltsarbeit muss der Sachverständige im Rahmen eines Auftrages mit einem anderen Auftraggeber außerhalb von Gerichtsprozessen in der Regel selbst übernehmen. Andererseits hat er im Rechtsstreit diese von den Parteien, deren Helfern und dem Gericht geleistete Vorarbeit zu respektieren. Ein Blick in einige der Gerichtsentscheidungen zur Befangenheit von Sachverständigen und viele Erfahrungen der Gerichtspraxis zeigen, dass dieses Verständnis der eigenen Stellung innerhalb des formalisierten (Bau-)Prozesses nicht immer und nicht von allen Beteiligten verinnerlicht ist.

Beispiel

Beispiel einer insoweit fehlgeschlagenen Kommunikation: *Das Gericht fragt im Beweisbeschluss den Sachverständigen, ob er feststellen kann, dass sich an einem Treppengeländer verbaute Glasteile vom Metallgeländer (aufgrund unzureichender Fixierung) lösen und ob dies auf einer technischen Unzulänglichkeit der baulichen Ausführung beruht. Der Sachverständige fordert eigenständig Unterlagen von den Parteien an und teilt dann im schriftlichen Gutachten mit, dass aus den angeforderten Unterlagen eine bauaufsichtliche Zulassung der verbauten Teile am Geländer nicht festzustellen sei und diese deshalb von ihm als technisch unzureichend bewertet werden. Mit der gegebenen Antwort ist weder die erste noch die zweite Frage des Beweisbeschlusses beantwortet, die „beantwortete" Fragestellung zur bauaufsichtlichen Zulassung hatte sich aufgrund des Vortrags der Parteien vor Gericht überhaupt nicht gestellt.*

Das vorgenannte Beispiel zeigt: Nicht alles, was für die „richtige" technische Analyse durch den Sachverständigen im Rahmen der Beweiserhebung wünschenswert ist, entspricht auch zwingend dem, was die Parteien im Prozess vorgebracht haben. Es ist wichtig zu verstehen, dass im Bauprozess die Ordnung des Parteivortrags durch das Gericht bis zum Erlass des Beweisbeschlusses der Sachverständigentätigkeit bereits vorangegangen ist. Der aufgrund des Parteivortrags durch das Gericht erlassene Beweisbeschluss ist das für den Sachverständigen erkennbare Ergebnis der Ordnung des Parteivortrages und gibt ihm inhaltliche Orientierung, inwieweit seine Hilfe gefordert ist.

2.1.2 Wertung des Vortrags durch das Gericht

Die Ordnung des Parteivortrags durch das Gericht bewegt sich dabei in einem Spannungsverhältnis. Einerseits muss der aus dem Beibringungsgrundsatz folgenden Verantwortung der Parteien für wahrheitsgemäßen und rechtzeitigen Vortrag Rechnung getragen werden. Andererseits darf auch nicht das in der Verfassung (Art. 103 Abs. 1 GG) verankerte

Recht, sich vor Gericht rechtliches Gehör zu verschaffen, übergangen werden. Das Gericht hat daher eine Bewertung vorzunehmen, ob es einen sich widersprechenden Vortrag der Prozessparteien für erheblich bzw. schlüssig hält. Es hat zu prüfen, ob die richtige Partei in genügendem Umfang vorgetragen hat.

Dabei geht es für das Gericht zunächst darum, die Darlegungslast zu ermitteln, die in der Regel der Beweislast folgt. Damit wird von den Juristen zum Ausdruck gebracht, welche Partei zunächst mit ihrem Vortrag am Zug ist, eine für die Subsumierung einer ihr günstigen Rechtsnorm durch das Gericht erforderliche Tatsache zu behaupten.

Im Grundsatz gilt: Derjenige der eine ihm günstige Rechtsfolge aus einer Behauptung ableitet, trägt dafür die Darlegungs- und Beweislast.

Beispiele

Der Werkunternehmer trägt die Darlegungs- und Beweislast für die Mangelfreiheit des Werks vor der Abnahme, die Beseitigung von gerügten Fehlern, den Umfang der erbrachten Arbeitsleistungen, die er seiner abgerechneten Vergütung zugrunde legt oder auch für Umstände, die ein Mitverschulden des Bauherrn bei Bemessung eines diesem entstandenen Schadens begründen könnten (z.B. fehlerhaft erstellte Pläne). Der Werkbesteller/Auftraggeber trägt die Darlegungs- und Beweislast für die Mangelhaftigkeit des Werks nach Abnahme, die Höhe von Mangelbeseitigungskosten oder die Höhe eines infolge Mangelhaftigkeit des Werks eingetretenen Schaden.

Ausnahmen von dem oben dargelegten Grundsatz gibt es etwa dort, wo gesetzlich eine Beweislastumkehr angeordnet ist. Ein Beispiel hierfür ist § 280 Abs. 1 Satz 2 BGB, der für den Schadensersatzanspruch im Falle einer festgestellten Pflichtverletzung vom Verletzer fordert, dass dieser Umstände vorbringt, die erkennen lassen, dass er die Pflichtverletzung nicht verschuldet hat. Zudem haben sich in der Rechtsprechung Konstellationen entwickelt, die bei einem – selten vorkommenden – Beweisnotstand oder einer Beweisvereitelung durch den Gegner des Beweisbelasteten von einer Umkehr der Beweislast ausgehen, was auch Auswirkungen auf die Wertung des Parteivortrags durch das Gericht haben kann. Schließlich kann auch ein sog. Anscheinsbeweis bestehen, der eine Vermutung statuiert, die dann von der eigentlich nicht beweisbelasteten Partei zu widerlegen ist. Wichtigster Anwendungsbereich hierfür ist im Bereich der Baurechtsstreitigkeiten die Architektenhaftung.

Beispiel

Wenn eine Stützmauer aufgrund fehlender Drainage und unzureichender Gründungstiefe einzustürzen droht, so spricht der typische Geschehensablauf dafür, dass die Überwachung des Architekten bei der Errichtung mangelhaft war. In einem solchen Fall braucht der Bauherr nicht anzugeben, inwieweit es der Architekt im Einzelnen an der erforderlichen Überwachung hat fehlen lassen. Vielmehr ist es Sache des Architekten, den Beweis des ersten Anscheins dadurch auszuräumen, dass er seinerseits darlegt, was er oder sein Erfüllungsgehilfe an Überwachungsmaßnahmen geleistet hat. Dazu genügt nicht die bloße Behauptung, er habe die Gründungsarbeiten selbst oder durch seinen Bauleiter überwachen lassen.[1]

Das Parteivorbringen ist vom Gericht weiter auf seine prozessuale Erheblichkeit zu prüfen. Denn nur über eine schlüssige Behauptung, die in erheblicher Weise bestritten ist, ist eine Beweisaufnahme durchzuführen. Nach § 288 Abs. 1 und § 138 Abs. 3 ZPO sind vorgetragene Tatsachen nur insoweit beweisbedürftig, als die betreffende Behauptung wirksam bestritten ist.[2] Der Parteivortrag kann – in Ausnahmefällen – vom Gericht zurückzuweisen sein, weil er unter Verstoß gegen das Gebot zu wahrheitsgemäßem Vortrag nach § 138 Abs. 1 ZPO zustande gekommen ist. Dies kann der Fall sein, wenn das Gericht zu der Überzeugung gelangt, dass die Partei selbst nicht an ihre Richtigkeit glaubt, oder das Gericht sie für eine willkürliche, ohne greifbare Anhaltspunkte ausgesprochene Vermutung hält, die Behauptung also ins Blaue hinein aufgestellt worden ist.[3] Ebenso kann ein Vortrag vom Gericht als unsubstantiiert unberücksichtigt bleiben. Dies ist eine Frage der sog. Substantiierungslast. Die abstrakten Regeln über die Darlegungs- und Beweislast besagen nichts darüber, welche Tatsachen konkret zu vollständigen, subsumtionsfähigen Erklärungen i.S.v. § 138 Abs. 1 ZPO gehören. Wie konkret die jeweiligen Tatsachenbehauptungen sein müssen, hängt davon ab, was der Partei nach den Umständen des Einzelfalls, insbesondere der Einlassung des Gegners, an Angaben möglich und zumutbar ist.[4] Ein Sachvortrag ist schlüssig oder erheblich, wenn er Tatsachen enthält, die in Verbindung mit einem Rechtssatz geeignet und erforderlich sind, das geltend gemachte (Gegen-)Recht als in der Person der Partei entstanden erscheinen zu lassen.[5]

Das in der Praxis der als Gerichtssachverständigen tätigen Baukundigen wichtigste Beispiel für einen ausreichend substantiierten Parteivortrag ist die weithin unter dem Stichwort „Symptomtheorie" bekannte und gefestigte Spruchpraxis des Bundesgerichtshofs. Der Besteller genügt bei Mängelansprüchen den Anforderungen an ein hinreichend bestimmtes Mängelbeseitigungsverlangen, wenn er die Erscheinungen, die er auf vertragswidrige Abweichungen zurückführt, hinlänglich deutlich beschreibt. Eine Bezeichnung der Mangelursache im Einzelnen ist hingegen nicht geboten.[6] Hierzu einige Beispiele, in denen der Vortrag für ausreichend erachtet wurde:

Beispiele

Brüstungsblech auf einer Mauer hat ein Gefälle in die falsche Richtung,[7] *Wassereintritt im Untergeschoss im Bereich von Aufzugsschächten und Tiefgaragen eines Rohbaus,*[8] *die Heizung wird nicht warm*[9].

1 BGH, NJW 2002, S. 2708, beck-online.
2 BeckOK ZPO/*Bacher*, 49. Ed., Stand 1.7.2023, § 284 ZPO Rn. 8.
3 BGH, NJW 1968, S. 1233, 1234.
4 BGH, NJW-RR 2004, S. 1362, 1363 m.w.N.
5 BGH, NJW 2021, S. 1759 Rn. 18.
6 BGH, U. v. 24.8.2016, VII ZR 41/14, BauR 2017, S. 106; B. v. 4.11.2020 – VII ZR 261/18, Rn. 14, juris.
7 BGH, B. v. 4.11.2020 – VII ZR 261/18, Rn. 14, juris.
8 BGH, BauR 2017, S. 106.
9 BGH, ZfBR 1999, S. 255.

Das Gericht kann in dieser Situation keinen weiteren Vortrag zur technischen Ursache der vorgetragenen Erscheinung von den Parteien verlangen, auch wenn dies von vielen Sachverständigen als wünschenswert erachtet wird. Ob die Ursachen eines Werkmangelsymptoms tatsächlich in einer vertragswidrigen Beschaffenheit der Konstruktion oder der Ausführung zu suchen sind, ist Gegenstand des Beweises (durch Sachverständigengutachten) und nicht Erfordernis des Sachvortrags.[10]

Es gibt aber auch Gegenbeispiele, in denen die Gerichte zum Ergebnis kommen, dass der Vortrag als ungenügend zu bewerten ist. Denn die Symptomtheorie darf nicht überstrapaziert werden. Allgemeine Darlegungen, die selbst die Mangelerscheinung nicht genau genug beschreiben oder nötigenfalls lokalisieren, können unzureichend sein.[11] So etwa: „eine Wärmepumpe arbeite unwirtschaftlich“,[12] „die Abdichtung sei undicht“ oder „die Pflasterung des Parkdecks sacke an einigen Stellen ab“ oder „die Fugen seien nicht fachgerecht angebracht“.[13]

Es ist hier zu erkennen, dass es für das Gericht im Verfahren, in der mündlichen Verhandlung und bei Erlass des Beweisbeschlusses anspruchsvoll sein kann, Relevantes von Irrelevantem zu trennen. Diese aus dem oben genannten Spannungsverhältnis zwischen (Partei-) Verantwortung für den Vortrag und Gewährung rechtlichen Gehörs folgenden Anforderungen an die juristische Tätigkeit der Prozessbeteiligten haben für Gericht und Sachverständigen Konsequenzen. Das Gericht ist gehalten, den Vortrag vorab kritisch zu würdigen und wirklich nur jene Behauptungen in einen Beweisbeschluss aufzunehmen, die ausreichend dargelegt und bestritten sind. Der Sachverständige hat hier im Falle seiner Beauftragung das bereits vom Gericht geprüfte Vorbringen hinzunehmen und nicht nochmals einer eigenen Plausibilitätsprüfung zu unterziehen

2.1.3 Schwierigkeiten bei der Gutachtenserstattung mit dem Vortrag

Es soll nicht verschwiegen werden, dass das gerichtliche Bemühen nach einer Ordnung des Parteivortrags nicht immer erfolgversprechend ist. Die Anzahl von Beweisbeschlüssen ohne Nennung konkreter Beweisbehauptungen, mit einer unübersichtlichen Bezugnahme auf Parteivortrag in Schriftsätzen der Parteien oder unbestimmten Bezeichnungen wie „der Sachverständige soll eine Mangelhaftigkeit der Hauseingangstür und deren Ursache feststellen“ ist zwar rückläufig, aber leider immer noch anzutreffen. Fragen der Gerichte an Sachverständige in Beweisbeschlüssen nach einer „Vertragswidrigkeit“ von ausgeführten Bauleistungen haben hoffentlich alle Prozessbeteiligten mittlerweile, verbunden mit der Erkenntnis, dass es sich dabei ebenso wie beim Begriff der Mangelhaftigkeit i.S.d. § 633 Abs. 1 BGB um eine Rechtsfrage handelt, hinter sich gelassen. In einer solchen Situation empfiehlt es sich, aufseiten des Sachverständigen auftretende Fragen, was denn überhaupt von ihm gewollt ist, zu artikulieren. Manchmal ist es auch nur ein Beweispunkt, der

10 BGH, ZfBR 1999, S. 255, beck-online.
11 *Kniffka/Koeble*, Teil 5 Die Haftung des Unternehmers für Mängel, Rn. 239, beck-online.
12 OLG München, B. v. 28.3.2019, 27 U 213/19, Ls. juris.
13 Beispiele aus *Kniffka/Koeble*, Teil 5 Die Haftung des Unternehmers für Mängel, Rn. 239, beck-online.

bei Abfassung des Beweisbeschlusses von allen bis dato Beteiligten übersehen oder überlesen wurde.

Die Klärung solch offener Fragen sollte dabei über den vom Gesetz in § 404a Abs. 3 und 4, 407a Abs. 2 Satz 1 ZPO (siehe hierzu Beitrag 2.2) vorgesehenen Weg erfolgen, eine Weisung oder Klarstellung vonseiten des Gerichts zu erlangen. In keinem Fall empfehlenswert ist es, dass der Sachverständige von sich aus, beispielsweise im Rahmen eines Ortstermins, die möglicherweise dort nicht einmal durch ihre Rechtsanwälte vertretenen Parteien zur Klärung streitiger Sachverhaltsfragen anhält, um dann in seinem Gutachten zur Überraschung vieler Beteiligter seine Feststellungen auf Grundlage des „im Ortstermin unstreitigen Vorbringens" der Parteien zu treffen.

Ebenso sollte es sich für den Sachverständigen verbieten, Unterlagen „auf dem kurzen (Dienst-)Weg" von einem der Streitbeteiligten entweder vor, im oder nach dem Ortstermin anzunehmen und darauf gestützt seine technischen Ausführungen zu formulieren. Das Risiko, dass der Sachverständige hier auf einseitiger Grundlage ein Gutachten erstattet und sich dem Vorwurf der Befangenheit aussetzt, ist enorm. Die Klärung des im Rechtsstreit relevanten Parteivorbringens ist Aufgabe des Gerichts im Verfahren und der mündlichen Verhandlung, nicht Aufgabe des Sachverständigen in dem von ihm anberaumten Ortstermin.

Möglicherweise wird an dieser Stelle deutlich, dass die vielfach geübte Praxis der Sachverständigen, sich nach Übersendung des Gutachtensauftrages und der vollständigen Gerichtsakte, die das bisherige Parteivorbringen dokumentiert, mit einer mehrere Seiten langen Anforderung der von den Parteien „noch dem Sachverständigen vorzulegenden Unterlagen" an die Prozessbeteiligten zu wenden, massiv in die dargestellte Verantwortung der Parteien für ihren Parteivortrag und die bisher stattgefundene Ordnungstätigkeit des Gerichts eingreift. Es kann hier die Arbeitsempfehlung gegeben werden, die zur Verfügung gestellte Gerichtsakte zunächst einmal als Arbeitsgrundlage zu akzeptieren. Um es nochmals zu sagen: Das Gericht und die Parteien können und sollen vom bestellten Sachverständigen eine technisch richtige Antwort bezogen auf die im Beweisbeschluss gestellten Beweisfragen erwarten, nicht eine davon losgelöste, umfassende technische Bewertung des gesamten (Bau-)Vorhabens. Im schlimmsten aller denkbaren Fälle wird vom Sachverständigen die Anforderung von Unterlagen mit der Androhung verknüpft, einstweilen keine Sachverständigentätigkeit zu entfalten. Dieser Versuch, dem Gericht die Verfahrensleitung aus der Hand zu nehmen, wird von Gerichten selten goutiert und nicht selten mit der Androhung eines Ordnungsmittels an die Adresse des Sachverständigen beantwortet. Es kann tatsächlich Konstellationen geben, in denen sich die Anforderung von Unterlagen – immer bezogen auf die konkret gestellten Beweisfragen – anbieten kann. Für sog. Befundtatsachen, also Tatsachen, die der Sachverständige aufgrund besonderer Sachkunde kraft Auftrags durch das Gericht ermitteln soll,[14] kann eine solche Anforderung von Unterlagen erfolgen. In diesem Zusammenhang können Lichtbilder eines früheren Bauzustands, Baupläne, Baugenehmigungen oder auch Kontruktionszeichnungen angefordert werden. Um hier zu vermeiden, dass die Anforderung des Sachverständigen über die Erhebung von Befundtatsachen hinausreicht und der Sachverständige sich mit dem Vorwurf

14 BeckOK ZPO/*Scheuch*, 49. Ed., Stand 1.7.2023, § 404a ZPO Rn. 8.

konfrontiert sieht, eigenständigen neuen Sachvortrag der Parteien zu generieren oder einen Bauzustand zu bewerten, der zwischen den Parteien streitig ist, sollten die Gerichte möglichst bereits im Verfahren vor der Begutachtung, jedenfalls mit dem Beweisbeschluss, solche Unterlagen anfordern. Es gibt die naheliegende Empfehlung an die Gerichte, folgende Unterlagen bereits in einem frühen Stadium anzufordern:

- die vollständigen Verträge mit allen möglicherweise entscheidungserheblichen Vertragsbedingungen,
- die entscheidungsrelevanten Planungsunterlagen bzw. Leistungsverzeichnisse,
- die Abnahmeerklärung (Abnahmeprotokoll),
- die Schlussrechnung.

Insbesondere die Pläne sind häufig aussagekräftiger als jeder Anwaltsvortrag.[15] Der Sachverständige sollte veranlassen, dass von ihm für nötig gehaltene, noch nicht vorgelegte Unterlagen über das Gericht angefordert werden. Und er sollte sich auch gedanklich auf den gar nicht so seltenen Fall einstellen, dass weitere Unterlagen von den Parteien gar nicht vorgelegt werden können. Auch für diesen Fall erwarten Gericht und Parteien eine Beantwortung der gestellten Beweisfragen.

15 *Kniffka/Koeble*, Teil 20 Praktische Hinweise für Richter, Rn. 17, 18, beck-online.

2.2 Die gerichtliche Leitung der Sachverständigentätigkeit (§ 404a ZPO)

Mark Seibel
– mit einer Anmerkung von *Matthias Zöller* (Abschnitt 2.2.9) –

Übersicht

2.2.1 Einführung[1]

Die Bedeutung von Sachverständigengutachten für den privaten Bauprozess hat *Quack* einmal treffend wie folgt umschrieben: *„Bauprozesse werden häufig von Gutachtern „entschieden". „Verlorene" Gutachten sind dann verlorene Prozesse."*[2] Der Sachverständige wird deshalb nicht zu Unrecht als „Schlüsselfigur des Bauprozesses"[3] bezeichnet.

Leider ist schon seit langer Zeit festzustellen, dass Gerichte ihrer Anleitungsaufgabe (§ 404a ZPO) gegenüber Sachverständigen nur unzureichend nachkommen, weil im Beweisbeschluss oft nicht hinreichend zwischen (zulässigen) Tatsachen- und (unzulässigen) Rechtsfragen differenziert wird. In privaten Bauprozessen wird Sachverständigen häufig die grundsätzlich allein von den Gerichten zu beurteilende Frage der Vertragsauslegung – z.B. die Ermittlung der Soll-Beschaffenheit einer Bauleistung – überlassen.[4]

Dabei wird sogar – jedoch nur vereinzelt – die These vertreten, der Sachverständige sei unabhängig von der Formulierung der Beweisfrage zunächst dazu verpflichtet klarzustellen, welche Voraussetzungen das Werk nach der ausdrücklichen bzw. stillschweigenden Beschaffenheitsvereinbarung der Parteien erfüllen müsse.[5] Weiter wird vereinzelt darauf hingewiesen, es sei nicht die Aufgabe des Sachverständigen zu beanstanden, dass das Gericht ihm die Klärung der Voraussetzungen der vertraglich geschuldeten Soll-Beschaffenheit in verfahrenswidriger Weise übertragen habe.[6]

Im Folgenden wird – auch anhand eines Beispielsfalles – verdeutlicht, warum derartige Thesen weder zu einer sachgerechten gerichtlichen Leitung der Sachverständigentätigkeit noch zu einer Verbesserung der dringend notwendigen konstruktiven Kooperation zwischen Gerichten und Sachverständigen beitragen. Zudem werden praxistaugliche Lösungsvorschläge zur Verbesserung der Zusammenarbeit zwischen Gerichten und Sachverständigen vorgestellt.

2.2.2 Vorgaben der ZPO

Gemäß **§ 359 Nr. 1 ZPO** enthält der gerichtliche Beweisbeschluss *„die Bezeichnung der streitigen Tatsachen, über die der Beweis zu erheben ist"*. Gleiches gilt für das selbständige Beweisverfahren (vgl. § 487 Nr. 2, § 490 Abs. 2 Satz 1 ZPO).

Die ZPO geht also davon aus, dass das Gericht Beweis nur über (streitige) Tatsachen erheben soll. Von der Tatsachenebene ist diejenige der rechtlichen Beurteilung zu unterscheiden. Die Beantwortung von Rechtsfragen ist grundsätzlich dem Gericht vorbehalten; der

1 Ausführlich zur folgenden Darstellung: *Seibel*, in: Nicklisch/Weick/Jansen/Seibel, Kommentar zur VOB/B, 5. Aufl. 2019, § 13 Rn. 108 ff.; *Seibel*, Selbständiges Beweisverfahren – Kommentar zu §§ 485 bis 494a ZPO, 2013, § 487 Rn. 16 ff.; *Seibel*, NJW 2014, S. 1628 ff.; *Seibel*, BauR 2013, S. 536 ff.; *Seibel*, BauSV 5/2012, S. 59 ff.; *Seibel*, ZfBR 2011, S. 731 ff.; *Seibel*, BauSV 3/2010, S. 49 ff. Siehe auch: *Luz*, BauR 2017, S. 14 ff.

2 *Quack*, BauR 1993, S. 161.

3 So z.B.: *Manteufel*, in: Werner/Pastor, Der Bauprozess, 18. Aufl. 2023, Rn. 3088 m.w.N.

4 Das hat auch schon *Kniffka*, DS 2007, S. 125, 128 f., kritisiert.

5 So wörtlich: *Liebheit*, BauSV 3/2012, S. 46, 47.

6 Vertreten von: *Liebheit*, BauSV 3/2012, S. 46, 47 f.; *ders.*, BauSV 6/2012, S. 66, 71 (12. These).

Sachverständige ist zu einer rechtlichen Beurteilung weder befugt noch berufen.[7] Aber: Kann eine rechtliche Beurteilung nur auf der Grundlage tatsächlicher Feststellungen erfolgen, darf ein Sachverständiger hierzu selbstverständlich befragt werden[8] – er ebnet dann sozusagen den Boden für die rechtliche Beurteilung.

Die **Trennung von Tatsachen- und Rechtsfragen** ist in der Kompetenzverteilung zwischen Gericht und Sachverständigem begründet.[9] Die ZPO enthält hierzu folgende Vorgaben:

§ 404a ZPO – Leitung der Tätigkeit des Sachverständigen

(1) Das Gericht hat die Tätigkeit des Sachverständigen zu leiten und kann ihm für Art und Umfang seiner Tätigkeit Weisungen erteilen.

(2) Soweit es die Besonderheit des Falles erfordert, soll das Gericht den Sachverständigen vor Abfassung der Beweisfrage hören, ihn in seine Aufgabe einweisen und ihm auf Verlangen den Auftrag erläutern.

(3) Bei streitigem Sachverhalt bestimmt das Gericht, welche Tatsachen der Sachverständige der Begutachtung zugrunde legen soll.

(4) Soweit es erforderlich ist, bestimmt das Gericht, in welchem Umfang der Sachverständige zur Aufklärung der Beweisfrage befugt ist, inwieweit er mit den Parteien in Verbindung treten darf und wann er ihnen die Teilnahme an seinen Ermittlungen zu gestatten hat.

(5) [1]Weisungen an den Sachverständigen sind den Parteien mitzuteilen. [2]Findet ein besonderer Termin zur Einweisung des Sachverständigen statt, so ist den Parteien die Teilnahme zu gestatten.

§ 407a ZPO – Weitere Pflichten des Sachverständigen

(1) [1]Der Sachverständige hat unverzüglich zu prüfen, ob der Auftrag in sein Fachgebiet fällt und ohne die Hinzuziehung weiterer Sachverständiger sowie innerhalb der vom Gericht gesetzten Frist erledigt werden kann. [2]Ist das nicht der Fall, so hat der Sachverständige das Gericht unverzüglich zu verständigen.

(2)–(3) (...)

(4) [1]Hat der Sachverständige Zweifel an Inhalt und Umfang des Auftrages, so hat er unverzüglich eine Klärung durch das Gericht herbeizuführen. (...)

(5)–(6) (...)

Nach § 404a Abs. 1 ZPO hat das Gericht also die Tätigkeit des Sachverständigen zu leiten und kann ihm für Art und Umfang seiner Tätigkeit Weisungen erteilen. Bei streitigem Sachverhalt bestimmt das Gericht – und nicht der Sachverständige –, welche Tatsachen der Sachverständige der Begutachtung zugrunde legen soll, § 404a Abs. 3 ZPO. Schließlich hat der Sachverständige nach § 407a Abs. 4 Satz 1 ZPO die Pflicht, unverzüglich eine Klärung durch das Gericht herbeizuführen, wenn er Zweifel an Inhalt und Umfang des Auftrages – also des Beweisbeschlusses – hat.

Diese Vorschriften verdeutlichen, dass das Gericht „Herr des Verfahrens“ bleiben soll, während dem Sachverständigen die Aufgabe des weisungsgebundenen (neutralen) Gehilfen

7 Siehe z.B.: BGH, U. v. 16.12.2004 – VII ZR 16/03, IBR 2005, S. 271 mit Anm. *Schwenker*.

8 Siehe: BGH, B. v. 24.9.2013 – VI ZB 12/13, NJW 2013, S. 3654 Rn. 22 = IBR 2014, S. 57 mit Anm. *Seibel* (Bewertung einer medizinischen Behandlung als grob fehlerhaft).

9 Siehe zur Aufgabenverteilung zwischen Gericht und Sachverständigem auch: *Ahrens*, Der Beweis im Zivilprozess, 2015, 47. Kap. Rn. 7 ff.

zukommt – eigentlich passt der Begriff „Berater" besser.[10] Seine Hauptaufgabe liegt in der Vermittlung des dem Richter fehlenden Fachwissens.[11]

Zwischenfazit

*Der **Beweisbeschluss** ist der Dreh- und Angelpunkt des gerichtlichen Verfahrens und das **Kernstück der gerichtlichen Leitung der Sachverständigentätigkeit**.[12] Das Gericht muss diesen so klar fassen, dass der Sachverständige in die Lage versetzt wird, sich mit der Darlegung seiner Schlussfolgerungen aus den ihm vorgegebenen Anknüpfungstatsachen auseinanderzusetzen.[13] Das Verwenden von Rechtsfragen ist sowohl im Beweisbeschluss eines Prozesses als auch eines (diesem in Bausachen häufig vorgelagerten) selbständigen Beweisverfahrens[14] grundsätzlich unzulässig.*

2.2.3 Missachtung der Vorgaben der ZPO: Problemdarstellung

In privaten Bauprozessen werden die gerade dargestellten Grundsätze häufig missachtet und Sachverständige vielfach mit folgenden, nicht näher erläuterten Beweisfragen konfrontiert:[15]

- *„Ist die Werkleistung mangelhaft?"* oder
- *„Entspricht die Bauausführung der vertraglich vereinbarten Beschaffenheit?"*

Derartige Fragen sind insbesondere aus den folgenden Gründen äußerst problematisch.[16]

2.2.3.1 Kompetenzverlagerung auf den Sachverständigen

Zuerst missachten solche Beweisfragen die nach der ZPO vorgegebene Kompetenzverteilung zwischen Gericht und Sachverständigem.

2.2.3.1.1 Soll-Beschaffenheit einer Werkleistung

Das lässt sich gut anhand der Bestimmung der nach dem Vertrag geschuldeten Soll-Beschaffenheit einer Werkleistung nachvollziehen.[17] Um die Frage nach der Mangelhaftig-

---

10 *Greger*, in: Zöller, Kommentar zur ZPO, 35. Aufl. 2024, § 404a Rn. 1.

11 Siehe: BGH, U. v. 25.4.1996 – VII ZR 157/94, MDR 1996, S. 1117 = IBR 1996, S. 333 mit Anm. *Kniffka*.

12 *Leupertz/Hettler*, Der Bausachverständige vor Gericht, 2. Aufl. 2013, Rn. 157.

13 Vgl. OLG Düsseldorf, U. v. 22.11.2013 – 22 U 32/13, juris (Schlussfolgerungen des Sachverständigen aus vom Gericht vorzugebenden Anschluss-/Anknüpfungstatsachen); OLG Düsseldorf, B. v. 24.10.2013 – 23 U 20/13, juris (Sachverständiger ermittelt nicht die Anknüpfungstatsachen); *Ahrens*, Der Beweis im Zivilprozess, 47. Kap. Rn. 19 f.; *Ulrich*, Selbständiges Beweisverfahren mit Sachverständigen, 2. Aufl. 2008, 3. Kap. Rn. 25; *Manteufel*, in: Werner/Pastor, Der Bauprozess, Rn. 3117 ff.

14 Siehe z.B.: BGH, B. v. 12.7.2012 – VII ZB 9/12, NJW 2012, S. 2810 Rn. 18 = IBR 2012, S. 554 f. mit Anm. *Seibel*; OLG Hamm, B. v. 15.7.2013 – 22 W 37/13, NJW 2013, S. 2980 (Kaufrecht).

15 Hierzu: *Siegburg*, BauR 2001, S. 875 ff.

16 Siehe auch: *Seibel*, in: Nicklisch/Weick/Jansen/Seibel, VOB/B, § 13 Rn. 117 ff.; *Seibel*, Selbständiges Beweisverfahren, § 487 Rn. 24 ff. m.w.N.

17 Näher dazu: *Siegburg*, BauR 2001, S. 875 ff.

keit einer Werkleistung beantworten zu können, müsste der Sachverständige eine eigene Auslegung des Vertrages (§§ 133, 157 BGB) unter Beachtung von § 13 Abs. 1 VOB/B (bzw. § 633 Abs. 2 BGB) vornehmen. Ein solches Vorgehen ist schon deswegen abzulehnen, weil sonst *„Sachverständige durch schlecht vorbereitete und unsorgfältig formulierte Beweisfragen mittelbar in die Auslegung des Vertrages getrieben werden"*[18] – mit oft fatalen Folgen für den Ausgang eines Prozesses.[19]

Warum das nicht sein darf, hat das OLG Köln bereits in seiner Entscheidung vom 4.2.2002 zutreffend wie folgt begründet:[20]

> „Die (...) Sollbeschaffenheit (...) ist als Rechtsbegriff vom Gericht zu fixieren und darf nicht dem Sachverständigen überlassen werden. Ist die (ausdrücklich oder stillschweigend/konkludent erklärte) Sollbeschaffenheit der Werkleistung auf der Grundlage der subjektiven Theorie durch Auslegung des Werkvertrages (Bau-/Architekten-/Ingenieurvertrag) gemäß §§ 133, 157 BGB zu ermitteln, hat das Gericht im Rahmen des förmlichen Beweisbeschlusses nach §§ 358a, 359 ZPO bzw. in seiner Beweisanordnung gemäß § 490 ZPO das Ergebnis seiner Auslegung dem Sachverständigen gemäß § 404a ZPO durch entsprechende Vorgaben mitzuteilen. Erst wenn die – vom Gericht und nicht vom Sachverständigen vorzunehmende – Auslegung des Vertrages keine bestimmte Beschaffenheitsabrede ergibt, richtet sich die Sollbeschaffenheit nach dem Standard der allgemein anerkannten Regeln der Technik (...), den das Gericht im Regelfall nicht selbst kennt, ihn vielmehr durch einen Sachverständigen ermitteln lassen muss."

In Anwendung dieser Grundsätze hat z.B. das OLG Hamburg[21] folgerichtig entschieden, dass die Auslegung einer zwischen den Parteien getroffenen Vereinbarung zum geschuldeten Schallschutz nicht Gegenstand der Beweisfrage eines selbständigen Beweisverfahrens sein kann.

In der Praxis ist feststellbar, dass sich Sachverständige mit unsorgfältig formulierten Beweisbeschlüssen – gleichsam aus der Not heraus – abfinden und sodann ihre eigene Vorstellung vom Inhalt des Vertrages der Begutachtung zugrunde legen. Erfahrene Sachverständige teilen das Ergebnis ihrer Vertragsauslegung offen im Gutachten mit.[22] Das mag zwar eine praktische Handhabung ungenügender bzw. unverständlicher Beweisbeschlüsse sein, kann jedoch die Verlagerung der Vertragsauslegung auf den Sachverständigen nicht rechtfertigen.

Dieses Verständnis entspricht der ganz überwiegenden obergerichtlichen Rechtsprechung.[23] Auch der BGH hat bereits entschieden, dass der Sachverständige nicht zu einer rechtlichen Beurteilung – insbesondere nicht zur eigenständigen Vertragsauslegung –

18 So: *Leupertz/Hettler*, Der Bausachverständige vor Gericht, Rn. 164 und 64 („schwerer Fehler").

19 Dazu auch: Staudinger/*Matusche-Beckmann*, Kommentar zum BGB (Neubearb. 2023), § 434 Rn. 353 m.w.N.

20 OLG Köln, B. v. 4.2.2002 – 17 W 24/02, juris Rn. 13.

21 OLG Hamburg, B. v. 25.8.2009 – 14 W 61/09, juris.

22 Dazu: *Kniffka*, DS 2007, S. 125, 129.

23 Siehe z.B.: OLG Hamm, B. v. 15.7.2013 – 22 W 37/13, NJW 2013, S. 2980 (Kaufrecht); OLG Köln, B. v. 4.2.2002 – 17 W 24/02, juris.

befugt ist.[24] Den Ausführungen eines technischen Sachverständigen kann danach bei der Vertragsauslegung nur eine begrenzte Funktion zukommen (z.B. Vermittlung von Fachsprachen und Üblichkeiten).

Nicht weiterführend ist in diesem Zusammenhang der vereinzelt anzutreffende Hinweis, jeder Sachverständige wisse unabhängig vom Wortlaut des Beweisbeschlusses um die Bedeutung des werkvertraglichen Mangelbegriffs; es handele sich nicht um einen *„okkulten Begriff einer Geheimwissenschaft"*.[25] Richtig daran ist allein, dass der Sachverständige ein gewisses rechtliches Vorverständnis entwickelt haben muss, um die Beweisfragen verstehen und mit diesen umgehen bzw. arbeiten zu können. Das legitimiert ihn aber nicht zu einer eigenen, vom Beweisbeschluss und den Vorgaben des Gerichts losgelösten, rechtlichen Beurteilung der nach dem Vertrag maßgeblichen Soll-Beschaffenheit. Denn: Ob eine Werkleistung mangelhaft ist, beurteilt sich nicht allein nach objektiven, bautechnischen Kriterien oder nach dem aus bautechnischer Sicht Üblichen bzw. Vernünftigen, sondern ergibt sich oft erst aus einer komplizierten (juristisch anspruchsvollen) Auslegung des Vertrages unter Anwendung der Sachmangelkriterien des § 13 Abs. 1 VOB/B bzw. § 633 Abs. 2 BGB.[26] In Letzterer sind Sachverständige jedoch nicht geschult – selbst wenn ihnen in der Ausbildung regelmäßig die rechtlichen Grundzüge (mehr oder weniger intensiv) vermittelt werden. Auch durch noch so intensives „learning by doing" lässt sich das rechtliche Verständnis kaum entwickeln.[27] Der Sachverständige bedarf hier also der Anleitung durch das Gericht!

In der Praxis ist zudem festzustellen – wie der Autor aus langjähriger Tätigkeit in verschiedenen Rechtsmittelinstanzen bestätigen kann –, dass Gerichte die Feststellungen in einem Gutachten oftmals nicht überprüfen (z.B. hinsichtlich der darin enthaltenen juristischen Vorstellungen[28]), sondern stattdessen die Beurteilungen von Sachverständigen vorschnell unreflektiert übernehmen. Auch der BGH hat bereits mehrfach kritisiert, dass Gerichte die Feststellungen von Sachverständigen häufig mit der – so der BGH wörtlich – bloßen „Leerformel" vom „überzeugenden und nachvollziehbaren Gutachten" ungeprüft übernehmen.[29]

Zur Lösung der Problematik bietet es sich an, bei der Kommunikation zwischen Gerichten und Sachverständigen anzusetzen und diese zu verbessern. Werden in einem Beweisbeschluss Fragen verwendet, die eine vorherige rechtliche Beurteilung voraussetzen, sollte der Sachverständige seine Begutachtung zunächst unterlassen und eine Klärung dieser Rechtsfragen durch das Gericht herbeiführen. Dieses Vorgehen stellt keinen Verstoß des

24 Vgl. BGH, U. v. 16.12.2004 – VII ZR 16/03, IBR 2005, S. 271 mit Anm. *Schwenker*; BGH, U. v. 25.4.1996 – VII ZR 157/94, MDR 1996, S. 1117 = IBR 1996, S. 333 mit Anm. *Kniffka*; BGH, U. v. 30.9.1992 – IV ZR 227/91, NJW 1993, S. 202 f. (Sachverständigen darf als juristischen Laien nicht überlassen werden, sich im Zuge der Gutachtenerstattung zu juristisch bedeutsamen Begriffen sachkundig zu machen).

25 Dieser Hinweis von *Liebheit*, BauSV 6/2012, S. 66, geht gerade bei schwierigen Fällen der Vertragsauslegung ins Leere.

26 *Leupertz*, DS 2013, S. 296 ff.; *Ulrich*, BauSV 1/2014, S. 62, 63 f.

27 Siehe: *Sass*, BauR 2014, S. 181, 186.

28 Das fordert aber der BGH; siehe z.B.: BGH, U. v. 9.2.1995 – VII ZR 143/93, MDR 1995, S. 1011.

29 Vgl. BGH, B. v. 17.5.2017 – VII ZR 36/15, NJW 2017, S. 3661 Rn. 11, 15; BGH, B. v. 27.1.2010 – VII ZR 97/08, juris Rn. 10 – jeweils zur gerichtlichen Auseinandersetzung mit Einwendungen aus einem Privatgutachten. Dazu auch: *Seibel*, BauSV 4/2010, S. 52 ff.

Sachverständigen gegen seine Pflicht zur Erstattung des Gutachtens (§ 407 ZPO) dar und hat auch nichts mit einer unberechtigten Gutachtenverweigerung i.S.d. §§ 408, 409 ZPO zu tun,[30] sondern dient der ordnungsgemäßen Aufgabenerfüllung durch den Sachverständigen, was insbesondere durch § 404a Abs. 2 a.E., § 407a Abs. 4 Satz 1 ZPO ausdrücklich legitimiert wird.

In einfach gelagerten Fällen mag eine eigene Vertragsauslegung durch den Sachverständigen zwar noch gut gehen. Zu nennen sind vor allem diejenigen Fälle, in denen sich die Soll-Beschaffenheit (wie häufig) nach dem werkvertraglichen Mindeststandard (= „allgemein anerkannte Regeln der Technik"[31]) richtet. Diesen Technikstandard kennen Sachverständige „aus dem Effeff" und können ihn zumeist sicher auf den Fall anwenden. Eine Vertragsauslegung durch den Sachverständigen stößt jedoch spätestens dann an ihre Grenzen, wenn nach dem Vertrag eine erhöhte Qualität der Werkleistung – etwa das Einhalten des „Standes der Technik"[32] – geschuldet ist.[33] Die Praxis zeigt, dass Sachverständige in solchen Fällen ihrer Begutachtung dennoch häufig das bautechnisch Vernünftige bzw. Übliche zugrunde legen. Ein solches Gutachten hilft dem Gericht bei der Entscheidungsfindung nicht weiter, weil der Auftraggeber nach dem Vertrag einen Anspruch auf eine höherwertige Werkleistung hat und er sich deswegen nicht mit dem Mindeststandard abfinden muss. Dieser Aspekt wird später noch anhand eines Beispielsfalles vertieft.

2.2.3.1.2 Sonderproblem: Funktionstauglichkeit einer Werkleistung

Bei der Beurteilung der Mangelhaftigkeit einer Werkleistung kann sich noch ein Problem stellen, das eine besondere Anleitung des Sachverständigen durch das Gericht erforderlich machen kann. Bekanntlich vertritt der BGH in ständiger Rechtsprechung die Auffassung, dass sich der vertraglich geschuldete Werkerfolg nicht allein nach der zu seiner Erreichung vereinbarten Leistung oder Ausführungsart bestimmt, sondern auch danach, welche Funktion das Werk nach dem Willen der Parteien erfüllen soll (sog. funktionaler Mangelbegriff).[34] Diese Funktionstauglichkeit verortet der BGH innerhalb der vertraglich (jedenfalls stillschweigend) vereinbarten Beschaffenheit (§ 13 Abs. 1 Satz 2 VOB/B bzw. § 633 Abs. 2 Satz 1 BGB).[35] Im Ergebnis bedeutet das: Eine Werkleistung ist nicht schon deshalb mangelfrei, weil die Vorgaben im Leistungsverzeichnis richtig abgearbeitet worden sind. Es

---

30 Das verkennt: *Liebheit*, BauSV 1/2015, S. 58, 61.

31 Ausführlich zu den „allgemein anerkannten Regeln der Technik" als grundsätzlichem Mindeststandard eines Bauvertrages: BGH, U. v. 10.7.2014 – VII ZR 55/13, NJW 2014, S. 3511 Rn. 17; BGH, U. v. 20.12.2012 – VII ZR 209/11, MDR 2013, S. 585 Rn. 23; *Seibel*, in: Nicklisch/Weick/Jansen/Seibel, VOB/B, § 13 Rn. 31 ff.; *Seibel*, Baumängel und anerkannte Regeln der Technik, 2009, Rn. 96 ff., 142 ff. Siehe auch Beitrag 1.3.

32 Zum Inhalt des Begriffs „Stand der Technik": *Seibel*, Der Stand der Technik im Umweltrecht (Diss. 2003), S. 31 ff.; zur Abgrenzung zu den „allgemein anerkannten Regeln der Technik": *Seibel*, Baumängel und anerkannte Regeln der Technik, Rn. 26, 33 ff.; *Seibel*, NJW 2013, S. 3000 ff. sowie Beitrag 1.3 (Abschnitt 1.3.2.2.1) – jeweils m.w.N.

33 In solchen Fällen ist die vereinzelt vertretene Ansicht, der Sachverständige sei unabhängig von der Formulierung der Beweisfrage zunächst dazu verpflichtet klarzustellen, welche Voraussetzungen das Werk nach der ausdrücklichen bzw. stillschweigenden Beschaffenheitsvereinbarung erfüllen müsse (so wörtlich: *Liebheit*, BauSV 3/2012, S. 46, 47), offensichtlich unrichtig.

34 Dazu z.B.: BGH, U. v. 8.11.2007 – VII ZR 183/05, MDR 2008, S. 200 ff.; BGH, U. v. 20.12.2012 – VII ZR 209/11, MDR 2013, S. 585 Rn. 14.

35 Kritisch zu dieser Verortung: *Seibel*, Baumängel und anerkannte Regeln der Technik, Rn. 120 ff.; *Seibel*, ZfBR 2009, S. 107 ff.

kann daher notwendig sein, im Beweisbeschluss die (evtl. noch näher zu beschreibende) Funktionstauglichkeit darzustellen.

Zwischenfazit

Die Kompetenzverteilung zwischen Gericht und Sachverständigem fordert folgendes Prozedere:

Das Gericht hat zunächst zu prüfen, welche Soll-Beschaffenheit nach dem Inhalt des Werkvertrages geschuldet ist. Das Ergebnis dieser Prüfung ist dem Sachverständigen im Beweisbeschluss wie folgt mitzuteilen: Entweder ist die zwischen den Parteien vereinbarte Soll-Beschaffenheit – evtl. einschließlich der geschuldeten Funktionstauglichkeit – vorzugeben oder (sofern es nach dem Werkvertrag auf den Mindeststandard ankommt) danach zu fragen, ob die „allgemein anerkannten Regeln der Technik" eingehalten worden sind. Weiterhin bietet es sich an, im Beweisbeschluss die von der Partei behauptete Ist-Beschaffenheit der Werkleistung anzugeben,[36] *damit der Sachverständige eine Abweichung der Ist- von der Soll-Beschaffenheit prüfen und ggf. auch Feststellungen zur vorhandenen Beeinträchtigung der Gebrauchstauglichkeit treffen kann.*

Hinsichtlich der Beschreibung der Anknüpfungstatsachen im Beweisbeschluss greifen Erleichterungen ein:

- *Ist-Beschaffenheit: Nach der sog. Symptomtheorie*[37] *müssen allein die objektiven Mangelerscheinungen (Symptome), nicht hingegen die Mangelursachen geschildert werden.*
- *Soll-Beschaffenheit: Lässt sich die Soll-Beschaffenheit der Werkleistung anhand eines Leistungsverzeichnisses (LV) beschreiben, muss das Gericht im Beweisbeschluss nicht sämtliche Punkte daraus abschreiben; vielmehr genügt eine Bezugnahme auf das LV.*

2.2.3.1.3 Hinweis zum Mangelbegriff

Der in tatsächlicher Hinsicht nicht näher beschriebene (!) Begriff „Mangel" sollte im Beweisbeschluss möglichst vermieden werden.[38] Dieser Rechtsbegriff[39] nötigt den Sachverständigen jedenfalls dann zu einer eigenen Vertragsauslegung, wenn er nicht näher erläutert wird. Im Beweisbeschluss sollten stattdessen die nach dem Vertrag maßgeblichen Anknüpfungstatsachen für die Mangelbeurteilung vorgegeben werden. Keinesfalls sollte pauschal allein nach der Mangelhaftigkeit einer Werkleistung gefragt werden.

36 *Siegburg*, BauR 2001, S. 875, 886.
37 Siehe zur „Symptomtheorie": *Seibel*, Selbständiges Beweisverfahren, § 487 Rn. 10 ff. m.w.N.
38 Näher dazu: *Seibel*, ZfBR 2011, S. 731 ff.; siehe auch: Staudinger/*Matusche-Beckmann*, Kommentar zum BGB (Neubearb. 2023), § 434 Rn. 353.
39 Dazu auch: *Sass*, BauR 2014, S. 181, 185.

2.2.3.2 Unzulässige Ausforschung

Ein weiteres Problem der pauschalen Frage im Beweisbeschluss nach der Mangelhaftigkeit einer Werkleistung besteht in der Erhebung unzulässiger Ausforschungsbeweise.[40] Wird die Beweisfrage nicht präzise gestellt, kommt es immer wieder vor, dass Sachverständige die Werkleistung unabhängig vom eigentlichen Parteivortrag (umfassend) untersuchen und dabei sogar zu bislang nicht vorgetragenen Tatsachen Stellung nehmen. Sie schwingen sich dann quasi zum „Anwalt der Partei" auf, was von der Gegenpartei regelmäßig mit einem (nicht selten erfolgreichen) Befangenheitsantrag quittiert wird.[41]

2.2.3.3 Unnötige Verfahrensverzögerung

Sachverständigengutachten, die auf unzutreffend formulierten Beweisfragen basieren, fordern umfangreichen Schriftwechsel der Parteien sowie in aller Regel Ergänzungsgutachten heraus und führen damit zu einer unnötigen Verzögerung des Verfahrens,[42] die durch eine präzise – jedoch arbeitsaufwendige – Abfassung des Beweisbeschlusses vermieden werden kann. Hierdurch lässt sich also einerseits die Verfahrensdauer insbesondere privater Bauprozesse deutlich reduzieren, andererseits werden die Weichen für eine sachgerechte Leitung der Sachverständigentätigkeit und letztlich für eine richtige gerichtliche Entscheidung gestellt.

2.2.3.4 Unbrauchbares Gutachten

Unpräzise Beweisfragen im Beweisbeschluss beinhalten immer die Gefahr, dass das Sachverständigengutachten – z.B. wegen einer fehlerhaften Vertragsauslegung durch den Sachverständigen – an den entscheidungserheblichen Punkten vorbeigeht und das Gericht deswegen letztlich falsch entscheidet. Folge: Ein privater Bauprozess geht deswegen im Berufungsverfahren oft von vorne los.

2.2.4 Vertiefung: Gerichtlicher Auftrag zur Gutachtenergänzung

An dieser Stelle soll noch kurz ein Sonderproblem dargestellt werden. Bei der Beauftragung des Sachverständigen zur Erstattung eines Ergänzungsgutachtens ist oftmals die Tendenz der Gerichte erkennbar, Einwendungen einer Partei gegen ein Gutachten dem Sachverständigen „ungefiltert" zur schriftlichen Beantwortung vorzulegen. Oftmals geschieht dies z.B. mit folgendem Hinweis:

> „Sie werden gebeten, die im Schriftsatz des Klägers/Beklagten vom (…) enthaltenen Einwendungen ergänzend schriftlich zu begutachten/untersuchen."

---

40 *Siegburg*, BauR 2001, S. 875, 886; *Ulrich*, Selbständiges Beweisverfahren mit Sachverständigen, 4. Kap. Rn. 13.

41 Siehe z.B.: OLG Dresden, B. v. 26.5.2015 – 9 W 130/15, IBR 2015, S. 458 mit Anm. *Seibel* (eigenmächtige Erweiterung der Beweisfragen durch den Sachverständigen); OLG Naumburg, B. v. 28.11.2013 – 10 W 66/13, juris.

42 Dazu auch: *Jansen*, NZBau 2014, S. 65, 66; *Siegburg*, BauR 2001, S. 875, 881.

Diese bei vielen Gerichten verbreitete Methode kann nicht überzeugen und ist abzulehnen.[43] Mit einem solchen Hinweis macht es sich das Gericht zu einfach und verlagert allein ihm zugewiesene Aufgaben unzulässigerweise auf den Sachverständigen. Im Falle eines solchen Ergänzungsauftrages besteht nämlich die Gefahr, dass der Sachverständige selbst den Umfang des (Ergänzungs-)Gutachtens bestimmt und sich die für ihn relevanten Punkte aus dem Schriftsatz einer Partei heraussucht. Dies ist mit den Regelungen der ZPO nur schwer vereinbar. Nach § 403 ZPO erfolgt der Beweisantritt durch die Bezeichnung der zu begutachtenden Punkte. Davon zu unterscheiden ist der allein durch das Gericht abzufassende Beweisbeschluss. Dieser muss gemäß § 359 Nr. 1 ZPO das Beweisthema substantiiert enthalten und benennen. Allein das Gericht gibt dem Sachverständigen Umfang und Grenzen des Gutachtenauftrages vor. Entscheidend ist immer, dass das Gericht auch bei der Beweiserhebung selbst „Herr des Verfahrens" bleibt und diese Aufgabe nicht auf den Sachverständigen überträgt. Das Gericht ist verpflichtet, sich selbst und auch den übrigen Prozessbeteiligten Klarheit über den Inhalt des Gutachtenauftrages zu verschaffen. Hat der Sachverständige Zweifel an dessen Inhalt, sollte er keine Scheu davor haben, sich an das Gericht zu wenden und um eine entsprechende Aufklärung zu bitten (näher dazu unten: 2.2.6.2.1). Bei streitigem Sachverhalt bestimmt allein das Gericht – und nicht etwa der Sachverständige –, welche Tatsachen der Begutachtung zugrunde zu legen sind (§ 404a Abs. 3 ZPO).

Für den eingangs zitierten gerichtlichen Auftrag zur Erstattung eines Ergänzungsgutachtens *(„Sie werden gebeten, die im Schriftsatz des Klägers/Beklagten vom … enthaltenen Einwendungen ergänzend schriftlich zu begutachten/untersuchen.")* bedeutet das im Ergebnis:

Ein solcher Auftrag wird den Anforderungen an einen Beweisbeschluss gemäß § 359 Nr. 1 ZPO in aller Regel nicht hinreichend gerecht. Damit macht das Gericht nicht unmissverständlich klar, welche Punkte der Sachverständige genau untersuchen soll. Es besteht die Gefahr, dass der Sachverständige den entsprechenden Schriftsatz selbst interpretiert und auslegt. Dies ist mit der Leitungsaufgabe des Gerichts gegenüber dem Sachverständigen nach § 404a ZPO unvereinbar.

Dem Sachverständigen kann daher nur geraten werden, sich in einem solchen Fall direkt an das Gericht zu wenden und um gerichtliche Benennung der zu begutachtenden Punkte zu ersuchen, um Missverständnissen und Fehlinterpretationen vorzubeugen.

Das kann allenfalls dann überflüssig sein, wenn der vom Gericht bezeichnete Schriftsatz einer Partei **absolut klare und unmissverständliche Beweisfragen** enthält. Der Autor kann aus seiner Erfahrung jedoch bestätigen, dass solche Schriftsätze in der Praxis äußerst selten vorkommen.

43 Näher dazu und auch zu weiteren Problemen der Gutachtenerläuterung: Beitrag 2.6.

2.2.5 Warum tun sich Gerichte mit den Vorgaben der ZPO so schwer?

Bei der nach § 404a Abs. 1 ZPO erforderlichen Leitung der Sachverständigentätigkeit tun sich Gerichte insbesondere mit der Vorgabe der vertraglichen Soll-Beschaffenheit einer Werkleistung in Beweisbeschlüssen baurechtlicher Verfahren sehr schwer. Die Gründe hierfür sind vielfältig. *Greger* erkennt eine Versuchung des Gerichts, *„wegen seiner geringeren oder fehlenden Sachkunde die Sachentscheidung letztlich dem Sachverständigen zu überlassen"*.[44] Dem ist zuzustimmen: Der schwierige Grenzbereich von Recht und Technik[45] ist sicher ein Hauptgrund für die Verwendung von Rechtsfragen im Beweisbeschluss zwecks Arbeitsvereinfachung. Daneben sind noch weitere Gründe zu nennen, etwa die Arbeitsbelastung der Richter, häufige Dezernatswechsel und wenig ausgeprägte Kenntnis im privaten Baurecht.[46] Das kann an dieser Stelle aus Platzgründen nicht weiter vertieft werden.[47]

Es bleibt festzuhalten, dass Gerichte ihrer Anleitungsaufgabe gegenüber Sachverständigen oft nicht hinreichend nachkommen (können). Sachverständigen bleibt deshalb und wegen der Verwendung von Rechtsfragen im Beweisbeschluss häufig nichts anderes übrig, als eigene rechtliche Bewertungen zur Erfüllung des Gutachtenauftrages vorzunehmen.

2.2.6 Lösungsvorschläge

Im Folgenden sollen einige aus Sicht des Autors praxistaugliche Vorschläge zur Verbesserung der Zusammenarbeit zwischen Gerichten und Sachverständigen gemacht werden.

2.2.6.1 Sorgfältigere Formulierung der Beweisfragen im Beweisbeschluss

Zunächst kann eine Verbesserung der Zusammenarbeit durch eine sorgfältigere Formulierung der Beweisfragen im Beweisbeschluss erreicht werden. Die Beweisfragen müssen sich auf **Tatsachen** beziehen; das Verwenden von **Rechtsfragen** ist **grundsätzlich unzulässig**.

Im privaten Bauprozess lässt sich schon dadurch eine Verbesserung der gerichtlichen Leitung der Sachverständigentätigkeit erreichen, dass nicht pauschal nach der Mangelhaftigkeit einer Werkleistung gefragt wird, sondern im Beweisbeschluss zunächst die Anknüpfungstatsachen (äußere Mangelerscheinungen im Sinne der sog. Symptomtheorie) für die von einer Partei behauptete Mangelhaftigkeit benannt werden. Sodann ist im Beweisbeschluss entweder die zwischen den Parteien vereinbarte Soll-Beschaffenheit vorzugeben oder – mangels einer solchen – danach zu fragen, ob die „allgemein anerkannten Regeln der Technik" (vertraglicher Mindeststandard) beachtet worden sind. Dadurch wird der

44 So noch: *Greger*, in: Zöller, Kommentar zur ZPO, 30. Aufl. 2014, § 404a Rn. 1.

45 Zum Verhältnis von Recht und Technik: *Seibel*, BauR 2005, S. 490 ff.

46 Im Ersten und Zweiten juristischen Staatsexamen spielt das private Baurecht eine nur untergeordnete Bedeutung, auch wenn an Universitäten Zusatzqualifikationen im privaten Baurecht angeboten werden (z.B. an der Philipps-Universität in Marburg).

47 Näher dazu: *Seibel*, BauR 2013, S. 536, 541 f.

Sachverständige – ohne unzulässige eigene Vertragsauslegungen – dazu in die Lage versetzt, eine Abweichung der Ist- von der Soll-Beschaffenheit zu beurteilen.

Vertiefung: Das Verfassen sachgerechter Beweisfragen im Beweisbeschluss ist in den regelmäßig sehr umfangreichen privaten Bauprozessen sehr zeitintensiv, erfordert vor allem aber auch die Kenntnis des Richters von den Besonderheiten des privaten Baurechts und des Bauprozessrechts. Besondere Bedeutung erlangt in diesem Zusammenhang die (ständige) Fortbildung der mit Bausachen befassten Richter. Wichtig ist dabei vor allem die Vermittlung, dass Beweisfragen sorgfältig zu formulieren und Sachverständige mit prozessentscheidenden Problemen nicht allein gelassen werden dürfen.[48] Dafür müssen Richter von Beginn ihrer beruflichen Tätigkeit an sensibilisiert werden.[49]

2.2.6.2 Konstruktive Kooperation zwischen Gericht und Sachverständigem

Neben einer sorgfältigeren Formulierung der Beweisfragen im Beweisbeschluss lassen sich die in der Praxis bei der gerichtlichen Leitung der Sachverständigentätigkeit bestehenden Probleme aus Sicht des Autors vor allem durch eine konstruktive, enge Kooperation zwischen Gericht und Sachverständigem – stets unter Einbeziehung der Parteien – lösen. Dabei sind drei Gesichtspunkte hervorzuheben.

2.2.6.2.1 Reaktion des Sachverständigen auf den Beweisbeschluss

Die Kooperation wird maßgeblich durch die Reaktion des Sachverständigen auf den Beweisbeschluss beeinflusst bzw. angestoßen. Fragt der Sachverständige bei Gericht nicht nach, muss dieses davon ausgehen, dass er mit der im Beweisbeschluss enthaltenen Aufgabenstellung zurechtkommt. Das Gericht hat dann keinen Anlass, von sich aus weiter tätig zu werden.

Sachverständige sollten keine Scheu davor haben, Gerichte auf den Missstand der Verwendung von unklaren Beschreibungen oder Rechtsfragen im Beweisbeschluss hinzuweisen und schon vor der Erstattung ihres Gutachtens um nähere gerichtliche Vorgaben (z.B. zugrunde zu legende Anknüpfungstatsachen bzw. Soll-Beschaffenheit einer Werkleistung[50]) zu bitten.[51] Das ist in der ZPO ausdrücklich so vorgesehen, vgl. § 404a Abs. 2 a.E., Abs. 3, § 407a Abs. 4 Satz 1 ZPO.

Der vereinzelt verbreiteten These, kritische Nachfragen zum Beweisbeschluss würden vom Gericht als „Konfrontation" aufgefasst und seien schon aus taktischen Erwägungen heraus nicht sachdienlich, wenn der Sachverständige weiterhin Gutachtenaufträge vom Gericht erhalten wolle,[52] ist entschieden zu widersprechen. Nach den Erfahrungen des Autors, der seit sehr vielen Jahren in der Richter-, Rechtsanwalts- und Sachverständigenfortbildung im privaten Baurecht bzw. Bauprozessrecht tätig ist, greifen Richter Anregun-

48 *Kniffka*, DS 2007, S. 125, 130.

49 Ebenso: *Ulrich*, Selbständiges Beweisverfahren mit Sachverständigen, 3. Kap. Rn. 25 m.w.N.

50 Dazu: *Siegburg*, BauR 2001, S. 875, 883.

51 Siehe auch: *Sturmberg*, ibr-online-Leseranmerkung zu OLG Naumburg, IBR 2013, S. 56 (abrufbar unter www.ibr-online.de).

52 So wörtlich: *Liebheit*, BauSV 6/2012, S. 66 (1. These).

gen von Sachverständigen zum Inhalt des Beweisbeschlusses bereitwillig[53] auf, überdenken daraufhin die formulierten Beweisfragen und fassen diese ggf. neu. Das bestätigen auch erfahrene Gerichtssachverständige. Davon, dass ein Sachverständiger bei kritischen Nachfragen zum Beweisbeschluss Gefahr läuft, zukünftig vom Gericht nicht mehr beauftragt zu werden, kann also keine Rede sein. Ganz im Gegenteil: Für den Autor waren die zahlreichen Gespräche mit Sachverständigen zum Inhalt eines Beweisbeschlusses bislang immer sehr gewinnbringend. Sie haben die Sache regelmäßig weiter gefördert und deswegen einen sehr guten Eindruck hinterlassen. Hier sind weder eine „Empfindlichkeit von Richtern" noch besondere Probleme der Kontaktaufnahme[54] festzustellen – auch wenn ein Sachverständiger den zuständigen Richter sicher nicht immer sofort ans Telefon bekommt.

Soweit gegen Rückfragen und Abstimmungen des Sachverständigen mit dem Gericht praktische Gesichtspunkte angeführt werden (das Gericht ist weit weg; nicht vollständig informiert; kennt die Verhältnisse vor Ort nicht; weiß nicht, wo das Problem steckt[55]), ist dem zu entgegnen, dass Sachverständige nach der Erfahrung des Autors ohne Weiteres dazu in der Lage sind, dem Gericht die Probleme prägnant und nachvollziehbar in einem Telefonat zu schildern. Sollte eine Problemerläuterung beispielsweise nur an Ort und Stelle geschehen können, empfiehlt sich ein gemeinsamer Ortstermin, den der Sachverständige dann anregen sollte.

Zwischenfazit

▶ *Sind in einem Beweisbeschluss **unklare Beschreibungen** oder **Rechtsfragen** enthalten, sollte der Sachverständige die Begutachtung zunächst unterlassen, das Gericht auf die bestehenden Probleme hinweisen und um nähere Aufklärung bitten.[56] Das stellt keinen Verstoß des Sachverständigen gegen seine Pflicht zur Erstattung des Gutachtens (§ 407 ZPO) dar und hat auch nichts mit einer unberechtigten Gutachtenverweigerung i.S.d. §§ 408, 409 ZPO zu tun: Der Sachverständige benötigt zur Erfüllung des Gutachtenauftrages in solchen Fällen zwingend weitere Vorgaben des Gerichts. Zu solchen Nachfragen ist der Sachverständige schon nach § 404a Abs. 2 a.E., § 407a Abs. 4 Satz 1 ZPO berechtigt bzw. sogar verpflichtet. Zurückhaltung ist hier fehl am Platz! Anderenfalls besteht die Gefahr, dass das Gutachten – zumeist wegen einer fehlerhaften Vertragsauslegung durch den Sachverständigen – an den entscheidungserheblichen Punkten vorbeigeht und das Gericht deswegen letztlich falsch entscheidet.*

Letzteres (falsche gerichtliche Entscheidung infolge fehlerhafter Vertragsauslegung durch den Sachverständigen) dürfte nach der Rechtsprechung des BGH[57] eigentlich gar nicht vor-

53 Bereitwillig deswegen, weil ihnen regelmäßig die Fachkenntnis zur Einschätzung technischer Fragen fehlt.

54 Diese Aspekte erwähnt: *Liebheit*, BauSV 6/2012, S. 66 (direkt nach der 1. These).

55 So: *Sass*, BauR 2014, S. 181, 186.

56 Soweit *Kontusch*, BauSV 4/2016, S. 56, 60 (in Fn. 41), ausführt, der Autor würde Sachverständige bei unklaren Beweisfragen zur Rücksendung der Gerichtsakten auffordern, ist dies eine fehlerhafte Interpretation der hier vertretenen Auffassung. Richtig ist vielmehr, dass der Autor zur Problemlösung seit vielen Jahren für eine *Verbesserung der Kommunikation* zwischen Richtern und Sachverständigen eintritt.

57 Siehe z.B.: BGH, U. v. 9.2.1995 – VII ZR 143/93, MDR 1995, S. 1011.

kommen, weil ein Gutachten danach vom Gericht u.a. immer daraufhin zu überprüfen ist, ob diesem eine fehlerhafte juristische Vorstellung zugrunde liegt.[58] Dem kommen Gerichte in der Praxis jedoch häufig nicht nach, sondern übernehmen stattdessen die Feststellungen von Sachverständigen vielfach ungeprüft in die Urteilsgründe. Nicht selten unter Verwendung der inhaltsleeren Floskel vom „überzeugenden und nachvollziehbaren Gutachten“, die nach der Rechtsprechung des BGH[59] zur inhaltlichen Auseinandersetzung mit einem Sachverständigengutachten bekanntlich nicht ausreicht.

2.2.6.2.2 Anhörung des Sachverständigen vor Abfassung der Beweisfrage, § 404a Abs. 2 ZPO

Die Zusammenarbeit zwischen Gericht und Sachverständigem kann auch schon weit vor der Übersendung des Beweisbeschlusses nebst Gerichtsakten an den Sachverständigen beginnen. § 404a Abs. 2 ZPO besagt, dass das Gericht den Sachverständigen vor Abfassung der Beweisfrage hören soll, soweit es die Besonderheit des Falles erfordert. Diese in der gerichtlichen Praxis selten gebrauchte Vorschrift kann gerade in privaten Bauprozessen mit (zumeist) sehr komplexen bautechnischen Sachverhalten sehr hilfreich sein, um das richtige weitere Vorgehen abzustimmen.

2.2.6.2.3 Einweisung des Richters in die fallbezogenen Probleme durch den Sachverständigen

Hat der Richter Probleme, die in einem privaten Bauprozess häufig relevanten technischen, betrieblichen oder betriebswirtschaftlichen Zusammenhänge zu verstehen, ist er – worauf schon *Kniffka*[60] zutreffend hingewiesen hat – nicht gehindert, von Amts wegen einen Sachverständigen hinzuzuziehen, um sich in die fallbezogenen Probleme eines Rechtsgebietes einweisen zu lassen; natürlich immer unter Beteiligung der Parteien. Durch eine solche Inanspruchnahme sachverständiger Beratung vor der Beurteilung eines Falles leitet das Gericht die notwendige Zusammenarbeit mit dem Sachverständigen schon ganz am Anfang eines Verfahrens ein. Es liegt auf der Hand, dass dieses Vorgehen zu einer besseren Handhabung gerade komplexer Gerichtsverfahren beiträgt.

2.2.6.3 Teilnahme des Gerichts am Ortstermin

Sowohl vor als auch nach dem Erlass des Beweisbeschlusses kann sich das Durchführen eines Ortstermins in Anwesenheit des Gerichts anbieten. Innerhalb eines solchen werden – wie der Autor schon selbst erlebt hat – vielfach Umstände erkennbar, die für die Erledigung des Gutachtenauftrages durch den Sachverständigen von großer Bedeutung sein können.[61] Dieses Vorgehen ermöglicht dem Gericht nicht nur die ordnungsgemäße Erfüllung seiner Anleitungsaufgabe gegenüber dem Sachverständigen, sondern führt in aller

58 Ebenso: OLG Düsseldorf, U. v. 13.12.2013 – 22 U 67/13, juris.
59 Vgl. BGH, B. v. 17.5.2017 – VII ZR 36/15, NJW 2017, S. 3661 Rn. 11, 15; BGH, B. v. 27.1.2010 – VII ZR 97/08, juris Rn. 10 – jeweils zur gerichtlichen Auseinandersetzung mit Einwendungen aus einem Privatgutachten. Dazu auch: *Seibel*, BauSV 4/2010, S. 52 ff.
60 *Kniffka*, DS 2007, S. 125, 129.
61 *Leupertz/Hettler*, Der Bausachverständige vor Gericht, Rn. 184.

Regel auch dazu, dass das Verfahren weniger zeit- und kostenintensiv durchgeführt werden kann.

Die Bereitschaft von Richtern zur Teilnahme an einem Ortstermin wird sicherlich durch die bestehende Arbeitsbelastung nicht gefördert. Dieser zeitliche Aufwand sollte aber durch die Vorteile (Verfahrensbeschleunigung, bessere Kenntnis der Richter von den örtlichen Verhältnissen und dadurch bedingt einfachere Würdigung des Beweisergebnisses) aufgewogen werden.[62] Letztlich obliegt die Entscheidung der Teilnahme an einem Ortstermin immer dem Gericht. Diese erscheint jedoch gerade in komplexen privaten Bauprozessen oft nicht nur sinnvoll, sondern sogar geboten.

2.2.7 Beispielsfall

Der folgende Beispielsfall soll verdeutlichen, dass die Kooperation zwischen Gericht und Sachverständigem nicht nur in eine Richtung verläuft, sondern eine wechselseitige, enge Zusammenarbeit schon bei der – eigentlich allein dem Gericht obliegenden – Vertragsauslegung erforderlich machen kann.

2.2.7.1 Ausgangslage[63]

In der Baubeschreibung des zwischen einem Bauträger und einem Erwerber 1996 geschlossenen Werkvertrages über den Erwerb einer 110 m^2 großen Eigentumswohnung zum Preis von knapp 600.000 DM finden sich u.a. folgende Angaben: „gehobene Ausstattung", „neuester Stand", „repräsentative Konstruktion", insgesamt „hochwertige Anlage". Treppen und Treppenhäuser sollen „akustisch entkoppelt" werden und einen „hochwertigen Steinbelag" erhalten. Die Wohnungseingangstüren sollen in „schalldichter behindertengerechter Ausführung" erfolgen. Die Ver- und Entsorgungsleitungen sollen „gegen Schallübertragung und Wärmeverlust isoliert" werden. Weiter wird von „geräuscharmen Spülkästen und Abluftanlagen" gesprochen. In der Baubeschreibung heißt es unter „Material- und Ausstattungsbeschreibung" und „Geschossdecken": „Alle Geschossdecken werden in Stahlbeton gemäß Statik erstellt. In den Wohngeschossen kommt ein schwimmender Estrich auf **Wärme- bzw. Trittschalldämmung gemäß DIN 4109** zur Ausführung. Dachgeschoss wie vor." Das Werbeprospekt hat die Anlage schließlich als „Wohnpark City E." („Wohn- und Geschäftsresidenz") angepriesen, als „ehrgeiziges Bauvorhaben, das sich von allen Seiten sehen lassen kann", mit „unverwechselbarer Architektur" und „lichtdurchfluteten Wohnungen".

Nach Bezug der Wohnung fühlt sich der Erwerber durch Lärm gestört. Er meint, die Wohnung sei in schallschutztechnischer Hinsicht mangelhaft ausgeführt worden. Es kommt zum Rechtsstreit, in dem der Erwerber auf Rückabwicklung des Vertrages klagt und für die von ihm behauptete Mangelhaftigkeit des Schallschutzes Beweis durch Einholung eines Sachverständigengutachtens anbietet.

Wie kann der Beweisbeschluss formuliert werden?

62 Ebenso: *Leupertz/Hettler*, Der Bausachverständige vor Gericht, Rn. 185.

63 In Anlehnung an: BGH, U. v. 4.6.2009 – VII ZR 54/07, NJW 2009, S. 2439 Rn. 20 = IBR 2009, S. 447 ff. mit Anm. *Seibel*.

2.2.7.2 Vorab: Auslegung des Werkvertrages

Zunächst muss der Werkvertrag hinsichtlich der Soll-Beschaffenheit des Schallschutzes ausgelegt werden. Diese Auslegung nach dem objektiven Empfängerhorizont gemäß §§ 133, 157 BGB (maßgeblich sind dabei u.a. die Anpreisungen im Prospekt, die Baubeschreibung und der Erwerbspreis) ergibt, dass nicht nur der Mindeststandard („allgemein anerkannte Regeln der Technik"), sondern ein erhöhter Schallschutz vertraglich i.S.d. § 13 Abs. 1 Satz 2 VOB/B bzw. § 633 Abs. 2 Satz 1 BGB geschuldet ist.[64] Irrelevant ist dabei der Umstand, dass im Vertrag auf eine Schalldämmung nach DIN 4109 Bezug genommen wird. Das lässt schon deshalb nicht die Annahme zu, es seien die Mindestanforderungen der DIN 4109 wirksam vereinbart, weil diese Werte noch nicht einmal die „allgemein anerkannten Regeln der Technik" hinsichtlich des Schallschutzes in Wohnungen abbilden.[65] Außerdem kann einem fachunkundigen Erwerber ohne nähere Aufklärung durch den Bauträger regelmäßig auch nicht unterstellt werden, er wisse um die Bedeutung der DIN 4109.[66]

Folge: Die Frage nach dem Einhalten der allgemein üblichen Schallschutzqualität ist vorliegend im Beweisbeschluss nicht weiterführend. Die Parteien haben vertraglich einen erhöhten Schallschutz festgelegt. Das muss dem Sachverständigen im Beweisbeschluss vorgegeben werden, weil sonst die Gefahr besteht, dass das Gutachten an den entscheidungserheblichen Punkten vorbeigeht.

Problem: Welche erhöhte Schallschutzqualität gilt? Gibt es evtl. mehrere Qualitätsstufen? Falls ja: Welche ist im Fall einschlägig?

2.2.7.3 Formulierungsvorschlag der Beweisfragen

Im Beispielsfall könnten die Beweisfragen etwa wie folgt formuliert werden:[67]

> „Entspricht der tatsächlich ausgeführte Schallschutz in der Wohnung des Klägers ... (genaue Beschreibung der betroffenen Bereiche) den technischen Anforderungen einer gehobenen Ausstattung?
>
> Sollte es mehrere Qualitätsstufen einer gehobenen Schallschutzausführung geben, soll der Sachverständige auch dazu Stellung nehmen und angeben, welche im Hinblick auf die Wohnung des Klägers aus welchen Gründen einschlägig sein könnte."

64 In BGH, U. v. 4.6.2009 – VII ZR 54/07, NJW 2009, S. 2439 Rn. 20, wurde demgegenüber allein aus revisionsrechtlichen Gründen auf einen üblichen Komfort- und Qualitätsstandard hingewiesen („*Die Auslegung des Berufungsgerichts, damit sei kein exklusiver Standard vereinbart, muss mangels einer rechtzeitigen Rüge vom Senat hingenommen werden.*").

65 Dazu: BGH, U. v. 4.6.2009 – VII ZR 54/07, NJW 2009, S. 2439 Rn. 14 = IBR 2009, S. 447 ff. mit Anm. *Seibel*.

66 Das kann ausnahmsweise dann anders zu beurteilen sein, wenn der Auftraggeber fachkundig ist und die jeweiligen technischen Besonderheiten genau kennt. Siehe dazu z.B.: OLG Stuttgart, U. v. 17.10.2011 – 5 U 43/11, NJW 2012, S. 539 ff. und Beitrag 1.3 (Abschnitt 1.3.3.2).

67 Im Folgenden soll nur auf die für die Mangelhaftigkeit relevanten Beweisfragen eingegangen werden. Weiteres (z.B. die Frage nach Mängelbeseitigungskosten) wird ausgeblendet.

Diese Beweisfragen stellen keine unzulässigen Rechtsfragen dar.[68] Das Gericht beauftragt den Sachverständigen dadurch vielmehr mit der Klärung der ihm nicht bekannten technischen Anforderungen einer gehobenen Schallschutzausführung. Zugleich wird die vertragliche Soll-Beschaffenheit der Werkleistung (gehobener Schallschutz) als rechtliche Prämisse zumindest grob vorgegeben.

Da sich der gewählte Beispielsfall in dem schwierigen Grenzbereich der rechtlichen Beurteilung von technischen Anforderungen bewegt, wird das Gericht bei der Vertragsauslegung nicht umhinkommen, diese gemeinsam mit dem Sachverständigen vorzunehmen. Hier kann der Sachverständige wertvolle Hilfestellung bei der Ermittlung des einschlägigen gehobenen Schallschutzes[69] und vor allem einer evtl. Abstufung gehobener Schallschutzqualitäten geben – z.B. nach dem Beiblatt 2 zur DIN 4109 oder nach der VDI 4100 [1994] (Schallschutzstufen II oder III).[70]

2.2.8 Fazit und Ausblick

Das Gericht muss die Beweisfragen im Beweisbeschluss so klar fassen, dass der Sachverständige in die Lage versetzt wird, sich mit der Darlegung seiner Schlussfolgerungen aus den ihm vorgegebenen Anknüpfungstatsachen auseinanderzusetzen (vgl. § 359 Nr. 1, § 487 Nr. 2, § 490 Abs. 2 Satz 1 ZPO). Das Verwenden von Rechtsfragen ist grundsätzlich unzulässig.

Missachten Gerichte diese Grundsätze, führt das insbesondere zu folgenden Problemen: Kompetenzverlagerung auf den Sachverständigen, unzulässige Ausforschung, unnötige Verfahrensverzögerung und unbrauchbares Gutachten.

Gerade in privaten Bauprozessen tun sich Gerichte mit der nach § 404a Abs. 1 ZPO erforderlichen Leitung der Sachverständigentätigkeit – insbesondere mit der Vorgabe der nach dem Vertrag maßgeblichen Soll-Beschaffenheit einer Werkleistung – sehr schwer. Das dürfte vor allem an der schwierigen Materie (Grenzbereich von Recht und Technik) liegen.

Neben der sorgfältigeren Formulierung der Beweisfragen im Beweisbeschluss lassen sich die in der Praxis bei der gerichtlichen Leitung der Sachverständigentätigkeit bestehenden Probleme vor allem durch eine konstruktive, enge Kooperation zwischen Gericht und Sachverständigem – stets unter Einbeziehung der Parteien – lösen. Wie eine solche aussehen kann, ist anhand des zuvor dargestellten Beispielsfalles verdeutlicht worden. Sachverständige sollten keine Scheu davor haben, Gerichte auf den Missstand der Verwendung von

68 A.A. offenbar: *Liebheit*, BauSV 6/2012, S. 66, 71, der ausführt, das Gericht dürfe dem Sachverständigen nicht die Definition des gehobenen Schallschutzes überlassen. Diese Auffassung verkennt, dass das Gericht mangels Fachkenntnis den Inhalt einer gehobenen Schallschutzausführung (technische Frage!) regelmäßig nicht allein vorgeben kann. In der Folge konstatiert *Liebheit*, a.a.O., dann aber selbst, dass hier eine konstruktive Zusammenarbeit zwischen Gericht und Sachverständigem notwendig ist.

69 Dieses Thema war z.B. Gegenstand der 40. Aachener Bausachverständigentage am 7./8.4.2014. Vgl. dazu den entsprechenden Tagungsband.

70 Zum im Werkvertragsrecht geschuldeten Schallschutz: BGH, U. v. 4.6.2009 – VII ZR 54/07, NJW 2009, S. 2439 ff. = IBR 2009, S. 447 ff. mit Anm. *Seibel*; BGH, U. v. 14.6.2007 – VII ZR 45/06, MDR 2007, S. 1252 ff.; siehe auch: *Seibel/Müller*, in: Staudt/Seibel, Baurechtliche und -technische Themensammlung, 2011, Heft 1 (Schallschutz).

unklaren Beschreibungen oder Rechtsfragen im Beweisbeschluss hinzuweisen und schon vor der Erstattung ihres Gutachtens um gerichtliche Erläuterung zu bitten. Das ist in der ZPO ausdrücklich so vorgesehen (vgl. § 404a Abs. 2 a.E., § 407a Abs. 4 Satz 1 ZPO).

Ulrich[71] hat die Rollenverteilung zwischen Parteien, Gericht und Sachverständigem treffend wie folgt umschrieben: Die Parteien fungieren als die Boxer, die Justiz stellt den Ringrichter und der Sachverständige hat „bloß" für die Beleuchtung zu sorgen. Doch was macht der Sachverständige, wenn er feststellt, dass er so, wie es ihm der Ringrichter vorgibt, nicht für Beleuchtung sorgen kann? Die Antwort findet sich in den § 407a Abs. 4 Satz 1, § 404a Abs. 2 a.E. ZPO: Er wendet sich dann an den Richter und bittet um Erläuterung.

Vertiefung: Auch wenn das Abfassen des Beweisbeschlusses alleinige Aufgabe des Gerichts ist, können **Rechtsanwälte** maßgeblich zum Gelingen der Beweisfragen beitragen, indem sie Rechtsfragen und Ausforschungen bei der Formulierung ihrer Beweisanträge unterlassen.

Ausblick: In der Justiz des Landes Nordrhein-Westfalen macht man sich schon seit langer Zeit intensiv Gedanken über die Ursachen von lange andauernden Zivilverfahren und deren Abhilfemöglichkeiten. Eine justizinterne Untersuchung hat dabei ergeben, dass Verfahrensverzögerungen besonders häufig ihre Ursache im Zusammenspiel zwischen Gericht und Sachverständigem haben.[72] Besonderes Augenmerk liegt daher auf der Frage, wie der gerichtliche Umgang mit Sachverständigen zukünftig effizienter gestaltet werden kann. Das ist auch Gegenstand der Ausbildung junger Richterinnen und Richter in der Justizakademie des Landes Nordrhein-Westfalen. Beim OLG Hamm ist zudem der sog. Qualitätszirkel Sachverständigenwesen[73] eingerichtet worden.

2.2.9 Stellungnahme aus Sicht von Sachverständigen

Matthias Zöller

2.2.9.1 Stellung von gerichtlichen Sachverständigen

Sachverständige sind Berater von Gerichten, sie sind Teil des „gerichtlichen Teams" mit bestimmten Aufgabenstellungen, nämlich solchen, die in ihr Sachgebiet fallen.

Gerichte und damit die Richter sind nach § 404 ZPO angehalten, Sachverständige anzuleiten. Diese Regel klingt nach Einbahnstraße, ist das aber praktisch nicht. Teammitglieder sollten sich im aus der Aufgabenstellung ergebenden, notwendigen Rahmen austauschen, insofern Fragen offen sind. Dabei sollten Sachverständige lieber einmal mehr Richter anrufen als einmal zu wenig.

71 *Ulrich*, IBR 2014, S. 380 (Praxishinweis).
72 Ausführlich dazu: *Keders/Walter*, NJW 2013, S. 1697 ff.
73 Hierzu: *Walter*, DS 2015, S. 205 ff.

2.2.9.2 Beweisbeschlüsse mit Rechtsfragen

Als Sachverständiger frage ich mich, worin das Problem liegt?

Seibel zitiert zutreffend *Ulrich*[74], wonach die Parteien die sich bekämpfenden Boxer und das Gericht den Ringrichter bilden, während Sachverständige „lediglich" für die Beleuchtung sorgen. *Seibel* stellt die Frage, was Sachverständige zu tun haben, wenn sie feststellen, dass sie mit den (ring-)richterlichen Vorgaben die Streithähne nicht beleuchten können? Nach §§ 407a Abs. 4 Satz 1, 404a Abs. 2 a.E. ZPO sollen sich Sachverständige an das Gericht wenden, um Erläuterung und um Anweisung bitten.

Seibel hat in seinen Ausführungen aus Sicht eines Richters sehr eindrücklich auf die oft problematischen Beweisbeschlüsse an Sachverständige hingewiesen und dabei den Grenzbereich zwischen Recht und Technik berechtigterweise als schwierig gekennzeichnet.

Nach meiner Erfahrung führen Rückfragen bei Gerichten nicht immer zur Linderung, denn Gerichte bewegen sich auch nur in der Fläche, die der Ring vorgibt, respektive den Leitplanken des Parteivortrags (siehe Beitrag 2.1 in diesem Handbuch). Richter können sich nicht über Parteivorträge hinwegsetzen, weswegen sie Rückfragen von Sachverständigen üblicherweise zur Stellungnahme an die Parteien weiterleiten. Deren weiterer Vortrag kann unterschiedlich sein. Gerichten obliegt die Bewertung und Bedeutung des jeweiligen Parteivortrags nach Aspekten der Beweiserheblichkeit und sie formulieren Beweisbeschlüsse zur Beweiserhebung. Dabei umfasst die Schilderung eines Symptoms alle ernsthaft infrage kommenden Ursachen und beschränkt sich nicht auf das ausdrücklich geschilderte Symptom. Beweiserhebliche Anknüpfungstatbestände sollten daher in Beweisbeschlüsse an Sachverständige einfließen. Allerdings haben Sachverständige bei der Bearbeitung der Fragen nach Ursachen selbst zu entscheiden, welche Anknüpfungstatbestände sich im Rahmen der Untersuchungen ergeben.

Sachverständige sind keine Ersatz- oder Hilfsrichter, die Verfahren entscheiden, sondern können lediglich zu richtigen Erkenntnissen des Gerichts beitragen, indem sie technische Sachverhalte aufklären. Sie können nur im Umfang der technischen Aufklärung „Licht ins Dunkel des Boxrings" bringen und müssen die Streitenden bei allen Fragen, die nicht in ihr Sachgebiet fallen, im Dunkeln lassen. Damit ist die Sache für Sachverständige recht einfach: Sie beantworten Fragen, die in ihr Sachgebiet fallen, und beantworten keine, die nicht in ihr Sachgebiet fallen. Dazu zählen alle Rechtsfragen.

Sachverständige für Schäden an Gebäuden allerdings sind Generalisten. Sie überblicken viele Sachgebiete, können aber häufig keine Fragen beantworten, die einer Vertiefung bedürfen. Bei Abdichtungen beispielsweise liegen die Grenzen des Sachgebiets für Schäden an Gebäuden zwischen konstruktiven Merkmalen, die noch beantwortet werden können, während Materialkompositionen sowie Wechselwirkungen chemischer Bestandteile Vertiefungen bedürfen, die Sachverständige für Schäden an Gebäuden nicht mehr beantworten können. Bei Naturwerksteinen können Sachverständige für Schäden an Gebäuden Fragen nach der konstruktiven Situation, z.B. nach Gefälle, Entwässerung von Belagsoberflächen, Unterwässerung von Belägen u.a. beantworten, nicht aber Fragen nach kristallinen

74 *Ulrich,* Sachverständiger weicht von vorgegebener Bewertungsmethode ab: Keine Befangenheit!, IBR 2014 S. 380, Praxishinweis.

Gefügen, Auswirkungen von Poren in Naturstein oder die Wechselwirkung von Hydrophobierungen mit der Molekularstruktur in Natursteinen.

Sobald Sachverständige Zugang zu einer Akte erhalten, sollen sie prüfen, ob die gestellten Fragen in ihr Sachgebiet fallen. Nicht selten sind rechtliche und technische Aspekte zu bearbeiten, wobei Sachverständige bestenfalls im Vorfeld bereits ankündigen, welche Frage sie nicht bearbeiten können. Bei gemischten Sachgebieten können sie sich auf den Teil der Frage beschränken, der in ihr technisches Sachgebiet fällt (siehe Beitrag 2.12 in diesem Handbuch).

Die Kunst liegt im Erkennen der eigenen Grenzen. Wie *Seibel* richtigerweise schreibt, sind erfahrene Sachverständige in juristischen Fragen oft mehr bewandert als (junge) Richter. Dennoch sollten sich Sachverständige bewusst sein, dass die Bearbeitung von juristischen Fragestellungen nicht in ihr Sachgebiet fällt. Was aber ist schon Recht und nicht mehr Technik? Die Grenze zwischen Recht und Technik verläuft sehr nahe an der Technik, viel näher, als Beteiligte oft glauben.

Ich habe oben die Frage gestellt, wo eigentlich das Problem liegt. Sachverständige sind Generalisten und müssen sich in dieser Funktion mit grundlegenden Fragen des Rechts auseinandersetzen. Sie sind aber keine juristischen Spezialisten wie Richter oder Anwälte. Daher sollten sie sich bei der Erstattung von Gutachten auf technische Aspekte beschränken. Wenn sich Sachverständige aber außerhalb ihres technischen Sachgebiets bewegen und Rechtsfragen (mit-)beantworten sollen, dürfte das eigentlich kein Problem sein, denn durch die juristische Würdigung von Gutachten als Beweismittel sind alle juristischen Bestandteile von Sachverständigengutachten auszublenden.

Es ist leider seit vielen Jahren oft gepflegte Gewohnheit, an technische Sachverständige auch rechtliche Fragen zu stellen. Das darf nicht zum Nachteil technischer Sachverständiger führen, wenn juristische Experten, Anwälte und Richter, fehlerhafterweise Sachverständige auf juristisches „Glatteis" führen und ihnen dann noch die Besorgnis der Befangenheit androhen. Sachverständige sind im Vergleich zu Volljuristen rechtliche Laien und beantworten die ihnen gestellte Fragen, auch wenn sie rechtliche Aspekte beinhalten, vermeintlich pflichtgemäß. Sie erfüllen lediglich einen vermeintlichen „Auftrag". Dass sie das in diesen Fällen nicht oder im Rahmen ihrer generalistischen Tätigkeit nur eingeschränkt dürfen, ist ihnen oft nicht bewusst. Sie erfüllen aber nicht die Voraussetzung zur Besorgnis der Befangenheit, da sie dann nicht parteiinteressengeleitet handeln. Das sollte Juristen klar sein.

2.2.9.3 Fragen zu a.a.R.d.T.

Seibel schreibt oben: *„Zu nennen sind vor allem diejenigen Fälle, in denen sich die Soll-Beschaffenheit (wie häufig) nach dem werkvertraglichen Mindeststandard (= „allgemein anerkannte Regeln der Technik") richtet. Diesen Technikstandard kennen Sachverständige „aus dem Effeff" und können ihn zumeist sicher auf den Fall anwenden."*

Der Begriff der anerkannten Regel der Technik ist ein juristisches Konstrukt und auch ein juristisches Problem, das in bisherigen Verfahren als grundsätzlich einzuhaltender Mindeststandard angesehen wird und bei Abweichungen von einem solchen Standard regelmäßig Verfahren zu Ungunsten von Baubeteiligten ausgehen lässt.

Verständlich ist die Forderung, dass es einen werkvertraglichen Mindeststandard geben muss, den man hilfsweise mit dem Begriff der allgemein anerkannten Regeln der Technik verknüpft. Was aber verbirgt sich dahinter? Juristen verknüpfen „Regelwerke" mit einer Rechtsrelevanz. DIN-Normen u.a. mehr gelten – bis zum Beweis des Gegenteils – als anerkannte Regel der Technik. Da Sachverständige Beweismittel sind, müssten sie klären, ob mündliche oder schriftliche Empfehlungen zur Planung und Ausführung von Bauleistungen von Verbänden oder Herstellern die Kriterien von anerkannten Regeln der Technik erfüllen oder nicht, sie können sich nicht auf die Vermutungsregel zurückziehen.

Richter machen es sich einfach, sie wissen durch die höchstrichterliche Rechtsprechung um die Bedeutung der anerkannten Regeln der Technik, verkennen aber die dahinter stehende Problematik (siehe Beitrag 1.6 in diesem Handbuch).

Technische Sachverständige sind nicht in der Lage, den Inhalt hinter diesem Begriff zu klären. Fragen nach dem Inhalt von a.a.R.d.T. überschreiten das Sachgebiet von Sachverständigen für Schäden an Gebäuden, da nicht nur das technische Element der wissenschaftlich-theoretischen Richtigkeit enthalten ist, sondern auch die Ermittlung eines Kenntnisstands in Fachkreisen sowie die Feststellung der Praxisbewährung. Man darf nicht erwarten, dass Kenntnisstände in Fachkreisen auch nur halbwegs homogen sind. Vielmehr divergieren Auffassungen in Fachkreisen derart, dass bereits dazu keine Feststellungen getroffen werden können.

Untersuchungen zu Kenntnisständen oder gar Meinungen sind keine technische Aufgabe an Bausachverständige, sondern solche an Demoskopen, die Sachverständige nicht bewältigen können. *Seibel* äußert sich richtigerweise negativ zum Urteil des OLG Hamm vom 14.8.2019, das aber nicht nur *Seibel* in diesem Handbuch beschrieben hat. Die notwendigen Standards zur Formulierung und Auswertung von Umfragen hat *Professor Dr. Wolfgang Voit* zu den Aachener Bausachverständigentagen 2020 aufgezeigt.[75] Spätestens seitdem ist klar, dass die Feststellung von Kenntnisständen in Fachkreisen keine Aufgabe an Bausachverständige ist und schon deswegen die Fragen nach a.a.R.d.T. nicht in ihr Sachgebiet fallen. Sachverständige können daher diese Frage nicht „aus dem Effeff" beantworten.

Untersuchungen zur Praxisbewährung sind ebenfalls keine Aufgaben, die in das Sachgebiet von Bauchsachverständigen fallen, sondern solche an Forschungsinstitute, die entsprechende Erhebungen vornehmen können, wobei diese nach statistisch repräsentativen Merkmalen auszuwählen sind.

Der Standard nach „allgemein anerkannten Regeln der Technik" (a.a.R.d.T.) ist kein technischer Standard, sondern ein juristisches Problem, dessen Klärung an technische Sachverständige „verräumt" wird. Ob a.a.R.d.T. eingehalten sind oder nicht, fällt weder in das Sachgebiet von Bausachverständigen, noch können Juristen diese Frage klären, sondern es bedürfte der Zusammenarbeit mehrerer Disziplinen. Dabei sollte bedacht werden, dass die

75 *Voit*, Pro + Kontra – Das aktuelle Thema: Können Sachverständige a. R. d. T. festlegen? Diskussion anlässlich des Urteils des OLG Hamm zur Abdichtung mit PMBC vom 14.8.2019, Az. 12 U 73/18, Beitrag 4: Statistische Auswertung als Grundlage der Anerkennung in Fachkreisen: Was ist repräsentativ, was suggestiv? Aachener Bausachverständigentage 2020, Untersuchen – Instandsetzen – Modernisieren: Teil 1.

vollständige Beantwortung von Fragen nach a.a.R.d.T. einen Aufwand mit Honoraren im fünfstelligen ggf. auch im sechsstelligen Eurobereich nach sich zieht.

Das Deutsche Institut für Normung DIN e.V. geht nicht von einer Rechtsverbindlichkeit von DIN-Normen aus, sondern spricht von technischen Empfehlungen.[76] Juristen und Mitarbeiter in Arbeitsausschüssen, die Normen erarbeiten, haben unterschiedliche Auffassungen zu Normeninhalten. Spezialisten in Arbeitsausschüssen glauben, in Normen beschreiben zu können, wie man baut, damit es gut wird. Von deren Seite geht man davon aus, dass Normen Empfehlungen sind, von denen abgewichen werden kann. Alle DIN-Normen und vergleichbare Regelwerke, die keine Mindeststandards beschreiben, sind damit von vornherein nicht als werkvertraglicher Mindeststandard anzusehen, sie erfüllen nicht die Kriterien von allgemein anerkannten Regeln der Technik im Sinne einer juristischen Notwendigkeit. In Arbeitsausschüssen ist nicht bekannt, dass Juristen einen anderen Zugang zu normativen Standards haben. Juristen können Baubeteiligte nur verlässlich in Anspruch nehmen, wenn in Zukunft mit hinreichender Zuverlässigkeit zu erwarten ist, dass Schäden aufgrund der Eigenschaft des Werks entstehen werden. Besteller brauchen schließlich nicht auf Schäden zu warten, bereits bei der Erwartung, dass solche eintreten, handelt es sich um einen Schaden.

Zum 9. Deutschen Baugerichtstag wurde im Arbeitskreis V/VI die Empfehlung ausgesprochen, die Beweislastregelung der Vermutung zu drehen,[77] sodass also derjenige, der sich auf eine Technische Empfehlung, eine DIN-Norm oder eine Richtlinie stützt, beweisbelastet ist, dass anerkannte Regeln der Technik eingehalten wurden. Das aber ist, wie ausgeführt, keine Frage an das Beweismittel „Sachverständige für Schäden an Gebäuden". Diese können lediglich in ihr Sachgebiet fallende Fragen der kausalen Zusammenhänge zwischen Schadensphänomenen und die Ursachen, z.B. die im Zusammenhang mit den Schäden stehenden Eigenschaften des beschädigten Bauteils, klären sowie abschätzen, ob etwas in Zukunft für die vorgesehene wirtschaftliche Nutzungsdauer unter zu erwartenden, üblichen Einwirkungen sowie möglichen und üblichen Instandhaltungen verwendungsgeeignet sein wird. Weiterhin können sie Fragestellungen bearbeiten, die im Beitrag 1.2 in diesem Handbuch beschrieben sind.

2.2.9.4 Unklare Aufgabenstellungen, Kommunikation mit Gerichten

Sachverständige führen Ortsbesichtigungen durch, zu denen sie Feststellungen treffen. Die Terminabstimmung erfolgt durch Sachverständige, Sachverständige laden Beteiligte zu Ortsbesichtigungen ein. Diese Ortsbesichtigungen werden, ohne Beteiligung von Gerichten, von Sachverständigen geleitet.

Zu Terminen, also auch zu Ortsterminen, laden Gerichte, die unter richterlichem Beisein stattfinden. Diese werden von Richtern geleitet. Sachverständige sind bei Ortsterminen nur Berater von Richtern, nicht aber Leiter.

---

76 *Wirges*, Pro + Contra – Das aktuelle Thema: Wer haftet für Regelwerke? Beitrag 4: Anwenderpflichten beachtet: Herausgeberhaftung bei Anwendung technischer Normen? Aachener Bausachverständigentage 2022, Klimawandel und Ressourcenknappheit: Wie sollen wir zukünftig bauen?

77 9. Deutscher Baugerichtstag,12./13.5.2023 in Hamm (Westf.). Die Empfehlungen sind kostenfrei downloadbar unter https://baugerichtstag.de/wp-content/uploads/2023/05/Empfehlungen_9.pdf.

Bei komplizierten Aufgaben, erkennbar widersprüchlichen Forderungen vonseiten der Beteiligten oder bei Untersuchungen, die Folgeschäden an den untersuchten Objekten hinterlassen können, kann es sinnvoll sein, zunächst eine Erörterung vorzunehmen, die entweder bei Gericht oder am Streitgegenstand unter Beisein von Richtern durchgeführt wird.

Auch dann sind Sachverständige Berater von Gerichten. Richter sind angewiesen auf und froh über eine gute Kommunikation mit Sachverständigen. Daher sollten sich Sachverständige nicht scheuen, mit Richtern zu kommunizieren.

2.3 Mehrere Sachverständige in derselben Sache: Parallelernennungen und Koordination

Holger Beger

Übersicht

2.3.1 Einführung

Die Komplexität von Bauvorhaben, die sich nicht nur, aber bestimmend in der wachsenden Bedeutung des Bereichs „Haustechnik" zeigt, und eine zunehmende Spezialisierung der an der Realisierung und Planung von Bauvorhaben Beteiligten spiegeln sich auch in der Erteilung von Gutachtensaufträgen durch die Gerichte wider. Zu dieser Entwicklung trägt auch der Wunsch vieler Bauherren bei, Bauleistungen von einem Verantwortlichen, man spricht dabei von sog. Paketanbietern (Bauträger, Gerneralüber- und Generalunternehmer), entgegenzunehmen. Manchmal ergibt sich die Notwendigkeit einer Begutachtung durch mehrere Sachverständige auch erst im Laufe der Beweisaufnahme. In gewisser Konstanz tragen schließlich die Fragestellungen im Zusammenhang mit der Haftung von Architekten auf Schadensersatz zu dieser Entwicklung bei.

Beispiele

Der zu Ursachen und Umfang einer Undichtigkeit der Gebäudehülle befragte Sachverständige benötigt eine umfangreiche Messung der Dichtigkeit der Gebäudehülle; der zur Untersuchung einer nicht ordnungsgemäß funktionierenden Entwässerung herangezogene Sachverständige benötigt die Feststellung, ob eine eingesetzte Pumpe richtig funktioniert.

Die Zeiten, in denen ein zum Sachverständigen in einer Bausache bestellter Architekt oder Bauingenieur in einem Gutachten Beweisfragen zum Bau eines Ein- oder Mehrfamilienhauses von der Standsicherheit über die Funktion der Heizung bis zur Undichtigkeit des Daches beantwortet hat, sind längst passé. Konträr hierzu steht die wahlweise als verstaubt oder romantisch zu bezeichnende, immer noch in den §§ 402-413 ZPO zum Ausdruck kommende Ansicht des Gesetzgebers, dass sich Beweisaufnahmen in bürgerlichen Rechtsstreitigkeiten, vor allem im Bereich sog. Bausachen, mit der Beauftragung eines Sachverständigen bewältigen lassen.

Das Problem ist nicht neu. Bereits der 2. Baugerichtstag 2008 hatte u.a. im Arbeitskreis VI „Sachverständigenwesen" folgendes Thema zur Erörterung vorgesehen:

> *„Die Auswahl einer bestimmten natürlichen Person zur Gutachtenerstellung (§ 404 Abs. 1 S. 2 ZPO) wird oftmals als überholt angesehen. Wegen der oftmals zu konstatierenden Komplexität von baurechtlichen Streitigkeiten kann es effektiver sein, dass der Richter gesetzlich befugt wird, nicht nur eine natürliche Person zum gerichtlichen Sachverständigen zu beauftragen, sondern auch eine Sachverständigenorganisation – gegebenenfalls Sachverständigengruppe oder Sachverständigenunternehmung – mit der Erledigung des gesamten Auftrages zu betrauen. Diese könnte dann ihrerseits in interner autonomer Entscheidung die einzelnen gutachterlichen Fragen sachlich und zeitlich aufeinander abstimmen und erledigen."*

Es liegt eigentlich auf der Hand. dass die Beauftragung einer „Sachverständigenorganisation" in der Tat Vorteile schaffen würde, weil beispielsweise lediglich diese Organisation einen Ortstermin ansetzen muss, am Abschluss des Verfahrens lediglich ein Gutachten den Parteien und Gerichten vorgelegt wird, für das eine einheitliche Stellungnahmefrist gesetzt werden kann, und das Gericht eben nicht Termine zur mündlichen Begutachtung oder Gutachtensergänzung nicht bloß mit einer Vielzahl von Parteien und deren Helfern im Prozess, sondern auch noch mit einer wachsenden Zahl von Sachverständigen in demselben Verfahren abstimmen muss. Passiert ist seitdem in der ZPO wenig, sodass dieses Problem bis heute von Gerichten und Sachverständigen ohne Mitwirken des Gesetzgebers gelöst werden muss. Zur Lösung können hier Sachverständigen und Gerichten vier Wege aufgezeigt werden. Ihnen ist gemein, dass sie eine Kommunikation zwischen Gericht und Sachverständigen voraussetzen, die über die eigentliche Erörterung der Gutachtenaufgabe hinausgeht.

2.3.2 Beauftragung von Hilfspersonen

Gerichte haben sich in der Vergangenheit vielfach bemüht, das Problem komplexer Fragestellungen bei der Bewertung von Bauvorhaben damit zu lösen, dass – meist auf Anregung eines zunächst allein bestellten Sachverständigen – für nicht von diesem Sachverständigen zu beantwortende Beweisfragen „Hilfspersonen" bestellt worden sind.

Beispiel

Einem Sachverständigen für Schäden an Gebäuden wurde gestattet, sich der Hilfe eines Sachverständigen für Tragwerksplanung, Erd- und Grundbau etc. zu bedienen.

Der im wörtlichen Sinne greifbare Vorteil einer solchen Bestellung von „Hilfspersonen" ist, dass am Ende der Begutachtung ein von einem Sachverständigen unterzeichnetes, umfassendes Gutachten steht, auf dessen Basis dann einheitlich im Prozess von allen Beteiligten weitergearbeitet werden kann.

Das im genannten Beispiel beschriebene Vorgehen widerspricht allerdings dem der ZPO immanenten Verständnis der Aufgabe des Sachverständigen und dem Begriff des als Hilfskraft tätigen „Mitarbeiters", wie er in § 407a Abs. 3 Satz 2 ZPO Erwähnung findet. Nach

§ 407a Abs. 3 Satz 1 ZPO hat der Sachverständige das Gutachten eigenverantwortlich zu erstatten und darf dies nicht an Dritte delegieren. Er darf sich nicht auf die Ausübung reiner Kontrollfunktionen beschränken. Es reicht nicht aus, dass er das (von einem anderen erstattete) Gutachten nur mit dem Zusatz „einverstanden" unterzeichnet.[1] Es kann jedoch ausreichend sein, dass er die Tätigkeit eines qualifizierten Mitarbeiters nachvollzogen hat und sich dessen Ergebnisse nach eigener Überzeugung und Überprüfung zu eigen macht.[2] Nach der juristischen Literatur ist die Grenze dann überschritten, wenn der Sachverständige selbst die Arbeiten nicht mehr überschaut und auch die wissenschaftliche Auswertung und Gesamtbeurteilung der Ergebnisse dem Gehilfen überlässt oder dazu nicht mehr in der Lage ist.[3]

Die Bestellung einer Hilfskraft kann demgegenüber im Einzelfall auch unter Beachtung von § 407a Abs. 3 ZPO zulässig sein. So kann es für die Ermittlung von Befundtatsachen zur Beantwortung der Beweisfragen, beispielsweise durch Messungen, zulässig sein, sich der Mitarbeit eines Dritten zu bedienen. Es ist dem Sachverständigen gestattet, auch Hilfskräfte und Mitarbeiter zu einzelnen Untersuchungen und einzelnen Wertungen heranzuziehen, die Eignung und Zuverlässigkeit dieser Kräfte vorausgesetzt. Dabei ist die Mitwirkung allerdings so zu gestalten, dass sie die persönliche Verantwortung des vom Gericht ausgewählten Sachverständigen nicht ausschließt.[4]

Diese Abgrenzung müssen Gericht und Sachverständiger bei der Bearbeitung des Gutachtens im Blick behalten. Bei der Beauftragung eines weiteren Sachverständigen im oben genannten Beispiel, der Beweisfragen eigenständig beantwortet, handelt es sich diesem Verständnis nach nicht um die Tätigkeit eines qualifizierten Mitarbeiters. In diesem Fall empfiehlt sich, dass Sachverständige um Abänderung des Beweisbeschlusses und des Gutachtensauftrags nachsuchen; das Gericht kann dann mehrere Sachverständige ernennen und die gemeinschaftliche Erstellung des Gutachtens anordnen oder auch einen Hauptauftrag und für Teilbereiche „Unteraufträge" erteilen.[5]

2.3.3 Einzelbeauftragung

Vielfach ist auch heute noch die Vorgehensweise anzutreffen, dass Sachverständige mit unterschiedlichen Bestellungsgebieten durch getrennte Beweisbeschlüsse bestellt werden. Häufig wissen die Beteiligten in dieser Konstellation nichts von ihrer wechselseitigen Tätigkeit. Eine solche Trennung der Bestellungen kann schon dann vorkommen, wenn dem Gericht das technische Verständnis dafür fehlt, dass unterschiedliche Bestellungsgebiete von Sachverständigen für die sich stellenden Beweisfragen einschlägig sind (z.B. Schäden an Gebäude und Tragwerksplanung) und das Gericht von der äußerst sinnvollen Möglichkeit, mit dem Sachverständigen bereits vor Erlass des Beweisbeschlusses in Verbindung zu treten (§ 404a Abs. 2 ZPO) keinen Gebrauch gemacht hat. Eine solche isolierte Bestellung kann sich auch ereignen, wenn in einer laufenden Begutachtung neue Beweisthemen im

1 BGH, VersR 1972, S. 927, 929.
2 OLG Zweibrücken, VersR 2000, S. 605, 607.
3 *Musielak/Voit/Huber*, 20. Aufl. 2023, § 407a ZPO Rn. 7.
4 BGH, U. v. 28.6.1972 – IV ZR 51/71, BeckRS 1972, 30399044, beck-online.
5 MüKoZPO/*Zimmermann*, 6. Aufl. 2020, § 407a ZPO Rn. 7.

Parteivortrag angesprochen werden und das Gericht darauf mit dem Erlass eines weiteren Beweisbeschlusses reagiert. Die bereits bestellten Sachverständigen können das Gericht und die Prozessparteien dadurch unterstützen, dass sie einen geeigneten Sachverständigen vorschlagen, wenn sie ihrer Hinweispflicht aus § 407a Abs. 1 ZPO nachkommen, indem sie mitteilen, dass eben nicht alle Beweisfragen in ihr Fachgebiet fallen.

Es ist Gerichten zu empfehlen, bei einer solchen isolierten Beauftragung durch mehrere Beweisbeschlüsse den bestellten Sachverständigen deutlich zu machen, dass ein weiterer Sachversständiger am gleichen Bauvorhaben beauftragt ist. Damit wird diesen zumindest die Möglichkeit eingeräumt, sich informell bei der Gutachtenstätigkeit auszutauschen und beispielsweise bei der schwieriger werdenden Aufgabe der Terminsfindung zu kooperieren. Auch der gerichtliche Hinweis, dass bereits ein Beweisergebnis in Gestalt eines Gutachtens eines anderen Sachverständigen vorliegt, wird oftmals von den zusätzlich bestellten Sachverständigen dankbar entgegengenommen und nicht selten wird darauf Bezug genommen oder darauf aufgebaut. Abgesehen davon verläuft die Gutachtenserstattung durch die einzelnen Sachverständigen weitgehend autonom und entsprechend der gesetzgeberischen Vorstellung. Es ist nach Erstattung der schriftlichen Gutachten der isoliert bestellten Sachverständigen Aufgabe des Gerichts, die Ergebnisse der unterschiedlichen Gutachten zusammenzuführen, sei es in der einheitlichen Verwertung im Rahmen der Beweiswürdigung, sei es bei einem Termin zur Ergänzung der Gutachten.

2.3.4 Beauftragung mehrerer Sachverständiger und Koordination durch das Gericht

Es ist denkbar, dass ein Gericht nach der Bestellung von zwei oder mehreren Sachverständigen in derselben Angelegenheit, die Aufgabe der Koordination der Arbeit dieser Sachverständigen bereits in der Phase der Erstellung der Gutachten übernimmt. Da das Gericht gemäß § 404a Abs. 1 ZPO berechtigt und verpflichtet ist, die Tätigkeit der Sachverständigen zu leiten und Weisungen zu erteilen, ist es nach dieser Maßgabe auch berechtigt, die Koordination der Tätigkeit von Sachverständigen zu übernehmen, wenn diese für unterschiedliche Beweisthemen in einem Beweisbeschluss parallel ernannt werden. Diese Vorgehensweise ist aber gerade im Hinblick auf die Koordination eines einheitlichen Ortstermins schwierig. Da die Gerichte in der Regel nicht über das bautechnische Fachwissen verfügen, können sie weder einschätzen, welcher zeitliche Aufwand in einem Ortstermin mit mehreren Sachverständigen notwendig ist, noch, ob Zusatzleistungen, wie beispielsweise Bauteilsöffnungen oder Messungen, den Einsatz von Gerätschaften und möglicherweise von Personal erfordern. Hier wird deutlich, dass die sachgerechte Erfüllung der Koordinationsaufgabe erhebliche Kommunikation zwischen Gericht und den parallel ernannten Sachverständigen erfordert, um schon im Vorfeld gerichtlicher Anleitungen tatsächlich sachgerecht und den Sachverständigen dienlich vorzugehen.

Zudem müssen Gerichte, die sich an diese Aufgabe herantrauen, beachten, dass die Weisungs- und Leitungsermächtigung auch Grenzen hat. Es bleibt insoweit richtig, dass die Leitung in erster Linie das betrifft, *was* der Sachverständige, nicht wie er es erforschen soll.[6]

Eine Gesamtkoordination der Tätigkeit der Sachverständigen durch das Gericht bis zur Einreichung des Gutachtens wird hier nicht empfohlen. Es kann sich in einzelnen Punkten anbieten für den Fall, dass beispielsweise erhebliche Schwierigkeiten bei der Festlegung eines gemeinsamen Ortstermins bestehen. Hier kann vonseiten der Sachverständigen die Hilfe des Gerichts durch Weisungen und möglicherweise auch Terminsvorgaben für die weiteren Beteiligten gesucht werden.

2.3.5 Beauftragung mehrerer Sachverständiger und Bestimmung eines Koordinators

Die bei Weitem praktikabelste Lösung zur Herbeiführung einer effizienten Handhabung der Begutachtung eines Bauvorhabens durch mehrere Sachverständigen besteht darin, dass das Gericht bereits mit der parallelen Bestellung von Sachverständigen für unterschiedliche Beweisfragen an demselben Bauvorhaben im Beweisbeschluss einen der Sachverständigen für die Koordination benennt. Damit dies sachgerecht gelingt, muss das Gericht bereits zuvor mit allen Sachverständigen Rücksprache halten, ob allseits Einverständnis mit einem solchen koordinierten Vorgehen und der für die Position als Koordinator ins Auge gefassten Person besteht. In der Regel bietet es sich an, Sachverständige, die bereits als Architekt oder in anderer Funktion Koordinierungsarbeiten an Bauvorhaben geleistet haben, damit zu betrauen.

Jedem Sachverständigen obliegt es, selbstständig die Entscheidung zu treffen, ob er an einem solchen koordinierten Vorgehen teilnehmen möchte. Entscheidend ist, dass die Benennung stets auf einvernehmlicher Grundlage aller beteiligten Sachverständigen geschieht. Denn die Übertragung und Durchführung der Aufgabe als Koordinator ist für alle an der Kooperation teilnehmenden Sachverständigen freiwillig und beruht allein auf der vernunftgeleiteten Erkenntnis der Sachverständigen, dass im Falle eines koordinierten Vorgehens die eigene Aufgabe effizienter erledigt werden kann. Eine Teilnahme an der koordinierten Erstattung des Gutachtens kann insbesondere nicht vom Gericht im Wege der Weisung nach § 404a Abs. 1 ZPO erzwungen werden, denn sie betrifft unmittelbar die Frage, wie das Beweisthema durch den Sachverständigen erforscht werden soll.

Ist ein Koordinator gefunden und benannt, so obliegt es diesem, eine eventuell notwendig werdende Reihenfolge des Tätigwerdens der Sachverständigen festzulegen. Dies bietet sich vor allem in den Fällen an, in denen das Sachverständigengutachten auf vorangehenden Erkenntnissen der parallel ernannten Sachverständigen aufbaut.

6 MüKoZPO/*Zimmermann*, 6. Aufl. 2020, § 404a ZPO.

Beispiel

Für ein Gutachten zur Bewertung eines mit einem Wohnhaus bebauten Grundstückes benötigt der Sachverständige als Vorarbeit Erkenntnisse von einem Gutachter für Schäden an Gebäuden zur Bewertung der wertreduzierenden Instandsetzungs- und Instandhaltungskosten.

Ebenso kann der Koordinator die Aufgabe übernehmen, einen für mehrere Sachverständige notwendigen Ortstermin im Wege der Terminsabsprache mit allen einzuladenden Beteitligten vorzubereiten, notwendige Arbeiten (Bauteilsöffnungen, Messungen) sowie den Einsatz von Geräten (Gerüste, Hubsteiger, Messgeräte) zu organisieren und im Termin die Reihenfolge der einzelnen Beweiserhebungen durch die einzelnen Sachverständigen festzulegen.

Im günstigsten Fall erreichen durch die Koordination auch die von den parallel benannten Sachverständigen erstellten Gutachten zu der meistens im gerichtlichen Beweisbeschluss ohnehin einheitlich bestimmten Frist die Geschäftsstelle des Gerichts, mit der Konsequenz, dass das insgesamt gefundene Beweisergebnis mit einer einheitlichen Frist im Prozess an die Parteien zur Stellungnahme hinausgegeben werden kann.

2.4 Parteineutralität und Parteiöffentlichkeit

Holger Beger

Übersicht

2.4.1 Einführung

Umfangreiche Gesetzessammlungen zum Ablauf eines Gerichtsverfahrens, wie z.B. die Zivilprozessordnung (ZPO), weisen Normen auf, die immer wieder und an verschiedenen Stellen auf das gleiche, vom Verfassungs- oder Gesetzgeber gewünschte Ergebnis hinwirken sollen. Auf dieser Basis hat sich der Begriff der Prozessgrundsätze herausgebildet. Die juristische Literatur versteht darunter alle die Rechtsgrundsätze, die den äußeren Ablauf eines Zivilprozesses und das Verhalten von Gericht und Parteien bestimmen. Hierbei muss man sich im Klaren sein, dass die Bedeutung und das Gewicht der Verfahrensgrundsätze erhebliche Unterschiede aufweisen; manche von ihnen haben den Rang von Verfassungsprinzipien und müssen stets beachtet werden, andere wiederum beruhen auf Nützlichkeitserwägungen und gelten nicht durchweg in allen Verfahrensarten.[1] Zu den Grundsätzen des deutschen Zivilprozesses zählt man den bereits erörterten Beibringungsgrundsatz, der manchmal auch als Ausdruck der Parteiherrschaft im Zivilprozess bezeichnet wird. Die Verfassung gibt den Grundsatz auf rechtliches Gehör und die Durchführung eines fairen Verfahrens vor. Daneben kennt das Prozessrecht die Grundsätze für Mündlichkeit, Unmittelbarkeit, Öffentlichkeit und die sog. Konzentrationsmaxime, auch Beschleunigungsgrundsatz. Für die Arbeit des Sachverständigen im Prozess sind der Grundsatz der Parteineutralität und der Grundsatz der Parteiöffentlichkeit die bei Weitem wichtigsten Grundsätze, die er auch eigenständig zu beachten hat.

2.4.2 Parteineutralität

Der Bundesgerichtshof sieht Sachverständige als Berater des Tatrichters.[2] Dieser Funktion kann der Sachverständige allerdings nur gerecht werden, wenn die Parteien bei ihm darauf vertrauen können und dürfen, dass er dauerhaft eine dem Gericht vergleichbare neutrale Stellung zu der bearbeitenden Sache hat. Ein nicht neutral beratenes Gericht wäre nicht in der Lage, seine Entscheidung – wie es im Amtseid der Richter heißt – unabhängig vom Ansehen der Person zu treffen. In § 406 Abs. 1 ZPO wird dies für die Stellung des Sachverständigen deutlich dadurch zum Ausdruck gebracht, dass dieser aus denselben Gründen, die für Richter gelten, wegen der Besorgnis der Befangenheit abgelehnt werden kann.

1 *Musielak/Voit*, ZPO, Einleitung Rn. 26, beck-online.
2 BGH, NJW 1998, S. 3355, beck-online.

Zur neutralen Stellung des Richters hat das Bundeverfassungsgericht folgende Grundsätze entwickelt.

> *„Das Grundgesetz sieht ihn als Amtswalter, der, nur der Sache verpflichtet, unter gerechter Abwägung aller Rechte und Belange der Betroffenen und auch der Allgemeinheit verbindlich zu entscheiden hat, eine Aufgabe, die in seiner Person Unabhängigkeit, Neutralität und Distanz voraussetzt. Erst diese Eigenschaften – insbesondere die Fähigkeit, die Berechtigung auch anderer Standpunkte anzuerkennen – setzen den Richter in die Lage, sein Fachwissen frei von sachfremden Einflüssen in den Entscheidungsgang einzubringen und die Gleichstellung der Parteien vor Gericht durch eine objektive, faire Verhandlungsführung, durch unvoreingenommene Bereitschaft zur Verwertung und Bewertung des gegenseitigen Vorbringens, durch unparteiische Rechtsanwendung und durch korrekte Erfüllung seiner sonstigen prozessualen Obliegenheiten gegenüber den Prozessbeteiligten zu wahren."*[3]

Neutralität und Distanz bedeuten dabei keinesfalls, dass man als Gericht die Entscheidung über unterschiedliche Standpunkte der Parteien scheut, vielmehr, dass man auf dem Weg zu dieser Entscheidung das Vorbringen der Parteien unvoreingenommen zur Kenntnis nimmt und die Entscheidung letztlich allein unter Anwendung des erworbenen Wissens über das Recht ohne Ansehen der Person erfolgt. Gerade dieser Ausdruck von Neutralität und Distanz bei Anwendung des erworbenen Wissens im Fachgebiet muss auch der maßgebliche Orientierungspunkt für das Wirken des Bausachverständigen im Zivilprozess sein.

Unterstützt wird dies durch die Vorschrift des § 407a Abs. 2 Satz 1 ZPO mit der Anforderung an den Sachverständigen, eigenständig seine Beziehungen zu den streitenden Parteien oder aber eine andere fachliche Vorbefasstheit (beispielsweise als Schiedsgutachter) zu prüfen und diese ggf. offenzulegen. So soll der bestellte Sachverständige schon in einem möglichst frühen Stadium darauf hinwirken, dass das Gericht prüfen kann, ob Parteien begründeten Anlass sehen könnten, an der Person des Sachverständigen Zweifel im Hinblick auf eine fehlende Neutralität zu haben. Genau an dieser Stelle, noch vor Beginn der eigentlichen Gutachtenstätigkeit, ist der richtige Zeitpunkt für den Sachverständigen, in sich zu gehen, ob ein persönliches oder wirtschaftliches (z.B. dauerhafte Geschäftsbeziehung) Näheverhältnis zu den im Beweisbeschluss genannten Beteiligten (Parteien, Streithelfer, Nebenintervenienten, deren Rechtsanwälte) besteht. Die Durchsicht der Akte hilft auch bei der Erkenntnis, ob mit einer auf Parteiseite tätigen Versicherungsgesellschaft oder deren Privatsachverständigen Verbindungen bestehen. Die insoweit statuierten gesetzlichen Pflichten sind unbedingt ernst zu nehmen, weil sie im Falle der Zuwiderhandlung zu einer Kürzung der Vergütung führen können. In diesem Punkt ist Genauigkeit und Transparenz wichtiger als das schnelle, unbedachte Abhaken eines Pflichtenkatalogs. In Zweifelsfällen kann und sollte sich der Sachverständige auch hier an das Gericht wenden.

Nicht nur im Anfangsstadium der Begutachtung, sondern auch im Stadium der Ermittlung der Befundtatsachen, muss sich das Verhalten am Grundsatz gleichmäßiger Distanz zu den Parteien widerspiegeln. Deshalb sind Wege der „direkten" Informationsbeschaffung zu vermeiden – möge die im Blick befindliche Zeiteinsparung noch so verlockend erscheinen,

---

3 BVerfG, Kammerbeschluss v. 6.6.1988 – 2 BvR 111/88, Rn. 5, juris.

beispielsweise durch unmittelbare Anforderung von „Unterlagen" bei den Parteien oder die Bewertung von Äußerungen der Parteien im Ortstermin. Es ist dem Sachverständigen in einer solchen Situation nicht verboten, die Parteien darauf hinzuweisen, dass sie ihr Vorbringen zur Sache an das Gericht adressieren müssen und das Gutachten ausschließlich auf Basis der allen Prozessbeteiligten bekannten Tatsachen und Erkenntnissen erstattet werden wird.

Schließlich ist bei Formulierung des schriftlichen Gutachtens dem Gebot der Neutralität Rechnung zu tragen. Für die Abfassung des Urteils durch den Richter wird in der juristischen Literatur darauf hingewiesen, dass die Sprache im Urteil verständlich sein, sich um Objektivität bemühen muss und niemanden herabsetzen darf.[4] Vergleichbares sollte auch der Orientierungspunkt für das schriftlich abzufassende Gutachten eines Sachverständigen sein.

Dies gilt in ähnlicher Art und Weise für den mündlichen Vortrag in der Gerichtsverhandlung, sei es im Rahmen eines mündlichen Gutachtens, sei es in der oftmals von den Parteien beantragten mündlichen Erläuterung des Gutachtens. Wer über lange Erfahrung in Gerichtsprozessen verfügt, weiß, dass dies einfacher hier geschrieben als umgesetzt ist. Es kann durchaus Situationen geben, in denen ein Beteiligter aus unterschiedlichsten Gründen Äußerungen und Fragestellungen der anderen Prozessbeteiligten zum Anlass nehmen möchte, auf entsprechende Weise zu erwidern. Die Sachverständigen sind ebenso wie die Richter gehalten, dieser Versuchung zu widerstehen. Ein dreimaliges Durchatmen und eine Pause von mindestens einer Minute vor der Antwort kann einen vielfach davor bewahren, sich im Sinne der Neutralität mit unbedachtem Verhalten oder Äußerungen „zu weit aus dem Fenster zu lehnen".

Es ist zu beachten, dass das Gebot der Neutralität oder Äquidistanz zu den Prozessparteien ausschließlich für die Person des gerichtlich bestellten Sachverständigen gilt, nicht aber für dessen Hilfspersonen. Gleichwohl ist der Sachverständige damit nicht aller Probleme hinsichtlich der beigezogenen Hilfspersonen entledigt. Vielmehr kann sich aus der vor allem fortgesetzten Verwendung von Hilfspersonen in der Gutachtensbearbeitung, denen die notwendige Neutralität fehlt, auch eine eigenständige Besorgnis der Befangenheit des Sachverständigen ableiten lassen.

2.4.3 Parteiöffentlichkeit

In § 357 ZPO ist bereits nach der – nicht amtlichen – Überschrift die so genannte Parteiöffentlichkeit geregelt. Die Vorschrift richtet sich zwar zunächst an das Gericht, vor dem die Beweisaufnahme stattfindet, sie hat jedoch auch Bedeutung für die Arbeit des Sachverständigen.

4 BeckOK ZPO/*Elzer*, 49. Ed., Stand 1.7.2023, § 313 ZPO Rn. 168.

§ 357 ZPO Parteiöffentlichkeit

(1) Den Parteien ist gestattet, der Beweisaufnahme beizuwohnen.

(2) [1]Wird die Beweisaufnahme einem Mitglied des Prozessgerichts oder einem anderen Gericht übertragen, so ist die Terminsbestimmung den Parteien ohne besondere Form mitzuteilen, sofern nicht das Gericht die Zustellung anordnet. [2]Bei Übersendung durch die Post gilt die Mitteilung, wenn die Wohnung der Partei im Bereich des Ortsbestellverkehrs liegt, an dem folgenden, im Übrigen an dem zweiten Werktage nach der Aufgabe zur Post als bewirkt, sofern nicht die Partei glaubhaft macht, dass ihr die Mitteilung nicht oder erst in einem späteren Zeitpunkt zugegangen ist.

Bedeutend ist zunächst Abs. 1 der Vorschrift, der den Parteien erlaubt, jederzeit und überall der stattfindenden Beweisaufnahme beizuwohnen. Damit dient die Parteiöffentlichkeit primär der Umsetzung des Anspruchs der Parteien auf rechtliches Gehör (Art. 103 Abs. 1 GG). Den Parteien soll die Möglichkeit gegeben werden, die Beweisaufnahme zu beeinflussen, bspw. durch die Möglichkeit, Zeugen oder Sachverständigen Fragen zu stellen.[5] Wie man aus dem insoweit thematisierten Fragerecht erkennen kann, ist damit zunächst das Anwesenheitsrechts der Parteien in einer gerichtlichen Beweisaufnahme gemeint. Es soll keine Beweiserhebung durch das Gericht im Verborgenen stattfinden.

Wichtig ist zudem, dass über den bloßen Wortlaut der Vorschrift hinaus das umfassende Recht zur Teilnahme eben nicht nur den Parteien als solchen, sondern weiteren Personen zusteht. Dieses (Partei-)Recht schließt selbstverständlich die Prozessbevollmächtigten mit ein. Ebenso steht Dritten, die als Streithelfer oder Nebenintervenient im Wege einer formalen Stellung im Prozess eine Partei unterstützen das Recht auf Anwesenheit zu. Des Weiteren ist die Partei berechtigt zum Beweisaufnahmetermin auch einen sachkundigen Berater hinzuzuziehen, jedenfalls dann, wenn und soweit zu erwarten steht, dass die Partei selbst der Beweisaufnahme nicht hinreichend folgen und sie damit nicht beeinflussen kann.[6] Diese Voraussetzungen wird man in Bauprozessen gerade im Hinblick auf private Gutachter, die zur Unterstützung herangezogen sind, nur selten verneinen können. Wichtig ist, dass sonstige Dritte, wie beispielsweise eine bloße Vertrauensperson[7] kein Anwesenheitsrecht aus § 357 ZPO für sich ableiten können.

Da die Parteiöffentlichkeit lediglich ein Recht auf Anwesenheit beschreibt, nicht aber eine Pflicht zur Teilnahme, führt das Fehlen einer Partei, die zuvor auch nicht auf einer Teilnahme bestanden und eine Terminsverlegung beantragt hat, nicht dazu, dass der Beweisaufnahmetermin aufzuheben wäre. Vielmehr stellt § 367 Abs. 1 ZPO klar, dass die Beweisaufnahme auch ohne Anwesenheit der Partei durchzuführen ist.

Für die Arbeit des Sachverständigen im (Bau-)Prozess ist die Vorschrift deshalb bedeutsam, weil in der Rechtsprechung einhellig die Auffassung vertreten wird, dass es Sinn und Zweck des Grundsatzes der Parteiöffentlichkeit – insbesondere dessen Wurzel im Anspruch auf rechtliches Gehör – erfordern, dass die Parteien auch bei Tatsachenermittlung (nicht: bei der Bewertung dieser Tatsachen) durch den Sachverständigen ein Recht auf Anwesenheit haben; § 357 ZPO ist daher analog anzuwenden.[8] Dies ist vor allem für die Abhaltung eines

5 BeckOKZPO/*Bach*, 49. Ed. 1.7.2023, § 357 ZPO Rn. 1.
6 OLG München, NJW-RR 1988, S. 1534, 1535; OLG Düsseldorf, MDR 1979, S. 409.
7 OVG Rheinland-Pfalz, NVwZ-RR 2013, S. 972.
8 BGH, NJW 1984, S. 807.

Ortstermins, auch wenn in einem solchen beispielsweise eine Bauteilsöffnung vorgenommen wird, wichtig, weil diese Termine für die Sachverständigen in der Regel dazu dienen, sich Anknüpfungstatsachen zu verschaffen.

Dies führt für den Sachverständigen wiederum zu gesteigerten Bemühungen, einen Termin für die Ortsbesichtigung fix anzusetzen. Denn der Sachverständige muss die Anwesenheitsrechte der Beteiligten beachten, wenn er eigenständig den Besichtigungstermin ansetzt und durchführen will. Wird einer Partei das Recht zur Anwesenheit im Termin genommen, kann dies den Vorwurf der Befangenheit begründen. Den Gerichten ist bekannt, dass Terminsnot der Parteien oder anderer Beteiligter eine zeitnahe Abhaltung von Terminen unmöglich machen können. Bei Problemen sei den Sachverständigen Zweierlei empfohlen: zum einen bitte keine Termine „durchziehen", wenn um deren Verlegung von einem Anwensenheitsberechtigten gebeten worden ist und zum zweiten, wenn die Terminsfindung dem Sachverständigen unzumutbar erscheint, sollte er die Hilfe des Gerichts suchen.

Ein vergleichbares Problem kann sich auch bei Durchführung von Ortsterminen stellen. Man erlebt dort nicht selten, dass Anwesenheitsberechtigten der Zutritt verwehrt wird. Damit wird aber letztlich die Parteiöffentlichkeit im Ortstermin vereitelt.

Beispiel

Der Sachmängel rügende Bauherr verwehrt dem Architekten oder Bauunternehmer den Zutritt zum Wohnhaus, das zur Besichtigung der zu begutachtenden Fehler besucht werden soll. Auf Nachfrage des Sachverständigen gibt der Bauherr an, dass wegen des Scheiterns der Vertragsbeziehung unüberbrückbare Differenzen bestünden.

In dieser Situation kann der Ortstermin nicht durchgeführt werden. Der Sachverständige sollte hier abbrechen und diesen Vorgang dem Gericht mitteilen. Das Gericht sollte dann den Sachverständigen anweisen, wie weiter verfahren werden soll.

2.5 Ablehnung des Sachverständigen wegen Besorgnis der Befangenheit

Peter Bleutge

Übersicht

2.5.1 Einführung

Unparteilichkeit ist eine der herausragenden Pflichten des Sachverständigen. Streitenden Prozessparteien muss der gerichtlich bestellte Sachverständige neutral und unvoreingenommen begegnen. **Bereits der Anschein der Parteilichkeit ist dabei zu vermeiden**. Zweifel an seiner Unparteilichkeit gehen stets zu seinen Lasten; der Richter muss einem berechtigten Ablehnungsgesuch der angeblich beeinträchtigten Partei stattgeben. Entscheidend für den Erfolg des Ablehnungsgesuchs ist nicht, ob der Sachverständige tatsächlich befangen ist, sondern es genügt, dass die antragsberechtigte Partei aus ihrer subjektiven Sicht mit guten Gründen Zweifel an der Unparteilichkeit des Sachverständigen haben kann. In schwerwiegenden Fällen von nachgewiesener Befangenheit, also bei vom Sachverständigen bewusst oder grob fahrlässig verursachter Ablehnung, verliert er seinen Vergütungsanspruch.

Dass das Thema „Befangenheitsablehnung" in der Alltagspraxis der Gerichte von immenser Bedeutung ist, mögen die Zahlen der veröffentlichten Gerichtsentscheidungen verdeutlichen, soweit sie in der Datenbank JURIS veröffentlicht sind. Von 1970 bis 2011 finden sich in JURIS **6.000 Entscheidungen** zu dieser Thematik, also 150 pro Jahr; von 2018-2023 betrug die Gesamtzahl 1.000 Entscheidungen, also 200 pro Jahr. Zu vermerken bleibt auch, dass den Prozessparteien kein Verhalten des Sachverständigen zu schade ist, um die Ablehnung eines Sachverständigen zu begründen. So wurde in jüngerer Vergangenheit vorgetragen, dass die Benutzung der Toilette durch den Sachverständigen während der Ortsbesichtigung im Haus einer Prozesspartei den Anschein der Parteilichkeit erwecke; das Gericht hat diesen Einwand für unbeachtlich erklärt. Hingegen war ein Ablehnungsantrag erfolgreich, der damit begründet wurde, dass der Gerichtssachverständige sein Gesicht verzogen und hämisch gelächelt habe, als der Privatgutachter des Beklagten im Erörterungstermin Kritik an seinem Gutachten übte.

Die zunehmende Zahl der Befangenheitsanträge ist auch darauf zurückzuführen, dass eine spätere **Haftung des Sachverständigen nach § 839a BGB wegen Erstattung eines unrichtigen Gutachtens** nur dann infrage kommt, wenn die im Regressprozess klagende Partei nachweisen kann, im vorangegangenen Hauptverfahren alle prozessualen Möglichkeiten wahrgenommen zu haben, um das angeblich fehlerhafte Gutachten zu Fall zu bringen. Dazu gehört zum einen, dass die Partei den Sachverständigen im Hauptprozess zur mündlichen Erörterung des Gutachten durch das Gericht laden lässt und zum anderen, dass bei Vorliegen entsprechender Fakten die nachteilig betroffene Partei einen Antrag auf Ablehnung wegen Besorgnis der Befangenheit stellt.

2.5.2 Begriffsdefinition „Besorgnis der Befangenheit"

Weder der Begriff „Befangenheit" noch der Begriff „Besorgnis" wird vom Gesetzgeber definiert oder erläutert. Für die „Besorgnis der Befangenheit" ist es nicht erforderlich, dass der vom Gericht beauftragte Sachverständige nachweisbar parteiisch ist oder das Gericht Zweifel an seiner Unparteilichkeit hat. Vielmehr rechtfertigt bereits der bei der ablehnenden Partei erweckte Anschein der Parteilichkeit die Ablehnung wegen Besorgnis der Befangenheit. Dieser Anschein muss sich auf Tatsachen oder Umständen begründen, die vom Standpunkt des Ablehnenden aus bei vernünftiger Betrachtung die Befürchtung wecken können, der Sachverständige stehe der Sache nicht unvoreingenommen und damit nicht unparteiisch gegenüber.[1] Anders ausgedrückt:

1 BGH, B. v. 11.6.2008 – X ZR 124/06, DS 2008, S. 266 = GRUR-RR 2008, S. 365.

Ausreichend für eine Ablehnung ist bereits, dass vom Standpunkt der ablehnenden Partei aus ein objektiver Grund gegeben ist, der in den Augen eines vernünftigen Menschen geeignet ist, Zweifel an der Unparteilichkeit und Objektivität des Sachverständigen zu erregen.

Dieses hohe Gut der Unparteilichkeit eines Sachverständigen wird vom Gesetzgeber dadurch besonders herausgestellt, dass in der Eidesformel für Sachverständige die Pflicht zur unparteiischen Gutachtenerstattung enthalten ist (vgl. § 410 Abs. 1 ZPO und § 79 Abs. 2 StPO). Entsprechend ist auch die Eidesformel für die öffentliche Bestellung von Sachverständigen formuliert (vgl. § 36 Abs. 1 Satz 2 GewO).

2.5.3 Ablehnung wegen Besorgnis der Befangenheit – kein Widerruf der öffentlichen Bestellung

Wird der Sachverständige wegen nachgewiesener Befangenheit abgelehnt, hat das auf seine öffentliche Bestellung durch die Kammer keine negativen Auswirkungen. Insbesondere ist er nicht verpflichtet, diesen Umstand seiner Bestellungskörperschaft mitzuteilen, wie dies bei Verurteilung wegen Verstößen gegen Straftatbestände oder einer Insolvenz der Fall ist. Auch die Gerichte sind nicht verpflichtet, die Bestellungskörperschaften von einer erfolgreichen Ablehnung zu unterrichten.

2.5.4 Gesetzliche Grundlagen

2.5.4.1 Zivil- und Strafprozessordnung

Eine unmittelbare, gezielt auf das Verhalten eines Sachverständigen abgestimmte Regelung der Befangenheit in Form von aufgezählten Fallgruppen gibt es weder in der Zivilprozessordnung (ZPO) noch in der Strafprozessordnung (StPO); vielmehr werden in beiden Prozessordnungen in Form einer Verweisung die Ablehnungsgründe eines Richters für anwendbar erklärt. Gemäß § 406 Abs. 1 Satz 1 ZPO und § 74 StPO kann ein Sachverständiger aus denselben Gründen abgelehnt werden, die zur Ablehnung eines Richters berechtigen. Die Ablehnung des Richters ist in § 42 ZPO und § 24 StPO geregelt. Danach kann ein Richter sowohl in den Fällen, in denen er von der Ausübung des Richteramtes **kraft Gesetzes** ausgeschlossen ist, als auch wegen **Besorgnis der Befangenheit** abgelehnt werden.

Die einzige Vorschrift zur Ablehnung eines Sachverständigen befindet sich also in **§ 406 ZPO**. Sie enthält außer der Generalklausel in Absatz 1 ausschließlich Verfahrensregeln, wie, wann, wo und mit welcher Begründung ein Ablehnungsgesuch geltend zu machen ist und welche Rechtsmittel es gibt, wenn das Ablehnungsgesuch abgelehnt oder wenn ihm stattgegeben wird.

Die Vorschrift des § 406 ZPO hat folgenden Wortlaut:

§ 406 ZPO Ablehnung eines Sachverständigen

(1) Ein Sachverständiger kann aus denselben Gründen, die zur Ablehnung eines Richters berechtigen, abgelehnt werden. Ein Ablehnungsgrund kann jedoch nicht daraus entnommen werden, dass der Sachverständige als Zeuge vernommen worden ist.

(2) Der Ablehnungsantrag ist bei dem Gericht oder Richter, von dem der Sachverständige ernannt worden ist, vor seiner Vernehmung zu stellen, spätestens jedoch binnen zwei Wochen nach Verkündung oder Zustellung des Beschlusses über die Ernennung. Zu einem späteren Zeitpunkt ist die Ablehnung nur zulässig, wenn der Antragsteller glaubhaft macht, dass er ohne sein Verschulden verhindert war, den Ablehnungsgrund früher geltend zu machen. Der Antrag kann vor der Geschäftsstelle zu Protokoll erklärt werden.

(3) Der Ablehnungsgrund ist glaubhaft zu machen; zur Versicherung an Eides statt darf die Partei nicht zugelassen werden.

(4) Die Entscheidung ergeht von dem im zweiten Absatz bezeichneten Gericht oder Richter durch Beschluss.

(5) Gegen den Beschluss, durch den die Ablehnung für begründet erklärt wird, findet kein Rechtsmittel, gegen den Beschluss, durch den sie für unbegründet erklärt wird, findet sofortige Beschwerde statt.

Der **Begriff „Besorgnis der Befangenheit“** wird in den gesetzlichen Vorschriften dahingehend definiert, dass ein Grund vorliegt, der geeignet ist, Misstrauen gegen die Unparteilichkeit zu rechtfertigen (§ 42 Abs. 2 ZPO und § 24 Abs. 2 StPO).

Im Gegensatz zur Ablehnung des Richters gibt es für den Sachverständigen keine automatische Ausschließung von der Gutachtentätigkeit kraft Gesetzes. Es muss also zunächst ein Prozessbeteiligter aktiv werden und einen **Antrag** auf Ablehnung wegen Besorgnis der Befangenheit stellen und diesen glaubhaft begründen. Ein Ablehnungsgrund ist entweder dann gegeben, wenn **einer der Ausschlusstatbestände** des § 41 ZPO vorliegt (§ 42 Abs. 1 ZPO) oder wenn ein Grund vorliegt, der geeignet ist, Misstrauen gegen die Unparteilichkeit eines Sachverständigen zu rechtfertigen (§ 42 Abs. 2 ZPO). Für den Sachverständigen steht der **Ablehnungsgrund** wegen **Besorgnis der Befangenheit** im Vordergrund.

2.5.4.2 Hinweispflicht des Sachverständigen

Mit dem Gesetz zur Änderung des Sachverständigenrechts[2] ist am 15.10.2016 folgende Bestimmung in die Zivilprozessordnung aufgenommen worden:

§ 407a Abs. 2 ZPO

Der Sachverständige hat unverzüglich zu prüfen, ob ein Grund vorliegt, der geeignet ist, Misstrauen gegen seine Unparteilichkeit zu rechtfertigen. Der Sachverständige hat dem Gericht solche Gründe unverzüglich mitzuteilen. Unterlässt er dies, kann gegen ihn ein Ordnungsgeld festgesetzt werden.

Eine Verletzung dieser Hinweispflicht hat nicht nur zur Folge, dass ein Ordnungsgeld festgesetzt werden kann, sondern kann auch dazu führen, dass der Sachverständige seine Vergütung verliert (§ 8a Abs. 1 und Abs. 2 Satz 1 Nr. 1 JVEG).

---

2 Vom 11.10.2016 (BGBl. I S. 2222).

2.5.4.3 Verlust der Vergütung

Als Folge der Ablehnung wegen Besorgnis der Befangenheit kann der Sachverständige seine Vergütung verlieren,

- wenn er vorsätzlich oder fahrlässig seiner Hinweispflicht nach § 8a Abs. 1 JVEG nicht nachkommt oder
- wenn er vorsätzlich oder fahrlässig seiner Hinweispflicht nach § 8a Abs. 2 Satz 1 Nr. 1 JVEG i.V.m. § 407a Abs. 2 ZPO nicht nachkommt oder
- wenn er selbst grob fahrlässig oder vorsätzlich einen Befangenheitsgrund geschaffen hat (§ 8a Abs. 2 Satz 1 Nr. 3 JVEG).

Die drei gesetzlichen Bestimmungen haben folgenden Wortlaut:

§ 8a Abs. 1 JVEG

Der Anspruch auf Vergütung entfällt, wenn der Berechtigte es unterlässt, der heranziehenden Stelle unverzüglich solche Umstände anzuzeigen, die zu seiner Ablehnung durch einen Beteiligten berechtigen, es sei denn, er hat die Unterlassung nicht zu vertreten.

§ 8a Abs. 2 Satz 1 Nr. 1 JVEG

Der Berechtigte erhält eine Vergütung nur insoweit, als seine Leistung bestimmungsgemäß verwertbar ist, wenn er

1. gegen die Verpflichtung aus § 407a Absatz 1 bis 4 Satz 1 der Zivilprozessordnung verstoßen hat, es sei denn, er hat den Verstoß nicht zu vertreten;

§ 8a Abs. 2 Satz 1 Nr. 3 JVEG

Der Berechtigte erhält eine Vergütung nur insoweit, als seine Leistung bestimmungsgemäß verwertbar ist, wenn er

3. im Rahmen der Leistungserbringung grob fahrlässig oder vorsätzlich Gründe geschaffen hat, die einen Beteiligten zur Ablehnung wegen der Besorgnis der Befangenheit berechtigen; (...)

§ 8a Abs. 2 Satz 2 JVEG

Soweit das Gericht die Leistung berücksichtigt, gilt sie als verwertbar.

2.5.4.4 Sachverständigenordnungen der Bestellungskörperschaften

Deutsche Industrie- und Handelskammer (DIHK; § 9)

(1) Der Sachverständige hat bei der Erbringung seiner Leistung stets darauf zu achten, dass er sich nicht der Besorgnis der Befangenheit aussetzt. Er hat bei der Vorbereitung und Erarbeitung seines Gutachtens strikte Neutralität zu wahren, muss die gestellten Fragen objektiv und unvoreingenommen beantworten (Unparteilichkeit).

Insbesondere darf der Sachverständige nicht

- Gutachten in eigener Sache oder für Objekte und Leistungen seines Dienstherren oder Arbeitgebers erstatten.
- Gegenstände erwerben oder zum Erwerb vermitteln, eine Sanierung oder Regulierung der Objekte durchführen, über die er ein Gutachten erstellt hat, es sei denn, er erhält den entsprechenden Folgeauftrag nach Beendigung des Gutachtenauftrags und seine Glaubwürdigkeit wird durch die Übernahme dieser Tätigkeiten nicht infrage gestellt.

Zentralverband des deutschen Handwerks (ZDH; § 9)

(1) Der Sachverständige hat vor Annahme von Aufträgen und während deren Ausführungen auf Gründe hinzuweisen, die geeignet sind, Misstrauen gegen seine Unparteilichkeit zu rechtfertigen.

(2) Dem Sachverständigen ist insbesondere untersagt:

- Weisungen zu berücksichtigen die das Ergebnis des Gutachtens und die hierfür maßgebenden Fettsstellungen verfälschen können;
- Vereinbarungen zu treffen, die seine Unparteilichkeit oder Unabhängigkeit beeinträchtigen können;
- Gutachten in eigener Sache oder für Objekte oder Leistungen seines Dienstherren oder Arbeitgebers zu erstatten;
- sich oder Dritte für seine Sachverständigentätigkeit außer der gesetzlichen oder vertraglich vereinbarten Vergütung Vorteile versprechen oder gewähren zu lassen;
- Gegenstände, die er im Rahmen seiner Sachverständigentätigkeit begutachtet hat, gegen Entgelt zum Verkauf zu vermitteln oder selbst anzukaufen;
- von ihm festgestellte Mängel zu beheben.

2.5.5 Absolute und relative Ablehnungsgründe

Das Gesetz unterscheidet zwischen den sog. absoluten Befangenheitsgründen und dem allgemeinen Ablehnungsgrund der Befangenheit. Während bei den absoluten Befangenheitsgründen die Ablehnung stets gerechtfertigt ist, ohne dass im Einzelfall geprüft zu werden braucht, ob ein Misstrauen gegen die Unparteilichkeit gegeben ist, muss bei Berufung auf die Ablehnung wegen Besorgnis der Befangenheit stets ein Ablehnungsgrund glaubhaft gemacht werden.

Die **absoluten Ablehnungsgründe** sind in § 41 ZPO geregelt. Sie gelten zwar in erster Linie für die Ablehnung des Richters, sind aber wegen der Verweisung in § 406 Abs. 1 ZPO auch auf Sachverständige anzuwenden, soweit sie passen. Der Sachverständige kann danach in folgenden Fällen abgelehnt werden:

- In Sachen, in denen er selbst Partei des Verfahrens ist, oder wenn er an dem Rechtsverhältnis, das den Gegenstand des Rechtsstreits bildet, in Form einer unmittelbaren Mitberechtigung, Mitverpflichtung oder Regresspflicht beteiligt ist;
- in Sachen seines Ehegatten, auch wenn die Ehe nicht mehr besteht;
- in Sachen seines Lebenspartners, auch wenn die Lebenspartnerschaft nicht mehr besteht;
- in Sachen einer Person, mit der er in gerader Linie verwandt oder verschwägert, in der Seitenlinie bis zum dritten Grade verwandt oder bis zum zweiten Grade verschwägert ist oder war;
- in Sachen, in denen er als Prozessbevollmächtigter oder Beistand einer Partei bestellt oder als gesetzlicher Vertreter einer Partei aufzutreten berechtigt ist oder gewesen ist;

- in Sachen, in denen er in einem früheren Rechtszug oder im schiedsrichterlichen Verfahren bei dem Erlass der Entscheidung mitgewirkt hat (z.B. als Schiedsgutachter oder als Handelsrichter).

Ein Ablehnungsgrund kann jedoch nicht daraus entnommen werden, dass der Sachverständige als Zeuge vernommen worden ist (vgl. § 406 Abs. 1 Satz 2 ZPO).

Die **relativen Ablehnungsgründe** sind nicht im Gesetz geregelt. Sie ergeben sich aus der Formulierung der §§ 406 Abs. 1, 42 Abs. 2 ZPO. Danach findet die Ablehnung auf Antrag statt, wenn ein Grund vorliegt, der geeignet ist, Misstrauen gegen die Unparteilichkeit des Sachverständigen zu rechtfertigen. Im Gegensatz zu den absoluten Ablehnungsgründen gibt es hier keine gesetzliche Aufzählung der infrage kommenden Tatbestände; vielmehr muss im Einzelfall jeweils konkret der Grund für das Vorliegen der Besorgnis der Befangenheit festgestellt und bewertet werden. Die Zahl dieser Gründe ist nicht beschränkt, und die Gründe selbst sind nur schwer systematisch darstellbar. Meist wird in den Kommentaren folgende Grobgliederung vorgenommen:

- Persönliche oder geschäftliche Beziehungen zu einer Partei, zu deren Anwalt, Versicherung oder Privatgutachter;
- wirtschaftliche Abhängigkeiten von einer Partei oder der Versicherung einer Partei; Konkurrenzverhältnis zu einer Partei;
- vorprozessuale Beratung und Gutachtentätigkeit für eine Partei (Vorbefasstheit);
- vom Sachverständigen selbst geschaffene Ablehnungsgründe (z.B. Überreaktion auf Kritik gegen sein Gutachten, abfällige Äußerung zur Person oder zur Leistung einer Partei);
- Nichtbeachtung der Neutralitätspflichten im Rahmen der Orts- und Objektsbesichtigung;
- Überschreitung des Gutachtenauftrags zum Nachteil einer Partei;
- einseitige Kontakte zu einer Partei, wie z.B. Einholung von Auskünften und Anforderung von Unterlagen (Ausnahme: Ladung zur Ortsbesichtigung);
- einseitige Sachverhaltswürdigung;
- Kollegialverhältnis, berufliche Kontakte.

Die relativen Ablehnungsgründe müssen also der Gesetzgebung und der Rechtsprechung entnommen werden. Maßgebend sind hier Verletzungen von solchen Pflichten, die Vorgaben zur Neutralität, Objektivität und Sachlichkeit enthalten.

Entscheidend für einen erfolgreichen Ablehnungsantrag ist also nicht der Nachweis, dass der Sachverständige tatsächlich befangen ist, sondern vielmehr, ob die ablehnende Partei aus ihrer subjektiven Sicht mit einer plausiblen, gedanklich nachvollziehbaren Erklärung Zweifel an der Unbefangenheit des Sachverständigen haben kann. Maßgebend dafür ist wiederum die Sicht einer einigermaßen verständigen Partei. Es bedeutet schon eine erhebliche Überforderung, wenn ein Sachverständiger im Ansatz erkennen soll, ob ein solcher Grund gegeben ist. Dennoch wird diese Beurteilung nach § 407a Abs. 2 ZPO vom Sachverständigen verlangt; kommt er dieser Hinweispflicht nicht nach, drohen ihm ein Ordnungsgeld und der Verlust seiner Vergütung.

2.5.6 Pflichtenkatalog zum Neutralitätsgebot im Rahmen einer Gutachtenerstattung

Da der Gesetzgeber in der ZPO keine Aufzählung aller infrage kommender Neutralitätspflichten normiert hat, ist der Sachverständige auf die Kenntnis der kaum mehr überschaubaren Anzahl von Gerichtsentscheidungen angewiesen. Eine Hilfestellung bieten zahlreiche Übersichten in Fachzeitschriften und Broschüren. Nachstehend ist aus jüngerer Zeit eine Auswahl solcher Übersichten zusammengestellt:

- **Hirschfelder, Marcus**, Die Ablehnung des Sachverständigen wegen Befangenheit – Rechtsprechungsübersicht, BauSV 4/2016, S. 65
- **Institut für Sachverständigenwesen**, Broschüre „Abgelehnt wegen Besorgnis der Befangenheit", 160 Entscheidungen mit Leitsätzen, alphabetisch geordnet, Köln, 5. Aufl. 2019, S. 51–104
- **Lehmann, Felix**, Ablehnung des Gerichtssachverständigen wegen Besorgnis der Befangenheit
  - Artikelserie zur Rechtsprechung aus den Jahren 2013–2015, Der Kfz-Sachverständige 1/2017, S. 30; 2/2017, S. 23; 3/2017, S. 27; 4/2017, S. 19
  - Artikelserie zur Rechtsprechung aus den Jahren 2011/2012, Der Kfz-Sachverständige 1/2015, S. 19; 2/2015, S. 15; 3/2015, S. 21
- **Linz, Julian**, Sanktionssystem und Tipps für die Praxis, DS 2017, S. 145
- **Weber, Christine** in Toussaint, Kostenrecht, JVEG, 120 alphabetisch geordnete Stichworte mit Zitaten zur Befangenheit, C.H. Beck, München, 53. Aufl. 2023, § 8a JVEG Rn. 68

Unter Nutzung dieser Quellen können die Pflichten, Fragestellungen und Gefahrenquellen – stark gekürzt – wie folgt formuliert werden:

2.5.6.1 Auftragserteilung

Vor Übernahme des Gutachtenauftrags muss der Sachverständige das Gericht über etwa vorhandene Ablehnungsgründe unterrichten (**Selbstanzeige**). Diese Unterrichtungspflicht wurde durch das Gesetz zur Änderung des Sachverständigenrechts vom 11.10.2016[3] in einer Ergänzung des § 407a ZPO durch einen neuen Absatz 2 wie folgt geregelt:

§ 407a Abs. 2 ZPO

Der Sachverständige hat unverzüglich zu prüfen, ob ein Grund vorliegt, der geeignet ist, Misstrauen gegen seine Unparteilichkeit zu rechtfertigen. Der Sachverständige hat dem Gericht solche Gründe unverzüglich mitzuteilen. Unterlässt er dies, kann gegen ihn ein Ordnungsgeld festgesetzt werden.

Mit dieser Neuregelung soll der Sachverständige veranlasst werden, sich in einem frühen Stadium der Ernennung seiner Unparteilichkeit zu vergewissern und diesbezügliche Sach-

3 BGBl. I S. 2222.

verhalte dem Gericht anzuzeigen. Die Parteien sollen auf diese Weise in die Lage versetzt werden, den Sachverständigen bereits vor Beginn seiner Arbeiten am Gutachten wegen Besorgnis der Befangenheit abzulehnen. Diese Neuregelung ist völlig überflüssig, weil sich eine gleichlautende Pflicht bereits aus § 8a Abs. 1 JVEG ergibt. Dort gibt es sogar eine strengere „Strafvorschrift" als in der Neuregelung: Der Sachverständige verliert bei Verschulden den gesamten Vergütungsanspruch.

Auch die neue Unterrichtungspflicht kann über § 8a Abs. 2 Satz 1 Nr. 1 JVEG zum Verlust der Vergütung führen. Eine Verschärfung der Rechtslage zum Nachteil des Sachverständigen ergibt sich daraus, dass der Sachverständige zusätzlich mit einem Ordnungsgeld bis zu 3.000 Euro belegt werden kann.

Der Sachverständige sollte daher vor Übernahme des Gutachtenauftrags folgende Sachverhalte prüfen und dem Gericht unverzüglich mitteilen:

- Gibt es oder gab es persönliche, berufliche oder fachliche Beziehungen zu einer Partei, zu ihrem Anwalt, ihrem Versicherer oder ihrem Privatgutachter?
- Steht der Sachverständige in einem wirtschaftlichen Abhängigkeitsverhältnis oder einem Konkurrenzverhältnis zu einer Prozesspartei?
- War der Sachverständige schon einmal mit demselben Streitgegenstand im Rahmen eines Privatgutachtens oder einem anderen gerichtlichen Verfahren befasst? Das kommt auch infrage, wenn der Sachverständige in derselben Sache bereits in einem außergerichtlichen Streitbeilegungsverfahren als Sachverständiger tätig gewesen war.[4]

Bei offensichtlichen und leicht erkennbaren Ablehnungsgründen darf der Sachverständige also nicht auf ein Ablehnungsgesuch warten, sondern muss von sich aus spontan dem Gericht den Ablehnungsgrund bekannt geben (Selbstanzeige) und vor Arbeitsbeginn dessen Entscheidung abwarten.

Auch sollte der Sachverständige vor Beginn der Arbeiten am Gutachten das Gericht auf etwaige Befangenheitsgründe hinweisen und dabei folgende **Formulierung** verwenden:

„Ich fühle mich nicht befangen, möchte aber vorsorglich darauf hinweisen, dass …" [es folgt die Schilderung des Ablehnungsgrundes].

Eine solche Selbstanzeige wird in der Regel dazu führen, dass der Sachverständige durch das Gericht vom Gutachtenauftrag entbunden wird. Der Sachverständige vergibt sich durch eine Selbstanzeige nichts, sondern **gewinnt vielmehr an Glaubwürdigkeit**, sollte er dennoch mit der Erstattung des Gutachtens beauftragt werden, was durchaus möglich ist.

2.5.6.2 Vorbereitung des Gutachtens

Informationen, Auskünfte und Unterlagen darf der Sachverständige nur dann von einer Partei einholen bzw. anfordern, wenn er das Gericht und die andere Partei zuvor davon unterrichtet. Eigene Ermittlungen, die über das im Beweisbeschluss vorgegebene Beweisthema hinausgehen, führen zur Befangenheitsablehnung.

---

4 BGH, B. v. 13.12.2016 – VI ZB 1/16, DS 2017, S. 62 = VersR 2017, S. 376.

2.5.6.3 Ortsbesichtigung

- Zur Ortsbesichtigung müssen beide Parteien, deren Anwälte und der Nebenintervenient (falls vorhanden) eingeladen werden.
- Der Sachverständige darf nicht im Pkw einer Prozesspartei oder eines Prozessbevollmächtigten zur Ortsbesichtigung fahren, um Fahrtkosten zu sparen.
- Von der Ortsbesichtigung darf der Sachverständige nicht eine Partei dadurch benachteiligen, dass er dem Hausverbot der anderen Partei nachgibt und die Besichtigung nur mit der einen Partei durchführt.
- Die Durchführung der Ortsbesichtigung muss in zurückhaltender, distanzierter und nüchterner Atmosphäre durchgeführt werden.
- Der Sachverständige muss Parteiöffentlichkeit zulassen, also auch die Anwesenheit von Privatsachverständigen oder Mitarbeiter einer Partei.
- Der Sachverständige darf nur das Objekt und die Gegebenheiten untersuchen und beurteilen, die Streitgegenstand sind.

Weitere bei der Ortsbesichtigung zu beachtende Vorgaben finden sich in der IfS-Broschüre „Die Ortsbesichtigung durch Sachverständige", 9. Aufl. 2023, S. 37–45 und in dem Beitrag von *Linz, Julian*, Die Befangenheit des gerichtlichen Sachverständigen, DS 2017, S. 145 (150–152).

2.5.6.4 Formulierung des Gutachtens

- In seinem Gutachten muss sich der Sachverständige einer objektiven Darstellung und einer zurückhaltenden Ausdrucksweise befleißigen. Sprachliche Entgleisungen können einen Befangenheitsantrag rechtfertigen.
- Er darf nur die gestellten Fragen beantworten.
- Er darf keine rechtlichen Wertungen und keine den Gericht vorbehaltene Beweiswürdigung vornehmen.
- Er darf streitige Tatsachen nicht als unstreitig darstellen und sollte herablassende Wertungen von Leistungen einer Partei nach Möglichkeit vermeiden.
- Zur Gestaltung des Gutachtens vgl. *Röhrich*, Das Gutachten des Bausachverständigen, 4. Aufl. 2017; *Westphal*, Das schriftliche Gutachten, Praxishandbuch Sachverständigenrecht, 6. Aufl. 2021, § 29.

2.5.6.5 Stellungnahme zur Kritik am Gutachten und zu Einwänden gegen die Person des Sachverständigen

Der Sachverständige wird in vielen Fällen vom Gericht aufgefordert, zur Kritik einer Partei am Inhalt seines Gutachtens oder zu Einwänden gegen seine Person Stellung zu nehmen. Diese Kritik ist in einigen Fällen hart an der Grenze der Beleidigung und Diskriminierung. Um hier eine Ablehnung zu vermeiden, sollte der Sachverständige bemüht sein, sachlich zu bleiben und nicht versuchen, mit gleicher Münze zurückzuzahlen. Genau dies provoziert in vielen Fällen die Partei, zu deren Ungunsten das Gutachten ausgegangen ist, um den „unliebsamen" Sachverständigen dann ablehnen zu können.

2.5.6.6 Erläuterung des Gutachtens im Termin

- Bei der Erläuterung seines Gutachtens in der mündlichen Verhandlung sollte sich der Sachverständige stets zurückhaltend und sachlich ausdrücken; er darf sich nicht provozieren lassen und muss der Sache und den Prozessbeteiligten unvoreingenommen und mit der gebotenen Distanz gegenüberstehen.
- Provozierende Äußerungen über den Inhalt seines Gutachtens sollte der Sachverständige mit sachlichen Argumenten erwidern.
- Der Sachverständige sollte auch in Mimik und Gestik vorsichtig sein. Es gibt Fälle, in welchen der Sachverständige erfolgreich abgelehnt wurde, weil er zu den Erläuterungen des Privatgutachters einer Partei sein Gesicht zu einem „überlegenen Lächeln" verzogen hatte.
- Der Sachverständige sollte sich in Zweifelsfällen (ob er überhaupt antworten soll, ob er auf eine bösartige Kritik reagieren soll) an den Richter wenden. Der Richter ist für eine faire Verhandlungsführung verantwortlich und soll Zeugen und Sachverständige vor unseriösen Angriffen in Schutz nehmen (§ 404a Abs. 1 ZPO).

2.5.6.7 Vergütung für die Stellungnahme zum Ablehnungsgesuch

In der Regel wird der Sachverständige vom Gericht in Kenntnis gesetzt, wenn eine Prozesspartei die Ablehnung wegen Besorgnis der Befangenheit beantragt. Er bekommt dann Gelegenheit zur Stellungnahme oder wird zur Stellungnahme ausdrücklich aufgefordert. Für diese Stellungnahme benötigt er Zeit. Hier entsteht die Frage, ob er dafür eine Zeitvergütung in Rechnung stellen kann.

Es ist herrschende Auffassung in Rechtsprechung und Literatur, dass der Sachverständige keine Vergütung für die Zeit beanspruchen kann, die er aufwendet, um zum Ablehnungsantrag gegen ihn Stellung zu nehmen.[5] Begründet wird das damit, dass die Stellungnahme zu einem Befangenheitsantrag kein Teil der vom Sachverständigen verlangten Sachverständigenleistung sei, sondern lediglich eine anlässlich der Gutachtentätigkeit ausgeführte Maßnahme darstelle, für das das JVEG keine Vergütung vorsehe. Diese Begründung ist sehr gekünstelt, zumal Stellungnahmen zur Kritik am Gutachten wiederum vergütungsfähig sein sollen.

Noch komplizierter wird es, wenn das Gericht den Sachverständigen auffordert, sowohl zum Befangenheitsantrag als auch zur Gutachtenkritik Stellung zu nehmen. Zu diesem Sachverhalt haben die Gerichte in der Sozialgerichtsbarkeit ein kompliziertes Konzept entwickelt, wie der Zeitaufwand für die vergütungsfähige Stellungnahme zum Ablehnungsgesuch aus der Gesamtstellungnahme herausgerechnet werden muss, um für die fachliche Stellungnahme den vergütungsfähigen Zeitaufwand geltend machen zu können. Der sehr umständlich begründeten und mit vier amtlichen Leitsätzen versehenen Entscheidung des

5 Vgl. *Schneider*, Kommentar zum JVEG, 4. Aufl. 2021 § 8 Rn. 23; *Jahnke/Pflüger*, Kommentar zum JVEG, 28. Aufl. 2021, § 8a Rn. 23 – beide mit Rechtsprechungszitaten.

LSG Bayern vom 21.3.2016[6] kann folgendes Ergebnis entnommen werden: Der Sachverständige erhält keine Vergütung, wenn er lediglich zu einem Ablehnungsgesuch Stellung nimmt, das sich auf sein persönlichen Fehlverhalten bezieht; dagegen kann er eine Vergütung in Rechnung stellen, wenn er zu angeblich parteiischen Ausführungen in Gutachten fachkundig Stellung nehmen soll.

2.5.7 Besonderheiten/Einzelfälle

- Das Ablehnungsgesuch kann sich nur auf die Person beziehen, die vom Gericht zum Sachverständigen bestellt wurde. Überträgt der Sachverständige bei der Vorbereitung und Formulierung des Gutachtens in unzulässiger Weise Kernaufgaben auf eine andere Person (**Hilfskraft, Mitarbeiter, Untersachverständiger**), so kann diese Person nicht wegen Besorgnis der Befangenheit abgelehnt werden. In einem solchen Fall kann aber eine Besorgnis der Befangenheit des beauftragten Sachverständigen gegeben sein, wenn der Sachverständige die wesentlichen Teile der Vorarbeiten von einem Mitarbeiter oder Untersachverständigen erledigen lässt, bei dem selbst Befangenheitsgründe vorliegen.
- **Privatgutachter** können nicht abgelehnt werden, weil sie keine Sachverständigen i.S.d. §§ 402 ff. ZPO sind. Wird der Privatgutachter jedoch zunächst als Zeuge geladen und im Termin ad hoc als Sachverständiger bestellt und vernommen, kann er wegen Besorgnis der Befangenheit abgelehnt werden; unterbleibt dies, kann die Vernehmung des Sachverständigen nicht anschließend als verfahrensfehlerhaft gerügt werden.[7]
- **Es können nur natürliche Personen abgelehnt werden**. Bei Gutachtentätigkeit von **Behörden oder juristischen Personen** kann nicht die Behörde oder juristische Person als solche abgelehnt werden, sondern nur die natürliche Person, die im Namen der Behörde oder juristischen Person auftritt. Mitglieder eines Gutachterausschusses nach dem Baugesetzbuch, die natürliche Personen sind, können aber nicht wegen Besorgnis der Befangenheit abgelehnt werden, weil deren Gutachten als behördliche Auskünfte zu qualifizieren sind. Gleiches gilt für andere amtliche Auskünfte, beispielsweise durch Körperschaften des öffentlichen Rechts (Anwaltskammer, Handwerkskammer, Industrie- und Handelskammer).
- Eine Ablehnung des Sachverständigen findet auch im **selbständigen Beweisverfahren** und in anderen eilbedürftigen Verfahren statt (vgl. 2.5.8.7). Voraussetzung ist allerdings, dass durch das Ablehnungsgesuch der besondere Beschleunigungseffekt eines derartigen Verfahrens nicht verhindert wird. Eine erst im Hauptprozess angebrachte Ablehnung des Sachverständigen ist unzulässig, wenn der Ablehnungsgrund schon vor Einreichung des Gutachtens im Beweissicherungsverfahren bekannt gewesen ist.
- Keine Ablehnungsgründe sind **mangelnde Qualifikation des Sachverständigen und Fehler im Inhalt des Gutachtens.** Diese Einwände betreffen nicht die Befangenheit des Sachverständigen und sind daher bei der fachlichen Prüfung durch das Gericht

6 LSG Bayern, U. v. 21.3.2016 – L 15 RF 6/16, BeckRS 2016, 68371.
7 OLG Frankfurt, U. v. 3.4.2017 – 29 U 169/16, GuG 2017, S. 342.

zu bewerten. Ist das Gutachten aber so mangelhaft, dass es unter keinem Gesichtspunkt verwertet werden kann, kann über § 412 ZPO ein weiterer Sachverständiger bestellt werden; in diesem Fall verliert der Sachverständige bei Nachweis grober Mängel bereits aus diesem Grunde seinen Vergütungsanspruch (vgl. § 8a Abs. 2 Satz 1 Nr. 2 JVEG). Gleiches gilt, wenn der Sachverständige gegen seine **Pflicht zur persönlichen Gutachtenerstattung** verstößt; auch in diesem Fall ist das Gutachten unverwertbar mit der Rechtsfolge des Vergütungsverlusts (vgl. § 8 Abs. 2 Satz 1 Nr. 1 JVEG).

- Kein Ablehnungsgrund ist die **Kontaktaufnahme mit dem Gericht** oder dem einzelnen Richter eines Kollegiums zum Zwecke der Abstimmung des Beweisbeschlusses vor Auftragsübernahme oder zum Zwecke der Beantwortung ungeklärter Fragen nach Übernahme des Gutachtenauftrags durch den Sachverständigen. Dazu sind Sachverständige und Richter sogar gesetzlich verpflichtet (vgl. §§ 404a und 407a ZPO).
- Die erfolgreiche Ablehnung eines Sachverständigen wegen Besorgnis der Befangenheit hindert das Gericht nicht daran, ihn als **Zeugen oder Sachverständigen Zeugen** über Tatsachen zu vernehmen, die ihm bei Durchführung des ihm erteilten Auftrags bekannt geworden sind, oder ihn zu Wahrnehmungen anzuhören, die er im Zusammenhang mit der Beschaffung von Tatsachen für die Erstellung des Gutachtens gemacht hat.
- **Zeugen, Sachverständige Zeugen und Gehilfen** des Sachverständigen können nicht wegen Besorgnis der Befangenheit abgelehnt werden (vgl. dazu 2.5.8.8). Dies gilt insbesondere dann, wenn der abgelehnte Sachverständige als Zeuge vernommen werden soll. Bei Zeugen kann später nur die Glaubwürdigkeit seiner Aussagen infrage gestellt werden. Er kann jedoch dahingehend vereidigt werden, wahrheitsgemäß auszusagen (§§ 391, 392 ZPO).
- Mit streitiger Verhandlung über das Beweisergebnis oder mit Zustimmung zur Beauftragung eines bestimmten Sachverständigen **verwirkt eine Partei das Recht auf Ablehnung eines Sachverständigen**. Teilweise spricht man auch vom Verzicht auf das Ablehnungsrecht.
- Der Sachverständige darf bei der **Ortsbesichtigung** nur die Objekte besichtigen und Mängel begutachten, die vom gerichtlichen Gutachtenauftrag abgedeckt sind (vgl. 2.5.6.3). Entdeckt er darüber hinaus weitere Mängel und stellt sie zur Diskussion, ist das grundsätzlich ein Befangenheitsgrund. Handelt es sich bei diesen nicht gerügten Mängeln aber um solche, die eine Gefahr für Leib und Leben Dritter bedeuten, ist er zwar zur Offenbarung nicht verpflichtet; er sollte sich aber in einem solchen Fall an das Gericht wenden und um dessen Entscheidung bitten. Ein Hinweis während der Ortsbesichtigung ist kein Befangenheitsgrund;[8] es gibt aber auch anderslautende Kommentierungen.
- Eine **Überschreitung des Gutachtenauftrags** begründet für sich genommen noch nicht die Besorgnis der Befangenheit des Sachverständigen. Notwendig ist darüber hinaus die Feststellung, dass sich dem Verhalten des Sachverständigen Belastungstendenzen entnehmen lassen, die aus der Sicht einer Partei bei vernünftiger Betrach-

8 OLG Stuttgart, B. v. 14.6.2016 – 10 W 23/16, DS 2016, S. 205 = BauSV 1/2017, S. 49 mit Anmerkung von *Garchow*; *Bleutge*, DS 2023, S. 11, 13.

tung den Eindruck der Voreingenommenheit zu erwecken vermögen.[9] Sollten jedoch beide Parteien während der Ortsbesichtigung den Sachverständigen auffordern, bisher nicht gerügte Mängel festzustellen und zu begutachten, sollte er sich dieser Aufforderung nicht verschließen, dem Gericht aber unverzüglich nach Beendigung der Ortsbesichtigung davon berichten und im Rahmen des § 404a ZPO um Weisung bitten, wie er weiterverfahren soll.

2.5.8 Was muss der Sachverständige vom Ablehnungsverfahren wissen?

Diese Frage wird in einem einzigen Paragrafen geregelt (§ 406 ZPO):

2.5.8.1 Antrag auf Ablehnung

Erkennbare Ablehnungsgründe gegen den Sachverständigen sind **nicht von Amts wegen** zu berücksichtigen, sondern müssen von der betroffenen Partei im Wege eines formalen Ablehnungsantrags geltend gemacht werden. Der Ablehnungsantrag ist **bei dem Gericht oder Richte**r zu stellen, von dem der Sachverständige ernannt ist (vgl. § 406 Abs. 2 Satz 1 ZPO). Der Antrag unterliegt nicht dem Anwaltszwang.

Wird ein **Ablehnungsgesuch während der Ortsbesichtigung** an den Sachverständigen selbst gerichtet, so sollte der Sachverständige wie folgt verfahren:

- Erfährt er von der Ablehnung vor Beginn oder in der Anfangsphase der Ortsbesichtigung, so sollte er den Termin abbrechen oder bei möglicher telefonischer Verständigung mit dem Richter dessen Rat einholen.
- Ist der Ortstermin jedoch schon so weit fortgeschritten, dass die damit verbundenen Kosten im Wesentlichen schon entstanden sind, sollte der Sachverständige die Ortsbesichtigung zu Ende führen, auch auf die Gefahr hin, dass beim Erfolg des Ablehnungsgesuchs das Ergebnis des Ortstermins insgesamt nicht mehr verwertbar ist. In diesem Fall ist eine sofortige Kontaktaufnahme mit dem Richter nach Beendigung der Ortsbesichtigung empfehlenswert.

2.5.8.2 Einhaltung der Zweiwochenfrist

Das Ablehnungsgesuch kann frühestens nach der Ernennung des Sachverständigen gestellt werden. Nach § 406 Abs. 2 Satz 1 ZPO muss die Ablehnung vor der Vernehmung des Sachverständigen erfolgen, **spätestens jedoch binnen zwei Wochen** nach Verkündung oder Zustellung des Beschlusses über die Ernennung. Zu einem späteren Zeitpunkt ist die Ablehnung nur zulässig, wenn der Antragsteller glaubhaft macht, dass er ohne sein Verschulden verhindert war, den Ablehnungsgrund früher geltend zu machen (§ 406 Abs. 2 Satz 2 ZPO); in diesem Fall muss der Antrag unverzüglich, also analog § 121 BGB ohne schuldhaftes Zögern nach Kenntniserlangung des Ablehnungsgrundes, gestellt werden.

---

9 OLG Bamberg, B. v. 7.3.2017 – 4 W 16/17, DS 2017, S. 232; BGH, B. v. 11.4.2013 – VII ZB 32/12, DS 2013, S. 228 = NZBau 2013, S. 569.

Verhandelt eine Partei in Kenntnis des Ablehnungsgrundes zur Sache, so geht ihr Ablehnungsrecht verloren.

Ein Ablehnungsgesuch, das sich auf das Gutachten selbst stützt, muss unverzüglich nach Kenntniserlangung erhoben werden; anderenfalls ist es als verspätet und damit als unzulässig zurückzuweisen.

Ergeben sich aus den Unterlagen einer Partei Anhaltspunkte dafür, dass der vom Gericht bestellte Sachverständige in derselben Sache bereits für die andere Seite tätig war, hat sie selbst Erkundigungen anzustellen, ob der Ablehnungsgrund tatsächlich besteht.[10] Unterlässt sie dies, verliert sie ihr Ablehnungsrecht.[11]

Eine Prozesspartei verliert ihr Ablehnungsrecht weiter dann, wenn sie sich in Kenntnis des Anlehnungsgrundes in eine Verhandlung eingelassen hat oder Anträge gestellt hat (§ 43 ZPO). Wenn sich also beispielsweise eine Partei, nachdem ihr Sachvortrag vom Sachverständigen im Verhandlungstermin als „frech" bezeichnet wurde, gleichwohl weiterhin auf die Anhörung des Sachverständigen einlässt, ohne die Rüge der Befangenheit zu erheben, ist sie mit einer späteren Ablehnung des Sachverständigen gemäß § 43 ZPO ausgeschlossen.[12]

2.5.8.3 Kreis der Antragsberechtigten

Ablehnungsberechtigt sind die **Prozessparteien und deren Streitgehilfen**. Das Ablehnungsgesuch unterliegt im Anwaltsprozess keinem Anwaltszwang, sodass auch eine Partei persönlich den Ablehnungsantrag bei Gericht anbringen kann.

Der Antrag auf Ablehnung des Sachverständigen kann außerhalb der mündlichen Verhandlung vor der Geschäftsstelle zu Protokoll erklärt werden (vgl. § 406 Abs. 2 Satz 3 ZPO). In der Verhandlung ist der Antrag im Sitzungsprotokoll aufzunehmen.

2.5.8.4 Begründung des Ablehnungsgesuchs

Der Ablehnungsgrund ist glaubhaft zu machen; zur Versicherung an Eides statt darf die Partei nicht zugelassen werden (vgl. § 406 Abs. 3 ZPO). Die Glaubhaftmachung erfordert gemäß § 294 ZPO den Nachweis der ablehnenden Partei, dass der von ihr vorgetragene Sachverhalt mit überwiegender Wahrscheinlichkeit zutrifft. Die Anhörung des Sachverständigen kann als Beweismittel in Betracht kommen. Eine eigene eidesstattliche Versicherung einer Prozesspartei ist ausgeschlossen.

Über den Ablehnungsantrag muss nicht mündlich verhandelt werden (vgl. § 406 Abs. 4 ZPO). Jedoch muss allen Verfahrensbeteiligten rechtliches Gehör gewährt werden. Dem Prozessgegner muss also Gelegenheit der Stellungnahme gegeben werden.

---

10 BGH, B. v. 23.9.2008 – X ZR 135/04 (2), DS 2009, S. 32.

11 OLG Celle, B. v. 21.1.2005 – 3 W 6/05, juris (§ 406 Abs. 2 Satz 2 ZPO).

12 OLG Köln, B. v. 21.12.2008 – 5 W 58/08, DS 2009, S. 351.

2.5.8.5 Stellung des Sachverständigen im Ablehnungsverfahren

Der Sachverständige gehört nicht zu den Verfahrensbeteiligten; mithin muss ihm – rein formal – keine Möglichkeit zur Stellungnahme eingeräumt werden. Im Hinblick auf Art. 103 Abs. 1 GG wird von der herrschenden Auffassung in Literatur und Rechtsprechung eine **obligatorische Anhörung** für notwendig gehalten.

Wird der Sachverständige aufgefordert, zu dem Ablehnungsantrag schriftlich Stellung zu nehmen, sollte er seine Ausführungen in einer nüchternen, sachlichen und gelassenen Weise formulieren. Der souveräne Sachverständige nimmt es mit Würde hin, wenn er einmal mit Erfolg wegen Besorgnis der Befangenheit abgelehnt wird, weil darin keine Diskriminierung liegt. Überreaktionen in der schriftlichen Stellungnahme begründen vielleicht erst das Ablehnungsgesuch. Je sachlicher er zum Ablehnungsgesuch Stellung nimmt, desto mehr werden seine innere Sicherheit, Objektivität und Überlegenheit in Erscheinung treten (vgl. dazu auch Abschnitte 2.5.6.5 und 2.5.6.7).

Der Sachverständige kann sich **nicht selbst ablehnen**. § 48 ZPO, der die Selbstablehnung des Richters regelt, ist auf den Sachverständigen nicht übertragbar. Allerdings steht dem Sachverständigen im Rahmen des § 408 Abs. 1 ZPO das Recht zu, die Übernahme des Gutachtenauftrags zu verweigern. Voraussetzung dafür ist, dass keine Übernahmepflicht nach § 407 ZPO besteht oder einer der Verweigerungsgründe vorliegt, die nach §§ 383 und 384 ZPO für den Zeugen vorgesehen sind.

2.5.8.6 Entscheidung über den Ablehnungsantrag

Das Gericht entscheidet über den Ablehnungsantrag durch **gesonderten Beschluss** und nicht im Rahmen der Endentscheidung.

Gegen den Beschluss, durch den die Ablehnung für **begründet** erklärt wird, findet kein Rechtsmittel statt (vgl. § 406 Abs. 5 ZPO). **Auch dem Sachverständigen stehen gegen den erfolgreichen Ablehnungsbeschluss keine Rechtsmittel zu** (*Bleutge*, IfS-Informationen 4/2020, S. 30); ihm stehen aber Rechtsmittel nach dem JVEG zur Verfügung, wenn nach der Ablehnung wegen angeblich grob fahrlässiger Verursachung der Ablehnung sein Vergütungsanspruch auf Null festgesetzt wird.

Gegen den Beschluss, durch den die Ablehnung für **unbegründet** erklärt wird, findet das Rechtsmittel der sofortigen Beschwerde statt (vgl. § 406 Abs. 5 ZPO).

2.5.8.7 Selbständiges Beweisverfahren

Die Ablehnung eines Sachverständigen im selbständigen Beweisverfahren ist **grundsätzlich zulässig**, weil sie im Hauptsacheprozess grundsätzlich nicht nachgeholt werden kann.[13]

---

13 KG, B. v. 1.10.1997 – 4 W 5615/97, BauR 1998, S. 364; OLG Koblenz, B. v. 7.8.2008 – 4 W 467/08, DS 2009, S. 79; BGH, B. v. 23.5.2006 – VI ZB 29/05, NJW-RR 2006, S. 1312 = NZBau 2006, S. 648; *Ulrich*, Selbständiges Beweisverfahren mit Sachverständigen, 2. Aufl. 2008, Rn. 106; *Grossam*, Praxishandbuch Sachverständigenrecht, § 21 Rn. 41.

Soweit ein Sachverständiger mit einer Partei **vorprozessuale Kontakte** zum Zwecke der Abklärung seiner Bereitschaft zur Übernahme des Auftrags und seiner Zuständigkeit für die speziellen Fachfragen im Beweissicherungsverfahren hatte, liegt darin kein Grund zur Besorgnis der Befangenheit.

Eine von der Partei erst im Hauptprozess angebrachte Ablehnung des Sachverständigen ist unzulässig, wenn ihr die behaupteten Ablehnungsgründe schon vor Einreichung des Gutachtens im Beweissicherungsverfahren bekannt gewesen sind.

Wenn die **Beweissicherung** allerdings durch eine Ablehnung praktisch **vereitelt** würde, hält die Rechtsprechung ausnahmsweise eine Ablehnung des Sachverständigen in einem solchen „Eilverfahren" für unzulässig. Beispielsweise wäre eine Ablehnung unzulässig, wenn dadurch der Beschleunigungseffekt eines Eilverfahrens verloren ginge oder das zu begutachtenden Objekt während der Dauer des Ablehnungsverfahrens in seinem Zustand verändert oder inzwischen sogar zerstört würde.[14]

Wird dem Befangenheitsantrag im Beweiserhebungsverfahren stattgegeben, ist die entsprechende Entscheidung auch für das Hauptverfahren bindend. Ein bereits im selbständigen Beweisverfahren vom Gericht bestellter Sachverständiger kann im anschließenden Hauptprozess abgelehnt werden, wenn zur Ablehnung im vorangehenden Beweiserhebungsverfahren keine Möglichkeit bestand.[15]

2.5.8.8 Sachverständiger Zeuge

Der „Sachverständige Zeuge" wird in § 414 ZPO geregelt. Es handelt sich dabei um eine Person, die etwas sinnlich wahrgenommen (gesehen, gehört, geschmeckt) hat, welches sie nur dank ihrer Sachkunde dem Gericht mitteilen kann. § 414 ZPO hat folgenden Wortlaut:

§ 414 ZPO

Insoweit zum Beweis vergangener Tatsachen oder Zustände, zu deren Wahrnehmung eine besondere Sachkunde erforderlich war, sachkundige Personen zu vernehmen sind, kommen die Vorschriften über den Zeugenbeweis zur Anwendung.

Mithin kommt hier eine Ablehnung wegen Besorgnis der Befangenheit nicht zur Anwendung. Der Sachverständige muss jedoch wissen, dass ein sachverständiger Zeuge rechtlich zum Sachverständigen „mutieren" kann, wenn er bei seiner Vernehmung Fragen beantworten muss, die sich auf die Anwendung seiner Sachkunde beziehen, also sich nicht darauf beschränken, eine tatsächliche Wahrnehmung wiederzugeben (*Bleutge*, DS 2019, S. 273; *Schneider*, § 19, Rn. 24–30; *Westphal*, Praxishandbuch Sachverständigenrecht, § 20 Rn. 45–47). Beispiel: „Welche Bauschäden haben Sie festgestellt?" und dann „was ist die Ursache des Schadens und was kostet seine Sanierung?". Er schildert nicht nur Tatsachen, sondern zieht daraus auch fachliche Schlüsse. In einem solchen Fall kann er wegen Besorgnis der Befangenheit abgelehnt werden und hat einen Vergütungsanspruch nach §§ 8 und 9 JVEG.

---

14 Vgl. Rspr. bei *Ulrich*, Selbständiges Beweisverfahren mit Sachverständigen, 2. Aufl. 2008, Rn. 5.137 in Fn. 727.

15 BGH, B. v. 23.5.2006 – VI ZB 29/05, IfS-Informationen 5/2006, S. 11 = DS 2006, S. 317 = NZBau 2006, S. 648 = BauR 2006, S. 1500.

2.5.9 Rechtsfolgen der Ablehnung

Mit der erfolgreichen Ablehnung des Sachverständigen **erlischt sein Gerichtsauftrag**. Sein Gutachten darf nicht mehr verwertet werden. Er darf am Verfahren nicht mehr teilnehmen und auch seine das Gutachten vorbereitende Tätigkeit darf im Verfahren oder in der gerichtlichen Entscheidung nicht verwertet werden. Allerdings kann der abgelehnte Sachverständige unter bestimmten Voraussetzungen über die von ihm bei der Vorbereitung des Gutachtens festgestellten Tatsachen oder gemachten Wahrnehmungen als Zeuge oder als sachverständiger Zeuge vernommen werden.

Der Sachverständige kann eine **Vergütung nach dem JVEG** für alle Leistungen verlangen, die er bis zum Zeitpunkt der erfolgreichen Ablehnung erbracht hat. Das gilt sowohl hinsichtlich der erforderlichen Zeit für die erbrachten Vorarbeiten als auch für die Auslagen (Fahrtkosten, Fotos, Hilfskräfte, Kopien usw.). **Voraussetzung ist jedoch, dass keiner der drei Erlöschenstatbestände des § 8a JVEG** vorliegt. Ist der Sachverständige schuldhaft seiner Hinweispflicht nicht nachgekommen, verliert er seinen Vergütungsanspruch. Kein Verlust tritt ein, wenn das Gericht diese Vorarbeiten verwertet (*Bleutge*, Beck-Online-Kommentar, § 8a JVEG Rn. 13–19; *Linz*, DS 2017, S. 145; *Schneider*, § 8a Rn. 15). Keine Vergütung gibt es für die Zeit der Formulierung der Stellungnahme des Sachverständigen zum Ablehnungsantrag der Parteien (*Schneider*, § 8 Rn. 23). Soweit er vom Gericht ausdrücklich aufgefordert wird, zu angeblich parteiisch formulierten Sachfragen Stellung zu nehmen, kann er für die dazu aufgewendete Zeit eine Vergütung nach § 8 JVEG beanspruchen (*Bleutge*, Beck-Online-Kommentar, § 8 JVEG Rn. 36 mit Rechtsprechung u. IfS-Broschüre „Abgelehnt wegen Befangenheit", 5. Aufl. 2019, S. 33).

Folgende drei Erlöschenstatbestände sollte der Sachverständige kennen

Vgl. Wortlaut unter 2.5.4.3.

Erster Erlöschenstatbestand (§ 8a Abs. 1 JVEG)

Der Sachverständige hat dem Gericht nicht unverzüglich einen Umstand angezeigt, der zu seiner Ablehnung berechtigt, es sei denn, er hat den unterlassenen Hinweis nicht zu vertreten. „Unverzüglich" bedeutet, dass bereits bei Übernahme des Auftrags geprüft werden muss, ob ein Befangenheitsgrund vorliegt. Ein typischer Fall liegt beispielsweise dann vor, wenn der Sachverständige für eine Prozesspartei bereits in derselben Sache oder in anderen Angelegenheiten gutachterlich tätig gewesen war oder mit ihr geschäftlich verbunden oder befreundet ist. Voraussetzung ist nicht, dass der Sachverständige im Verfahren tatsächlich wegen Besorgnis der Befangenheit abgelehnt wurde; die erfolgreiche Ablehnung im Hauptverfahren hat im Festsetzungsverfahren nach § 4 Abs. 1 JVEG keine bindende Wirkung. Es geht allein um die Verletzung der Hinweispflicht. Allerdings genügt bereits eine leicht fahrlässige Sorgfaltspflichtverletzung, um den Vergütungsanspruch des Sachverständigen zu Fall zu bringen.

Zweiter Erlöschenstatbestand (§ 8a Abs. 2 Satz 1 Nr. 1 JVEG i.V.m. § 407a Abs. 2 ZPO)

Hier geht es um die Unterlassung der Prüfungs- und Mitteilungspflicht des Sachverständigen von Gründen, die geeignet sind, seine Unparteilichkeit zu rechtfertigen. Die Voraussetzungen, insbesondere die Voraussetzung des Verschuldens, sind identisch mit dem vorhergehenden Erlöschenstatbestand, sodass auf die dortigen Erläuterungen verwiesen werden kann.

Dritter Erlöschenstatbestand (§ 8a Abs. 2 Satz 1 Nr. 3 JVEG)

Hier geht es nicht um die Unterlassung einer Hinweispflicht, sondern um den Fall, dass der Sachverständige selbst einen Ablehnungsgrund geschaffen hat. Zugunsten des Sachverständigen verlangt diese Bestimmung, dass dem Sachverständigen eine grob fahrlässige Pflichtverletzung nachgewiesen wird. Grobe Fahrlässigkeit liegt dann vor, wenn der Sachverständige einen Ablehnungsgrund in besonders krasser Weise verursacht hat oder bei seinem Verhalten im Prozess die Pflicht zur Neutralität in ungewöhnlich großem Maße verletzt und nicht das beachtet hat, was jedem ordentlichen Sachverständigen hätte einleuchten müssen. Die Frage, ob noch leichte oder schon grobe Fahrlässigkeit vorliegt, ist nicht einfach zu treffen. Das zeigen gerichtliche Entscheidungen, die bei gleichgelagerten Fällen zu unterschiedlichen Ergebnissen gelangen.

2.5.10 Weiterführende Literatur

Bleutge, Katharina, Die Unparteilichkeit von Gerichtssachverständigen, DS 2012, S. 338

Bleutge, Peter, Abgelehnt wegen Befangenheit – Vermeidung und Handlungsstrategien, Institut für Sachverständigenwesen, Köln, 5. Aufl. 2019, S. 120

Bleutge, Peter, Neue Urteile (2022 u. 2023) zur Befangenheit, IfS-Informationen 1/2023, S. 14 u. 4/2023, S. 13

Bleutge, Peter, Besorgnis der Befangenheit; vier gesetzliche Normen mit unterschiedlichen Rechtsfolgen. IfS-Informationen 2/2021, S. 24

Diehm, Dirk, Die Vorbefassung des Sachverständigen; zur Prüf- und Mittelungspflicht nebst Sanktionen, DS 2022, S. 116

Essig, Jennifer, Dier Besorgnis der Befangenheit des Bausachverständigen; Handlungsempfehlungen für Bausachverständigte, BauSV 3/2023, S. 64

Hirschfelder, Marcus, Die Ablehnung des Sachverständigen wegen Befangenheit – Rechtsprechungsübersicht, BauSV 4/2016, S. 65

Lehmann, Felix, Ablehnung des Gerichtssachverständigen wegen Besorgnis der Befangenheit, Artikelserie zur Rechtsprechung aus den Jahren 2013–2015, Der Kfz-Sachverständige 1/2017, S. 30; 2/2017, S. 23; 3/2017, S. 27; 4/2017, S. 19; 5/2020, S. 36; 1/2021, S. 32; 1/2021, S. 32

Linz, Julian, Die Befangenheit des gerichtlichen Sachverständigen, DS 2017, S. 145

Morgenroth, Bernd, Die Ablehnung des gerichtlich bestellten Sachverständigen wegen Befangenheit und deren Folgen – Ein Überblick der aktuellen Rechtsprechung, DS 2011, S. 26

Schneider/Groneman, Befangenheitsablehnung im Zivilprozess, 4. Aufl. 2017

Schneiderhahn, Wolfgang, Stolperfalle Befangenheit – die Unparteilichkeit des gerichtlichen Sachverständigen, BauSV 2/2019, S. 65

Thierau, Thomas, Wann ist der gerichtliche Sachverständige befangen? DS 2022, S. 121

Ulrich, Jürgen, Ablehnung des gerichtlichen Sachverständigen, in: Der gerichtliche Sachverständige, Carl Heymanns Verlag, Köln, 12. Aufl. 2007, S. 113–158

Ulrich, Jürgen, Ablehnung des gerichtlichen Sachverständigen, in: Selbständiges Beweisverfahren mit Sachverständigen, C.H. Beck, München 2008, Rn. 106–145

Ulrich, Jürgen/Ulrich, Martin, Die Sachverständigen und ihr Honorar, 2018, § 8a JVEG, S. 578 u. S. 607

Westphal, Karsten, Ablehnung des gerichtlichen Sachverständigen wegen Besorgnis der Befangenheit, in: Praxishandbuch Sachverständigenrecht, C.H. Beck, München, 6. Aufl. 2021, § 20

2.5.11 „Zehn Gebote" zur Neutralität (Gewissenserforschung)

Nachstehender Fragenkatalog wurde mit Genehmigung des Instituts für Sachverständigenwesen e.V. (IfS) der Broschüre von *Bleutge, Peter* „Abgelehnt wegen Befangenheit", 5. Aufl. 2019, S. 108 entnommen.

Fragenkatalog zur Vermeidung einer Befangenheitsablehnung

1. Habe ich vor Übernahme des Gutachtenauftrags geprüft,

- ob ich zu einer der Parteien, den Anwälten oder den beteiligten Versicherungen in persönlicher oder geschäftlicher Beziehung stehe oder gestanden habe?
- ob ich mit einer der Parteien in geschäftlichem Wettbewerb stehe oder von ihr wirtschaftlich abhängig bin?
- ob ich in derselben Sache für eine Partei bereits ein Privatgutachten erstattet habe?
- ob erkennbar sonstige Gründe vorliegen, die eine Besorgnis der Befangenheit rechtfertigen könnten?

2. Habe ich das Gericht im Falle des Vorliegens solcher Befangenheitsgründe vor Übernahme des Gutachtenauftrags auf die betreffenden Sachverhalte nachweisbar hingewiesen?

3. Habe ich bei der Vorbereitung des Gutachtens, insbesondere der Einholung der für die fachliche Beurteilung erforderlichen Auskünfte und Unterlagen, die von einer Partei angefordert werden mussten, zuvor das Gericht und die andere Partei informiert und bei der Anforderung die notwendige Distanz zu der Partei gewahrt, die die Auskünfte und Unterlagen erteilt bzw. herausgegeben hat? Habe ich dabei persönliche Kontakte mit einer Partei, soweit möglich, vermieden?

4. Habe ich beide Parteien, deren Prozessvertreter und Streithelfer (falls vorhanden) zur Ortsbesichtigung eingeladen?

5. Habe ich eine mindestens zehntägige Ladungsfrist eingehalten und einer begründeten Bitte nach Terminverlegung entsprochen?

6. Bin ich alleine zur Ortsbesichtigung gefahren und habe dort 15 Minuten gewartet, bis alle Geladenen eingetroffen sind?

7. Habe ich bei Verweigerung des Zutritts einer Partei zum Grundstück der anderen Partei (Partei hat Hausrecht) die Ortsbesichtigung abgebrochen?

8. Habe ich mich während der Ortsbesichtigung und im Gutachten einer sachlichen Ausdrucksweise bedient und mich über keine der Parteien persönlich oder hinsichtlich ihrer fachlichen Leistungen voreingenommen, abfällig, diskriminierend oder beleidigend geäußert?

9. Habe ich mich in meinem Gutachten ausschließlich zu den im Beweisbeschluss gestellten Fragen geäußert, den Auftrag an keiner Stelle überschritten und rechtliche Beurteilungen vermieden?

10. Habe ich mich bei der Kritik der Parteien, der Anwälte und der Privatgutachter an meinem Gutachten in der vom Gericht dazu angeforderten Stellungnahme und in der späteren mündlichen Erörterung des Gutachtens im Termin bemüht, rein sachlich und fachlich zu argumentieren und mich nicht zu unbedachten, abfälligen oder diskriminierenden Äußerungen provozieren lassen?

Praxistipp

Wird gegen diese Gebote schuldhaft verstoßen, kann der Sachverständige nach den beiden Gebührentatbeständen des JVEG (§ 8a Abs. 1 und § 8a Abs. 2 Satz 1 Nr. 1 und Nr. 3) seinen Vergütungsanspruch vollständig verlieren. Werden diese Fragen positiv beantwortet, kann der Sachverständige dann immer noch seine Vergütung verlieren, wenn das Gutachten im Inhalt mangelhaft, also nicht verwertbar war (§ 8a Abs. 2 Satz 1 Nr. 2 JVEG).

2.5.12 Neuere Rechtsprechung (2023) in Leitsätzen

OLG Karlsruhe, 23.1.2023, BeckRS 2023, 1160 = DS 2023, S. 62

1. Die Frage, ob die Überschreitung eines Gutachtenauftrags geeignet ist, die Besorgnis der Befangenheit eines Sachverständigen zu begründen, ist nach den Umständen des Einzelfalls zu beantworten. Dabei kann eine Stellungnahme des Sachverständigen, die Komplexität der Beweisfrage und die Fülle des Prozessstoffes zu berücksichtigen sein.

2. Liegt in Ansehung aller Umstände eine bloße Fehlinterpretation des Gutachtenauftrags vor, stellt dies regelmäßig keinen Befangenheitsgrund dar. Dieser Vorwurf betrifft in der Sache nicht die Unparteilichkeit des Sachverständigen, sondern die Qualität des Gutachtens.

3. Unzulänglichkeiten oder Fehler des Gutachtens können dieses entwerten, rechtfertigen aber für sich allein nicht die Ablehnung des Sachverständigen wegen Befangenheit.

FG Hamburg, 21.2.2023, BeckRS 2023, 6797

Ein Sachverständiger ist gehalten, den Ortstermin abzurechnen, wenn einer Partei nicht gestattet wird, an den Ermittlungen teilzunehmen. Daraus ergibt sich kein Befangenheitsgrund.

LSG Thüringen, 11.4.2023, BeckRS 2023, 8324

Inhaltliche Mängel eines Gutachtens rechtfertigen für sich allein nicht die Besorgnis der Befangenheit.

OLG Dresden, 17.4.2023, BeckRS 2023, 11041 = BauSV 4/2023, S. 76

1. Die Verpflichtung eines medizinischen Sachverständigen zur höchstpersönlichen Gutachtenerstattung wird nicht dadurch infrage gestellt, dass einzelne Abschnitte auf Gehilfen übertragen werden, solange die Gesamtbeurteilung von dem Sachverständigen verantwortet wird.

2. Ein Ablehnungsantrag gegen den Sachverständigen kann daher nicht darauf gestützt werden, dass das Gutachten auch von einem Assistenten unterzeichnet ist (dürfte auch für andere Sachverständige gelten).

OLG München, 5.5.2023, BeckRS 2023, 10498

Zweifel an der Unparteilichkeit des Sachverständigen können auch dadurch begründet sein, dass seine Feststellungen über die durch den Beweisbeschluss vorgegebenen Beweisfragen und vom Auftrag nicht erfassten Fragen beantworten. Hievon ist regelmäßig auszugehen, wenn der Sachverständige bei der Gutachtenerstellung eigenmächtig über die ihm durch den Beweisbeschluss und den Gutachtenauftrag gezogenen Grenzen hinausgeht und sich daraus eine parteiliche Tendenz zugunsten oder zulasten einer Partei ergibt.

OLG Dresden, 5.6.2023, BeckRS 2023, 15136 = DS 2023, S. 191

Die Besorgnis der Befangenheit eines medizinischen Sachverständigen folgt nicht daraus, dass dieser nicht von sich aus mitteilt, dass er nicht mehr als Arzt tätig ist. Hieraus ggf. resultierende Bedenken gegen den Inhalt des Gutachtens sind im Instanzenzug geltend zu machen (gilt wohl auch für Sachverständige, die nicht mehr öffentlich bestellt oder zertifiziert sind, aber noch alte Aufträge zu Ende führen).

2.6 Die mündliche Gutachtenerläuterung vor Gericht

Mark Seibel

Übersicht

2.6.1 Einführung

Dieser Beitrag behandelt die vermehrt in die Diskussion geratene Thematik, wie die mündliche Erläuterung des schriftlichen Gutachtens durch den gerichtlich bestellten Sachverständigen nach § 411 Abs. 3 Satz 1 ZPO bzw. nach §§ 402, 397 ZPO in der Praxis gehandhabt werden soll.[1]

Bereits an dieser Stelle ist darauf hinzuweisen, dass im Bereich der Gutachtenerläuterung durch den Sachverständigen zwischen § 411 Abs. 3 Satz 1 ZPO und §§ 402, 397 ZPO unterschieden werden muss.[2]

- **§ 411 Abs. 3 Satz 1 ZPO** betrifft allein die Frage, ob das **Gericht** eine mündliche Erläuterung des schriftlichen Gutachtens von sich aus (also von Amts wegen) für geboten hält – z.B. weil es das Gutachten für widersprüchlich hält oder weil ihm das Gutachten aus sonstigen Gründen unklar erscheint.

1 Siehe auch: *Kamphausen*, BauR 2007, S. 807 ff.
2 Dazu: *Seibel*, BauSV 2/2011, S. 66, 68.

- Davon zu trennen ist die Frage, ob die **Parteien** einen **Anspruch auf Ladung des Sachverständigen** zur mündlichen Gutachtenerläuterung haben. Dieses Recht folgt unabhängig von § 411 Abs. 3 Satz 1 ZPO schon aus den allgemeinen Regelungen der **§§ 402, 397 ZPO**. Letztere dienen vor allem der Umsetzung des in Art. 103 Abs. 1 GG verfassungsrechtlich verankerten Anspruchs der Parteien auf Gewährleistung rechtlichen Gehörs vor Gericht.

In nahezu allen Bauprozessen ist eine gerichtliche Entscheidung ohne Einholung eines Sachverständigengutachtens unmöglich. Dies liegt darin begründet, dass dort häufig die Beantwortung technisch geprägter Baumängelfragen im Vordergrund steht.

Beispiel

Der Bauherr wendet ein, der Bauunternehmer habe die Trennwand zwischen zwei Doppelhaushälften nicht – wie es erforderlich gewesen sei – zweischalig, sondern einschalig und damit in schallschutztechnischer Hinsicht mangelhaft ausgeführt.[3] Mangels eigener (technischer) Sachkunde kann das Gericht diese Frage nicht selbst beantworten. Deswegen wird ein Sachverständiger – gleichsam als „Gehilfe"[4] des Gerichts – beauftragt, der dann in seinem Gutachten den schwierigen Spagat der technischen Wissensvermittlung gegenüber Nichttechnikern (Juristen) vornehmen muss.

Das Prozedere der Gutachtenerstattung gestaltet sich in aller Regel wie folgt: Nach der Beauftragung des Sachverständigen erstellt dieser in der Folgezeit – regelmäßig im Anschluss an einen Ortstermin – sein schriftliches Gutachten und reicht dieses bei Gericht ein. Anschließend wird das Gutachten beiden Parteien bzw. deren Prozessvertretern mit der Aufforderung zugesandt, dem Gericht Einwendungen dagegen binnen eines nach § 411 Abs. 4 ZPO bestimmten Zeitraums mitzuteilen. Innerhalb der nach § 411 Abs. 4 ZPO gesetzten (evtl. verlängerten) Frist folgen oft ausführliche Stellungnahmen der Parteien. In diesen werden nicht selten völlig neue Gesichtspunkte vorgetragen, verbunden mit dem Antrag, auch diese Fragen dem gerichtlich bestellten Sachverständigen vorzulegen und durch diesen ergänzend beantworten zu lassen. Zumeist schließt sich dann eine *ergänzende schriftliche Begutachtung* an (vgl. dazu nun auch: § 411 Abs. 3 Satz 2 ZPO). Auch hinsichtlich des danach vorliegenden schriftlichen Ergänzungsgutachtens kann sich das soeben geschilderte Verfahren wiederholen, sodass es im Ergebnis zu mehreren Ergänzungsgutachten kommen kann. Dies hat zwangsläufig zur Folge, dass sich Bauprozesse – nichts anderes gilt für das diesen vielfach vorgelagerte selbständige Beweisverfahren[5] – bereits in der Begutachtungsphase über einen langen Zeitraum erstrecken können. Liegen später auch noch so viele Sachverständigengutachten vor, bedeutet dies nicht zwangsläufig, dass alle Fragen der Parteien beantwortet sind. Abschließend stellt sich häufig die Frage, ob der

---

3 Zur Mangelhaftigkeit einer einschaligen Trennwand z.B.: BGH, U. v. 20.12.2012 – VII ZR 209/11, MDR 2013, S. 585 f.

4 Eigentlich passt der Begriff „Berater" besser. Ebenso: *Greger*, in: Zöller, Kommentar zur ZPO, 35. Aufl. 2024, § 404a Rn. 1.

5 Ausführlich zum selbständigen Beweisverfahren: *Seibel*, Selbständiges Beweisverfahren – Kommentar zu §§ 485 bis 494a ZPO, 2013.

Sachverständige auch noch zu einer *mündlichen Erläuterung seines Gutachtens* geladen werden muss (§ 411 Abs. 3 Satz 1 ZPO bzw. §§ 402, 397 ZPO).

Im Folgenden werden zum einen die grundsätzlichen Voraussetzungen für die Ladung eines Sachverständigen zur mündlichen Gutachtenerläuterung dargestellt. Zum anderen werden eigene Erfahrungen des Autors im Umgang mit der mündlichen Gutachtenerläuterung durch Sachverständige vorgestellt und anschließend Praxishinweise gegeben.[6]

2.6.2 Voraussetzungen der Ladung des Sachverständigen zur mündlichen Gutachtenerläuterung nach § 411 Abs. 3 Satz 1 ZPO bzw. §§ 402, 397 ZPO

2.6.2.1 Allgemeines

Es stellt sich die Frage, welche Voraussetzungen die Ladung eines Sachverständigen zur mündlichen Gutachtenerläuterung nach § 411 Abs. 3 Satz 1 ZPO bzw. §§ 402, 397 ZPO hat und ob das Gericht verpflichtet ist, einem solchen Antrag einer Partei zwingend zu entsprechen.

Man vergegenwärtige sich Folgendes:

Der den Bauprozess leitende Richter hält das Gutachten und die darin enthaltenen Ausführungen für überzeugend. Er beabsichtigt, schnellstmöglich eine Entscheidung zu treffen. Die Partei, für die das Gutachten „ungünstig" ausgegangen ist – etwa der Bauunternehmer, dem eine mangelhafte Bauausführung nachgewiesen worden ist –, empfindet das Gutachten hingegen gar nicht als überzeugend und trägt eine Vielzahl anderer (evtl. neuer) Aspekte vor, die der gerichtlich bestellte Sachverständige verkannt habe, weshalb das Ergebnis seines Gutachtens unzutreffend sei.

Für den Richter besteht nun ein „Spannungsverhältnis": Einerseits will er den Fall aufgrund des ihn überzeugenden Gutachtens entscheiden, andererseits muss er abwägen, ob er die Ergänzungsfragen der Partei zulässt und in welcher Form er dies macht (schriftliche oder mündliche Gutachtenerläuterung?).

Grundsätzliche Frage

▶ *Muss der Richter dem Antrag einer Partei auf (mündliche oder schriftliche) Gutachtenerläuterung bzw. -ergänzung stattgeben oder kann er im Interesse einer zügigen Verfahrenserledigung das ihn überzeugende Gutachten seiner Entscheidung einfach zugrunde legen?*

Diese Frage und auch die Grenzen des Erläuterungsrechts der Parteien sind in der Rechtsprechung des BGH bereits abschließend geklärt worden.

6 Siehe zur folgenden Darstellung auch: *Seibel,* Baumängel und anerkannte Regeln der Technik, 2009, Rn. 471 ff.; *Seibel*, BauSV 5/2008, S. 53 ff.

Um die Rechtsprechung des BGH besser nachvollziehen zu können, sollte man sich an dieser Stelle zunächst vergegenwärtigen, warum das **Erläuterungsrecht der Parteien** überhaupt besteht.

Der Sachverständige wird als „Gehilfe" des Gerichts eingesetzt, weil dieses nicht genügend (technische) Sachkunde besitzt, um die aufgeworfenen Beweisfragen selbst beantworten zu können. In seiner Funktion als Experte erstattet er sein schriftliches Gutachten. Das Bestreben nach einer schnellen Erledigung des Rechtsstreits kann in diesem Zusammenhang natürlich grundsätzlich kein Argument für das Zurückweisen von Ergänzungsfragen einer Partei sein. Der Richter wird in den meisten Fällen nämlich die Ergänzungsfragen aus eigener Sachkunde nicht einschätzen können. Woher will er dann die Befugnis nehmen, Ergänzungsfragen als „unberechtigt" zurückzuweisen? Das Recht der Parteien zur ergänzenden Befragung des Sachverständigen ist in ihrem verfassungsrechtlichen Anspruch auf **Gewährleistung rechtlichen Gehörs vor Gericht** (Art. 103 Abs. 1 GG bzw. Art. 20 Abs. 3 GG) enthalten. Dieses Fragerecht ist auch ausdrücklich in der ZPO verankert: § 402 ZPO i.V.m. § 397 ZPO bestimmen, dass die Parteien berechtigt sind, dem Sachverständigen diejenigen Fragen vorlegen zu lassen, die *sie* – und nicht etwa das Gericht – zur Aufklärung der Sache oder der Verhältnisse für sachdienlich erachten.[7] Man kann an dieser Stelle also festhalten, dass zur Gewährleistung des Anspruchs der Parteien auf rechtliches Gehör (Art. 103 Abs. 1 GG; §§ 402, 397 ZPO) und zur Gewährleistung eines fairen Gerichtsverfahrens grundsätzlich alle Einwendungen der Parteien gegen ein Gutachten berücksichtigt werden müssen. Von diesem Grundsatz gibt es nach der Rechtsprechung des BGH – was noch zu zeigen ist – (eng begrenzte) Ausnahmen.

2.6.2.2 Rechtsprechung des BGH

Unter Berücksichtigung dieser dogmatischen „Wurzeln" des Frage- bzw. Einwendungsrechts der Parteien wird im Folgenden die Rechtsprechung des BGH zu den Voraussetzungen der Ladung eines Sachverständigen zur mündlichen Gutachtenerläuterung nachgezeichnet.

2.6.2.2.1 BGH, Beschluss vom 8.11.2005 – VI ZR 121/05[8]

In seinem Beschluss vom 8.11.2005 hat der BGH auf Folgendes hingewiesen:

> „Entgegen der Auffassung des Berufungsgerichts kommt es für die Frage, ob die Ladung eines Sachverständigen zur mündlichen Erläuterung des von ihm erstatteten Gutachtens geboten ist, nicht darauf an, ob das Gericht noch Erläuterungsbedarf sieht oder ob ein solcher von einer Partei nachvollziehbar dargetan worden ist. Nach ständiger Rechtsprechung des erkennenden Senats hat die Partei zur Gewährleistung des rechtlichen Gehörs nach §§ 397, 402 ZPO einen Anspruch darauf, dass sie dem Sachverständigen die Fragen, die sie zur Aufklärung der Sache für erforderlich hält, zur mündlichen Beantwortung vorlegen kann (…). Dieses Antragsrecht besteht unabhängig von § 411 Abs. 3 ZPO (…). Es kann von der Partei,

7 Dazu: *Huber*, in: Musielak/Voit, Kommentar zur ZPO, 20. Aufl. 2023, § 411 Rn. 7; *Greger*, in: Zöller, ZPO, § 411 Rn. 4 – jeweils m.w.N.

8 BGH, B. v. 8.11.2005 – VI ZR 121/05, NJW-RR 2006, S. 1503 f.

> die einen Antrag auf Ladung des Sachverständigen stellt, nicht verlangt werden, dass sie die Fragen, die sie an den Sachverständigen zu richten beabsichtigt, im Voraus konkret formuliert. Es genügt, wenn sie allgemein angibt, in welcher Richtung sie durch ihre Fragen eine weitere Aufklärung herbeizuführen wünscht (...)."

Die vorgenannten Grundsätze hat der BGH auch zuletzt mehrfach bestätigt, siehe z.B.

- BGH, Beschluss vom 30.5.2017 – VI ZR 439/16,[9]
- BGH, Beschluss vom 21.2.2017 – VI ZR 314/15,[10]
- ebenso: BVerfG, Beschluss vom 24.8.2015 – 2 BvR 2915/14.[11]

Ergänzend hat der BGH auch schon entschieden, dass dem Antrag einer Partei auf Ladung des Sachverständigen zur mündlichen Gutachtenerläuterung im Prozess grundsätzlich auch dann zu entsprechen ist, wenn der Sachverständige das Gutachten in einem vorausgegangenen selbständigen Beweisverfahren erstattet hat.[12]

2.6.2.2.2 BGH, Urteil vom 5.7.2007 – III ZR 240/06[13]

In seinem Urteil vom 5.7.2007 hat der BGH zu den Anforderungen an eine Ladung des Sachverständigen zur mündlichen Gutachtenerläuterung Folgendes ausgeführt:

> „Das Gericht ist auf Antrag einer Partei unabhängig von § 411 Abs. 3 ZPO gemäß §§ 402, 397 Abs. 1 ZPO zur Vorladung des Sachverständigen verpflichtet (...). Die mündliche Befragung und Erläuterung wäre ein taugliches Mittel gewesen, entweder die Mängel des Gutachtens in befriedigender Weise zu beheben oder diese Mängel so deutlich hervortreten zu lassen, dass dem Gericht die Überzeugung von der Unbrauchbarkeit des Gutachtens vermittelt wurde. Dies gilt auch bei voller Würdigung des Umstandes, dass die Klägerin, unterstützt durch einen Privatgutachter, bereits schriftsätzlich ausführliche Gegenvorstellungen zu dem Gutachten erhoben und der Sachverständige schriftlich darauf erwidert hatte. Die unmittelbare persönliche Konfrontation im Austausch von Rede und Gegenrede in Anwesenheit des Gerichts stellte gleichwohl ein effektives zusätzliches Instrument der Wahrheitsfindung dar."

2.6.2.2.3 Ausnahmen

Nach der höchstrichterlichen Rechtsprechung gibt es von dem Grundsatz, dass das Gericht auf Antrag einer Partei zur Ladung des Sachverständigen zwecks Gutachtenerläuterung verpflichtet ist, allerdings auch (eng begrenzte) Ausnahmen.

Ein Antrag auf Ladung des Sachverständigen zur mündlichen Gutachtenerläuterung darf unberücksichtigt bleiben, wenn dieser *verspätet* oder ersichtlich aus den Gesichtspunkten

---

9 BGH, B. v. 30.5.2017 – VI ZR 439/16, NJW-RR 2017, S. 1144 f.

10 BGH, B. v. 21.2.2017 – VI ZR 314/15, NJW-RR 2017, S. 762 f.

11 BVerfG, B. v. 24.8.2015 – 2 BvR 2915/14, juris.

12 BGH, B. v. 22.5.2007 – VI ZR 233/06, MDR 2007, S. 1091. Siehe aber auch: BVerfG, B. v. 29.5.2013 – 1 BvR 1522/12, IBR 2014, S. 56 mit Anm. *Seibel*, wonach es verfassungsrechtlich unbedenklich sein soll, von einer Partei die Benennung konkreter Fragen und Einwendungen im mündlichen Erläuterungsantrag zu verlangen.

13 BGH, U. v. 5.7.2007 – III ZR 240/06, MDR 2007, S. 1210 f.

des *Rechtsmissbrauchs* oder der *Prozessverschleppung* gestellt worden ist.[14] Das kann etwa dann anzunehmen sein, wenn offensichtlich abwegige, bereits eindeutig beantwortete oder gar beweisunerhebliche Fragen an den Sachverständigen gestellt werden sollen.[15]

An dieser Stelle ist jedoch zu betonen, dass mit der Ablehnung des Antrags einer Partei auf mündliche Gutachtenerläuterung **Vorsicht geboten** ist! Im Interesse des verfassungsrechtlich verankerten Anspruchs der Parteien auf Gewährleistung rechtlichen Gehörs vor Gericht (Art. 103 Abs. 1 GG) muss ein solches Vorgehen auf absolute Ausnahmefälle (ultima ratio) begrenzt bleiben.

2.6.2.2.4 Vertiefung: BGH, Urteil vom 4.11.2010 – III ZR 45/10[16]

In seinem Urteil vom 4.11.2010 hat der BGH klargestellt, dass – auch auf entsprechenden Antrag einer Partei – grundsätzlich keine Pflicht des Gerichts besteht, einen nach § 412 Abs. 1 ZPO „abgelösten" Sachverständigen zur mündlichen Gutachtenerläuterung zu laden.[17] Das hat der BGH wie folgt begründet:[18]

> „Die Ladung des erstinstanzlichen Gutachters war hier nicht schon deshalb geboten, weil das Gericht auf Antrag einer Partei unabhängig von § 411 Abs. 3 ZPO grundsätzlich verpflichtet ist, den (gerichtlichen) Sachverständigen zur mündlichen Erläuterung seines Gutachtens zu laden. Diese Pflicht besteht auch dann, wenn das Gericht das vorliegende schriftliche (Ergänzungs-)Gutachten für ausreichend und überzeugend hält und selbst keinen Bedarf für eine mündliche Erläuterung sieht. Denn die Partei hat zur Gewährleistung des rechtlichen Gehörs (Art. 103 Abs. 1 GG) nach §§ 397, 402 ZPO einen Anspruch darauf, dass sie dem Sachverständigen die Fragen, die sie zur Aufklärung der Sache für erforderlich hält, zur mündlichen Beantwortung vorlegen kann (st. Rspr.; …). Diese Pflicht erstreckt sich jedoch nicht auf einen früheren Sachverständigen, dessen Gutachten der Tatrichter für ungenügend erachtet und deshalb zum Anlass genommen hat, gemäß § 412 Abs. 1 ZPO einen anderen Sachverständigen zu beauftragen. Das Recht der Partei auf Ladung und Befragung des Sachverständigen dient dem Zweck der Wahrung des Anspruchs auf Gewährung rechtlichen Gehörs in Bezug auf die sachverständige Beratung des Tatrichters als eine bedeutsame Grundlage der richterlichen Sachentscheidung. Hat das Gericht gemäß § 412 Abs. 1 ZPO einen anderen Sachverständigen beauftragt, so nimmt dieser anstelle des bisherigen Sachverständigen die Stellung des sachverständigen Beraters ein; dementsprechend beziehen sich die Frage- und Anhörungsbefugnisse der Prozessparteien auch (nur) auf seine – des „neuen" Sachverständigen – Begutachtung. Die Parteien haben das Recht, die Ladung des nunmehr beauftragten, „neuen" Sachverständigen zu verlangen. In Bezug auf den früheren, gleichsam „abgelösten" Sachverständigen steht ihnen ein solcher Anspruch demgegenüber nicht zu, da dieser nicht mehr die Funktion eines sachverständigen Beraters

14 Vgl. z.B.: BVerfG, B. v. 17.1.2012 – 1 BvR 2728/10, NJW 2012, S. 1346 f.; BVerfG, B. v. 3.2.1998 – 1 BvR 909/94, NJW 1998, S. 2273 f.; BGH, B. v. 14.7.2009 – VIII ZR 295/08, MDR 2009, S. 1126; BGH, U. v. 7.10.1997 – VI ZR 252/96, NJW 1998, S. 162 ff.; BGH, U. v. 21.9.1982 – VI ZR 130/81, NJW 1983, S. 340 f.

15 Siehe auch: *Huber*, in: Musielak/Voit, ZPO, § 411 Rn. 8; *Greger*, in: Zöller, ZPO, § 411 Rn. 5 – jeweils m.w.N.

16 BGH, U. v. 4.11.2010 – III ZR 45/10, MDR 2011, S. 64 f.

17 Ausführlich hierzu: *Seibel*, BauSV 2/2011, S. 66 ff.

18 BGH, U. v. 4.11.2010 – III ZR 45/10, MDR 2011, S. 64, 65; ebenso: BGH, B. v. 7.12.2010 – VIII ZR 96/10, NJW-RR 2011, S. 704 f.

des Gerichts innehat. Unbeschadet dessen hat der Tatrichter den früheren Sachverständigen allerdings dann zu laden, wenn und soweit dies zur weiteren Sachaufklärung, insbesondere zur Behebung von Lücken oder Zweifeln, erforderlich ist (§ 286 Abs. 1 ZPO ...)."

Exkurs

*Das **OLG Frankfurt**[19] vertritt dabei die Auffassung, dass vor der „Ablösung" eines Sachverständigen nach § 412 Abs. 1 ZPO zunächst dessen mündliche Anhörung vorrangig sei. Das hat es so begründet:*

> *„Die Einholung eines weiteren Gutachtens ist erst geboten, wenn die Sachkunde des bisherigen Gutachters zweifelhaft ist, wenn das Gutachten von unzutreffenden tatsächlichen Voraussetzungen ausgeht, wenn es Widersprüche enthält oder wenn der neue Sachverständige über Forschungsmittel verfügt, die denen des früheren Gutachters überlegen erscheinen (BGH, VI ZR 34/98, Beschluss vom 16.03.1999; ...). Demgegenüber ist grundsätzlich und so auch hier gegenüber der Einholung eines weiteren Gutachtens die Anhörung des bisherigen Sachverständigen vorrangig (§ 411 Abs. 3 ZPO), weil erst im Anschluss nach Ausschöpfung der sich so ergebenden Erkenntnismöglichkeiten zuverlässig die Entscheidung getroffen werden kann, ob die Voraussetzungen des § 412 Abs. 1 ZPO erfüllt sind. Entsprechend dem Hilfsantrag der Antragstellerin (§§ 402, 397 ZPO) wird also die Erläuterung des Gutachtens abzuwarten sein."*

Ob in jedem Fall zunächst eine mündliche Anhörung des bisherigen Sachverständigen vor der Beauftragung eines neuen Sachverständigen vorrangig ist – was in Anbetracht des dem Gericht nach § 412 Abs. 1 ZPO eingeräumten Ermessens durchaus zweifelhaft erscheint –, soll hier nicht vertieft werden. Zuzustimmen ist dem OLG Frankfurt jedenfalls darin, dass die mündliche Anhörung des bisherigen Sachverständigen vor der Entscheidung über seine „Ablösung" nach § 412 Abs. 1 ZPO eine wichtige Erkenntnisquelle zum Ausräumen von Zweifeln sein kann. Darauf hat auch der BGH bereits wiederholt hingewiesen.[20]

2.6.2.2.5 Vertiefung: BGH, Beschluss vom 18.6.2009 – IX ZB 115/07[21]

Der BGH betont in ständiger Rechtsprechung, dass auch das Berufungsgericht zu einer mündlichen Anhörung des Sachverständigen verpflichtet sein kann. In seinem Beschluss vom 18.6.2009 hat er das wie folgt begründet:

> „Das Berufungsgericht hat sich jedoch nach den Gründen seiner Entscheidung an die erstinstanzlichen Feststellungen (...) nicht nach § 529 Abs. 1 Nr. 1 ZPO gebunden erachtet, sondern ist mit demselben Ergebnis wie die erste Instanz in eine neue Beweiswürdigung auf der Grundlage des erstinstanzlich erhobenen schriftlichen Sachverständigengutachtens eingetreten. Danach hat es die Veranlassung zur Einholung eines zweiten Gutachtens verneint. Anschließend hat das Berufungsgericht geprüft, ob die von der Klägerin eingereichten privatärztlichen Stellungnahmen Anlass boten, den landgerichtlichen Sachverständigen zu einem

19 OLG Frankfurt, B. v. 4.2.2010 – 5 W 7/10, juris.
20 Siehe z.B.: BGH, U. v. 16.1.2001 – VI ZR 408/99, NJW 2001, S. 1787, 1788 m.w.N.
21 BGH, B. v. 18.6.2009 – IX ZB 115/07, juris.

> ergänzenden Gutachten aufzufordern und auch diese Frage verneint. Nach Eintritt in die erneute Beweiswürdigung durfte das Berufungsgericht jedoch den hilfsweise gestellten Antrag der Klägerin nicht übergehen, den Sachverständigen anhand der eingereichten privatärztlichen Stellungnahmen zu seinem schriftlichen Gutachten zu befragen, wenn keine neue Begutachtung nach § 412 Abs. 1 ZPO angeordnet wurde. Denn es hatte damit wie der erste Tatrichter das hiermit bekämpfte schriftliche Sachverständigengutachten zur Grundlage seiner eigenen Überzeugungsbildung gemäß § 286 ZPO gemacht. Zu einer solchen Befragung war die Klägerin unter dieser Voraussetzung prozessual auch in zweiter Instanz nach den §§ 397, 402 ZPO berechtigt. Dem Berufungsgericht stand zur Ablehnung dieses Antrages nicht der in § 411 Abs. 3 ZPO eröffnete tatrichterliche Ermessensspielraum zu (...)."

In seinem Beschluss vom 24.3.2010 hat der BGH ergänzend darauf hingewiesen, dass es dann einer erneuten Anhörung des Sachverständigen durch das Berufungsgericht nach §§ 402, 398 Abs. 1 ZPO bedürfe, wenn dieses dessen Ausführungen abweichend von der Vorinstanz würdigen wolle; insbesondere ein anderes Verständnis der Ausführungen des Sachverständigen zugrunde legen und damit andere Schlüsse aus diesen ziehen wolle als der Erstrichter.[22]

2.6.2.2.6 Eigene Hinweise

Die dargestellte Rechtsprechung macht deutlich, welch hoher Bedeutungsgehalt dem Frage- bzw. Einwendungsrecht der Parteien gegenüber einem gerichtlich eingeholten Gutachten im Interesse der Gewährleistung rechtlichen Gehörs einzuräumen ist. Dem Antrag einer Partei auf Ladung des Sachverständigen zur mündlichen Erläuterung seines schriftlichen Gutachtens ist grundsätzlich stattzugeben. Das Einwendungsrecht folgt unabhängig von § 411 Abs. 3 Satz 1 ZPO schon aus §§ 402, 397 ZPO. Nach der Rechtsprechung des BGH kann von der Partei auch nicht verlangt werden, die an den Sachverständigen zu stellenden Fragen bereits im Vorfeld konkret auszuformulieren.[23] Es genügen allgemeine Angaben, in welche Richtung eine weitere Aufklärung gewünscht wird.

Hervorzuheben sind die Ausführungen des BGH in seinem Urteil vom 5.7.2007 (siehe Abschnitt 2.6.2.2.2), wonach das Recht einer Partei auf Ladung des Sachverständigen zur mündlichen Gutachtenerläuterung nicht dadurch begrenzt wird, dass die Partei, die im Fall des BGH sogar selbst sachverständig beraten war, bereits schriftsätzlich Einwendungen vorgetragen hat, die allesamt durch den gerichtlichen Sachverständigen beantwortet wurden. Der BGH räumt in diesem Zusammenhang der *unmittelbaren persönlichen Konfrontation des Sachverständigen in der mündlichen Verhandlung in Anwesenheit des Gerichts* eine wichtige Rolle ein.

Der zuletzt genannte Aspekt ist vor allem aus praktischer Sicht zutreffend. Vielfach ist festzustellen, dass Sachverständige schriftlich evtl. nicht ganz so überzeugend verfasste Gutachten viel verständlicher mündlich erläutern und begründen können. Viele Fragen erledigen sich dann oft von selbst. Auch die umgekehrte Konstellation, in der schriftlich

22 BGH, B. v. 24.3.2010 – VIII ZR 270/09, juris.

23 Siehe aber auch: BVerfG, B. v. 29.5.2013 – 1 BvR 1522/12, IBR 2014, S. 56 mit Anm. *Seibel*, wonach es verfassungsrechtlich unbedenklich sein soll, von einer Partei die Benennung konkreter Fragen und Einwendungen im mündlichen Erläuterungsantrag zu verlangen.

überzeugende Gutachten auf Nachfragen der Parteien im Rahmen der mündlichen Verhandlung nicht mehr überzeugend erläutert werden konnten, hat der Autor bereits selbst erlebt. Daher ist der Ansicht des BGH uneingeschränkt zuzustimmen, die Reaktionen des Sachverständigen im Wechselspiel von Rede und Gegenrede in Anwesenheit des Gerichts seien zur Überzeugungsbildung des erkennenden Gerichts ein *„wichtiges Instrument der Wahrheitsfindung"*.

Zusammenfassend kann nach der **Rechtsprechung des BGH** festgehalten werden, dass das **Gericht** völlig unabhängig von der Frage, ob es das schriftliche Gutachten selbst für überzeugend und nachvollziehbar hält, auf Antrag einer Partei **zur Ladung des Sachverständigen** zur mündlichen Erläuterung seines Gutachtens **verpflichtet** ist (Ausnahmen u.a.: Rechtsmissbrauch und Prozessverschleppung; siehe Abschnitt 2.6.2.2.3).

Insofern ist der Wortlaut von § 411 Abs. 3 Satz 1 ZPO („Das Gericht *kann* das Erscheinen des Sachverständigen anordnen, damit er das schriftliche Gutachten erläutere.") missverständlich, da dieser ein weites Ermessen des Gerichts suggeriert. Der Wortlaut sollte besser lauten: „Das Gericht *muss auf Antrag einer Partei grundsätzlich* das Erscheinen des Sachverständigen anordnen, damit er das schriftliche Gutachten erläutere." Diese Pflicht zur Ladung des Sachverständigen auf Antrag einer Partei folgt nicht aus § 411 Abs. 3 Satz 1 ZPO, sondern aus §§ 402, 397 ZPO (Art. 103 Abs. 1 GG).

Des Weiteren ist noch darauf hinzuweisen, dass eine Ladung des Sachverständigen zur mündlichen Erläuterung seines Gutachtens keinesfalls nur von dem Antrag einer Partei abhängig ist. Das Gericht kann nach § 411 Abs. 3 Satz 1 ZPO zu einer solchen Ladung auch **von Amts wegen** verpflichtet sein, wenn ihm das Gutachten z.B. unverständlich oder unvollständig erscheint.[24]

2.6.3 Empfehlungen des Arbeitskreises VI des 2. Deutschen Baugerichtstages und des Arbeitskreises III des 6. Deutschen Baugerichtstages

Mit der Frage, ob es nicht sinnvoll wäre, § 411 ZPO dahingehend zu ergänzen, dass der Antrag einer Partei auf Ladung des Sachverständigen zur mündlichen Erläuterung seines schriftlichen Gutachtens eine genaue Begründung enthalten soll, welche Abänderungen/Erläuterungen/Ergänzungen begehrt werden, hat sich u.a. der **Arbeitskreis VI des 2. Deutschen Baugerichtstages** am 13./14.6.2008 in Hamm beschäftigt.[25]

Das praktische Bedürfnis für die Klärung dieser Frage liegt auf der Hand: Den Sachverständigen, den Gerichten und auch den Prozessvertretern bzw. -parteien würde die Terminsvorbereitung erheblich erleichtert, wenn der Fragenkatalog vor der Verhandlung bis ins Einzelne festgelegt werden müsste. Dann wären Überraschungen in Form von bisher nicht vorgetragenen Aspekten in der mündlichen Anhörung des Sachverständigen ausgeschlossen.

---

24 Vgl. z.B.: *Greger*, in: Zöller, ZPO, § 411 Rn. 3.

25 Die Thesenpapiere der Referenten und die Empfehlungen der Arbeitskreise der Deutschen Baugerichtstage sind abrufbar unter www.baugerichtstag.de (dort: Dokumentation).

Ulbrich[26] spricht sich gegen eine solche Ergänzung von § 411 ZPO aus, während *Kamphausen*[27] zumindest für den Bereich von § 411 Abs. 4 ZPO eine Ergänzung um einen Satz 3 mit folgendem Wortlaut befürwortet: *„Die Ergänzungsfragen und die Einwendungen gegen das Gutachten sind dem Sachverständigen rechtzeitig vor dem Termin zur Gutachtenerläuterung vom Gericht mitzuteilen."* Auf die Begründung dieser Ansichten soll hier nicht weiter eingegangen werden.

Die Teilnehmer des Arbeitskreises VI des 2. Deutschen Baugerichtstages haben sich nach einer ausführlichen Erörterung in ihrer Abstimmung mit *überwältigender Mehrheit* gegen eine Änderung des § 411 ZPO dahingehend ausgesprochen, dass der Antrag einer Partei auf Ladung des Sachverständigen zur mündlichen Erläuterung seines schriftlichen Gutachtens die Begründung enthalten *muss*, welche Einwendungen gegen das Gutachten vorgebracht werden sollen. Mit *knapper Mehrheit* haben sich die Teilnehmer dieses Arbeitskreises zudem auch gegen eine Änderung des § 411 ZPO dahingehend ausgesprochen, dass der Antrag einer Partei auf Ladung des Sachverständigen zur mündlichen Erläuterung des schriftlichen Gutachtens eine solche Begründung enthalten *soll*.

Die Teilnehmer des **Arbeitskreises III des 6. Deutschen Baugerichtstages** (3./4.6.2016 in Hamm) haben sich hingegen mit *überwältigender Zustimmung* für einen klarstellenden Hinweis in § 404a ZPO ausgesprochen, dass bei Einholung eines schriftlichen Ergänzungsgutachtens die Einwendungen, zu denen der Sachverständige Stellung nehmen soll, konkret zu bezeichnen sind.

2.6.4 Eigene Stellungnahme

Was ist von der dargestellten Rechtsprechung des BGH zu § 411 Abs. 3 Satz 1 ZPO bzw. §§ 402, 397 ZPO sowie den Empfehlungen des Arbeitskreises VI des 2. Deutschen Baugerichtstages und des Arbeitskreises III des 6. Deutschen Baugerichtstages unter Berücksichtigung der Interessenlage der Sachverständigen, sich umfassend und möglichst genau auf die Verhandlung vorzubereiten, in der sie ihr schriftliches Gutachten mündlich erläutern sollen, zu halten?

Es ist nicht zu übersehen, dass das Anliegen von Sachverständigen, sich effizient und umfassend auf eine mündliche Verhandlung vorzubereiten, durchaus seine Berechtigung hat. Was nützt den Parteien und auch dem Gericht ein Verhandlungstermin, in dem der Sachverständige direkt am Anfang erklären muss, dass er auf die soeben (evtl. erstmals) gestellten Fragen nicht sofort antworten kann und dazu zunächst ausführlich recherchieren muss? Der Termin wäre dann für alle Beteiligten vergeudete Zeit. Des Weiteren ist zu berücksichtigen, dass das Gericht die mündliche Verhandlung vorbereiten muss. Dazu gehört auch die Einschätzung, wie lange die Verhandlung in etwa dauern wird.

---

26 Ausführlich dazu: *Ulbrich*, Beilage der Zeitschrift BauR 4/2008 „Thesen der Arbeitskreise I bis VII", S. 33 f. sowie DS 2008 (Heft 5), S. 124, 126.

27 Ausführlich dazu: *Kamphausen*, Beilage der Zeitschrift BauR 4/2008 „Thesen der Arbeitskreise I bis VII", S. 36 sowie DS 2008 (Heft 5), S. 124, 126.

Grundsätzliche Frage

Würde das gerichtliche Verfahren nicht unzumutbar belastet, wenn man den Parteien ein unbegrenztes Frage- bzw. Einwendungsrecht auch hinsichtlich gänzlich neuer Gesichtspunkte einräumen müsste?

Die gerade genannten organisatorischen und praktischen Aspekte sind nach Auffassung des Autors nicht dazu geeignet, den verfassungsrechtlich verankerten Anspruch der Parteien auf Gewährleistung rechtlichen Gehörs (Art. 103 Abs. 1 GG) einzuschränken. Die Gewährleistung rechtlichen Gehörs vor Gericht gebietet das Bestehen eines **grundsätzlich vollumfänglichen Frage- bzw. Einwendungsrechts** in der mündlichen Verhandlung. Sollten die Einwendungen erkennbar zum Zwecke der Prozessverschleppung und/oder rechtsmissbräuchlich vorgebracht werden, kann das Gericht diese in (eng begrenzten) Ausnahmefällen zurückweisen. Die Rechtsprechung des BGH ist unter Berücksichtigung des verfassungsrechtlich verankerten Anspruchs auf Gewährleistung rechtlichen Gehörs sowie unter Beachtung von §§ 402, 397 ZPO überzeugend und zwingend.[28] Aus Sicht des Autors verbietet es sich sogar, den Grundsatz des rechtlichen Gehörs und das Fragerecht nach §§ 402, 397 ZPO aus organisatorischen und praktischen Erwägungen heraus (effizientes und kosten- bzw. zeitökonomisches Vorgehen) einzuschränken.

Den Empfehlungen des Arbeitskreises VI des 2. Deutschen Baugerichtstages ist daher zuzustimmen. Der Antrag einer Partei auf Ladung des Sachverständigen zur mündlichen Gutachtenerläuterung *muss* und *soll* keine ins Detail gehende Begründung hinsichtlich der beabsichtigten Einwendungen enthalten. Das folgt schon aus dem Anspruch der Parteien auf Gewährleistung umfassenden rechtlichen Gehörs.

Deswegen bleibt festzuhalten, dass es keinen Anlass für eine Änderung von § 411 ZPO oder § 404a ZPO (wie mehrheitlich von den Teilnehmern des Arbeitskreises III des 6. Deutschen Baugerichtstages vorgeschlagen) im Sinne einer Antragsbegründungspflicht gibt – so wünschenswert dies u.a. aus Sicht des Sachverständigen vielleicht auch sein mag.

2.6.5 Praxishinweise

Abschließen soll diese Darstellung mit einigen aus Sicht des Autors praktisch wichtigen Empfehlungen.

2.6.5.1 Gerichtlicher Auftrag zur schriftlichen Gutachtenergänzung

Der gerichtlich bestellte Sachverständige muss im Vorfeld seiner mündlichen Gutachtenerläuterung oftmals mehrere schriftliche Ergänzungsgutachten erstatten. Dabei ist vielfach die Tendenz der Gerichte erkennbar, Einwendungen einer Partei gegen ein Gutachten dem

28 Demgegenüber hält *Kamphausen*, BauR 2007, S. 807, 809 f., diese Rechtsprechung des BGH mit § 411 Abs. 4 Satz 1 ZPO für unvereinbar.

Sachverständigen „ungefiltert" zur schriftlichen Beantwortung vorzulegen. Oft geschieht das z.B. mit folgendem Hinweis:

> „Sie werden gebeten, die im Schriftsatz des Klägers/Beklagten vom ... enthaltenen Einwendungen ergänzend schriftlich zu begutachten/untersuchen."

Diese bei vielen Gerichten verbreitete Methode kann nicht überzeugen und ist entschieden abzulehnen. Mit einem solchen Hinweis macht es sich das Gericht zu einfach und verlagert allein ihm zugewiesene Aufgaben unzulässigerweise auf den Sachverständigen. Im Falle eines solchen Ergänzungsauftrages besteht nämlich die Gefahr, dass der Sachverständige selbst den Umfang des (Ergänzungs-)Gutachtens bestimmt und sich die für ihn relevanten Punkte aus dem Schriftsatz einer Partei heraussucht. Das ist mit den Regelungen der ZPO nur schwer vereinbar. Nach § 403 ZPO erfolgt der Beweisantritt durch die Bezeichnung der zu begutachtenden Punkte. Davon zu unterscheiden ist der allein durch das Gericht abzufassende Beweisbeschluss. Dieser muss gemäß § 359 Nr. 1 ZPO das Beweisthema substantiiert enthalten und benennen. Allein das Gericht gibt dem Sachverständigen Umfang und Grenzen des Gutachtenauftrages vor. Entscheidend ist immer, dass das Gericht auch bei der Beweiserhebung „Herr des Verfahrens" bleibt und diese Aufgabe nicht auf den Sachverständigen überträgt. Das Gericht ist verpflichtet, sich selbst und auch den übrigen Prozessbeteiligten völlige Klarheit über den Inhalt des Gutachtenauftrages zu verschaffen. Hat der Sachverständige Zweifel an dessen Inhalt, sollte er keine Scheu davor haben, sich an das Gericht zu wenden und um eine entsprechende Aufklärung zu bitten. Dieses Recht lässt sich nicht zuletzt § 404a Abs. 2 a.E., § 407a Abs. 4 Satz 1 ZPO entnehmen. Das Gericht muss den Sachverständigen bei seiner Tätigkeit leiten und ihm ggf. Weisungen erteilen (§ 404a Abs. 1 ZPO). Bei streitigem Sachverhalt bestimmt allein das Gericht – und nicht etwa der Sachverständige –, welche Tatsachen der Begutachtung zugrunde zu legen sind (§ 404a Abs. 3 ZPO).

Für den eingangs zitierten Ergänzungsgutachtenauftrag *(„Sie werden gebeten, die im Schriftsatz des Klägers/Beklagten vom ... enthaltenen Einwendungen ergänzend schriftlich zu begutachten/untersuchen.")* bedeutet das im Ergebnis Folgendes:

Ein solcher Auftrag wird den Anforderungen an einen Beweisbeschluss gemäß § 359 Nr. 1 ZPO in aller Regel nicht hinreichend gerecht. Damit macht das Gericht nicht unmissverständlich klar, welche Punkte der Sachverständige genau untersuchen soll. Es besteht die Gefahr, dass der Sachverständige den entsprechenden Schriftsatz selbst interpretiert und auslegt. Dies ist mit der Leitungsaufgabe des Gerichts gegenüber dem Sachverständigen nach § 404a ZPO unvereinbar. Dem Sachverständigen kann daher nur geraten werden, sich in einem solchen Fall direkt an das Gericht zu wenden und dieses um Benennung der zu begutachtenden Punkte zu ersuchen, um Missverständnissen und Fehlinterpretationen vorzubeugen. Das kann allenfalls dann überflüssig sein, wenn der vom Gericht bezeichnete Schriftsatz einer Partei klare und unmissverständliche Beweisfragen enthält. Der Autor kann aus seiner eigenen Erfahrung jedoch bestätigen, dass solche Schriftsätze äußerst selten vorkommen.

Vertiefung: An dieser Stelle ist noch kurz darauf hinzuweisen, dass in Bauprozessen von Sachverständigen oftmals „Rechtsgutachten" angefordert werden. Beispielsweise sind die an einen Sachverständigen gerichteten Fragen

- *„Ist die Bauleistung mangelhaft?"* und
- *„Entspricht die tatsächlich ausgeführte Bauleistung der vertraglich vereinbarten Beschaffenheit?"*

unzulässig. Die Mangelhaftigkeit einer Bauleistung bestimmt sich nicht allein tatsächlich, sondern ist vorrangig eine Rechtsfrage. Der Beurteilung durch einen Sachverständigen ist hingegen nur Tatsachenvortrag, nicht aber eine rechtliche Würdigung zugänglich. In der Praxis ist dennoch häufig festzustellen, dass Sachverständige durch unpräzise oder unzulässig formulierte Beweisfragen in die Auslegung eines Bauvertrages getrieben werden. Das ist unbedingt zu vermeiden.

Zur Vertiefung dieser Problematik wird auf die Darstellung in Beitrag 2.2 in diesem Handbuch verwiesen.

2.6.5.2 Reaktion des Gerichts auf einen mündlichen Erläuterungsantrag

Wie soll das Gericht auf den Antrag einer Partei auf Ladung des Sachverständigen zur mündlichen Erläuterung seines schriftlichen Gutachtens nach §§ 402, 397 ZPO reagieren?

Mit seiner Reaktion auf den Antrag einer Partei auf Ladung des Sachverständigen zur mündlichen Gutachtenerläuterung kann das Gericht Einfluss auf die Effizienz des weiteren Verfahrensgangs nehmen. Trotz eines solchen Antrags kann es sich empfehlen, zunächst ein schriftliches Ergänzungsgutachten zu den vorgebrachten Einwendungen einzuholen.[29] Das dürfte sich vor allem dann anbieten, wenn die Komplexität und der Umfang der Einwendungen (z.B. Vorlage eines ausführlichen Privatgutachtens) eine mündliche Verhandlung „überfrachten" würden.[30] Dann kann das Gericht durchaus zunächst eine weitere schriftliche Begutachtung in Auftrag geben (vgl. auch: § 411 Abs. 3 Satz 2 ZPO). *Huber*[31] ist der Ansicht, dass die Parteien nach dem Eingang des schriftlichen Ergänzungsgutachtens vom Gericht ausdrücklich danach zu befragen seien, ob sich ihr Antrag auf mündliche Gutachtenerläuterung erledigt habe. Dem ist z.B. das OLG Hamm entgegengetreten:[32] Äußere sich ein Sachverständiger in einem schriftlichen Ergänzungsgutachten zu den von einer Partei gerügten Punkten, müsse das Gericht keine Anhörung des Sachverständigen mehr durchführen, wenn die Partei ihren ursprünglich gestellten Antrag auf mündliche Gutachtenerläuterung nach Eingang des schriftlichen Gutachtens nicht wiederhole.

Die zuletzt dargestellte Empfehlung sollte nicht dahingehend missverstanden werden, der Autor sei ein Anhänger von schriftlichen Ergänzungsgutachten. In der Praxis ist häufig festzustellen, dass der Kreis von ergänzenden schriftlichen Stellungnahmen nicht aufzuhören scheint. Selbst wenn der Sachverständige Ergänzungsgutachten erstattet hat, stellen die

29 Siehe z.B.: OLG München, B. v. 1.4.2009 – 1 W 1169/09, juris.
30 Zu diesem Vorgehen: *Huber*, in: Musielak/Voit, ZPO, § 411 Rn. 7.
31 *Huber*, in: Musielak/Voit, ZPO, § 411 Rn. 7.
32 OLG Hamm, B. v. 14.6.2004 – 17 W 17/04, juris.

Parteien oft eine Vielzahl von weiteren Fragen. Im Interesse einer effizienten und möglichst zügigen Verfahrensgestaltung hat es sich aus Sicht des Autors bewährt, die im Anschluss an das erste schriftliche Gutachten eingereichten (überschaubaren) Ergänzungsfragen sofort in einer mündlichen Verhandlung durch Anhörung des Sachverständigen zu klären. Zwar kann ein solcher Termin viel Zeit in Anspruch nehmen. Jedoch können gerade im Rahmen der mündlichen Befragung Unklarheiten und Fehlvorstellungen viel schneller beseitigt werden als im Rahmen einer schriftlichen Begutachtung: Die Parteien und auch das Gericht können den Sachverständigen viel flexibler und unmissverständlicher befragen und sich von diesem sein „Fach-Chinesisch" erläutern lassen, wenn sie die Feststellungen in seinem Gutachten nicht verstanden haben.[33]

2.6.5.3 Vorbereitung der mündlichen Verhandlung durch den Sachverständigen

An dieser Stelle soll kurz auf die Durchführung der Ladung des Sachverständigen zur mündlichen Erläuterung seines Gutachtens durch die Gerichte eingegangen werden. In der Praxis ist häufig festzustellen, dass der Sachverständige mit folgendem Hinweis zur mündlichen Verhandlung geladen wird:

> „Erläuterung des Gutachtens vom …".

Ein solcher Hinweis versetzt den Sachverständigen nur rudimentär dazu in die Lage, sich auf den Termin vorzubereiten. Erhält er nur diesen Hinweis, hat er eigentlich keine genaue Vorstellung davon, was im Termin auf ihn zukommt. Diese Situation ist zu vermeiden. Der Autor begegnet diesem Problem dadurch, dass er die Einwendungen gegen ein Gutachten – sofern es sich um wenige handelt – in der Terminsladung unter dem Punkt „Beweisthema" im Einzelnen benennt und dem Sachverständigen gleichzeitig alle Schriftsätze der Parteien, die nach der Gutachtenerstattung zu den Gerichtsakten gelangt sind, in Kopie zur Terminsvorbereitung zukommen lässt (alternativ: Übersendung der Gerichtsakten an den Sachverständigen). Mit diesen Unterlagen kann sich der Sachverständige gezielt auf die Verhandlung vorbereiten und weiß dann schon recht genau, was auf ihn zukommt.

Sollte der Sachverständige hingegen feststellen, dass das Gericht diese Informationen mit der Ladung nicht an ihn weitergibt, kann nur empfohlen werden, von sich aus bei Gericht nachzufragen und eine Kopie der Schriftsätze anzufordern, die nach der Gutachtenerstattung eingegangen sind. Trotzdem verbleiben auch bei diesem Vorgehen Unsicherheiten: Kündigt eine Partei beispielsweise an, ihren Privatgutachter zum Termin mitzubringen, weiß der Sachverständige nicht genau, was dieser einwenden wird. Eine absolute Sicherheit im Hinblick auf die mündliche Verhandlung kann daher nicht erreicht werden. Sie wäre mit dem Grundsatz der Gewährleistung rechtlichen Gehörs vor Gericht auch nur schwerlich vereinbar.

33 Vgl. zu diesen Problemen auch: *Kamphausen*, BauR 2007, S. 807, 808.

2.6.5.4 Verhalten des Sachverständigen in der mündlichen Verhandlung

Sollte der Sachverständige im Rahmen der mündlichen Erläuterung seines Gutachtens feststellen, dass er nicht sofort auf die Einwendungen der Partei(en) reagieren kann, sollte er sich nicht aus der Ruhe bringen lassen. Der Autor kann aus eigener Erfahrung bestätigen, dass viele Sachverständige solche Fragen und Einwendungen als „Angriff" auffassen und entsprechend gereizt reagieren. Dies kann soweit führen, dass der jeweiligen Partei unter Umständen die Möglichkeit eröffnet wird, einen (berechtigten) Befangenheitsantrag nach § 406 ZPO zu stellen.

Der Sachverständige ist daher gut beraten, alle an ihn in der Verhandlung gerichteten Fragen *ruhig und sachlich* zu beantworten und sich auch durch „Angriffe" nicht provozieren zu lassen. Solche „Angriffe" kommen dabei nicht selten von durch die Parteien zum Termin mitgebrachten Privatgutachtern, wobei ein Hinzuziehen derselben ohne Zweifel zur Gewährleistung von „Waffengleichheit" (Diskussion auf „Augenhöhe") rechtlich zulässig ist.

Falls sich sodann in der Verhandlung *neue Fragen und Tatsachen* ergeben, die bisher noch nicht Gegenstand des Gutachtens waren, muss der Sachverständige genau prüfen, ob er das Ergebnis seines Gutachtens aufrechterhalten kann oder dieses nicht vielleicht sogar revidieren muss. Gegebenenfalls muss er das Ergebnis seines Gutachtens unter den Vorbehalt einer weiteren Prüfung und Begutachtung stellen. Hierzu sollte der Sachverständige dann entweder um eine kurze Unterbrechung der Verhandlung oder aber um eine Vertagung derselben zur gründlichen Prüfung bitten.[34]

Diese Handhabung führt für das Gericht dazu, dass es im Vorfeld nicht stets zuverlässig abschätzen kann, wie lange die mündliche Befragung eines Sachverständigen dauern wird. Insofern dürfte es sich empfehlen, so zu terminieren, dass noch genug „Luft" nach hinten verbleibt. Auch der Sachverständige sollte dies bei seiner Terminplanung berücksichtigen. Reicht der angesetzte Verhandlungstermin nicht aus, um alle Fragen zu beantworten, so kommt das Gericht nicht umhin, eine Vertagung vorzunehmen.

Für das Gericht sind mündliche Gutachtenerläuterungen durch den Sachverständigen auch deswegen besonders arbeitsaufwendig, weil diese *Erläuterungen nach § 160 Abs. 3 Nr. 4 ZPO zu protokollieren* sind. Der Sachverständige sollte dabei besonders darauf achten, dass das Gericht seine Erläuterungen zutreffend und richtig protokolliert.

Hinweis

In der gerichtlichen Praxis ist es leider nicht sehr verbreitet, das Verhandlungsprotokoll (auch) an den Sachverständigen zu dessen Kenntnisnahme zu übersenden. Aus Sicht des Autors bietet sich dies – vor allem im Anschluss an komplexe und umfangreiche Anhörungstermine – schon deswegen an, um dem Sachverständigen Gelegenheit zu geben, seine protokollierten Ausführungen durchzusehen und das Gericht noch vor der Entscheidung auf etwaige Fehler hinzuweisen.

34 Ebenso: *Leupertz/Hettler*, Der Bausachverständige vor Gericht, 2. Aufl. 2013, Rn. 233 a.E.

2.6.5.5 Konfrontation des Sachverständigen in der mündlichen Verhandlung mit Unbekanntem?

Ist es in der Praxis zutreffend, dass Sachverständige in der mündlichen Verhandlung häufig mit nicht bekannten Tatsachen oder Einwendungen konfrontiert werden?

Nach der dargestellten Rechtsprechung des BGH geben die Parteien zumindest grob vor, inwieweit sie eine Erläuterung des schriftlichen Gutachtens wünschen. Das folgt letztlich aus § 411 Abs. 4 Satz 1 ZPO, wonach die Parteien dem Gericht innerhalb eines angemessenen Zeitraums ihre Einwendungen gegen das Gutachten mitzuteilen haben. Damit ist aber noch nicht die Frage beantwortet, wie ausführlich die Einwendungen dargelegt werden müssen. *Kamphausen* schlussfolgert aus der „strengen" Formulierung von § 411 Abs. 4 Satz 1 ZPO, verbunden mit der Möglichkeit einer Fristsetzung, dass die Parteien ihre Einwendungen gegen das Gutachten substantiiert bekanntgeben müssten; dies entspreche dem gesetzgeberischen Willen und führe zu einer effizienten Verfahrensführung.[35] Ohne darauf an dieser Stelle im Einzelnen eingehen zu können, fällt doch auf, dass die Ansicht von *Kamphausen* unter dem Gesichtspunkt der Gewährleistung rechtlichen Gehörs vor Gericht (Art. 103 Abs. 1 GG) sowie unter Berücksichtigung der oben dargestellten Rechtsprechung des BGH fraglich erscheint. Die Parteien sind danach gerade nicht zu einer umfassenden Darlegung ihrer Einwendungen verpflichtet. Es reicht aus, wenn sie diese in groben Zügen mitteilen. Zuzugeben ist *Kamphausen* jedoch, dass eine strengere Handhabung die Verfahrensführung in einem Bauprozess erheblich erleichtern und beschleunigen würde. Aus Sicht des Autors kann aber nicht unberücksichtigt bleiben, dass Sachverständige vor ihrer mündlichen Anhörung vor Gericht in aller Regel (mindestens) ein ausführliches schriftliches Gutachten erstattet haben. Sie können sich daher in den meisten Fällen schon vor dem Termin denken, in welcher Hinsicht eine Erläuterung gewünscht wird. Schon unter Beachtung dieser Aspekte dürfte es in der Praxis recht selten vorkommen, dass ein qualifizierter Sachverständiger in der mündlichen Verhandlung von den Einwendungen der Parteien vollkommen überrascht wird. Außerdem müsste seine Sachkunde den Sachverständigen dazu in die Lage versetzen, wenigstens auf „Standardeinwendungen" direkt und ohne größere Vorbereitung eingehen zu können.

Wegen des Anspruchs der Parteien auf Gewährleistung (umfassenden) rechtlichen Gehörs (Art. 103 Abs. 1 GG, §§ 402, 397 ZPO) hat der gerichtlich bestellte Sachverständige dennoch keine absolute Gewissheit, was in der mündlichen Verhandlung genau auf ihn zukommt und in welcher Hinsicht eine Erläuterung seines Gutachtens am Verhandlungstag von ihm begehrt wird. Es bleibt deswegen festzuhalten:

Die mündliche Erläuterung seines schriftlichen Gutachtens vor Gericht ist für den Sachverständigen immer eine spannende Angelegenheit.

35 Dazu: *Kamphausen*, Beilage der Zeitschrift BauR 4/2008 „Thesen der Arbeitskreise I bis VII", S. 36 sowie DS 2008 (Heft 5), S. 124, 126.

2.6.5.6 Exkurs: Übersendung einer Urteilsabschrift an den Sachverständigen?

Im Anschluss an den Erlass eines Urteils stellt sich bisweilen die Frage, ob dem Gerichtssachverständigen – wenn er dies beantragt – eine Abschrift des Urteils überlassen werden kann/darf. Gelegentlich äußern Sachverständige diesen Wunsch, um sich über den Ausgang des Verfahrens zu informieren, an dem sie beteiligt waren. Die Handhabung der Gerichte ist dabei sehr unterschiedlich. Maßgebliche Vorschrift dürfte **§ 299 Abs. 2 ZPO** sein, weil Sachverständige keine Parteien i.S.d. § 299 Abs. 1 ZPO sind.

Dritten Personen kann der Vorstand des Gerichts nach § 299 Abs. 2 ZPO ohne Einwilligung der Parteien[36] die Einsicht in die Akten nur gestatten, wenn ein *„rechtliches Interesse"* glaubhaft gemacht wird. Aus Sicht des Autors sollte man die Anforderungen an das rechtliche Interesse nicht überspannen, wenn sich ein zuvor am Verfahren beteiligter Gerichtssachverständiger über den Ausgang des Verfahrens informieren will. Hier sollte eine *„mittelbare Interessenberührung"*[37] genügen, weil der Sachverständige aus der Akteneinsicht durchaus nützliche Informationen für seine (weitere) Arbeit vor Gericht gewinnen kann. Auch wenn im Unterschied zu § 299 Abs. 1 ZPO in § 299 Abs. 2 ZPO die Erteilung von Ausfertigungen nicht erwähnt wird, spricht das nach hier vertretener Ansicht nicht dagegen, Dritten (und damit auch Sachverständigen) auf ihren Antrag hin eine – evtl. anonymisierte – Urteilsabschrift zukommen zu lassen.[38]

36 Willigen die Parteien hingegen in die Akteneinsicht durch den Dritten ein, erübrigt sich die Darlegung eines rechtlichen Interesses.

37 Dazu: *Prütting*, in: Münchener Kommentar zur ZPO, 6. Aufl. 2020, § 299 Rn. 22.

38 Ebenso: *Prütting*, in: Münchener Kommentar zur ZPO, § 299 Rn. 26.

2.7 Privatgutachten vor Gericht – die Bedeutung des Privatgutachtens für den (privaten) Bauprozess

Mark Seibel

Übersicht

2.7.1 Einführung

Dieser Beitrag beschäftigt sich mit der Bedeutung des Privatgutachtens für den (privaten) Bauprozess.[1] Privatgutachten sind essenzieller Teil von nahezu jedem (privaten) Bauprozess. Sie sind qualifizierter und urkundlich belegter Teil des Parteivortrags, mit dem sich Gerichte – wollen sie dem verfassungsrechtlichen Anspruch einer Partei auf Gewährung rechtlichen Gehörs (Art. 103 Abs. 1 GG) gerecht werden – im Einzelnen auseinanderzusetzen haben. In der gerichtlichen Praxis werden durch einen Privatgutachter belegte Einwendungen einer Partei gegen ein Gerichtsgutachten jedoch vielfach ohne nähere Begründung mit der Leerformel vom „nachvollziehbaren und überzeugenden Gerichtsgutachten" beiseitegeschoben. Im Folgenden wird dargestellt, warum dies der Bedeutung eines Privatgutachtens für den (privaten) Bauprozess nicht gerecht wird.

2.7.2 Privatgutachten – Qualifizierung und Zweck

Als *Privatgutachten* werden Sachverständigengutachten bezeichnet, die – im Unterschied z.B. zu § 404 Abs. 1 ZPO – nicht vom Gericht, sondern regelmäßig von einer der Parteien vor oder während eines Prozesses eingeholt werden.[2]

1 Siehe dazu auch: *Seibel*, BauSV 2/2023, S. 53 ff.
2 *Greger*, in: Zöller, Kommentar zur ZPO, 35. Aufl. 2024, Vorbem. zu §§ 402 ff. Rn. 3.

Privatgutachten sind nicht als Sachverständigenbeweis i.S.d. §§ 402 ff. ZPO anzusehen und können daher auch nicht gemäß § 411 ZPO verwertet werden; sie gelten vielmehr als qualifizierter und urkundlich belegter Teil des Parteivortrags.[3]

Ein *Privatgutachten bezweckt*, über die allgemeine Substantiierungspflicht im Prozess hinaus, die zur Beurteilung von Sachverhaltsfragen erforderliche Sachkunde in den (privaten) Bauprozess einzuführen, um ein Unstreitigstellen, einen Vergleich, die Einholung eines Gerichtsgutachtens oder die Überprüfung eines bereits vorliegenden Gerichtsgutachtens zu erreichen.[4]

2.7.3 Privatgutachten vor Gericht – Status quo

In der gerichtlichen Praxis werden die Feststellungen eines Privatsachverständigen leider nur äußerst selten im Rahmen der Entscheidungsfindung berücksichtigt oder gar verwertet.

Dem liegt offenbar die (unausgesprochene) Vorstellung zugrunde, die Feststellungen eines Privatsachverständigen seien „parteiisch" und deswegen von vornherein nicht verwertbar. *Leupertz/Hettler*[5] konstatieren daher zutreffend:

„In der Praxis wird gegen die Einschaltung eines Privatgutachters immer wieder eingewandt, das Privatgutachten habe im Prozess keine unmittelbare Beweiskraft. Dieses Argument ist ebenso richtig wie falsch. Tatsache ist, dass die Gerichte den Ergebnissen eines Privatgutachtens fast schon stereotyp mit der (unausgesprochenen) Erwägung misstrauen, der Privatgutachter sei parteiisch und die von ihm getroffenen Feststellungen seien deshalb für die Entscheidungsfindung nicht verwertbar. Das entspricht nicht dem Gesetz. Der Inhalt eines Privatgutachtens gilt zwar (nur) als Parteivortrag und hat deshalb nicht den Beweiswert eines gerichtlichen Sachverständigengutachtens. Er unterliegt als solcher allerdings der freien Beweiswürdigung nach § 286 ZPO, die es dem Gericht grundsätzlich dennoch ermöglicht, die Ergebnisse eines Privatgutachtens seiner Entscheidung jedenfalls dann ohne die Beauftragung eines gerichtlichen Sachverständigen zugrunde zu legen, wenn die Gegenseite keine tauglichen Einwendungen gegen die Feststellungen des Privatgutachters vorbringt. Insbesondere kann das Gericht eine nach § 287 ZPO ggf. gebotene Schadensschätzung auf die Erkenntnisse des Privatgutachters stützen. Von beiden Möglichkeiten wird in der Praxis viel zu selten Gebrauch gemacht."

Diese von *Leupertz/Hettler* zutreffend geschilderte gerichtliche Handhabung ist immer noch aktuell und führt dazu, dass die Bedeutung eines Privatgutachtens für den (privaten) Bauprozess „gegen Null" tendiert, weil Gerichte – auch wenn fundierte Privatgutachten vorliegen – stets selbst Sachverständigengutachten (Gerichtsgutachten) in Auftrag geben und dann vielfach auch nur diesen folgen. Eine solche gerichtliche Praxis überzeugt nicht und bedarf einer kritischen Betrachtung, wozu die folgenden Ausführungen einen Anstoß geben wollen.

3 *Greger*, in: Zöller, Kommentar zur ZPO, Vorbem. zu §§ 402 ff. Rn. 3.
4 *Greger*, in: Zöller, Kommentar zur ZPO, Vorbem. zu §§ 402 ff. Rn. 3.
5 *Leupertz/Hettler*, Der Bausachverständige vor Gericht, 2. Aufl. 2013, Rn. 27.

2.7.4 Rechtsprechung des BGH (Auswahl)

Der BGH hat schon in vielen Entscheidungen unmissverständlich dazu Stellung genommen, welche Bedeutung Privatgutachten für den (privaten) Bauprozess haben und wie Gerichte mit diesen umgehen müssen. Das sollen die drei folgenden Beispiele aus der Rechtsprechung des BGH verdeutlichen.

2.7.4.1 BGH, Beschluss vom 17.5.2017 – VII ZR 36/15

In seinem Beschluss vom 17.5.2017 führte der VII. Zivilsenat des BGH („Bausenat") dazu Folgendes aus:[6]

Rn. 11:

„Der Tatrichter hat Einwendungen einer Partei gegen das Gutachten eines gerichtlichen Sachverständigen zu berücksichtigen. Er ist verpflichtet, sich mit von der Partei vorgelegten Privatgutachten auseinanderzusetzen und auf die weitere Aufklärung des Sachverhalts hinzuwirken, wenn sich aus den Privatgutachten ein Widerspruch zum Gerichtsgutachten ergeben kann. Unklarheiten, Zweifeln oder Widersprüchen hat er von Amts wegen nachzugehen. Wenn der gerichtlich bestellte Sachverständige im Rahmen seiner Anhörung die sich aus einem Privatgutachten ergebenden Einwendungen nicht auszuräumen vermag, muss der Tatrichter im Rahmen seiner Verpflichtung zur Sachaufklärung ein weiteres Gutachten einholen (vgl. BGH, Beschlüsse vom 21. März 2013 – V ZR 204/12 Rn. 6; vom 12. Januar 2011 – IV ZR 190/08, NJW-RR 2011, 609 Rn. 5). Das Gericht ist gehalten, sich mit den Streitpunkten zwischen dem gerichtlichen Sachverständigengutachten und dem Privatgutachten sorgfältig und kritisch auseinanderzusetzen und die Streitpunkte zu würdigen. Insbesondere hat es zu begründen, warum es einem von ihnen den Vorzug gibt (vgl. BGH, Beschlüsse vom 27. Januar 2010 – VII ZR 97/08, BauR 2010, 931 Rn. 9; vom 23. Januar 2008 – IV ZR 10/07, NJW-RR 2008, 767 Rn. 18)."

Rn. 13:

„Die Entscheidung des Berufungsgerichts trägt diesen Anforderungen nicht hinreichend Rechnung. Die Entscheidungsgründe lassen eine plausible, nachvollziehbare Begründung nicht erkennen, warum das Sachverständigengutachten H. so überzeugend ist, dass den durch die Beklagte mit der Vorlage mehrerer Privatgutachten untermauerten Einwendungen sowohl gegen die Feststellungen der Sachverständigen, die Ursachenermittlung wie auch die vorgeschlagene Art und Weise der Sanierung und der damit verbundenen Kosten nicht nachzugehen ist."

Rn. 15:

„Mit diesen Einwendungen hat sich das Berufungsgericht nicht ausreichend auseinandergesetzt. Die Begründung des Berufungsgerichts, die Ausführungen im Sachverständigengutachten seien überzeugend und eine Anhörung der Sachverständigen H. im Hauptsacheverfahren zu den Einwänden der Beklagten sei darum nicht mehr erforderlich, weil die diesbezüglichen zentralen Fragen bereits im selbständigen Beweisverfahren eindeutig be-

6 BGH, B. v. 17.5.2017 – VII ZR 36/15, juris Rn. 11, 13 und 15.

antwortet worden seien, erweisen sich angesichts der kritischen, aus den verschiedenen Privatgutachten hervorgehenden Einwendungen als Leerformeln."

2.7.4.2 BGH, Beschluss vom 6.4.2016 – VII ZR 16/15

Auch die Entscheidung des VII. Zivilsenats des BGH vom 6.4.2016 befasste sich mit der Bedeutung von Privatgutachten für den (privaten) Bauprozess.[7]

Rn. 11:

„(…) Zwar muss sich das Gericht nicht mit jedem von einer Partei vorgebrachten Gesichtspunkt auseinandersetzen. Das Gericht verstößt jedoch gegen das Recht einer Partei auf rechtliches Gehör, wenn es im Urteil nicht zu erkennen gibt, dass es den Streit zwischen dem gerichtlichen Sachverständigen und dem von der Partei beauftragten Privatgutachter sorgfältig und kritisch gewürdigt und die Streitpunkte zumindest mit dem gerichtlichen Sachverständigen erörtert hat. Das Gericht muss mit einleuchtender und logisch nachvollziehbarer Begründung einer der Auffassungen den Vorzug geben. Die Entscheidungsgründe müssen zudem erkennen lassen, dass eine Auseinandersetzung mit den Einwendungen stattgefunden hat, die sich aus dem Privatgutachten ergeben (vgl. BGH, Beschluss vom 15. Dezember 2015 – VI ZR 557/15, NJW 2016, 639 Rn. 5 f.; Beschluss vom 27. Januar 2010 – VII ZR 97/08, (…) Rn. 9 m.w.N.)."

Rn. 12:

„Die Begründung des Berufungsurteils trägt diesen Anforderungen nicht hinreichend Rechnung. Das Berufungsgericht hat zwar im Hinblick auf von ihm formulierte Kernaussagen der von der Beklagten beigebrachten Privatgutachten eine Anhörung des Sachverständigen D. angeordnet. Die Entscheidungsgründe lassen jedoch nicht erkennen, dass sich das Berufungsgericht mit den nachfolgend benannten Einwendungen der Beklagten, die sich aus den vorgelegten Privatgutachten ergeben, in hinreichendem Maße auseinandergesetzt hat."

2.7.4.3 BGH, Beschluss vom 27.1.2010 – VII ZR 97/08

In seinem Beschluss vom 27.1.2010 führte der VII. Zivilsenat des BGH Folgendes aus.[8]

Rn. 10:

„Das Berufungsgericht hat zwar eine Anhörung des Sachverständigen H. angeordnet und die Leistungen bewerten lassen. Weder das Protokoll der mündlichen Verhandlung noch die Entscheidungsgründe lassen jedoch erkennen, dass eine Auseinandersetzung mit den Einwendungen stattgefunden hätte, die sich aus dem Privatgutachten ergeben. Die Begründung des Berufungsgerichts, der Sachverständige habe die prozentuale Gewichtung unter Heranziehung von Fachliteratur nach dem Standard des Einfamilienhauses vorgenommen und dessen Ausführungen seien nachvollziehbar und überzeugend, erweisen sich angesichts der Einwendungen aus dem Privatgutachten als Leerformeln."

---

7 BGH, B. v. 6.4.2016 – VII ZR 16/15, juris Rn. 11 und 12.

8 BGH, B. v. 27.1.2010 – VII ZR 97/08, juris Rn. 10.

2.7.4.4 Kurze Zusammenfassung

Die zutreffenden Ausführungen des BGH machen ein Hauptproblem im Umgang mit Privatgutachten in der gerichtlichen Praxis deutlich:

Immer wieder ist festzustellen, dass sich Gerichte gar nicht bzw. nur sehr oberflächlich mit den substantiiert unter Vorlage eines Privatgutachtens vorgetragenen Einwendungen einer Partei gegen ein gerichtliches Sachverständigengutachten auseinandersetzen.

Getreu dem Motto: *Nichts geht über die Feststellungen des gerichtlich bestellten Sachverständigen!*

Gerne wird in diesem Zusammenhang von den Gerichten die *„Leerformel"* – so der BGH wörtlich – vom *„nachvollziehbaren und überzeugenden gerichtlichen Sachverständigengutachten"* gebraucht. An dieser Stelle ist noch einmal deutlich zu betonen, dass die Formel vom „nachvollziehbaren und überzeugenden Gutachten" überhaupt keine Begründung dafür enthält, warum das Gericht dem Gutachten des gerichtlich bestellten Sachverständigen und nicht dem Privatgutachten folgt. Gerichte sind gehalten, qualifizierten Einwendungen einer Partei (z.B. durch Vorlage eines Privatgutachtens) gegen ein gerichtliches Sachverständigengutachten im Einzelnen nachzugehen – wollen sie den Grundsatz der Gewährleistung rechtlichen Gehörs gegenüber einer Partei (Art. 103 Abs. 1 GG) hinreichend wahren.

Dem Urteil muss daher nachvollziehbar zu entnehmen sein, warum das Gericht dem Privatgutachten nicht gefolgt ist. Keinesfalls dürfen durch ein Privatgutachten untermauerte qualifizierte Einwendungen einer Partei gegen ein Gutachten des gerichtlich bestellten Sachverständigen unbeachtet gelassen werden.[9]

Die Tendenz von Gerichten, über durch Privatgutachten belegten Parteivortrag oberflächlich hinwegzugehen, ist sachlich nicht zurechtfertigen:

Wie wollen Gerichte, denen regelmäßig die Sachkunde zur Beurteilung dieses qualifizierten Parteivortrags fehlen wird, die Feststellungen des Privatsachverständigen selbst kompetent bewerten und darüber entscheiden (können)?

In der gerichtlichen Praxis ist leider häufig eine *„kaum nachvollziehbare Aversion"*[10] *gegen die Berücksichtigung von Privatgutachten bei der Entscheidungsfindung* feststellbar. Die Bedeutung eines Privatgutachtens für den (privaten) Bauprozess wird daher in der Praxis auch vielfach unterschätzt.

2.7.5 Hinweise für die Praxis

Es wurde bereits oben (2.7.3) darauf hingewiesen, dass ein durch ein Privatgutachten belegter, qualifizierter Parteivortrag von den Gerichten nicht unbeachtet gelassen werden darf und dass Privatgutachten grundsätzlich der freien Beweiswürdigung durch das Gericht nach § 286 ZPO unterliegen.[11]

9 Ebenso: *Leupertz/Hettler*, Der Bausachverständige vor Gericht, Rn. 24 ff.
10 So: *Leupertz/Hettler*, Der Bausachverständige vor Gericht, Rn. 25 a.E.
11 Siehe auch: *Leupertz*, BauR 2007, S. 1790, 1796.

Dennoch ist mit der gerichtlichen Verwertung eines Privatgutachtens Vorsicht geboten. Für das Gericht wird sich regelmäßig die Frage stellen, ob das Privatgutachten eine Beweiserhebung in Form der Einholung eines gerichtlichen Sachverständigengutachtens entbehrlich macht. Dies ist in der Regel nicht der Fall!

Im Rahmen der freien Beweiswürdigung nach § 286 ZPO wird das Gericht seiner Entscheidungsfindung ausnahmsweise dann allein ein Privatgutachten zugrunde legen können, wenn die Gegenpartei keine tauglichen Einwendungen gegen die Feststellungen des Privatgutachters vorbringt[12] und das Gericht die Beweisfrage mit dem Privatgutachten zuverlässig und ausreichend beantworten kann.[13] Liegen aber – was in der Praxis häufig vorkommt – beispielsweise zwei sich widersprechende Privatgutachten (von jeder Partei jeweils eins) vor, darf das Gericht den Prozess in Anbetracht seiner (regelmäßig) fehlenden Sachkunde nicht ohne das Einholen eines gerichtlichen Sachverständigengutachtens fortsetzen.

Widersprechen sich sodann die Feststellungen des gerichtlich bestellten Sachverständigen und des Privatsachverständigen, bieten sich für das Gericht folgende Möglichkeiten zur Aufklärung an:[14]

- Einerseits kann von dem gerichtlichen Sachverständigen eine schriftliche Stellungnahme zu den Einwendungen aus dem Privatgutachten eingeholt werden (**schriftliches Ergänzungsgutachten**).
- Andererseits kann der gerichtliche Sachverständige von Amts wegen zur **mündlichen Gutachtenerläuterung nach § 411 Abs. 3 ZPO** geladen werden.[15] Zur Gewährleistung eines fairen Verfahrens und zur Ermöglichung von „Waffengleichheit" sollte den Parteien dabei ein Recht auf Anwesenheit ihres Privatgutachters im Rahmen der Beweisaufnahme zustehen. Anderenfalls können sie den Ausführungen des gerichtlich bestellten Sachverständigen nicht „auf Augenhöhe" entgegentreten. Innerhalb der mündlichen Gutachtenerläuterung vor Gericht nach § 411 Abs. 3 ZPO hat der Privatgutachter zwar kein eigenes Fragerecht i.S.d. § 397 ZPO. In der Praxis bietet es sich zur effektiven Verhandlungsführung jedoch an – so praktiziert es der Autor –, die Anwesenheit des Privatgutachters bei den mündlichen Erläuterungen des gerichtlich bestellten Sachverständigen zu gestatten und den Privatgutachter auch seine Einwendungen vortragen zu lassen.

Selbst wenn Gerichte von der Möglichkeit der Verwertung eines Privatgutachtens so gut wie nie Gebrauch machen, bieten Privatgutachten – worauf *Leupertz/Hettler*[16] zutreffend hinweisen – folgende Vorteile:

- Mit dem Privatgutachter hat die Partei eines (privaten) Bauprozesses einen (hoffentlich) fachkundigen Helfer an ihrer Seite, der (optimalerweise) von Anfang an mit der Sache betraut ist und daher über umfassende Kenntnisse – auch in tatsächlicher Hinsicht – verfügt.

12 *Leupertz*, BauR 2007, S. 1790, 1796.
13 *Greger*, in: Zöller, Kommentar zur ZPO, Vorbem. zu §§ 402 ff. Rn. 10 m.w.N.
14 Siehe auch: *Manteufel*, in: Werner/Pastor, Der Bauprozess, 18. Aufl. 2023, Rn. 3114.
15 Ausführlich zur mündlichen Gutachtenerläuterung vor Gericht: Beitrag 2.6.
16 *Leupertz/Hettler*, Der Bausachverständige vor Gericht, Rn. 28.

- Durch das Hinzuziehen eines Privatgutachters wird die Partei eines (privaten) Bauprozesses oft erst dazu in die Lage versetzt, fachlich fundierte Einwendungen gegen das Gutachten eines gerichtlich bestellten Sachverständigen vorzutragen.
- Im Termin zur mündlichen Gutachtenerläuterung vor Gericht (§ 411 Abs. 3 ZPO) kann der Privatgutachter mit dem Gerichtssachverständigen „auf Augenhöhe" kommunizieren sowie dem Gericht die Einwendungen gegen das Gerichtsgutachten erklären und somit nachvollziehbar machen.

Für die Parteien eines (möglicherweise nachfolgenden) privaten Bauprozesses empfiehlt es sich daher, von Anfang an einen Privatsachverständigen mit der Beurteilung der streitgegenständlichen Bauleistung zu beauftragen.

Der Privatgutachter (Bausachverständige) muss sich dabei seiner besonderen Stellung bewusst sein und entsprechend sorgfältig arbeiten. So muss er z.B. von Anfang an auf eine umfassende Dokumentation der streitgegenständlichen Bauleistung (vor allem der Mangelerscheinungen) hinwirken und diese sichern. Das kann die spätere Beweiserhebung – auch des gerichtlich bestellten Sachverständigen – vereinfachen. Zudem muss sich der Privatgutachter darüber im Klaren sein, dass der Auftrag zur Erstattung eines Gutachtens für ihn sehr umfangreich werden kann. In den meisten Fällen wird er die betroffene Partei später auch während des (privaten) Bauprozesses begleiten und fachlich beraten müssen: z.B. in Form der schriftlichen Beurteilung der Gutachten des gerichtlich bestellten Sachverständigen sowie der Teilnahme an mündlichen Gerichtsverhandlungen (vor allem: Anhörung des Gerichtssachverständigen nach § 411 Abs. 3 ZPO).

2.7.6 Fazit

Häufig ist feststellbar, dass sich Gerichte nicht ausreichend mit den durch Privatgutachten belegten Einwendungen einer Partei gegen die Feststellungen des gerichtlich bestellten Sachverständigen auseinandersetzen. Vielfach werden solche Einwendungen ohne nähere Begründung mit der Leerformel vom „nachvollziehbaren und überzeugenden Gerichtsgutachten" beiseitegeschoben. Das wird der Bedeutung eines Privatgutachtens für den Bauprozess nicht gerecht!

Privatgutachten stellen einen qualifizierten und urkundlich belegten Teil des Parteivortrags dar, mit dem sich Gerichte – wollen sie dem verfassungsrechtlichen Anspruch einer Partei auf Gewährung rechtlichen Gehörs (Art. 103 Abs. 1 GG) gerecht werden – im Einzelnen auseinanderzusetzen haben.

Denn: Nur durch den Privatgutachter wird die Partei eines (privaten) Bauprozesses oft erst dazu in die Lage versetzt, fachlich fundierte Einwendungen gegen das Gutachten des gerichtlich bestellten Sachverständigen vorzutragen.

Privatgutachten sind essenzieller Teil von nahezu jedem (privaten) Bauprozess.

2.8 Die Vergütung der gerichtlichen Sachverständigen nach dem JVEG

Peter Bleutge

Übersicht

2.8.1 Novelle 2021

Das novellierte JVEG (KostRÄG 2021) hat gegenüber der vorhergehenden Fassung aus dem Jahr 2013 für Sachverständige, Dolmetscher, Übersetzer, Sachverständige in Insolvenzverfahren und Zeugen folgende Änderungen und Neuerungen mit sich gebracht: (Dolmetscher, Übersetzer und Insolvenz-Sachverständige bleiben nachstehend außer Betracht)

§ 2 JVEG (Geltendmachung und Erlöschen des Anspruchs)

Die Dreimonatsfrist, innerhalb der die Vergütung geltend gemacht werden muss, wird beibehalten. Bei Fristversäumnis, die dazu führt, dass der Vergütungsanspruch erlischt, wird aber zumindest der Vorschussbetrag ausgezahlt, der zuvor über § 3 JVEG bewilligt worden ist (§ 2 Abs. 2 Satz 6). Damit soll die Rechtsfolge des vollständigen Verlustes der Vergütung bei Fristversäumnis abgemildert werden.

§ 3 JVEG (Vorschuss)

Der Betrag, ab dem ein Vorschuss für erbrachte Teilleistungen gewährt wird, wird von 2.000 Euro auf 1.000 Euro reduziert. Damit soll die Vorfinanzierungsverpflichtung reduziert werden.

§ 4 JVEG (Gerichtliche Festsetzung und Beschwerde)

Ein neuer Satz 2 des Absatz 1 regelt, dass eine Festsetzung der Vergütung durch das Gericht in der Regel insbesondere dann als angemessen anzusehen ist, wenn ein Wegfall oder eine Beschränkung des Vergütungsanspruchs nach § 8a Abs. 1 (Sachverständiger gibt Befangenheitsgründe nicht an) oder Abs. 2 Satz 1 (Verstöße gegen die Verfahrensregeln der ZPO, mangelhafte Leistung, grob fahrlässig selbst herbeigeführte Befangenheitsgründe, keine Leistungserbringung trotz Ordnungsgeld) in Betracht kommt. Aus verfahrensökonomischen Gründen soll das Gericht die Vergütung dann von Amts wegen festsetzen, auch weil der Kostenbeamte die inhaltlichen Gründe schlecht selbst beurteilen kann und somit ohnehin auf die Stellungnahme des Gerichts angewiesen ist.

§ 5 JVEG (Fahrtkostenersatz)

Die Kilometerpauschale wird in Absatz 2 Satz 1 für Sachverständige von 0,30 Euro auf 0,42 Euro angehoben; Zeugen erhalten gegenüber dem alten Satz von 0,25 Euro nunmehr 0,35 Euro pro gefahrenem Kilometer. Damit sollen die angestiegenen Anschaffungs- und Betriebskosten für Kfz zumindest teilweise kompensiert werden.

§ 7 JVEG (Ersatz für sonstige Aufwendungen)

Es wird in Absatz 2 Satz 1 Nr. 3 und Satz 2 klargestellt, dass für Schwarzweiß- und Farbkopien jeweils gesondert die Pauschalen für die ersten 50 Kopien oder Ausdrucke gewährt werden. Das entspricht der bisher hierzu ergangenen Rechtsprechung.

§ 8a JVEG (Wegfall oder Beschränkung des Vergütungsanspruchs)

Ein Wegfall der Vergütung wegen mangelhafter Leistung gemäß Absatz 2 Satz 1 Nr. 2 soll erst nach fehlgeschlagener Nachbesserung erfolgen. Die Mängel sollen benannt und innerhalb einer Frist beseitigt werden, es sei denn, es handelt sich um grundlegende Mängel oder um solche, deren Beseitigung unmöglich oder aus zeitlichen Gründen nicht durchführbar ist. Für die Mängelbeseitigung nach Satz 1 Nr. 2 wird eine Vergütung nicht gewährt (Satz 2).

§ 9 JVEG (Honorare für Sachverständige)

In der Anlage 1 Teil 1 zu § 9 werden 39 „Haupt-Sachgebiete" und 25 zugehörige „Unter-Sachgebiete" mit den jeweiligen Stundensätzen gelistet. Ein Verweis auf 13 Honorargruppen, wie es das alte JVEG vorgesehen hatte, gibt es nicht mehr. Nunmehr wird jedes einzelne Sachgebiet mit einem eigenen Stundensatz versehen. Bei den nicht gelisteten Sachgebieten darf der Höchststundensatz von 155 Euro nicht überschritten werden. Der Justizrabatt wurde von 10 % auf 5 % reduziert. Die Stundensatzspannen wurden von 65 bis 125 Euro auf 70 bis 155 Euro erhöht.

§ 12 JVEG (Ersatz für besondere Aufwendungen)

Mit dem neuen Absatz 1 Satz 2 Nr. 5 wird die Möglichkeit eingeführt, die Aufwendungen für Post- und Telekommunikationsdienstleistungen anstelle der tatsächlichen Aufwendungen über eine Pauschale in Höhe von 20 % des Honorars abzurechnen, höchstens jedoch 15 Euro. Der Kostenersatz für die Erstellung des schriftlichen Gutachtens wird, was die Leistungen nach der Anlage 1 Teil 2 und der Anlage 2 (ärztliche Leistungen) betrifft, auf 1,50 Euro je angefangener 1.000 Anschläge erhöht (§ 12 Abs. 1 Satz 2 Nr. 3); diese Regelung betrifft leider nicht die Sachverständigen in Anlage 1, also auch nicht die Bausachverständigen.

§ 13 JVEG (Besondere Vergütung)

Da sich die bisherige Regelung des § 13 Abs. 2 Satz 2 (Pflicht zur Suche nach einem anderen – billigeren – Sachverständigen in der praktischen Anwendung nicht bewährt und vielmehr die Verfahren verzögert hat, wurde der Halbsatz „und wenn sich zu dem gesetzlich bestimmten Honorar keine geeignete Person zur Übernahme der Tätigkeit bereit erklärt" ersatzlos gestrichen.

§ 19 JVEG (Grundsatz der Entschädigung für Zeugen und sachverständige Zeugen)

- **Absatz 1 Satz 1** ergänzt klarstellend, dass zu der Gesamtdauer der Heranziehung auch die Zeit zählt, die Zeugen infolge der Heranziehung ihrer beruflichen Tätigkeit nicht nachgehen können.
- **Absatz 4** stellt klar, dass im Gegensatz zur bisherigen Regelung Zeugen aus dem Ausland nicht nur eine höhere Entschädigung für Zeitversäumnis, Nachteile bei der Haushaltsführung und für Verdienstausfall geltend machen können, sondern auch für die in Absatz 1 Satz 1 Nr. 1 bis 3 genannten Auslagen (Fahrtkosten, Aufwands- und Aufwendungen).

§§ 20–22 (Einzelheiten der Entschädigung von Zeugen und sachverständigen Zeugen)

Es werden höhere Entschädigungssätze für (sachverständige) Zeugen eingeführt:

- **§ 20**: Die Entschädigung für Zeitversäumnis beträgt 4 Euro je Stunde (bisher 3,50 Euro).
- **§ 21**: Die Entschädigung für Nachteile bei der Haushaltsführung beträgt 17 Euro je Stunde (bisher 14 Euro).
- **§ 22**: Die Entschädigung für Verdienstausfall beträgt 25 Euro je Stunde (bisher 21 Euro).

Kritik

Das JVEG gewährt den Sachverständigen keine Vergütung, die für vergleichbare gutachterliche Leistungen im außergerichtlichen Bereich üblich ist. Negativ kommt hinzu, dass der Gesetzgeber zwar im Jahr 2009 eine Befragung eines Teils der Sachverständigen zur „üblichen Vergütung" durchgeführt hat, von den so ermittelten Stundensätzen aber einen Justizrabatt von 5 % abgezogen und eine Obergrenze von 135 Euro eingeführt hat.

2.8.2 Anwendungsbereich (§ 1 JVEG)

Das JVEG gilt zwingend bei jedem Gutachtenauftrag durch das Gericht, die Staatsanwaltschaft, die Finanzbehörde (wenn diese selbst ermittelt), die Verwaltungsbehörde (im Ordnungswidrigkeitenverfahren) oder den Gerichtsvollzieher, und es gilt für alle Arten von Sachverständigen (§ 1 JVEG).

Die Bestimmungen des JVEG **müssen** demnach von allen Sachverständigen, Dolmetschern und Übersetzern angewendet werden, wenn eine der **folgenden Voraussetzungen** vorliegt:

- Gutachtenauftrag eines Gerichts (§ 1 Abs. 1 Satz 1 Nr. 1 JVEG),
- Gutachtenauftrag einer Staatsanwaltschaft (§ 1 Abs. 1 Satz 1 Nr. 1 JVEG),
- Gutachtenauftrag einer Finanzbehörde, wenn diese selbst ermittelt (§ 1 Abs. 1 Satz 1 Nr. 1 JVEG),
- Gutachtenauftrag einer Verwaltungsbehörde im Ordnungswidrigkeitenverfahren (§ 1 Abs. 1 Satz 1 Nr. 1 JVEG)
- Gutachtenauftrag der Polizei oder einer sonstigen Strafverfolgungsbehörde auf Veranlassung einer Staatsanwaltschaft (§ 1 Abs. 3 JVEG),
- Gutachtenauftrag eines Gerichtsvollziehers (§ 1 Abs. 1 Satz 1 Nr. 1 JVEG).

Bei einem Gutachtenauftrag durch sonstige Behörden ist das JVEG nur anwendbar, wenn die einzelne Behörde aufgrund gesetzlicher Bestimmungen zur entsprechenden Anwendung verpflichtet ist (§ 1 Abs. 2 Satz 1 JVEG). Auf die Zusammenstellung von infrage kommenden Behörden bei Schneider (§1 Rn. 64–83) wird hierzu verwiesen.

Der Vergütungsanspruch nach dem JVEG steht grundsätzlich demjenigen zu, der beauftragt worden ist. Dies gilt selbst dann, wenn ein Unternehmer (z.B. der TÜV) den Gutachtenauftrag erhalten hat, das Gutachten jedoch in vollem Umfang durch einen Mitarbeiter erstellt wird (§ 1 Abs. 1 Satz 3 JVEG). In diesem Fall kann also der TÜV den Vergütungsanspruch geltend machen.

In den vorgenannten Fällen ist das JVEG unterschiedslos auf alle entsprechend beauftragten Sachverständigen anzuwenden. Mithin gelten die einzelnen Regelungen des JVEG in gleicher Weise für öffentlich bestellte Sachverständige, für amtlich anerkannte Sachverständige und für nicht bestellte oder nicht anerkannte Sachverständige. Weiter gilt das JVEG für Freiberufler, Ärzte, selbstständige Gewerbetreibende und Handwerksmeister, wenn sie zu Gutachterleistungen herangezogen werden. Dabei spielt es keine Rolle, ob der jeweils beauftragte Sachverständige für den außergerichtlichen Tätigkeitsbereich einer staatlichen Gebührenordnung unterliegt. Deshalb müssen auch Architekten und Ingenieure, die bei Privatauftrag nach der Honorarordnung für Architekten und Ingenieure (HOAI) abrechnen, bei Gerichtsauftrag die Bestimmungen des JVEG anwenden.

Bei **Privatauftrag** findet das JVEG **keine Anwendung**. Ein Privatauftrag liegt immer dann vor, wenn auf der Auftraggeberseite kein Gericht, keine Staatsanwaltschaft, keine Behörde und kein Gerichtsvollzieher stehen. Wird der Sachverständige mithin von einer Bank, einer Versicherung, einem Unternehmen, einem Rechtsanwalt oder einem Endverbraucher mit der Erstattung eines Gutachtens beauftragt, sollte er bei Auftragsübernahme eine Honorarvereinbarung treffen. Dabei können folgende Alternativen infrage kommen:

- Pauschalhonorar (eventuell nach der Schadenshöhe gestaffelt);
- Zeitvergütung mit festen Stundensätzen;
- Prozent- oder Promillesatz vom Wert des zu begutachtenden Gegenstands.

Schreibt der Gesetzgeber für den privaten Gutachtenbereich eine staatliche Gebührenordnung vor (Beispiele: HOAI, RVG, GOÄ), ist der betreffende Sachverständige als Berufsangehöriger jedoch verpflichtet, die darin vorgesehenen Gebührentatbestände zu beachten. Wird bei Auftragsübernahme nicht über Umfang und Höhe der Vergütung gesprochen, gilt gemäß § 632 Abs. 2 BGB das übliche Honorar als vereinbart.

Ergänzend wird auf die IfS-Broschüre „Guter Vertrag – Weniger Haftung", 3. Aufl. 2017, verwiesen, in der sich u.a. ein Rechnungsmuster und vorformulierte Vertragsklauseln zur Rechnungsgestaltung bei Privatauftrag befinden. Zur Abrechnung bei Privatauftrag: *Roeßner* in: Praxishandbuch Sachverständigenrecht, § 42 Rn. 1–8.

2.8.3 Zeitvergütung (§ 8 und 9 JVEG)

2.8.3.1 Allgemeines

Soweit das Honorar nach Stundensätzen zu bemessen ist, wird es für jede Stunde der erforderlichen Zeit einschließlich notwendiger Reise- und Wartezeiten gewährt (§ 8 Abs. 2 Satz 1 JVEG). Vergütet wird die insgesamt **erforderliche** Zeit (Zahl der für die Vorbereitung, Ortsbesichtigung und Formulierung des Gutachtens erforderlichen Stunden). Für die Anzahl der Stunden gibt das Gesetz außer der Erforderlichkeit keine Vorgaben; diese wird vom Sachverständigen selbst festgelegt. Die Zahl der Gutachtenseiten ist kein Kriterium für die erforderliche Zeit, also die Zahl der Stunden. Als „erforderlich" ist nach der BGH-Rechtsprechung die Zeit anzusehen, die ein Sachverständiger mit durchschnittlicher Befähigung und Erfahrung bei sachgemäßer Auftragserledigung mit durchschnittlicher Arbeitsintensität benötigt.[1] Diese Zeit dürfen Kostenberater und Gericht bei ihrer Rechnungsprüfung nicht schätzen, sondern müssen sie nachprüfbar und nachvollziehbar ermitteln.[2] Umgekehrt sollten die Sachverständigen ihre Rechnungen entsprechend gliedern und aufschlüsseln; auch Minuten müssen nach jüngster Rechtsprechung angegeben werden.

2.8.3.2 Maßgebliche Zeit

2.8.3.2.1 Berechnungsfähige Arbeitszeit

Zunächst muss der Sachverständige die Dauer der einzelnen Zeitabschnitte (Stundenzahl) ermitteln, die erforderlich waren, um das Gutachten zu erstellen. Dabei können im Einzelfall folgende Zeitabschnitte in Betracht kommen (*Bleutge*, DS 2020, S. 204; DS 2022, S. 315):

Studium der Gerichtsakten	.... Stunden
Gedankliche Vorarbeit, Prüfung der fachlichen Kompetenz und des ausreichenden Kostenvorschusses, Orts- und Objektbesichtigung	.... Stunden
Reise- und Wartezeiten	.... Stunden
Untersuchungen, Messungen, Zeichnungen	.... Stunden
Studium der Fachliteratur (nur in Ausnahmefällen)	.... Stunden
Ausarbeitung und Diktat des Gutachtens	.... Stunden
Wahrnehmung des Gerichtstermins	.... Stunden
Insgesamt:	.... Stunden
Aufgerundet gemäß § 8 Abs. 2 Satz 2 JVEG:	.... Stunden

Es müssen bei den einzelnen Arbeitsabschnitten auch halbe Stunden, Viertelstunden und Minuten ausgeworfen werden, weil eine Aufrundung bei den einzelnen Arbeitsabschnitten verboten und nur nach dem Zusammenzählen aller Arbeitsabschnitte bei der Endstundenzahl zulässig ist. Auch hier gilt allerdings, dass grundsätzlich nur auf halbe Stunden aufgerundet werden kann; die letzte bereits begonnene Stunde wird also nur dann voll gerechnet, wenn sie zu mehr als 30 Minuten für die Erbringung der Leistung erforderlich war (früher: Aufrundung immer auf die volle Stunde).

1 BGH, U. v. 7.11.2006 – X ZR 65/03, DS 2007, S. 111.
2 BVerfG v. 26.7.2007 – 1 BvR 55/07, DS 2008, S. 67.

2.8.3.2.2 Nicht berechnungsfähige Arbeitszeiten

Folgende Tätigkeiten, die auch im Zusammenhang mit dem Gutachtenauftrag stehen, kommen jedoch nicht als Berechnungsfaktor in Betracht:

- Aufstellung der Kostenrechnung und Anfertigung des Übersendungsschreibens,
- Zeitversäumnis durch Autopanne,
- Übernachtungszeit (8 Stunden) und Zeit der Mittagspause (1 Stunde),
- Stellungnahme zum Ablehnungsgesuch (umstritten),
- überflüssige Vergleichsbemühungen,
- Antrag auf gerichtliche Festsetzung und Einlegung einer Beschwerde,
- Zeitaufwand für Fortbildung,
- Zeitaufwand für die Stellung eines Antrags nach § 13 JVEG,
- Zeitaufwand für die Rücksendung der Akten.

2.8.3.2.3 Erledigung mehrerer Aufträge (§ 8 Abs. 3 JVEG)

Erledigt der Sachverständige gleichzeitig mehrere Aufträge, sind sie nach dem Verhältnis der Vergütung zu verteilen, die bei gesonderter Heranziehung entstanden wären.

2.8.3.3 Maßgeblicher Stundensatz – das Honorar (§ 9 JVEG)

Anhebung der Stundensätze für 39 Sachgebiete (Anlage 1 zu § 9)

Gegenüber der früheren Fassung des § 9 JVEG und der dazu gehörenden Sachgebietsstruktur hat die Novelle 2021 erhebliche Änderungen gebracht. Die Ergebnisse der Befragung aus dem Jahr 2018 wurden eins-zu-eins umgesetzt. Allerdings waren die neuen Stundensätze im Jahr 2021 schon wieder um drei Jahre veraltet, weil die zugrunde gelegte Befragung bereits im Jahre 2018 erfolgte. Um die Stundensätze in kürzeren Zeiträumen den wirtschaftlichen Veränderungen anzupassen, wäre eine zeitliche Begrenzung der Anlage 1 zu § 9 auf fünf Jahre empfehlenswert gewesen.

Die Anlage 1 zu § 9 wurde in der Weise neu strukturiert, dass die darin gelisteten Sachgebiete in 39 Hauptsachgebiete und weitere 25 Untersachgebiete strukturiert wurden, wobei teilweise neue Sachgebiete aufgenommen, andere gelöscht oder umbenannt wurden. Neu ist weiter, dass jedes der Sachgebiete mit einem Stundensatz versehen wurde. Zur Erinnerung: In dem alten Anhang 1 zu § 9 war jedem Sachgebiet einer der 13 Honorargruppen zugeordnet, die wiederum in § 9 Abs. 1 JVEG einem bestimmten Stundensatz in einer Skala von 65 bis 125 Euro zugeordnet waren. Die neue Strukturierung vereinfacht das Auffinden des infrage kommenden Stundensatzes. Der niedrigste Stundensatz beträgt jetzt 75 Euro, der höchste 155 Euro. Für die nicht gelisteten Sachgebiete, deren Stundensatz nach billigem Ermessen und außergerichtlich vereinbarter Üblichkeit ermittelt werden, bedeutet das, dass der höchste Stundensatz von 155 Euro nicht überschritten werden darf.

Für die Bausachverständigen sind folgende Sachgebiete und Stundensätze von Bedeutung:

4 (Bauwesen)

4.1 Planung: 105 Euro

4.2 handwerklich-technische Ausführung: 95 Euro

4.3 Schadensfeststellung und Ursachenermittlung: 105 Euro

4.4 Bauprodukte: 105 Euro

4.5 Bauvertragswesen, Baubetrieb und Abrechnung von Bauleistungen: 105 Euro

Rechtlich bedenklich ist die Aufnahme bzw. Beibehaltung der Sachgebiete „Bauvertragswesen" (Nr. 4.5), „Besteuerung" (Nr. 6.2), Honorarabrechnungen von Steuerberatern (Nr. 6.4), Honorarabrechnungen von Architekten, Ingenieuren und Stadtplanern (Nr. 19). Bei diesen Sachgebieten handelt es sich um rein rechtliche Tätigkeiten (Vertragsrecht; Auslegung von gesetzlichen Honorarordnungen), die nach dem Rechtsdienstleistungsgesetz den Rechtsanwälten vorbehalten sind, also gar nicht von Sachverständigen gutachterlich bearbeitet werden dürfen. Was die Sachbereiche „Bauwesen" (Nr. 4) betrifft, liegen die fünf Sachbereiche nahe beieinander, sodass sich eine Untergliederung erübrigt hätte; ein Sachgebiet mit der Bezeichnung „Bauwesen" hätte genügt. Was die Höhe der Stundensätze angeht, werden die kritischen Beurteilungen von *Hahmann* und *Knäuper* in BauSV 1/2020, S. 64, geteilt.

2.8.3.4 Sonderfälle

Leistung betrifft ein Sachgebiet, das nicht in der Anlage 1 zu § 9 Abs. 1 JVEG aufgeführt ist

Stundensätze für Sachgebiete, die nicht in der Aufzählung der 39 Sachgebiete in Anlage 1 gelistet sind, werden nach § 9 Abs. 2 Satz 1 JVEG von Fall zu Fall **nach billigem Ermessen** festgesetzt. Maßgebendes Kriterium dieser Zuordnung sind die außergerichtlich und außerbehördlich vereinbarten Stundensätze für Leistungen auf dem betroffenen Sachgebiet. Praktisch wird der Begriff des „billigen Ermessens" so gehandhabt, dass die außergerichtlichen Stundensätze einen Abzug von 5 % erfahren; dieser Abzug ergibt sich daraus, dass der Gesetzgeber bei der Festlegung aller Stundensätze der in der Anlage 1 zu § 9 JVEG gelisteten Sachgebiete einen sog. Justizrabatt eingebaut hat. Einige Gerichte wenden das billige Ermessen dahingehend an, dass sie die Zuordnung ohne Rücksicht auf außergerichtliche Stundensätze mithilfe einer Ähnlichkeitssuche mit gelisteten Gebieten vornehmen, was allerdings nach der Entscheidung des OLG Celle vom 5.4.2006[3] nicht zulässig ist; vielmehr müssen vom außergerichtlichen Stundensatz 5 % abgezogen werden, um dem billigen Ermessen zu entsprechen.

Leistung betrifft mehrere Sachgebiete

Betrifft die Leistung mehrere Sachgebiete, die verschiedenen Gruppen zuzuordnen sind, ist die Vergütung einheitlich nach dem höchsten Stundensatz zu bemessen (§ 9 Abs. 2

3 OLG Celle v. 5.4.2006 – 1 Ws 177/06, juris (§ 9 Abs. 1 JVEG).

Satz 2 JVEG). Auf diese Weise soll verhindert werden, dass eine aus verschiedenen Stundensätzen nach dem jeweiligen Umfang der zeitlichen Inanspruchnahme oder gar auf der Grundlage eines „gemischten" Stundensatzes gebildete Gesamtvergütung zu ermitteln ist. Die Berechnung nach dem höchsten Stundensatz ist aber dann ausgeschlossen, wenn diese Berechnung mit Rücksicht auf den Schwerpunkt der Leistung zu einem unbilligen Ergebnis führen würde. In diesem Fall wird die Leistung nach billigen Ermessen einer Honorargruppe zugeordnet (§ 9 Abs. 1 Satz 4, 2. Halbsatz JVEG).

Kostenfestsetzung ohne Warten auf Anweisung der Justizkasse

Der Sachverständige kann schon vor Beendigung seines Gutachtenauftrags gerichtliche Festsetzung nach § 4 Abs. 1 JVEG beantragen (§ 9 Abs. 3 Satz 1 JVEG). Diese Regelung ermöglicht es ihm, schon sehr frühzeitig – unter Umständen sofort nach seiner Ernennung – Klarheit über die kostenmäßige Zuordnung zu einem Stundensatz der von ihm verlangten Leistung zu erlangen. Das gilt auch für die Geltendmachung eines Vorschusses nach § 3 JVEG. Einen solchen Antrag kann die Justizkasse nicht stellen.

Gegen die gerichtliche Festsetzung des Stundensatzes bei dieser Fallgestaltung kann der Sachverständige Beschwerde nach § 4 Abs. 3 JVEG einlegen, ohne den Beschwerdewert von 200 Euro erreichen zu müssen.

Sachverständiger mit gewöhnlichem Aufenthalt im Ausland

Einem Sachverständigen, der seinen gewöhnlichen Aufenthalt im Ausland hat, kann eine höhere Vergütung gewährt werden als einem deutschen Sachverständigen im Inland. Dies gilt gemäß § 8 Abs. 4 JVEG für die gesamte Vergütung, also auch für die Aufwandsentschädigung und den Fahrtkostenersatz. Es kommt dabei nicht auf die Staatsangehörigkeit an; auch ein Deutscher kann diese gesetzliche Gebührenregelung in Anspruch nehmen, wenn er beispielsweise in Mallorca seinen zweiten Wohnsitz hat und sich dort längere Zeit im Jahr aufhält; ein kurzer Urlaubsaufenthalt genügt nicht.

Sachverständiger Zeuge

Der sachverstände Zeuge erhält gemäß § 19 JVEG nur Zeugengeld nach den §§ 20–22 JVEG, das zwischen 4,00 Euro und 25,00 Euro pro Stunde beträgt. Die Höhe richtet sich danach, ob eine Entschädigung für Verdienstausfall (§ 22 JVEG), für Nachteile bei der Haushaltsführung (§ 21 JVEG) oder lediglich für Zeitversäumnis (§ 20 JVEG) gewährt wird.

Auch der sachverständige Zeuge erhält neben seiner Zeugenentschädigung Fahrtkostenersatz, Entschädigung für Aufwand und Ersatz für sonstige Aufwendungen nach den §§ 5–7 JVEG (vgl. § 19 Abs. 1 Nr. 1 bis 3 JVEG). § 12 JVEG (Ersatz für besondere Aufwendungen) gelangt hier jedoch nicht zur Anwendung.

Der sachverständige Zeuge kann aber auch wie ein Sachverständiger vergütet werden, wenn er anlässlich seiner Vernehmung nicht nur Tatsachen bekunden muss, sondern von ihm auch die Beantwortung von Sachverständigenfragen verlangt wird (z.B. Wie kann ein festgestellter Schaden beseitigt werden und was kostet dies?).

Ob eine Person Sachverständiger oder sachverständiger Zeuge ist, richtet sich nicht nach der Bezeichnung in der Ladung, sondern nach dem Inhalt seiner Aussage anlässlich seiner Vernehmung beim Gerichtstermin. Bekundet die geladene Person lediglich Tatsachen, die sie aufgrund ihrer besonderen Sachkunde wahrgenommen hat, ist sie sachverständiger

Zeuge; sie kann insoweit nicht durch eine andere Person ersetzt werden. Zieht die geladene Person dagegen auf Befragen des Gerichts aus den von ihr wahrgenommenen Tatsachen fachliche Schlussfolgerungen oder trifft sie Bewertungen, ist sie Sachverständiger; insoweit kann sie durch eine andere Person – einen anderen Sachverständigen – ersetzt werden. Der sachverständige Zeuge kann im letzteren Fall für die gesamte Zeit Sachverständigenvergütung nach §§ 8, 9 JVEG verlangen, auch wenn er teilweise als Zeuge und teilweise als Sachverständiger beansprucht wurde. Es findet kein „Splitting" statt.

Entschädigung Dritter

Dritte, die im Rahmen von Ermittlungsverfahren auf dem Gebiet der Telekommunikation herangezogen werden (also z.B. die Telekom), werden wie Zeugen entschädigt (§ 23 Abs. 2 Satz 1 JVEG). In Betracht kommt eine Heranziehung z.B. bei der Überwachung und Aufzeichnung von Telefongesprächen, bei der Einrichtung von Fangschaltungen, Zielsuchläufen ohne Datenabgleich oder beim Einsetzen einer Zählvergleichseinrichtung. Dritte sind auch Banken und Sparkassen, die auf Veranlassung der Staatsanwaltschaft Kontoauszüge heraussuchen und kopieren müssen. Andere Tätigkeiten von Dritten werden nach der Anlage 3 zum JVEG vergütet.

Vereinbarung einer Vergütung nach § 13 JVEG

Unter den Voraussetzungen des § 13 JVEG kann der Sachverständige einen Stundensatz beanspruchen, der über den Feststundensatz des § 9 JVEG hinausgeht und an keine Höchstgrenze gebunden ist. Er kann stattdessen auch eine Gesamtvergütung (Endsumme) verlangen. Zudem können nicht nur – wie nach dem alten ZSEG – erhöhte Honorare vereinbart werden, sondern auch höhere Aufwendungen als im JVEG vorgesehen, wie beispielsweise Kilometergeld, Schreibgebühren, Fotos, Hilfskräfte u.Ä.). Voraussetzung ist jedoch, dass beide Prozesspartien dem Vorschlag des Sachverständigen zustimmen. Bei Ablehnung einer Prozesspartei und Zustimmung des Gerichts kann er nach § 13 Abs. 2 JVEG lediglich ein höheres Honorar beanspruchen.

Wie kommt der Sachverständige zu dieser „Wohltat" des § 13 JVEG?

Der Sachverständige muss beim Gericht (nicht bei den Prozessparteien) vor Beginn der Arbeiten am Gutachten beantragen, bei den Prozessparteien die Zustimmung einzuholen, dass ein bestimmter Stundensatz, bestimmte Ausgaben (bzw. erhöhte Fahrtkosten und/ oder Aufwendungen) oder eine bestimmte Gesamtvergütung gelten soll. Für den Fall, dass eine Prozesspartei ihre Zustimmung verweigert, muss der Sachverständige beantragen, dass das Gericht das „Nein" der ablehnenden Partei durch sein eigenes „Ja" ersetzt. Das Gericht darf dann aber nur dann seine Zustimmung geben, wenn der Stundensatz das Doppelte des nach den §§ 9–11 JVEG zulässigen Honorars nicht überschreitet; es kann aber auch jeden beliebigen Stundensatz akzeptieren, weil es sich hier um eine Sollvorschrift handelt. Die gesetzliche Vorgabe dass das Gericht einem höheren Stundensatz nur zustimmen darf, wenn es zu dem gesetzlich bestimmten Honorar keine andere geeignete Person zur Übernahme des Gutachtensauftrags gefunden hat, ist von der Noelle 2021 ersatzlos gestrichen worden.

Lehnen eine Prozesspartei und das Gericht den Antrag auf einen erhöhten Stundensatz, eine Gesamtvergütung oder die Erhöhung der Fahrtkosten und/oder Aufwendungen ab, muss der Sachverständige seine Vergütung nach den normalen Sätzen des JVEG abrechnen. Er kann dann nicht den Auftrag ablehnen. Rechtsmittel gegen die Ablehnung sieht das JVEG nicht vor.

Besonderheiten bei der Vereinbarung nach § 13 JVEG

- Nach der Erstattung des Gutachtens kann das Verfahren nach § 13 JVEG nicht mehr genutzt werden.
- In einem Verfahren, in welchem es keine zwei Prozessparteien, sondern **nur einen Beteiligten** gibt (z.B. im Strafverfahren) oder in dem kein Beteiligter die Kosten trägt (Sozialgerichtsverfahren), findet § 13 JVEG ebenfalls Anwendung.
- Die einzelnen Zustimmungserklärungen der Prozessparteien oder – im Ablehnungsfall – des Gerichts können nicht im Klageweg erzwungen werden. Gegen die Ablehnung der Prozesspartei gibt es keine Rechtsmittel.
- Schweigen einer Prozesspartei oder des Gerichts gilt nicht als Zustimmung.
- Stellt der Sachverständige während der Arbeiten am Gutachten fest, dass er mehr Geld benötigt und damit höhere Kosten entstehen, als er ursprünglich angenommen hat, gibt es bei Vereinbarung einer Gesamtsumme keinen Nachschlag.
- Wenn die vorschusspflichtige Partei den auch für § 13 JVEG erforderlichen zusätzlichen Vorschuss nicht zahlt, bekommt der Sachverständige nur eine Vergütung nach den §§ 8, 9 JVEG.
- Bei der späteren mündlichen Erläuterung des Gutachtens muss erneut das Einverständnis beider Parteien zu einer höheren Vergütung eingeholt werden, es sei denn, der Sachverständige vereinbart gleichzeitig mit der höheren Vergütung für das erste Gutachten auch die Geltung der Zustimmung für ein späteres Ergänzungsgutachten und eine spätere Vernehmung im Termin.

Vereinbarung einer Vergütung nach § 14 JVEG

Mit Sachverständigen, Dolmetschern und Übersetzern, die häufiger herangezogen werden, kann die oberste Landesbehörde eine Vereinbarung über die zu gewährende Vergütung treffen (§ 14 JVEG). Die Höhe der Vergütung darf allerdings die nach dem JVEG vorgesehene Vergütung nicht überschreiten; Feststundensätze und Auslagenpauschalen können aber unterschritten und die Zahl der abzurechnenden Stunden kann begrenzt werden. Daher kann dem Sachverständigen eine solche Vereinbarung nicht empfohlen werden, zumal sie immer nur auf ein Bundesland und auf einen Gerichtszweig beschränkt ist.

2.8.4 Auslagen- und Aufwendungsersatz (§§ 5, 6, 7 u. 12 JVEG)

Zusätzlich zu der nach den §§ 8, 9 JVEG vorgesehenen Zeitvergütung (Honorar) kann der Sachverständige Ersatz der ihm tatsächlich entstandenen und notwendigen baren Auslagen verlangen; diese sind teilweise pauschaliert. Es handelt sich dabei um solche Kosten, die nicht durch die Zeitvergütung abgegolten werden, die dem Sachverständigen aber bei der Vorbereitung und Abfassung seines Gutachtens entstanden sind.

Die Erstattung von Auslagen und Aufwendungen lässt sich in folgende vier Abschnitte einteilen:

- Ersatz für besondere Aufwendungen (§ 12 JVEG),
- Fahrtkostenersatz (§ 5 JVEG),
- Entschädigung für Aufwand (§ 6 JVEG),
- Ersatz für sonstige Aufwendungen (§ 7 JVEG).

2.8.4.1 Ersatz für besondere Aufwendungen

Ersatz für besondere Aufwendungen nach § 12 JVEG gibt es insbesondere in folgenden Fällen:

2.8.4.1.1 Stoffe und Werkzeuge (§ 12 Abs. 1 Satz 2 Nr. 1 JVEG)

Der Sachverständige kann die Kosten für **ver**brauchte (nicht: **ge**brauchte) Stoffe und Werkzeuge ersetzt verlangen. Beispiel: Handelschemiker benötigt Chemikalien oder Umweltsachverständiger einen Schutzanzug, die bzw. der für spätere Fälle nicht mehr benutzt werden können bzw. kann. Ein besonderer Gebührentatbestand für die Geltendmachung von Kosten für den Einsatz eigener Prüfeinrichtungen oder technischer Geräte ist im JVEG nicht vorgesehen (Ausnahme: § 23 JVEG). Bei Anmietung solcher Geräte oder bei Inanspruchnahme fremder Labors werden die entsprechenden Kosten aber nach § 12 Abs. 1 JVEG erstattet.

2.8.4.1.2 Kosten für Hilfskräfte (§ 12 Abs. 1 Satz 2 Nr. 1 JVEG)

Setzt der Sachverständige bei der Vorbereitung seines Gutachtens **bei ihm angestellte Hilfskräfte** ein, kann er die dabei anfallenden Stundensätze für die betreffende Hilfskraft in Rechnung stellen. An die Stundensätze in der Honorartabelle des § 9 JVEG ist er dabei nicht gebunden. Die Rechtsprechung verlangt jedoch, dass die Stundensätze in einem angemessenen Verhältnis zum Stundensatz des beauftragten Sachverständigen stehen sollten. Auf den Stundensatz der Hilfskraft können 15 % Gemeinkosten aufgeschlagen werden, es sei denn, die Hinzuziehung hat keine oder nur unwesentlich erhöhte Gemeinkosten veranlasst (§ 12 Abs. 2 JVEG).

Benötigt der Sachverständige bei der Vorbereitung des Gutachtens **Hilfskräfte, die nicht bei ihm angestellt** sind (z.B. zur Freilegung der Grundmauern, zum Abklopfen des Putzes, zur Aufstellung eines Gerüstes, zur Untersuchung durch ein Materialprüfungsamt), werden die dabei entstehenden Kosten voll ersetzt. Die einzelne Rechnung erscheint in der Schlussrechnung des Sachverständigen als durchlaufender Posten, unterliegt aber der Mehrwertsteuerpflicht des Sachverständigen. Der Sachverständige muss die Berechtigung dieser Drittrechnung nachprüfen.

Bedient sich der Sachverständige einer nicht bei ihm angestellten Hilfskraft, kann er keine 15 % für Gemeinkosten aufschlagen, weil diese bereits in der Rechnung der selbstständigen Hilfskraft berücksichtigt sind.

2.8.4.1.3 Fotos (§ 12 Abs. 1 Satz 2 Nr. 2 JVEG)

Für notwendige Fotos oder an deren Stelle tretende Ausdrucke erhält der Sachverständige 2,00 Euro für das Original und 0,50 Euro für jeden Abzug oder Ausdruck.

Die Art der Herstellung der Fotos spielt dabei keine Rolle; auch vom Internet heruntergeladene Fotos werden als Originalfotos vergütet. Schwarz-Weiß-Fotos und farbige Fotos werden gleich bezahlt. Auch die Kosten für Fotos, die nur der Vorbereitung des Gutachtens dienen, werden mit 2,00 Euro je Foto erstattet, falls sie aus Sicht des Sachverständigen erforderlich waren; sie brauchen nicht ausgedruckt zu werden. Werden die Fotos später im Gutachten eingescannt oder werden Gutachtenseiten mit Fotos im Rahmen des § 7 Abs. 2 JVEG kopiert, gibt es dafür keine weiteren Seitenpauschalen.

2.8.4.1.4 Schreibgebühren für die Reinschrift des Gutachtens (§ 12 Abs. 1 Satz 2 Nr. 3 JVEG)

Abgerechnet wird nach der Zahl der Anschläge. Es werden 0,90 Euro je angefangene 1.000 Anschläge gewährt; die Leerzeichen werden mitgezählt. Dies entspricht bei 2.700 Anschlägen pro Seite einem Seitenpreis von 2,43 Euro. Wenn eine Zählung der Anschläge mit unverhältnismäßigem Aufwand verbunden wäre, wird deren Anzahl unter Berücksichtigung der durchschnittlichen Anzahl der Anschläge je Seite geschätzt.

Die Seiten mit Fotos, Tabellen, Diagrammen, Zeichnungen usw. werden nicht mit einer Anschlagsvergütung vergütet; diese Kosten können über die Zeitschiene abgerechnet werden.

2.8.4.1.5 Umsatzsteuer (§ 12 Abs. 1 Satz 2 Nr. 4 JVEG)

Die Umsatzsteuer in Höhe von derzeit 19 % wird auf Antrag erstattet, sofern sie nicht nach § 19 Abs. 1 des Umsatzsteuergesetzes unerhoben bleibt. Sie wird nicht nur auf die Zeitvergütung (Honorar) aufgeschlagen, sondern umfasst die gesamte Vergütung. Vorsteuerabzugsberechtigte Sachverständige müssen Rechnungsposten, die bereits Mehrwertsteuer enthalten, als Nettobeträge ausweisen.

2.8.4.2 Fahrtkosten (§ 5 JVEG)

Muss der Sachverständige bei Erledigung des Gutachtenauftrags öffentliche Verkehrsmittel oder seinen eigenen Pkw benutzen (z.B. um eine Ortsbesichtigung durchzuführen oder den Gerichtstermin wahrzunehmen), hat er Anspruch auf Ersatz der Fahrtkosten (§ 5 JVEG).

Bei Benutzung von **öffentlichen Verkehrsmitteln** werden die tatsächlich entstandenen Kosten – bis zu der Höhe der Kosten für die Benutzung der ersten Klasse der Bahn – ersetzt. Zusätzlich sind auch die Kosten für Platzreservierung und Beförderung des notwendigen Gepäcks erstattungsfähig (§ 5 Abs. 1 JVEG).

Bei Benutzung des **eigenen Pkw** kann der Sachverständige 0,42 Euro pro gefahrenem Kilometer geltend machen (§ 5 Abs. 2 Satz 1 Nr. 2 JVEG). Zudem werden die baren Auslagen, insbesondere die Parkgebühren, erstattet (§ 5 Abs. 2 Satz 1 JVEG). Zeugen und Dritte erhalten dagegen zur Abgeltung der Betriebskosten sowie zur Abgeltung der Abnutzung des Kraftfahrzeugs nur 0,35 Euro für jeden gefahrenen Kilometer ersetzt (§ 5 Abs. 2 Satz 1 Nr. 1 JVEG).

Die Kosten für die Benutzung von **Taxi und Mietwagen** werden ebenfalls mit 0,42 Euro pro Kilometer ersetzt (§ 5 Abs. 2 Satz 3 JVEG). Die gesamten Kosten für ein Taxi oder einen Mietwagen werden nur unter den Voraussetzungen des Absatzes 3 („wegen besonderer Umstände notwendig") ersetzt.

Höhere Fahrtkosten (z.B. Flugkosten) werden nur dann erstattet, wenn dadurch Mehrkosten an der Vergütung oder Entschädigung eingespart werden (z.B. eine zusätzliche Übernachtung) oder höhere Fahrtkosten wegen besonderer Umstände notwendig sind (§ 5 Abs. 3 JVEG).

Für **Reisen während der Terminsdauer** werden die Fahrtkosten nur dann ersetzt, wenn dadurch Mehrbeträge an der Vergütung eingespart werden, die beim Verbleiben am Terminsort gewährt werden müssten (§ 5 Abs. 4 JVEG).

Für die Hin- oder Rückreise zum Ort des Termins von einem **anderen als** in der Ladung oder der Terminsmitteilung **angegebenen Ort** werden Mehrkosten nach billigem Ermessen nur dann ersetzt, wenn der Sachverständige zu diesen Fahrten durch besondere Umstände genötigt war (§ 5 Abs. 5 JVEG).

2.8.4.3 Entschädigung für Aufwand (§ 6 JVEG)

2.8.4.3.1 Tagegeld (§ 6 Abs. 1 JVEG)

Bei Abwesenheit von seinem Büro erhält der Sachverständige unter bestimmten Voraussetzungen eine Entschädigung.

Bei Wahrnehmung eines Termins außerhalb der Gemeinde seines Wohn- und/oder Tätigkeitsmittelpunkts erhält der Sachverständige Tagegeld nach steuerlichen Pauschalen. Die Höhe richtet sich nach § 9 Abs. 4a des Einkommensteuergesetzes (EStG).

Bei Abwesenheit von

• 24 Stunden	28,00 Euro
• mehr als 8 Stunden	14,00 Euro
• An- und Abreisetag bei Übernachtung	14,00 Euro

Die früher gezahlten 3,00 Euro für die ersten 8 Stunden bei einem Auswärtstermin und für einen Termin am Aufenthaltsort von mehr als 4 Stunden sind ersatzlos weggefallen.

2.8.4.3.2 Übernachtungsgeld (§ 6 Abs. 2 JVEG)

Für notwendige auswärtige Übernachtungen erhält der Sachverständige Übernachtungsgeld nach den Bestimmungen des Bundesreisekostengesetzes (BRKG).

Das bedeutet, dass ohne Nachweis pro Nacht 20,00 Euro (§ 7 Abs. 2 BRKG) und mit Nachweis der darüber liegende Betrag erstattet werden. Ein höherer Betrag wird nur dann erstattet, wenn es in dem betreffenden Zeitpunkt keine „zumutbare" billigere Übernachtung gegeben hat. 70,00 Euro pro Übernachtung werden ohne Beanstandung bezahlt.

Der Sachverständige sollte die Notwendigkeit der Übernachtungskosten immer unterstellen und in voller Höhe in seine Rechnung einstellen. Die Kosten für die Nutzung einer Hotelgarage werden erstattet; es handelt sich dabei nicht um Übernachtungskosten.

Voraussetzung für die Erstattung von Übernachtungskosten ist in allen Fällen, dass die Übernachtung überhaupt notwendig gewesen war. Auch wenn der Termin nur einen Tag dauert, kann eine Übernachtung notwendig sein, wenn dem Sachverständigen nicht zugemutet werden kann, morgens früh das Haus zu verlassen oder abends erst spät nach Hause zu kommen. Hier haben Rechtsprechung und Literatur folgende Vorgaben erarbeitet:

In den Monaten April bis September müssen Reisen nicht vor 6.00 Uhr morgens und in den Monaten Oktober bis März nicht vor 7.00 Uhr angetreten werden; kommt der Sachverständige erst nach 24.00 Uhr nach Hause, kann er am Terminort übernachten.

2.8.4.4 Ersatz für sonstige Aufwendungen (§ 7 JVEG)

2.8.4.4.1 Porto und Telefon (§ 7 Abs. 1 JVEG)

Sonstige Aufwendungen, wie Porto, Telefon u.a., werden nach § 7 Abs. 1 Satz 1 JVEG erstattet. Maßgebend sind dabei die tatsächlich entstandenen Kosten. Pauschalierungen sind im Gesetz hierfür nicht vorgesehen, aber in der Praxis üblich. Bei Nachfrage durch den Kostenbeamten muss der Sachverständige die Kosten für Telefon und Porto jedoch aufschlüsseln. Ersetzt werden können nach § 7 Abs. 1 Satz 2 JVEG auch die Kosten für notwendige Vertretungen und Begleitpersonen des Sachverständigen.

2.8.4.4.2 Fotokopien (§ 7 Abs. 2 Satz 1 JVEG)

Für **notwendige Fotokopien** (Kopien und Ausdrucke) erhält der Sachverständige für die ersten 50 Fotokopien 0,50 Euro pro Stück und für jede weitere Fotokopie 0,15 Euro, für die Anfertigung von **Farbkopien oder -ausdrucken 1,00 Euro pro Seite für die ersten 50 Seiten und 0,30 Euro ab der 51. Kopie** (§ 7 Abs. 2 JVEG).

Die Pauschalen werden nur für Kopien und Ausdrucke aus Behörden- und Gerichtsakten gewährt sowie für Kopien und zusätzliche Ausdrucke, die nach Aufforderung durch die heranziehende Stelle angefertigt worden sind. **Kopien für die eigenen Handakten bekommt der Sachverständige nicht bezahlt.**

Werden Kopien oder Ausdrucke in einer Größe von mehr als DIN A3 gefertigt, werden für Schwarz-Weiß-Kopien 3,00 Euro und für Farbkopien 6,00 Euro bezahlt; anstelle der Pauschale kann der Berechtigte auch die baren Auslagen ersetzt verlangen, wenn die Kopien von einem Dritten gefertigt werden.

2.8.4.4.3 Dateien (§ 7 Abs. 3 JVEG)

Für die Überlassung von **elektronisch gespeicherten Daten** anstelle von Kopien und Ausdrucken werden 1,50 Euro je Datei ersetzt. Inhalt und Umfang einer Datei bestimmt der Sachverständige.

Für die in einem Arbeitsgang überlassenen oder in einem Arbeitsgang auf denselben Datenträger übertragenen Dokumente werden höchstens 5,00 Euro ersetzt.

2.8.4.5 Gemeinkosten (§ 12 Abs. 1 JVEG)

Andere übliche Gemeinkosten als im Gesetz bestimmt werden dem Sachverständigen nicht erstattet (§ 12 Abs. 1 Satz 1 JVEG). Mithin können beispielsweise folgende Gemeinkosten nicht – auch nicht anteilig – geltend gemacht werden:

- Miete, Strom, Büroreinigung, Heizung, Wasser, Reinigung,
- Anlegung von Akten und ähnliche Büroarbeiten für die angestellte Bürokraft,
- Gutachtenkopie für die Handakten,
- Erstellung der Kostenrechnung, Antrag auf gerichtliche Festsetzung, Einlegung der Beschwerde,
- Nutzungsgebühr für eigene technische Einrichtungen und Prüfgeräte. Die Kosten für die Anmietung solcher Geräte und Einrichtungen werden dagegen erstattet.

2.8.5 Verfahren (§§ 2, 4 JVEG)

2.8.5.1 Geltendmachung der Vergütung

Vergütung wird **nur auf Verlangen**, nicht von Amts wegen gewährt (vgl. § 2 Abs. 1 Satz 1 JVEG). Ausnahme: Das Gericht hält die Festsetzung der Vergütung für angemessen (§ 4 Abs. 1 JVEG).

Der Sachverständige erhält nur den Betrag, den er verlangt. Wer einen geringeren Betrag fordert, als ihm nach den gesetzlichen Bestimmungen zusteht, erhält auch nur den geringeren Betrag. Wer einen zu hohen Betrag in seine Rechnung einsetzt, muss sich eine Kürzung durch den Kostenbeamten gefallen lassen, kann aber gerichtlich dagegen vorgehen.

2.8.5.2 Frist für die Geltendmachung

Für die Geltendmachung des Vergütungsanspruchs besteht eine Frist von drei Monaten (§ 2 Abs. 1 JVEG). Liefert der Sachverständige nicht binnen drei Monaten seine Vergütungsrechnung bei Gericht oder bei einem sonstigen Auftraggeber ab, erlischt sein Vergütungsanspruch. Die Frist beginnt mit Eingang des Gutachtens beim Gericht zu laufen. Muss der Sachverständige sein schriftliches Gutachten im Termin erläutern, beginnt die Frist sowohl für das schriftliche Gutachten als auch die Vernehmung insgesamt erst nach Beendigung seiner Vernehmung.

Der Sachverständige muss vom Gericht über die Dreimonatsfrist und den Beginn des Fristlaufs belehrt werden. Unterbleibt die Belehrung oder war sie fehlerhaft, kann der Sachverständige Wiedereinsetzung in den vorigen Stand beantragen.

Auf Antrag kann die Frist verlängert werden, wenn der Antrag innerhalb der Frist von drei Monaten gestellt wird. Versäumt der Sachverständige die Dreimonatsfrist erlischt zwar der Vergütungsanspruch; nach der Novelle 2021 behält er jedoch die Vergütung, die ihm als Vorschuss nach § 3 bewilligt wurde (§ 2 Abs. 2 Satz 6 JVEG)

Bei unverschuldetem Versäumnis der Dreimonatsfrist gibt es die Möglichkeit der Wiedereinsetzung in den vorigen Stand (§ 2 Abs. 2 JVEG); diese muss innerhalb von zwei Wochen nach Beseitigung des Hindernisses beantragt werden. Gegen die Ablehnung des Wiedereinsetzungsantrags gibt es das Rechtsmittel der Beschwerde.

2.8.5.3 Verjährung

Lässt das Gericht drei Jahre nach Einreichung der Rechnung nichts von sich hören, verjährt der Vergütungsanspruch (§ 2 Abs. 3 JVEG). Die Verjährung beginnt am Ende des Jahres nach Abgabe des Gutachtens (§ 2 Abs. 1 Satz 2 Nr. 1 JVEG) oder der Einvernahme (§ 2 Abs. 1 Satz 2 Nr. 2 JVEG).

2.8.5.4 Prüfung durch den Kostenbeamten

In der Regel prüft zunächst der Kostenbeamte die vom Sachverständigen geltend gemachten Stundenzahlen, Stundensätze, Aufwendungen und Auslagen. Er kann diese entweder in vollem Umfang anweisen oder kürzen. Die Prozessparteien werden an diesem Verfahren nicht beteiligt. Bei einer Kürzung kann der Sachverständige einen Antrag auf gerichtliche Festsetzung nach § 4 Abs. 1 JVEG stellen.

2.8.5.5 Rückerstattungsanspruch des Staates

Auch wenn der Sachverständige seine geltend gemachte Vergütung in vollem Umfang ausgezahlt bekommt, muss er später mit einem Rückerstattungsanspruch rechnen.

Meist beruht die Rückerstattung auf dem Umstand, dass die unterlegene Prozesspartei nach dem Abschluss des Verfahrens gegen den Kostenansatz das Rechtsmittel der Erinnerung einlegt. Eine weitere Fallgestaltung: Der Bezirksrevisor kann die Abrechnungen seiner Kostenbeamten überprüfen und angeblich zu viel gezahlte Beträge vom Sachverständigen zurückverlangen. Dieser sog. Rückerstattungsanspruch **verjährt** erst in **drei Jahren** und beginnt am Ende des Jahres, in dem die Zahlung erfolgt ist (vgl. § 2 Abs. 4 JVEG). Gegen den Rückerstattungsanspruch kann der Sachverständige gerichtliche Festsetzung beantragen und Beschwerde einlegen.

2.8.5.6 Antrag auf richterliche Festsetzung

Gegen eine Kürzung durch den Kostenbeamten kann der Sachverständige, aber auch die Staatskasse, Antrag auf richterliche Festsetzung stellen (§ 4 Abs. 1 JVEG). Folgende Einzelheiten sind dabei von Bedeutung:

- Der Antrag ist formlos bei dem Gericht anzubringen, das den Sachverständigen zu Beweiszwecken herangezogen hat. Eine Frist muss nicht eingehalten werden.
- Die Bearbeitung des Antrags ist gebührenfrei, auch dann, wenn der Sachverständige mit seinem Antrag keinen Erfolg hat und sein Antrag zurückgewiesen wird.
- Seine außergerichtlichen Kosten (Schreibkosten, Schreibaufwand, Rechtsanwaltsgebühren) erhält der Sachverständige nicht erstattet, auch wenn seinem Antrag in vollem Umfang stattgegeben wird.
- Selbst dann, wenn der Sachverständige mit seinem Antrag ausschließlich die angeblich ungerechtfertigte Kürzung des Stundensatzes angreift, erstreckt sich die richterliche Prüfung auf sämtliche Rechnungsposten. Demzufolge kann der Richter auch nicht be-

anstandete Rechnungsposten kürzen und die beanstandeten erhöhen, sodass die Endsumme insgesamt nicht geändert wird. Die vom Sachverständigen geforderte Endsumme darf zwar nie überschritten werden; die vom Kostenbeamten gekürzte Endsumme darf dagegen sogar unterschritten werden. Der Sachverständige kann also im Verfahren über seinen Antrag auf gerichtliche Festsetzung noch schlechter gestellt werden als bei der Berechnung durch den Kostenbeamten.

Eine gerichtliche Festsetzung kann auch schon nach Eingang des gerichtlichen Gutachtenauftrags und vor Beginn der Arbeiten am Gutachten mit dem Ziel beantragt werden, den Stundensatz einer der 13 Honorarstufen des § 9 Abs. 1 JVEG zugeordnet zu bekommen (§ 9 Abs. 1 Satz 5 JVEG). Ein solcher Antrag bietet sich insbesondere in den Fällen an, in welchen sich das Sachgebiet nicht eindeutig aus der Anlage 1 zu § 9 Abs. 1 JVEG ergibt oder in dieser Aufstellung überhaupt nicht gelistet ist. Hier gibt es dann auch die Beschwerdemöglichkeit gegen die richterliche Entscheidung, ohne dass die Beschwerdesumme von 200,00 Euro erreicht werden muss (§ 9 Abs. 1 Satz 5 JVEG).

2.8.5.7 Beschwerde

Gegen die richterliche Festsetzung ist das Rechtsmittel der **Beschwerde** nach § 4 Abs. 3 JVEG gegeben.

Dabei sind folgende Voraussetzungen zu beachten:

- Die Einlegung der Beschwerde ist an keine Form und an keine Frist gebunden. Sie ist bei dem Gericht anzubringen, das die anzufechtende Entscheidung erlassen hat. Es besteht kein Anwaltszwang.
- Die Einlegung der Beschwerde ist nur dann zulässig, wenn der Sachverständige mit ihr noch mehr als 200,00 Euro geltend macht (**Beschwerdesumme**). Bei der Berechnung der Beschwerdesumme ist die Summe der entsprechenden Mehrwertsteuer zu berücksichtigen. Ohne eine Beschwerdesumme ist die Beschwerde zulässig, wenn das Gericht sie wegen grundsätzlicher Bedeutung des Falles zulässt.
- Beschwerdeberechtigt ist neben dem Sachverständigen auch die Staatskasse (Justizfiskus) in der Person des Bezirksrevisors, wenn er mit der gerichtlichen Festsetzung nach § 4 Abs. 1 JVEG nicht einverstanden ist.
- Auch in der Beschwerdeinstanz unterliegen sämtliche Rechnungsposten der gerichtlichen Überprüfung, also auch diejenigen, die der Sachverständige nicht gerügt hat. Der Beschwerdeführer darf aber im Endergebnis nicht schlechter gestellt werden als vor Einlegung der Beschwerde (umstritten). Die von der Vorinstanz festgesetzte Endsumme darf daher niemals unterschritten werden.
- Das Beschwerdeverfahren ist gebührenfrei, auch wenn der Sachverständige mit seiner Beschwerde abgewiesen wird. Allerdings erhält er seinen außergerichtlichen Aufwand (Zeitaufwand, Schreibkosten, Anwaltsgebühren) nicht ersetzt.
- Eine Beschwerde an ein oberstes Bundesgericht (BGH, BFH, BAG, BSG) ist unzulässig. Mithin kann ein Sachverständiger, bei dem ein Oberlandesgericht den Antrag auf gerichtliche Festsetzung bearbeitet hat, gegen dessen Entscheidung keine Beschwerde einlegen.

2.8.5.8 Weitere Beschwerde

Gegen die Entscheidung im Beschwerdeverfahren gibt es in Ausnahmefällen das Rechtsmittel der weiteren Beschwerde (§ 4 Abs. 5 JVEG). Diese ist allerdings nur zulässig, wenn sie wegen grundsätzlicher Bedeutung der Streitfrage zugelassen und darauf gestützt wird, dass die Entscheidung des Landgerichts als Beschwerdeinstanz auf einer Verletzung des Rechts beruht. Über die weitere Beschwerde entscheidet das Oberlandesgericht.

2.8.5.9 Rügerecht bei Verletzung des Anspruchs auf rechtliches Gehör

Wird dem Sachverständigen bei der Geltendmachung seines Vergütungsanspruchs kein rechtliches Gehör gewährt, hat er gemäß § 4a JVEG einen Anspruch auf Abhilfe.

2.8.6 Vorschuss (§ 3 JVEG)

Einen Vorschuss erhält der Sachverständige in den drei folgenden Fällen:

- Wenn ihm erhebliche Fahrtkosten (nach den Kommentaren: 200 bis 250 Euro und mehr) entstanden sind oder voraussichtlich entstehen werden.
- Wenn ihm sonstige Aufwendungen entstanden sind oder voraussichtlich entstehen werden.
- Wenn die zu erwartende Vergütung für **bereits erbrachte** Teilleistungen einen Betrag von 1.000 Euro übersteigt. Teilleistungen können sein: Hilfskräfte, Ortsbesichtigung u.Ä.

Der Vorschuss kann bei entsprechendem Antrag durch Beschluss gerichtlich festgesetzt werden (vgl. § 4 Abs. 1 JVEG).

2.8.7 Kürzung und Verlust der Vergütung (§ 8a JVEG)

2.8.7.1 Verlust der Vergütung

§ 8a Abs. 1 JVEG umfasst i.V.m. § 407a ZPO acht Sachverhalte, bei deren Vorliegen die Vergütung entfallen kann. Teilweise wird Verschulden in der Form der groben Fahrlässigkeit als Voraussetzung eines Vergütungsverlustes verlangt, teilweise soll bereits leichte Fahrlässigkeit zum Verlust führen und teilweise geht der Berechtigte seiner Vergütung verlustig, ohne dass es eines Nachweises von Verschulden bedarf. Der Verlust soll jedoch immer nur insoweit stattfinden, als das Gericht die Leistung des Berechtigten im Verfahren nicht berücksichtigt. Die Mehrzahl der Pflichtenverstöße, die zum Verlust der Vergütung führen sollen, sind § 407a ZPO entnommen, der dem Sachverständigen zahlreiche konkrete Hinweis- und Informationspflichten auferlegt, die er gegenüber dem Gericht zu beachten und einzuhalten hat.

Folgende Pflichtenverstöße können nach § 8a JVEG zum Verlust der Vergütung führen:

- unterlassener Hinweis auf das Vorliegen von Befangenheitsgründen,
- unterlassene Prüfung der fachlichen Kompetenz,
- Verstoß gegen die Pflicht zur persönlichen Gutachtenerstattung,
- fehlende Angaben des Namens und Umfang der Tätigkeit einer Hilfskraft,
- fehlende Rückfrage bei Zweifeln am Inhalt und Umfang des Auftrags,
- Erbringung einer mangelhaften Leistung,
- Verursachung von Ablehnungsgründen wegen Befangenheit,
- keine vollständige Leistungserbringung trotz Festsetzung eines Ordnungsgeldes.

Nachteile: Nur drei Verlusttatbestände hatte in der Vergangenheit die Rechtsprechung entwickelt: Erstattung eines mangelhaften Gutachtens, Verstoß gegen die Pflicht zur höchstpersönlichen Gutachtenerstattung und Verstoß gegen die Neutralitätspflicht (Besorgnis der Befangenheit). Alle drei Voraussetzungen hatten zur Voraussetzung, dass dem Sachverständigen die Verschuldensform der groben Fahrlässigkeit nachgewiesen werden musste. Grobe Fahrlässigkeit soll nunmehr nur noch bei Schaffung von Ablehnungsgründen wegen Befangenheit Verlustvoraussetzung sein. Bei Erbringung einer mangelhaften Leistung verliert der Sachverständige seine Vergütung ohne Nachweis von Verschulden. Die übrigen Verlusttatbestände verlangen einfache Fahrlässigkeit. Der einzige Trost: Wenn dennoch das gesamte Gutachten oder Teile davon verwertbar sind und das Gericht die Leistung des Sachverständigen insoweit berücksichtigt, behält er auch – aber nur insoweit – seine Vergütung (§ 8a Abs. 2 JVEG).

Empfehlungen für die Praxis:

- Nach gerichtlicher Beauftragung sind etwaige erkennbare Befangenheitsgründe unverzüglich dem Gericht mitzuteilen und dessen Reaktion ist abzuwarten. Gleichzeitig ist die fachliche Kompetenz für die Erledigung des Gutachtenauftrags zu prüfen und Zweifel am Inhalt und Umfang des Auftrags sind mit dem Gericht zu erörtern.
- Hilfskräfte sollten nur insoweit an den Vorbereitungen des Gutachtens beteiligt werden, als die eigenverantwortliche Gutachtenerstattung des beauftragten Sachverständigen erhalten bleibt. Der Sachverständige sollte immer bedenken, dass er bei einer mündlichen Erörterung seines Gutachtens alle Fragen ohne Mithilfe seiner Hilfskraft beantworten muss.
- Es sollte kein Untersachverständiger einer anderen Fachdisziplin eigenmächtig eingeschaltet werden; zuvor ist beim Gericht anzufragen.
- Den Namen und den Umfang der Vorbereitungsarbeiten der Hilfskraft sind im Gutachten zu benennen, soweit es sich nicht um Zuarbeiten von untergeordneter Bedeutung handelt.
- Das Gutachten ist logisch aufzubauen und für den Fachmann nachprüfbar und für den Laien nachvollziehbar zu begründen.
- Im Übrigen sollte der Sachverständige bei Pflichtverstößen anregen, das Gutachten oder Teile dennoch zu verwerten, damit insoweit sein Vergütungsanspruch erhalten bleibt.

2.8.7.2 Kürzung der Vergütung

In § 8a Abs. 3 bis 5 JVEG werden zwei Sachverhalte aufgeführt, bei deren Vorliegen der Sachverständige eine Kürzung seiner Vergütung in Kauf nehmen muss:

- Die geltend gemachte Vergütung steht erheblich außer Verhältnis zum Wert des Streitgegenstands.
- Der Sachverständige hat in seiner Endabrechnung den von der beweisbelasteten Partei angeforderten Kostenvorschuss erheblich überschritten.

Voraussetzung einer Kürzung ist in beiden Fällen, dass der Sachverständige das Gericht nicht rechtzeitig auf diese Umstände hingewiesen hat. Anknüpfungspunkt ist die Regelung des § 407a Abs. 4 ZPO; darin ist die Pflicht des Sachverständigen normiert, das Gericht darauf hinzuweisen, wenn erhöhte Kosten entstehen, die erheblich über dem Kostenvorschuss liegen oder erkennbar außer Verhältnis zum Streitgegenstand stehen. Liegt keine Erheblichkeit oder kein Verschulden vor, unterbleibt die Kürzung (§ 8a Abs. 5 JVEG).

Nachteil: Es fehlt leider eine Konkretisierung des Begriffs der **Erheblichkeit** in beiden Kürzungstatbeständen. Mithin dürfte es bei der herrschenden Auffassung in der Rechtsprechung bleiben, dass der Kostenvorschuss bis zu 20 % überschritten werden darf, ohne dass es zu einer Kürzung kommt. Was die Erheblichkeit beim Streitgegenstand angeht, ist die Grenze regelmäßig dann überschritten, wenn die Vergütung den Betrag des Streitgegenstands erreicht oder ihn überschreitet. Es gibt auch Rechtsprechung, nach der eine Kürzung erfolgt, wenn die Hälfte des Wertes des Streitgegenstands überschritten wird.

Empfehlungen für die Praxis:

- Sowohl bei Auftragsübernahme als auch während der späteren Arbeiten am Gutachten ist immer zu prüfen, ob der Kostenvorschuss ausreicht oder der Wert des Streitgegenstands erreicht wird.
- In beiden Fällen ist die Arbeit sofort zu unterbrechen und das Gericht zu informieren.
- Am Gutachten sollte nur dann weitergearbeitet werden, wenn das Gericht „grünes Licht" gegeben hat.
- Weiter kann der Sachverständige eine Kürzung seiner Vergütung vermeiden, wenn er nachweist, dass die Parteien auch bei Kenntnis einer Überschreitung des Kostenvorschusses den Gutachtenauftrag nicht abgebrochen hätten (umstritten).

2.8.8 Geltung des alten und neuen Rechts (§§ 24, 25 JVEG)

Die Vergütung des Sachverständigen, Dolmetschers oder Übersetzers bei einer Novellierung ist nach altem Recht zu berechnen, wenn der Auftrag vor dem Inkrafttreten der Gesetzesänderung erteilt oder der Berechtigte vor diesem Zeitpunkt herangezogen worden ist.

2.8.9 Literatur zum JVEG (Kommentare, Bücher und Aufsätze)

Kommentare

Binz/Dörndorfer/Zimmermann

Kommentar zum GKG, FamGKG und JVEG

C.H. Beck, München, 5. Aufl. 2021

Bleutge, Katharina

Die Vergütung von Sachverständigen

in: Bayerlein/Bleutge/Roeßner, Praxishandbuch Sachverständigenrecht

C.H. Beck, München, 6. Aufl. 2021, § 41 (JVEG)

Bleutge, Peter

Kommentierung des JVEG

in: Beck'scher Online-Kommentar zum Kostenrecht (BeckOK KostenR)

C.H. Beck, München, 42. Edition 2023

Bleutge, Peter

Vergütung für Gutachter – Das novellierte JVEG vom 1.1.2021

Tipps für die Honorarabrechnung der Gerichtssachverständigen

DIHK-Verlag, Berlin, 7. Aufl. 2021

Tousaint, Guido

Kostengesetze (JVEG), Kommentar

C.H. Beck, München, 53. Aufl. 2023

Jahnke/Pflüger

JVEG, Kommentar

Carl Heymanns, Köln, 28. Aufl. 2021

Schneider, Hagen

JVEG, Kommentar

C.H. Beck, München, 4. Aufl. 2021

Ulrich, Jürgen /Ulrich, Martin

Die Sachverständigen und ihr Honorar

Carl Heymanns Verlag 2018

Aufsätze zur Novellierung 2021 und Änderungsvorschläge

Bleutge, Peter

- Das JVEG wurde novelliert

  Ab 1.1.2021 höhere Stundensätze und Auslagenpauschalen, BauSV 1/2021, S. 48
- Reise, Pause, Übernachtung

  Auslagenerstattung und Zeitvergütung bei Terminswahrnehmung, DS 2022, S. 46
- Wertung der Novelle 2021 In: Beck-Online-Kommentar (JVEG) 42. Edition 2023, § 1 Rn. 87–88
- JVEG – ein totes Pferd? Alle Gebührentatbestände müssen auf den Prüfstand, BauSV 3/2017, S. 44
- JVEG ist novellierungsbedürftig Eine Zusammenstellung alter und neuer Änderungsvorschläge, IfS-Informationen 4/2017, S. 29
- Das JVEG wird novelliert Kritik und Vorschläge, BauSV 3/2018, S. 68
- Novellierung des JVEG Erste Vorschläge von Kammern und Verbänden, BauSV 2/2018, S. 44
- Novellierungsvorschläge Gegenstandswert statt Stundenzahl, IfS-Informationen 2/2020, S. 29

Hahmann, Lydia /Knäuper, Rüdiger

Stellungnahme zum Entwurf des BMJ, BauSV 1/2020, S. 64

Seibel, Mark

Die Bedeutung des Auslagenvorschusses für den Vergütungsanspruch des Gerichtssachverständigen, BauSV 5/2023, S. 54

Ulrich, Jürgen

Ein Zwischenruf zum neuen JVEG, DS 2021, S. 19

Wirwohl, Verena

Viel Getöse um nichts, DS 2021, S. 5

2.8.10 Musterrechnungen für gerichtliche Gutachten nach dem JVEG

Das JVEG enthält keine Vorgaben zur Gestaltung der Abrechnung für die Tätigkeit der Sachverständigen, Dolmetscher und Übersetzer. Der Rechtsprechung ist jedoch zu entnehmen, dass die vergütungsberechtigten Personen ihre Abrechnungen inhaltlich so zu gestalten haben, dass die einzelnen Rechnungsposten nachvollziehbar und nachprüfbar sind. Nachstehend werden zwei Musterrechnungen für die Erstattung eines schriftlichen Gutachtens und für die mündliche Gutachtentätigkeit vor Gericht gegeben.

Ausführlichere Musterrechnungen findet man u.a. auch bei Ulrich, DS 2017, S. 18, 23, sowie bei Bleutge, Katharina in: Praxishandbuch Sachverständigenrecht, § 41, Rn. 107.

2.8.10.1 Muster: Kostenrechnung für die Erstattung eines schriftlichen Gutachtens

An das Landgericht …

In dem Rechtsstreit… ./. …

Aktenzeichen …

werden für meine Sachverständigentätigkeit folgende Kosten in Rechnung gestellt:

A. Zeitaufwand (§§ 8, 9 JVEG)

1.	Aktenstudium (150 Seiten)	1,50 Std.
2.	Prüfung der fachlichen Zuständigkeit und der Angemessenheit des Kostenvorschusses	0,50 Std.
3.	Gedankliche Vorarbeit	1,00 Std.
4.	Diktat des Schreibens zur Abstimmung der Ortsbesichtigung und Ladung, Einholung von Auskünften u.a.	0,75 Std.
5.	Ortsbesichtigung (einschließlich Hin- und Rückfahrt)	9,50 Std.
6.	Ausarbeitungen der Ergebnisse der Ortsbesichtigung	1,00 Std.
7.	Ausarbeitung und Diktat des Gutachtens	7,50 Std.
	Gesamtzahl der Stunden aufgerundet nach § 8 Abs. 2 Satz 1 JVEG	21,75 Std. auf 22,00 Std.
8.	Stundensatz und Endsumme: 105,00 € (Bauschäden)	= 22 x 105 = **2.310,00 €**

Erläuterung zu 8.:

Nach Anlage 1 zu § 9 Abs. 1 JVEG wird das Sachgebiet Bauwesen (Schadensfeststellung) auf dem die fiktive Gutachtenleistung erbracht wurde, der Honorargruppe 4.3 zugeordnet. Es handelt sich nicht um handwerklich-technische Mängel (dann nur Stufe 4.2).

Falls die Leistung auf einem Sachgebiet erbracht worden ist, das in der Anlage 1 zu § 9 JVEG nicht gelistet ist, gilt § 9 Abs. 2 Satz 1 JVEG (außergerichtliche Üblichkeit und billiges Ermessen). Der Höchststundensatz von 135 € darf jedoch nicht überschritten werden.

Formulierung einer Begründung:

> „Im außergerichtlichen Bereich vereinbare ich für Gutachten dieser Art einen Stundensatz von … €. Unter Berücksichtigung der Vorgabe des billigen Ermessen, das eine Reduzierung (Justizrabatt) um 5 % beinhaltet, lege ich meiner Rechnung einen Stundensatz von … € zugrunde."

Falls die Leistung auf mehreren Sachgebieten erfolgte, die unterschiedlichen Honorargruppen zugeordnet wird, gilt § 9 Abs. 2 Satz 2 JVEG (es gilt der höchste dieser Stundensätze).

Formulierung einer Begründung:

> „Die Gutachtenleistung erfolgte auf mehreren Sachgebieten, nämlich („Schadensfeststellung" „Baustoffe" und „handwerklich-technische Ausführung"), die unterschiedlichen Honorargruppen zuzuordnen sind. Nach § 9 Abs. 2 Satz 2 JVEG wird die höchste der infrage kommenden Stundensätze zugrunde gelegt."

B. Auslagen- und Aufwendungsersatz (§§ 5–7, 12 JVEG)

1.	Aufwendungen für Hilfskräfte (gemäß § 12 Abs. 1 Nr. 1 JVEG) (2 Stunden à 31 € zzgl. 15 % Gemeinkosten gemäß § 12 Abs. 2 JVEG)	71,30 €
2.	Reisekosten für Ortsbesichtigung gemäß § 5 Abs. 2 Satz 1 JVEG (Fahrt mit eigenem Pkw) 200 km à 0,42 €	84,00 €
3.	Tagegeld (gemäß § 6 Abs. 1 JVEG i.V.m. § 6 BRKG) Abwesenheit vom Wohn- und Tätigkeitsmittelpunkt zwecks Ortsbesichtigung für 9 Stunden	14,00 €
4.	Fotos (gemäß § 12 Abs. 1 Satz 2 Nr. 2 JVEG) 5 Originale à 2,00 € 10,00 € 25 Abzüge à 0,50 €	 10,00 € 12,50 €
5.	Kopien aus Behördenakten und Gerichtsakten (gemäß § 7 Abs. 2 JVEG) 50 Stück à 0,50 €* 20 Stück à 0,15 € 6 Farbkopien à 1,00 €	 25,00 € 3,00 € 6,00 €
6.	Schreibkosten für Reinschrift des Gutachtens (12 Seiten) (gemäß § 12 Abs. 1 Satz 2 Nr. 3 JVEG) Für das Original: 32.400 Anschläge (32.400 : 1000 x 0,90 €)	29,16 €
7.	Für 4 weitere Exemplare (48 Seiten) auf Anforderung des Gerichts gem. § 7 Abs. 2 JVEG (48 x 0,15 €)*	7,20 €
8.	Porto, Telefon (gemäß § 12 Abs. 1 Satz 2 Nr. 5 JVEG)**	15,00 €
	Auslagen insgesamt	**277,16 €**

*) *0,50 € für eine Kopie aus Behördenakten und 0,50 € für einen Durchschlag (Kopie) der Reinschrift des Gutachtens gibt es nur dann, wenn die Posten 5. und 6. – zusammengezählt – nicht mehr als 50 Exemplare betragen. Alles, was darüber hinausgeht, wird mit 0,15 € pro Kopie bezahlt. In dem Muster wurden bereits 50 Kopien aus Gerichts- und Behördenakten gefertigt, sodass für die weiteren Kopien nur 0,15 je Kopien berechnet werden konnten.*

**) *Auf Nachfrage des Kostenbeamten muss die Pauschale für Porto und Telefon jeweils aufgeschlüsselt werden. Eine Abrechnung nach einer Pauschale von 20 % des Honorars ist möglich, höchstens jedoch nur bis zu einen Betrag von 15 €.*

C. Gesamtvergütung A und B

A.	Zeitaufwand	2.310,00 €
B.	Aufwendungen	277,16 €
		2.587,16 €
	+ MwSt. 19 % (gemäß § 12 Abs. 1 Satz 2 Nr. 4 JVEG)*	+491,56 €
	Gesamtvergütung	**3.078.72 €**

*) *Vorsteuerabzugsberechtigte Sachverständige müssen die obenstehenden Rechnungsposten, soweit sie bereits Mehrwertsteuer enthalten, als Nettobeträge ausweisen.*

Ich beantrage, den Betrag der Gesamtvergütung auf untenstehendes Konto zu überweisen.

(Unterschrift)

2.8.10.2 Muster: Kostenrechnung für die Wahrnehmung eines Gerichtstermins

An das Landgericht …

In dem Rechtsstreit

… ./. …

Aktenzeichen …

werden für die Wahrnehmung des Gerichtstermins am 15.8.2023, 09.00 Uhr, in … (Ort) zwecks mündlicher Erläuterung des schriftlichen Gutachtens folgende Kosten in Rechnung gestellt:

A. Zeitaufwand (§§ 8, 9 JVEG)

1.	Vorbereitung des Termins einschl. Studium der eigenen Handakten und Durcharbeitung sonstiger Unterlagen	1,45 Std.
2.	Anreise zum Termin am 14.8.2023 ab: 11:00 Uhr bis 24:00 Uhr*	13,00 Std.
3.	Termin und Rückreise am 15.8.2023 ab: 8:00 Uhr; zurück: 16:30 Uhr*	8,30 Std.
		22,75 Std.
	Aufgerundet gem. § 8 Abs. 2 JVEG auf	23,00 Std.
	Stundensatz: 105,00 € (§ 9 Anlage 1 Nr. 4.3 JVEG: Bauschäden)	23 Std. x 105 €
		= **2.415,00 €**

*) *Die Zeit von 00:00 Uhr bis 8:00 Uhr gilt nicht als Arbeitszeit, die Hotelkosten werden bei der Berechnung des Übernachtungsgeldes nach § 6 Abs. 2 JVEG berücksichtigt. Die Zeit vor 0,00 Uhr gilt als Arbeitszeit, wenn der Sachverständige in dieser Zeit am Fall arbeitet oder zu Hause hätte an anderen Fällen arbeiten können.*

Erläuterungen:

Falls die Leistung auf einem Sachgebiet erbracht worden ist, das in keiner Honorargruppe gelistet ist, muss der Stundensatz nach billigem Ermessen, aber nicht höher als 135 €, vom Sachverständigen vorgegeben werden. Falls eine Begründung verlangt wird, kann der Sachverständige Folgendes vortragen:

> „Im außergerichtlichen Bereich vereinbare ich für Gutachten dieser Art einen Stundensatz von … €. Unter Berücksichtigung der Vorgabe des billigen Ermessens und eines Justizrabatts von 5 % (üblicher Justizrabatt) habe ich meiner Rechnung einen Stundensatz von 120,00 € zugrunde gelegt."

Falls die Leistung auf mehreren Sachgebieten erfolgt, die unterschiedlichen Honorargruppen zugeordnet werden, kann folgende Begründung gegeben werden (Beispiel):

> „Die Gutachtenleistung erfolgte auf mehreren Sachgebieten, nämlich (z.B.: „Bauschäden handwerklicher Art" (= Honorargruppe 2) und „Immobilienbewertung" = Honorargruppe 6), die unterschiedlichen Honorargruppen zuzuordnen sind. Nach § 9 Abs. 1 Satz 3 JVEG ist daher die gesamte Leistung der Honorargruppe 6 (höchste Honorarstufe) zuzuordnen."

B. Ersatz von Auslagen und Aufwendungen (§§ 5–7, 12 JVEG)

1.	Reisekosten (Deutsche Bahn, 1. Klasse, Beleg liegt bei) (Die Reise kann auch mit dem eigenen Pkw erfolgen (0,42 pro km plus Parkgebühren.)	190,00 €
2.	Notwendige Taxifahrten am Terminort (Belege liegen bei)	30,00 €
3.	Übernachtung (Beleg liegt bei) § 6 Abs. 2 JVEG Der Gesamtbetrag der Übernachtungskosten in Höhe von 110,00 € wird gem. § 7 Abs. 1 BRKG voll in Rechnung gestellt, da die Mehrkosten notwendig waren.	110,00 €
4.	Tagegeld (§ 6 Abs. 1 JVEG, § 6 BRKG, § 9 Abs. 4a EinkStG)	
	14.8.2023: 13 Std.	14,00 €
	15.8.2023: 8,5 Std.	14,00 €
	Auslagen insgesamt	**358,00 €**

C. Gesamtvergütung von A und B

A.	Zeitaufwand	2.415,00 €
B.	Ersatz der Aufwendungen	358,00 €
		2.773,00 €
	19 % MwSt. gemäß § 12 Abs. 1 Satz 2 Nr. 4 JVEG*	526,87 €
		3.299,87 €

*) *Vorsteuerabzugsberechtigte Sachverständige müssen die obenstehenden Rechnungsposten, soweit sie bereits Mehrwertsteuer enthalten, als Nettobeträge ausweisen.*

Ich beantrage, den Betrag auf unten genanntes Konto zu überweisen.

(Unterschrift)

2.9 § 8a Abs. 4 JVEG: (teilweise) gesetzgeberische Fehlleistung!

Mark Seibel

Übersicht

2.9.1 Einführung

Dieser Beitrag beschäftigt sich mit einem für Gerichtssachverständige praktisch äußerst wichtigen Thema: der Bedeutung des vom Gericht in aller Regel zusammen mit der Auftragserteilung mitgeteilten Auslagenvorschusses für den späteren Vergütungsanspruch.[1] § 407a Abs. 4 Satz 2 ZPO und § 8a Abs. 4 JVEG sind die zentralen Vorschriften, die Gerichtssachverständige unbedingt kennen und beachten müssen. Wie der Autor aus eigener beruflicher Erfahrung bestätigen kann, wird von Gerichtssachverständigen nach der Gutachtenerstattung nicht selten eine Rechnung bei Gericht eingereicht, die den Auslagenvorschuss deutlich übersteigt, ohne dass zuvor auf das Überschreiten des Vorschusses hingewiesen worden wäre. Dieser vermeidbare Fehler kann Gerichtssachverständige teuer zu stehen kommen. Ziel der folgenden Ausführungen ist es daher, Gerichtssachverständige für diese in der Praxis immer wieder aufkommende Problematik zu sensibilisieren und eine Hilfestellung zum richtigen Umgang mit § 8a Abs. 4 JVEG zu geben.

1 Siehe dazu auch: *Seibel*, BauSV 5/2023, S. 54 ff.

2.9.2 Gesetzliche Vorgaben: § 407a Abs. 4 Satz 2 ZPO, § 8a Abs. 4 JVEG

§ 407a Abs. 4 Satz 2 ZPO bestimmt (im Folgenden wird nur der für das hier behandelte Thema relevante Gesetzeswortlaut zitiert):

„Erwachsen voraussichtlich Kosten, die (...) einen angeforderten Kostenvorschuss erheblich übersteigen, so hat der Sachverständige rechtzeitig hierauf hinzuweisen."

§ 8a Abs. 4 JVEG regelt ergänzend:

„Übersteigt die Vergütung den angeforderten Auslagenvorschuss erheblich und hat der Berechtigte nicht rechtzeitig nach § 407a Absatz 4 Satz 2 der Zivilprozessordnung auf diesen Umstand hingewiesen, erhält er die Vergütung nur in Höhe des Auslagenvorschusses."

Diese für den Vergütungsanspruch äußerst wichtigen Vorschriften werden von Gerichtssachverständigen in der Praxis leider immer wieder missachtet.

2.9.3 Zivilgerichtliche Hinweise gegenüber Gerichtssachverständigen (Land NRW)

Das ist erstaunlich, weil Gerichtssachverständige z.B. von den Zivilgerichten des Landes NRW zusammen mit der Auftragserteilung durch das derzeitige Formular ausdrücklich (neben vielen anderen Aspekten) auf Folgendes hingewiesen werden:

„(...) ***3. Honorar/Kosten:***

Bitte prüfen Sie ferner, welche Kosten voraussichtlich für das Gutachten entstehen werden. ***Sollten voraussichtlich Kosten erwachsen, die erkennbar außer Verhältnis zum Wert des Verfahrensgegenstandes stehen oder den Betrag von x.xxx,xx EUR*** (**Anm. des Autors**: hier steht dann der konkrete Auslagenvorschussbetrag) ***erheblich übersteigen, bitte ich Sie, dem Gericht (nicht den Parteien) umgehend die ermittelte Höhe der Kosten mitzuteilen und von einer Bearbeitung vorerst abzusehen.*** *Dies gilt auch, wenn Sie erst im Laufe Ihrer weiteren Tätigkeit erkennen, dass höhere Kosten entstehen werden als zunächst angenommen.*

Wird der Auslagenvorschuss erheblich überschritten, ohne dass Sie hierauf rechtzeitig nach § 407a Abs. 4 S. 2 ZPO hingewiesen haben, steht Ihnen gemäß § 8a Abs. 4 JVEG nur eine Vergütung in Höhe des Auslagenvorschusses zu.

Ihr Anspruch auf Vergütung erlischt gemäß § 2 JVEG, wenn Sie nicht innerhalb von drei Monaten nach Vorlage des Gutachtens einen entsprechenden Antrag gestellt haben. Die Frist kann auf Ihren begründeten Antrag hin verlängert werden.

Bitte denken Sie bei Ihrer Abrechnung auch daran, Ihre einzelnen erbrachten Leistungen nach dem tatsächlichen Aufwand jeweils minutengenau anzugeben. Bei den Einzeltätigkeiten ist eine Schätzung des Aufwands nicht zulässig. (...)"

2.9.4 Beispiel

Folgendes Beispiel verdeutlicht ein im beruflichen Alltag des Autors regelmäßig auftretendes Problem:

Der Gerichtssachverständige erhielt den Auftrag zur Erstattung des Gutachtens zusammen mit dem (jedenfalls in der Zivilgerichtsbarkeit des Landes NRW) üblichen gerichtlichen „Beipackzettel" (oben: 2.9.3), in dem u.a. unmissverständlich sowohl auf die Höhe des eingezahlten Auslagenvorschusses als auch darauf hingewiesen wurde, dass der Gerichtssachverständige bei der Überschreitung des Auslagenvorschusses dem Gericht unverzüglich Mitteilung zu machen und die Gutachtenerstellung zunächst einzustellen hat. Die Höhe des eingezahlten Vorschusses betrug 10.000 Euro. Zusammen mit dem Gutachten reichte der Gerichtssachverständige später eine Rechnung in Höhe von 15.000 Euro ein. Auf die Überschreitung des Vorschusses wies der Gerichtssachverständige zu keinem Zeitpunkt hin. Der Anweisungsbeamte des Gerichts verweigerte die vollständige Bezahlung der Rechnung und stellte unter Hinweis auf § 8a Abs. 4 JVEG eine Zahlung (lediglich) in Höhe von 10.000 Euro in Aussicht. Der Gerichtssachverständige ist damit nicht einverstanden und beantragt nun nach § 4 Abs. 1 JVEG die richterliche Festsetzung der ihm zustehenden Vergütung auf 15.000 Euro.

Für den Richter, der für die Entscheidung nach § 4 Abs. 1 JVEG zuständig ist, stellt sich die Frage, welche Rechtsfolgen ein Verstoß des Gerichtssachverständigen gegen seine Pflichten gemäß § 407a Abs. 4 Satz 2 ZPO, § 8a Abs. 4 JVEG hat und welche Vergütung im Beispielsfall richterlich festgesetzt werden soll: 10.000 Euro, 15.000 Euro oder etwas anderes?

2.9.5 (Klarer) Wortlaut von § 8a Abs. 4 JVEG und (klarer) Gesetzgeberwille

Der **Wortlaut von § 8a Abs. 4 JVEG** besagt unmissverständlich, dass der Gerichtssachverständige im *Fall des erheblichen Überschreitens des Auslagenvorschusses bei Verletzung seiner Hinweispflicht* nach § 407a Absatz 4 Satz 2 ZPO *„die Vergütung nur in Höhe des Auslagenvorschusses"* erhält.

Der **Gesetzgeberwille** bei der Einführung von § 8a Abs. 4 JVEG ist ebenfalls eindeutig. In **BT-Drucks. 17/11471 (neu), S. 260 (linke Spalte)**, wird ausgeführt:

„Die Absätze 3 und 4 (**Anm. des Autors:** von § 8a JVEG) *sollen die Fälle regeln, in denen der Sachverständige pflichtwidrig gegen die Verpflichtung aus § 407a Absatz 3 Satz 2 ZPO* (**Anm. des Autors:** jetzt § 407a Abs. 4 Satz 2 ZPO) *verstößt, indem er es unterlässt, rechtzeitig darauf hinzuweisen, dass voraussichtlich Kosten erwachsen, die (...) einen angeforderten Kostenvorschuss erheblich übersteigen. Hat das Gericht jedoch dem Sachverständigen die Zahlung eines Kostenvorschusses in einer bestimmten Höhe ohne weitere Hinweise mitgeteilt, kann der Sachverständige unterstellen, dass das Gericht von der Verhältnismäßigkeit dieses Betrags ausgeht.*

(...) Wenn die Vergütung einen angeforderten Vorschuss erheblich übersteigt, soll sie mit dem Betrag des Vorschusses gekappt werden. Dadurch soll aber keine generelle Kappungsgrenze für jede Überschreitung des Vorschusses geschaffen werden, sondern nur für Fälle des erheblichen Übersteigens. Die Literatur nimmt Erheblichkeit erst bei einer um zwanzig Prozent übersteigenden Vergütung an (Zöller/Greger, 25. Auflage, § 413 ZPO, Rnr. 6).

Der vorgeschlagene Absatz 5 (**Anm. des Autors:** von § 8a JVEG) *soll ein Verschuldenserfordernis in den Fällen der Absätze 3 und 4 festlegen. Dadurch soll dem Berechtigten ermöglicht werden, sich auf ein mangelndes Verschulden berufen zu können, um die Rechtsfolge der Vergütungsminderung nicht eintreten zu lassen. Systematisch wird ein Verschulden generell vermutet, so dass es dem Berechtigten obliegt, mangelndes Verschulden darzulegen. Als Verschuldensmaßstab soll Vorsatz und Fahrlässigkeit genügen."*

Sowohl nach dem klaren Wortlaut von § 8a Abs. 4 JVEG als auch nach dem klaren Gesetzgeberwillen steht damit fest, dass der Gerichtssachverständige, der seine Hinweispflicht nach § 407a Abs. 4 Satz 2 ZPO verletzt und dessen spätere Abrechnung den Auslagenvorschuss erheblich überschreitet (> 20 %), eine Vergütung nur in Höhe des Auslagenvorschusses erhält (Kappung des Vergütungsanspruchs auf den Vorschussbetrag).

2.9.6 Herrschende Ansicht in der Rechtsprechung (Auswahl)

Dem folgt auch die (absolut) herrschende Ansicht in der Rechtsprechung. Im Folgenden werden ausgewählte Gerichtsentscheidungen dargestellt, die auch einige interessante Zusatzaspekte ansprechen.

2.9.6.1 OLG Hamm, Beschluss vom 24.7.2014 – 24 U 220/12

Das OLG Hamm hat in seinem Beschluss vom 24.7.2014 entschieden (Leitsatz nach juris):[2]

„Übersteigt die vom Sachverständigen geltend gemachte Vergütung den von den Parteien angeforderten Kostenvorschuss erheblich, d.h. um mehr als 20 % (hier: 2.000,– EUR Vorschuss, später knapp 9.000,– EUR geltend gemacht), und weist der Sachverständige darauf unter Verstoß gegen § 407a Abs. 3 Satz 2 ZPO (**Anm. des Autors:** jetzt § 407a Abs. 4 Satz 2 ZPO) *nicht rechtzeitig hin, ist seine Vergütung nach dem eindeutigen Wortlaut von § 8a Abs. 4 JVEG und der eindeutigen Gesetzesbegründung (vgl. BT-Drucks. 17/11471 (neu), S. 260 linke Spalte) auf den Betrag des Vorschusses zu kappen. Angesichts dieser neuen gesetzlichen Regelung besteht kein Anlass dazu, den Vorschussbetrag – was nach altem Recht teilweise gemacht wurde (vgl. KG, Beschl. v. 4.5.2011 – 22 U 59/09, juris; LG Osnabrück, Beschl. v. 13.2.2013 – 3 OH 72/11, juris [Erhöhung um 20-25 %]) – zu erhöhen."*

2 OLG Hamm, B. v. 24.7.2014 – 24 U 220/12, juris.

2.9.6.2 OLG Düsseldorf, Beschluss vom 9.6.2016 – 10 W 87/16

Das OLG Düsseldorf hat am 9.6.2016 wie folgt entschieden (Leitsätze nach juris):[3]

„1. Überschreitet die vom Sachverständigen begehrte Vergütung den Auslagenvorschuss um mehr als 20 % und hat der Sachverständige auf die Überschreitung nicht rechtzeitig hingewiesen, so ist die Vergütung mit dem Betrag des Vorschusses zu kappen.

2. Die frühere Rechtsprechung, nach der die Kürzung der Vergütung des Sachverständigen unterblieb, wenn davon auszugehen war, dass es auch bei pflichtgemäßer Anzeige zu einer Fortsetzung seiner Tätigkeit gekommen wäre, ist durch die gesetzliche Neuregelung des § 8a Abs. 4 JVEG überholt."

2.9.6.3 OLG Stuttgart, Beschluss vom 1.9.2020 – 8 WF 103/20

Das OLG Stuttgart hat in seinem Beschluss vom 1.9.2020 Folgendes ergänzt (Leitsatz nach juris):[4]

„Rechtsfolge der erheblichen Überschreitung des Vorschusses ist die Kürzung der Vergütung auf den Betrag des Vorschusses, ohne dass ein Aufschlag auf die Höhe dessen, was die maximal mögliche Vergütung unterhalb der Erheblichkeitsgrenze darstellen würde, vorzunehmen wäre."

2.9.6.4 OLG Oldenburg, Beschluss vom 20.4.2022 – 14 W 15/22

Ebenso hat das OLG Oldenburg am 20.4.2022 entschieden (Leitsatz nach juris):[5]

„Bei einer erheblichen Überschreitung des Vorschusses ist die Höhe der Vergütung auf den Auslagenvorschuss bzw. dessen mitgeteilte Überschreitung gedeckelt, ohne dass dem Sachverständigen zusätzlich ein Toleranzrahmen zu erstatten wäre."

2.9.6.5 Brandenburgisches OLG, Beschluss vom 25.10.2022 – 12 W 32/22

Das Brandenburgische OLG hat in seinem Beschluss vom 25.10.2022 ausgeführt (Leitsätze nach juris):[6]

„1. Die Vergütung des gerichtlichen Sachverständigen ist gemäß § 8a Abs. 4 JVEG auf die Höhe des Auslagenvorschusses zu begrenzen, wenn der Sachverständige nicht rechtzeitig darauf hinweist, dass seine Vergütung den Auslagenvorschuss erheblich überschreiten wird. Unerheblich ist hierbei, dass die Partei bei einem rechtzeitigen Hinweis der durch die Begutachtung entstehenden Kosten von dem Beweisantritt Abstand genommen hätte.

2. Eine erhebliche Überschreitung des Auslagenvorschusses ist regelmäßig bei einer Differenz von mehr als 20 % gegeben."

---

3 OLG Düsseldorf, B. v. 9.6.2016 – 10 W 87/16, juris.
4 OLG Stuttgart, B. v. 1.9.2020 – 8 WF 103/20, juris (Leitsatz 2).
5 OLG Oldenburg, B. v. 20.4.2022 – 14 W 15/22, juris (Leitsatz 2).
6 Brandenburgisches OLG, B. v. 25.10.2022 – 12 W 32/22, juris.

2.9.6.6 Vertiefung: OLG München, Beschluss vom 7.11.2022 – 11 WF 928/22

Zur Frage, wann ein Hinweis des Gerichtssachverständigen auf die Überschreitung des Auslagenvorschusses „rechtzeitig" ist, hat das OLG München am 7.11.2022 ausgeführt:[7]

„Sowohl in § 407a Abs. 4 Satz 2 ZPO wie auch in § 8a Abs. 4 JVEG geht das Gesetz ausdrücklich davon aus, der Sachverständige habe „rechtzeitig" auf ein erhebliches Überschreiten des Kostenvorschusses hinzuweisen. In dem Beweisbeschluss vom 26.05.2021 wird dem Gutachter überdies aufgegeben, in diesem Falle das Gericht „vorab" zu benachrichtigen.

Es kommt dabei nicht darauf an, wann die Kostennote eingereicht wird. Vielmehr meint das Gesetz unmissverständlich, der Sachverständige habe vor einem Auflaufen von Kosten, die einen bestimmten vorgegebenen Rahmen erheblich überschreiten, hierauf hinzuweisen; „rechtzeitig" bzw. „vorab" bedeutet, dass der Gutachter, sobald er im Rahmen seiner Tätigkeit feststellt, die Vergütung werde deutlich über dem vorgegebenen Rahmen liegen, eine Mitteilung erstattet. Eine Nachricht erst nach Entstehung der Kosten, wenn also weder Gericht noch Parteien eine Möglichkeit haben, deren Entstehung zu verhindern bzw. zu verringern, ist demgegenüber sinnlos."

2.9.6.7 Vertiefung: Bayerisches Landessozialgericht, Beschluss vom 23.8.2022 – L 12 SF 209/20

Das Bayerische LSG hat in seinem Beschluss vom 23.8.2022 weitere interessante Aspekte angesprochen (Wartepflicht des Gerichtssachverständigen im Anschluss an dessen Hinweis auf die Überschreitung des Auslagenvorschusses; Zahlung eines weiteren Vorschusses durch den Kostenschuldner) (Leitsätze gebildet nach juris):[8]

„1. Ein Sachverständiger hat auf eine erhebliche Überschreitung des angeforderten Auslagenvorschusses hinzuweisen. Die Hinweispflicht gemäß § 8a Abs. 4 JVEG i.V.m. § 407a Abs. 3 Satz 2 ZPO (**Anm. des Autors:** jetzt § 407a Abs. 4 Satz 2 ZPO) *umfasst eine Wartepflicht.*

2. Nach Verstreichen einer angemessenen Zeit darf der Sachverständige, wenn das Gericht auf seine Mitteilung nicht reagiert, von einer konkludenten Einwilligung ausgehen. Eine schriftliche Bewilligung muss er nicht abwarten bzw. beim Gericht einholen.

3. Zweck der Regelung ist, den Kostenschuldner vor einer Überforderung zu schützen. Eine Reduzierung der Vergütung auf den Auslagenvorschuss kommt daher nicht in Betracht, wenn aufgrund eines – wenn auch nicht rechtzeitigen – Hinweises vor Eingang des Gutachtens und der Rechnung bei Gericht ein weiterer Auslagenvorschuss angefordert wird, den der Kostenschuldner bezahlt. Auf den Zeitpunkt des Zahlungseingangs kommt es nicht an."

---

7 OLG München, B. v. 7.11.2022 – 11 WF 928/22, juris Rn. 6 f.

8 Bayerisches LSG, B. v. 23.8.2022 – L 12 SF 209/20, juris.

Anmerkung zu Leitsatz 3:

Selbst wenn der Hinweis des Gerichtssachverständigen nicht mehr rechtzeitig i.S.d. § 407a Abs. 4 Satz 2 ZPO, sondern verspätet erfolgt, obliegt es allein dem Kostenschuldner, darüber zu entscheiden, ob er einen weiteren Vorschuss einzahlen will. Dieser ist, wenn er einen weiteren Auslagenvorschuss auf den verspäteten Hinweis des Gerichtssachverständigen freiwillig einzahlt, nach Sinn und Zweck der Hinweispflicht gemäß § 407a Abs. 4 Satz 2 ZPO nicht (mehr) schutzbedürftig.

Nicht überzeugend sind deswegen folgende Ausführungen des OLG Hamm im Beschluss vom 8.5.2015:[9] *„Auch besteht nicht mehr die Möglichkeit, von der Partei einen die bereits entstandenen Mehrkosten deckenden Vorschuss nachzufordern."* Es ist kein sachlicher Grund dafür ersichtlich, die Vergütung des Gerichtssachverständigen auf die Höhe des Auslagenvorschusses zu kappen, wenn der Kostenschuldner im Anschluss an den verspäteten Hinweis des Gerichtssachverständigen auf die Überschreitung des Auslagenvorschusses einen weiteren Vorschuss freiwillig einzahlt. Richtig ist dann allein die Handhabung, die das Bayerische LSG im obigen Leitsatz 3 seines Beschlusses vom 23.8.2022 ausgeführt hat.

2.9.7 Eigene Stellungnahme

2.9.7.1 Entscheidung im Beispielsfall

Im Beispielsfall (oben: 2.9.4) liegt eine Überschreitung des Auslagenvorschusses um 50 % vor, sodass die Erheblichkeitsgrenze von § 8a Abs. 4 JVEG (≤ 20 %) deutlich überschritten ist. Nach dem Wortlaut von § 8a Abs. 4 JVEG, dem Gesetzgeberwillen und der (absolut) herrschenden Meinung in der Rechtsprechung ist die dem Gerichtssachverständigen im Beispielsfall zustehende Vergütung richterlich auf 10.000 Euro festzusetzen (Kappung der Vergütung auf den Auslagenvorschuss).

2.9.7.2 § 8a Abs. 4 JVEG: (teilweise) gesetzgeberische Fehlleistung!

Überzeugt dieses Ergebnis? Nein!

Aus Sicht des Autors ist nicht fraglich, dass die Vergütung zu kürzen ist, wenn der Gerichtssachverständige seine Hinweispflicht nach § 407a Abs. 4 Satz 2 ZPO verletzt und später eine erheblich über dem Auslagenvorschuss liegende Vergütung abrechnet. Die Frage ist aber: auf welchen Betrag ist die Vergütung dann zu kürzen?

Der Wortlaut von § 8a Abs. 4 JVEG und der diesbezügliche Gesetzgeberwille sind eindeutig: es ist auf den Vorschussbetrag zu kürzen. Dass es sich hierbei um eine (teilweise) gesetzgeberische Fehlleistung handelt, sollen die beiden folgenden Beispiele verdeutlichen, in denen dem Gerichtssachverständigen der Auslagenvorschuss vom Gericht jeweils mitgeteilt wurde und in denen er jeweils gegen seine Hinweispflicht nach § 407a Abs. 4 Satz 2 ZPO verstoßen hat.

---

9 OLG Hamm, B. v. 8.5.2015 – 12 U 62/14, juris Rn. 7.

2.9.7.2.1 Beispiel 1

Auslagenvorschuss: 2.000 Euro,

spätere Abrechnung des Gerichtssachverständigen: 2.450 Euro,

= erhebliche Vorschussüberschreitung (22,5 %),

Ergebnis: Vergütung wird auf 2.000 Euro gekappt (Vorschussbetrag).

2.9.7.2.2 Beispiel 2

Auslagenvorschuss: 2.000 Euro,

spätere Abrechnung des Gerichtssachverständigen: 2.400 Euro,

= keine erhebliche Vorschussüberschreitung (nicht über, sondern genau 20 %),

Ergebnis: Vergütung wird (mangels erheblicher Vorschussüberschreitung) auf 2.400 Euro festgesetzt.

2.9.7.2.3 Konsequenz

Die beiden Beispiele verdeutlichen, dass die Kürzung auf den Vorschussbetrag im Fall einer erheblichen Überschreitung des Auslagenvorschusses nicht sachgerecht erscheint. Denn: bleibt der Gerichtssachverständige bei seiner Überschreitung des Auslagenvorschusses innerhalb der Erheblichkeitsgrenze (≤ 20 %), erhält er die abgerechnete Vergütung vollständig, während er bei einer erheblichen Überschreitung des Auslagenvorschusses (> 20 %) auf den Betrag des Auslagenvorschusses gekappt wird, ohne dass eine Erhöhung des Auslagenvorschusses bis an die Erheblichkeitsgrenze heran stattfindet.

Um eine faire Gleichbehandlung der obigen Beispiele (2.9.7.2.1 und 2.9.7.2.2) zu erreichen, ist es sachgerecht, den Gerichtssachverständigen auch im Fall der erheblichen Überschreitung des Auslagenvorschusses innerhalb der Erheblichkeitsgrenze/Toleranzgrenze zu vergüten (also: Auslagenvorschuss zzgl. 20 %). Es ist sachlich nicht zu rechtfertigen und auch nicht plausibel erklärbar, warum der Gerichtssachverständige, der den Auslagenvorschuss erheblich überschreitet, vom Gesetz derart bestraft werden müsste, dass ihm bei der Kürzung seiner Vergütung nach § 8a Abs. 4 JVEG nicht zusätzlich auch die Erheblichkeitsgrenze zuzubilligen wäre, die er jedoch unstreitig zusätzlich erhalten würde, hätte er sich bei seiner Vorschussüberschreitung innerhalb der 20%-Grenze gehalten. Bei dem Gesetzeswortlaut von § 8a Abs. 4 JVEG, der sinnwidrig genau das Gegenteil besagt, handelt es sich damit um eine (teilweise) gesetzgeberische Fehlleistung.

2.9.7.2.4 Vertiefung

Bleutge führt daher zutreffend aus:[10]

„In allen Fällen einer berechtigten Kürzung, erhält der Sachverständige bei entsprechendem Nachweis immer den einbezahlten Vorschuss zusätzlich eines Toleranzbetrages von 20 %–25 % (...). Die gegenteilige Auffassung (...) ist abzulehnen, weil es der Logik der Ge-

10 *Bleutge*, in: BeckOK Kostenrecht (Hrsg. Dörndorfer/Wendtland/Gerlach/Diehn), 42. Edition, Stand: 1.7.2023, § 8a JVEG Rn. 33.

setzesanwendung widerspricht, einem Sachverständigen, der den Vorschuss innerhalb der 20%-Grenze überschreitet, den Rechnungsbetrag zu erstatten, dem Sachverständigen, der den Toleranzbetrag überschreitet, lediglich den Vorschussbetrag ohne den Toleranzzuschlag zuzusprechen. Ein jüngeres Urteil des OLG Hamm (BeckRS 2015, 02072) gewährt daher mit Recht bei einer Überschreitung des Kostenvorschusses um ein Vielfaches den Kostenvorschuss von 5.000 EUR plus einen Toleranzbetrag von 20 %."

Falsch sind dabei aber die Ausführungen von *Bleutge* am Ende dieses Zitats, die suggerieren, das OLG Hamm würde in der genannten Entscheidung die Vergütung des Gerichtssachverständigen im Fall von § 8a Abs. 4 JVEG generell auf den Auslagenvorschuss plus einen Toleranzbetrag von 20 % festlegen. *Bleutge* übersieht hierbei den Sachverhalt, der der Entscheidung des OLG Hamm zugrunde lag und der sich wesentlich von der Ausgangssituation des § 8a Abs. 4 JVEG (erhebliche Überschreitung des Auslagenvorschusses durch den Gerichtssachverständigen in seiner Abrechnung bei unterlassenem rechtzeitigem Hinweis nach § 407a Abs. 4 Satz 2 ZPO) unterscheidet. Im von *Bleutge* zitierten Fall des OLG Hamm hatte der Gerichtssachverständige nämlich vorab (wenn auch ungenau) auf die Überschreitung des Auslagenvorschusses hingewiesen! In Rn. 19 der Entscheidung des OLG Hamm heißt es:[11]

„Auf diesen Umstand hat der Sachverständige insoweit nicht rechtzeitig (...) hingewiesen, als sich sein zuletzt gegebener Hinweis vom 21.10.2013 auf die Mitteilung beschränkte, die voraussichtlichen Kosten würden sich auf „mehr als 5.000,– €" belaufen, wobei eine „genauere Angabe derzeit nicht möglich" sei. Hierdurch hat der Sachverständige zwar deutlich gemacht, dass der von ihm genannte Betrag von 5.000,– € keinesfalls als feste Obergrenze der voraussichtlichen Kosten verstanden werden dürfe. Gleichzeitig hat er damit jedoch objektiv zum Ausdruck gebracht, dass mit Kosten in der ungefähren Größenordnung des genannten Betrages zu rechnen sei. Unter Zubilligung eines angemessenen Sicherheitszuschlags von 20 % sieht der Senat daher im vorliegenden Einzelfall einen Betrag von 6.000,– € als vom Hinweis des Sachverständigen gedeckt an, wobei sich die Notwendigkeit des Sicherheitszuschlags aus den konkreten Formulierungen des Schreibens vom 21.10.2013 ergibt."

Das OLG Hamm hat in dieser Entscheidung bei seiner Festsetzung der dem Gerichtssachverständigen zustehenden Vergütung also nur deswegen einen Sicherheitszuschlag von 20 % auf den Auslagenvorschuss gemacht, weil der Gerichtssachverständige vorab (wenn auch ungenau) darauf hingewiesen hatte, die voraussichtlichen Sachverständigenkosten würden sich auf mehr als 5.000 Euro belaufen, eine genauere Angabe sei derzeit aber nicht möglich. Für dieses vom Gerichtssachverständigen vorab mitgeteilte „Mehr" an Sachverständigenkosten hielt das OLG Hamm einen Sicherheitszuschlag von 20 % für angemessen. Dieser vom OLG Hamm gemachte Sicherheitszuschlag hatte folglich nichts mit der Erheblichkeitsgrenze (≤ 20 %) des § 8a Abs. 4 JVEG zu tun, sondern war den Umständen des Einzelfalles geschuldet. Es ist daher falsch, aus dieser Entscheidung zu schlussfolgern, das OLG Hamm setze die Vergütung des Gerichtssachverständigen im Fall von § 8a Abs. 4 JVEG generell auf den Auslagenvorschuss plus einen Toleranzbetrag von 20 % fest.

11 OLG Hamm, B. v. 14.10.2014 – 10 U 104/11, juris Rn. 19.

2.9.8 Fazit

Der Gerichtssachverständige muss unbedingt – will er später bei seiner Vergütungsfestsetzung kein böses Erwachen erleben – auf den vom Gericht regelmäßig zusammen mit der Auftragserteilung mitgeteilten Auslagenvorschuss achten und diesen bei der Gutachtenerstattung stets im Blick behalten. Stellt der Gerichtssachverständige fest, dass der Auslagenvorschuss für die Gutachtenerstattung nicht ausreicht, muss er das Gericht rechtzeitig darauf hinweisen und anregen, die Einzahlung eines weiteren Auslagenvorschusses durch den Kostenschuldner zu veranlassen. Aus Sicht des Autors bietet es sich an, das Gericht gleichzeitig darauf hinzuweisen, dass die Gutachtenerstattung deswegen vorerst ruht und erst dann fortgesetzt wird, sobald die gerichtliche Mitteilung über die Einzahlung des weiteren Auslagenvorschusses vorliegt.

Reicht der Gerichtssachverständige nach der Gutachtenerstattung jedoch eine Vergütungsabrechnung ein, die den Auslagenvorschuss erheblich (> 20 %) überschreitet, ohne dass er zuvor rechtzeitig darauf hingewiesen hat, erhält er nach dem klaren Wortlaut von § 8a Abs. 4 JVEG und nach dem klaren Gesetzgeberwillen eine Vergütung nur in Höhe des Auslagenvorschusses (Kappung auf den Vorschussbetrag).

Nach Ansicht des Autors handelt es sich hierbei um eine (teilweise) gesetzgeberische Fehlleistung, weil es sachlich nicht zu rechtfertigen und auch nicht plausibel erklärbar ist, dass der Gerichtssachverständige, der den Auslagenvorschuss erheblich überschreitet, vom Gesetz derart bestraft werden müsste, dass ihm bei der Kürzung seiner Vergütung nach § 8a Abs. 4 JVEG nicht zusätzlich zu dem Auslagenvorschuss auch die Erheblichkeitsgrenze (20 %) zuzubilligen wäre. Eine solche Vergütung würde er unproblematisch erhalten, wenn er sich bei seiner Vorschussüberschreitung innerhalb der 20%-Grenze gehalten hätte. *Bleutge* schlussfolgert daher zutreffend, dass der Gerichtssachverständige im Fall der Vergütungskürzung nach § 8a Abs. 4 JVEG den Auslagenvorschuss zzgl. 20 % (Erheblichkeitsgrenze) erhalten sollte.[12]

12 *Bleutge*, in: BeckOK Kostenrecht (Hrsg. Dörndorfer/Wendtland/Gerlach/Diehn), 42. Edition, Stand: 1.7.2023, § 8a JVEG Rn. 33.

2.10 Sachverständige als Amtsträger, Vor- und Teilgutachten bei indifferentem Aufklärungsbedürfnis, bei Eile und bei zu geringen Kostenvorschüssen

Matthias Zöller

Übersicht

2.10.1 Sachverständige: Beweis- und Aufklärungsmittel

Als Amtsträger wird jemand bezeichnet, der ein ihm anvertrautes öffentliches Amt ausübt. Dies betrifft alle, die in einem bestimmten Anstellungs-, Auftrags-, Anvertrauens- oder Dienstverhältnis hoheitlich handeln. Die Tätigkeit kann haupt- oder ehrenamtlich geschehen. Beamte, Richter, Minister, Notare, Schöffen, Referendare, Personen in der Probezeit, Auszubildende oder andere Personen, die hoheitlich handeln, haben einen Amtsträgerstatus inne.

Für Gerichte tätige und ö.b.u.v. Sachverständige tragen durch ihre Tätigkeit zu hoheitlichen Entscheidungen wesentlich bei und sind dadurch Amtsträger oder Amtswalter. Hoheitliches Handeln beinhaltet die Berücksichtigung von öffentlichen Interessen, die bei Sachverständigen im privaten Auftrag durch zivilrechtliche Regelungen Grenzen erfahren. Allerdings dürfen nicht nur hoheitlich Handelnde nicht gegen Gesetze verstoßen. Nach Art. 34 Satz 1 GG, § 839 BGB können Ansprüche aus Amtshaftung entstehen. Für Amtswalter und damit auch für Sachverständige, die hoheitlich handeln, gelten damit besondere straf- und haftungsrechtliche Regelungen.

Im Idealfall finden zerstrittene Parteien wieder zueinander, sonst bekommen sie, ebenfalls idealerweise, nicht nur ein Urteil, sondern auch ein richtiges und gerechtes Ergebnis. Dazu tragen Sachverständige wesentlich bei, weswegen sie zur objektiven Sorgfalt verpflichtet sind.

„Bestrafungen" von Baubeteiligten nach dem Motto, jetzt bekommt der eine oder andere „eins übergebraten", „eins auf den Deckel", damit er es beim nächsten Mal anders macht, sind fehl am Platz. Es geht um die Lösung von Problemen in Einzelfällen und nicht um Lehrmeisterei. Gerichte und Sachverständige haben keinen Erziehungsauftrag, sondern sind dazu berufen, Einzelprobleme zu lösen und zu objektiv richtigen Fallentscheidungen zu kommen.

Sachverständige unterliegen durch die hoheitliche Tätigkeit einer Aufklärungsverpflichtung im Rahmen der Einzelfälle. Wenn sie z.B. erkennen, dass Beweisfragen in Beweisbeschlüssen von Rechtsstreitigkeiten für Gerichte fallbezogen nicht dienlich sind oder sogar die Rechtsfindung erschweren, haben sie die auf ihrer besonderen Sachkenntnis beruhenden Erkenntnisse dem Gericht mitzuteilen und dürfen nicht stur in den Leitplanken des Beweisbeschlusses in die Irre führende Beweisfragen abarbeiten.

2.10.2 Begutachtungen: fallbezogene Beratungen

Sachverständige begleiten ein Amt, ohne beamtet zu sein, wenn sie hoheitliche Aufgaben wahrnehmen. Sie sind nicht nur Beweismittel oder, wie das in vielen Fällen von Sachverständigen erwartet wird, „Entscheider", sondern zuallererst Berater von Gerichten und haben ähnliche Funktionen im privatgutachtlichen Auftrag zumindest dann, wenn sie ein öffentliches Amt begleiten oder dies unterstellt werden kann.

Kein Mensch ist zufrieden, wenn eine bestellte Leistung (für seinen Gebrauch) wertlos ist. Das trifft nicht nur auf gebaute Objekte, Konsumgüter u.a. zu, sondern auch auf Beratungen durch Sachverständige, auf Gutachten, auf anwaltliche Beratungen und auf alle anderen dieser Art von bestellten oder anders zu vergütenden Leistungen. In gerichtlichen Verfahren oder im privaten Auftrag ausgearbeitete Sachverständigengutachten müssen zielführend sein.

Nicht immer aber beruht die Wertlosigkeit von Gutachten auf Fehlern von Auftragnehmern, herangezogenen Sachverständigen oder Gerichten, sondern z.B. auf ungeeigneten Vorgaben, fehlenden oder vorenthaltenen Hinweisen, Fehlvorstellungen zu vertraglichen Vereinbarungen, falschen Versprechungen im Vorfeld zum Verlauf und Ergebnis von gerichtlichen Verfahren. Auch können systembedingte, starre Vorgaben von Begutachtungen zur eingeschränkten Brauchbarkeit oder gar Wertlosigkeit einer Sachverständigenleistung führen.

Wenn z.B. Sachverständige erkennen, dass Auftraggeber von ihnen „Gefälligkeitsgutachten" einfordern, diese aber den Grundsätzen der Sachverständigentätigkeiten widersprechen und objektiv richtige Gutachten nicht den Interessen der Auftraggeber entsprechen, handeln sie bei der Erstattung von objektiv korrekten Gutachten zwar nach dem von ihnen geleisteten Eid, können aber ggf. vertragliche Pflichten verletzen, wenn Auftraggeber auf der Erstattung von „falschen" Gutachten bestehen sollten.

Um Unannehmlichkeiten zu vermeiden, sollte bereits in Sachverständigenverträgen festgelegt werden, dass Sachverständige (gemäß ihrem geleisteten Eid) ergebnisoffen und nicht partikularinteressengeleitet arbeiten (dürfen). Das ist zwar eine Selbstverständlichkeit, aber Auftraggebern nicht immer vermittelbar, weswegen zur Minimierung des Streitpotenzials klare Regelungen getroffen werden sollten.

Wenn sich bei der Begutachtung herausstellt, dass bestimmte Sachverhalte nicht (mehr) aufgeklärt werden können, müssen ggf. Lücken verbleiben. Stützen sich Gutachten auf Angaben, vorgelegte Dokumente in Form von z.B. Plänen, Mitschriften, Baustellenprotokollen, können diese unter dem jeweiligen Vorbehalt der rechtlichen Würdigung, ob diese rechtsrelevant sein können, verarbeitet werden. Formal müsste zuvor mit Gerichten abgeklärt werden, ob die jeweiligen Dokumente in Gutachten einfließen dürfen oder nicht. Meistens ist es aber praxisnäher, auf Dokumente aufbauende Bewertungen klar und unmissverständlich so zu kennzeichnen, dass sie nicht auf eigenen Wahrnehmungen beruhen. Dann sind Gutachten hinreichend transparent und die folgende juristische Würdigung wird nicht be- oder gar verhindert.

2.10.3 Obliegenheiten der Beratung

Sachverständigenaufträgen gehen üblicherweise Abstimmungen zwischen den Vertragspartnern über die aufzuklärenden Sachverhalte voraus. So lassen sich Zweck und Ziel von Gutachten einvernehmlich festlegen.

In gerichtlichen Verfahren dagegen unterliegen Sachverständige der hoheitlichen Verpflichtung, Gutachten zu erstatten, solange die gestellten Fragen in ihr Sachgebiet fallen (siehe dazu Beitrag 2.12) und sie aus anderen Gründen nicht verhindert sind. Der Gegenstand von Gutachten in gerichtlichen Verfahren wird durch Beweisbeschlüsse bestimmt und ist nicht zwischen Sachverständigen und Gerichten verhandelbar. Auch Gerichte sind an Parteivorträge gebunden (siehe dazu Beitrag 2.1).

Sachverständige für Schäden an Gebäuden haben technisches Fachwissen und kennen Baustellenabläufe. Sie werden von Gerichten herangezogen, um Wissenslücken in zu entscheidenden Fällen zu schließen. Sie verfügen damit über ein Wissen, das weder Gerichten noch üblicherweise den Parteien zur Verfügung steht – sonst bräuchte man Sachverständige nicht.

Wie oben beschrieben, haben Sachverständige die Obliegenheit, auf ggf. nicht zielführende oder kontraproduktive Beweisbeschlussfragen hinzuweisen, bevor sie den Aufwand betreiben, Gutachten zu erstatten, die kein Beteiligter nutzen kann. Dabei unterliegen Sachverständige – in Grenzen – der Gefahr, nach § 8a Abs. 2 JVEG keine Vergütung zu bekommen, wenn sie nicht brauchbare Gutachten erstatten.

Da Sachverständige keine Rechtsfragen klären dürfen und sich auf objektive, technische Sachverhalte beschränken müssen, dürfen sie nur unter gerichtlicher Vorgabe von Rechtstatsachen rechtliche Sachverhalte ihren Begutachtungen zugrunde legen. Ansonsten sind sie verpflichtet, z.B. keine Beschaffenheitsvereinbarungen als rechtlich relevant aufzufassen oder gar Verträge auszulegen.

Ob bestimmte, in Verträgen angehängten Plänen oder Leistungsverzeichnissen enthaltene Angaben zu z.B. Baustoffen tatsächlich vereinbarte Beschaffenheit sind oder nicht, unterliegt der juristischen Würdigung. Es ist die Normalität im Baugeschehen, dass Verträge entweder ganz oder in Teilen Entwicklungsverträge sind, da das fertige gebaute Objekt als Unikat erst dann in bis ins letzte Detail beschrieben werden kann, wenn es fertiggestellt ist. Daher ist es nicht nur eine Üblichkeit, sondern sogar eine Notwendigkeit, nicht nur Bauleistungen durch gedankliche Vorwegnahme zu entwickeln, sondern auch ständig dem Baugeschehen anzupassen. Missachten Sachverständige diese den Bauverträgen immanente Beschaffenheit und stellen ausschließlich auf vermeintliche Leistungssollbeschreibungen in Plänen oder Leistungsverzeichnissen ab, die zeitlich lange vor der Errichtung des Gebäudes ausgearbeitet und damit in einer vergleichsweise frühen Phase der vertraglichen

Abwicklung ausgearbeitet wurden, greifen sie einer ihnen nicht möglichen, juristischen Würdigung vor, ob solche Beschreibungen tatsächlich noch Bestand haben oder Verträge durch Weiterentwicklung fortgeschrieben und damit inhaltlich verändert wurden.

Sachverständige dürfen daher ihre Bewertung nicht ausschließlich auf rechtlicher Basis in Form der Übernahme von Beschreibungen in Verträgen vornehmen. Vielmehr haben sie ihrer Aufgabe nachzukommen,

- einerseits kausale Zusammenhänge zwischen Schadensphänomenen und Beschaffenheiten von Werken aufzuklären sowie
- andererseits abzuschätzen, ob ein Werk, eine bestimmte Konstruktion mit einer bestimmten Bauweise und einer bestimmten Bauart für den vorgesehene Zweck unter Berücksichtigung üblicher und möglicher Instandhaltungen uneingeschränkt verwendungsgeeignet ist.

Das führt zu Beratungs- oder Aufklärungsobliegenheit, Varianten aufzuzeigen, wenn sich solche unter technischen Aspekten eröffnen. Ob die eine oder die andere Variante unter Rechtsaspekten die richtige ist, unterliegt dann der folgenden Rechtswürdigung.

2.10.4 Vorgutachten bei indifferentem Aufklärungsbedürfnis

Nicht immer lassen sich in gerichtlichen Verfahren Unklarheiten bei der Beweisaufnahme beseitigen. Gründe können sein, dass sich Parteien verweigern, Gerichte aus z.B. personellen Gründen nicht schnell genug handeln können oder fallbezogen zeitliche Eile besteht, Lösungen herbeizuführen, bevor sich Schäden ausweiten.

Insbesondere in komplexen Fällen können Sachverständige oft besser als Juristen erkennen, dass manchmal von Parteien aus z.B. prozessualen Gründen aufgeworfene Fragen nicht zielführend sind. Auch können Sachverständige aufgrund ihrer besonderen Kenntnisse erkennen, dass in manchen Fällen wichtig erscheinende Fragen durch z.B. Grenzwertbetrachtungen oder andere Gutachtentechniken schnell beantwortet werden können und keine aufwendigen, umfassenden Untersuchungen erforderlich sind.

In manchen Situationen lassen sich indifferente Fragen in Beweisbeschlüssen nicht vor der Gutachtenausarbeitung präzisieren. Dann kann es hilfreich sein, solche Aspekte in Vorgutachten klärend zu bearbeiten, ohne den Anspruch, bereits abschließende Gutachten vorzulegen.

Vorgutachten sind ebenfalls geeignete Instrumente, bei komplexen Aufgabenstellungen Untersuchungsanforderungen zu klären, wenn z.B.

- Untersuchungen sehr aufwendig,
- mit Risiken von Schäden am untersuchten Gegenstand verbunden
- oder andere Komplikationen während der oder durch die Untersuchungen zu erwarten sind.

Dann können solche Fragen in Vorgutachten behandelt und anschließend diskutiert werden, die Grundlage für die weitere Vorgehensweise einschließlich Anweisungen von Gerichten an Sachverständige sind.

2.10.5 Teilgutachten bei zu geringem Kostenvorschuss

Bei grobem Missverhältnis zwischen eingezahltem Kostenvorschuss in Bezug zum für die Erstattung von zum Teil komplexen Gutachten notwendigen Aufwand sollte unverzüglich, am besten im ersten Bestätigungsschreiben an das Gericht, auf die zu erwartende tatsächliche Größenordnung eines Honorars hingewiesen werden (siehe Beitrag 2.12).

Schätzen aber Sachverständige den Kostenvorschuss zunächst als ausreichend ein, sollen sie unverzüglich dann, sobald sie erkennen, dass der Kostenvorschuss nicht nur unerheblich überschritten wird, ihre Arbeit zu unterbrechen, den Kostenvorschuss erhöhen lassen und die Bestätigung abwarten, bevor sie weiterarbeiten.

Seibel hat in diesem Handbuch (vgl. Beitrag 2.9) die Regelung in § 8a Abs. 4 JVEG des 20-%-Sprungs der Honorarkürzung zu Recht als gesetzgeberische Fehlleistung kritisiert: Bei einer Überschreitung des Kostenvorschusses bis 20 % wird nicht gekürzt. Bei einer größeren Überschreitung als 20 % wird auf den Kostenvorschuss gekürzt. Rechnerisch wird damit ab einer Überschreitung um 21 % nicht um die Überschreitung der maximalen Überschreitung, hier um 1 %, sondern um die gesamte Überschreitung, in diesem Fall um 21 %, gekürzt.

Sachverständigen ist nicht zuzumuten, dass sie die unter Berücksichtigung der Gesamtkostenrechnung ohnehin nicht ausreichenden Honorare, die unter Wirtschaftlichkeitsaspekten eher Aufwandsentschädigungen sind, zusätzliche Einbußen hinnehmen müssen. Deswegen hat die o.a. Regelung zur Folge, dass die Ausarbeitung von Gutachten verzögert wird. Der Zeitraum zwischen Schreiben von Sachverständigen an Gerichte zur Erhöhung von Kostenvorschüssen, der für die Aufforderung von Gerichten an die Partei oder Parteien, die in die Gerichtskasse einzuzahlen haben, für die Dauer des Zahlungsvorgangs und den für den Zugang des Schreibens von Gerichten an Sachverständige, dass der Kostenvorschuss erhöht wurde, kann zwischen zwei und sechs Wochen betragen. Um diesen Zeitrahmen wird die Vorlage von Gutachten mindestens verzögert. Ebenso erhöht sich der Arbeitsaufwand, denn eine Unterbrechung für eine solche Dauer bedarf zumindest in Teilbereichen der erneuten Einarbeitung von Sachverständigen in die zu bearbeitende Materie.

Die Weigerung, angeforderte Geldbeträge einzuzahlen, gründet auf fehlendem Interesse an der Fortführung des Verfahrens. Ich habe aber noch in keinem Fall erlebt, dass dem Antrag auf Erhöhung von Kostenvorschüssen nicht stattgegeben wurde. In allen Fällen bestand das Interesse der Parteien, dass begonnene Gutachten auch vorgelegt werden, anstatt Kosten für Sachverständige auszugleichen, die, wenn Kostenvorschüsse nicht erhöht werden, keine (unfertigen) Gutachten vorlegen müssen.

Selbstverständlich ist es richtig, Parteien nicht mit deutlich über eingezahlten Kostenvorschüssen auszugleichenden Honoraren zu überraschen. Die Wesentlichkeits- oder Erheblichkeitsgrenze allerdings bedarf der juristischen Würdigung und keiner durch Kommentatoren festgelegten starren Grenze von 20 %. Diese Regelung erleichtert zwar Gerichten

Honorarkürzungen, weil sie sich auf Gesetz und dazu veröffentlichte Kommentare stützen können. Dennoch wird die Obliegenheit von Gerichten, fallbezogene Angemessenheitsgrenzen festzulegen, beschnitten. Die starre 20%-Grenze zum Schutz der kostenpflichtigen Parteien, um entscheiden zu können, ob sie an der Fortführung eines Streits oder auch nur eines Beweisverfahrens interessiert sind, ist so nicht praxisgerecht. Die Regelung führt praktisch nur zur Verzögerung der Gutachtenausarbeitung.

Die Kürzungsregelung kann als „Bestrafungsansatz" verstanden werden, Sachverständige disziplinieren zu wollen. Das aber ist eine Politik, die „nach hinten losgeht", denn durch solche Regelungen lassen sich Sachverständige nicht disziplinieren. Sie reagieren, indem sie den „Stift" fallen lassen und ein Schreiben des Gerichts abwarten, ob sie weiterarbeiten sollten. Wie oben ausgeführt, verzögert sich dadurch die Begutachtung um Wochen.

Der Bestrafungsgedanke hat zudem desaströse Auswirkungen auf die Verfügbarkeit von Sachverständigen und die Dauer von Verfahren. Schon jetzt liegt die Tendenz der sinkenden Bereitschaft geeigneter Personen vor, sich öffentlich bestellen und vereidigen zu lassen. Die Zahl der öffentlich bestellten und vereidigten Sachverständigen im Sachgebiet Schäden an Gebäuden hat sich in den letzten 20 Jahren halbiert. Einige Sachverständige geben sogar wegen „Disziplinierungsansätzen" ihre Bestellung auf und stehen damit Gerichten nur noch wie andere freie Sachverständige zur Verfügung. Wie aber wollen Richter geeignete Sachverständige erkennen und auswählen, wenn die Anzahl derer, die öffentlich bestellt und vereidigt sind, stetig abnimmt? Wer soll gerichtliche Gutachten ausarbeiten, wenn nicht mehr genügend Sachverständige zur Verfügung stehen?

Daher sollten solche nicht zielführenden, politischen Ambitionen unterlassen werden. Je größer der Disziplinierungsdruck, desto schlimmer wird die Situation, desto eher beschweren sich aber diejenigen über mangelnde Bereitschaft, für Gerichte tätig zu werden, die zwar nicht alleine diesen Mangel verursachen, aber nicht nur unwesentlich dazu beitragen.

Diese Kritik richtet sich ausdrücklich nicht an die vielen Richter an Gerichten, die gute Beziehungen zu ihren Beratern, den Sachverständigen, schätzen und pflegen. Es geht um diejenigen, die sich ausschließlich um die Abrechnung von Sachverständigenleistungen kümmern und nicht die Gepflogenheiten oder Nöte im Sachverständigenwesen kennen. Diese zum Glück wenigen Stellen hinterlassen den Eindruck, dass es ihnen ausschließlich darum geht, Sachverständigen das Honorar zu kürzen.

Gerichte könnten ihre Obliegenheit der freien Entscheidung nutzen, sich über die von Kommentatoren ins Spiel gebrachte 20%-Regelung hinwegsetzen und das Interesse der Parteien, dass Gutachten vorgelegt werden, an anderen Kriterien festmachen als an einer wenig sinnvollen 20%-Regelung, die in dieser Form eher schadet als nützt. Dabei gibt es objektive Kriterien, die das Interesse der Parteien zur Fortführung der Begutachtung abbilden, etwa das Verhältnis des Honorars zum Streitwert, Argumentationen im Verfahrensverlauf oder fehlende Bereitschaft einer gütlichen Einigung.

Sachverständige haben allerdings die Möglichkeit, in dieser misslichen Situation zwischen Verfahrensverzögerung und Hinnehmen von Einkommenseinbußen tätig zu bleiben. Sie können bei zu geringen Kostenvorschüssen Teilgutachten vorlegen, deren Aufwand mit eingezahlten Beträgen abgedeckt ist.

Erkennen Sachverständige, dass z.B. einige Beweisfragen im Interesse von Parteien nicht vorrangig beantwortet werden müssen oder Eile besteht, weil z.B.

- zum Beweiserhalt Räume bzw. ganze Gebäude bis zur Feststellung von Sachverständigen nicht genutzt werden,
- gefährdende Zustände bei z.B. größerem Schimmelbefall oder Grundbruchgefahr bestehen,
- zu untersuchende Gegenstände drohen, unterzugehen,

kann die Ausarbeitung und Vorlage von Teilgutachten mit einem beschränkten Kostenaufwand nützlich und sehr im Sinne der Beteiligten sein. Wenn z.B. wegen eines Schimmelbefalls aufgrund einer einmaligen und abgestellten Ursache ein Gebäude nicht genutzt werden kann, kann das Prozedere zur Erhöhung von Kostenvorschüssen vor Arbeitsbeginn von Sachverständigen so lange dauern, dass es nicht unerhebliche Schäden durch die Nichtnutzbarkeit und durch Ausweitung eines Schimmelbefalls zur Folge hat. Bevor in solchen Fällen in einem Gutachten Feststellungen umfassend beschrieben werden, die Fragen zu Ursache und Verantwortlichkeit sowie dem zu erwartenden Kostenaufwand bearbeitet werden, kann es sinnvoll sein, zunächst nur Art und Umfang eines Schimmelbefalls festzustellen und ein Teilgutachten zu den notwendigen Maßnahmen vorzulegen. Damit können die Ausweitung des Schimmelbefalls und Schäden durch die Nichtnutzbarkeit des Gebäudes vermieden werden. Anschließend kann der Kostenvorschuss erhöht und das Gutachten zu den bis dahin noch nicht ausgearbeiteten Fragen erstattet werden.

Aber auch in anderen Fällen kann die Vorlage von Teilgutachten zur Vermeidung von Verfahrensverzögerungen sinnvoll sein, da Parteien dann bereits ein zwar nicht vollständiges, aber immerhin ein Gutachten erhalten. Die vollständige Abarbeitung der Fragen kann möglicherweise aufgrund der bis dahin geklärten Sachverhalte zurückgestellt und dadurch Geld eingespart werden. Sonst werden, bei gleicher Dauer wie bei Unterbrechungen der Gesamtbegutachtung durch Kostenvorschusserhöhungen, bereits vorgelegte Teilgutachten zu Gesamtgutachten vervollständigt. Diese Vorgehensweise bietet daher die Möglichkeit, mit der misslichen Gesetzeslage bzw. -auslegung zu Kostenvorschusserhöhungen zum Nutzen aller Beteiligten umzugehen.

2.10.6 Fazit

Vor- und Teilgutachten sind Gutachten, auch wenn sie (noch) nicht vollständig sind.

Sachverständige können im Rahmen ihrer Amtsträgerschaft durch hoheitliches Handeln zielführende, abgestufte Vorgehensweisen anbieten, die den Verfahrensbeteiligten nützen, anstatt aus formalen Gründen Verfahren zu verzögern, Kosten zu erhöhen und damit den Verfahrensbeteiligten der gerichtlichen Verfahren insgesamt zu schaden.

2.11 Haftung von gerichtlich ernannten Sachverständigen

Thomas Bretz

Übersicht

2.11.1 Vorbemerkungen

Während Privatsachverständige nach Vertragsrecht für etwaige Fehler ihrer Begutachtung und daraus resultierende Schäden ihrer Auftraggeber grundsätzlich schon dann einzustehen haben, wenn ihnen zumindest leichte Fahrlässigkeit nachgewiesen werden kann, ist die erfolgreiche Inanspruchnahme gerichtlich ernannter Sachverständiger wegen eines unrichtigen Gutachtens und darauf zurückzuführender Schäden nur unter deutlich erschwerten Voraussetzungen möglich. Unter anderem muss dem in Anspruch genommenen Gerichtssachverständigen eine zumindest grobe Fahrlässigkeit bei der Erstattung seines Gutachtens nachgewiesen werden. Die Haftung des Privatsachverständigen sowie die Möglichkeiten und Grenzen von Haftungsausschlüssen oder Haftungsbeschränkungen werden in Beitrag 3.3 behandelt.

Durch das Zweite Gesetz zur Änderung schadensrechtlicher Vorschriften ist am 1.8.2002 mit der Vorschrift des §§ 839a BGB eine eigenständige, systematisch im Umfeld der Amtshaftung angesiedelte Anspruchsgrundlage für die Haftung des gerichtlich bestellten Sachverständige geschaffen worden.

§ 839a BGB Haftung des gerichtlichen Sachverständigen

(1) Erstattet ein vom Gericht ernannter Sachverständiger vorsätzlich oder grob fahrlässig ein unrichtiges Gutachten, so ist er zum Ersatz des Schadens verpflichtet, der einem Verfahrensbeteiligten durch eine gerichtliche Entscheidung entsteht, die auf diesem Gutachten beruht.

(2) § 839 Abs. 3 ist entsprechend anzuwenden.

§ 839 BGB Haftung bei Amtspflichtverletzung

(...)

(3) Die Ersatzpflicht tritt nicht ein, wenn der Verletzte vorsätzlich oder fahrlässig unterlassen hat, den Schaden durch Gebrauch eines Rechtsmittels abzuwenden

Gemäß Art. 229 § 8 Abs. 1 EGBGB gilt die Vorschrift für solche Schäden, die nach dem 31.7.2002 eingetreten sind. Vor diesem Zeitpunkt konnten Haftungsansprüche gegenüber dem Gerichtssachverständigen nur auf die allgemeinen deliktsrechtlichen Vorschriften der §§ 823 ff. BGB gestützt werden. Da reine Vermögensschäden nicht zu den unter § 823 Abs. 1 BGB genannten besonders geschützten Rechtsgütern gehören, kam eine Haftung für Vermögensschäden nur unter den erschwerten Voraussetzungen des § 826 BGB, also einer vorsätzlichen und sittenwidrigen Schadensverursachung oder im Falle eine Beeidigung des Sachverständigen in Betracht. Damit ergab sich für reine Vermögensschäden gemäß § 823 Abs. 2 BGB, §§ 154, 163 a.F. StGB zwar eine strengere Haftung bereits für leichte Fahrlässigkeit.[1] Dieser kam aber kaum praktische Bedeutung zu, weil Sachverständige vor Gericht nur in den wenigsten Fällen beeidigt werden. Allein der Verstoß gegen die in § 410 Abs. 1 ZPO, § 79 Abs. 1 StPO verankerte prozessuale Wahrheitspflicht des Sachverständigen wurde hingegen nicht als Verletzung eines Schutzgesetzes im Sinne von § 823 Abs. 2 BGB anerkannt.

§ 839a BGB erweitert den Schutzbereich des Deliktsrechts dahingehend, dass der Sachverständige den am Verfahren Beteiligten auch für die Verletzung reiner Vermögensinteressen einzustehen hat. Diese Haftungserweiterung auf der einen Seite wird in ihrer Tragweite dadurch abgemildert, dass die Einstandspflicht des Sachverständigen Vorsatz oder zumindest grobe Fahrlässigkeit voraussetzt.

Man könnte es als Wertungswiderspruch verstehen, dass der Sachverständige im Falle seiner privaten Beauftragung – ohne rechtswirksame Vereinbarung einer Haftungsbeschränkung – für den gleichen Fehler und die daraus resultierenden Folgen für jede Fahrlässigkeit einzustehen hat, während seine Haftung bei gerichtlicher Bestellung auf Vorsatz und grobe Fahrlässigkeit beschränkt wird. Ein Wertungswiderspruch liegt im Ergebnis aber nicht vor. Denn der gerichtlich bestellte Sachverständige ist regelmäßig zur Übernahme der Begutachtung verpflichtet, was im Folgenden aufgezeigt wird. Auch soll der Gerichtssachverständige, ähnlich wie das erkennende Gericht, ohne erheblichen Druck eines möglichen Rückgriffs auf seine Person, die an ihn gestellten Aufgaben abarbeiten können. Eine echte Befreiungsmöglichkeit, etwa im Sinne von § 408 Abs. 1 ZPO, von der grundsätzlich bestehenden Verpflichtung zur Gutachtenerstattung steht dem Sachverständigen im Falle seiner gerichtlichen Bestellung praktisch nicht zur Verfügung. Ferner darf nicht verkannt werden, dass der von einem Gericht in Dienst genommene Sachverständige keine Möglichkeit hat, die Bedingungen seines Tätigwerdens mit dem Gericht oder den Parteien zu verhandeln, insbesondere Haftungsausschlüsse oder Haftungsbeschränkungen zu vereinbaren. Allenfalls auf den Preis für seine Tätigkeit kann der Sachverständige bedingt Einfluss nehmen. Insoweit eröffnen die Vorschriften des Justizvergütungs- und -entschädigungsgesetzes (JVEG), insbesondere § 13 Abs. 1 und Abs. 2 JVEG, entsprechende Möglichkeiten. Dem-

1 BGH, U. v. 25.6.2020 – III ZR 119/19, NJW 2020, S. 2471 (mit Anmerkung *Finkelmeier*).

nach kann die Grundvergütung des Sachverständigen auf Verlangen erhöht werden, wenn mindestens eine der Parteien und das Gericht dem zustimmen. Gemäß § 13 Abs. 2 Satz 2 JVEG soll die Zustimmung nur erteilt werden, wenn das Doppelte des nach § 9 oder § 11 JVEG zulässigen Honorars nicht überschritten wird.

Die vom Gesetz statuierte Haftungsbeschränkung des Gerichtssachverständigen auf Vorsatz und grobe Fahrlässigkeit reduziert das für den Gerichtssachverständigen verbleibende Haftungsrisiko im Ergebnis auf ein Niveau, welches auch der Privatsachverständige durch individuelle Haftungsausschlüsse und -beschränkungen erreichen kann (vgl. Beitrag 3.3).

Im Grundsatz schützt § 839a BGB die Vermögensinteressen der am Verfahren Beteiligten. Schadensersatzansprüche gegen den Gerichtssachverständigen können deshalb nur die Parteien, deren Streithelfer und Nebenintervenienten geltend machen, soweit diese durch eine gerichtliche Entscheidung, die auf dem unrichtigen Gutachten beruht, geschädigt sind, nicht hingegen sonstige nicht am Verfahren beteiligte Dritte. Denn auf eine Haftungserweiterung, wie sie von der Rechtsprechung hinsichtlich der Haftung privat beauftragter Sachverständiger gegenüber Dritten unter dem Gesichtspunkt des Vertrages mit Schutzwirkung zugunsten Dritter entwickelt wurde,[2] hat sowohl der Gesetzgeber als auch die bisher zu § 839a BGB ergangene Rechtsprechung verzichtet.

Umstritten ist, ob § 839a BGB analog angewendet werden kann, wenn der Rechtsstreit anders als durch eine gerichtliche Entscheidung, nämlich durch einen Vergleich, beendet wird. Es wird im Folgenden aufzuzeigen sein, dass der BGH in seiner nicht unumstrittenen[3] Entscheidung vom 25.6.2020 die bis zu diesem Zeitpunkt geltende Rechtsprechung aufgegeben hat, sodass aktuell von einer entsprechenden Anwendung der Vorschrift auszugehen ist, wenn das Gerichtsverfahren durch einen Vergleich der Parteien erledigt wurde, dessen Abschluss von dem Gutachten beeinflusst worden ist.[4]

2.11.2 Anspruch aus § 839a BGB

Geht es um die Frage der Haftung des Gerichtssachverständigen für ein möglicherweise fehlerhaftes und damit unrichtiges Gutachten, welches sich zum Nachteil des Klägers, des Beklagten oder eines anderen an einem gerichtlichen Verfahren Beteiligten, genauer auf dessen Vermögen, negativ ausgewirkt hat, insbesondere indem das Gericht seine Entscheidung auf ein solches Gutachten stützte, ist zu prüfen, ob die Voraussetzungen des §§ 839a BGB vorliegen. § 839a BGB wurde als abschließende Spezialregelung konzipiert, die den Sachverständigen zum Ersatz desjenigen Schadens verpflichtet, der einem Verfahrensbeteiligten durch eine gerichtliche Entscheidung entsteht, die auf dem vorsätzlich oder grob fahrlässig erstatteten Gutachten beruht, neben dem andere deliktische Tatbestände nicht zur Anwendung kommen. Insbesondere ist ein Rückgriff auf Ansprüche aus §§ 823, 826 BGB neben § 839a BGB ausgeschlossen. Mit dem Inkrafttreten dieser Vorschrift am 1.8.2002 wurde die unterschiedliche Haftungslage des Gerichtssachverständigen besei-

---

2 BGH, U. v. 10.11.1994 – III ZR 50/94, NJW 1995, S. 392.

3 Kritisch dazu: *Finkelmeier*, NJW 2020, S. 2471, 2475; ebenso kritisch *Pardey/Balke/Link*, Schadenrecht, 2023, Sachverständigenhaftung Rn. 11.

4 BGH, U. v. 25.6.2020 – III ZR 119/19, NJW 2020, S. 2471.

tigt. Während der beeidigte Sachverständige nach § 823 Abs. 2 BGB i.V.m. §§ 154, 163 a.F. StGB für Vermögensschäden bereits bei fahrlässiger Erstattung eines unrichtigen Gutachtens haftete, scheiterte die Inanspruchnahme des unbeeidigt bleibenden Sachverständigen meist deshalb, weil § 410 ZPO nicht als Schutzgesetz im Sinne des §§ 823 Abs. 2 BGB gilt und die demnach einzig verbliebene Anspruchsgrundlage, § 826 BGB, eine vorsätzliche Falschbegutachtung und einen daraus resultierenden sittenwidrigen Vermögensschaden voraussetzt.

Andererseits tritt § 839a BGB hinter den Sondertatbestand der Amtshaftung gemäß § 839 BGB i.V.m. Art. 34 GG zurück, wenn ein insoweit vorrangig geltender Tatbestand erfüllt ist (z.B. Behördengutachten).[5] Eine Anwendung des § 839a BGB scheidet demnach aus, wenn der Sachverständige auf Antrag eines Gerichts oder einer Justizbehörde in Ausübung eines öffentlichen Amtes tätig wird (z.B. Gutachterausschuss hinsichtlich der Ermittlung von Grundstückswerten, § 193 Abs. 1 Satz 1 Nr. 4 BauGB).[6] In einem solchen Fall des Handelns eines Sachverständigen im Rahmen eines ihm anvertrauten öffentlichen Amtes tritt der Staat bzw. die jeweilige Anstellungskörperschaft im Wege der befreienden Haftungsübernahme an die Stelle des Sachverständigen.[7] Verstößt ein Beamter mindestens leicht fahrlässig gegen seine Pflicht, das Gutachten unparteiisch, vollständig und richtig zu erstatten, haftet die Anstellungskörperschaft den Verfahrensbeteiligten gemäß § 839 BGB, Art. 34 GG auf Schadensersatz.[8] Ob eine Person in Ausübung eines ihr anvertrauten öffentlichen Amtes handelt, bestimmt sich danach, ob die eigentliche Zielsetzung hoheitlicher Tätigkeit zuzurechnen ist und ob zwischen dieser Zielsetzung und der schädigenden Handlung ein enger äußerer und innerer Zusammenhang besteht.[9]

Exkurs: Nach Maßgabe der Länderbauordnungen, die an den entsprechenden Vorgaben der Musterbauordnung[10] ausgerichtet sind, ist die Einhaltung der Anforderungen an die Standsicherheit, den Brand-, Schall- und Erschütterungsschutz nachzuweisen (bautechnische Nachweise). Nach den jeweils geregelten Voraussetzungen (z.B. bei Gebäudeklasse 4 und 5) gehört dazu die Bescheinigung der Standsicherheit durch einen Prüfsachverständigen. Im Falle einer fehlerhaften Standsicherheitsbescheinigung und einem daraus resultierenden Schaden des Bauherrn, kommt eine Haftung entweder des Staates nach § 839 BGB und Art. 34 GG oder aber diejenige des Prüfingenieurs in Betracht, je nachdem, ob der Prüfingenieur im Rahmen der ihm nach der einschlägigen Länderbauordnung zugewiesenen bauaufsichtlichen Aufgaben, mithin in Ausübung eines öffentlichen Amts und damit hoheitlich oder als Privatsachverständiger, tätig wurde. Mit dem Ziel und im Interesse der Deregulierung und Privatisierung des Bauordnungsrechts erfolgte nach Maßgabe der einzelnen Länderbauordnungen die Übertragung früherer staatlicher Prüfungs- und Überwachungsaufgaben auf private Sachverständige. In einer Entscheidung zur Haftung eines Prüfsachverständigen hat der BGH vor dem Hintergrund der einschlägigen Regelungen der

5 BGH, U. v. 6.3.2014 – III ZR 320/12, NJW 2014, S. 1665.
6 BGH, U. v. 6.2.2003 – III ZR 44/02, NVwZ-RR 2003, S. 401 = VersR 2003, S. 1535.
7 BGH, U. v. 6.3.2014 – III ZR 320/12, NJW 2014, S. 1665.
8 MüKoBGB/*Wagner*, 8. Aufl. 2020, § 839a BGB Rn. 10, 11.
9 OLG Saarbrücken, U. v. 23.11.2017 – 4 U 26/15, Beck RS 2017, 133752, Rn. 77.
10 MBO in der Fassung von November 2002, zuletzt geändert durch Beschluss der Bauministerkonferenz vom 22./23.9.2022.

Hessischen Bauordnung, Fassung 2002, festgestellt, dass der vom Bauherrn zwecks Prüfung und Bescheinigung bautechnischer Nachweise beauftragte Prüfsachverständige ebenso wie der Ersteller dieser Nachweise auf werkvertraglicher Grundlage tätig wird. Die Haftung ergebe sich deshalb aus den allgemeinen und werkvertraglichen Vorschriften. Daneben kämen als weitere Anspruchsgrundlagen die allgemeinen deliktsrechtlichen Vorschriften zur Anwendung, während Amtshaftungsansprüche aus § 839 BGB i.V.m. Art. 34 GG ausschieden.[11]

Zwar versteht sich § 839a BGB als Spezialnorm, deren Anwendungsbereich die Haftung des Gerichtssachverständigen für sein unrichtiges Gutachten nach anderen Vorschriften regelmäßig ausschließt. § 839a BGB ist jedoch nicht anwendbar bei sog. Begleitschäden. Kommt es anlässlich der Gutachtenerstellung zur Verletzung von Personen oder zu Schäden am Eigentum eines Verfahrensbeteiligten oder Dritten, haftet der Gerichtssachverständige dafür nach den allgemeinen deliktischen Vorschriften der §§ 823 ff. BGB. Eine entsprechende Haftung kommt beispielsweise im Falle von Schäden anlässlich vom Sachverständigen durchgeführter Bauteiluntersuchungen in Betracht. Im Vorfeld von Bauteilöffnungen muss sich der Sachverständige deshalb des Einverständnisses des Eigentümers (und nicht nur des Besitzers – z.B. des Mieters/Pächters) versichern und ggf. erforderliche Hinweise erteilen, Letztere im Hinblick auf mögliche Beschädigungsrisiken oder nachhaltige optische Beeinträchtigungen, die auch nach dem fachgerechten Wiederverschließen einer Bauteilöffnung verbleiben können. So z.B. im Falle der Öffnung eines Wärmedämmverbundsystems, um die fachgerechte Verdübelung und Verklebung der Dämmplätten zu untersuchen und um ggf. Haftzugprüfungen durchzuführen. Lag das Einverständnis des Eigentümers vor, fehlt es an der im Rahmen von § 823 Abs. 1 BGB erforderlichen Rechtswidrigkeit der Bauteilbeschädigung. Hatte der Sachverständige vor der Befunderhebung zudem auf die Wahrscheinlichkeit verbleibender optischer Beeinträchtigungen hingewiesen, liegt – im Fall einer ansonsten nicht zu beanstandenden fachgemäßen Wiederherstellung – kein für die Haftung erforderlicher Sorgfaltsverstoß vor. Eine auf § 823 Abs. 1 BGB gestützte Schadensersatzklage gegen den Gerichtssachverständigen wäre dann insgesamt aussichtslos.

Exkurs: In diesem Zusammenhang bleibt anzumerken, dass noch immer nicht höchstrichterlich geklärt wurde, ob das Gericht den Sachverständigen gemäß § 404a ZPO anweisen darf, eine für die Gutachtenerstellung erforderliche Bauteilöffnung selbst vorzunehmen. Nach wohl zutreffender Ansicht schuldet der Sachverständige die fachliche und technische Beurteilung von Sachverhalten, nicht hingegen die Durchführung handwerklicher Tätigkeiten und damit einhergehende Haftungsrisiken.[12] Nach anderer Ansicht müsse der Sachverständige der Anweisung des Gerichts, Bauteilöffnungen selbst durchzuführen, jedenfalls dann folgen, wenn der Eigentümer des Bauwerks dem Substanzeingriff zugestimmt

11 BGH, U. v. 31.3.2016 – III ZR 70/15, BauR 2016, S. 1197 = IBR 2016, S. 350.

12 OLG Schleswig, B. v. 14.12.2017 – 16 W 152/17, IBR 2018, S. 303; OLG Frankfurt, B. v. 25.10.2017 – 1 W 52/17, IBR 2018, S. 421; OLG Hamm, B. v. 18.10.2005 – 26 U 16/04, IBR 2007, S. 160; LG Kiel, B. v. 30.1.2009 – 9 OH 49/07, IBR 2009, S. 358.

habe.[13] Von einer Verpflichtung des Sachverständigen, eine Bauteilöffnung selbst herzustellen, dürfte im Übrigen aber stets dann auszugehen sein, wenn diese die eigentliche Untersuchung des Bauteils bildet und sich nicht nur als Vorbereitungshandlung für die Bauteiluntersuchung darstellt. In einer Entscheidung des u.a. für Versicherungsvertragsrecht zuständigen 4. Zivilsenats heißt es: *„Entgegen der Auffassung der Revision waren die Vorinstanzen auch im Rahmen eines ihnen nach **§ 404a Abs. 1, Abs. 4 ZPO** etwa **eingeräumten** Ermessens nicht zu einer entsprechenden Weisung an die Sachverständige verpflichtet. Allerdings hat das Gericht gemäß § 404a Abs. 1, Abs. 4 ZPO von Amts wegen die Pflicht, die Tätigkeit des Sachverständigen zu leiten und ihm in diesem Rahmen gegebenenfalls für Art und Umfang seiner Tätigkeit Weisungen zu erteilen. Das gerichtliche Weisungsrecht umfasst damit neben den inhaltlichen Vorgaben, die der Sachverständige seiner Begutachtung zugrunde zu legen hat, grundsätzlich auch die zur Beantwortung der Beweisfrage erforderlichen Maßnahmen, die der Begutachtung selbst oder deren Vorbereitung dienen und der Sachkunde des gerichtlich bestellten Gutachters bedürfen, **sowie Weisungen zur Art und Weise des bei der Untersuchung des Beweisgegenstands gebotenen Vorgehens**."*[14]

2.11.3 Gerichtlich ernannter Sachverständiger

Ein Sachverständiger (englisch *expert*) oder Gutachter ist eine natürliche Person mit besonderer Sachkunde auf einem bestimmten Fachgebiet. Die Berufsbezeichnung „Sachverständiger" ist in Deutschland nicht geschützt. Jeder, der über eine besondere Expertise verfügt, darf sich „Sachverständiger" nennen. Die irreführende Verwendung des Begriffs kann als unlauterer Wettbewerb qualifiziert werden. Davon ist auszugehen, wenn derjenige, der sich selbst als Sachverständiger oder sachverständig bezeichnet und damit wirbt, seine besondere Sachkunde, die in der Regel eine entsprechende Fachausbildung und eine mehrjährige fachbezogene Berufspraxis voraussetzt, nicht nachweisen kann.

Zentrale Vorschrift für die öffentliche Bestellung und Vereidigung von Personen, die als Sachverständige auf Gebieten der Wirtschaft tätig sind oder tätig werden wollen, ist § 36 GewO (Gewerbeordnung). Solche Personen sind auf Antrag durch die von den Landesregierungen bestimmten oder nach Landesrecht zuständigen Stellen für bestimmte Sachgebiete öffentlich zu bestellen, sofern für diese Sachgebiete ein Bedarf an Sachverständigenleistungen besteht, sie hierfür besondere Sachkunde nachweisen und keine Bedenken gegen ihre Eignung bestehen. Sie sind darauf zu vereidigen, dass sie ihre Sachverständigenaufgaben unabhängig, weisungsfrei, persönlich, gewissenhaft und unparteiisch erfüllen und ihre Gutachten entsprechend erstatten werden. Die öffentliche Bestellung kann inhaltlich beschränkt, mit einer Befristung erteilt und mit Auflagen verbunden werden.

13 OLG Karlsruhe, B. v. 08.1.2018 – 19 W 41/17, IBR 2018, S. 599; so auch OLG Jena, B. v. 18.10.2006 – 7 W 302/06, IBR 2007, S. 159; OLG Celle, B. v. 8.2.2005 – 7 W 147/04, IBR 2005, S. 272; OLG Stuttgart, B. v. 13.9.2005 – 13 W 43/05, IBR 2006, S. 62.

14 BGH, U. v. 23.9.2020 – IV ZR 88/19, IBR 2020, S. 676.

In den EU-Mitgliedstaaten können sich Sachverständige zusätzlich zu ihrer Qualifikation durch eine von der Deutschen Akkreditierungsstelle (DAkkS) akkreditierte Personenzertifizierungsstelle (DIN EN ISO/IEC 17024) zertifizieren lassen.

Die Auswahl und die Ernennung des Gerichtssachverständigen erfolgt gemäß § 404 ZPO durch das Prozessgericht, demnach im Rahmen eines hoheitlichen Aktes ohne Mitwirkung des Sachverständigen. Zwischen dem Sachverständigen und dem jeweiligen Rechtsträger entsteht ein „Sachverständigenpflichtverhältnis" in Form einer vom jeweiligen Verfahrensrecht bestimmten öffentlich-rechtlichen Sonderbeziehung zum betreffenden Bundesland oder zur Bundesrepublik Deutschland, je nachdem, ob der Sachverständige von einem Land- oder Bundesgericht bestellt wird. Kein solches Sachverständigenpflichtverhältnis entsteht zu einem Sachverständigen, der vom bestellten Sachverständigen lediglich zur Unterstützung herangezogen worden ist. Dies gilt selbst für den Fall, dass das Gericht seine Entscheidung auf das von beiden Sachverständigen gezeichnete Gutachten gestützt haben sollte. Denn in dieser Verwendung des Gutachtens liegt keine konkludente Bestellung zum Gerichtssachverständigen.[15] Weder zum jeweiligen Gericht noch zu den Prozessparteien entsteht eine irgendwie geartete vertragliche Beziehung. Dies gilt auch dann, wenn die Ernennung durch den Rechtspfleger erfolgt[16] oder auf Vorschlag einer Prozesspartei oder beider gemäß § 404 Abs. 3, 5 ZPO.[17] Der Sachverständige wird zum Gehilfen des Gerichts, quasi zum „Justizhelfer".[18] Er soll dem Gericht das ansonsten fehlende Verständnis tatsächlicher, fachlicher und technischer Zusammenhänge vermitteln. Zu betonen ist aber, dass der Sachverständige selbst keine hoheitlichen Aufgaben wahrnimmt. Er wird durch seine Ernennung auch nicht zum Beliehenen,[19] sodass § 839 BGB nicht anzuwenden ist. Er ist zu Objektivität und Unparteilichkeit verpflichtet. Seine Darstellungen und Erläuterungen müssen für einen Laien verständlich und nachvollziehbar sein. Er wird mitunter als *„Gehhilfe des Richters"*, *„heimlicher Entscheider"*, *„Schattenrichter"* oder auch als *„wirklicher Herr des Verfahrens"* bezeichnet.[20] *Quack* hat es einmal so formuliert: *„Verlorene Gutachten sind (...) verlorene Prozesse"*.[21] Diese schlichte und dennoch zutreffende Behauptung besitzt nach den langjährigen Erfahrungen des Autors bis heute Gültigkeit.

Wird der Sachverständige im Rahmen eines selbständigen Beweisverfahrens ernannt und entsprechend tätig, kommt eine Haftung nach § 839a BGB erst dann in Betracht, wenn sich ein Hauptsacheverfahren anschließt, das mit einer gerichtlichen Entscheidung endet. Die Frage, ob eine Haftung des Gerichtssachverständigen gemäß § 839a BGB auch im Falle einer Verfahrensbeendigung durch Prozessvergleich in Betracht kommt, wird nachfolgend in Abschnitt 2.11.4.2 erörtert.

Nach h.M. wird der von einem Schiedsgericht gemäß § 1049 Abs. 1 ZPO bestellte Sachverständige auf der Grundlage eines privatrechtlichen Vertragsverhältnisses zu den Parteien,

15 OLG Hamm, B. v. 2.11.2010 – 6 U 131/10, BeckRS 2011, 95.
16 *Kilian*, ZGS 2004, S. 220, 221.
17 *Kilian*, VersR 2003, S. 683.
18 BGH, U. v. 18.12.1973 – VI ZR 113/71 (KG), BGHZ 62, S. 54 = NJW 1974, S. 312; *Jankowski*, NZBau 2006, S. 96.
19 *Jankowski*, NZBau 2006, S. 96.
20 *Ulrich*, BauSV 1/2010, S. 52 (Bedeutung der Privatgutachten im Bauprozess).
21 *Quack*, BauR 1993, S. 161 (Zur Problematik der stillschweigenden Rechtsanwendung durch Sachverständige).

in deren Namen das Schiedsgericht den Begutachtungsauftrag erteilt, tätig.[22] Er haftet den Parteien daher grundsätzlich auf Ersatz jedes fahrlässig verursachten Vermögensschadens. Allerdings besteht für ihn die Möglichkeit, die Bedingungen seiner Beauftragung ebenso wie die Höhe seiner Vergütung frei zu vereinbaren und er kann einen Haftungsausschluss für leichte Fahrlässigkeit sowie weitere Haftungsbeschränkungen vereinbaren. Falls ihm die vom Schiedsgericht genannten Konditionen nicht zusagen, ist er schließlich auch nicht gehindert, von einer Übernahme des Gutachterauftrages generell Abstand zu nehmen. Daher weist *Wagner* mit Blick auf eine ältere BGH-Entscheidung sowie Literaturmeinungen zur alten Rechtslage vor dem 1.8.2002 zu Recht darauf hin, dass kein Anlass bestehe, im Wege der Analogie oder der ergänzenden Vertragsauslegung nachzubessern und den von einem Schiedsgericht beauftragten Sachverständigen in den Genuss einer Haftungsbeschränkung auf Vorsatz oder grobe Fahrlässigkeit im Sinne von § 839a BGB kommen zu lassen.[23]

Zu den gerichtlichen Verfahren im Sinne des § 839a BGB gehören auch das Insolvenzverfahren (§ 5 Abs. 1 Satz 2 InsO)[24] und ebenso das Zwangsversteigerungsverfahren. Der im Rahmen einer Zwangsversteigerung mit der Wertfeststellung eines Grundstücks gerichtlich beauftragte Sachverständige haftet dem Ersteigerer für Vermögenseinbußen, die dieser infolge grob fahrlässig verschuldeter, mangelhafter Bewertung erleidet.[25]

Analog ist § 839a BGB auf Sachverständige anzuwenden, die mit der Erstattung eines Gutachtens in einem Ermittlungsverfahren der Staatsanwaltschaft beauftragt werden[26] (so z.B. zur Beurteilung der fahrlässigen Herbeiführung eines Gebäudeeinsturzes und der daraus resultierenden Verletzung oder Tötung von Mitarbeitern des bauausführenden Unternehmers).

Die Frage einer entsprechenden Anwendung des § 839a BGB stellt sich auch dann, wenn der Sachverständige nicht von einem Verwaltungsgericht ernannt, sondern von einer Behörde im Rahmen eines Verwaltungsverfahrens beigezogen wird. Die Verwaltungsbehörde hat den Sachverständigen auf der Grundlage von § 26 Abs. 1 Satz 2 Nr. 2 VwVfG, § 65 VwVfG erforderlichenfalls als Beweismittel heranzuziehen. Dabei kann die Behörde zum einen, für den Fall der unberechtigten Weigerung der Sachverständigen ein Gutachten zu erstatten, erforderlichenfalls dessen Vernehmung durch das nach seinem Wohnsitz zuständige Verwaltungsgericht veranlassen. Zum anderen ist der Sachverständige im Verwaltungsverfahren gehindert das Entgelt für seine Tätigkeit frei auszuhandeln. Insoweit bestimmt § 26 Abs. 3 Satz 2 VwVfG, dass der Sachverständige eine Vergütung nach Maßgabe des JVEG erhält. Damit ist die Interessenlage beim behördlich herangezogenen Sachverständigen im Wesentlichen identisch mit derjenigen des gerichtlich bestellten und eine analoge Anwendung des § 839a geboten.[27]

22 MüKoBGB/*Wagner*, 8. Aufl. 2020, § 839a BGB Rn. 12, 13.
23 MüKoBGB/*Wagner*, 8. Aufl. 2020, § 839a BGB Rn. 12, 13. m.w.N.; ebenso Geigel/*Haag*, 28. Aufl. 2020, Kap. 34 § 839a BGB Rn. 5.
24 Weiterführend MüKoBGB/*Wagner*, 8. Aufl. 2020, § 839a BGB Rn. 8, m.w.N.
25 BGH, U. v. 9.3.2006 – III ZR 143/05, BGHZ 166, S. 313, BauR 2006, S. 987 = NJW 2006, S. 1733.
26 BGH, U. v. 6.3.2014 – III ZR 320/12, NJW 2014, S. 1665 (Rn. 23, 24).
27 MüKoBGB/*Wagner*, 8. Aufl. 2020, § 839a BGB Rn. 15, 16 m.w.N.

2.11.4 Haftungsvoraussetzungen

Die im Folgenden aufgezeigten Haftungsvoraussetzungen müssen kumulativ vorliegen, um die Einstandspflicht des Sachverständigen zu begründen

2.11.4.1 Unrichtiges Gutachten

Aus der Vorschrift des §§ 410 Abs. 1 ZPO folgt, dass der Sachverständige das Gutachten unparteiisch und nach bestem Wissen und Gewissen zu erstatten hat. Daher greift die weit verbreitete Ansicht zu kurz, das Gutachten sei objektiv unrichtig, wenn es nicht der objektiven Sachlage entspreche oder der Sachverständige von einem unzutreffenden Sachverhalt ausgehe, aus den von ihm festgestellten Tatsachen falsche Schlüsse ziehe oder herrschende Lehrmeinungen nicht berücksichtige.[28] Zwar bedarf es keiner Diskussion über die bestehende Verpflichtung des Sachverständigen, die für die Beurteilung des zu untersuchenden Sachverhaltes erforderlichen Befunde, mithin die persönlich von ihm, gemeinsam mit den Parteien, festzustellenden Tatsachen vollständig und fehlerfrei zu erfassen sowie zu dokumentieren. Für die Bewertung, ob der Sachverständige insoweit fehlerfrei gearbeitet hat, dürfte in der Regel ein objektiver Maßstab anzulegen sein. Bei der Aus- und Bewertung der erhobenen Befunde hingegen können dem Sachverständigen aber durchaus Beurteilungsspielräume zur Verfügung stehen. Ebenso wenig darf verkannt werden, dass in den einschlägigen Fachkreisen oftmals unterschiedliche fachtechnische Auffassungen vertreten werden, die Interpretationen nicht nur zulassen, sondern solche geradezu erfordern.

Aufgabe des Sachverständigen ist es, bei vollständiger Berücksichtigung der im Einzelfall von ihm festgestellten Tatsachen – ggf. unter Hinweis auf aus gutachterlicher Sicht des Sachverständigen erforderliche weitere, bislang aber noch unterbliebene Untersuchungen (z.B. weil ihm der Zugang zu einer Wohnung des insgesamt zu untersuchenden Gebäudes verwehrt wurde) – sämtliche Erkenntnisse und Schlussfolgerungen nachvollziehbar sowie unter Angabe von Quellen zu begründen. Dabei hat sich der Sachverständige mit unterschiedlichen fachlichen Meinungen auseinanderzusetzen und anzugeben, aus welchen Gründen er zur Überzeugung der Richtigkeit seiner Auffassung und damit zu dem von ihm festgestellten Ergebnis gelangte. Selbstverständlich darf der Sachverständige keine Erfahrungs- oder Lehrsätze aufstellen bzw. solche seiner Begutachtung zugrunde legen, die nicht oder nicht mehr gelten.[29] Folgt er einer Mindermeinung, so muss er dies deutlich machen, auf die herrschende Meinung hinweisen und begründen, warum er dieser nicht beitritt.[30] Ebenso wenig darf der Sachverständige das Ergebnis seiner Begutachtung als sichere Erkenntnis darstellen, wenn ihm tatsächlich nur ein Wahrscheinlichkeitsurteil möglich ist. Vielmehr muss er sich sodann auf einen Wahrscheinlichkeitsschluss beschränken

28 BGH, U. v. 10.10.2013 – III ZR 345/12, NJW-RR 2014, S. 90 Rn. 17; OLG Köln, B. v. 20.12.2017 – 5 U 100/17, BeckRS 2017, 147425; Geigel/*Haag*, 28. Aufl. 2020, Kap. 34 § 839a BGB Rn. 6 m.w.N.; *Pardey/Balke/Link*, Schadenrecht, 2023, Sachverständigenhaftung, Rn. 14 m.w.N.

29 Geigel/*Haag*, 28. Aufl. 2020, Kap. 34 § 839a BGB Rn. 6.

30 OLG Saarbrücken, U. v. 23.11.2017 – 4 U 26/15, BeckRS 2017, 133752, Rn. 82.

und den Wahrscheinlichkeitsgrad zutreffend angeben.[31] Eigene Zweifel hat der Sachverständige offenzulegen.[32]

Ein unverwertbares Gutachten ist haftungsrechtlich nicht gleichzusetzen mit dem Erfordernis eines unrichtigen Gutachtens. Die Ablehnung des Sachverständigen wegen der Besorgnis seiner Befangenheit hat demnach zwar die Unverwertbarkeit des Gutachtens, nicht aber dessen Unrichtigkeit im Sinne von § 839a BGB zur Folge.[33]

Ein fundiertes nachvollziehbares Sachverständigengutachten zeichnet sich gerade dadurch aus, dass der Sachverständige nicht lediglich DIN-Normen oder andere technische Regelwerke heranzieht, ohne diese fachtechnisch zu hinterfragen und ohne sich persönlich davon zu überzeugen, dass, bezogen auf den konkreten Gegenstand seiner Untersuchungen, solchen Empfehlungen für die Ausführung nicht nur im Allgemeinen, sondern nach dem zugrundeliegenden Sachverhalt, insbesondere nach dem Inhalt des zwischen der Parteien bestehenden Vertragsverhältnisses, zu folgen ist. Grundsätzlich verfehlt ist es, wenn dem Gutachten der konkrete Sachverhaltsbezug fehlt, indem z.B. festgestellt wird, die zu untersuchende Abdichtung des Flachdachs sei schon deshalb fehlerhaft, weil diese nicht über ein erforderliches Mindestgefälle verfüge.[34] Vielmehr wäre objektbezogen zu prüfen und vom Sachverständigen festzustellen, ob die – entgegen DIN 18531 sowie der Flachdachrichtlinie – gefällelos zur Ausführung gelangte Flachdachkonstruktion dennoch für die Zeit ihrer üblichen bzw. nach dem Vertrag vorgesehenen Dauer ihrer Nutzung, bei Durchführung regelmäßiger Wartung und Instandhaltung, funktionstauglich und verwendungsgeeignet ist und dies mit entsprechend hoher Wahrscheinlichkeit auch bleiben wird (Prognose erforderlich).

Zu bedenken gilt, dass eine auf § 839a BGB gestützte Klage sich gegen ein Gutachten richtet, das ggf. bereits in zwei Tatsacheninstanzen für überzeugend erachtet und den jeweils getroffenen Entscheidungen zugrunde gelegt wurde. Man kann darüber streiten, ob diesem Gutachten schon deshalb eine gewisse Richtigkeitsvermutung immanent ist, wovon das OLG Rostock in seiner Entscheidung vom 31.3.2006 ausging.[35] Ähnlich argumentiert das OLG Celle, indem ausgeführt wird, dass es eingehender Darlegungen der grob fahrlässigen Fehlerhaftigkeit eines Gutachtens schon deshalb bedürfe, weil zwei gerichtliche Instanzen dem – angeblich fehlerhaften – Sachverständigengutachten in ihren Entscheidungen gefolgt seien. Dazu gehöre, dass der Kläger erläutern müsse, warum die Gerichte nicht nur übersehen haben sollen, dass sie ihrer Entscheidung – zumindest in Teilen – ein unrichtiges Gutachten zugrunde legen, sondern dass dies jedem, also auch den entscheidenden Richtern, aufgrund naheliegender Überlegungen hätte einleuchten müssen.[36] Diesbezüglich stellte der BGH zu Recht klar, dass es für die Annahme grober Fahrlässigkeit des Sachverständigen nach § 839a BGB nicht darauf ankomme, ob die Unrichtigkeit des Gutachtens jedermann, also auch den entscheidenden Richtern, aufgrund naheliegender Über-

31 Richtlinien zur DIHK-Mustersachverständigenordnung (MSVO), Stand: 17.11.2022, § 9 Ziff. 9.3.7.

32 OLG Koblenz, U. v. 18.3.2016 – 1 U 832/15, NJW-RR 2016, S. 796.

33 OLG Hamm, B. v. 14.1.2014 – 9 U 231/13, Beck RS 2014, 6532; *Pardey/Balke/Link*, Schadenrecht, 2023, Sachverständigenhaftung, Rn. 15.

34 *Bretz/Zöller* in Zöller/Boldt, Baurechtliche und -technische Themensammlung, 2. Aufl. 2020, Ziff. 4.3.1 ff.

35 OLG Rostock, B. v. 21.3.2006 – 8 U 113/05, BauR 2006, S. 1337 = IBR 2006, S. 406.

36 OLG Celle, B. v. 5.5.2009 – 4 U 26/09, BeckRS 2009, 86279 = IBR 2010, S. 63.

legungen hätte einleuchten müssen. Maßgebend sei insoweit vielmehr die Perspektive eines Sachkundigen.[37]

Die einschlägige Rechtsprechung zeigt, was sich mit den eigenen Erfahrungen des Autors deckt, dass der gegen den Gerichtssachverständigen erhobene Vorwurf eines unrichtigen Gutachtens regelmäßig nur auf der Grundlage eines neuen überzeugenden Privatgutachtens überhaupt schlüssig dargelegt werden kann. Die Anforderungen an ein solches Gutachten, welches als qualifizierter Parteivortrag in den Schadensersatzprozess eingeführt wird, sind sehr hoch. Das Gutachten muss sowohl inhaltlich als auch formal in jeder Hinsicht brauchbar und überzeugend sein, um dem Kläger überhaupt die Chance zu eröffnen, erfolgreich gegen ein aus seiner Sicht unrichtiges Gerichtsgutachten im Wege der Schadensersatzklage vorzugehen. Zum Beispiel wäre es in keinem Falle ausreichend und erfolgversprechend, wenn der zur Vorbereitung eines Rechtsstreits gegen den im Vorprozess tätigen Gerichtssachverständigen hinzugezogene Privatsachverständige zu dem Ergebnis käme, dass schadensursächlich für frühzeitig eingetretene Schäden in Form von Rissen und Aufbrüchen am Asphaltbelag einer Anlieferungs- und Parkplatzfläche eines Logistikzentrums, nicht planungs- und/oder Ausführungsfehler sind, wie im Ausgangsgutachten festgestellt, sondern *möglicherweise* eine außerplanmäßige Überbeanspruchung der geschädigten Bereiche durch vermehrten Schwerlastverkehr.

Hinsichtlich des Vorwurfs einer unrichtigen Gutachtenerstattung wegen fehlerhafter Bewertungen muss danach unterschieden werden, ob der Sachverständige ggf. Rechtsfragen beantwortet hat, deren Ergebnisse vom Gericht übernommen und dem Urteil zugrunde gelegt wurden. Die Gerichtsentscheidung beruht dann nicht auf einem unrichtigen Gutachten, sondern auf einer Fehleinschätzung des Gerichts. Denn die Beantwortung von Rechtsfragen ist den Gerichten vorbehalten. Dem Sachverständigenbeweis hingegen sind Rechtsfragen nicht zugänglich.[38]

Letztlich darf nicht übersehen werden, dass ein Gerichtsgutachten in der Regel von derjenigen Partei angegriffen und für ganz oder teilweise unzutreffend bezeichnet wird, zu deren Ungunsten sich die Sachverständigenbegutachtung auswirkt. Weicht der Sachverständige in der von ihm vertretenen Auffassung und dem Ergebnis von herrschenden Lehrmeinungen oder Regelwerksvorgaben ab, fehlt es dennoch an der Unrichtigkeit des Gutachtens, wenn der Sachverständige seine abweichende Auffassung hinreichend und in schlüssiger Weise begründet, sodass sie von den Verfahrensbeteiligten und dem Gericht nachvollzogen werden kann. In § 9 Ziff. 9.3.7 der Richtlinien zur Mustersachverständigenordnung (MSVO) heißt es: „*Kommen für die Beantwortung der gestellten Fragen mehrere Lösungen ernsthaft in Betracht, so hat der Sachverständige diese darzulegen und den Grad der Wahrscheinlichkeit der Richtigkeit der einzelnen Lösungen gegeneinander abzuwägen. Die Schlussfolgerungen im Gutachten müssen so klar und verständlich dargelegt sein, dass sie für einen Nichtfachmann lückenlos nachvollziehbar und plausibel sind. Ist eine Schlussfolgerung nicht zwingend, sondern nur naheliegend, und ist das Gefolgerte deshalb nicht*

37 BGH, B. v. 24.7.2014 – III ZR 412/13, IBR 2015, S. 1133.

38 BGH, U. v. 25.4.1996 – VII ZR 157/94, BauR 1996, S. 735; BGH, U. v. 16.12.2004 – VII ZR 16/03, BauR 2005, S. 735; BGH, U. v. 17.6.2004 – VII ZR 75/03, BauR 2004, S. 1438; OLG Frankfurt, B. v. 30.11.2010 – 10 W 53/10, BauR 2011, S. 723; OLG Naumburg, B. v. 30.12.2011 – 10 W 69/11, IBR 2012, S. 368; LG München I, B. v. 28.8.2013 – 18 OH 5788/12, IBR 2013, S. 3657.

erkenntnissicher, sondern nur mehr oder weniger wahrscheinlich, so muss der Sachverständige dies im Gutachten deutlich zum Ausdruck bringen (vgl. 12.1.4)."[39] Das bedeutet, dass sich der Sachverständige mit abweichenden Methoden und Lehrmeinungen in seinem Gutachten sachlich auseinanderzusetzen hat, falls dies erforderlich ist. Hält sich der Sachverständige im Rahmen der Erstattung seines Gutachtens an diese Vorgaben und Anforderungen, wird ihm der Vorwurf, ein unrichtiges Gutachten erstellt zu haben, kaum zu machen sein.

2.11.4.2 Kausalität

Für den Anspruch aus § 839a BGB kommt es zum einen maßgebend darauf an, ob das unrichtige Gutachten für den Inhalt der gerichtlichen Entscheidung ursächlich geworden ist (haftungsbegründende Kausalität).[40] Das unrichtige Gutachten muss folglich zu einer *unrichtigen gerichtlichen Entscheidung* geführt haben. Hätte die gerichtliche Entscheidung trotz eines fehlerhaften Gutachtens richtig ausfallen müssen, fehlt es an dem erforderlichen Ursachenzusammenhang.[41] Dies ist z.B. dann der Fall, wenn der Sachverständige in seinem Gutachten ausführt, die nur einlagig aufgetragene Bitumendickbeschichtung sei funktions- sowie gebrauchstauglich und daher als mangelfrei zu bewerten, obwohl die Abdichtung der Kellerwände nach dem vertraglichen Leistungsbeschrieb und den Empfehlungen der DIN 18195 zweilagig herzustellen gewesen wäre.[42] Zwar bleibt der erforderliche Kausalzusammenhang bestehen, wenn das Gericht erkennbare technische bzw. fachliche Mängel und Schwachstellen des Gutachtens in vorwerfbarer Weise übersieht. Etwas anderes muss aber gelten, wenn rechtliche Zusammenhänge oder Schlussfolgerungen verkannt oder fehlerhafte rechtliche Bewertungen vorgenommen werden. Denn Rechtsfragen hat nicht der Sachverständige, sondern das Gericht zu entscheiden. Führt der Sachverständige in seinem Gutachten beispielsweise aus, eine Nachbesserung sei wegen des erheblichen Aufwandes unverhältnismäßig, weshalb allenfalls eine Minderung verlangt werden könne, darf das Gericht die Ausführungen des Sachverständigen nicht ohne eigene rechtliche Würdigung, unter Berücksichtigung des Parteivortrags, seiner Entscheidung zugrunde legen. Dies gilt auch für den Fall, dass der Sachverständige den wegen Unverhältnismäßigkeit der Nachbesserung von ihm zu ermittelnden Minderungsbetrag in Höhe der Kosten der Mängelbeseitigung ansetzt.

Zum anderen ist der Nachweis zu führen, dass der zum Nachteil eines Verfahrensbeteiligten eingetretene und in den Schutzbereich der verletzten Sachverständigenpflicht fallende *Schaden* auf die durch das unrichtige Gutachten adäquat verursachte Gerichtsentscheidung zurückzuführen ist (haftungsausfüllende Kausalität).[43] Nach wohl richtiger Auffassung kann der Einwand rechtmäßigen Alternativverhaltens zum Haftungsausschluss führen. Nach einer Entscheidung des OLG Hamm liegen die Voraussetzungen des § 839a BGB jedenfalls dann nicht vor, wenn der Vorprozess, in dem der in Anspruch genommene Sach-

39 Richtlinien zur DIHK-Mustersachverständigenordnung (MSVO), Stand: 17.11.2022, § 9 Ziff. 9.3.7.
40 BGH, B. v. 30.8.2018 – III ZR 363/17, Beck RS 2018, 22544 = NJW-RR 2018, S. 1364.
41 *Motzke/Bauer/Seewald*, Prozesse in Bausachen, 3. Aufl. 2018, § 8 Rn. 59.
42 OLG Stuttgart, U. v. 11.8.2005 – 19 U 55/05, IBR 2006, S. 1494.
43 BGH, B. v. 30.8.2018 – III ZR 363/17, Beck RS 2018, 22544 = NJW-RR 2018, S. 1364; ebenso BGH, U. v. 3.7.2013 – 5 O 105/1, NJW-RR 2014, S. 90 (zur Haftung des Verkehrswertgutachters).

verständige ein vermeintlich unrichtiges Gutachten erstattet hatte, auch mit einem mangelfreien Gutachten mit demselben Ergebnis entschieden worden wäre.[44]

Für die Frage, ob der geltend gemachte Schaden auf die vom unrichtigen Gutachten beeinflusste Gerichtsentscheidung zurückzuführen ist, kommt es maßgeblich darauf an, wie der Ausgangsprozess bei Vorlage eines fehlerfreien Gutachtens des Sachverständigen richtigerweise hätte entschieden werden müssen.[45] Demgemäß hat das Regressgericht festzustellen, welches Urteil richtigerweise hätte ergehen müssen, ein zutreffendes Gutachten des Sachverständigen unterstellt. Insoweit gelten dieselben Grundsätze wie bei Regressansprüchen gegen Rechtsanwälte wegen Anwaltsfehlern. Im Prinzip muss das Regressgericht den Ausgangsprozess vollständig neu durchlaufen, einschließlich erforderlicher Beweiserhebung und Beweiswürdigung, um zu entscheiden, welches Urteil seiner Meinung nach richtigerweise hätte ergehen müssen, wobei es nach wohl zutreffender Ansicht auf eine Prognose über den voraussichtlich tatsächlichen Ausgang des Vorprozesses nicht ankommen soll.[46] Ist die Ausgangsentscheidung unabhängig vom unrichtigen Gutachten des Sachverständigen falsch und wäre im Vorprozess richtigerweise zugunsten des benachteiligten Verfahrensbeteiligten zu entscheiden gewesen, fehlt es an dem nach § 839a BGB erforderlichen Zurechnungszusammenhang zwischen der vom unrichtigen Gutachten beeinflussten Gerichtsentscheidung und dem eingetretenen Schaden.[47]

Inzwischen höchstrichterlich geklärt, jedoch noch immer umstritten, ist die Frage, ob § 839a BGB auch dann Anwendung findet, wenn das Gerichtsverfahren durch einen Vergleich beendet wurde.[48] Eine direkte Anwendung der Vorschrift scheidet nach ganz herrschender Meinung aus. Aufgrund des BGH-Urteils vom 25.6.2020 steht nun aber fest, dass die analoge Anwendung von § 839a BGB auf Prozessvergleiche möglich ist. Nach Ansicht des BGH sei kein durchgreifender Grund ersichtlich, der es rechtfertigen könnte, die Haftung des Sachverständigen unterschiedlich zu behandeln, je nachdem, ob das Verfahren durch eine gerichtliche Entscheidung oder einen Prozessvergleich beendet werde. In beiden Fällen nämlich vertrauten das Gericht und die Verfahrensbeteiligten zunächst auf die Richtigkeit des Gutachtens, während der Sachverständige auf die Art der Erledigung des Verfahrens nach Erstattung seines Gutachtens typischerweise keinen Einfluss mehr nehme. Ebenso wenig sei verständlich, dass es einen Unterschied machen soll, wenn nach der Vorlage eines unrichtigen Gutachtens ein Anerkenntnis- oder Verzichtsurteil ergehe. Wie bei einem Vergleich werde auch hier eine unstreitige Verfahrenserledigung unter gleichzeitiger Schaffung eines Vollstreckungstitels herbeigeführt. Gleiches gelte für den Fall der Rechtsmittelrücknahme. Die gegenteilige Ansicht liefe darüber hinaus dem gesetzgeberischen Bestreben einer Prozesserledigung durch Vergleich entgegen. Denn eine Partei müsse von dem Abschluss eines Vergleichs absehen, wenn sie damit etwaige Ansprüche gegen den gerichtlichen Sachverständigen verlöre. Schließlich scheitere eine analoge Anwendung von § 839a BGB auf den Fall der Verfahrenserledigung durch Prozessvergleich

---

44 OLG Hamm, U. v. 11.8.2021 – 11 U 136/20, BeckRS 2021, 26028 = IBR 2021, S. 661; a.A. *Pardey/Balke/Link*, Schadenrecht, 2023, Sachverständigenhaftung. Rn. 25.

45 BGH, B. v. 30.8.2018 – III ZR 363/17, Beck RS 2018, 22544 = NJW-RR 2018, S. 1364.

46 MüKoBGB/*Wagner*, 8. Aufl. 2020, § 839a BGB Rn. 32–36.

47 *Motzke/Bauer/Seewald*, Prozesse in Bausachen, 3. Aufl. 2018, § 8 Rn. 61.

48 BGH, U. v. 25.6.2020 – III ZR 119/19, NJW 2020, S. 2471, mit Anmerkung *Finkelmeier.*

auch nicht daran, dass es an einer planwidrigen Regelungslücke fehle. Zwar lasse sich der Gesetzesbegründung die Bemerkung entnehmen, die Prozessbeendigung durch Vergleich sei von der Anwendung des § 839a BGB *„somit"* ausgeschlossen.[49] Allerdings dürfe bereits infrage gestellt werden, ob es sich insoweit nicht lediglich um eine Schlussfolgerung („somit") aus der Tatbestandsvoraussetzung handele, wonach einem Prozessbeteiligten ein Schaden durch eine gerichtliche Entscheidung entstehen müsse, die auf dem unrichtigen Gutachten beruhe. Um dem in der Gesetzesbegründung enthaltenen Hinweis zu begegnen, der Nachweis, dass das Gutachten auf die Motivation der Parteien zum Vergleichsabschluss eingewirkt habe, wäre nur schwer zu erbringen, bestehe für die Parteien und damit auch für den Geschädigten die Möglichkeit, das Gutachten oder relevante Feststellungen daraus ausdrücklich als Vergleichsgrundlage zu bezeichnen.[50]

Entgegen der Ansicht von *Finkelmeier*[51] handelt es sich bei der vom BGH entwickelten Analogie nicht um eine *„Rechtsfortbildung contra legem"*. Auch setzt der BGH nicht sein Verständnis des *„vernünftigen gesetzgeberischen Gesamtwillens"* an die Stelle der aus seiner Sicht *„unvernünftigen Willensbekundung in der Gesetzesbegründung"*. Der BGH bewegt sich mit seiner Entscheidung in einem noch zulässigen Auslegungskorridor. Soweit ersichtlich werden alle für die eine oder andere Auffassung vertretenen Argumente und auch die Protokolle aus dem Gesetzgebungsverfahren berücksichtigt. Die besseren Argumente sprechen für eine analoge Anwendung der Vorschrift. Nach hier vertretener Ansicht war die Entscheidung des BGH, § 839a BGB analog auf im Vergleichswege beendete Verfahren anzuwenden, schon lange überfällig. Gerade im Baurecht zeigt die eigene Erfahrung des Autors, dass ein beachtlicher Teil streitiger Hauptsacheverfahren, schätzungsweise 25 bis 30 % (ohne dies empirisch belegen zu können), nach Einholung und unter dem Eindruck der Ergebnisse von Gerichtsgutachten im Vergleichswege beendet werden. Im Rahmen bzw. nach Durchführung selbständiger Beweisverfahren liegt die Vergleichsquote noch höher, was mit der gesetzlichen Intension, ein Hauptsacheverfahren zu vermeiden, im Einklang steht. Wird ein Vergleich allerdings erst nach Abschluss eines gerichtlichen Verfahrens privatrechtlich geschlossen, scheidet eine analoge Anwendung von § 839a BGB aus.

2.11.4.3 Verschulden

Nach dem Wortlaut des § 839a Abs. 1 BGB setzt die Einstandspflicht des Sachverständigen zudem voraus, dass er die Unrichtigkeit seines Gutachtens vorsätzlich oder zumindest grob fahrlässig herbeigeführt hat. Einfache Fahrlässigkeit lässt das Gesetz nicht genügen, damit dem Sachverständigen die erforderliche innere Freiheit verbleibt, sein Gutachten unabhängig und ohne den übermäßigen Druck eines möglichen Rückgriffs erstatten zu können.[52]

Fahrlässig im Sinne von § 276 Abs. 2 BGB handelt, wer die im Verkehr erforderliche Sorgfalt außer Acht lässt. Es ist ein objektiv-abstrakter Sorgfaltsmaßstab, nicht hingegen ein

49 Gesetzesentwurf der Bundesregierung, BT-Drs. 14/7752, S. 28.
50 BGH U. v. 25.6.2020 – III ZR 119/19, NJW 2020, S. 2471, mit Anmerkung *Finkelmeier.*
51 BGH U. v. 25.6.2020 – III ZR 119/19, NJW 2020, S. 2471, mit Anmerkung *Finkelmeier.*
52 Gesetzentwurf der Bundesregierung, BT-Drs. 14/7752, S. 28; Bamberger/Roth/*Reinert*, § 839a BGB Rn. 8; Grüneberg/*Sprau*, 82. Aufl. 2023, § 839a BGB Rn. 3.

individueller – wie im Strafrecht – anzulegen.[53] Allgemeine Überlegungen, etwa dahingehend, ob der Sorgfaltsverstoß sozusagen jedem in einer ähnlichen Situation einmal unterlaufen kann, sind allerdings mit Vorsicht zu genießen. Denn im Einzelfall ist mit Blick auf den Schutz des Verkehrs zu prüfen, ob die Anforderungen an die zu beachtende Sorgfalt wegen besonderer Kenntnisse und Fähigkeiten des Schuldners, etwa bei dessen spezieller Sach- und Fachkunde, zu erhöhen sind.[54] Einschränkungen hinsichtlich der Einstandspflicht können sich im Einzelfall aus dem Erfordernis der Vorhersehbarkeit und der Vermeidbarkeit der Gefahr bzw. des Erfolgs ergeben.[55]

Grobe Fahrlässigkeit hingegen setzt einen in objektiver Hinsicht schweren und in subjektiver Hinsicht nicht entschuldbaren Verstoß gegen die Anforderungen der im Verkehr erforderlichen Sorgfalt voraus. Diese Sorgfalt muss in ungewöhnlich hohem Maße verletzt und es muss dasjenige unbeachtet geblieben sein, was im gegebenen Fall jedem hätte einleuchten müssen. Es muss eine auch subjektiv schlechthin unentschuldbare Pflichtverletzung vorliegen, die das in § 276 Abs. 2 BGB bestimmte Maß erheblich überschreitet.[56] Ein solcher Maßstab ist auch bei der Beurteilung der Haftung des Sachverständigen nach § 839a BGB anzulegen. Dieser muss unbeachtet gelassen haben, was jedem Sachkundigen hätte einleuchten müssen. Seine Pflichtverletzung muss schlechthin unentschuldbar sein.[57] Soweit vereinzelt die Ansicht vertreten wird, es sei für die Beurteilung der groben Fahrlässigkeit darauf abzustellen, ob die Unrichtigkeit des Gutachtens jedermann, also auch den das Ausgangsverfahren entscheidenden Richtern, aufgrund naheliegender Überlegungen hätte einleuchten müssen,[58] kann dem nicht gefolgt werden. Denn diese Ansicht würde zu dem vom Gesetz gerade nicht gewollten Zirkelschluss führen, schon immer dann nicht von grober Fahrlässigkeit auszugehen und eine Haftung des Sachverständigen auszuschließen, wenn das Ausgangsgericht keinen groben Sorgfaltsverstoß des Sachverständigen bei der Erstattung seines Gutachtens erkannte.

Geht es um die Frage der grob fahrlässigen Erstellung eines unrichtigen Schadensgutachtens, bedarf es der Neubegutachtung und Beurteilung durch einen auf dem gleichen Fachgebiet entsprechend versierten Sachverständigen. Gleiches gilt, wenn der Verkehrswertgutachter von ihm anlässlich seiner Begehung festgestellte Feuchtigkeitsschäden hinsichtlich ihres Umfangs und Ihrer Tragweite fehlerhaft einschätzt und dementsprechend in seinem Gutachten nicht oder nicht ausreichend wertmindernd berücksichtigt. Auch bei der Beurteilung eines solchen Sachverhaltes darf nicht maßgeblich auf die speziellere Expertise eines später hinzugezogenen Sachverständigen für Schäden an Gebäuden abgestellt werden.[59]

53 Grüneberg/*Grüneberg*, 82. Aufl. 2023, § 276 BGB Rn. 15 m.w.N.

54 Grüneberg/*Grüneberg*, 82. Aufl. 2023, § 276 BGB Rn. 15 ff.

55 Grüneberg/*Grüneberg*, 82. Aufl. 2023, § 276 BGB Rn. 20 f.

56 BGH, U. v. 10.10.2013 – III ZR 345/12, NJW-RR 2014, S. 90.

57 OLG Schleswig, U. v. 6.7.2007 – 14 U 61/06, DS 2008, S. 32; OLG Saarbrücken, U. v. 23.10.2008 – 8 U 487/07, OLG-Report 2009, S. 196 = openJur 2010, 2591; OLG Köln, U. v. 8.12.2010 – 2 U 8/10 = BeckRS 2011, 25253; OLG Celle, B. v. 5. 5. 2009 – 4 U 26/09, DS 2010, S. 32 = IBR 2010, S. 63.

58 OLG Celle, B. v. 5. 5. 2009 – 4 U 26/09, DS 2010, S. 32 = IBR 2010, S. 63; ebenso OLG Rostock, B. v. 21.3.2006 – 8 U 113/05, IBR 2006, S. 406.

59 BGH, U. v. 10.10.2013 – III ZR 345/12, NJW-RR 2014, S. 90.

Keine grobe Fahrlässigkeit soll vorliegen, wenn verschiedene Sachverständige desselben Fachgebiets unterschiedlicher Auffassung über die zu beurteilende Frage sind.[60] Hingegen liegt grobe Fahrlässigkeit vor, wenn der Sachverständige die einschlägigen DIN-Empfehlungen nicht berücksichtigt und erforderliche Messungen fehlerhaft durchführt.[61] Ebenfalls als grob fahrlässig bewertet wurden auf fehlendem oder unzureichendem Aufmaß beruhende Flächenberechnungen, die um fast 10 % von der tatsächlichen Fläche abweichen.[62]

Orientierungshilfen bei der Konkretisierung der groben Fahrlässigkeit liefert die Rechtsprechung zum JVEG, die dem Sachverständigen seinen Vergütungsanspruch u.a. dann aberkennt, wenn er grob fahrlässig ein falsches Gutachten erstattet hat.[63]

2.11.4.4 Schaden

Zu dem ersatzfähigen Schaden gehört jeder durch das unrichtige Gutachten und die darauf beruhende gerichtliche Entscheidung adäquat verursachte und in den Schutzbereich der verletzten Sachverständigenpflicht fallende Vermögensschaden.[64] Der durch die auf einem unrichtigen Gutachten beruhende unrichtige Entscheidung Geschädigte soll so gestellt werden, wie er bei pflichtgemäßem Verhalten des Sachverständigen gestanden hätte. Dabei muss bedacht werden, dass der Sachverständige eine Naturalrestitution im Sinne von § 249 Abs. 1 BGB, die in der Aufhebung der falschen Gerichtsentscheidung liegen würde, nicht bewirken kann. Es ist deshalb gemäß § 251 Abs. 1 BGB Schadensersatz in Geld zu leisten.

Zu ersetzen sind alle materiellen Schäden, etwa die der unterlegenen Partei zu Unrecht auferlegten Prozesskosten einschließlich der Rechtsmittelkosten. Letzteres ergibt sich aus dem gesetzlichen Haftungsausschluss gemäß § 839a Abs. 2 i.V.m. § 839 Abs. 3 BGB, falls der Geschädigte vorsätzlich oder fahrlässig unterlassen hat, den Schaden durch den Gebrauch eines Rechtsmittels abzuwenden. Darüber hinaus sind sämtliche Vermögensschäden, wie etwa nutzlose Mängelbeseitigungskosten, zu erstatten.[65] Wird ein unrichtiges Gutachten im Rahmen eines Zwangsversteigerungsverfahrens erstattet, ist der Geschädigte so zu stellen, als habe er das Objekt nicht ersteigert.[66]

Verursacht ein gerichtlich bestellter Sachverständiger leichtfertig eine schadensauslösende Verfahrensverzögerung (z.B. erhöhter Zinsaufwand), soll er unter Umständen neben dem primär zuständigen Bundesland als Rechtsträger des das Beschleunigungsgebot amtspflichtwidrig verletzenden Gerichts haften können.[67]

In den Schutzbereich des § 839a BGB fallen darüber hinaus auch immaterielle Schäden, wie z.B. Schmerzensgeld, die darauf zurückzuführen sein können, dass das fehlerhafte

---

60 LG Wiesbaden, U. v. 27.9.2013 – 2 O 12/12, IBR 2014, S. 115.
61 OLG Jena, U. v. 7.12.2012 – 2 U 135/12, BeckRS 2013, 1464 = IBR 2013, S. 1157 (nur online).
62 OLG Brandenburg, U. v. 7.3.2018 – 7 U 87/16, BeckRS 2018, 9692.
63 MüKoBGB/*Wagner*, 8. Aufl. 2020, § 839a BGB Rn. 20–23.
64 BGH, U. v. 9.3.2006 – III ZR 143/05, NJW 2006, S. 1733.
65 OLG Jena, U. v. 7.12.2012 – 2 U 135/12, BeckRS 2013, 1464 = IBR 2013, S. 1157 (nur online).
66 OLG Brandenburg, U. v. 23.6.2028 – 2 U 46/19, BeckRS 2020, 17114.
67 OLG Koblenz, B. v. 20.1.2014 – 3 W 695/13, VersR 2015, S. 474 = IBR 2014, S. 186.

Gutachten beispielsweise zu einer Freiheitsentziehung führte, worauf in diesem Zusammenhang lediglich der Vollständigkeit halber hingewiesen wird.[68]

Auf sog. Begleitschäden, die nicht durch die gerichtliche Entscheidung ausgelöst werden, sondern unabhängig von dieser entstehen, ist § 839a BGB weder direkt noch analog anzuwenden.[69] Für solche Begleitschäden, z.B. am Eigentum oder der Person eines Verfahrensbeteiligten anlässlich der Befundaufnahme im Rahmen eines Ortstermins (z.B. Beschädigungen der wasserführenden Fußbodenheizung im Zusammenhang mit der Untersuchung des Estrichs), haftet der Sachverständige gemäß § 823 Abs. 1 BGB. Eröffnet der Sachverständige im Rahmen seiner Ortsbesichtigung und Bauteiluntersuchung eine nicht verkehrssichere Gefahrenstelle (z.B. Ausschachtung zur Überprüfung der Kellerabdichtung ohne ausreichende Sicherung durch Verbau), weil er die Standfestigkeit des Baugrundes fehlerhaft einschätzte und führt diese Fehleinschätzung zu einem Personen- oder Sachschaden, kommt sogar eine Haftung des Sachverständigen gemäß § 826 BGB (bedingter Vorsatz reicht aus) in Betracht.[70]

2.11.5 Ausschluss der Haftung

Nach der gesetzlichen Regelung der §§ 839a Abs. 2, 839 Abs. 3 BGB ist die Haftung des Sachverständigen ausgeschlossen, wenn es der Geschädigte vorsätzlich oder fahrlässig unterlassen hat, den Schaden durch Gebrauch eines Rechtsmittels abzuwenden. Die als Obliegenheit des Geschädigten ausgebildete Bestimmung, zur Vermeidung eines Haftungsausschlusses, einen möglichen Schaden bereits durch den Gebrauch der zur Verfügung stehenden Rechtsmittel abzuwenden, dient der Absicherung des Vorrangs des Primär- vor dem Sekundärrechtsschutz und steht der gegenteiligen Haltung, nach dem Motto „dulde und liquidiere", entgegen.[71]

Rechtsmittel in diesem Sinne sind zunächst alle gegen die gerichtliche Entscheidung statthaften Rechtsbehelfe, mit denen der Geschädigte gegen das auf dem Gutachten beruhende Urteil vorgehen kann. Dazu zählen die gesetzlich vorgesehenen Rechtsmittel der Berufung, der Revision und der Beschwerde. Bei anderen Entscheidungen als Urteilen oder Beschlüssen kommen auch die Gegenvorstellung, Dienstaufsichtsbeschwerde/Fachaufsichtsbeschwerde und auch bloße Hinweise oder Nachfragen in Betracht.[72]

Darüber hinaus ist aus §§ 839a Abs. 2, 839 Abs. 3 BGB gleichermaßen die Pflicht abzuleiten, auch solche Rechtsbehelfe zu ergreifen, die dazu geeignet sind, die Korrektur eines fehlerhaften Gutachtens zu fordern oder zumindest eine auf dem angegriffenen Gutachten beruhende Gerichtsentscheidung zu verhindern. Nach Vorlage des schriftlichen Gutachtens sind die Parteien gemäß § 411 Abs. 4 Satz 1 ZPO zunächst dazu verpflichtet, dem Gericht innerhalb eines angemessenen Zeitraums ihre Einwendungen gegen das Gutach-

68 OLG Saarbrücken, U. v. 23.11.2017 – 4 U 26/15, BeckRS 2017, 133752; OLG Frankfurt, U. v. 2.10.2007 – 19 U 8/07, BeckRS 2007, 16702 = VersR 2008, S. 649.

69 *Pardey/Balke/Link*, Schadenrecht, 2023, Sachverständigenhaftung, Rn. 26; MüKoBGB/*Wagner*, 8. Aufl. 2020, § 839a BGB Rn. 32–36.

70 So auch *Pardey/Balke/Link*, Schadenrecht, 2023, Sachverständigenhaftung, Rn. 26.

71 MüKoBGB/*Wagner*, 8. Aufl. 2020, § 839a BGB Rn. 40, 41.

72 MüKoBGB/*Wagner*, 8. Aufl. 2020, § 839a BGB Rn. 40, 41.

ten, die Begutachtung betreffende Anträge und Ergänzungsfragen mitzuteilen. Hierzu fordert das Gericht die Parteien im Rahmen einer entsprechenden gerichtlichen Verfügung und unter Setzung einer angemessen Frist gemäß § 411 Abs. 4 Satz 2 ZPO auf. In der Regel erhebt die durch das Gutachten benachteiligte Partei Einwendungen gegen dieses und stellt Ergänzungsfragen. Im Beschlusswege wird dem Sachverständigen sodann aufgegeben, die Einwendungen und Ergänzungsfragen durch Erstattung einer schriftlichen Gutachtenergänzung zu beantworten. Anschließend, nach Vorlage des schriftlichen Ergänzungsgutachtens, beginnt das in § 411 Abs. 4 ZPO beschriebene Prozedere erneut. Nach ein- bis zweimaliger schriftlicher Gutachtenergänzung zeigen sich die meisten Gerichte dazu bereit, auf schriftlichen Antrag einer oder beider Parteien, den Sachverständigen zur Erläuterung seines Gutachtens zu laden. Grundlage dafür bildet § 411 Abs. 3 Satz 1 ZPO. Die benachteiligte Partei hat im Rahmen der Anhörung des Sachverständigen die Möglichkeit, Fragen an den Sachverständigen zu stellen und mündlich Einwendungen gegen die bisherige Begutachtung zu erheben, auch wenn die Einwendungen der Partei dem Sachverständigen über das Gericht bereits im Vorfeld schriftlich bekannt gegeben wurden, wobei vor der Sachverständigenanhörung nicht etwa ein abschließender Fragenkatalog bekanntgegeben werden muss. Die wesentlichen Gründe für die beantragte Ladung des Sachverständigen zur Erläuterung seines Gutachtens sollten aber mitgeteilt werden.

Nach h.M. nicht zu den Rechtsmitteln nach §§ 839a Abs. 2, 839 Abs. 3 BGB zählt die Einholung eines Privatgutachtens, um Einwände gegen das Gerichtsgutachten zu substantiieren. Denn die nicht sachkundige Partei ist nicht verpflichtet, zur substantiierten Begründung ihrer Einwendungen einen Privatgutachter zu beauftragen.[73] Ebenso wenig zu den Rechtsmitteln gehört das Ablehnungsgesuch gegenüber dem Sachverständigen im Sinne von § 406 ZPO, weil dieses bereits systematisch nicht dazu dient, Angriffe gegen die fachliche Richtigkeit eines Gutachtens zu erheben. Die Möglichkeit des Ablehnungsantrags soll den Sachverständigen vielmehr dazu anhalten, sich stets und in jeder Lage des Verfahrens unparteiisch und objektiv zu verhalten. Im Übrigen muss der Antrag gemäß § 406 Abs. 2 ZPO umgehend gestellt werden, sobald ein Verfahrensbeteiligter meint, einen möglichen Ablehnungsgrund erkannt zu haben. Oftmals wäre ein Ablehnungsantrag somit zu stellen, bevor das schriftliche Gutachten des Sachverständigen überhaupt vorliegt.[74]

In subjektiver Hinsicht hinzukommen muss, dass der Geschädigte wusste oder hätte wissen müssen, dass das Gutachten unrichtig ist und ein Rechtsmittel zur Verfügung steht. Das Verschulden seines Prozessvertreters ist dem Geschädigten zuzurechnen.[75] Gewisse Einschränkungen sind insoweit aber angebracht. Denn die am Verfahren Beteiligten, zu denen auch der Geschädigte gehören muss, dürfen sich zunächst auf die Richtigkeit eines Gerichtsgutachtens verlassen und müssen erst bei entsprechenden Anhaltspunkten für eine etwaige Unrichtigkeit aktiv werden. Es ist kein Grund ersichtlich, weshalb die am Verfahren Beteiligten bei einer Beurteilung ex post fachlich versierter oder verständiger sein sollen als das im Ausgangsverfahren erkennende Gericht. Legt eine Partei ihre Einwände gegen das Gutachten dar und stellt das Gericht daraufhin in Aussicht, den Sachverständigen zur mündlichen Erläuterung seines Gutachtens zu laden, sieht dann aber doch davon

73 BGH, B. v. 27.7.2017 – III ZR 440/16, NJW-RR 2017, S. 1105.
74 MüKoBGB/*Wagner*, 8. Aufl. 2020, § 839a BGB Rn. 40, 41.
75 MüKoBGB/*Wagner*, 8. Aufl. 2020, § 839a BGB Rn. 42.

ab, so gibt eine solche Sinnesänderung nach Ansicht des BGH *„umso dringlicheren Anlass"*, auf die Ladung des Sachverständigen zu bestehen.[76].

Auf die Zumutbarkeit der mit dem Rechtsmittel einhergehenden Kosten kommt es hingegen nicht an.[77]

Darüber hinaus muss die Nichteinlegung des Rechtsmittels für den eingetretenen Schaden kausal geworden sein. Mithin muss überprüft werden, wie das Verfahren bei Einlegung des Rechtsmittels, unter Zugrundelegung der zu diesem früheren Zeitpunkt geltenden Rechtsprechung, entschieden worden wäre. Anders als bei der Beurteilung der Schadenskausalität, für die maßgeblich sei, wie der Ausgangsprozess richtigerweise hätte entschieden werden müssen, soll es für die Frage, welchen Ausgang das Verfahren bei Einlegung des Rechtsmittels genommen hätte, auf eine Prognose, mithin auf die Frage ankommen, wie das Rechtsmittelgericht des Ausgangsverfahrens hypothetisch entschieden hätte. Zu Recht weist *Wagner* darauf hin, dass es wünschenswert wäre, die Maßstäbe zu vereinheitlichen.[78] Dieser Ansicht ist grundsätzlich zu folgen. Allerdings sollte sowohl für die Frage der Schadensursächlichkeit als auch für die Kausalitätsfrage zwischen Nichteinlegung des Rechtsmittels und Schaden im Rahmen von §§ 832a Abs. 2, 839 Abs. 3 BGB stets darauf abgestellt werden, wie das Ausgangsgericht bzw. das Rechtsmittelgericht richtigerweise hätten entscheiden müssen.

2.11.6 Darlegungs- und Beweislast

Nach den allgemeinen zivilprozessualen Darlegungs- und Beweislastregeln hat jede Partei die ihr günstigen Behauptungen schlüssig darzulegen und im Bestreitensfalle zu beweisen. Der Geschädigte, der sich als Kläger auf einen Anspruch aus § 839a BGB beruft, hat folglich sämtliche Tatbestandsvoraussetzungen im Sinne des Abs. 1 darzulegen und zu beweisen. Den Sachverständigen als Beklagten wiederum trifft die Darlegungs- und Beweislast hinsichtlich des Ausschlusstatbestandes gemäß Abs. 2 der Vorschrift.

Selbst mit einem sehr guten Privatgutachten ausgestattet, welches die Unrichtigkeit des Gerichtsgutachtens schlüssig und in jeder Hinsicht gut nachvollziehbar aufzeigt, wird es dem Geschädigten stets schwer fallen, dem Gerichtssachverständigen zumindest grobe Fahrlässigkeit nachzuweisen.

Zu bedenken ist deshalb, ob zugunsten des Klägers eine Beweiserleichterung nach den Regeln der die beklagte Partei ausnahmsweise treffenden sog. sekundären Darlegungspflicht gilt. Dies ist in der Regel dann der Fall, wenn einer Partei entscheidungserhebliche Sachverhaltsinformationen nicht vorliegen und auch nicht zugänglich sind, weil diese dem eigenen Wahrnehmungs- und Zuständigkeitsbereich entzogen sind. In einem solchen Fall hat das Gericht zu prüfen, ob es dem Prozessgegner im Rahmen seiner Erklärungslast gemäß § 138 Abs. 2 ZPO zuzumuten ist, der anderen Partei eine prozessordnungsgemäße Darlegung durch nähere Angaben über die zu ihrem Wahrnehmungsbereich gehörenden Verhältnisse zu ermöglichen.[79] Kommt die beklagte Partei ihrer sekundären Darlegungspflicht

76 BGH, U. v. 5.7.2007 – III ZR 240/06, DS 2007, S. 306 = VersR 2007, S. 1379.
77 OLG Köln, Hinweisbeschluss vom 30.1.2012 – 5 U 222/11, BeckRS 2012, 6520.
78 MüKoBGB/*Wagner*, 8. Aufl. 2020, § 839a BGB Rn. 43.
79 *Motzke/Bauer/Seewald*, Prozesse in Bausachen, 3. Aufl. 2018, § 8 Rn. 68 m.w.N.

nicht nach, gilt der an sich als nicht hinreichend substantiiert anzusehende Vortrag des Klägers als zugestanden.[80]

Zwar steht die Rechtsprechung der Anwendung des Anscheinsbeweises skeptisch gegenüber, wenn es um den Nachweis grober Fahrlässigkeit geht. Jedoch hat der BGH im Rahmen der nach § 286 ZPO eröffneten Spielräume den Grundsätzen des Anscheinsbeweises nahekommende Ansätze entwickelt, um den Nachweis grober Fahrlässigkeit zu erleichtern, die es dem Tatrichter erlauben *„vom äußeren Geschehensablauf und vom Ausmaß des objektiven Pflichtverstoßes auf innere Vorgänge und gesteigerte Vorwerfbarkeit"* zu schließen.[81] Ein solcher Ansatz ist pragmatisch und trägt dem Umstand Rechnung, dass innere Vorgänge anderenfalls immer nur dann sicher feststünden, wenn diese vom Verantwortlichen zugestanden würden. In gleicher Weise kann aus einem objektiv nachvollziehbaren schwerwiegenden Fehler des Gutachtens eine gravierende Pflichtverletzung des Sachverständigen abgeleitet werden. Stehen z.B. Schlussfolgerungen des Sachverständigen in offenbarem Widerspruch zu den vom Gericht mitgeteilten Anknüpfungstatsachen oder zum Zustand des Begutachtungsgegenstandes, ist im Rahmen freier Beweiswürdigung davon auszugehen, dass der Sachverständige die ihm obliegenden Pflichten in grober Weise verletzt hat.[82]

2.11.7 Streitverkündung

Die Streitverkündung gegenüber gerichtlich bestellten Sachverständigen ist seit einer am 31.12.2006 in Kraft getretenen Gesetzesänderung gemäß § 72 Abs. 2 Satz 1 ZPO ausdrücklich unzulässig.

2.11.8 Verjährung

Die Verjährung der Ansprüche gegen einen Gerichtssachverständigen aus § 839a BGB unterliegt der dreijährigen Regelverjährung nach § 195 BGB. Sie beginnt gemäß § 199 Abs. 1 BGB mit dem Schluss des Jahres, in dem der Anspruch entstanden ist (§ 199 Abs. 1 Nr. 1 BGB) und der Gläubiger, d.h. der Geschädigte, von den den Anspruch begründenden Umständen und der Person des Schuldners Kenntnis erlangt oder ohne grobe Fahrlässigkeit erlangen müsste (§ 199 Abs. 1 Nr. 2 BGB). Der positiven Kenntnis gleichgestellt wird demnach die grob fahrlässige Unkenntnis. Ohne Rücksicht auf die Kenntnis oder grob fahrlässige Unkenntnis der anspruchsbegründenden Umstände sowie der Person des Schuldners (des Sachverständigen als Schädiger) verjährt der Anspruch in spätestens zehn Jahren von der Entstehung an (§ 199 Abs. 3 Nr. 1 BGB) und ohne Rücksicht auf ihre Entstehung und die Kenntnis oder grob fahrlässige Unkenntnis in 30 Jahren von der Begehung der Handlung, der Pflichtverletzung oder dem sonstigen den Schaden auslösenden Ereignis, an (§ 199 Abs. 1 Nr. 2 BGB). Maßgeblich ist die früher endende Frist.

80 BGH, U. v. 20.4.2004 – X ZR 250/02, NJW 2004, S. 3035, 3039 = BauR 2005, S. 122, 127.

81 BGH, U. v. 8.7.1992 – IV ZR 223/91, NJW 1992, S. 2418; MüKoBGB/*Wagner*, 8. Aufl. 2020, § 839a BGB Rn. 44, m.w.N.

82 MüKoBGB/*Wagner*, 8. Aufl. 2020, § 839a BGB Rn. 44.

Nach wohl überwiegender Auffassung tritt der Schaden bereits mit der ersten für den Geschädigten nachteiligen Entscheidung und nicht erst mit deren Bestätigung in den Rechtsmittelinstanzen ein.[83] Spätestens zu diesem Zeitpunkt verschlechtere sich die Vermögenslage des Geschädigten infolge des Fehlverhaltens des Schädigers. In der Rechtsmittelinstanz werde lediglich darüber entschieden, ob der Schadens bestehen bleibt oder wegen entsprechender Korrektur durch Entscheidung des Rechtsmittelgerichts wieder wegfällt. Nach anderer Ansicht soll es auf den Zeitpunkt der – unrichtigen – Begutachtung ankommen, da der Sachverständige auf das Datum der gerichtlichen Entscheidung keinen Einfluss hat, während sich umgekehrt mit einer „Rückwirkung" des § 839a BGB nachträglich keine verhaltenssteuernden Effekte mehr erzielen lassen.[84] Nach hier vertretener Auffassung kann es für die Entstehung des Anspruchs aus § 839a Abs. 1 BGB im Sinne von § 199 Abs. 1 Nr. 1 BGB richtigerweise nur auf den Zeitpunkt der erstinstanzlichen Entscheidung des Ausgangsgerichts ankommen. Denn die Entstehung eines Anspruchs aus § 839a Abs. 1 BGB setzt notwendig voraus, dass eine gerichtliche Entscheidung ergangen ist, die auf dem unrichtigen Gutachten beruht. Solange es an der gerichtlichen Entscheidung fehlt, liegen die tatbestandlichen Voraussetzungen des § 839a Abs. 1 BGB nicht vor.

Nach h.M. hemmt die Inanspruchnahme des Primärrechtsschutzes im Sinne der §§ 839a Abs. 2, 839 Abs. 3 BGB in (entsprechender) Anwendung des § 204 Abs. 1 BGB die Verjährung.[85] Anderenfalls müsste der Geschädigte zum einen den Primärrechtsschutz durch Rechtsmittel verfolgen und daneben – bereits vorsorglich – Klage gegen den Gerichtssachverständigen erheben, dem er im Ausgangsverfahren wegen § 72 Abs. 2 Satz 1 ZPO nicht – verjährungshemmend – den Streit verkünden kann (s.o. Abschnitt 2.11.7).[86]

Kenntnis im Sinne von § 199 Abs. 1 Nr. 2 BGB setzt voraus, dass dem Geschädigten die nachteilige Gerichtsentscheidung zugestellt wurde.[87]

2.11.9 Versicherungsschutz

Obwohl das Verhältnis des Sachverständigen zum Gericht öffentlich-rechtlich qualifiziert wird (s.o. Abschnitt 2.11.3), wird die Deckung von Ansprüchen aus § 839a BGB durch die Vermögensschadenhaftpflichtversicherung des Sachverständigen im Allgemeinen bejaht.

Der Sachverständige sollte mit seiner Berufshaftpflichtversicherung klären, ob Haftungsansprüche im Sinne von § 839a BGB, die im subjektiven Bereich mindestens grobe Fahrlässigkeit erfordern, vom Versicherungsschutz umfasst sind. Im Einzelfall könnte eine grob fahrlässige Schadensherbeiführung zur bewusst pflichtwidrigen abzugrenzen sein, denn Letztere führt nach den Ausschlussklauseln der BBR (Besondere Bedingungen und Risikobeschreibungen für die Berufshaftpflichtversicherung von Architekten, Bauingenieuren und Beratenden Ingenieuren) regelmäßig zum Haftungsausschluss.

83 OLG Zweibrücken, U. v. 20.3.2003 – 4 U 35/02, NJW-RR 2004, S. 27; OLG Saarbrücken, U. v. 23.11.2017 – 4 U 26/15, BeckRS 2017, 133752 Rn. 193; ebenso Geigel/*Haag*, 28. Aufl. 2020, Kap. 34 § 839a BGB Rn. 16.

84 MüKoBGB/*Wagner*, 8. Aufl. 2020, § 839a BGB Rn. 47 m.w.N.

85 *Soergel/Spickhoff*, § 839a BGB Rn. 51; BGH, U. v. 12.5.2011 – III ZR 59/10, BGHZ 189, S. 365, 378 Rn. 55 m.w.N. = NZG 2011, S. 837.

86 *Soergel/Spickhoff*, § 839a BGB Rn. 51.

87 OLG Zweibrücken, U. v. 20.3.2003 – 4 U 35/02, NJW-RR 2004, S. 27.

Auch sollte sichergestellt werden, dass sog. Begleitschäden (z.B. Schäden aus Bauteiluntersuchungen) vom Versicherungsschutz umfasst sind.

2.11.10 Haftungsbegrenzung

Es wurde aufgezeigt, dass zwischen dem Gerichtssachverständigen und den Parteien oder anderen Verfahrensbeteiligten keine vertraglichen Beziehungen bestehen. Da die Tätigkeit des gerichtlichen Sachverständigen insgesamt der Privatautonomie entzogen ist, wurde § 839a BGB eingeführt. Dieser beinhaltet Haftungsprivilegien, die einer im privaten Tätigkeitsbereich des Sachverständigen regelmäßig in Betracht zu ziehenden Haftungsbeschränkung entsprechen.

2.12 Beispieltexte für Korrespondenz mit Gerichten

Matthias Zöller

Übersicht

2.12.1 Einführung

Die gegenseitig verständliche Korrespondenz ist eine wesentliche Voraussetzung für die erfolgreiche Zusammenarbeit und Sachverständigentätigkeit vor Gericht.

Oft leidet die Zusammenarbeit zwischen Gerichten und Sachverständigen unter den unterschiedlichen Denkweisen. Während Juristen an die rechtsdogmatische Denkweise gewöhnt sind, also ihr Handeln nach dogmatischen festgelegten Prinzipien ausrichten, denken Sachverständige eher (bau-)praktisch über Vorgehensweise und Lösungen nach. Allerdings wird die Zusammenarbeit nicht besser, wenn sich Sachverständige im „vorauseilenden Gehorsam" und mit nur juristischem Halbwissen ausgestattet juristisch ausdrücken, ohne (Hinter-)Gründe zu kennen.

Bei der Kommunikation mit Gerichten sollten einige Regeln beachtet werden. Die folgenden Textbeispiele stellen Empfehlungen für die Kommunikation dar, ohne Anspruch auf Vollständigkeit erheben zu wollen. Die wirkliche Welt ist dafür zu komplex.

Grundsätzlich sollten alle Schreiben an die jeweilige Kammer gerichtet sein und eine Betreffzeile aufweisen, in der das Verfahren genannt wird (z.B. Rechtsstreit oder Selbständiges Beweisverfahren, Aktenzeichen). Zusätzlich ist es sinnvoll, im Adressfeld auch das Aktenzeichen einzufügen, damit bei postalischem Eingang eine unmittelbare Zuordnung möglich ist. Schreiben an das Gericht werden neutral adressiert und können mit Ansprache des bearbeitenden Richters bzw. der bearbeitenden Richterin einschließlich Titelnennung ergänzt werden, also z.B.:

> Sehr geehrte Damen und Herren, sehr geehrte Frau Richterin Dr. *X*...

Folgende Korrespondenzbeispiele beginnen mit dem Eingangsbestätigungsschreiben der Akte und enden mit Begleitschreiben zum Rücksenden der Akte sowie der Abrechnung.

Noch nicht berücksichtigt wurde die Zukunft, wenn Sachverständige Teil des elektronischen Rechtsverkehrs sein werden. Allerdings ist nicht zu erwarten, dass sich dann Wesentliches ändert, es entfällt lediglich das Hin- und Herschicken von Aktenbergen.

2.12.2 Eingangsbestätigung der Akte

In diesem Kapitel werden Beispiele zur ersten Korrespondenz mit Gerichten dargestellt.

Der Eingang der Akte wird ausschließlich dem ernennenden Gericht bestätigt.

Im Anleitungsschreiben, mit dem Ihnen die Akte oder der Zugang zur elektronischen Akte zugeht, ist regelmäßig eine Frist zur Vorlage des Gutachtens gesetzt. Bitte prüfen Sie, ob Sie das Gutachten in dieser Frist vorlegen können. Für die Abstimmung von regelmäßig notwendigen Ortsbesichtigungen, deren Durchführung und Aufarbeitung sowie die Erstattung des Gutachtens genügt der gewährte Zeitrahmen aber regelmäßig nicht. Daher sollten Sie dem Gericht im Bestätigungsschreiben einen Zeithorizont nennen, bis wann Sie das Gutachten vorlegen können. Bemessen Sie diesen nicht zu knapp, denn alleine für die Abstimmung der Ortsbesichtigung vergeht oft mehr Zeit als man zunächst abschätzt.

Achten Sie auf die Höhe des eingezahlten Kostenvorschusses, denn dieser stellt eine Obergrenze Ihres Honorars dar. Wenn Ihr Bruttorechnungsbetrag den Kostenvorschuss wesentlich (meistens um mehr als 20 %, manche Gerichte sehen diese Grenze auch bei 25 %) überschreitet, wird Ihr Honoraranspruch nach dem Justizvergütungs- und -entschädigungsgesetz (§ 8a Abs. 4 JVEG) auf den Kostenvorschuss gekürzt. Liegt der Rechnungsbetrag also um wenige Prozentpunkte über der Toleranzgrenze, wird Ihre Rechnung nicht um diese wenigen Prozentpunkte gekürzt, sondern vollständig auf die Höhe des eingezahlten Kostenvorschusses. Das war in der früheren Fassung, insbesondere in Zeiten des ZSEG nicht so, wurde aber in der jetzigen Fassung verschärft.

Die Kostenobergrenze des Honorars soll den Parteien ermöglichen, zu entscheiden, ob bei einer Überschreitung des Kostenvorschusses die Beweisaufnahme weitergeführt oder gestoppt wird. Das hat zur Folge, dass Sie, wenn Sie erst bei der Bearbeitung des Gutachtens bemerken, dass die Höhe des Kostenvorschusses nicht reicht, um das zu erwartende Honorar abzudecken, Sie mit der Bearbeitung des Gutachtens unverzüglich aufhören und dem Gericht mitteilen, in welcher Höhe das Honorar zu erwarten sein wird. Regelmäßig wird dann der Kostenvorschuss erhöht, denn regelmäßig haben die Parteien Interesse an der Fortführung der Beweisaufnahme durch das Sachverständigengutachten. Ich habe aber noch keinen Fall erlebt, in dem die Parteien wegen eines höheren zu erwartenden Honorars die Beweisaufnahme gestoppt hätten. Wäre dies der Fall, würden Sie Honorar für die bis dahin erbrachten Leistungen erhalten, aber kein Gutachten erstatten, solange sie nicht schuldhaft zu spät auf die Kostenüberschreitung hinweisen. Dann hätten die Parteien also kein Gutachten, müssten aber das Honorar bis in Höhe des Kostenvorschusses tragen.

Bis vor einigen Jahren war es möglich, dass Richter das Interesse der Parteien, dass das Gutachten trotz erheblicher Überschreitung des Kostenvorschusses erstattet wird, am Interesse der Beweisführung abschätzen konnten. Das war regelmäßig bei (sehr) hohen Streitwerten der Fall, die deutlich höher als der Kostenvorschuss lagen. Dieses Ermessen wurde durch die jetzige Gesetzgebung beschnitten, wobei das Gesetz keine absolute Größe nennt. Die Wesentlichkeit in Größe von 20 bis 25 % ergibt sich aus Kommentaren. Allerdings gehen einige süddeutsche Gerichte dazu über, die Toleranzgrenze nach § 8a Abs. 4 JVEG (20%-Erheblichkeitsschwelle) nicht auf nach § 13 JVEG festgesetzte Vergütungen anwenden zu wollen. Werden die Kosten auf Antrag nach § 13 JVEG festgesetzt (s.u.), legen diese (noch) wenigen Gerichte den eingezahlten Kostenvorschuss als absolute Obergrenze aus und kürzen jegliche darüberhinausgehenden Beträge! Es ist zu befürchten, dass dieses Verhalten von anderen Gerichten übernommen wird, obwohl sich dies aus dem Gesetz nicht ergibt. Dort wird von Vergütung gesprochen, die auch die nach § 13 JVEG einschließt.

Dennoch hätten Gerichte schon die Möglichkeit, die Wesentlichkeit an der Bedeutung der Fragestellung und dem (objektiven) Aufklärungsinteresse zu bemessen. Die Kommentare der jetzigen Regelung führen zur Honorarobergrenze als scharfes Schwert, aber auch zur Verzögerung der Vorlage von Gutachten um ggf. mehrere Wochen. Um Honorarverluste zu vermeiden, müssen Sie Ihre Arbeit unterbrechen, das Gericht um die Erhöhung des Kostenvorschusses bitten, das Gericht muss den Kostenvorschuss erhöhen lassen, die Beträge müssen an der Gerichtskasse eingehen, bevor Sie die Mitteilung erhalten, dass Sie weiterarbeiten können (siehe dazu auch Beitrag 2.10).

Diese Misslichkeit können Sie lindern, indem Sie, falls Sie spät merken sollten, dass der Kostenvorschuss (erheblich) überschritten wird, nur ein Teil des Gutachtens bearbeiten, dies vorlegen und abrechnen. Sie haben dann zwar noch nicht vollständig den Beweisbeschluss bearbeitet. Das Teilgutachten ist aber besser als kein Gutachten oder als ein Wochen später vorgelegtes vollständiges Gutachten. Falls Sie in diese Situation kommen sollten, sollten Sie im Interesse der Parteien entscheiden, welchen Teil der Fragen in Teilgutachten bearbeitet werden. Wenn z.B. das streitgegenständliche Gebäude wegen der Beweisaufnahme nicht genutzt werden kann oder Sie erkennen, dass Maßnahmen zur Beseitigung von Ihrer Begutachtung abhängen und diese erst durchgeführt werden können, kann es sinnvoll sein, zunächst im Teilgutachten die Maßnahmen zu erläutern. Dann wird zwar die Notwendigkeit zu diesen Maßnahmen nicht transparent, da Sie die Fragen zu baulichen Fehlern und deren Bedeutung in einem vorderen Teil des Gutachtens aufgrund des nicht ausreichenden Honorars noch nicht abschließend bearbeiten konnten. Allerdings dürfen die vorgeschlagenen Maßnahmen nicht „ins Blaue" geschrieben werden, sondern müssen konsistent auf dem ersten Teil Ihres Gutachtens aufbauen, das Sie erst später vorlegen.

Die Sachverständigenstundensätze des JVEG sind unter Berücksichtigung, welche Leistungen nicht zusätzlich vergütet werden, nicht auskömmlich. Wenn Sie z.B. eigene Geräte einsetzen, bekommen Sie dafür keine Kostenerstattung, sondern nur, wenn Sie diese Geräte anmieten und dafür die Mietkosten berechnen. Untergeordnete Nebenarbeiten durch Mitarbeiter in Büros werden nicht auskömmlich honoriert, da Sie nachweisen müssen, welches Gehalt ein Mitarbeiter oder eine Mitarbeiterin bekommt und wie viele Stunden dafür gearbeitet wird. Nebenkosten für die Vorhaltung von Büroarbeitsplätzen, Lohnausgleich bei krankheitsbedingten Ausfällen oder Urlaub sowie andere Allgemeinkosten, die durch die Beschäftigung von Mitarbeitern entstehen, bleiben unberücksichtigt. Das Gleiche gilt übrigens auch für Ihre Stundensätze. Die Standardstundensätze im JVEG enthalten einen sog. Justizrabatt, der damit begründet wird, dass im freien Markt das Risiko von Honoraranspruchsausfällen besteht. Dabei wird übersehen, dass dieses Risiko auch bei der Tätigkeit für Gerichte besteht.

Das Gesetz bietet allerdings mit § 13 JVEG die Möglichkeit, Stundensätze festsetzen zu lassen. Allerdings hängt es im Wesentlichen von den Gerichten bzw. den dort tätigen Anwälten ab, ob Anträge zur Kostenfestsetzung Gehör finden. Dabei kommt es nicht auf die wirtschaftliche Situation von Sachverständigen an, sondern ausschließlich auf die für die Bearbeitung notwendige Qualifikation. Eine Begründung mit Wirtschaftlichkeit können Sie zwar ergänzen, ist aber letztlich nicht entscheidend. Da sich mittlerweile die Auffassung durchgesetzt hat, dass die jeweilige Tätigkeit als eigener „Auftrag" (Sie haben keinen Auftrag, sondern werden auf Gesetzesgrundlage herangezogen oder ernannt) angesehen wird, sollte bei der Beantragung darum gebeten werden, die Festsetzung nicht nur auf die erste Tätigkeit, sondern auf alle Tätigkeiten in einem Verfahren zu beziehen. Allerdings ist eine neue Beantragung erforderlich, wenn z.B. aus einem Selbständigen Beweisverfahren ein Rechtsstreit wird, auch mit denselben Parteien, oder aus einem erstinstanzlichen Verfahren ein Berufungsverfahren wird.

Daher schlage ich folgende Formulierungen vor:

> Sehr geehrte Damen und Herren,
>
> hiermit bestätige ich den Eingang der Akte in o. a. Sache.
>
> Die aufgeführten Beweisfragen fallen *(ggf. zum Teil)* in mein Sachgebiet.
>
> Allerdings ist es mir nicht möglich, das Gutachten in der gesetzten Frist auszuarbeiten. Voraussichtlich werde ich das Gutachten bis *(Monat und Jahr)* vorlegen können.
>
> Da ich bereits jetzt absehen kann, dass der eingezahlte Kostenvorschuss in Höhe von *x* € für die Bearbeitung nicht ausreicht, bitte ich um Erhöhung um *y* € auf *z* €.
>
> Ob für die Beantwortung der Beweisfragen die Hinzuziehung weiterer Sachverständigen notwendig ist, kann ich erst bei der ersten Ortsbesichtigung feststellen.
>
> Nach § 9 Abs. 1 JVEG i.V.m. Anlage 1, Teil 1, Sachgebiet 4.1 bzw. 4.3 werden Sachverständige für Schäden an Gebäuden für die Beurteilung von Planung, Schadensfeststellung und -ursachenermittlung mit einem Satz von 105 €/h vergütet *(bei anderen Sachgebieten anpassen)*.
>
> Ich beantrage, bei beiden Prozessparteien das Einverständnis nach § 13 Abs. 1 JVEG zur Vergütung mit einem Stundensatz in Höhe von *(z.B. 140,- €/h)* einzuholen. Sollte eine Prozesspartei das Einverständnis verweigern oder schweigen, beantrage ich nach § 13 Abs. 2 JVEG die Zustimmung des Gerichts zu oben genanntem Stundensatz.
>
> Vorsorglich bitte ich, die Vereinbarung der Vergütung auch auf eventuell weitere Tätigkeiten in diesem Verfahren, z.B. für ein Ergänzungsgutachten oder eine Erläuterung des schriftlichen Gutachtens in einem Termin, festzusetzen.

Begründung:

Die Fragen lassen sich nicht alleine durch Vergleich mit Wortlauten aus Regelwerken lösen, sondern bedürfen einer Bewertung unter Berücksichtigung einer kritischen Auseinandersetzung mit Regelwerksvorgaben in Bezug zum technisch unbestimmten Begriff der anerkannten Regeln der Technik, die eine überdurchschnittliche, besondere Sachkunde erfordert. Der beantragte Stundensatz entspricht dem Schwierigkeitsgrad der Aufgabenstellung, der eine vertiefte Auseinandersetzung mit den Sachverhalten bedarf.

Das JVEG stellt im Gegensatz zu dem früheren ZSEG heraus, dass Sachverständige nicht zu entschädigen sind, sondern eine Vergütung erhalten sollen. Die oben beantragte Vergütung entspricht dem Satz, mit dem ich sonst auch honoriert werde. Damit entspricht dieser Antrag dem Grundgedanken der Vergütung des JVEG. Der beantragte Stundensatz bewegt sich zudem innerhalb der in § 13 Abs. 2 JVEG als Soll geregelten Vorgabe des doppelten des in § 9 JVEG i.V.m. Anlage 1, Teil 1 bestimmten Honorars.

Ich bitte um Mitteilung, ob mit der Begutachtung begonnen werden kann. *(Alternativ: In der Anlage erhalten Sie zur Kenntnisnahme eine Kopie meiner Einladung zur ersten Ortsbesichtigung).*

Für Rückfragen stehe ich Ihnen gerne zur Verfügung.

Mit freundlichen Grüßen

2.12.3 Besonderheiten bei Familiensachen

In Familienangelegenheiten kann es vorkommen, dass Sie zwar das Gericht nach § 410 Nr. 2 FamFG ernennt, aber das Gutachten im privaten Auftrag zu erstatten ist. Da das Gericht nicht Auftraggeber ist, richtet sich die Sachverständigenvergütung nicht nach dem JVEG, sondern nach dem mit einer oder beiden Parteien zu schließenden Vertrag.

Zwar erstatten Sie Gutachten als objektives Beweis- und Aufklärungsmittel und dürfen damit keine von Parteiinteressen geleiteten „Gefälligkeitsgutachten" ausarbeiten. Dieser Grundsatz gilt nicht nur für die gerichtliche Tätigkeit, sondern auch im privaten Auftrag. Das dient auch Ihrem eigenen Schutz, denn bei einem schuldhaft erstatteten falschen Gutachten können Sie sich schadenersatzpflichtig machen für z.B. Schäden durch Gerichts- und Anwaltskosten, die bei objektiv richtiger Aufklärung nicht entstanden wären.

Die Regelung im Familiengesetz führt aber zu einer misslichen Situation. Einerseits ernennt Sie das Gericht. Man erwartet von Ihnen gerichtliche Tätigkeit, weswegen Sie unter gerichtlicher Anleitung stehen. Andererseits gehen Sie privatrechtliche Bindungen mit einer oder beiden Parteien ein. Dieser der Sache innewohnenden Absurdität, „zwei Herren gleichzeitig dienen" zu sollen, können Sie nur entgehen, indem im Vertrag die Besonderheit geregelt wird, dass Sie unter gerichtlicher Anleitung stehen, sich Vertragsinhalt und -soll nach den gerichtlichen Beweisbeschlüssen richten und nicht den Kriterien des § 633 BGB unterliegen.

Falls die Parteien mit einer solchen Regelung nicht einverstanden sein sollten, empfehle ich, keinen Vertrag mit den Parteien abzuschließen, weil die unterschiedlichen Interessenslagen nicht mit dem Sachverständigeneid vereinbar sind, Gutachten „nach bestem Wissen und Gewissen" zu erstatten, also objektiv und nicht Parteiinteressen geleitet zu beurteilen.

2.12.4 Einladung zur Ortsbesichtigung

Ortsbesichtigungen werden in der Regel durch Sachverständige koordiniert, die dann alle Verfahrensbevollmächtigten der Parteien und unmittelbar Parteien, die nicht anwaltlich vertreten sind, einladen. Parteien werden durch ihre Anwälte (Verfahrensbevollmächtigte) vertreten. Daher sollte nur diesen ein Schreiben nachweislich zugestellt werden. Dazu können Einladungen per Einwurfeinschreiben oder Einschreiben/Rückschein oder, heute üblich, mit kurzem Rückantwort-Brief oder kurzem Rückantwort-Fax versehen werden. Es empfiehlt sich, unter Datumsnennung um eine Eingangsbestätigung zu bitten. Alle Schreiben sollen nachrichtlich (also in Kopie bzw. Fax, zukünftig in cc) an das jeweilige Gericht gesendet werden.

Heute allerdings hat sich der elektronische Schriftverkehr etabliert. Allerdings gelten Zustellungsbescheide in E-Mail-Programmen nicht als Zustellungsnachweis. Solange Sachverständige nicht Teil des elektronischen Rechtsverkehrs sind, sollten in Zweifelsfällen nachweisliche Zustellungen per Einwurfeinschreiben versendet werden. Ansonsten sollte eine vom Empfänger zurückzusendende Bestätigungsmitteilung als Nachweis der Zustellung genügen, die auch per E-Mail zugehen kann. Diesbezügliche Urteile sind allerdings noch nicht bekannt.

Dem Streit beigetretene Personen oder Gesellschaften sind als Streithelfer, wie Parteien auch, einzuladen. Streitverkündigte, die nicht beigetreten sind, bleiben außen vor.

Um Dauerschleifen von Einladungen und Aufhebungen mit Neueinladungen zu vermeiden, sollten Besichtigungstermine zuvor mit den Vertretern der Parteien abgestimmt werden.

Das kann entweder durch eine Mitarbeiterin oder einen Mitarbeiter im eigenen Büro per Telefon vorgenommen werden oder telefonisch mit den Anwälten der Parteien. Eine reine Terminabstimmung kann nicht zur Besorgnis der Befangenheit aufgrund behaupteter einseitiger Parteikommunikation führen, da es sich ausschließlich um organisatorische, aber nicht um inhaltliche Abstimmungen handelt.

Auch ist eine tabellarische Abfrage in Schriftform möglich, wozu folgende Tabelle als Beispiel dient:

> Sehr geehrte Damen und Herren,
>
> mit Beschluss vom ... hat mich das ...Gericht zum Sachverständigen ernannt, zu den Fragen des Beweisbeschlusses vom ... ein schriftliches Gutachten zu erstatten.
>
> Dazu wird eine *(ggf. erste orientierende)* Ortsbesichtigung notwendig. Ich bitte Sie freundlich, zu prüfen, ob einer der nachfolgenden Termine möglich ist und alle

Ihnen möglichen Termine durch Ankreuzung freizugeben. Falls Sie nicht die Absicht haben, teilzunehmen, bitte ich Sie, alle Termine freizugeben.

	Partei A, RA W	Partei B, RA X	Streithelfer 1, RA Y	Streithelfer 2, RA Z.
Tag, Datum, Uhrzeit				
Tag, Datum, Uhrzeit				
Tag, Datum, Uhrzeit				
Tag, Datum, Uhrzeit				
Tag, Datum, Uhrzeit				
Wir beabsichtigen, nicht an der Ortsbesichtigung teilzunehmen und geben alle Termine frei.				

Im Voraus besten Dank und

mit freundlichen Grüßen

Die Einladung sollte mindestens 14 Tage vor der Besichtigung verschickt werden:

Sehr geehrte Damen und Herren,

(falls nicht schon im tabellarischen Terminabstimmung genannt:) mit Beschluss vom ... hat mich das ...Gericht zum Sachverständigen ernannt, zu den Fragen des Beweisbeschlusses vom ... ein schriftliches Gutachten zu erstatten.

Dazu wird eine *(ggf. erste orientierende)* Ortsbesichtigung notwendig, zu der ich hiermit einlade für

Tag – Uhrzeit – Treffpunkt

Ich bitte darum, die Ortsbesichtigung wie folgt vorzubereiten:

Während der Besichtigung muss das Gebäude in den schadensbetroffenen Bereichen zugänglich sein.

Es sollte ein Unternehmer anwesend sein, der nach meinen Angaben *(kleinere Stemmarbeiten im Bereich der Risse)* durchführen und die geöffneten Bereiche anschließend wieder sachgerecht schließen kann.

Mit freundlichem Gruß

2.12.5 Hinzuziehung von Sachverständigen anderer Sachgebiete

Fallen Fragen vollständig nicht in das Sachgebiet eines oder einer Sachverständigen, dürfen diese nicht von ihm bzw. ihr bearbeitet werden.

Sachverständige für Schäden an Gebäuden sind aber die Generalisten unter den Sachverständigen, die sich mit Gebäuden und Bauteilen sowie baulichen Anlagen beschäftigen. Sie verfügen über fachübergreifende Kenntnisse und können Verknüpfungen zwischen den Sachgebieten herstellen. Sie sind aber regelmäßig nicht in der Lage, tief in ein spezielles Sachgebiet reichende Fragestellungen zu bearbeiten.

Fragen sachlich falsch zu beantworten, weil das eigene Fachwissen fehlt, schadet sehr der eigenen Glaubwürdigkeit und Reputation. Es ist daher eine verantwortungsvolle Notwendigkeit, die Grenzen des eigenen Könnens zu erkennen, was kein Zeichen von Schwäche, sondern eines von Souveränität ist. Daher empfehle ich folgenden Hinweis, entweder bereits dann, wenn sich solche Grenzen erkennen lassen, also in der Kommunikation mit dem Gericht, besonders aber bei privaten Aufträgen, spätestens aber in Gutachten selbst:

> Einige der Fragen fallen in Sachgebiete, in denen es spezielle Vertiefungen und eigene Bestellungsgebiete gibt. Dennoch sind Sachverständige für Schäden an Gebäuden als Generalisten in der Lage, grundsätzliche Fragen zu solchen Sachgebieten zu bearbeiten, aber nicht zu vertiefen. In diesem Gutachten sehe ich mich in der Lage, auch diese Fragen zu beantworten. Falls aber Vertiefungen erforderlich werden sollten, müsste ggf. jeweils ein(e) Sachverständige(r) zusätzlich neben mir ernannt werden.

Sachverständige sind keine Organisatoren für Gerichte und dürfen das nach der ZPO auch nicht sein.

Wenn Sie einen Fragenkatalog in einem Beweisbeschluss vorfinden, mit z.B. der Aufforderung „Dem Sachverständigen ist gestattet, für Fragen, die nicht in sein Sachgebiet fallen, andere Sachverständige zu beauftragen.", auch nicht in Ihr Sachgebiet fallende Fragen beantworten zu müssen (nach dem Motto: Beweisbeschlüsse sind für Sachverständige verbindlich), dürfen Sie dem nicht folgen, da es sich um einen unzulässigen Beschlussteil handelt. Wie ausgeführt, dürfen Sie keine Fragen bearbeiten, die nicht in Ihr Sachgebiet fallen. Die Anleitung von Sachverständigen obliegt Gerichten und nicht Sachverständigen.

Das hätte für Sie nicht überschaubare Risiken und ist Ihnen aus folgenden Gründen nicht zuzumuten:

1. Sie binden sich in einem privatrechtlichen Vertrag an den Nachunternehmer, während Sie vom Gericht auf Gesetzesgrundlage herangezogen werden.
2. Es entsteht ein nur mittelbares Verhältnis ohne direkte Zugriffsmöglichkeit des Gerichts auf andere Sachverständige. Das Gericht kann diese also auch nicht für deren Versäumnisse maßregeln, sondern nur Sie. Sie könnten also bestraft werden ohne ggf. diese Strafe an Ihren Vertragspartner weiterreichen zu können.

3. Gegebenfalls meint ein Gericht fälschlicherweise, dass der Nachunternehmer an das JVEG gebunden ist. Das ist aber falsch, wenn nicht das Gericht ernennt oder heranzieht, sondern Sie andere Sachverständige beauftragen.
4. Das Honorar des Nachunternehmers stellt Ihnen entstehende Kosten dar, die Ihnen zu ersetzen sind. Sie tragen aber das Streitrisiko mit Kostenstellen von Gerichten, wenn diese die Nachunternehmerleistung auf Sätze des JVEG kürzen sollten und Sie die Differenz zwischen dem Ihnen erstatteten Betrag und dem Honorar des Nachunternehmers tragen sollen. Sie tragen also das Risiko, dass ggf. ein privatrechtlich durchsetzbares Honorar Ihnen gegenüber nicht an das Gericht „durchgereicht" werden kann, weil z.B. Honorarobergrenzen nach JVEG bestehen.
5. Sie bekommen keinen Unternehmerzuschlag für Wagnis und Gewinn auf die Ihnen in Rechnung gestellte Nachunternehmerleistung, müssen aber umsatzbezogene Angaben entrichten, für die Sie keinen Ausgleich erhalten.

Diese Argumentation hat bisher Gerichte überzeugen können, Sachverständige für Schäden an Gebäuden nicht als „Gutachtergeneralunternehmer" heranzuziehen, sondern ihrer in der ZPO verankerten Aufgabe als Koordinatoren nachzukommen.

Dazu schlage ich folgende Formulierungen vor, die Sie für die Kommunikation mit Gerichten verwenden können. Dabei ist zu unterscheiden nach Fragen,

a) die gänzlich nicht in Ihr Sachgebiet fallen, und

b) nach solchen, für die Sie eine Vorklärung durch Spezialisten benötigen.

2.12.5.1 Fragen fallen vollständig nicht in das eigene Sachgebiet

Fragen, die weder in Ihr Sachgebiet fallen, noch als Teilaufklärungen für Ihre Aufgaben erforderlich sind, sollten Sie ablehnen, wozu Sie folgenden Text formulieren können:

> ...die Beweisfrage(n) *nnnnn* fällt /fallen nicht in mein Sachgebiet, sondern in das eines/einer Sachverständigen für *(z.B. Haustechnik)*. Ich rege an, eine(n) SV dieses Sachgebiets zu ernennen, wozu *Herr SV, Anschrift* die Aufgaben übernehmen könnte.

2.12.5.2 Fragen fallen teilweise nicht in das eigene Sachgebiet

Zu Fragen, die Sie beantworten können, aber für die vorab nicht in Ihr Sachgebiet fallende Teilaufklärungen erforderlich sind, sollten Sie das Gericht bitten, einen oder eine Sachverständige(n) des jeweiligen Sachgebiets parallel zu Ihnen zu ernennen. Dazu können Sie folgenden Text formulieren:

> in o.a. Sache fällt/fallen die Beweisfrage(n) *nnnnn* nicht vollständig in mein Sachgebiet. Zur Beantwortung dieser Frage durch mich bitte ich darum, einen bzw. eine Sachverständige neben mir zu ernennen, um folgende Frage zu beantworten, die Voraussetzung der Bearbeitung durch mich sein wird *(nur Beispieltexte)*:

Welche Luftwechselzahl n bei einem Prüfdruck von 50 Pa ist in den Wohnungen auf Grundlage der Messvorgaben des Gebäudeenergiegesetzes unter Einsatz geeigneter Geräte festzustellen?

An welchen Stellen liegen in der Wohnung Luftdurchströmungsstellen vor?

Dazu schlage ich vor, dass das Gericht den *SV Anschrift* ernennt. Ich schätze vorbehaltlich der Einschätzung des/der SV für dessen/deren Tätigkeit einen Honoraraufwand von *2.500 €*. Ich bin gerne bereit, die Koordination zu übernehmen und auch die relevanten Aktenauszüge dem/der SV weiterzuleiten.

Ich bitte um Mitteilung, ob dem Vorschlag gefolgt wird. Dann kann ich die Terminabstimmung für die nächste, gemeinsame Ortsbesichtigung übernehmen.

Für Rückfragen stehe ich gerne zur Verfügung.

In diese Kategorie fällt als Besonderheit die Bearbeitung der regelmäßig gestellten (Anschluss-)Fragen nach Maßnahmen und Kosten. Zwar sollen Sachverständige für Schäden an Gebäuden grob überschläglich die Fragen beantworten (können). Regelmäßig wird aber der Beweisführung durch Sachverständige eine Verbindlichkeit unterstellt, die in Teilen unbegründet ist. So sind z.B. Enttäuschungen groß, wenn auf Grundlage von in gerichtlichen Gutachten enthaltenen Kostenschätzungen (rechtsverbindliche) Vergleiche geschlossen und damit Verfahren „abgeschlossen" werden. Stellt sich anschließend heraus, dass die in Gutachten genannten Kosten auch nicht annäherungsweise realistisch sind, besteht keine Rechtsgrundlage mehr, dies zu korrigieren.

Kostenermittlungen überschreiten je nach Genauigkeitsgradanforderung das Sachgebiet Schäden an Gebäuden und fallen dann in das Sachgebiet um Baupreisermittlungen. Nicht nur, um sich selbst gegen Inanspruchnahme wegen gut gemeinter, aber leider falscher Angaben in Gutachten zu schützen, sondern auch, um die Nutzer Ihrer Gutachten vor nicht zutreffenden Vergleichsgrundlagen zu warnen, schlage ich folgende Formulierungen vor:

Zu den in den einzelnen Kapiteln dieses Gutachtens abgeschätzten Maßnahmen und Kosten ist Folgendes anzumerken:

Die Honorarordnung für Architekten und Ingenieure HOAI sieht im Planungs- und Realisierungsprozess einen zunehmenden Genauigkeitsgrad vor.

Auch der geringste Genauigkeitsgrad, der der Kostenschätzung, bedarf einer Vorplanung.

Mit zunehmenden Genauigkeitsgrad bei Fortführung der Planung folgt mit detaillierteren Leistungsangaben eine Kostenberechnung.

Der Kostenanschlag wird durch Zusammenstellung vorliegender Angebote eine weitere Stufe genauer, hat aber noch immer gegenüber der Kostenfeststellung am Ende, die die tatsächlichen Kostenaufwendungen erfasst, einen Abweichungsgrad.

Die tatsächlichen Kosten sind somit erst nach der Ausführung feststellbar.

Oft zeigt sich beim Einholen von Angeboten, dass die preislichen Angebotsspannen der Anbieter nicht nur um einige Prozente, sondern um Faktoren voneinander abweichen können. Schon dies zeigt, mit welchen Unsicherheiten selbst Kostenschätzungen von Architekten behaftet sind.

Für Kostenschätzungen in Gutachten liegen noch nicht einmal Planungen vor. Der Genauigkeitsgrad von Kostenangaben in Gutachten ist noch geringer als der einer ersten Kostenschätzung einer Architektenplanung. Grobe Abschätzungen in Sachverständigengutachten haben so einen größeren Ungenauigkeitsgrad als die erste Stufe von Kostenschätzungen einer Architektenplanung.

Kostenschätzungen in Sachverständigengutachten sind weiterhin ungenauer als die der gröbsten Stufe einer Architektenplanung, weil gerichtlich tätigen Sachverständigen die Interaktion mit den Auftraggebern nicht möglich ist. Für jede bautechnische Lösung sind grundsätzlich Varianten denkbar, die im Rahmen von gerichtlichen Beweiserhebungen nicht abgestimmt werden können. Bei Nacherfüllungsmaßnahmen kommen vertragsbezogene Komponenten hinzu, die der rechtlichen Würdigung bedürfen, aber nicht von vorneherein in objektiv zu haltende Gerichtsgutachten einfließen dürfen.

Maßnahmen und damit verbundenen Kostenschätzungen in Gutachten bilden deswegen nur Vorschläge für jeweils eine von mehreren Möglichkeiten ab. Die tatsächlichen Aufwendungen können situationsbezogen auch in größerem Umfang von geschätzten Beträgen abweichen.

Falls genauere Kostenangaben gewünscht sein sollten, sind Maßnahmenvarianten planerisch zu entwickeln sowie zu entscheiden und ggf. ein oder eine Sachverständige für Baupreisermittlung zu ernennen.

2.12.5.3 Bauteilöffnungen

Handwerkliche Leistungen fallen nicht in das Sachgebiet derer, die Feststellungen zu treffen und Gutachten zu erstatten haben. Das betrifft nicht nur das Verschließen, sondern auch das Anlegen von Öffnungsstellen. Leider hat sich aber noch nicht an allen Gerichten durchgesetzt, Sachverständige nicht zu Bauteilöffnungen zu „zwingen", also zu Tätigkeiten, die nicht – oder ggf. in Ausnahmen, bei Handwerkssachverständigen – in ihr Sachgebiet fallen.

Bauteilöffnungen sind mit Risiken behaftet, da regelmäßig Bauteile beschädigt werden und es sich dann um eine unerlaubte Handlung handeln kann. Vor der Öffnung von Bauteilen sind daher Zustimmungen der jeweiligen Eigentümer erforderlich, insofern sich nicht durch Selbstverständlichkeit eine Zustimmung ergibt, etwa, wenn Eigentümer eine Bauteilöffnung fordern.

Manche Gerichte neigen dennoch dazu, Sachverständigen Bauteilöffnungen aufzuerlegen. Allerdings sind mir keine Fälle bekannt, in denen Sachverständigen verpflichtet wurden, ein über die Gefahrenabwehr hinausgehendes Wiederverschließen zu verlangen. Insofern besteht wohl Einsicht darüber, dass Sachverständige keine z.B. Dachdecker sind, sondern ihre Aufgabe sich auf die Erstattung von Gutachten beschränkt. Wenn eine Dachabdichtung geöffnet wird, muss sie so wieder verschlossen werden, dass beim nächsten Niederschlag keine Folgeschäden entstehen. Es kann aber nicht verlangt werden, dass der

Zustand vor der Bauteilöffnung wiederhergestellt wird, wenn dazu umfangreiche bauliche Maßnahmen erforderlich werden.

Es ist eine Frage der Vernunft der Parteien, wenn sie Unternehmen brauchen, die Bauteilöffnungen wieder sachgerecht schließen, diese auch zur Bauteilöffnung zur Verfügung zu stellen. Diese Argumentation hat die Parteien bisher regelmäßig dazu bewegen können, selbst für Unternehmen zu sorgen, die Bauteilöffnungen nach Anweisung durch Sachverständige anlegen, solange nicht ein Verfahrensbeteiligter bereit ist, die Bauteilöffnungen anzulegen und anschließend wieder zu verschließen. So sind häufig z.B. beteiligte Dachdeckerunternehmen bereit, an Abdichtungen tätig zu werden, die sie selbst hergestellt haben.

2.12.6 Befangenheit

Beitrag 2.5 in diesem Handbuch beschäftigt sich intensiv mit der Besorgnis der Befangenheit von Sachverständigen.

Befangenheitsanträge werden hin und wieder mit sachlichen Fragen kombiniert. Falls Sie mit einem Befangenheitsantrag überzogen werden, sollten Sie sich nicht mehr fachlich zu den anderen, in Schriftsätzen enthaltenen Fragen äußern, da Sie in der Phase bis zur Entscheidung durch das Gericht keinen Honoraranspruch haben.

Gerichte müssen Sachverständige, gegen die Befangenheitsanträge gestellt wurden, nicht anhören, tun dies aber meistens, um argumentative Unterstützung zu bekommen. Für solche Stellungnahmen erhalten Sie kein Honorar. Deswegen ist zu empfehlen, sich ausschließlich und knapp zur Frage der Befangenheit zu äußern. Dazu kann folgendes Textbeispiel dienen:

> Sehr geehrte Damen und Herren, sehr geehrter Herr Richter *X*,
>
> Sie haben mir mit Schreiben vom *(Datum)* das Schreiben von Herrn Rechtsanwalt *Y* vom *(Datum)* zukommen lassen, mit dem ein Befangenheitsantrag gegen mich gestellt wird. Sie haben mich gebeten, dazu Stellung zu nehmen.
>
> Bei meiner Begutachtung habe ich mich ausschließlich von technischen Zusammenhängen leiten lassen und beziehe mich dabei auf meinen Eid, den ich im Rahmen der öffentlichen Bestellung geleistet habe. Ich habe mich nicht von Überlegungen zugunsten der einen oder anderen Partei leiten lassen, sondern mich ausschließlich auf die Aufklärung von technischen Zusammenhängen konzentriert. Dabei ist es auch meine Aufgabe, auch neuere Kenntnisstände darzulegen und auf diesen aufzubauen. Im Schreiben von Herrn RA *Y* sind dazu technische Fragen gestellt, zu denen ich gerne Stellung nehme, bitte aber um einen entsprechenden Hinweis durch das Gericht.

2.12.7 Honorarvorschuss

Für bereits erbrachte Teilleistungen oder für erhebliche Fahrtkosten bzw. sonstige Aufwendungen, die bereits entstanden sind oder voraussichtlich entstehen werden, kann nach § 3 JVEG ein Vorschuss beantragt werden, wenn diese einen Betrag von 1.000 Euro übersteigen.

Um Nachfragen zu vermeiden, wird empfohlen, den Vorschussantrag wie eine Teilrechnung auszugestalten, d.h. mit Nachweis und Aufschlüsselung von Honoraransätzen. In der späteren Honorarrechnung sind die gesamten Kosten darzulegen und geleistete Vorschusszahlungen in Abzug zu bringen.

2.12.8 Anschreiben bei Fertigstellung

Ist das Gutachten fertiggestellt, sollte dieses mit einem Anschreiben und der Honorarrechnung versendet werden. Lassen Sie sich keine übermäßige Zeit mit der Rechnungslegung, denn drei Monate nach Abschluss der Begutachtung erlischt Ihr Honoraranspruch vollständig! Was aber ist der Abschluss der Begutachtung, wenn diese in mehreren Teilschritten erfolgt? Daher ist es sinnvoll, bei jeder Herausgabe eines Gutachtens gleich das Honorar zu berechnen:

> Sehr geehrte Damen und Herren,
>
> anliegend erhalten Sie mein Gutachten in o.a. Sache in ...facher Ausfertigung sowie meine Rechnung.
>
> *(Nur wenn keine elektronische Akte, sondern Papierakte)*: Zugleich sende ich die Gerichtsakte zurück.
>
> Mit freundlichem Gruß (...)
>
> Anlagen

2.12.9 Honorarrechnung

Für die Honorarrechnung bietet sich an, eine Muster-Excel-Tabelle anzulegen, in der eine minutengenaue Erfassung der Leistungen mit einer Rechnungstabelle kombinierbar ist:

Datum	Leistung		
	Aktenstudium, Extraktion Unterlagen, Vorbereitung Ortsbesichtigung	min	
	Ortsbesichtigung min, Wegezeit min + min, km + km	min	km

	Nachbereitung der Ortsbesichtigung, Zuordnung der Fotos		min		
	Ausarbeitung des Gutachtens		min		
	"		min		
	"		min		
	"		min		
	"		min		
	Lektorat, Abschluss		min		
	Summe	0	min	0,00	km
		0,00	h		
	aufgerundet auf halbe Stunden	0,0	h		

Diese Zeiterfassungstabelle sollte als Nachweis in die Rechnung eingefügt werden, entweder, bei kleinerem Umfang, auf dieselbe Seite der Rechnung, bei größerem Umfang auf die Rückseite der Rechnung.

Die Rechnung sollte mit einer Tabelle gestellt werden, zu der ich folgendes Beispiel einfüge (ohne Festsetzung des Honorars nach § 13 JVEG):

Für Sachverständigenleistungen erlaube ich mir, folgenden Betrag in Rechnung zu stellen:

Sachverständiger, Honorar nach § 9 Abs. 1 JVEG i.V.m. Anl. 1, Teil 1, Sachg. 4.1/4.3	0,0	h	à	105,00 €/h	=	0,00 €
Schreibgebühren (1 St. entspr. je angef. 1.000 Anschläge, § 12 Abs. 1 Nr. 1 JVEG)	0	St.	à	0,90 €/St.	=	0,00 €
Nebenkosten für Post- und Telekommunikation (§ 12 Abs. 1 Nr. 5 JVEG) 20 %, max. 15 €						15,00 €
Farbausdrucke ≤ DIN A3, S. 1–50 (§ 7 Abs. 2 Nr. 3 JVEG)	0	St.	à	1,00 €/St.	=	0,00 €

Farbausdrucke, ab S. 50 (§ 7 Abs. 2 Nr. 3 JVEG)	0	St.	à	0,30 €/St.	=	0,00 €
Farbausdrucke > DIN A 3	0	St.	à	6,00 €/St.	=	0,00 €
Ablichtungen ≤ DIN A3, Seiten 1–50 (§ 7 Abs. 2 Nr. 1)	0	St.	à	0,50 €/St.	=	0,00 €
Ablichtungen ab S. 50	0	St.	à	0,15 €/St.	=	0,00 €
Ablichtungen > DIN A3 (§ 7 Abs. 2 Nr. 2 JVEG)	0	St.	à	3,00 €/St.	=	0,00 €
Fahrtkosten Pkw (§ 5 Abs. 2 JVEG)	0,00	km	à	0,42 €/km	=	0,00 €
Betrag netto						15,00 €
Mehrwertsteuer				19 %		2,85 €
Rechnungsbetrag brutto						**17,85 €**

Ich bitte um Anweisung des Rechnungsbetrags innerhalb zehn Werktagen ab Rechnungsdatum. IBAN: *DE xxx*, BIC-/SWIFT-Code: *MALADE YYY*; Konto Nr. *ZZZ Bank*, BLZ *LLL*.

Es empfiehlt sich, alle Zeilen zu löschen, die ohne Mengenangaben bleiben und damit nicht nötig sind, damit die Rechnung klarer lesbar ist.

2.12.10 Besonderheiten bei Schiedstätigkeit

Sachverständige sind üblicherweise nicht in Schiedsabreden involviert, sondern erst eingebunden, wenn bereits Schiedsvereinbarungen getroffen sind. Diese enthalten in der Regel die Einigung auf den oder die Sachverständige. Die rechtlichen Grundlagen der Schiedstätigkeit sind in der Broschüre des IfS 12[1] zusammengefasst. Es geht in diesem Beitrag daher nicht um diese, sondern um die vertraglichen Besonderheiten vor und bei der Gutachtenerstattung.

Nachdem Sachverständige als Schiedsgutachter benannt sind, fehlt es trotzdem an der Arbeitsgrundlage von und mit Sachverständigen, da dies keine gerichtliche Tätigkeit auf gesetzlicher Grundlage ist. Daher ist ein privatrechtlicher Vertrag zu schließen. Für das dazu notwendige Angebot bietet folgendes Beispielmuster Hilfestellung, wobei Untersuchungsgegenstände, Fragestellungen und anderes jeweils nur beispielhaft genannt sind:[1]

1 *Bleutge/Schlehe*, Sachverständige als Schiedsgutachter – Leistungsbestimmung durch Dritte. Erläuterungen, Checklisten, Vertragsmuster, Verfahrensregeln, Hrsg.: Institut für Sachverständigenwesen e.V., Köln, 6. Aufl. 2023.

Vertragsangebot Schiedsgutachten

xxx ./. yyy

Objekt, Gegenstand des Schiedsgutachtens:

Zwischen

A-1 vertr. d. RA – Auftraggeberin zu 1, im Folgenden AG 1 –

sowie A-2 vertr. d. RA – Auftraggeberin zu 2, im Folgenden AG 2 –,

als Auftraggeber (AG)

und dem Auftragnehmer:

SV – als Auftragnehmer (AN) –

wird auf Grundlage der Schiedsgutachtenvereinbarung zwischen den Auftraggebern vom xxx und vom yyy folgender Schiedsgutachtenvertrag geschlossen.

Die Auftraggeber beauftragen gemeinsam den Auftragnehmer, ein schriftliches Gutachten zu den unten beschriebenen Fragen zu erstatten.

Gegenstand des Schiedsgutachtens

Durch das Schiedsgutachten soll geklärt werden, ob Fehler am …

Ausgangslage nach Mitteilung durch die AG:

In der Wohnung …

Gegenstand der Betrachtung ist …

Zu untersuchen ist, ob …

Zur Abdichtung ist …

Nach … müssen … Diese Anforderung sei nicht erfüllt.

Von folgender Ausführung ist auszugehen:

Stichtag der Betrachtung ist xx.yy.zz.

Für die Bewertung stehen folgende Unterlagen zur Verfügung: …

Die die n-Arbeiten ausführende Unternehmerin erhebt folgende Einwendungen, die im Rahmen der Gutachtenerstellung zu berücksichtigen sind: …

Die Auftraggeberin zu 1) erhebt Einwände gegen die Feststellungen und Bewertungen des Sachverständigen S zu …

Die Parteien möchten umfassende Bauteilöffnungen am … vermeiden und streben für den Fall, dass tatsächlich Fehler vorliegen sollten, eine mit möglichst geringen Eingriffen verbundene, technisch funktionsfähige Lösung an.

Das Schiedsgutachten soll folgende Fragen klären:

1) Liegen die oben angeführten Fehler an der Ausführung xxx vor? Ist die Verwendungseignung durch die evtl. Fehler eingeschränkt? ...

2) Sind Maßnahmen zur Beseitigung von Fehlern erforderlich, um die Verwendungseignung sicherzustellen? Wenn ja, welche? ...

3) Mit welchem Kostenaufwand ist für die Maßnahmen zu rechnen?

Leistungen des Auftragnehmers

Die Ausarbeitung dieses Schiedsgutachtens kann auf Grundlage der vorliegenden Erkenntnisse erfolgen. Allerdings ist zu empfehlen, den ...-aufbau mittels Bauteilöffnungen zu prüfen, da sich aus den bisherigen Bauteilöffnungen nicht hinreichende Beurteilungsgrundlagen ergeben können.

Der Auftragnehmer arbeitet ein schriftliches Schiedsgutachten aus und legt dieses in elektronisch signierter Ausfertigung vor.

Mündliche Nebenabreden bestehen nicht. Nachträgliche Änderungen und Ergänzungen dieses Vertrags bedürfen der Schriftform. Auf die Einhaltung dieser Festlegung kann mündlich und stillschweigend nicht verzichtet werden.

Leistungen der Auftraggeber

Die Auftraggeber stellen die für die Beurteilung notwendigen Unterlagen sowie Fotos aus der Bauzeit, denen sich die Einbausituation ... entnehmen lässt, zur Verfügung, insofern sie nicht bereits vorliegen.

Bei evtl. Ortsbesichtigungen gewähren die Auftraggeber Zugang zu den zu beurteilenden Stellen. Dazu ist es sinnvoll, in einem ... den ...-aufbau in verschiedenen Bereichen zu öffnen. Bei diesen eventuellen Öffnungsmaßnahmen stellen die Auftraggeber dem Auftragnehmer Handwerker zur Verfügung, die nach dessen Anweisungen Öffnungsstellen anlegen und nach der Untersuchung fachgerecht verschließen.

Für eventuell erforderliche Leistungen von Spezialisten, die nicht durch das Sachgebiet des Auftragnehmers abgedeckt sind, werden durch die Auftraggeber Sonderfachleute in Abstimmung mit dem Auftragnehmer beauftragt.

Honorierung

Die Sachverständigenleistungen werden nach Zeitaufwand zu folgenden Sätzen vergütet: Sachverständiger: ggg €/h, Nebenkosten 5 %, evtl. Fahrtkosten 0,50 €/km bzw. auf Nachweis. Diese Sätze verstehen sich jeweils zuzüglich der zum Tag der Leistungserbringung geltenden Umsatzsteuer. Der Auftragnehmer kann für nachgewiesene Leistungen Abschlagszahlungen berechnen.

Unabhängig vom Kostenausgleich zwischen den Auftraggebern erfolgt die Vergütung des Auftragnehmers gesamtschuldnerisch, vorrangig vollständig durch die Auftraggeberin zu 1, hilfsweise vollständig durch die Auftraggeberin zu 2.

Rechnungen sind jeweils sofort fällig. Das jeweilige Zahlungsziel beträgt 14 Kalendertage nach Rechnungszustellung ohne Skontoabzug.

Die jeweilige Leistung des Auftragnehmers gilt als abgenommen, wenn nicht innerhalb von 14 Kalendertagen nach Vorlage des Gutachtens berechtigte Einwände erhoben werden. Sie gilt auch als abgenommen, wenn die Rechnung ausgeglichen wird.

Sollte der Auftragnehmer in Zusammenhang mit dem Auftragsinhalt gerichtlich als Beweismittel hinzugezogen werden, vergütet die Auftraggeberin unter Anrechnung der gerichtlichen Entschädigung die Aufwendungen des Auftragnehmers zu den o.g. Sätzen.

Das Nettohonorar für die Gutachtenerstattung wird unter der Annahme, dass Bauteilöffnungen und Untersuchungen zum Aufbau erforderlich werden und möglich sind, voraussichtlich einen Betrag in Höhe von ca. kkkk € zuzüglich Umsatzsteuer erreichen. Falls sich nicht nur unerheblich höhere Kosten abzeichnen, wird der Auftragnehmer die Auftraggeber darüber frühzeitig informieren und die weitere Vorgehensweise abstimmen.

Gewährleistung

Die Haftung ist der Höhe nach auf 200.000 € für Sachschäden und 500.000 € für Personenschäden sowie auf 20.000 € bei Vermögensschäden beschränkt.

Soweit keine wesentlichen Vertragspflichten verletzt wurden, beschränkt sich im Falle leichter und normaler Fahrlässigkeit die Haftung des Auftragnehmers für Schäden, die nicht Personenschäden sind, der Höhe nach auf die o.g. Haftungssummen. Die Haftung des Auftragnehmers im Falle grober Fahrlässigkeit und Vorsatz wird von der Haftungsbeschränkung nicht berührt.

Sonstige Bestimmungen

Erfüllungsort und Gerichtsstand ist Sitz des Auftragnehmers.

Sollte eine der Bestimmungen dieses Vertrags ganz oder teilweise gegen zwingendes Recht verstoßen oder aus anderen Gründen nichtig bzw. unwirksam sein oder werden, berührt dies die Wirksamkeit der übrigen Bestimmungen dieses Vertrags nicht. Eine nichtige oder unwirksame Bestimmung ist durch eine Bestimmung zu ersetzen, die unter Berücksichtigung der übrigen Regelungen dieses Vertrags dem Sinn und Zweck der weggefallenen Bestimmung am nächsten kommt.

Ort, Datum

SV

Angebot bestätigt und Auftrag erteilt, wobei der Vertrag nur zustande kommt, wenn gleichzeitig im Folgenden das Einverständnis zur Datenverarbeitung erklärt wird.

AG 1: Ort, Datum Unterschrift

AG 2: Ort, Datum Unterschrift

Informationen zur Datenerhebung gemäß Art. 13 DSGVO

Ihre Daten werden zum Zweck der Vertragsdurchführung, zur Erfüllung vertraglicher und vorvertraglicher Pflichten verwendet. Die Datenverarbeitung ist für die Durchführung eines Vertrags über die Sachverständigenleistungen erforderlich (und beruht auf Art. 6 Abs. 1 Buchst. a und b DSGVO). Eine Weitergabe der Daten an Dritte findet nicht statt.

Die Daten werden gelöscht, sobald sie für den Zweck ihrer Verarbeitung nicht mehr erforderlich sind und die vom Gesetzgeber vorgeschriebenen Aufbewahrungspflichten abgelaufen sind.

Sie sind berechtigt, kostenlos und in angemessenen Abständen, Auskunft über die bei uns über Sie gespeicherten Daten zu beantragen sowie bei Unrichtigkeit der Daten die Berichtigung oder bei unzulässiger Datenspeicherung die Löschung der Daten zu fordern.

Wenn Sie in die Verarbeitung durch uns durch eine entsprechende Erklärung eingewilligt haben, können Sie die Einwilligung jederzeit für die Zukunft widerrufen. Die Rechtmäßigkeit der aufgrund der Einwilligung bis zum Widerruf erfolgten Datenverarbeitung wird durch diesen nicht berührt.

Ihnen steht des Weiteren ein Beschwerderecht bei der Aufsichtsbehörde zu. Die Aufsichtsbehörde ist:

Der Landesbeauftragte für den Datenschutz und die Informationsfreiheit (Kontaktdaten der zuständigen Landesstelle für Datenschutz)

Einwilligung zur Datenverarbeitung

Hiermit erklären wir

______________________________(AG 1)

______________________________(AG 2)

uns damit einverstanden, dass unsere aus diesem Vertrag angegebenen Daten (Name, Titel, Adresse, Gegenstand und Zweck des Auftrags, zu begleichender Honorarbetrag) vom Auftragnehmer verwendet und nach Beendigung des Vertrags archiviert werden.

Der Auftragnehmer ist gesetzlich verpflichtet, die Daten über einen Zeitraum von zehn Jahren zu archivieren. Die Auftraggeber können vom Auftragnehmer verlangen, dass nach Ablauf der gesetzlichen Frist für die Archivierung die Daten gelöscht werden.

Der Auftragnehmer verwendet zur Datenverarbeitung Programme von Microsoft Office (Word und Excel) sowie zur elektronischen Datenübertragung das E-Mail-Programm Mozilla Thunderbird. Gegebenenfalls größere Datenmengen werden über einen Datenserver (z.B. MagentaCloud, Dropbox) übermittelt.

Der elektronische Schutz der Daten erfolgt über die in Windows 10 integrierte Firewall und zusätzlich durch das Antivirenprogramm AVAVAV. Evtl. drahtlose Datenübertragungen in nicht hauseigenen WLAN-Systemen werden durch einen VPN-Tunnel geschützt.

AG 1: Ort, Datum Unterschrift

AG 2: Ort, Datum Unterschrift

Falls einer oder beide AG Verbraucher sind, ist eine Widerrufsbelehrung erforderlich. Dazu können Sie sich an der bereits vorgeschlagenen Formulierung orientieren:

Widerrufsrecht

Verbraucher können telefonisch, online oder sonst außerhalb der Geschäftsräume des Auftragnehmers geschlossene Fernabsatzverträge innerhalb der gesetzlichen Frist von 14 Tagen widerrufen (maßgeblich ist der Absendezeitpunkt), wenn keine andere Frist vereinbart ist. Der Widerruf muss in Textform (z.B. per Fax, E-Mail oder Brief) Auftragnehmern zugehen und muss nicht begründet werden.

Verbraucher können mit unten folgendem Beispieltext geschlossene Verträge widerrufen.

Kann z.B. wegen drohendem Untergang oder sonstigen Verlust eines Beweisgegenstands die Frist von 14 Tagen nicht abgewartet werden, können Auftraggeber auf die Einhaltung der Frist durch Erklärung verzichten, wozu folgender Text verwendet werden kann. Ansonsten wird frühestens 16 Tage nach Vertragsabschluss mit der beauftragten Leistung begonnen.

Hiermit erkläre ich ______________________________AG 1/AG 2(*), dass Sie vor Ablauf der Widerrufsfrist mit der Ausführung des Vertrags und der beauftragten Leistung beginnen. Mir/uns(*) ist bekannt, dass ich/wir(*) durch diese Zustimmung mit Beginn der Ausführung des Vertrags auf mein/unser(*) Widerrufsrecht verzichte(n).

Weiterhin erkläre ich/erklären wir, dass mir/uns die Information zum Widerrufsrecht nicht in Papierform zugestellt werden muss, sondern dieses in der übermittelten, elektronischen Form anerkannt wird.

Ort, Datum Unterschrift

Um Ihr Widerrufsrecht auszuüben, müssen Sie

(Name und Anschrift, ggf. Telefonnummer, ggf. Faxnummer und ggf. E-Mail-Adresse)

mittels einer eindeutigen Erklärung (z.B. Brief, Telefax oder E-Mail) über Ihren Entschluss, diesen Vertrag zu widerrufen, informieren. Zur Wahrung der Widerrufsfrist reicht es aus, dass Sie die Erklärung über die Ausübung des Widerrufsrechts vor Ablauf der Widerrufsfrist absenden.

Folgen des Widerrufs: Durch Widerruf des Vertrags entfallen alle gegenseitigen Verpflichtungen. Wenn Sie diesen Vertrag widerrufen, werden alle bis dahin geleisteten Zahlungen unverzüglich zurückerstattet. Gleichzeitig entfällt die vertragliche Bindung mit allen Auftraggebern dieses Schiedsgutachtenvertrags. Die Folgen aus dem Verlust dieses Vertrags werden zwischen den Auftraggebern geklärt.

Wenn Sie den Vertrag widerrufen wollen, füllen Sie bitte dieses Formular aus und senden Sie es zurück an

(Kontaktdaten Auftragnehmer)

Hiermit widerrufe(n) ich/wir(*) den von mir/uns(*) abgeschlossenen Verbrauchervertrag.

Ort, Datum   Unterschrift (nur bei Mitteilung auf Papier)

(*) Unzutreffendes bitte streichen.

Teil 3:

Rechtliche Einordnung

3.1 Vertragstypen (Werkvertrag, Entwicklungsvertrag), Vertragsgegenstand, Sachverständigenverträge

Marc Steffen

Übersicht

3.1.1 Grundzüge Rechtsgeschäftslehre

Jeder Bausachverständige, der außergerichtlich tätig wird und den Auftrag erhält, ein Privatgutachten zu erstellen, schließt Verträge in eigener Sache. Hier ist es wichtig, sich voll und ganz über sein eigenes Handeln bewusst zu sein. Die kurzen Erläuterungen zur allgemeinen Rechtsgeschäftslehre dienen dazu, dem Leser einen Einstieg in die juristische Beurteilung seines eigenen Handelns zu bieten.

Ein Rechtsgeschäft (z.B. ein Sachverständigenvertrag) liegt vor, wenn privat handelnde Rechtssubjekte sich Rechtsfolgen setzen. Es ist dabei zwischen einseitigen und mehrseitigen Rechtsgeschäften zu unterscheiden. Grundelement eines jeden Rechtsgeschäftes ist die Willenserklärung.

Unter einer Willenserklärung ist eine **private Willensäußerung zu verstehen, die auf die Herbeiführung eines rechtlichen Erfolges gerichtet** ist. Beispiele hierfür sind:

- Vertragsangebot (§ 145 BGB),
- Kündigung, z.B. eines Mietverhältnisses (§ 142 BGB),
- Rücktritt von einem Vertrag (§ 346 BGB),
- Anfechtung einer Willenserklärung (§§ 119 BGB),
- Testament (§ 1937 BGB).

Ein zweiseitiger Vertrag kommt durch Angebot und Annahme zustande, wobei beides eine wirksame Willenserklärung sein muss.

Schweigen gilt grundsätzlich als rechtliches *„nullum"*, das bedeutet, Schweigen gilt i.d.R. nicht als Willenserklärung. Davon gibt es allerdings – eng begrenzte – Ausnahmen. Zu erwähnen ist hier nur das kaufmännische Bestätigungsschreiben.

In einigen wenigen Fällen knüpft auch das Gesetz an das Schweigen rechtliche Handlungen. So etwa beim Kauf auf Probe. Hier wird das Schweigen des Käufers als Zustimmung normiert (§ 455 BGB). Ebenso wird das Schweigen des Kaufmanns auf Angebote anderer Kaufleute, mit denen er in dauerhafter Rechtsbeziehung steht, als Annahmeerklärung gesehen (§ 362 Abs. 1 HGB).

3.1.1.1 Die Entstehung von Verträgen

Ein Vertrag ist ein **Rechtsgeschäft, das aus inhaltlich übereinstimmenden Willenserklärungen von mindestens zwei Personen besteht**. Ein Vertragsschluss erfordert also (mindestens) zwei hinsichtlich ihrer herbeizuführenden Rechtsfolge korrespondierende Willenserklärungen, die man Angebot und Annahme nennt.

Die erste der – normalerweise – zwei Willenserklärungen nennt das BGB in § 145 „Antrag", in der juristischen Sprache hat sich jedoch der Ausdruck „**Angebot**" durchgesetzt. Es muss bereits so konkret gefasst und bestimmt sein, dass ein bloßes „Ja" zur Annahme ausreicht. Insbesondere müssen alle wichtigen Bestandteile des künftigen Vertrages enthalten sein, bei Kaufangebot also etwa Kaufsache und Kaufpreis. Normalerweise gehören auch die Personen der Vertragsparteien dazu.

Das Angebot, z.B. Dienst- oder Werkvertrag, ist eine sog. **empfangsbedürftige Willenserklärung**, durch die ein Vertragsschluss einem anderen so angetragen wird, dass nur von dessen Einverständnis das Zustandekommen des Vertrages abhängt. An den Antrag ist der Erklärende gemäß § 145 BGB gebunden. Die Bindung kann befristet (§ 148 BGB) oder ausgeschlossen werden. Die Bindungswirkung ist in der Praxis durchaus von Bedeutung. Gibt der Sachverständiger ein schriftliches Angebot ab und geht dieses Angebot dem Auftraggeber zu, so steht es ihm nicht mehr frei, dieses einseitig wieder zurückzunehmen. Vielmehr kann der Auftraggeber das Angebot sorgfältig prüfen und sodann entscheiden, ob er das Angebot des Sachverständigen annehmen will oder es ablehnt. Nimmt er an, kommt der Vertrag zustande – selbst dann, wenn der Sachverständige zuvor mitgeteilt hat, dass er den Vertrag doch nicht möchte.

Die **Annahme** ist ebenfalls eine grundsätzlich empfangsbedürftige Willenserklärung (§ 151 BGB), durch die der Antragsempfänger dem Antragenden sein Einverständnis kundgibt.

Eine Annahme muss dem Antrag inhaltlich entsprechen. Wird der Antrag nur in geänderter Form „angenommen", so liegt eine Ablehnung des Angebotes bei gleichzeitiger Abgabe eines neuen Antrages vor (§ 150 Abs. 2 BGB). Bietet der Sachverständige beispielsweise die Erstellung eines Wertgutachtens zu einem Pauschalpreis von 10.000 Euro an und antwortet der Auftraggeber, dass er einverstanden sei, aber zu einem Preis von 5.000 Euro, ist kein Vertrag zustande gekommen, da Angebot und Annahme sich inhaltlich nicht decken.

Die Annahme muss rechtzeitig erklärt werden. Der Antrag bindet den Antragsteller nach den §§ 147, 148 BGB nur für eine bestimmte Zeit, eine verspätete Annahme ist grundsätzlich als solche unwirksam. Sie wirkt lediglich als neuer Antrag (§ 150 Abs. 1 BGB) mit der Folge, dass die Gegenseite wieder die Wahl hat, ob sie den zweiten Antrag annehmen möchte.

3.1.1.2 Entstehen eines Vertrages am Beispiel des Werkvertrages

Auch bei einem Werkvertrag muss das Angebot inhaltlich so bestimmt sein, dass der Annehmende letztlich nur noch „Ja" zu sagen braucht, um es anzunehmen. Beim Werkvertrag lassen sich viele Punkte, die die Vertragsparteien nicht regeln wollen oder können, durch Anwendung gesetzlicher Regeln klären. Die Vergütungsvereinbarung selbst ist z.B. nicht notwendigerweise Bestandteil des Angebotes im Werkvertragsrecht, da § 632 Abs. 2 BGB bestimmt, dass, wenn die Höhe der Vergütung nicht bestimmt ist, die übliche Vergütung geschuldet ist. Dies jedenfalls dann, wenn die Herstellung des Werkes den Umständen nach nur gegen Vergütung zu erwarten ist. Bei Werkleistungen ist dies regelmäßig der Fall. § 632 Abs. 2 BGB ist also die Auffangregel zur Höhe der Vergütung. Es gilt vorrangig eine etwaige taxmäßige Vergütung, hilfsweise die übliche Vergütung. Zu beachten ist hier aber Folgendes: Haben die Parteien über einen Preis tatsächlich verhandelt und konnten sie sich insoweit nicht einigen, ist auch im Übrigen kein Vertrag zustande gekommen.[1] Ein Dissens zum Preis kann auch § 632 Abs. 2 BGB nicht schließen. Die Leistungszeit selbst muss ebenfalls nicht geregelt sein. Die Fälligkeit der Werkleistung lässt sich über § 271 BGB bestimmen.[2] Sie ist im Zweifel sofort fällig. Als wesentliche Mindestbestimmung bei einem wirksamen Vertragsschluss muss letztlich nur eine bestimmte oder bestimmbare (Werk-)Leistung angegeben werden.

---

1 OLG München, U. v. 7.5.2009, 8 U 4374/08, NJW-RR 2010, S. 64; OLG Bremen, U .v. 29.10.2008, 1 U 47/08, NJW-RR 2009, S. 668.

2 Vgl. hierzu BGH, U. v. 21.10.2003, X ZR 218/01, BauR 2004, S. 331.

3.1.1.3 § 145 BGB – Angebot

Auch wenn ein Vertrag erst durch Annahme eines Angebotes zustande kommt, so löst bereits die Abgabe eines Angebotes bestimmte Rechtsfolgen aus. Nach § 145 BGB ist der Anbietende an sein Angebot gebunden, sofern er nicht die Gebundenheit ausgeschlossen hat. Die Bindungswirkung tritt mit dem Zeitpunkt ein, in dem das Angebot zugeht (§ 130 BGB). Vorher ist es jederzeit widerrufbar. Ein mit der Post aufgegebenes Angebot kann daher bis zum Zugang des Briefes beim Empfänger z.B. telefonisch widerrufen werden. Eine per E-Mail übersandte Willenserklärung geht unter Geschäftsleuten zu, wenn sie innerhalb der üblichen Geschäftszeiten auf dem Mailserver des Empfängers abrufbereit ist.[3]

Weigert sich der Anbietende trotz Vorliegen eines verbindlichen Angebotes ernsthaft und endgültig, sich an seinem Vertragsangebot festhalten zu lassen, stellt dies eine Pflichtverletzung dar, die den Angebotsempfänger zur Geltendmachung von Schadensersatz berechtigt. In jedem Fall ist erforderlich, dass tatsächlich ein Angebot vorliegt. Voraussetzung für das Vorliegen eines Angebotes ist dessen Bestimmtheit, was eine in sich abgeschlossene, vom Empfängerhorizont zu beurteilende Verständlichkeit der angestrebten rechtsgeschäftlichen Regelung beinhaltet.[4]

3.1.1.4 Die Annahme

Liegt ein wirksames Angebot vor, so ist es nach § 146 BGB so lange wirksam, wie es nicht abgelehnt oder nicht rechtzeitig nach § 147 bis § 149 BGB angenommen wurde.

Ob ein Angebot noch rechtzeitig angenommen wurde oder nicht, ist danach zu beurteilen, ob es sich um ein Angebot unter Anwesenden oder unter Abwesenden handelt. § 147 Abs. 1 BGB bestimmt, dass ein Angebot unter Anwesenden nur sofort angenommen werden kann. Gleiches gilt für ein telefonisches Angebot.

Der einem Abwesenden gemachte Antrag kann nach § 147 Abs. 2 BGB nur bis zu dem Zeitpunkt angenommen werden, in welchem der Antragende den Eingang der Antwort unter regelmäßigen Umständen erwarten darf. Bestimmte Fristen gibt es hier nicht.

3.1.1.5 § 150 BGB – Verspätete und abändernde Annahme

In § 150 Abs. 1 BGB ist geregelt, dass, wenn eine Annahme verspätet erklärt wird (Zuschlag außerhalb der Zuschlagsfrist), diese verspätete Annahme als neuer Antrag gilt.

Ähnliches gilt für den Fall, dass die Annahme zwar nicht verspätet erklärt wird, jedoch mit Einschränkungen, Erweiterungen oder Änderungen. Der Annehmende sagt also: *„Ja, aber …"*. In diesem Fall bestimmt § 150 Abs. 2 BGB, dass eine solche Erklärung ebenfalls als Ablehnung des ursprünglichen Antrags verbunden mit einem neuen Angebot gilt. Dieses neue Angebot kann nun wiederum der ursprüngliche Anbieter annehmen oder ablehnen. Dies kann mündlich, schriftlich oder konkludent (d.h. durch schlüssiges Verhalten), z.B. durch die Aufnahme der Arbeiten, geschehen.

---

3 BGH, U. v. 6.10.2022, VII ZR 895/21, BauR 2023, S. 79.

4 BGH, U. v. 24.11.2005, VII ZR 87/04, BauR 2006, S. 514, 516.

Die Annahmeerklärung muss sich mit dem Antrag decken. Nur dann liegt eine vollständige Einigung vor; bei Abweichung gilt die Annahmeerklärung lediglich als Ablehnung, verbunden mit einem neuen Antrag, § 150 Abs. 2 BGB.

Ob eine solche Deckung (Kongruenz) gegeben ist, muss durch Auslegung beider Erklärungen entschieden werden. Ergibt sich nach der Auslegung der Willenserklärung ein Bedeutungsunterschied zwischen Antrag und Annahme, so scheidet regelmäßig der Vertragsschluss aus. Das gilt selbst dann, wenn immerhin eine Teileinigung gelungen ist und die Parteien an eine vollständige Einigung glauben, § 155 BGB (versteckter Dissens).

Etwas anderes gilt allerdings, wenn feststeht, dass der wirkliche Wille beider Parteien sich vollständig deckt. In diesem Fall ist es unschädlich, dass tatsächlich die Parteien Unterschiedliches formuliert haben. Es gilt der Grundsatz *falsa demonstratio non nocet* – eine Falschbezeichnung schadet nicht.

3.1.1.6 Konkludente Erklärungen

Angenommen werden kann ein Antrag ausdrücklich aber auch durch schlüssiges (konkludentes) Verhalten. Solch schlüssiges Verhalten liegt etwa darin, dass unaufgefordert zugesandte Waren nicht bloß probeweise in Gebrauch genommen werden, ohne dass sie bezahlt werden. Im Baurecht ist der klassische Fall der konkludenten Annahme eines Angebotes, wenn der Auftragnehmer schlicht die Bauausführung nach einem Angebot beginnt. Die Bauausführung selbst stellt dann die konkludente Annahmeerklärung dar. Genauso wichtig ist die konkludente Erklärung aber auch im Rahmen der Abnahme. Zieht der Besteller in das neu gebaute Haus ein, rügt keine Mängel und zahlt den Werklohn, ist von einer konkludenten Abnahme nach Ablauf einer gewissen Zeit auszugehen.

Diese zuvor geschilderten Fälle sind streng zu unterscheiden von dem schlichten Nichtstun. Dies hat regelmäßig überhaupt keinen Erklärungswert und führt nicht zu einem Vertrag.

Der Begriff der „stillschweigenden Willenserklärung" ist deshalb verunglückt und wird leider häufig falsch verwendet. Gemeint ist mit diesem Begriff ein Verhalten, das auf einen bestimmten rechtserheblichen Willen schließen lässt, also ein konkludentes Verhalten. Noch einmal in aller Deutlichkeit: Das Schweigen auf ein Angebot ist grundsätzlich nicht rechtserheblich und führt nicht zu einem Vertragsschluss.

Von diesen zuvor dargestellten Grundsätzen gibt es wiederum einige Ausnahmen. Ausnahmsweise hat das Schweigen die Bedeutung einer bejahenden Erklärung im Schuldrecht in den Fällen der §§ 416 Abs. 1 Nr. 2, 455 Satz 2 und 516 Abs. 2 Satz 2 BGB. Hinzu kommt als wichtigster Fall im Handelsrecht noch das gesetzlich nicht geregelte Schweigen auf ein kaufmännisches Bestätigungsschreiben.

3.1.1.7 Das kaufmännische Bestätigungsschreiben

Ist ein Vertrag mündlich geschlossen worden, so ist es durchaus üblich, den Vertragsschluss schriftlich zu bestätigen. Im kaufmännischen Rechtsverkehr und auch bei Personen, die – ohne Kaufleute im Sinne des HGB zu sein – im erheblichen Umfang geschäftlich bzw. gewerblich tätig sind, können kaufmännische Bestätigungsschreiben die Wirkung entfalten, dass das Schweigen des Adressaten als Zustimmung zum Inhalt des Schreibens gilt. Insoweit besteht enge Verwandtschaft mit § 362 Abs. 1 HGB. Nach ständiger Rechtsprechung kommt unter bestimmten engen Voraussetzungen ein Vertrag mit dem Inhalt eines Bestätigungsschreibens auch ohne entsprechendes Bewusstsein des Empfängers zustande, wenn dieser seinem Inhalt nicht unverzüglich widerspricht. Dieses in Rechtsprechung und Literatur entwickelte Rechtsinstitut bezweckt den Schutz der Verkehrssicherheit, insbesondere soll die schriftliche Abfassung Unklarheiten über den Vertragsinhalt vermeiden. Darüber hinaus erleichtert die Urkunde im Streitfall die Beweisführung für das Vorliegen einer bestimmten Vertragsabrede (§ 416 ZPO).

Besonders gefährlich sind diese Grundsätze des kaufmännischen Bestätigungsschreibens im Zusammenhang mit Baustellenprotokollen und ähnlichen Protokollen. Werden solche Protokolle an die vertretungsberechtigten Organe der Vertragsparteien verteilt und widerspricht niemand dem Inhalt des Protokolls, kann es sein, dass dieser Inhalt zum Gegenstand des Vertrages wird.[5]

Von dem kaufmännischen Bestätigungsschreiben ist die Auftragsbestätigung abzugrenzen. Sie bezeichnet im Handelsverkehr die Bestätigung eines Vertragsantrages. Es geht beim Bestätigungsschreiben also nur um die Annahme eines Angebotes. Ist in einem Bestätigungsschreiben (= Annahmeschreiben) inhaltlich von dem Antrag abgewichen worden, gilt § 150 Abs. 2 BGB. Der entscheidende Unterschied besteht darin, dass bei der Auftragsbestätigung noch kein Vertrag vorliegt und die Parteien deshalb auch nicht davon ausgehen, dass ein solcher bereits abgeschlossen wurde. Das Schweigen auf ein Bestätigungsschreiben stellt deshalb keine Annahme dar.

Anders ist dies beim kaufmännischen Bestätigungsschreiben, wie zuvor dargestellt wurde. Hier haben die Parteien – meist mündlich – bereits einen Vertrag geschlossen und das kaufmännische Bestätigungsschreiben fasst die getroffene Vereinbarung nur noch einmal zusammen. Wenn der Verfasser des kaufmännischen Bestätigungsschreibens die getroffene Vereinbarung um weitere Punkte ergänzt, über die bisher noch gar nicht gesprochen wurde, oder weicht er inhaltlich (irrtümlich, aber jedenfalls ohne böse Absicht) vom ursprünglichen Vertrag ab und wird dem kaufmännischen Bestätigungsschreiben sodann nicht unverzüglich widersprochen, ist der gesamte Inhalt des kaufmännischen Bestätigungsschreibens Vertragsinhalt geworden. Bei einem kaufmännischen Bestätigungsschreiben nimmt der Verfasser damit nur eine Bestätigung des bereits zuvor geschlossenen Vertrages vor.

3.1.1.8 Dissens

Stimmen die abgegebenen Willenserklärungen inhaltlich nicht überein, spricht man von einem Dissens. Das BGB unterscheidet zwischen **offenem** und **verstecktem Dissens** und zwischen **wesentlichen** und **unwesentlichen** Punkten.

Wissen die Parteien, dass sie sich nicht über alle Punkte des Vertrages geeinigt haben, so spricht man von einem offenen Dissens. Der Vertrag ist hier im Zweifel nicht geschlossen (§ 154 Abs. 1 BGB).

5 BGH, U. v. 27.9.2018, VII ZR 45/17, BauR 2019, S. 246; BauR 2020, S. 183.

Übersehen die Parteien aber, dass sie sich über einen Vertragsbestandteil nicht geeinigt haben, so ist nach § 155 BGB zu unterscheiden:

Handelt es sich um **bloße Nebenpunkte** des Vertrages, also Punkte, von denen die Parteien die Gültigkeit des Vertrages nicht abhängig machen wollen, so soll der **Vertrag trotzdem wirksam** sein. Bei Einigungsmangel in **wesentlichen Punkten** („essentialia negotii") ist der Vertrag dagegen, wie beim offenen Dissens, **nicht geschlossen**.

3.1.1.9 Der Vertragsgegenstand; die Auslegung von Willenserklärungen (verpreister Leistungsumfang, Bau-Soll, Leistungs-Soll)

Willenserklärungen werden gemäß § 133 BGB vor allem nach dem wirklichen Willen ausgelegt. Dieser ist durch Auslegung zu ermitteln, insbesondere sind dabei alle Umstände bei Vertragsschluss zu berücksichtigen. Schließen etwa zwei Australier in Deutschland einen Vertrag und vereinbaren eine Summe in Dollar, so ist im Zweifel von australischen Dollar, nicht von US-Dollar auszugehen. Empfangsbedürftige Willenserklärungen (wie Angebot und Annahme eines Vertrages) werden in der Praxis oft nach dem sog. objektiven Empfängerhorizont ausgelegt. Das heißt, man legt diese aus, wie sie ein objektiver und verständiger Dritter in der Position des Erklärungsempfängers verstehen durfte. Zusätzlich zum Willen des Erklärenden werden hier also auch die Interessen des Empfängers berücksichtigt. Zudem werden auch die Verkehrssitte, ggf. Handelsbräuche und regionale Besonderheiten berücksichtigt.

Besonderheiten ergeben sich beim Werkvertrag. Die Komplexität der Bauleistungen insbesondere bei größeren Bauvorhaben und die immer kürzeren Vorlaufzeiten von der Projektierung bis zur Vergabe der Bauleistungen haben zur Folge, dass die Parteien die erforderlichen Bauleistungen bei Vertragsschluss häufig weder quantitativ noch qualitativ mit letzter Sicherheit bestimmen können. Diesem Umstand trägt die VOB/B Rechnung, indem sie in § 2 VOB/B das Maß und die Qualität der vertraglich geschuldeten Leistungen festlegt und die Voraussetzungen definiert, unter denen eine Anpassung der Vergütung in Betracht kommt. Bei einem BGB-Bauvertrag ergibt sich heute etwas Ähnliches aus §§ 650b und 650c BGB.

Ausgangspunkt ist dabei immer der verpreiste Leistungsumfang. Bereits einleitend ist es erforderlich, sich zu vergegenwärtigen, was mit dem Begriff „verpreister Leistungsumfang" gemeint ist. In Rechtsprechung und Literatur sind hier die unterschiedlichsten Begriffe zu lesen wie Bau-Soll oder Leistungs-Soll. Es handelt sich nicht um Rechtsbegriffe. Bei der Definition des Leistungs-Solls geht es um diejenigen Leistungen, die nach der vertraglichen Vereinbarung vom Auftragnehmer geschuldet sind, den werkvertraglichen Erfolg herbeiführen sollen und von der Vergütung mitumfasst sind. Welche Leistungen zum verpreisten Leistungsumfang bzw. Leistungs-Soll gehören, ist durch Auslegung des Vertrages zu ermitteln, §§ 133, 157 BGB.

Die Besonderheit beim Werkvertrag besteht also darin, dass der werkvertragliche Erfolg geschuldet ist, was bedeutet, dass der Auftragnehmer sämtliche Leistungen erbringen muss, die erforderlich sind, das Werk funktionstauglich und zweckentsprechend herzustellen (funktionaler Mangelbegriff).[6] Wichtig ist, sich zu vergegenwärtigen, dass damit die Leistungspflicht des Auftragnehmers nicht bei den ausdrücklich beschriebenen Leistungen endet, sondern auch alle darüber hinausgehenden erforderlichen Leistungen geschuldet sind, bis die vertraglich vereinbarte Beschaffenheit hergestellt ist. Dies beschreibt das Leistungs-Soll. Weiter gilt aber auch, dass die Parteien beim Abschluss des Vertrages ein bestimmtes Leistungsprogramm vor Augen hatten. Erweist sich nun, dass dieses Leistungsprogramm nicht ausreicht, um den geschuldeten Erfolg herzustellen, ist festzustellen, dass das Leistungs-Soll zur Herstellung des geschuldeten Erfolges von dem „verpreisten Leistungsumfang" abweichen kann.

Für den Werkvertrag kann es deshalb geboten sein, den Vertrag zweimal auszulegen: Einmal muss ermittelt werden, was die Parteien im Sinne der werkvertraglichen Erfolgshaftung als Beschaffenheit des Werkes vereinbart haben. Hieraus leitet sich das Leistungs-Soll ab. Auf der anderen Seite ist der Vertrag dahingehend auszulegen, welche Leistungen bei Vertragsschluss tatsächlich bereits einen Preis erhalten haben. Nur diese Leistungen sind vom „verpreisten Leistungsumfang" umfasst. Während der Auftragnehmer also das gesamte Programm des Leistungs-Solls schuldet, erhält er im Ausgangspunkt nur den „verpreisten Leistungsumfang" vergütet. Unter welchen Voraussetzungen und aus welcher Anspruchsgrundlage der Auftragnehmer einen zusätzlichen Vergütungsanspruch haben kann, ist in Rechtsprechung und Literatur streitig.[7]

Der verpreiste Leistungsumfang und der geschuldete Erfolg sind nach den allgemeinen Grundsätzen zur Auslegung von Verträgen und Willenserklärungen gemäß §§ 133, 157 BGB zu ermitteln. Dies meint Folgendes:

Die ausdrückliche Formulierung der Leistungsbeschreibung – und erst recht die Beschreibung nur in einem Teil der Leistungsbeschreibung, wie dem Leistungsverzeichnis – gibt den Umfang der vertraglichen Leistungspflichten regelmäßig nur unvollkommen wieder. Es ist also erst durch Auslegung zu ermitteln, was die Parteien als geschuldeten Erfolg vereinbart haben und von welchen Leistungen sie ausgingen, die erforderlich sein sollten, um den vom Auftragnehmer geschuldeten Erfolg zu erreichen.

Es ist besonders zu betonen, dass nur, weil eine Leistung nicht im Leistungsverzeichnis erwähnt ist, dies noch lange nicht bedeutet, dass diese Leistung nicht geschuldet bzw. vom verpreisten Leistungsumfang erfasst ist. Das alleinige Abstellen auf den Wortlaut ist bereits mit § 133 BGB nicht vereinbar.

Die Auslegung des Vertrages bedeutet beim Bauvertrag daher die Auslegung der gesamten Leistungsbeschreibung. Der Bundesgerichtshof hat seine Auslegungsgrundsätze wiederholt beschrieben.

Nach § 133 BGB kommt es im Rahmen der Auslegung nicht auf den buchstäblichen Wortsinn der Klausel an, sondern vielmehr ist der wirkliche Wille der Parteien zu erforschen. Grundsätzlich gilt, dass, wenn ein übereinstimmender Wille der Parteien besteht, dieser rechtlich auch dann allein maßgeblich ist, wenn er im Inhalt der Erklärung keinen oder nur

6 BGH, U. v. 20.11.1986, VII ZR 360/85, NJW-RR 1987, S. 336 („Putzsystem 2"-Entscheidung); BGH, U. v. 17.5.1984, VII ZR 169/82, BauR 1984, S. 510 („Putzsystem 1"-Entscheidung).

7 Vgl. ausführlich *Steffen*, BauR 2022, S. 3.

einen unvollkommenen Ausdruck gefunden hat. Das übereinstimmend Gewollte hat Vorrang vor einer irrtümlichen oder absichtlichen Falschbezeichnung. Dabei ist es nicht erforderlich, dass sich der Erklärungsempfänger den wirklichen Willen des Erklärenden zu eigen gemacht haben muss. Vielmehr genügt es, dass er den wirklichen Willen des Erklärenden erkannt hat.

Dies bedeutet, dass erst wenn es nicht gelingt, zu ermitteln, was der wirkliche Wille der Parteien war, die formulierte Abrede der Parteien anhand des objektiven Empfängerhorizonts unter Berücksichtigung von Treu und Glauben auszulegen ist.

3.1.2 Werkvertrag und Dienstvertrag

3.1.2.1 Der Dienstvertrag

Wesentliches Element des Dienstvertrages ist die Dienstleistung gegen Entgelt. Es verpflichtet sich der Dienstverpflichtete zur Erbringung von Diensten, der andere Teil, der Dienstberechtigte, zur Zahlung der vereinbarten Vergütung. Dienste gemäß § 611 Abs. 2 BGB können solche jeglicher Art sein. Unerheblich ist, ob die Dienste einmalig oder dauerhaft geleistet und ob sie selbstständig oder weisungsgebunden verrichtet werden.

Mit § 612 BGB enthält das Dienstvertragsrecht eine zum Werkvertragsrecht (§ 632 BGB) parallele Vergütungsregelung. Auch im Dienstvertragsrecht gilt also eine Vergütung als stillschweigend vereinbart, wenn die Leistung den Umständen nach nur gegen eine Vergütung zu erwarten ist. Einer ausdrücklichen Preisvereinbarung bedarf es nicht. Nach § 612 Abs. 2 BGB ist, wenn die Höhe der Vergütung nicht bestimmt ist, die übliche Vergütung als vereinbart anzusehen.

Das Element der Vergütung grenzt den Dienstvertrag auch vom Auftrag gemäß § 662 BGB ab, der grundsätzlich unentgeltlich besorgt wird. Der Arbeitsvertrag stellt eine Sonderform des Dienstvertrags dar, er ist ein sog. abhängiger Dienstvertrag. Der Dienstverpflichtete (Arbeitnehmer) hat dem Dienstberechtigten (Arbeitgeber) abhängige Arbeit zu leisten, d.h., er ist verpflichtet, fremdbestimmte, unselbstständige und weisungsgebundene Dienste zu leisten, wobei er i.d.R. in dem Betrieb des Arbeitgebers eingegliedert ist.

Die im Gegenseitigkeitsverhältnis stehende Hauptleistungspflicht des Dienstverpflichteten ist die Erbringung der Dienste. Der genaue Inhalt bestimmt sich nach dem Vertrag. Unter Umständen kann dem Dienstberechtigten außerdem ein Weisungs- oder Direktionsrecht zustehen, aufgrund dessen er den Inhalt der Dienstleistungspflicht konkretisieren oder abändern kann, solange und soweit sich dies im vertraglichen Rahmen hält. Wenn nichts anderes vereinbart ist, hat der Dienstverpflichtete die Dienstleistung persönlich zu erbringen (§ 613 Satz 1 BGB). Diese Vorschrift trägt dem Gedanken Rechnung, dass die Parteien des Dienstvertrages i.d.R. auf die persönlichen Fähigkeiten und Eigenschaften des Vertragspartners besonderen Wert legen.

Nichtleistung durch den Dienstverpflichteten liegt vor, wenn er gar nicht oder teilweise nicht leistet. Leistet der Dienstverpflichtete dagegen nur schlecht bzw. mangelhaft, liegt keine Nichterfüllung vor. Allerdings ist die ordnungsgemäße Leistungserbringung eine Nebenpflicht, die Schlechtleistung dementsprechend ein Verstoß gegen diese Nebenpflicht, der zu einem Schadensersatzanspruch des Auftraggebers (Dienstberechtigten) führen kann.

Wird die geschuldete Dienstleistung nicht oder nur teilweise ausgeführt, kann der Dienstberechtigte grundsätzlich die Vergütung verweigern. Etwas anderes gilt allerdings nach § 615 BGB, wenn sich der Dienstberechtigte im sog. Annahmeverzug befand. Erscheint beispielsweise ein Arbeitnehmer am Arbeitsplatz und wird ihm keine Arbeit zugewiesen, kann er gemäß § 615 BGB dennoch seinen Lohn fordern. Entscheidend ist folglich, dass der Dienstverpflichtete seine Leistung anbietet. Nimmt der Dienstberechtigte diese nicht in Anspruch, befreit ihn das nicht von seiner Pflicht zur Vergütung.

Ein weiterer Fall, in dem der Dienstberechtigte die Vergütung leisten muss, obwohl er im Gegenzug nichts erhält, ist § 616 BGB. Danach verliert der zur Dienstleistung Verpflichtete seinen Anspruch auf Vergütung nicht dadurch, dass er für einen verhältnismäßig nicht erheblichen Zeitraum ohne sein Verschulden, aber durch einen in seiner Person liegenden Grund, an seiner Dienstleistung verhindert wird. Typisches Beispiel ist hier die Krankheit des Kindes des Dienstverpflichteten. § 616 BGB ist dagegen nicht einschlägig, wenn der Dienstverpflichtete aufgrund eines Streiks der Verkehrsbetriebe seinen Verpflichtungen nicht nachkommen kann. Hier ist nur das allgemeine Wegerisiko betroffen, das nicht unter § 616 BGB fällt und vom Dienstpflichtigen zu tragen ist.

Mangels abweichender Vertragsvereinbarungen enden Dienstverhältnisse mit dem Ablauf der Zeit, für die sie eingegangen worden sind (§ 620 Abs. 1 BGB). Sie können zudem durch einen Aufhebungsvertrag jederzeit beendet werden. Nur bei Dienstverhältnissen, deren Dauer weder bestimmt ist noch aus der Beschaffenheit oder aus dem Zweck der Dienste zu entnehmen ist, ist die Kündigung der normale Beendigungsgrund.

Dienstverhältnisse, die keine Arbeitsverhältnisse sind (freie Dienstverhältnisse), können ohne Angabe von Gründen durch ordentliche Kündigung beendet werden (§ 621 BGB).

Im Übrigen unterscheiden sich die gesetzlichen Kündigungsfristen des § 621 BGB je nach der von den Parteien getroffenen Vergütungsvereinbarung. Bei tageweiser Vergütung beträgt auch die Kündigungsfrist einen Tag, bei wöchentlicher ist sie spätestens am ersten Werktag einer Woche zum Sonnabend auszusprechen. Wird die Vergütung monatlich geschuldet, so kann das Dienstverhältnis bis zum 15. eines jeden Monats zum Monatsende gekündigt werden; bei vierteljährlicher Vergütungszahlung beträgt die Kündigungsfrist sechs Wochen zum Schluss eines Kalendervierteljahres. Ist die Vergütung nicht nach Zeitabschnitten bemessen, so kann das Dienstverhältnis jederzeit ordentlich gekündigt werden. Eine Kündigungsfrist von zwei Wochen muss dann nur eingehalten werden, wenn der Verpflichtete ganz oder überwiegend für den Dienstberechtigten tätig ist (§ 621 Abs. 2 BGB).

Jedes Dienstverhältnis kann nach § 626 BGB von jedem Vertragsteil aus wichtigem Grund ohne Einhaltung einer Kündigungsfrist gekündigt werden, wenn Tatsachen vorliegen, aufgrund derer dem Kündigenden unter Berücksichtigung aller Umstände des Einzelfalls und unter Abwägung der Interessen beider Vertragsteile die Fortsetzung bis zum Ablauf der Kündigungsfrist oder bis zu der vereinbarten Beendigung nicht zugemutet werden kann. Die Kündigung muss allerdings gemäß § 626 Abs. 2 BGB innerhalb von zwei Wochen nach dem Zeitpunkt erfolgen, in dem der Kündigungsberechtigte von den für die Kündigung maßgebenden Tatsachen Kenntnis erlangt hat. Die Regelung ist zwingend, das bedeutet, es kann nicht durch vertragliche Regelung davon abgewichen werden.

Die auf besonderem persönlichem Vertrauen basierenden freien Dienstverhältnisse können auch ohne wichtigen Grund durch außerordentliche Kündigung beendet werden, wenn kein dauerndes Dienstverhältnis mit festen Bezügen besteht und Dienste höherer Art geschuldet werden (§ 627 BGB). Beispiele sind Dienstverträge mit Ärzten, Rechtanwälten oder Hausverwaltern. Allerdings macht sich der Dienstverpflichtete schadensersatzpflichtig, wenn er ohne wichtigen Grund zur Unzeit kündigt (§ 627 Abs. 2 BGB).

Nach einer außerordentlichen Kündigung durch den Auftraggeber (Dienstberechtigten) kann der Dienstverpflichtete einen seinen bisherigen Leistungen entsprechenden Teil der Vergütung verlangen (§ 628 Abs. 1 Satz 1 BGB). Kündigt der Dienstverpflichtete selbst außerordentlich, ohne durch vertragswidriges Verhalten des anderen Teils dazu veranlasst zu sein, oder veranlasst er durch sein vertragswidriges Verhalten die Kündigung des anderen Teils, so steht ihm ein Anspruch auf die Vergütung insoweit nicht zu, als seine bisherigen Leistungen infolge der Kündigung für den anderen Teil nicht von Interesse sind (§ 628 Abs. 1 Satz 2 BGB). Ist die Vergütung im Voraus entrichtet worden, so hat der Verpflichtete sie nach Maßgabe des § 347 BGB oder nach Bereicherungsrecht zurückzuerstatten.

3.1.2.2 Der Werkvertrag

Der Werkvertrag ist in §§ 631 ff. BGB geregelt. Er findet in §§ 650a ff. BGB eine besondere Ausprägung als sog. Bauvertrag. Dabei ist der Bauvertrag ein Werkvertrag, für den jedoch besondere Regelungen in § 650b ff. BGB bereitgehalten werden. Was ein Bauvertrag ist, ist in § 650a BGB definiert. Sowohl der Werk- als auch der Bauvertrag sind gegenseitige Verträge, nach denen der Unternehmer (Auftragnehmer) zur Herstellung eines versprochenen Werkes und der Besteller (Auftraggeber) zur Entrichtung der vereinbarten Vergütung verpflichtet wird. Hinsichtlich der Vergütung ist § 632 BGB zu beachten, wonach eine Vergütung auch dann als stillschweigend vereinbart gilt, wenn sie im Vertrag nicht ausdrücklich erwähnt ist. Hier ergibt sich eine Parallele zum Dienstvertrag (§ 612 Abs. 1 BGB).

Die vertragliche Hauptpflicht des Werkunternehmers ist die Herstellung des versprochenen Werkes. Anders als beim Dienstvertrag ist der Unternehmer beim Werkvertrag nicht verpflichtet, das Werk persönlich herzustellen. Die Einschaltung von Subunternehmern ist von Gesetzes wegen nicht zu beanstanden. Das zu erbringende Werk muss mangelfrei sein (siehe hierzu nachfolgend). Neben dieser Hauptleistungspflicht bestehen für den Unternehmer auch zahlreiche Sorgfalt- und Nebenpflichten. Wie beispielsweise die Pflicht zur wirtschaftlichen Betriebsführung, die allgemeine Kooperationspflicht mit den Vertragspartnern oder die Pflicht, Rechtsgüter anderer, insbesondere des Bestellers, nicht zu schädigen.

Die Hauptpflicht des Bestellers besteht in der Entrichtung der vereinbarten Vergütung nach §§ 631, 632 BGB und darin, das Werk des Unternehmers abzunehmen, § 640 BGB. Dies beinhaltet auch die Leistung von Abschlagszahlungen gemäß § 632a BGB. Fällig wird die Schlussrechnung bei der Abnahme des Werkes, wobei Ausnahmen in § 641 Abs. 2 BGB dergestalt geregelt sind, wonach die Fälligkeit schon mit der Zahlung des Dritten in der Leistungskette eintreten kann. Beim Bauvertrag ist überdies zu berücksichtigen, dass die

Fälligkeit der Vergütung auch die Legung einer prüffähigen Schlussrechnung voraussetzt, § 650g Abs. 4 Nr. 2 BGB.

Abschließend ist zu betonen, dass der Sachverständige die allgemeinen Auslegungsgrundsätze zwar kennen sollte, es dem gerichtlich bestellten Sachverständigen aber nicht zusteht, den Vertrag selbst auszulegen. Dies ist die alleinige Aufgabe des Gerichts, weil die Auslegung des Vortrages eine reine Rechtsfrage ist.[8]

3.1.2.3 Der Mangelbegriff

Der Mangelbegriff des Werkvertragsrechts ist in § 633 BGB definiert. Dabei knüpft der Mangelbegriff an § 631 Abs. 1 BGB an. Die Pflicht der „Herstellung des versprochenen Werkes" wird konkretisiert. Das Vorhandensein eines Sachmangels wird regelmäßig als jede Abweichung der Ist- von der Soll-Beschaffenheit verstanden. Ausgangspunkt jeder Betrachtung ist damit eine bestimmte Beschaffenheit. Unter der Beschaffenheit des Werkes sind insbesondere alle dem Werk unmittelbar oder jedenfalls für eine gewisse Zeit anhaftenden physischen Merkmale zu verstehen.[9] Die Ist-Beschaffenheit beschreibt den Zustand des Werkes zu einem bestimmten Zeitpunkt. Demgegenüber beschreibt die Soll-Beschaffenheit diejenige Beschaffenheit, die das Werk nach Umfang, Art und Inhalt, insbesondere entsprechend der konkreten vertraglichen Vereinbarung der Parteien oder auch unter Berücksichtigung der vorausgesetzten, konkludent vereinbarten oder stillschweigend vorausgesetzten Beschaffenheit aufzuweisen hat.[10]

In Bezug auf die Abweichung der Ist- von der Soll-Beschaffenheit ist es nicht von Relevanz, ob eine „negative" Abweichung vorliegt. Dies gilt weder in Bezug auf den Wert noch in Bezug auf die Gebrauchstauglichkeit.[11] Ein Mangel kann selbst dann vorliegen, wenn die zur Ausführung gebrachte Leistung in wirtschaftlicher und/oder technischer Hinsicht höherwertiger ist als die vertraglich vereinbarte Leistung.[12]

Irrelevant für die Frage der Existenz eines Mangels ist schließlich, ob den Unternehmer ein Verschulden trifft. Auf ein solches kommt es nicht an.[13]

3.1.2.3.1 „Falsches Material"

Haben die Parteien ein bestimmtes Material vereinbart und wird ein anderes verbaut, liegt das Vorhandensein eines Mangels nah. Dies selbst dann, wenn das tatsächlich verwendete Material gleichwertig ist oder sogar eine höhere Qualität aufweist. Einen allgemeinen Auslegungsgrundsatz dahingehend, dass in einem Leistungsverzeichnis oder in einer Leistungsbeschreibung benanntes Material nur den Mindeststandard widerspiegelt, existiert

8 BGH, U. v. 23.1.2008, VI ZR 10/07, NJW-RR 2008, S. 767 (siehe auch unter 3.1.2.3.2).
9 BGH, U. v. 31.8.2017, VII ZR 5/17, NZBau 2017, S. 718 Rn 22.
10 BGH, U. v. 9.7.2002, X ZR 242/99, NZBau 2002, S. 611; BGH, U. v. 31.8.2017, VII ZR 5/17, BeckRS 2017, 127083 Rn. 23.
11 BGH, U. v. 15.2.2005, X ZR 43/02, NJW-RR 2005, S. 607.
12 BGH, U. v. 7.3.2002, VII ZR 1/00, NJW 2002, S. 3543; OLG Koblenz, U. v. 23.2.2017, 6 U 150/16, IBRRS 2020, 0238.
13 BGH, U. v. 10.11.2005, VII ZR 147/04, NJW-RR 2006, S. 240.

nicht.[14] Der Architekt hat – zumindest stichprobenartig – die gelieferten bzw. verwendeten Materialien und die Arbeiten der einzelnen Bauunternehmer zu überprüfen. Der Umfang dieser Kontrolle richtet sich nach den Umständen des Einzelfalles.[15]

3.1.2.3.2 Subjektiver Mangelbegriff, § 633 Abs. 2 Satz 1 BGB

Der Mangelbegriff, so wie er in § 633 Abs. 2 BGB legal definiert ist, knüpft in erster Linie an die Vereinbarung einer bestimmten Beschaffenheit durch die Parteien an. Eine solche Beschaffenheitsvereinbarung ist vorrangig und damit maßgeblich. Auch nach der Umformulierung des Mangelbegriffs durch das Schuldrechtsmodernisierungsgesetz bleibt es damit beim sog. subjektiven Mangelbegriff. Dies entsprach bereits früher der Rechtsprechung des BGH[16] und gilt auch nach dem aktuellen Wortlaut.[17] Diese Feststellung ist zentral, denn oftmals führen insbesondere gerichtliche Sachverständigengutachten in die Irre. Die Auslegung des zwischen den Parteien geschlossenen Vertrages ist dabei aber originäre Aufgabe des Gerichtes. Das Gericht hat dem Sachverständigen – ggf. nach einer Beweisaufnahme – vorzugeben, welche Beschaffenheit zwischen den Parteien vereinbart wurde. Für das Gutachten notwendige Anknüpfungstatsachen sind zu klären und dem Sachverständigen mitzuteilen, soweit sie sich nicht eindeutig aus der Akte ergeben.[18] Das Ergebnis der Beweisaufnahme ist dann Grundlage für das Gutachten des Sachverständigen über die Frage, inwieweit die erbrachten Leistungen von der vertraglich geschuldeten Leistung abweichen, § 404a Abs. 3 ZPO.[19] Ein Gutachten, das den subjektiven Mangelbegriff ignoriert und sich ausschließlich an § 633 Abs. 2 Satz 2 BGB orientiert, kann schnell zu schlicht falschen Ergebnissen führen. Dem Sachverständigen ist aber keinesfalls anzuraten, selbst den zwischen den Parteien geschlossenen Vertrag auszulegen. Im schlimmsten Fall führt dies zu einem berechtigten Befangenheitsantrag. Es ist vielmehr dazu zu raten, dass der Sachverständige sich mit dem Gericht in Verbindung setzt und auf das Erfordernis der Auslegung des Vertrages hinweist. Es bedarf einer prozessleitenden Verfügung im Sinne von § 404a ZPO, die der Sachverständige einfordern muss.

Zur Beurteilung der Frage, welche Beschaffenheit im Einzelfall geschuldet ist, bedarf es der Auslegung des zwischen den Parteien geschlossenen Vertrages (siehe oben unter 3.1.1.9). Es steht den Parteien frei, sich in den vom Gesetz festgelegten Grenzen über die Beschaffenheit zu einigen. Dabei umfasst die Beschaffenheit einer Werk- oder Bauleistung alle dem Werk unmittelbar zumindest für eine gewisse Dauer anhaftenden physischen Merkmale, wie Umfang, Größe, Lage, Gewicht, Optik, Masse, Mängel und Qualität der Materia-

14 So aber Messerschmidt/Voit/*Moufang/Koos*, Privates Baurecht, 3. Aufl. 2018, § 633 BGB Rn. 56; missverständlich OLG Düsseldorf, U. v. 28.8.2014, 5 U 86/13, BeckRS 2016, 13741 mit zu Recht kritischer Anmerkung *Weyer*, IBR 2016, S. 575; zutreffend OLG Köln, U. v. 13.4.2022, 11 U 22/21, IBRRS 2022, 3288.

15 OLG Stuttgart, U. v. 9.7.2019, 10 U 14/19, BeckRS 2019, 54063.

16 BGH, U. v. 21.9.2004, X ZR 244/01, BauR 2004, S. 1941 ff.; BGH, U. v. 29.6.2006, VII ZR 274/04, NJW-RR 2006, S. 1311.

17 BGH, U. v. 8.11.2007, VII ZR 183/05, NJW 2008, S. 511.

18 BGH, U. v. 23.1.2008, VI ZR 10/07, NJW-RR 2008, S. 767.

19 Kniffka/Koeble/Jurgeleit/Sacher/*Sacher*, Kompendium des Baurechts, 5. Aufl. 2020, Teil 20 II Rn. 35.

lien und Baustoffe. Darüber hinaus können auch bestimmte Eigenschaften, die sich insbesondere auf ihre Umwelt beziehen, Gegenstand einer Beschaffenheitsvereinbarung sein.[20]

3.1.2.3.3 Funktionaler Mangelbegriff

Es entspricht der ständigen Rechtsprechung des BGH, dass der Unternehmer, ungeachtet der Leistungsbeschreibung im Einzelnen, ein Werk schuldet, dass die vereinbarte oder nach dem Vertrag vorausgesetzte Funktion erfüllt. Dies ist auch Gegenstand der Beschaffenheitsvereinbarung.[21] Zu der vereinbarten Beschaffenheit i.S.v. § 633 Abs. 2 Satz 2 BGB gehören alle Eigenschaften des Werkes, derer es bedarf, um den vereinbarten Erfolg sicherzustellen. Der Erfolg definiert sich nicht (nur) nach der Summe der vereinbarten Leistungen, sondern (auch) nach dem angestrebten Zweck und und der angestrebten Funktion.[22] Was Gegenstand der vertraglich vereinbarten Beschaffenheitsvereinbarung, mithin die geschuldete Funktion ist, muss durch Auslegung des Vertrages gemäß §§ 133, 157 BGB ermittelt werden. Die Funktionsvereinbarung ergibt sich i.d.R. aus dem Gesamtzusammenhang. Maßgeblich ist die Gesamtheit der Leistungsbeschreibung, d.h., dass alle Bestandteile der Leistungsbeschreibung bei der Ermittlung des geschuldeten Erfolgs, namentlich der Funktionstauglichkeit des Gesamtwerkes, heranzuziehen sind.[23]

Es darf nicht verkannt werden, dass die Annahme einer bestimmten Funktionstauglichkeit, die als Beschaffenheit geschuldet sein soll, voraussetzt, dass der Besteller die erforderlichen Umstände und Informationen kannte, die auf die bestimmte Funktionstauglichkeit schließen lassen. Hatte der Auftragnehmer alle erforderlichen Informationen und Kenntnis von dem vom Auftraggeber beabsichtigten Verwendungszweck, ist im Zweifel anzunehmen, dass die Erreichung dieses Zwecks in Gestalt der konkreten Funktion und Tauglichkeit vom Auftragnehmer geschuldet ist. So wurde beispielsweise das Vorliegen eines Mangels, unabhängig davon, ob die erforderlichen Leistungen konkret beschrieben wurden, bejaht, wenn das Dach einer Lagerhalle nicht regendicht ist,[24] Fenster nicht regendicht sind,[25] ein Bauwerk nicht genehmigungsfähig ist,[26] ein Bauwerksfundament für das konkret geplante Gebäude nicht tragfähig ist,[27] ein Heizungsrohr, welches Feuchtigkeit ausgesetzt ist, keinen erforderlichen Korrosionsanstrich erhält,[28] das Putzsystem eines Hauses nicht dauer-

---

20 Messerschmidt/Voit/*Moufang/Koos*, Privates Baurecht, 3. Aufl. 2018, § 633 BGB Rn. 35; Kniffka/Jurgeleit/*Kniffka*, Bauvertragsrecht-Kommentar, 3. Aufl. 2018, § 633 Rn. 19.

21 BGH, U. v. 19.5.2011, VII ZR 24/08, NJW 2011, S. 3291; BGH, U. v. 10.2.2011, VII ZR 8/10, NJW 2011, S. 1442; BGH, U. v. 10.6.2010, Xa ZR 3/07, NZBau 2010, S. 558; BGH, U. v. 8.11.2007, VII ZR 183/05, NJW 2008, S. 511; BGH, U. v. 25.1.2007, VII ZR 41/06, NJW-RR 2007, S. 597; BGH, U. v. 15.10.2002, X ZR 69/02, NJW 2003, S. 200; BGH, U. v. 11.11.1999, VII ZR 403/98, NJW-RR 200, S. 465; BGH, U. v. 16.7.1998, VII ZR 350/96, NJW 1998, S. 3707; BGH, U. v. 17.5.1985, VII ZR 169/820, NJW 1984, S. 2457; OLG Düsseldorf, U. v. 26.3.2013, 23 U 87/12, BauR 2013, S. 1889; OLG Brandenburg, U. v. 22.12.2015, 4 U 26/12, BeckRS 2016, 01229; OLG Hamm, U. v. 18.9.2008, 24 U 48/07, BauR 2010, S. 21213; OLG Celle, U. v. 22.1.2014, 14 U 131/13, BauR 2016, S. 120.

22 OLG Düsseldorf, U. v. 24.3.2015, I 21 U 62/14, BauR 2016, S. 2097.

23 *Steffen*, BauR 2011, S. 579, 587 ff; *Steffen*, BauR 2022, S. 3 ff.

24 BGH, U. v. 11.11.1999, VII ZR 403/98, NJW-RR 2000, S. 465; OLG Zweibrücken, B. v. 6.1.2022, 5 U 211/20, IBRRS 2023, 1668.

25 BGH, U. v. 2.5.1963, VII ZR 221/61, NJW 1963, 1451.

26 BGH, U. v. 10.2.2011, VII ZR 8/10, NJW 2011, S. 1442.

27 BGH, U. v. 1.4.1965, VII ZR 230/63, FHZivR Nr. 758.

28 BGH, U. v. 15.3.1971, VII ZR 153/69, NJW 1984, S. 2457, BeckRS 1971, 31125155.

haft rissfrei ist,[29] ein Rest Glasbruchrisiko an einer Glasfassade verbleibt,[30] eine Farbe nicht dauerhaft (länger als zwei Jahre) farbecht bleibt,[31] eine raumlufttechnische Anlage für ein Fitnessstudio die erforderliche Luftqualität nicht sicherstellt,[32] bei einem Dachaufbau eine (hinreichende) Belüftung des Dachraums nicht gegeben ist,[33] es Temperaturschwankungen zwischen drei bis fünf Grad Celsius an der Waschtischarmatur gibt,[34] eine Abdichtung nicht abdichtet[35] oder nach der Sanierung eines Altbaus der Keller nass ist.[36]

In der sog. Blockheizkraftwerk-Entscheidung erläutert der BGH zunächst die Bedeutung des funktionalen Mangelbegriffs und erklärt, dass die Funktionalität regelmäßig zur vereinbarten Beschaffenheit des Werkes gehört. Der BGH[37] führt dann weiter aus:

> *„Das gilt unabhängig davon, ob die Parteien eine bestimmte Ausführungsart vereinbart haben oder die anerkannten Regeln der Technik eingehalten worden sind. Ist die Funktionstauglichkeit für den vertraglich vorausgesetzten oder gewöhnlichen Gebrauch vereinbart und ist dieser Erfolg mit der vertraglich vereinbarten Leistung oder Ausführungsart oder den anerkannten Regeln der Technik nicht zu erreichen, schuldet der Unternehmer [dennoch] die vereinbarte Funktionstauglichkeit (BGH, Urteil vom 16. Juli 1998 – VII ZR 350/96, a.a.O.; Urteil vom 11. November 1999 – VII ZR 403/98, a.a.O.).“*

Diese Rechtsprechung des BGH wurde seitdem weiter konkretisiert. So hat der BGH ausdrücklich klargestellt, dass auch die Fallkonstellation, bei der die vereinbarte Funktion nur deshalb nicht erreicht wird, weil Vorleistungen eines anderen Unternehmers unzureichend sind, von denen die Funktionsfähigkeit des Werks aber abhängt, vom funktionalen Mangelbegriff mitumfasst ist. Auch hier liegt ein Mangel vor.[38] Ob der jeweilige Unternehmer aber haftet, ist letztlich nicht allein eine Frage des Vorliegens eines Mangels. Es ist vielmehr z.B. zu prüfen, ob der Unternehmer durch die Erfüllung seiner Prüfungs- und Hinweispflichten von einer Haftung frei geworden ist.[39] Dies ist jedoch eine reine Rechtsfrage und dem Sachverständigenbeweis nicht zugänglich. Schon der Hinweis des Sachverständigen kann die Besorgnis der Befangenheit begründen.

---

29 BGH, U. v. 17.5.1984, VII ZR 169/82; BGH, U. v. 20.11.1986, VII ZR 360/85, NJW-RR 1987, S. 336.
30 BGH, U. v. 8.5.2014, VII ZR 203/11, NJW 2014, S. 3365.
31 BGH, U. v. 31.8.2017, VII ZR 5/17, BeckRS 2017, 127083.
32 OLG Zweibrücken, U. v. 3.12.2013, 8 U 32/11, BeckRS 2013, 197572.
33 OLG Saarbrücken, U. v. 2.6.2016, 4 U 136/15, BeckRS 2016, 122016.
34 OLG Hamburg, U. v. 16.7.2020, 8 U 61/19, NJW-RR 2021, S. 90.
35 BGH, U. v. 7.2.2019, VII ZR 274/17, NJW 2019, S. 2169.
36 OLG Düsseldorf, U. v. 11.10.2016, 21 U 120/15, BeckRS 2016, 134298.
37 BGH, U. v. 8.11.2007, VII ZR 183/05, NJW 2008, S. 511.
38 BGH, U. v. 10.6.2010, Xa ZR 3/07, NZBau 2010, S. 558; BGH, U. v. 16.5.1974, VII ZR 214/72, BauR 1974, S. 276; BGH, U. v. 23.10.1986, VII ZR 267/85, BauR 1987, S. 86; OLG Köln, U. v. 22.12.1993, 16 U 50/93, NJW-RR 1994, S. 1045.
39 BGH, U. v. 8.11.2007, VII ZR 183/05, NJW 2008, S. 511; BGH, U. v. 10.6.2010, Xa ZR 3/07, NZBau 2010, S. 558; vgl. im Einzelnen Leinemann/Kues/*Steffen*, BGB-Bauvertragsrecht Kommentar, 2. Aufl. 2023, § 633 Rn. 25 ff.

3.1.2.3.4 Mangel bei nicht vereinbarter Beschaffenheit, § 633 Abs. 2 Satz 2 BGB

Der „nach dem Vertrag vorausgesetzten Verwendungseignung" nach § 633 Abs. 2 Satz 2 Nr. 1 und 2 BGB kommt streng genommen kaum eine eigene Bedeutung zu. Auf die nach dem Vertrag vorausgesetzte oder gewöhnliche Verwendung kann es nur ankommen, wenn nicht bereits durch Auslegung des zwischen den Parteien geschlossenen Vertrages feststeht, welche Beschaffenheit im Einzelnen geschuldet ist. Dabei kommt es auf die ausdrückliche Erwähnung der Beschaffenheit gerade nicht an. Auch wenn es sich bei § 633 Abs. 2 Satz 2 BGB damit nur um einen Auffangtatbestand handeln kann, so bringt der Gesetzgeber doch durch die ausdrückliche Regelung, dass, wenn nichts anderes vereinbart ist, die nach dem Vertrag vorausgesetzte oder gewöhnliche Verwendung geschuldet ist, ein gemeingültiges Verständnis zum Ausdruck, welche als Auslegungshilfe begriffen werden kann. So wird es nicht nur i.d.R. dem Willen der Parteien entsprechen, dass ein zu errichtendes Bauwerk zumindest für die gewöhnliche Verwendung gebaut wird und die übliche Beschaffenheit aufweist, sondern § 633 Abs. 2 Satz 2 BGB führt auch dazu, dass, wenn die Parteien nicht ausdrücklich oder klar etwas anderes vereinbart haben, jedenfalls die nach dem Vertrag vorausgesetzte und gewöhnliche Verwendung auch bereits als vereinbarte Beschaffenheit geschuldet ist.

§ 633 Abs. 2 Satz 2 BGB kann allenfalls dann eine eigenständige Bedeutung erlangen, wenn die Parteien ein gemeinsames Verständnis vom Verwendungszweck des Werkes haben. Dogmatisch ist die vorausgesetzte Verwendung damit gleichzusetzen mit einer Geschäftsgrundlage.[40]

Lässt sich weder eine vertraglich vereinbarte Beschaffenheit identifizieren und existiert auch kein gemeinsames Verständnis von der vorausgesetzten Verwendungseignung, muss das Werk der gewöhnlichen Verwendung genügen. Eine Verwendung ist in diesem Sinne gewöhnlich, wenn sie nach der allgemeinen Verkehrsanschauung unter Berücksichtigung der allgemein zu erwartenden Gegebenheiten und durchschnittlicher Lebensverhältnisse genügt.[41] Auch § 633 Abs. 2 Satz 2 Nr. 2 BGB läuft in Bezug auf die gewöhnliche Verwendung i.d.R. leer. Wenn eine geschuldete Beschaffenheit nicht durch Auslegung des Vertrages ermittelt werden kann, wird es i.d.R. auch nicht gelingen, eine gewöhnliche Verwendung zu identifizieren.

Das Lehrbuchbeispiel stellt insoweit die Lagerhalle dar: Haben die Parteien die Errichtung einer Lagerhalle vereinbart und lässt sich nicht identifizieren, welche Anforderungen die Parteien an die Tragfestigkeit des Hallenbodens gestellt haben, wird sich dies auch über eine gewöhnliche Verwendung nicht regeln lassen. Regelmäßig erfahren Lagerhallen im Laufe ihres Lebenszyklus unterschiedlichste Nutzungen. Dabei kann die Lagerhalle für kleines und leichtes Stückgut genauso genutzt werden wie für schwerste Maschinenbauteile. Schließlich kommt auch die Lagerung von Maschinen oder Aggregaten infrage, die, wie z.B. Messwandler oder Öl, in beträchtlichem Umfang einen Gefahrstoff in sich bergen. Von

40 Ebenso Messerschmidt/Voit/*Drossart*, Privates Baurecht, 2. Aufl. 2012, § 633 BGB Rn. 46.

41 MüKo/*Busche*, BGB, 9. Aufl. 2023, § 633 Rn. 29; Messerschmidt/Voit/*Moufang*/*Koos*, Privates Baurecht, 3. Aufl. 2018, § 633 BGB Rn. 55.

minimalen Anforderungen an die Tragfähigkeit und Dichtigkeit des Bodens, über extreme Punktlasten, bis zu besonderen Vorkehrungen zum Gewässerschutz ist alles denkbar.

Mangelfrei ist ein Werk schließlich, selbst wenn es der gewöhnlichen Verwendung genügt, nur dann, wenn es gleichzeitig eine Beschaffenheit aufweist, die bei Werken der gleichen Art üblich ist. In Bezug auf die Üblichkeit ist der Blick also nicht auf die Verwendung zu richten, sondern es ist ausschließlich auf den Vergleich mit anderen Werken abzustellen. Das Werk ist also schließlich mangelfrei, wenn es im Vergleich zu anderen Werken gleicher Art eine übliche Beschaffenheit aufweist, die der Besteller nach der Art des Werkes erwarten kann. Zur Bedeutung dessen kann auf die Rechtsprechung zum alten Recht zurückgegriffen werden.[42] Geschuldet ist danach alles, was nach den örtlichen und sachlichen Gegebenheiten jeder Fachmann als notwendig erwarten würde.[43] Auf eine Abgrenzung in Bezug auf die Begrifflichkeiten der „Üblichkeit" und „Erwartbarkeit" kommt es nicht an und diese wird auch i.d.R. nicht möglich sein. Erwartbarkeit und Üblichkeit werden sich normalerweise entsprechen. Die Erwartung des Bestellers dürfte insoweit das Regulativ zum Üblichen sein. So mag es beispielsweise vor dem Hintergrund des immer schnelleren Bauens üblich sein, dass Schwindrisse im Putz entstehen. Der Erwartung des Bestellers entspricht dies indes nicht.

3.1.2.3.5 Anerkannte Regeln der Technik

Es entspricht der allgemeinen Auffassung in der Rechtsprechung, dass die anerkannten Regeln der Technik vom Unternehmer geschuldet sind. Die dogmatische Herleitung hierfür ist indes weder einheitlich, noch bisher befriedigend gelungen.

Für den VOB/B-Vertrag ergibt sich die Einbeziehung der anerkannten Regeln der Technik noch relativ problemlos daraus, dass nach § 13 Abs. 1 VOB/B die Einhaltung der anerkannten Regeln der Technik zur Voraussetzung für die Mangelfreiheit der Leistung gemacht wird.

Bei einem BGB-Vertrag bedarf es schon einiger Verrenkungen mehr, um ein vergleichbares Ergebnis zu erzielen. Der Gesetzgeber formuliert jedoch lapidar: „Dass, soweit nicht etwas anderes vereinbart ist, die Anerkannten Regeln der Technik einzuhalten sind, ist nicht zweifelhaft."[44]

Der kleinste gemeinsame Nenner der Vielzahl heute kursierender Definitionen zu den anerkannten Regeln der Technik besteht aus der Essenz der ursprünglichen reichsgerichtlichen Entscheidung[45] plus einer zwingend erforderlichen Praxisbewährung.[46] Der Minimalkonsens lässt sich wie folgt zusammenfassen:

---

42 BGH, U. v. 5.7.2001, VII ZR 399/99, NJW 2001, S. 3476.

43 BGH, U. v. 22.3.1984, II ZR 50/82, NJW 1984, S. 1676.

44 Regierungsentwurf, BT-Drs. 14/6040, S. 261.

45 RG, 26.6.1891, VI D 1621/91; RG, 11.10.1910 – IV 644/10, RGSt 44, S. 75, RGSt 44, S. 79.

46 Leinemann/Kues/*Steffen*, BGB-Bauvertragsrecht, Kommentar, 2. Aufl. 2023, § 633 Rn. 37.

Eine anerkannte Regel der Technik liegt vor, wenn sie

1. wissenschaftlich unanfechtbar richtig ist, d.h., dass
   a) sie nachgewiesen objektiv theoretisch richtig ist und
   b) sie sich in der Praxis bewährt hat

   und
2. allgemein anerkannt ist, d.h.
   a) in den Kreisen der betroffenen Techniker durchweg bekannt und
   b) als richtig anerkannt ist.

Die vorstehende Definition stellt einerseits den mehrheitsfähigen Kern der gängigen Definitionen dar und garantiert andererseits, dass nicht etwas bereits dadurch zu einer anerkannten Regel der Technik wird, nur weil sich eine vermeintlich „herrschende Meinung" herausgebildet hat oder (noch schlimmer) ein Sachverständiger oder ein Gericht etwas „meint". Die Definition setzt klare und nachprüfbare Grenzen, die es dem Praktiker ermöglicht, festzustellen, ob eine bestimmte Konstruktionsweise den anerkannten Regeln der Technik entspricht oder eben nicht. Zu den Einzelheiten siehe Beitrag 1.3 in diesem Handbuch.

3.1.2.3.6 Herstellerrichtlinien

Bei Herstellerrichtlinien gibt es keine Vermutung dahingehend, dass es sich um anerkannte Regeln der Technik handeln würde.[47] Im Gegenteil ist i.d.R. eher davon auszugehen, dass es sich nicht um anerkannte Regeln der Technik handelt. Es obliegt der beweisbelasteten Partei nachzuweisen, dass die entsprechende Herstellerrichtlinie ausnahmsweise den anerkannten Regeln der Technik entspricht.[48] Ist beispielsweise in den Herstellerrichtlinien davon die Rede, dass eine Mindestdicke des betreffenden Produktes aufgetragen werden muss, kann nicht von vornherein ausgeschlossen werden, dass den Hersteller neben dem Funktionalitätsgedanken auch noch rein wirtschaftliche Erwägungen geleitet haben.

Haben die Parteien neben der Benennung des konkreten Produktes darüber hinaus vereinbart, dass auch die Herstellerrichtlinien zu beachten sind, so werden die Vorgaben der Richtlinien zur geschuldeten Beschaffenheit.[49] Zweifelhaft ist die Annahme, dass mit der Vereinbarung eines speziellen Produktes regelmäßig die Einhaltung der Herstellerrichtlinien mitvereinbart wäre.[50] Führt der Verstoß gegen Herstellerrichtlinien zu einer Erhöhung des Risikos eines Schadenseintrittes, liegt selbst dann ein Mangel vor, wenn sich dieser

---

47 OLG Hamm, U. v. 2.9.2015, 12 U 199/14, BeckRS 2016, 7840; differenzierend *Seibel,* Handbuch für den Bausachverständigen, 4. Aufl. 2018, S. 212 ff.

48 BGH, U. v. 10.11.2005, VII ZR 147/04, NJW-RR 2006, S. 240.

49 OLG München, U. v. 22.10.2019, 28 U 1245/19 Bau, IBRRS 2021, 0280.

50 So aber: Kniffka/Jurgeleit/*Kniffka*, Bauvertragsrecht, 3. Aufl. 2018, § 633 BGB Rn. 38; *Seibel*, BauR 2012, S. 1025 ff.

Schaden bisher nicht realisiert hat.[51] Grundsätzlich ist bei einer konkludenten Vereinbarung der Einhaltung von Herstellerrichtlinien große Zurückhaltung geboten.[52]

Soweit Herstellerrichtlinien schließlich jedoch die Verkehrssicherungspflicht zur Abwehr von Gefahren betreffen, soll die Einhaltung selbst dann zwingend geschuldet sein, wenn die Einhaltung der Herstellervorgaben nicht ausdrücklich vereinbart wurde und die anerkannten Regeln der Technik hinter den konkreten Herstellerangaben zurückbleiben. Dies soll sich regelmäßig aus einer Auslegung des Vertrages nach §§ 133, 157 BGB ergeben, da der Verfasser der Herstellerrichtlinien sich von der Gefährdung seines Produktes und dadurch entstehenden Risiken für die Betreiber habe leiten lassen. Ein Besteller sei regelmäßig nicht bereit, dass Risiko einer anderen Einschätzung zu übernehmen. Vielmehr sei es so, dass der Besteller erwarte, dass beauftragte Unternehmen sich die entsprechenden Herstellerrichtlinien beschaffen und hieran wiederum halten.[53] Diese Auffassung des BGH ist durchaus zweifelhaft und nur schwer mit der allgemeinen Rechtsgeschäftslehre übereinzubringen. Schon die Annahme, dass Herstellerrichtlinien, die Verkehrssicherungspflichten betreffen, stets allein oder vorwiegend der Verhütung realer Gefahrenquellen dienen, ist zu hinterfragen. Entscheidend ist aber letztlich, dass allein die Tatsache, dass eine Vereinbarung sinnvoll und wünschenswert wäre, nicht dazu führt, dass eine Willenserklärung des Bestellers vorliegt. Gibt es außer der Benennung eines bestimmten Produktes im Vertrag keine weiteren Anhaltspunkte dafür, dass – zumindest in Bezug auf die Einhaltung von Verkehrssicherungspflichten – die Herstellerrichtlinien in den Vertrag mit einbezogen sein sollen, wird man eine solche Einbeziehung nicht konstruieren können.[54]

3.1.2.3.7 Verschleiß

Ein Standardproblem des Bauprozesses ist der während der Gewährleistungsfrist auftretende Verschleiß und die hieran anknüpfende Frage, ob es sich um einen Mangel handelt. Vor dem Hintergrund der Relevanz der Frage, ist die vorhandene Rechtsprechung und Literatur außerordentlich dünn. Die einzigen denkbaren Anknüpfungspunkte sind die zwischen den Parteien geschlossenen Beschaffenheitsvereinbarungen in Bezug auf die Haltbarkeit des jeweiligen Werkes im Zusammenspiel mit der konkreten Nutzung einerseits und die vom Gesetzgeber vorgenommene Wertung, namentlich der Regelung der Verjährungsfristen gemäß § 634a BGB, andererseits. Aus der gesetzgeberischen Wertung folgt, dass regelmäßig der Unternehmer die Gebrauchsfähigkeit seines Werkes während der Gewährleistungszeit zusichert.[55] Vorrang vor einer solchen allgemeinen Wertung hat aber stets eine getroffene Beschaffenheitsvereinbarung. Es ist jedoch große Zurückhaltung geboten, wenn es an einer ausdrücklichen Vereinbarung hierzu fehlt. Der private Bauherr

51 OLG Brandenburg, U. v. 15.6.2011, 4 U 144/10, BeckRS 2011, 16977.

52 OLG Schleswig, U. v. 12.8.2004, 7 U 23/99, BeckRS 2004, 10963; OLG Köln, U. v. 25.6.2010, 19 U 35/12, BauR 2013, S. 257; OLG Köln, U. v. 20.7.2005 – II U 96/04, MDR 2006, S. 147; *Seibel*, BauR 2012, S. 1025, 1030.

53 BGH, U. v. 23.7.2009, VII ZR 164/08, NJW-RR 2009, S. 1467; BGH, U. v. 21.4.2011, VII ZR 130/10, NJW-RR 2011, S. 1240; OLG Frankfurt, U. v. 15.6.2012, 24205/11, IBR 2014, S. 540; a.A *Seibel*, Handbuch für den Bausachverständigen, 4. Aufl. 2018, S. 211.

54 A.A. Kniffka/Jurgeleit/*Kniffka*, Bauvertragsrecht, 3. Aufl. 2018, § 633 BGB Rn. 39; Bolz/Jurgeleit/*Manteufel*, ibr-online-Kommentar, VOB/B, Stand: 15.4.2021, § 13 VOB/B Rn. 83.

55 So auch: Kniffka/Jurgeleit/*Kniffka*, Bauvertragsrecht, 3. Aufl. 2018, § 633 BGB Rn. 42.

wird sich i.d.R. über Verschleißteile und ihre übliche Lebensdauer keine Gedanken machen. Aus diesem Grund ist es eher fernliegend davon auszugehen, dass der Besteller eine konkludente Willenserklärung abgegeben hat, die dazu führt, dass die Zeit, für die der Unternehmer für sein Werk einzustehen hat, gegenüber der gesetzlichen Gewährleistungsfrist reduziert wird. Ein Mangel liegt damit jedenfalls dann vor, wenn die Lebensdauer hinter der vertraglich vereinbarten oder der üblichen Lebensdauer zurückbleibt. Fehlt es an einer ausdrücklichen oder konkludenten Beschaffenheitsvereinbarung, ist eine der seltenen Anwendungsfälle der § 633 Abs. 2 Satz 2 Nr. 1 und 2 BGB eröffnet. Es ist damit im Einzelfall zu prüfen, wie die tatsächliche Lebensdauer mit der nach dem Vertrag vorausgesetzten bzw. gewöhnlichen Verwendung in Einklang zu bringen ist.[56]

3.1.2.4 Ausgewählte Vorschriften des Werkvertragsrechts

3.1.2.4.1 § 648a BGB – Kündigung aus wichtigem Grund

Mit dem neu geschaffenen § 648a BGB wird erstmals für beide Vertragsparteien das Recht zur Kündigung eines Werkvertrages aus wichtigem Grund gesetzlich kodifiziert. Tatsächlich stellt die letztlich gefundene Regelung nur eine Klarstellung der ganz herrschenden Meinung dar, die auch nach der Schuldrechtsmodernisierung für beide Vertragsteile davon ausging, dass das Recht zur Kündigung des Werkvertrages aus wichtigem Grund möglich sei. Die Kodifizierung der Kündigung aus wichtigem Grund für das Werkvertragsrecht stellt die überfällige Regelung dessen dar, was schon vor dem Schuldrechtsmodernisierungsgesetz im Jahre 2002 annähernd einhellige Auffassung war.

Die Ausgestaltung des nunmehr in § 648a BGB geregelten Rechts zur Kündigung des Werkvertrages aus wichtigem Grund entspricht demjenigen, was bereits in der Vergangenheit der herrschenden Meinung entsprach. In Abs. 3 wird ausdrücklich die entsprechende Anwendbarkeit des § 314 Abs. 2 und 3 BGB angeordnet. Damit steht jetzt fest, dass für den Fall, dass ein Werkvertrag wegen einer Pflichtverletzung aus wichtigem Grund gekündigt werden soll, es regelmäßig zuvor eine Abhilfeaufforderung unter Fristsetzung erfordert, die aber gemäß § 323 Abs. 2 Nr. 1 und 2 BGB ausnahmsweise entbehrlich sein kann. Auch dies stellt lediglich eine Klarstellung gegenüber der gegenwärtig herrschenden Meinung dar.

Auch gilt, dass eine Kündigung aus wichtigem Grund innerhalb eines gewissen (kurzen) Zeitraums ausgesprochen werden muss. Dies ergibt sich aus § 648a Abs. 3 BGB, wonach § 314 Abs. 3 BGB entsprechend gilt. Eine Kündigung aus wichtigem Grund muss gemäß § 314 Abs. 3 BGB also innerhalb einer angemessenen Frist ausgesprochen werden, nachdem der Kündigende von dem Kündigungsgrund Kenntnis erlangt hat.

Neu und besonders wichtig ist, dass der Gesetzgeber ausdrücklich dem Kündigenden die Möglichkeit der Teilkündigung einräumt.

Nach dem Wortlaut des § 648a BGB liegt ein wichtiger Kündigungsgrund vor, wenn dem kündigenden Teil unter Berücksichtigung aller Umstände des Einzelfalles und unter Abwä-

56 Ähnlich: Messerschmidt/Voit/*Moufang/Koos*, Privates Baurecht, 3. Aufl. 2018, § 633 BGB Rn. 26.

gung der beiderseitigen Interessen die Fortsetzung des Vertragsverhältnisses bis zu der Fertigstellung des Werkes nicht zugemutet werden kann.

Es bedarf schon einer gewissen geistigen Verrenkung auf der einen Seite festzustellen, dass das Vertragsverhältnis endgültig zerrüttet und ein Festhalten am Vertrag damit unzumutbar ist, auf der anderen Seite jedoch der Vertrag, wenn auch nur teilweise, fortgesetzt werden soll. So zerrüttet kann der Vertrag dann doch eigentlich aus Sicht des Kündigenden nicht sein. Dass dennoch eine Teilkündigung möglich sein soll, liegt darin begründet, dass derjenige, der Leidtragender des massiv vertragswidrigen Verhaltens der anderen Partei wurde, nicht auch noch gezwungen werden darf, sich wirtschaftlich unvernünftig zu verhalten. Ist das Vertragsverhältnis in objektiver Hinsicht derart zerrüttet, dass es dem anderen Vertragsteil nicht zugemutet werden kann, am Vertrag festzuhalten, bedeutet dies noch nicht, dass er dieses ihm zuwachsende Recht auch ausüben muss. Es muss ihm das Recht bleiben, trotz der Zerrüttung den Vertrag – wenn auch nur teilweise – zu Ende zu führen.

3.1.2.4.1.1 § 650h BGB – Schriftform der Kündigung

In § 650h BGB ist geregelt, dass die Kündigung eines Bauvertrages grundsätzlich der Schriftform bedarf. Bislang ist die Kündigung von Werkverträgen nach den gesetzlichen Bestimmungen formfrei möglich, unabhängig davon, ob es sich um eine freie Kündigung nach § 648 BGB oder um eine Kündigung aus wichtigem Grund handelt. Anders verhält es sich bei einem VOB/B-Vertrag. Hier ist gemäß § 8 Abs. 5 VOB/B für alle Arten der Kündigung die Schriftform vorgesehen, wobei zu beachten ist, dass es sich bei der VOB/B um ein AGB-Regelwerk handelt, welches das strenge Schriftformerfordernis des § 126 BGB nicht auszulösen vermag. Anwendbar ist hier § 127 BGB und überdies besteht stets die Möglichkeit des konkludenten Verzichts auf die Schriftform. Das Schriftformerfordernis gemäß § 650h BGB hat damit eine gänzlich andere Qualität.

3.1.2.4.1.2 Sinn und Zweck der Schriftform

Sinn und Zweck des neu aufgenommenen Schriftformerfordernisses soll die Rechtsicherheit und die Beweissicherung sein. Überdies soll die kündigende Partei vor einer Übereilung bewahrt werden. Da es sich um eine gesetzliche Schriftform gemäß § 126 BGB handelt, kann sie gemäß § 126a BGB nur durch die elektronische Form, nicht aber gemäß § 126b BGB durch die Textform ersetzt werden. Damit kann zukünftig eine Kündigung in Bauverträgen nicht mehr im E-Mail-Verkehr ausgesprochen werden. Es ist zu erwarten, dass dies im allgemeinen Rechtsverkehr zu ganz erheblichen Verwerfungen führen wird.

3.1.2.4.2 § 650a BGB – Bauvertrag

In § 650a BGB wird der Bauvertrag definiert, für welchen die nachfolgenden Vorschriften (§§ 650b ff. BGB) anwendbar sein sollen. Das neue Bauvertragsrecht knüpft hinsichtlich der Definition des Bauvertrages zunächst an altbekannte Begrifflichkeiten aus den § 634a Abs. 1 Nr. 2, § 648 Abs. 1 und § 648a BGB an. Ausgangspunkt der Definition des § 650a BGB ist deshalb das Bauwerk, eine Außenlage oder Teile davon. Hieran anknüpfend werden nun die unterschiedlichen Tätigkeiten, die zu einem Bauwerk, einer Außenanlage oder Teilen davon führen können, geregelt. Namentlich geht es um die Herstellung, die Wiederherstellung oder den Umbau eines Bauwerkes oder einer Außenanlage. Nach § 650a

Abs. 2 BGB ist die Instandhaltung eines Bauwerkes nur dann ein Bauvertrag, wenn das Werk für die Konstruktion, den Bestand oder den bestimmungsgemäßen Gebrauch von wesentlicher Bedeutung ist.

Die Regelung der neuen Definition zum Bauvertrag wirft einige Fragen auf. Unklar ist bereits, weshalb in Abs. 2 die Instandhaltung von Außenanlagen nicht mitgeregelt wurde. Die Tatsache, dass sich hierzu weder in der Gesetzesbegründung, noch in dem Referentenentwurf ein Wort der Erklärung findet, lässt es möglich erscheinen, dass es sich um ein schlichtes Redaktionsversehen handelt. Denn weshalb die Instandhaltung von Außenanlagen kein Bauvertrag sein soll, erschließt sich nicht so recht.[57]

3.1.2.4.3 Architekten- und Ingenieurvertrag

3.1.2.4.3.1 Ein Überblick

Mit der Reform des Bauvertragsrechts wird auch erstmals mit den Vorschriften in § 650p bis t BGB der Architekten- und Ingenieurvertrag selbstständig gesetzlich normiert. Die rechtsdogmatische Bedeutung dieses Schrittes kann kaum hoch genug eingeschätzt werden. Ein jahrzehntelanger Streit über die dogmatische Einordnung des Architektenvertrags in das Dienst- oder Werkvertragsrecht findet damit ihren Abschluss. Seit Inkrafttreten des BGB am 1.1.1900 bestanden Unklarheiten über die Einordnung, weil es keinen gesetzlich geregelten Typus des Architektenvertrages gab. Der Architekten- und Ingenieurvertrag musste in die vom Gesetzgeber des BGB zur Verfügung gestellten Vertragstypen eingeordnet werden. Hier war die Einordnung – wie gesagt – von jeher streitig. Ob der Architekten- bzw. Ingenieurvertrag aber als Dienst- oder Werkvertrag eingeordnet wird, ist von ganz erheblicher praktischer Bedeutung. Während das Werkvertragsrecht verschuldensunabhängig Mängelrechte kennt, ist dies dem Dienstvertragsrecht fremd; das besondere Leistungsstörungsrecht des Werkvertrages unterliegt der fünfjährigen Gewährleistungsfrist des § 634a Abs. 1 Nr. 2 BGB, im Dienstvertragsrecht gilt die dreijährige Regelverjährung.

Kern der Diskussion war das Problem, dass eine Einordnung des Architekten- und Ingenieurvertrages als Dienstvertrag dazu geführt hätte, dass die am Bau Beteiligten nicht mehr einheitlich den gemeinsamen Erfolg geschuldet hätten.

Erst nach über 50 Jahren des Streits hat der Bundesgerichtshof in einer Grundsatzentscheidung im Jahre 1959 den Architektenvertrag als Werkvertrag qualifiziert. Er sah den Schwerpunkt des Architektenvertrages bei der Vollarchitektur in der Planung und ordnete die anderen Leistungen dem Planungserfolg, mithin dem Werkvertrag, unter. Bis heute nicht abschließend geklärt ist die Frage, wie eine nicht als Vollarchitektur beauftragte Architektenleistung zu qualifizieren ist. Die eindeutige Tendenz bestand jedoch darin, auch bei nur teilweiser Beauftragung von Grundleistungen nach der HOAI stets von einem einheitlichen Werkvertrag auszugehen.

Nunmehr hat der Gesetzgeber den Streit also beendet, indem das Architekten- und Ingenieurvertragsrecht als Vertrag sui generis ins BGB aufgenommen wurde und im Wesentlichen den Vorschriften des Werk- und Bauvertragsrechts unterworfen wird. Für den Archi-

57 *Jurgeleit* spricht zu Recht von einem „Mysterim“, ibr-online-Kommentar, Bauvertragsrecht, Stand: 29.5.2023, § 650a BGB Rn. 25.

tekten- und Ingenieurvertrag gelten nach § 650q Abs. 1 BGB die Vorschriften des Kapitel 1 des Unterabschnittes 1 sowie §§ 650b, 650e und 650h BGB entsprechend. Wichtig ist an dieser Stelle hervorzuheben, dass der Gesetzgeber den Architekten- und Ingenieurvertrag ausdrücklich nicht als Werkvertrag qualifiziert hat, sondern als „werkvertragsähnlich". Dies eröffnet der Rechtsprechung die Möglichkeit, den Architekten- und Ingenieurvertrag losgelöst von seiner sonstigen Rechtsprechung zum Werkvertragsrecht zu behandeln und damit den Besonderheiten gerecht zu werden. Dies bedeutet für die Praxis, dass damit gerechnet werden muss, dass das Architekten- und Ingenieurrecht sich nach und nach vom Werkvertragsrecht lösen könnte und mehr als heute schon eine eigenständige Rechtsmaterie bilden könnte. Da durch die Einordnung des Architekten- und Ingenieurvertrages als eigener Vertragstyp im BGB die Implementierungsschwierigkeiten von eigenständigen Vorschriften für den Architekten- und Ingenieurvertrag in Bezug auf Kompatibilität und Abgrenzbarkeit zum Werkvertrag wegfällt, ist in Zukunft damit zu rechnen, dass der Architekten- und Ingenieurvertrag weitere eigenständige Regelungen im BGB erfahren wird.

Wichtig ist schließlich die Feststellung, dass der Gesetzgeber auf eine Bezugnahme auf die HOAI ausdrücklich verzichtet hat. Damit bleibt es dabei, dass die HOAI als Honorarordnung reines Preisrecht ist und keine vertragsrechtliche Bedeutung erlangt. Dies entspricht auch heute schon der ständigen Rechtsprechung des Bundesgerichtshofs und wurde in der Gesetzesbegründung zu § 650p BGB ausdrücklich bestätigt.

3.1.2.4.3.2 Pflichten des Architekten und Ingenieurs

In § 650p BGB sind die vertragstypischen Pflichten des Architekten und Ingenieurs geregelt. Dabei unterstreicht der Gesetzgeber die stufenweise zu erbringenden Leistungen des Architekten und Ingenieurs. Gleichsam in einer Leistungsphase „null" ist es Aufgabe des Architekten und Ingenieurs, gemäß § 650p Abs. 2 BGB selbst die Planungsziele erst zu definieren. Es ist also seine Aufgabe, welcher Art das zu schaffende Bauwerk sein soll, in Bezug auf das er sodann den werkvertraglichen Erfolg schuldet.

Unglücklich ist, dass § 650p BGB keinen Anhaltspunkt dafür bietet, wie die Architekten- oder Ingenieurleistung von der einen Stufe in eine andere gelangt. Dass der Architekten- und Ingenieurvertrag in verschiedenen Stufen oder Phasen ablaufen soll, wird aber durch die Formulierung „nach dem jeweiligen Stand der Planung" deutlich.

Der Prozess der Planung und Überwachung läuft also in einzelnen Schritten ab. Hat der Architekt oder Ingenieur eine Stufe oder einen Schritt beendet und muss er – aus welchem Grund auch immer – zu einem früheren Schritt zurückkehren, führt dies zu einer nach dem Wesen des Vertrages eigentlich nicht geschuldeten, zusätzlichen Leistung. Hierfür kann dem Architekten und Ingenieur sodann eine zusätzliche Vergütung zustehen. Dies gilt insbesondere dann, wenn der Besteller im Sinne von § 650b BGB eine Rückkehr auf eine frühere Stufe anordnet. Unklar ist jedoch, wann eine Stufe im Sinne des § 650b BGB abgeschlossen wurde und eine reale Rückkehr in eine vorherige Stufe stattfindet. Dies kann nur durch eine rechtsgeschäftliche Erklärung des Auftraggebers, dass er die vorherige Stufe oder den vorherigen Schritt billigt, geschehen. Eine derartige Billigung kann aber keine Teilabnahme darstellen, denn eine solche steht dem Architekten und Ingenieur gemäß § 650s BGB frühestens zu, wenn das bauausführende Unternehmen die letzte Leistung abgenommen erhalten hat oder eine Teilabnahme gegenüber den bauausführenden Unternehmen erklärt wurde.

Unklar ist weiter, ob der Besteller zu einem bestimmten Zeitpunkt zur Billigung des bisherigen Leistungsstandes des Ingenieurs oder Architekten gezwungen werden kann. Da weder das Gesetz noch die Gesetzesmaterialien hierzu Vorgaben enthalten, muss das Schuld- und allgemeine Leistungsstörungsrecht zur Anwendung kommen oder auf § 642 BGB zurückgegriffen werden. Wie dies sachgerecht insbesondere in der „Nullphase", in der der Architekt oder Ingenieur erst den geschuldeten Erfolg definiert, geschehen kann, ist unklar.

Dem Architekten und Ingenieur ist vor diesem Hintergrund anzuraten, vertraglich zu fixieren, zu wie vielen unterschiedlichen Entwürfen er sich verpflichtet und was geschieht, wenn der Besteller keinen der Entwürfe billigt, um den nächsten Schritt oder die nächste Stufe des Architekten- oder Ingenieurvertrags zu gestalten.

In Bezug auf die anwendbaren Vorschriften auf den Architekten- und Ingenieurvertrag ist hervorzuheben, dass zukünftig auch hier das einseitige Anordnungsrecht des Bestellers im Sinne von § 650b BGB Anwendung findet. Dabei ist es konsequent, dass § 650q BGB nicht unmittelbar eine entsprechende Anwendung auch in der Vergütungsvorschrift des § 650c BGB für anwendbar erklärt. Für die der Anordnung folgende Vergütungsanpassung sollen in erster Linie die Regelungen des Preisrechtes der HOAI Anwendung finden. Unterfallen die entsprechenden Leistungen nicht der HOAI, sollen die Parteien eine individualvertragliche Regelung in Bezug auf den Vergütungsanspruch treffen und nur für den Fall, dass es eine solche nicht gibt, ist auf § 650c BGB zurückzugreifen (§ 650q Abs. 2 BGB). Jedenfalls für die Praxis ohne Bedeutung wird die Vorschrift des § 650q BGB i.V.m. § 650b Abs. 1 Satz 1 Nr. 2 BGB bleiben. Hier ist das Recht des Bestellers geregelt, Änderungen anzuordnen, die zur Erreichung des vereinbarten Werkerfolges notwendig sind. Die Vergütungsfolge dieses Anordnungsrechts findet jedoch in § 650c Abs. 1 Satz 2 BGB ihre Einschränkung dahingehend, dass kein Anspruch auf eine zusätzliche Vergütung besteht, wenn der Unternehmer – hier also Architekt oder Ingenieur – auch die Planung des Bauwerks oder der Außenanlage schuldet. Tatsächlich schuldet dies der Architekt oder Ingenieur originär. Weshalb die Anordnung des Bestellers in eine frühere Stufe der Planung zurückzukehren, um den werkvertraglichen Erfolg sicherzustellen, niemals zu einem zusätzlichen Vergütungsanspruch führen kann.

Neu in das BGB eingeführt wird ein sog. Sonderkündigungsrecht, sowohl für den Besteller (Abs. 1) als auch für den Unternehmer (Abs. 2). Sinn und Zweck der Vorschrift ist es, den Parteien möglichst früh die Möglichkeit zu geben, sich wieder vom Vertrag zu lösen und zwar ohne, dass dem Unternehmer für die noch nicht erbrachten Leistungen ein zusätzlicher Vergütungsanspruch zustünde (§ 650r Abs. 3 BGB). Der Zeitpunkt, zu welchem die Kündigung ausgesprochen werden kann, ist derjenige nach § 650p Abs. 2 BGB. Das heißt, dass der Besteller die Möglichkeit hat, zwei Wochen lang, nachdem er die Unterlagen gemäß § 650p Abs. 2 BGB erhalten hat, den Vertrag zu kündigen. Diese vorbenannte Zweiwochenfrist gilt bei Verbraucherverträgen jedoch nur, wenn der Verbraucher in Textform (§ 126b BGB) über das Kündigungsrecht, die Frist und die Rechtsfolgen der Kündigung informiert wurde.

Der Besteller seinerseits kann den Vertrag kündigen, wenn er gemäß § 650p Abs. 2 BGB die erforderlichen Unterlagen zu Definierung des Planungs- und Überwachungsziels zur Zustimmung vorgelegt hat und nicht in angemessener Frist eine Erklärung zu den Unterlagen abgibt oder die Zustimmung verweigert.

Die Begründung eines Sonderkündigungsrechts für den Architektenvertrag nach Erbringung der Leistungen der Leistungsphase null ist sinnvoll. Wenn durch den Architekten und Ingenieur das Leistungsziel – mithin quasi der werkvertragliche Erfolg – erst definiert wird, muss es für den Besteller – nachdem er den wahren Inhalt des Vertrages gerade erst kennengelernt hat – auch die Möglichkeit geben, sich in Bezug auf noch nicht erbrachte Leistungen folgenlos vom Vertrag zu lösen. Andererseits muss der Unternehmer Rechtssicherheit erlangen können, weshalb ihm das Recht einzuräumen ist, sich von dem Vertrag zu lösen, wenn der Besteller sich nicht verbindlich artikuliert.

Schließlich führt das Gesetz mit § 650s BGB für den Architekten und Ingenieur das Recht der Teilabnahme ein. Sinn und Zweck dieser Vorschrift ist es, den stark auseinanderfallenden Verjährungsfristen zwischen bauausführenden Unternehmen, Architekten und Ingenieuren, die auch für die Objektbetreuung beauftragt sind, entgegenzuwirken. Das Problem nach geltendem Recht besteht darin, dass die Verjährungsfrist für Mängelrechte des Architekten und Ingenieurs insgesamt erst dann beginnt, wenn die Objektbetreuung abgeschlossen ist. Dies ist erst dann der Fall, wenn die Gewährleistungsfristen der bauausführenden Unternehmen bei einem BGB-Werkvertrag nach fünf Jahren abgelaufen sind. Eine Folge hieraus kann sein, dass der Gesamtschuldnerausgleich mit dem bauausführenden Unternehmen bereits verjährt ist, wenn der Architekt wegen eines Überwachungsmangels in Anspruch genommen wird. Der Wortlaut der Vorschrift ist, wenngleich die Intention des Gesetzgebers zu begrüßen ist, bedauerlicherweise deutlich misslungen.

Zu guter Letzt wurde mit § 650t BGB eine Regelung zur gesamtschuldnerischen Haftung des Architekten und Ingenieurs mit den bauausführenden Unternehmen geschaffen. Nach altem Recht stand es dem Besteller frei zu wählen, ob er den Architekten, Ingenieur oder das bauausführende Unternehmen wegen eines Ausführungs- und Überwachungsmangels in Anspruch nehmen will. Das Problem bestand darin, dass gegen den bauüberwachenden Architekten oder Ingenieur i.d.R. kein Nacherfüllungsanspruch besteht, wenn sich seine (unzureichende) Leistung bereits im Bauwerk verkörpert hat. Dementsprechend ist eine Fristsetzung zur Nacherfüllung vor dem Verlangen von Schadensersatz nicht erforderlich. Das Recht, statt dem bauausführenden Unternehmen, den Architekten auf Schadensersatz in Anspruch zu nehmen, gilt selbst dann, wenn der Bauunternehmer grundsätzlich zur Beseitigung des Mangels bereit wäre. Obgleich das bauausführende Unternehmen also niemals zur Mängelbeseitigung aufgefordert wurde, wird i.d.R. zwischen Architekt, Ingenieur und bauausführendem Unternehmen ein Gesamtschuldverhältnis angenommen. Das bedeutet, dass der Architekt oder Ingenieur das bauausführende Unternehmen auf gesamtschuldnerischen Ausgleich i.d.R. in Höhe des hälftigen geleisteten Schadensersatzes in Anspruch nehmen kann. Dieser Ausgleichsanspruch ist seit Längerem in der Literatur heftig umstritten und wird als unbillig empfunden, wenn die Selbstbeseitigungskosten durch den Unternehmer nur einen Bruchteil des tatsächlich entstandenen Schadens ausgemacht hätten.

Der § 650t BGB sieht zur Einschränkung dieses Ergebnisses vor, dass der Architekt oder Ingenieur, der vom Besteller wegen eines Überwachungsfehlers in Anspruch genommen wird, die Leistung verweigern kann, wenn auch der bauausführende Unternehmer für den Mangel verantwortlich ist und der Besteller diesem noch keine abgelaufene angemessene Frist zur Nacherfüllung bestimmt hatte. Die Vorschrift will der Nacherfüllung den Vorrang einräumen und gibt dem Architekten oder Ingenieur ein Leistungsverweigerungsrecht, bis das bauausführende Unternehmen erfolglos zur Nacherfüllung aufgefordert wurde.

3.1.2.5 Abgrenzung Dienstvertrag zum Werkvertrag

Wie auch beim Werkvertrag wird beim Dienstvertrag eine Leistung gegen Entgelt erbracht. Während beim Dienstvertrag jedoch für den Lohn eine Tätigkeit, die Dienstleistung als solche, geschuldet wird, schuldet der durch den Werkvertrag zur Leistung Verpflichtete den Tätigkeitserfolg, also ein bestimmtes Ergebnis, ein fassbares Produkt, um seinen Lohn zu erhalten. Typisches Beispiel für einen Dienstvertrag sind etwa Unternehmensberaterverträge, die anwaltliche Beratung oder aber die Tätigkeit eines Arztes.

Wesentlich für die Entscheidung, welcher Vertragstyp vorliegt, kann auch die Frage sein, ob der Erfolg nur von der Tätigkeit oder auch von anderen Faktoren abhängt. Je nachdem, von wem diese Faktoren beherrscht werden oder beherrscht werden sollen, kann ein Dienst- oder Werkvertrag vorliegen. Die Unterscheidung zwischen Werk- und Dienstvertrag ist vor allem deshalb von Bedeutung, weil sich im Werkvertrag detaillierte Regelungen über die Gewährleistung finden. Im Dienstvertragsrecht ist das nicht der Fall; d.h., es gibt keine Mängelrechte beim Dienstvertrag. Hier muss auf die Grundregeln des allgemeinen Schuldrechts zurückgegriffen werden.

3.1.3 Der Sachverständigenvertrag

Der Sachverständigenvertrag oder Gutachtervertrag wurde in der Vergangenheit als ein Vertrag eigener Art begriffen.[58] Heute wird in der Rechtsprechung und Literatur überwiegend davon ausgegangen, dass der Sachverständigenvertrag i.d.R. ein Werkvertrag ist.[59] Das heißt, der Sachverständige schuldet einen werkvertraglichen Erfolg. Es ist also nicht nur wie beim Dienstvertrag ein Bemühen geschuldet bzw. die Erbringung einer bestimmten Leistung über einen gewissen Zeitraum hinweg, losgelöst vom Ergebnis dieser Leistung, sondern die Sachverständigenleistung muss ein bestimmtes, vorher vereinbartes Ziel erreichen. Folgende Verträge wurden als Werkvertrag qualifiziert: Verträge, bei denen es um die Schadensfeststellung geht;[60] Verträge, gerichtet auf die Erstellung eines Wertgut-

58 Vgl. Bayerlein/Bleutge/Roeßner/*Roeßner*, Praxishandbuch Sachverständigenrecht, 3. Aufl. 2002, § 9 Rn. 5.
59 BGH, U. v. 28.2.1974, VII ZR 120/72, BeckRS 1974, 31125309.
60 BGH, U. v. 8.12.1966, VII ZR 114/64, NJW 1967, S. 719.

achtens;[61] die Begutachtung eines Bauvorhabens in Bezug auf Mängel;[62] ein Vertrag über die Erstellung eines Sanierungsgutachtens mit der dafür erforderlichen Planung;[63] wie auch der Vertrag über die Durchführung einer vergleichenden Umweltverträglichkeitsprüfung für eine Deponie;[64] ein Vertrag über eine „betontechnologische Betreuung";[65] ein Vertrag über einzelne Qualitätskontrollen bei einem Bauvorhaben[66] sowie ein Vertrag über die Erstellung eines geohydrologischen Gutachtens.[67]

Sachverständige oder gutachterliche Tätigkeit kann jedoch durchaus auch ein Dienstvertrag sein. Das heißt, der Sachverständige schuldet nicht ein bestimmtes, vorher festgelegtes Ergebnis im Sinne des werkvertraglichen Erfolges, sondern vielmehr nur das Bemühen. Die rein zeitliche Komponente steht im Vordergrund. Ergibt sich aus dem vertraglichen Leistungskatalog, dass der Architekt oder Ingenieur nur bauvorbereitende und baubegleitende Betreuungsleistungen erbringen soll, wobei er nicht verpflichtet ist, für deren jeweiligen Erfolg einzustehen, ist ein Dienstvertrag anzunehmen.[68] Ebenfalls als Dienstvertrag wurden folgende Verträge qualifiziert: Eine summarische Prüfung eines Hausgrundstückes für den Erwerber;[69] Untersuchung eines Kaufobjektes auf „erkennbare Mängel" ohne Eingriffe in die Bausubstanz und bei nur begrenzter Zeit für Untersuchungen.[70]

An dieser Stelle sei erneut in Erinnerung gerufen, dass die Zuordnung des Sachverständigenvertrages zum Dienst- oder Werkvertrag eine überragende Bedeutung hat. Dies schon deshalb, da der Dienstvertrag keine Mängelrechte kennt. Lange Zeit streitig war deshalb, ob der Baubetreuer bzw. ein Vertrag über baubegleitende Qualitätskontrollen als Dienst- oder Werkvertrag zu qualifizieren ist. Dies insbesondere dann, wenn vertraglich festgeschrieben wird, dass der Gutachter nur eine bestimmte (oft geringe) Anzahl an Tagen auf der Baustelle verbringt und ausdrücklich festgeschrieben wird, dass der Gutachter nur unterstützend tätig wird und er sich nur darum bemüht, Mängel aufzudecken und eine Haftung für versteckte Mängel ausgeschlossen sein soll. Derartige Verträge wurden lange Zeit als Dienstvertrag qualifiziert.[71] Der Bundesgerichtshof sieht dies anders. Er qualifiziert unter Verweis auf die Erfolgsbezogenheit derartige Verträge als Werkverträge. Er formuliert:

---

61 BGH, U. v. 10.6.1976, VII ZR 129/74, BGHZ 67, S. 1, BauR 1976, S. 354, NJW 1976, S. 1502; BGH, U. v. 10.11.1994, III ZR 50/94, BGHZ 127, S. 378, NJW 1995, S. 392; OLG Köln, U. v. 9.3.2015, 21 U 25/14, BeckRS 2015, 116375.

62 BGH, U. v. 11.10.2001, VII ZR 475/00, NJW 2002, S. 749; LG Hamburg, U. v. 4.12.2014, 321 O 87/12, NJW-RR 2013, S. 594; Kniffka/Koeble/Jurgeleit/Sacher/*Koeble*, Kompendium des Baurechts, 5. Aufl. 2020, Teil 10 Rn. 1121.

63 BGH, U. v. 12.3.1987, VII ZR 80/86, BauR 1987, S. 456, NJW-RR 1987, S. 853.

64 BGH, U. v. 27.10.1998, X ZR 116/97, BauR 1999, S. 167, NJW 1999, S. 418.

65 OLG Düsseldorf, U. v. 27.4.2018, 22 U 93/17, BeckRS 2018, 50138.

66 OLG Stuttgart, B. v. 12.9.2017, 10 U 77/17, BeckRS 2017, 154559.

67 BGH, U. v. 28.4.1992, X ZR 27/91, NJW-RR 1992, S. 1078.

68 OLG Brandenburg, B. v. 21.1.2020 – 12 U 69/19, BeckRS 2020, 2003.

69 OLG Hamm, U. v. 22.6.1999, 21 U 155/98, BauR 1999, S. 1323.

70 OLG Celle, U. v. 27.2.2014, 16 U 187/13, BauR 2014, S. 1153.

71 OLG Hamm, U. v. 22.6.1999, 21 U 155/98, BauR 1999, S. 1323; OLG München, U. v. 16.5.2000, 13 U 4315/99, IBR 2001, Heft 12, S. 683.

„Wer eine auch nur stichprobenartige Kontrolle des Bauvorhabens und die gutachterliche Erfassung von Mängeln übernimmt, kann in seinen Allgemeinen Geschäftsbedingungen eine Haftung für ‚Schadensersatzforderungen jedweder Art infolge nicht erkannter, verdeckter oder sonstiger Mängel' nicht vollständig ausschließen."[72]

Der werkvertragliche Charakter wird auch nicht dadurch berührt, dass der Gutachter nur stichprobenartig tätig werden soll oder besonders betont wird, dass die Suche nach Mängeln die Bauüberwachung eines Architekten nicht ersetzen soll. Der BGH argumentiert, dass die Erfassung von Mängeln sich eindeutig darauf bezieht, dass tatsächlich vorhandene Mängel erkannt und erfasst werden. Dies wiederum soll klar dazu dienen, dass ein mangelfreies Gesamtbauwerk hergestellt wird. Auch stichprobenartige Kontrollen sind erfolgsbezogen, denn es handelt sich um eine Tätigkeit, nach der erkennbare Mängel erfasst werden. Der geschuldete Erfolg bezieht sich darauf, dass die bei den vereinbarten Baustellenbesuchen von einem Fachkundigen erkennbaren Mängel ermittelt und beanstandet werden. Die vertragliche Vereinbarung eines Haftungsausschlusses in Bezug auf verdeckte Mängel ändert nichts daran, dass in Bezug auf erkennbare Mängel der Erfolg geschuldet ist.[73]

3.1.4 Der Sachverständigenvertrag mit Verbrauchern

Bei Verträgen mit Verbrauchern sind besondere Schutzvorschriften des BGB zu beachten, § 312 ff. BGB. Dies sind z.B. Informationspflichten (vgl. §§ 312d BGB i.V.m. Art. 246a EGBGB). Vor allem steht dem Verbraucher aber nach § 312g BGB ein 14-tägiges Widerrufsrecht zu, wenn der Vertrag außerhalb der Geschäftsräume des Sachverständigen oder unter ausschließlicher Verwendung von Fernkommunikationsmitteln abgeschlossen wird. Dass Verträge in dieser Form geschlossen werden, ist keine Seltenheit, sondern eher die Regel. Zu denken ist etwa an die Konstellation, dass der Verbraucher einen Sachverständigen telefonisch zu einem Besichtigungstermin einlädt und der Sachverständige dies akzeptiert. Dies führt bereits zu dem fernmündlich geschlossenen Vertrag. Das Gesetz räumt dem Verbraucher in diesen Fällen ein 14-tägiges freies Widerrufsrecht ein, ohne dass der Verbraucher hierfür Gründe benennen müsste. Der Sachverständige muss in diesem Fall alle etwaigen erhaltenen Zahlungen ohne Abzüge an den Verbraucher zurückerstatten.

Der Sachverständige ist gegenüber einem Verbraucher verpflichtet, über das Bestehen des Widerrufsrechts ordnungsgemäß zu belehren. Unterlässt er die Belehrung oder ist sie unrichtig, verlängert sich das Widerrufsrecht des Verbrauchers sogar auf ein Jahr.

Die besondere Dramatik wird deutlich, wenn man sich vergegenwärtigt, dass im Fall des Widerrufs der Sachverständige Leistungen erbracht und Aufwendungen hatte, die sich als nutzlos erweisen. Es empfiehlt sich vor diesem Hintergrund, bei einem Verbrauchervertrag die Erbringung der Leistung erst zu beginnen, wenn die Widerrufsbelehrung abgelaufen ist. Werden die Arbeiten bereits zuvor aufgenommen, sollte der Verbraucher darüber aufgeklärt werden, dass er bei vollständiger Erfüllung des Vertrages das Widerrufsrecht ver-

72 BGH, U. v. 11.10.2001, VII ZR 475/00, BGHZ 149, S. 57, NJW 2002, S. 749, NZBau 2002, S. 150.
73 BGH, U. v. 11.12.2003, VII ZR 31/03, NJW 2004, S. 1454, NZBau 2004, S. 21, BauR 2004, S. 674.

liert. Außerdem sollte die Zustimmung eingeholt werden, dass die Arbeiten bereits vor Ablauf des Widerrufsrechtes aufgenommen werden sollen. Liegen eine derartige Belehrung des Sachverständigen und Erklärungen des Verbrauchers vor, kann der Sachverständige auch für den Fall des Widerrufs bei nicht vollständig erbrachter Leistung Wertersatz verlangen.[74]

74 Musterformulierung für Belehrung in diesem Sinne bietet *Schlehe*, DS 2015, S. 146.

3.2 Abnahme, Abnahmewirkungen, technische Vorbereitung und Begleitung von Abnahmen

Marc Steffen

Übersicht

3.2.1 Die Abnahme

3.2.1.1 Rechtscharakter der Abnahme

Dreh- und Angelpunkt in der Abwicklung des Werk- und Bauvertrages ist die Abnahme. Sie markiert den Übergang zwischen Erfüllungs- und Nacherfüllungsphase zum abgeschlossenen Werk- und Bauvertrag.[1] Die Abnahme ist in § 640 BGB bzw. in § 12 VOB/B geregelt. Die Abnahme stellt eine Besonderheit des Werkvertragsrechts dar und liegt vor, wenn der Besteller den körperlichen Leistungsgegenstand als Erfüllung entgegennimmt und zu erkennen gibt, dass er es ausdrücklich oder stillschweigend als in der Hauptsache vertragsgemäß billigt.[2] Beim Werkvertrag reicht als Leistungserfüllung die körperliche Hinnahme der Leistung allein nicht aus.[3] Dem Besteller muss vielmehr die Möglichkeit gegeben werden, das Werk auf die ordnungsgemäße Herstellung zu überprüfen.[4] Die Billigung erfolgt durch eine einseitige, nicht notwendigerweise empfangsbedürftige Willenserklärung des Auftraggebers.[5] Davon zu unterscheiden ist jedoch die aufgrund öffentlichen Rechts erforderliche behördliche Bauabnahme bzw. Begehung (Bewehrungs-, Rohbau-, Gebrauchs- und Schlussabnahme nach den einschlägigen Vorschriften der Landesbauordnung), die nur der Prüfung dient, ob das Bauwerk den öffentlich-rechtlichen Anforderungen entspricht und von ihm keine Gefahren für die Allgemeinheit ausgehen.[6]

Obwohl es sich bei der Abnahme dogmatisch um eine Willenserklärung handelt, kann sie, sofern sie wirksam erklärt wurde, nicht im Wege der Anfechtung wegen Irrtums oder Arglist beseitigt werden.[7] Dies wird mit dem ausreichenden Schutz des Auftraggebers durch die Gewährleistungs- und Schadensersatzansprüche des Werkvertragsrechts begründet. Eine Anfechtung wegen Drohung wird hingegen für möglich gehalten, wobei nicht jegliche Ausübung von wirtschaftlichem oder faktischem Druck eine widerrechtliche Drohung darstellt.[8] Eine widerrechtliche Drohung liegt beispielsweise vor, wenn der Auftragnehmer die Übergabe von der Unterschrift seiner Rechnungen als anerkannt abhängig macht.[9]

1 Messerschmidt/Voit/*Messerschmidt*, Privates Baurecht, 4. Aufl. 2022, § 640 BGB, Rn. 53.
2 BGH, U. v. 25.4.1996, X ZR 59/94, NJW-RR 1996, S. 883, 884.
3 BGH, U. v. 20.2.2014, VII ZR 26/12, ZfBR 2014, S. 362.
4 Leinemann/Hildebrandt/*Erdmann*, Der Bauvertrag nach VOB/B, 3. Aufl. 2021, Kapitel VII, S. 270.
5 BGH, U. v. 15.11.1973, VII ZR 110/71, BauR 1974, S. 67.
6 Leinemann/Hildebrandt/*Erdmann*, Der Bauvertrag nach VOB/B, 3. Aufl. 2021, Kapitel VII, S. 270.
7 Leinemann/*Jansen*, VOB/B-Kommentar, 7. Aufl. 2019, § 12 Rn. 6.
8 Kniffka/Jurgeleit/*Pause*/*Vogel*, Bauvertragsrecht-Kommentar, 4. Aufl. 2022, § 640 Rn. 7.
9 BGH, U. v. 6.5.1982, VII ZR 208/81, BauR 1982, S. 503.

3.2.1.2 Befugnis zur Abnahme

3.2.1.2.1 Berechtigte Personen, ggf. Anscheins- und Duldungsvollmacht

Im Ausgangspunkt stellt sich die Frage, wer zur wirksamen Erklärung einer Abnahme berechtigt ist und wer nicht. Dabei ist sinnvoll, dass die Abnahme durch einen qualifizierten Fachmann, z.B. durch einen Architekten oder einen Bauingenieur, begleitet wird. Die Abnahme kann aber auch durch diese Hilfspersonen selbst erklärt werden. Der ausdrückliche Hinweis im Bauvertrag auf eine fehlende rechtsgeschäftliche Bevollmächtigung des Architekten schließt i.d.R. eine Anscheins- oder Duldungsvollmacht aus.[10] Andernfalls sollte der Bauherr dem Auftragnehmer bereits vor Abnahme eine schriftliche Bestätigung der Abnahmebefugnis des Architekten zukommen lassen. In der Regel lassen sich hier auch die Grundsätze der Anscheins- und Duldungsvollmacht herleiten, was für den Auftragnehmer jedoch mit zusätzlichen prozessualen Hürden verbunden ist.[11] Eine Anscheinsvollmacht liegt vor, wenn jemand wiederholt und über einen längeren Zeitraum als Vertreter aufgetreten ist, der Vertretene das Verhalten nicht kannte, bei der Anwendung pflichtgemäßer Sorgfalt jedoch hätte erkennen müssen und verhindern können.[12] Darüber hinaus muss der Geschäftsgegner das Verhalten des Vertreters kennen, gutgläubig sein und im Vertrauen auf eine ordnungsgemäße Bevollmächtigung das Vertretergeschäft vorgenommen haben.[13] Eine Duldungsvollmacht liegt hingegen vor, wenn der Vertreter, ohne Vollmacht zu haben, wiederholt und über einen längeren Zeitraum im Namen des Vertretenen aufgetreten ist und der Vertretene das Handeln kannte und nicht unterbunden hat, obwohl es ihm möglich war.[14] Der Geschäftsgegner muss dabei das Verhalten des Vertreters und des Vertretenen gekannt haben und nach Treu und Glauben davon ausgegangen sein, dass der Vertreter ordnungsgemäß bevollmächtigt war.[15] Diesbezüglich muss der Geschäftsgegner gutgläubig und sein Vertrauen auf die ordnungsgemäße Bevollmächtigung ursächlich für sein Handeln gewesen sein.[16]

In Betracht kommt ferner eine nachträgliche, ausdrückliche oder konkludent erklärte Zustimmung zu der Abnahme der nicht vertretungsberechtigten Person.[17] Durch die Genehmigung wird die mangelnde Bevollmächtigung geheilt, wobei der Auftragnehmer die Darlegungs- und Beweislast der nachträglichen Genehmigung trägt.[18]

3.2.1.2.2 Abnahme des Gemeinschaftseigentums

In Bezug auf das Gemeinschaftseigentum bei der Errichtung einer Eigentumswohnungsanlage gestaltet sich die Abnahme aufgrund der Vielzahl einzelner Bauherren durchaus

10 Vgl. OLG Düsseldorf, U. v. 8.9.2000, 22 U 47/00, NJW-RR 2001, S. 14.
11 Leinemann/Hildebrandt/*Erdmann*, Der Bauvertrag nach VOB/B, 3. Aufl. 2021, Kapitel VII, S. 271.
12 BGH, U. v. 9.5.2014, V ZR 305/12, NJW 2014, S. 2790; OLG Frankfurt a.M., U. v. 9.11.2005, 1 U 119/05, BauR 2006, S. 419.
13 BGH, U. v. 11.5.2011, VIII ZR 289/09, NJW 2011, S. 2421.
14 BGH, U. v. 22.7.2014, VIII ZR 313/13, NJW 2014, S. 3150; BGH, U. v. 21.4.1955, II ZR 328/53, NJW 1955, S. 985.
15 BGH, U. v. 16.11.1987, II ZR 92/87, NJW 1988, S. 1199.
16 MüKo/*Schubert*, BGB, 9. Aufl. 2021, § 167 Rn. 107.
17 OLG Düsseldorf, U. v. 8.9.2000, 22 U 47/00, NJW-RR 2001, S. 14.
18 Leinemann/Hildebrandt/*Erdmann*, Der Bauvertrag nach VOB/B, 3. Aufl. 2021, Kapitel VII, S. 271.

problematischer. Jedoch muss sich der Erwerber einer neu errichteten Wohneinheit eine vorherige Abnahme durch die Mehrheit der anderen Wohnungseigentümer nicht entgegenhalten lassen.[19] Es erfolgt hinsichtlich der einzelnen Erwerber auch eine Einzelabnahme des Gemeinschaftseigentums, sodass für den „Nachzüglerkäufer" die Möglichkeit einer individuellen Abnahme auch im Hinblick auf das Gemeinschaftseigentum gegeben ist.[20] Die Nachzügler sollen, wie alle weiteren Erwerber, eine neue, nach ihren Wünschen ausgestattete Eigentumswohnung erhalten.[21] Dies führt zu einer Verlängerung der Verjährungsfristen für Gewährleistungsansprüche und der Gefahrtragung für zufällige Verschlechterungen der Bausubstanz zulasten des Bauträgers.[22] Dies wird häufig durch unwirksame Abnahmeklauseln versucht zu umgehen. Jedoch entfalten unwirksame Abnahmeklauseln keine Abnahmewirkungen.[23] Demzufolge kann auch von keiner konkludenten Abnahme durch schlüssiges Verhalten der Erwerber vom Bauträger redlicherweise ausgegangen werden.[24] Insoweit mangelt es den Erwerbern an einem potenziellen Erklärungsbewusstsein, da sie von der Wirksamkeit der Klauseln und der daraufhin erfolgten Abnahme ausgehen.[25] Gleichwohl ist es den Erwerbern in diesem Fall möglich, die werkvertraglichen Gewährleistungsansprüche vor der Abnahme geltend zu machen.[26]

3.2.1.2.3 Abnahme bei einem öffentlichen Auftraggeber

Bei einem öffentlichen Auftraggeber kann die Abnahme ein hierfür zuständiger Beamter oder beauftragter Bauleiter des öffentlichen Auftraggebers erklären; die Anforderungen diesbezüglich sind nicht als streng einzustufen.[27]

3.2.1.3 Bedeutung und Wirkung der Abnahme

Die Abnahme, als Dreh- und Angelpunkt des Bauvertrages, hat gleich eine ganze Reihe von bedeutsamen Rechtsfolgen:

3.2.1.3.1 Übergang vom Erfüllungs- in das Gewährleistungsstadium durch die Abnahme

Der Auftraggeber hat ab dem Zeitpunkt der Abnahme keine vertraglichen Erfüllungs- sondern nur noch Nacherfüllungsansprüche.[28]

Bei den Restleistungen handelt es sich dann um Mängel, die vom Auftragnehmer zu beseitigen sind, sodass sich das Recht auf Mangelbeseitigung des Auftraggebers im VOB/B-Vertrag nicht mehr nach § 4 Nr. 7 VOB/B richtet.[29] Der Auftraggeber kann dem Auftragneh-

19 BGH, U. v. 21.2.1985, VII ZR 72/84, NJW 1985, S. 1551.
20 BGH. U. v. 21.2.1985, VII ZR 72/84, NJW 1985, S. 1551.
21 BGH. U. v. 21.2.1985, VII ZR 72/84, NJW 1985, S. 1551.
22 *Karczewski*, NJW 2021, S. 528.
23 BGH, U. v. 12.5.2016, VII ZR 171/15, BauR 2016, 1467, BauR 2017, S. 1097.
24 *Karczewski*, NJW 2021, S. 528.
25 BGH, U. v. 12.5.2016, VII ZR 171/15, BauR 2016, 1467, BauR 2017, S. 1097.
26 *Karczewski*, NJW 2021, S. 528.
27 Leinemann/Hildebrandt/*Erdmann*, Der Bauvertrag nach VOB/B, 3. Aufl. 2021, Kapitel VII, S. 272.
28 BGH, U. v. 19.1.2017, VII ZR 301/13, NJW 2017, S. 1604; BGH, U. v. 19.1.2017, VII ZR 193/15, ZfBR 2017, S. 340; Kapellmann/Messerschmidt/*Havers,* VOB-Kommentar, 8. Aufl. 2022, § 12 VOB/B Rn. 2.
29 Leinemann/Hildebrandt/*Erdmann*, Der Bauvertrag nach VOB/B, 3. Aufl. 2021, Kapitel VII, S. 272.

mer den Auftrag bei Verzug nicht mehr entziehen; ihm bleibt vielmehr nur noch die Ersatzvornahme nach § 13 Nr. 5 Abs. 2 VOB/B.

Nunmehr ist im Wortlaut des § 650f BGB sichergestellt, dass – aufgrund der Beendigung der Vorleistungsverpflichtung des Auftragnehmers – der Auftragnehmer auch nach Abnahme mit einem Sicherungsverlangen durchdringen kann. Jedoch kann der Auftragnehmer den Vertrag bei Nichterfüllung des Verlangens nicht mehr nach § 650f Abs. 5 BGB kündigen. Für beide Parteien erlischt mit Abschluss des Erfüllungsstadiums das Recht, sich durch Kündigung vom Vertrag zu lösen, da keine Hauptleistung mehr besteht, die der Auftragnehmer zu erfüllen hätte.

Verweigert der Auftragnehmer die Mängelbeseitigung, kann der Auftraggeber die Mangelbeseitigung auf Kosten des Auftragnehmers durchführen, sofern eine angemessene Frist zur Mängelbeseitigung fruchtlos verstrichen ist.[30]

3.2.1.3.2 Beweislastumkehr

Die Beweislast in Bezug auf die Einhaltung der Beschaffenheitsvereinbarung vor der Abnahme liegt grundsätzlich beim Auftragnehmer.[31] Nach der Abnahme obliegt es dem Besteller, das Vorhandensein eines Mangels nachzuweisen.[32]

Die Beweislast (auch vor der Abnahme), „was" hinsichtlich der Beschaffenheitsvereinbarung überhaupt vereinbart wurde, liegt aber grundsätzlich beim Besteller.[33]

3.2.1.3.3 Beginn der Verjährungsfrist

Mit der Abnahme beginnt die Verjährungsfrist für die Gewährleistungsrechte i.S.d. § 634a Abs. 2 BGB, § 13 Nr. 4 Satz 2 VOB/B zu laufen.

Der Anspruch des Auftragnehmers auf Teilabnahme besteht hingegen nur bei entsprechender vertraglicher Vereinbarung.[34] Die VOB/B sieht eine Teilabnahme vor, dies jedoch nur für „in sich abgeschlossene Teile der Leistung", § 12 Abs. 2 VOB/B. Handelt es sich nicht um eine in sich abgeschlossene Teilleistung, besteht kein Anspruch des Auftragnehmers auf die Teilabnahme. Die Parteien können aber auch losgelöst von VOB/B und BGB eine Teilabnahme, zumindest individualvertraglich, vereinbaren, bei der es auch nicht auf das Kriterium der in sich abgeschlossenen Teilleistung ankommt.[35]

Damit gilt, dass das Gesetz keine Teilabnahme kennt. Nach der VOB kann der Auftragnehmer eine Teilabnahme einseitig erzwingen, wenn es sich um eine in sich abgeschlossene Teilleistung handelt, und schließlich können die Parteien stets einvernehmlich eine Teilabnahme ohne weitere Voraussetzungen individuell (also nicht als AGB) vereinbaren. In

30 BGH, U. v. 9.12.2004, VII ZR 199/03, NJW-RR 2005, S. 389.
31 BGH, U. v. 23.10.2008, VII ZR 64/07, BauR 2009, S. 237; BGH, U. v. 10.2.2010, VII ZR 8/10, BauR 2011, S. 869.
32 BGH. U. v. 4.6.1973, VII ZR 112/71, BauR 73, S. 313.
33 OLG Stuttgart, B. v. 9.1.2018, 10 U 93/17, BauR 2018, S. 1138.
34 BGH, U. v. 10.2.1994, VII ZR 20/93, BauR 1994, S. 392.
35 BGH, U. v 20.8.2009, VII ZR 205/07, NJW 2010, S. 227, 231, BauR 2009, S. 1724.

jedem Fall der Teilabnahme gilt, dass der eigenständig abgenommene Teil der Leistung in Bezug auf die Mängelrechte selbstständig zu verjähren beginnt.[36]

Wird die Abnahme vom Auftraggeber ungerechtfertigt verweigert, so gerät er nach Verstreichenlassen einer zu setzenden Nachfrist in Verzug und die Verjährung für die Gewährleistungsrechte beginnen ab diesem Zeitpunkt zu laufen.[37] Jedoch bleibt der Auftragnehmer dafür darlegungs- und beweisbelastet, dass das Werk zum Zeitpunkt der Annahmeverweigerung abnahmereif war.

3.2.1.3.4 Gefahrübergang

Mit der Abnahme wandert die Gefahr für die abgenommene Bauleistung auf den Auftraggeber über, §§ 644 Abs. 1, 645 Abs. 1 BGB, § 12 Nr. 6 VOB/B. Dabei sind zwei Gefahrenarten voneinander zu unterscheiden. Während eine Gefahrenart regelt, ob im Falle des Untergangs oder der Verschlechterung des Werks der Auftragnehmer die Neuherstellung oder die Nacherfüllung leisten muss (Leistungsgefahr), regelt die andere Gefahrenart, ob der Auftraggeber die vereinbarte Vergütung auch bei vorzeitiger Beschädigung oder beim vorzeitigen Untergang der Leistung zahlen muss (Vergütungsgefahr oder Preisgefahr). Bis zur Abnahme trägt der Auftragnehmer die Leistungsgefahr, das Werk immer wieder neu herzustellen, es sei denn, es tritt Unmöglichkeit in tatsächlicher oder Unvermögen in subjektiver Hinsicht auf.

Grundsätzlich erhält der Auftragnehmer für das erbrachte, aber vorzeitig zerstörte oder beschädigte Bauwerk nach dem BGB keine Vergütung, außer das Bauwerk wurde durch einen vom Auftraggeber gelieferten Baustoff oder durch eine vom Auftraggeber erteilte Anweisung mangelhaft, § 645 Abs. 1 BGB.

Befindet sich der Auftraggeber in Annahmeverzug und wird das Bauwerk während dieser Zeit beschädigt oder zerstört, erhält der Auftragnehmer weiterhin die Vergütung.[38] Die Haftung des Auftragnehmers reduziert sich dann nur auf Vorsatz und Fahrlässigkeit nach § 300 Abs. 1 BGB.

Bei VOB/B-Verträgen trägt der Auftragnehmer nach § 7 Nr. 1 VOB/B bereits vor der Abnahme die Vergütungsgefahr, wenn das Bauwerk durch höhere Gewalt, Krieg, Aufruhr u.a. vom Auftragnehmer nicht zu vertretene Umstände beschädigt oder zerstört wird.[39]

3.2.1.3.5 Möglicher Ausschluss von Vertragsstrafen

Der Auftraggeber muss sich die Vertragsstrafe ausdrücklich bei der Abnahme nach § 341 Abs. 3 BGB bzw. § 11 Abs. 4 VOB/B vorbehalten; er trägt diesbezüglich die Beweislast.[40] Dies ist ausnahmeweise dann obsolet, wenn der Auftraggeber die Vertragsstrafe vor der Abnahme gerichtlich geltend gemacht hat.[41]

---

36 Messerschmidt/Voit/*Messerschmidt*, Privates Baurecht, 4. Aufl. 2022, § 640 Rn. 337.

37 BGH, U. v. 20.12.1973, VII ZR 153/71, BauR 1974, S. 205.

38 Leinemann/Hildebrandt/*Erdmann*, Der Bauvertrag nach VOB/B, 3. Aufl. 2021, Kapitel VII, S. 274.

39 Insgesamt hierzu ausführlich Leinemann/Hildebrandt/*Erdmann*, Der Bauvertrag nach VOB/B, 3. Aufl. 2021, Kapitel VII, S. 274.

40 BGH, U. v. 12.6.1975, VII ZR 55/73, NJW 1975, S. 1701.

41 BGH, U. v. 12.6.1975, VII ZR 55/73, NJW 1975, S. 1701.

Der Vorbehalt ist bei der förmlichen Abnahme in die Niederschrift aufzunehmen und bei der fiktiven Abnahme innerhalb von zwölf bzw. sechs Werktagen i.S.d. § 12 Nr. 5 Abs. 3 VOB/B zu erklären. Bei vertraglicher Vereinbarung kann die Vertragsstrafe auch bis zur Schlusszahlung geltend gemacht werden.[42]

3.2.1.3.6 Möglicher Ausschluss von Gewährleistungsansprüchen

Der Auftraggeber muss sich bei der Abnahme eines mangelhaften Werks die verschuldensunabhängigen Gewährleistungsrechte des § 634 BGB bei Kenntnis der Mängel ausdrücklich vorbehalten, vgl. § 640 Abs. 3 BGB i.V.m. §634 Nr. 1 bis Nr. 3 BGB; § 12 Abs. 4 Abs. 1 S 5, Abs. 5 Nr. 3 VOB/B. Im Rahmen des VOB/B-Vertrages sind Mängelbeseitigungsansprüche und Minderungsrechte aus § 13 Abs. 5 und 6 VOB/B ausgeschlossen, wenn die bekannten Mängel (positive Kenntnis) bei der Abnahme nicht ausdrücklich vorbehalten wurden. Beim BGB-Vertrag betrifft dies die Rechte aus § 634 Nr. 1 bis Nr. 3 BGB (Nacherfüllung, Selbstvornahmerecht, Kostenvorschussanspruch, Aufwendungsersatzanspruch und Minderung). Von dem Verlust der Mängelrechte sind nach h.M. jedoch nicht die verschuldensabhängigen weitergehenden Rechte aus §§ 634 Nr. 4, 280 ff. BGB bzw. § 4 Nr. 7 und § 13 Nr. 7 VOB/B wegen Pflichtverletzung betroffen.[43]

Sofern sich der Auftraggeber von einem Fachmann (z.B. einem Architekten) bei der Abnahme vertreten lässt, muss er sich das Wissen und die Kenntnis des Fachmannes nach § 166 Abs. 1 BGB zurechnen lassen.[44] Die Gewährleistungsansprüche bleiben jedoch bestehen, wenn sich der Mangel erst später herauskristallisiert und vorher nicht erkennbar war.[45] Die Darlegungs- und Beweislast der positiven Kenntnis des Auftraggebers trägt der Auftragnehmer; hinsichtlich des erklärten oder obsolet gewordenen Vorbehalts trägt hingegen der Auftraggeber die Beweislast.[46] In der Praxis sind die Fälle meistens so ausgestaltet, dass ein bestimmter Mangel bereits vor der Abnahme gerügt, er jedoch bei der förmlichen Abnahme nicht mit ins Protokoll aufgenommen wurde. Insbesondere spielt in diesem Rahmen das Abnahmeprotokoll eine wichtige Rolle, denn nicht im Protokoll aufgeführte Mängelrügen sprechen für den fehlenden Vorbehalt eines etwaigen Mangels.

3.2.1.3.7 Beginn des Abrechnungsstadiums

Das Abrechnungsstadium beginnt mit der Abnahme. Liegt ein Werkvertrag nach BGB vor, ist die Vergütung nach § 641 Abs. 1 BGB bei Abnahme zu entrichten. Bei einem Bauvertrag ist gemäß § 650g Abs. 4 BGB die Vergütung zu entrichten, wenn der Besteller das Werk abgenommen und der Unternehmer dem Besteller zusätzlich eine prüffähige Schlussrechnung erteilt hat.

Ausschließlich bei Subunternehmerverträgen regelt der § 641 Abs. 2 BGB, dass der Vergütungsanspruch gegen den Hauptunternehmer dann soweit fällig wird, soweit der Auftrag-

42 BGH, B. v. 13.7.2000, VII ZR 249/99, BauR 2000, S. 1758.

43 OLG Köln, B. v. 1.12.2021, 16 U 115/21, BeckRS 2021, 43928; a.A. OLG Schleswig U. v. 18.12.2015, 1 U 125/14, NJW 2016, S. 1744.

44 Vgl. BGH, U. v. 28.1.2000, V ZR 402/98, NJW 2000, S. 1405.

45 BGH, U. v. 22.10.1969, VIII ZR 196/67, NJW 1970, S. 383; Messerschmidt/Voit/*Messerschmidt*, Privates Baurecht, 4. Aufl. 2022, § 640 BGB Rn. 293.

46 Leinemann/Hildebrandt/*Erdmann*, Der Bauvertrag nach VOB/B, 3. Aufl. 2021, Kapitel VII, S. 275.

geber dem Hauptunternehmer für das vom Subunternehmer hergestellte Werk eine (Teil-)Vergütung gezahlt hat.[47]

Fälligkeitsvoraussetzungen bei einem VOB-Werkvertrag sind zum einen die Abnahme und zum anderen die prüfbare Schlussrechnung nach § 16 Abs. 3 Nr. 1 VOB/B mit einem Zeitablauf von zwei Monaten nach Schlussrechnungslegung. Die Schlussrechnung kann nach § 14 Abs. 3 VOB/B auch vor Abnahme eingereicht werden, sofern das Werk bereits fertiggestellt ist. Jedoch wird der mit der Schlussrechnung gelegte Betrag erst mit Abnahme des Werkes auch fällig.

3.2.1.4 Voraussetzungen der Abnahme

Die Voraussetzungen der Abnahme ergeben sich im Wesentlichen aus der Begrifflichkeit.[48] Danach definiert sich die Abnahme als die körperliche Entgegennahme der fertig gestellten Leistung und ihrer Billigung der Hauptsache nach, d.h. im Wesentlichen als vertragsgemäße Leistungserfüllung.[49]

3.2.1.4.1 Vertragsgemäße Herstellung

Zunächst muss das Bauwerk vertragsgemäß fertiggestellt und vollendet sein.[50] Nicht vorausgesetzt wird, dass das Werk gänzlich mangelfrei hergestellt oder dass keinerlei Restleistungen mehr geschuldet werden.[51] Dabei handelt es sich um unwesentliche Beeinträchtigungen i.S.d. § 12 Abs. 3 VOB/B und § 640 Abs. 1 Satz 2 BGB. Das Werk muss jedoch für den vertragsgemäßen Gebrauch ungehindert geeignet sein.

3.2.1.4.2 Abnahmefähigkeit – keine wesentlichen Mängel

Ferner wird vorausgesetzt, dass das Werk abnahmereif ist. Ob die Abnahmereife vorliegt, hängt von den Umständen des Einzelfalls ab.[52] Abnahmereife liegt vor, wenn das Werk fertiggestellt wurde, das Werk funktionstauglich und zweckentsprechend ist und schließlich keine wesentlichen Mängel vorliegen.[53] Ist die Gebrauchstauglichkeit bzw. die Funktionalität des Werks fühlbar beeinträchtigt, ist der Mangel in aller Regel als wesentlich einzustufen, sodass die Abnahme verweigert werden kann.[54] Dies gilt auch, wenn der Mangel eine Gefährdung für die Gesundheit und Sicherheit von Personen mit sich bringt.[55] Kann der Mangel hingegen einfach beseitigt werden und wird dadurch die Funktionstauglichkeit nicht beeinträchtigt, kann die Abnahme i.d.R. nicht verweigert werden.[56] Als Kriterium kann u.a. das Verhältnis der Mängelbeseitigungskosten zur Auftragssumme herangezogen werden.[57] Ein wesentlicher Mangel eines Gesamtwerkes kann jedoch auch bei einer

47 MüKo/*Busche*, BGB, 9. Aufl. 2023, § 641 Rn. 22.
48 Kapellmann/Messerschmidt/*Havers*, VOB/B-Kommentar, 8. Aufl. 2022, § 12 Rn. 91.
49 Leinemann/*Jansen*, VOB/B-Kommentar, 7. Aufl. 2019, § 12 Rn. 3.
50 BGH, U. v. 6.5.1968, VII ZR 33/66, NJW 1968, S. 1524.
51 Kniffka/Koeble/Jurgeleit/Sacher/*Jurgeleit*, Kompendium des Baurechts, 5. Aufl. 2020, Teil 3 Rn. 5.
52 BGH, U. v. 30.4.1992, VII ZR 185/90, NJW 1992, S. 2481.
53 BGH, U. v. 6.5.1968, VII ZR 33/66, NJW 1968, S. 1524.
54 Messerschmidt/Voit/*Messerschmidt*, Privates Baurecht, 4. Aufl. 2022, § 640 BGB Rn. 98 f.
55 Kniffka/Koeble/Jurgeleit/Sacher/*Jurgeleit*, Kompendium des Baurechts, 5. Aufl. 2020, Teil 3 Rn. 5.
56 OLG Dresden, U. v. 8.2.2001, 16 U 2057/00, BauR 2001, S. 949.
57 Leinemann/Hildebrandt/*Erdmann*, Der Bauvertrag nach VOB/B, 3. Aufl. 2021, Kapitel VII, S. 277.

Kumulation mehrerer für sich allein unwesentlicher Mängel angenommen werden.[58] Der Auftragnehmer trägt die Darlegungs- und Beweislast dafür, dass kein wesentlicher Mangel zum Zeitpunkt der Abnahmeverweigerung vorliegt und das Werk damit abnahmereif war.[59]

3.2.1.4.3 Übergabe des Werks

Schließlich muss der Auftragnehmer dem Auftraggeber das Bauwerk auch übergeben. Dies lässt den Rückschluss zu, dass der Auftraggeber nicht gegen den Willen des Auftragnehmers das noch nicht fertiggestellte Werk abnehmen kann. Im Rahmen einer WEG ist der Auftraggeber deshalb nicht berechtigt, das Gemeinschaftseigentum abzunehmen, wenn ein Bauträger nur das Sondereigentum an Wohnungen einer Wohnungsanlage übergibt und sich die Übergabe des Gemeinschaftseigentums vorbehält.[60]

3.2.1.5 Abnahmepflicht

Bei einem VOB/B-Vertrag hat der Auftraggeber das Werk nach Aufforderung des Auftragnehmers innerhalb der in § 12 Abs. 1 VOB/B festgelegten Frist von zwölf Werktagen abzunehmen, andernfalls kommt der Auftraggeber nach § 293 BGB in Annahmeverzug. Die Abnahmepflicht des Auftraggebers ist nach allgemeiner Ansicht eine seiner Hauptpflichten i.S.d. § 640 Abs. 1 BGB.[61] Deswegen hat er auch die Kosten der Abnahme zu tragen.[62] Jede Partei kann gemäß § 12 Abs. 4 Nr. 1 Satz 2 VOB/B auf ihre Kosten einen Sachverständigen hinzuziehen. Zweifelhaft ist, ob der Auftragnehmer Schadenersatz z.B. für Sachverständigenkosten verlangen kann, wenn der Auftraggeber zu Unrecht die Abnahme verlangt hat, tatsächlich aber wesentliche Mängel vorliegen.[63]

Der Auftraggeber hat dem Auftragnehmer nach § 304 BGB die wegen der nicht erfolgten Abnahme entstandenen Mehrkosten, die zur Erhaltung des fertiggestellten Werks angefallen sind, zu ersetzen. Dazu zählen insbesondere solche Kosten, die der Auftragnehmer nach § 4 Abs. 5 Satz 1 VOB/B dafür aufwenden musste, dass er das Werk bis zur Abnahme vor Beschädigung und Diebstahl schützen muss.

Wird der Auftraggeber erneut zur Abnahme aufgefordert und kommt er dieser Aufforderung ebenfalls schuldhaft nicht nach, gerät er in Schuldnerverzug und muss dem Auftraggeber sämtliche Verzugsschäden, insbesondere wegen nicht rechtzeitiger Vergütung, nach §§ 286 ff. BGB ersetzen.[64] Kumulativ stehen dem Auftragnehmer dann Schadensersatzansprüche und Rücktrittsrechte aus §§ 323 ff. BGB zu.

Wird die Abnahme unberechtigterweise vom Auftraggeber endgültig verweigert, wirkt sich das nicht auf den Vergütungsanspruch des Auftragnehmers aus.[65] In diesem Fall muss sich der Auftraggeber im Rahmen der Berechnung der Gewährleistungspflichten so be-

58 KG, U. v. 22.2.1984, 24 U 5685/83, BauR 1984, S. 527.
59 BGH, U. v. 30.4.1992, VII ZR 185/90, NJW 1992, S. 2481.
60 BGH, U. v. 30.6.1983, VII ZR 185/81, BauR 1983, S. 573, 575.
61 *Hartung*, NJW 2007, S. 1099.
62 BeckOK/*Faust*, BGB, 66. Edition, Stand 1.5.2023, § 433 Rn. 64.
63 So aber LG Bielefeld, U. v. 18.4.2023, 5 O 149/22, BeckRS 2023, 31607; NJW-Spezial 2023, S. 750.
64 Leinemann/Hildebrandt/*Erdmann*, Der Bauvertrag nach VOB/B, 3. Aufl. 2021, Kapitel VII, S. 277.
65 BGH, U. v. 29.10.1985, X ZR 12/85, NJW-RR 1986, S. 211.

handeln lassen, als hätte er rechtzeitig abgenommen. Die Abnahme kann selbstständig eingeklagt werden.[66] Wird der Zeitpunkt und die Pflicht zur Abnahme in den Allgemeinen Geschäftsbedingungen unangemessen hinausgeschoben, so ist dies unzulässig.[67] Unzulässig ist darüber hinaus, die Wirkung der Abnahme von Handlungen Dritter abhängig zu machen.[68]

3.2.1.6 Abnahmearten

Die Abnahmearten des BGB und der VOB/B lassen sich dem Grunde nach in fünf Abnahmearten unterteilen:

3.2.1.6.1 Die tatsächliche Abnahme

Die im BGB und VOB/B geregelte Abnahme muss von den Parteien gemeinsam durchgeführt werden. Die Abnahme bedarf keiner besonderen Form; weder § 640 BGB noch § 12 VOB/B sehen zwingend eine Schriftform vor.[69] Wichtig ist, dass der Auftraggeber seinen Willen, das Werk als im Wesentlichen vertragsgerecht entgegenzunehmen, ausdrücklich erklärt.[70] Gegebenenfalls ist die Erklärung auszulegen (§ 133 BGB). Wird die Abnahme „unter Vorbehalt" erklärt, kann darin sowohl eine Bedingung i.S.v. § 158 Abs. 1 BGB als auch ein Mängelvorbehalt nach § 640 Abs. 3 BGB gesehen werden.[71] Erfolgt die Abnahme unter Vorbehalt der Geltendmachung von Mängelrechten, treten die Abnahmewirkungen – mit Ausnahme der Umkehr der Beweislast für die Vertragsgemäßheit – auch hinsichtlich der mangelhaften Leistungen ein.[72]

Ein Dritter, wie z.B. ein Architekt oder ein vom Besteller beauftragter Sachverständiger, ist nur bei entsprechender Bevollmächtigung oder ggf. über die Grundsätze der Anscheins- und Duldungsvollmacht berechtigt, die Abnahme zu erklären (siehe hierzu unter Abschnitt 3.2.1.2.1).[73]

3.2.1.6.2 Die förmliche Abnahme

Nach § 12 Abs. 4 Nr. 1 VOB/B kann jede Partei bei einem VOB-Werkvertrag die förmliche Abnahme fordern. Die förmliche Abnahme erfolgt grundsätzlich durch eine gemeinsame Begehung der Parteien und einer anschließenden zwingenden Niederschrift der Abnahme nebst Mängel- und Vertragsstrafenvorbehalte in einem Abnahmeprotokoll, welches von beiden Parteien gegengezeichnet werden sollte.[74] Das Abnahmeprotokoll muss Angaben zum Werk, den beteiligten Personen, Tag der Ausfertigung, Vorbehalt einer ggf. vereinbarten Vertragsstrafe sowie eine Liste noch vorhandener Mängel nebst etwaiger Einwendungen des Unternehmers enthalten, § 12 Abs. 4 Nr. 1 Satz 4 VOB/B. Die Wirksamkeit des Ab-

66 BGH, U. v. 27.2.1996, X ZR 3/94, NJW 1996, S. 1749.
67 OLG Zweibrücken, U. v. 19.11.1991, 8 U 132/90, BauR 1992, S. 770, 772.
68 BGH, U. v. 23.2.1989, VII ZR 89/87, BauR 1989, S. 322.
69 Leinemann/*Jansen*, VOB/B-Kommentar, 7. Aufl. 2019, § 12 Rn. 16.
70 BeckOK/*Hummel/Preussner*, Bauvertragsrecht, 21. Edition, Stand 31.1.2023, § 640 BGB Rn. 49.
71 Vgl. BeckOK/*Hummel/Preussner*, Bauvertragsrecht, 21. Edition, Stand 31.1.2023, § 640 BGB Rn. 55.
72 Vgl. OLG Bamberg, B. v. 8.1.2019, 1 U 152/18, BeckRS 2019, 17328.
73 OLG Düsseldorf, U. v. 12.11.1996, 21 U 68/96, BeckRS 1996, 30810503.
74 BGH, U. v. 29.11.1973, VII ZR 205/71, BauR 1974, S. 206, 207.

nahmeprotokolls setzt, sofern die Parteien nicht etwas anderes vereinbart haben, keine Schriftform voraus. Dennoch wird dies aus Beweiszwecken empfohlen. In der Unterzeichnung der Abnahmeniederschrift durch den Unternehmer ist kein Anerkenntnis der Vorbehalte des Bestellers, sondern vielmehr nur die Kenntnisnahme des Inhalts des Protokolls zu sehen.[75]

Die Durchführung einer förmlichen Abnahme dient insbesondere dazu, Beweisschwierigkeiten dahingehend zu vermeiden, dass die Abnahme tatsächlich stattgefunden hat, Mängelgewährleistungsansprüche vorbehalten wurden und verwirkte Vertragsstrafen dokumentiert sind.[76] Wurde dem Auftragnehmer binnen angemessener Frist (zwölf Werktage, vgl. § 12 Abs. 1 VOB/B) zur Abnahme eingeladen oder wurde ein gemeinsamer Termin vereinbart, so kann die förmliche Abnahme auch in Abwesenheit des Auftragnehmers erfolgen, § 12 Abs. 4 Nr. 2 VOB/B. Dies setzt ferner voraus, dass die Einladung zweifelsfrei aufgeführt hat, welche Leistung wann und wo abgenommen werden soll.[77] Kann der Auftragnehmer aus wichtigem Grund der Abnahme nicht beiwohnen, so muss eine unverzügliche Mitteilung an den Auftraggeber erfolgen. Erfolgt die Abnahme dennoch, so ist sie wirkungslos.[78]

Wird im Bauvertrag ausschließlich die förmliche Abnahme vereinbart, so wird damit die stillschweigende Abnahme ausgeschlossen. Jedoch kann durch schlüssiges Verhalten auch auf die förmliche Abnahme verzichtet werden. Dazu bedarf es jedoch neben des Verstreichenlassens der Frist des § 12 Abs. 5 VOB/B bei Verzug oder Ingebrauchnahme durch den Auftraggeber eines zusätzlichen Zeit- oder Verhaltensmomentes, dem entnommen werden kann, dass die Parteien eine förmliche Abnahme nicht mehr für erforderlich erachten.[79]

3.2.1.6.3 Die fiktive Abnahme

Sowohl das BGB-Werkvertragsrecht als auch die VOB/B kennen die fiktive Abnahme, § 12 Abs. 5 Nr. 1 und Abs. 2 Satz 1 VOB/B. Im BGB ist sie unter § 640 Abs. 2 BGB geregelt. Bei der fiktiven Abnahme handelt es sich nicht um eine stillschweigende, vom Abnahmewillen getragene Abnahme des Auftraggebers, sondern um eine Abnahme, die auf bestimmte äußere Ereignisse abstellt, ohne dass es eines Abnahmewillens bedarf.[80]

Die fiktive Abnahme tritt nach § 12 Abs. 5 VOB/B ein, wenn die Fertigstellung des Werkes angezeigt wurde und nach zwölf Werktagen bzw. nach Ingebrauchnahme und nachfolgendem Ablauf von sechs Werktagen durch den Auftraggeber keine Abnahmeverweigerung erklärt wird.[81] Die Fristberechnung erfolgt nach den allgemeinen Regeln der §§ 187 ff. BGB, wonach der Tag des Zugangs nicht mitgerechnet wird. Die Frist endet am zwölften Werktag nach dem Zugang beim Auftraggeber, wobei auch der Samstag als

75 BGH, U. v. 25.9.1986, VII ZR 235/84, NJW 1987, S. 380, 381.
76 Franke/Kemper/Zanner/Grünhagen/Mertens/*Zanner*, VOB-Kommentar, 7. Aufl. 2020, § 12 VOB/B Rn. 111.
77 Leinemann/Hildebrandt/*Erdmann*, Der Bauvertrag nach VOB/B, 3. Aufl. 2021, Kapitel VII, S. 279.
78 Heiermann/Riedel/Rusam/*Riedel*, Handkommentar zur VOB, 14. Aufl. 2017, § 12 VOB/B Rn. 39.
79 Leinemann/Hildebrandt/*Erdmann*, Der Bauvertrag nach VOB/B, 3. Aufl. 2021, Kapitel VII, S. 279, 280.
80 BGH, U. v. 12.6.1975, VII ZR 55/73, NJW 1975, S. 1701.
81 Leinemann/*Jansen*, VOB/B-Kommentar, 7. Aufl. 2019, § 12 Rn. 16.

Werktag zählt.[82] Vorbehalte wegen Mängel sind ebenfalls innerhalb der Frist des § 12 Abs. 5 Nr. 3 VOB/B geltend zu machen. Sie können jedoch nur dann angenommen werden, wenn sie zuvor nicht wirksam ausgeschlossen wurden, beispielsweise durch die Vereinbarung einer förmlichen Abnahme nach § 12 Abs. 4 VOB/B oder der Vereinbarung einer ausdrücklich zu erklärenden Abnahme nach §12 Abs. 1 VOB/B.[83] Die fiktive Abnahme wird dann angenommen, wenn der Auftraggeber die Abnahme nicht gleichzeitig nach § 12 Abs. 3 VOB/B verweigert. Vor dem Hintergrund, dass die fiktive Abnahme unabhängig vom tatsächlichen Willen des Auftraggebers erfolgt, stellt sie eine Ausnahme von dem Grundsatz, dass die Abnahme die Billigung des Werkes als im Wesentlichen vertragsgemäß voraussetzt, dar.[84]

Eine fiktive Abnahme kann auch in der Inbenutzungnahme der Leistung gesehen werden. Gemäß § 12 Abs. 5 Nr. 2 VOB/B wird vorausgesetzt, dass der Auftraggeber die Leistung benutzt und keine ausdrückliche Abnahme verlangt worden ist. Erfolgt die Inbenutzungnahme jedoch aufgrund einer Notlage zwangsweise, führt dies nicht zu der Annahme einer fiktiven Abnahme. Die Frist bei Inbenutzungnahme der Leistung, binnen derer noch ein ausdrückliches Abnahmeverlangen erklärt und Vorbehalte wegen bekannter Mängel oder Vertragsstrafen geltend gemacht werden können, beträgt sechs Werktage, § 12 Abs. 5 Nr. 2 Satz 1 VOB/B.

Die Regelungen des § 12 Abs. 5 Nr. 1, 2 VOB/B bei der fiktiven Abnahme verstoßen gegen § 308 Abs. 5 BGB. Eine AGB-Kontrolle findet jedoch nicht statt, wenn die VOB/B „als Ganzes" vereinbart wurde. Dann greift die Ausnahmeregelung des § 310 Abs. 1 BGB. Wurde die VOB/B durch den Bauvertrag derart modifiziert, dass sie nicht mehr „als Ganzes" gilt, so sind sämtliche Bestimmungen über die fiktive Abnahme nach § 308 Abs. 5 BGB unwirksam.[85] Dies ist bereits bei jeder Änderung der Fall.[86] Wichtig ist schließlich, dass derjenige, der die VOB/B in den Vertrag mit einbezogen hat, also Verwender des AGB-Regelwerkes ist, sich nicht auf die AGB-Rechtswidrigkeit berufen kann.[87]

Die fiktive Abnahme nach § 640 Abs. 2 BGB funktioniert vollkommen anders als eine fiktive Abnahme nach der VOB/B. Es gibt so gut wie keine Parallelen. In Betracht kommt die fiktive Abnahme erst, wenn das Werk fertiggestellt wurde. Der Begriff der Fertigstellung ist rein quantitativ und nicht qualitativ zu verstehen.[88] Die Abwesenheit von wesentlichen Mängeln ist für die fiktive Abnahme im Ausgangspunkt ohne Bedeutung. Problematisch ist die Frage, wann ein Werk tatsächlich in quantitativer Hinsicht fertiggestellt wurde. Der Begriff Fertigstellung nach dem BGB ist abzugrenzen zu dem Begriff „vollständige Fertigstellung" nach der Makler- und Bauträgerverordnung (§ 2 Abs. 3 Nr. 3 MaBV). Der Fertigstellungsbegriff nach BGB stellt ein Minus zu dem der Makler- und Bauträgerverordnung dar. Es ist also nicht erforderlich, dass tatsächlich 100 % der geschuldeten Leistung abgearbeitet wurden. Fehlt beispielsweise eine Glühbirne oder eine dauerelastische Fuge, wird

82 BGH, U. v. 18.12.1970, IV ZR 52/69, VersR 1971, S. 262.
83 Schoofs/Hafkesbrink/*Schoofs*, Bauvertrag und Bauprozess, 2007, Rn. 838.
84 Leinemann/*Jansen*, VOB/B-Kommentar, 7. Aufl. 2019, § 12 Rn. 16.
85 BGH, U. v. 25.1.1996, VII ZR 233/94, BauR 1996, S. 378.
86 Kapellmann/Messerschmidt/*Havers*, VOB-Kommentar, 8. Aufl. 2022, § 13 VOB/B Rn. 82.
87 BGH, U. v. 25.2.2016, VII ZR 49/15, BauR 2016, S. 1013.
88 Kniffka/Koeble/Jurgeleit/Sacher/*Jurgeleit*, Kompendium des Baurechts, 5. Aufl. 2020, Teil 3 Rn. 68.

dies eine fiktive Abnahme nicht hindern. Fehlt jedoch ein ganzes Stockwerk, kommt eine fiktive Abnahme nicht in Betracht. Es ist nicht zu erwarten, dass durch umfassende Rechtsprechung hier Rechtssicherheit geschaffen werden wird. Es wird immer eine große Unsicherheit bleiben, ob für den jeweiligen Einzelfall die Schwelle zur Fertigstellung überschritten war und deshalb eine fiktive Abnahme tatsächlich bereits in Betracht kam.

Eine unterlassene Abnahme des Werkes innerhalb einer dem Auftraggeber vom Auftragnehmer zu bestimmenden angemessenen Frist steht dann einer Abnahme gleich, wenn der Auftraggeber die Abnahme nicht unter Angabe von mindestens eines Mangels verweigert hat, § 640 Abs. 2 BGB.

Bei dem gerügten Mangel muss es sich nicht um einen wesentlichen Mangel handeln. Die Benennung irgendeines Mangels genügt.[89] Eine Klausel, die gleichwohl verlangt, dass die fiktive Abnahme durch die Benennung eines wesentlichen Mangels verhindert werden kann, verstößt gegen § 307 Abs. 2 Nr. 1 BGB und ist damit AGB-rechtswidrig. Ob die Abnahme zurecht verweigert wurde, ist unbeachtlich.[90] D.h. also, der Besteller kann die fiktive Abnahme selbst dann wirksam verhindern, wenn er sich auf einen Mangel beruft, der tatsächlich nicht einmal existiert. Die Grenze ist die Sittenwidrigkeit, § 138 BGB. Diese Grenze dürfte dann überschritten sein, wenn der Besteller mutwillig einen Umstand rügt, von dem er weiß, dass er keinen Mangel darstellt.

Setzt der Unternehmer eine Frist zur Abnahme und rügt der Besteller keinen Mangel innerhalb der Frist, tritt eine fiktive Abnahme nach § 640 Abs. 2 BGB ein. Dies gilt auch dann, wenn der Besteller bereits vor der Fristsetzung Mängel gerügt hat.[91]

Der Auftraggeber muss bei der so fiktiven Abnahme seine Mängelrechte bei Kenntnis eventueller Mängel nicht vorbehalten.

Verweigert der Auftraggeber die Abnahme, so kann dadurch möglicherweise die gemeinsame Zustandsfeststellung nach § 650g BGB ausgelöst werden, wonach der Auftragnehmer gemäß § 650g Abs. 1 BGB verlangen kann, dass der Auftraggeber an einer gemeinsamen Zustandsfeststellung mitwirkt, die sodann von beiden Parteien gegenzuzeichnen ist (siehe hierzu unter Abschnitt 3.2.3 ff.).[92]

3.2.1.6.4 Die konkludente Abnahme

Gibt der Besteller dem Unternehmer ohne ausdrückliche Erklärung zu erkennen, dass er das hergestellte Werk als weitestgehend vertragsgemäß billigt, indem er durch sein tatsächliches Verhalten seinen Abnahmewillen eindeutig zum Ausdruck bringt, kann von einer schlüssigen Abnahme ausgegangen werden.[93] Voraussetzung ist jedoch die vollständige Leistungserbringung.

Die konkludente Abnahme ist nach den allgemeinen Grundsätzen möglich. Sie kann auch bei vereinbarter förmlicher Abnahme unter den bereits dort aufgeführten Voraussetzun-

89 OLG Frankfurt a.M., U. v. 28.10.2020, 29 U 146/19, NZBau 2021, S. 328.

90 BT-Drs. 18/8486, S. 48.

91 Strittig, OLG Schleswig, U. v. 10.12.2021, 1 U 64/20, ZfBR 2022, S. 253; differenzierend MüKo/*Busche*, BGB, 9. Aufl. 2023, § 640 Rn. 30; Grüneberg/*Retzlaff*, BGB, 82. Aufl. 2023, § 640 Rn. 15.

92 BT-Drs. 18/8486, S. 59.

93 BGH, U. v. 21.2.2019, I ZR 98/17, NJW 2019, S. 2322 Rn. 77.

gen greifen und bedeutet insoweit zeitgleich einen ebenfalls konkludenten Verzicht auf die förmliche Abnahme.[94]

Des Weiteren setzt die konkludente Abnahme voraus, dass das Werk abnahmereif ist und dass das Verhalten des Auftraggebers bei Würdigung der Gesamtumstände einen Abnahmewillen gegenüber dem Auftragnehmer eindeutig erkennen lässt.[95] Vor dem Hintergrund, dass ab der Abnahme der Werklohnanspruch fällig wird, muss der Auftragnehmer aus dem Verhalten des Auftraggebers grundsätzlich den Schluss ziehen können, dass dieser zur Zahlung des Werklohns nunmehr bereit ist.[96]

Etwaige Vorbehalte sind bei einer stillschweigenden Abnahme unmittelbar bei der Abnahme anzumelden.

Die konkludente Abnahme kann beispielsweise dadurch erklärt werden, dass der Auftraggeber vorbehaltlos das Bauwerk bezieht, wobei ihm eine angemessene Prüffrist zuzugestehen ist.[97] Gemeint ist, dass der Besteller, der im Sommer seine Heizung erneuern lässt, nicht schon im Spätsommer die Leistungen durch Ingebrauchnahme konkludent abnimmt. Wird es aber Winter und die erste Frostperiode ist vorbei und der Besteller artikuliert keine Beanstandungen, liegt eine konkludente Abnahme nahe. Die Länge der Prüffrist lässt sich nicht abstrakt bestimmen. Bezieht der Auftraggeber das Bauwerk hingegen aus einer Zwangslage heraus, kann nicht von dem vorausgesetzten Abnahmewillen ausgegangen werden.[98] Im Zweifel muss der Auftragnehmer nachweisen, dass keine Zwangslage bestand.[99] Nimmt der Auftraggeber das Bauwerk ausdrücklich nur probeweise in Benutzung, liegt ebenfalls keine konkludente Abnahme vor. Einer konkludenten Abnahme steht auch eine Nutzung nach vorheriger Abnahmeverweigerung entgegen.[100] Eine schlüssige Abnahme kann jedoch vorliegen, wenn der Besteller die Schlussrechnung rügelos bezahlt[101] (nicht jedoch bei Abschlagsrechnungen) oder die Werklohnforderung vorbehaltlos zur Insolvenztabelle festgestellt wird.[102] Gleiches gilt ebenfalls im Falle der Freigabe von vereinbarten Sicherheiten durch den Auftraggeber.[103] Die konkludente Abnahme kann nicht durch Allgemeine Geschäftsbedingungen wirksam ausgeschlossen werden.[104]

3.2.1.7 Die Abnahme von Teilleistungen

Für die Teilabnahme enthält § 641 Abs. 1 Satz 2 BGB eine Ausnahme vom Grundsatz gemäß § 641 Abs. 1 Satz 1 BGB. Nach dieser Vorschrift ist die Vergütung nach einer Teilabnahme für den abgenommenen Teil fällig. Dies ist jedoch nur eine reine Fälligkeitsregelung

94 Leinemann/Hildebrandt/*Erdmann*, Der Bauvertrag nach VOB/B, 3. Aufl. 2021, Kapitel VII, S. 280.
95 BGH, U. v. 25.2.2010, VII ZR 64/09, NJW-RR 2010, S. 748; BGH, U. v. 21.2.2019, I ZR 98/17, NJW 2019, S. 2322 Rn. 77.
96 BGH, U. v. 21.2.2019, I ZR 98/17, NJW 2019, S. 2322 Rn. 77.
97 Leinemann/Kues/*Bolz*, BGB-Bauvertragsrecht, Kommentar, 2. Aufl. 2012, § 640 Rn. 6.
98 *Hartung*, NJW 2007, S. 1099, 1100.
99 OLG Düsseldorf, U. v. 28.6.1991, 22 U 1/91, BauR 1992, S. 72.
100 BGH, U. v. 5.11.2015, VII ZR 43/15, NZBau 2016, S. 93.
101 BGH, U. v. 27.9.2001, VII ZR 320/00, NZBau 2002, S. 42.
102 OLG Frankfurt a.M., U. v. 25.2.2019, 29 U 81/18, NJW 2019, S. 2332.
103 Messerschmidt/Voit/*Messerschmidt*, Privates Baurecht, 4. Aufl. 2022, § 640 BGB Rn. 138.
104 Leinemann/Hildebrandt/*Erdmann*, Der Bauvertrag nach VOB/B, 3. Aufl. 2021, Kapitel VII, S. 281.

und begründet keinen Anspruch auf eine Teilabnahme.[105] Es wird die Vereinbarung der Teilabnahme sowie die vertraglich vereinbarte Vergütung für die jeweils abgenommenen Teile bei dessen Abnahme vorausgesetzt.[106]

Ebenso enthält auch die VOB/B neben der in § 12 Abs. 1 VOB/B geregelten einheitlichen Abnahme der Gesamtleistung eine Ausnahmeregelung für die Abnahme von Teilleistungen in § 12 Abs. 2 VOB/B. Nur bei dieser Teilabnahme handelt es sich um eine echte rechtsgeschäftliche Abnahme gleich der Gesamtabnahme.[107] Dabei muss es sich um eine in sich abgeschlossene Teilleistung handeln, die sich in ihrer Gebrauchsfähigkeit für sich allein beurteilen lässt.[108] Nach der Rechtsprechung handelt es sich um eine in sich abgeschlossene Teilleistung, wenn diese nach der Verkehrsanschauung als selbstständig und von den übrigen Teilleistungen aus dem Bauvertrag unabhängig anzusehen sind, diese Leistungen sich überdies in ihrer Gebrauchsfähigkeit abschließend beurteilen lassen.[109]

Eine Teilabnahme ist z.B. bei einem von mehreren Bauwerken durch die Abnahme nur eines von mehreren Häusern möglich oder im Rahmen der Errichtung von Wohnungseigentum bei getrennter Abnahme von Sonder- und Gemeinschaftseigentum .[110] Wird aber ein Estrich in mehreren Stockwerken verlegt, kann nicht für jedes Stockwerk eine Teilabnahme verlangt werden.[111] Ein Generalunternehmer kann hingegen eine Teilabnahme für die einzelnen Gewerke fordern, z.B. einer Heizungsanlage.[112]

Wird im Rahmen von Nachunternehmerverträgen durch Allgemeine Geschäftsbedingungen versucht, die Haupt- und Nachunternehmerleistung auf einen Abnahmezeitpunkt zu schalten und so die Abnahme des Gesamtwerkes hinauszuschieben, so sind solche Klauseln gemäß § 307 Abs. 1 BGB unwirksam, wenn sich bereits vorher schon die Leistung des Nachunternehmers abschließend auf ihre Vertragsgerechtigkeit beurteilen lässt. Ist die vorige Abnahme der Nachunternehmerleistung aus objektiv anerkannten Gründen gerechtfertigt, kann die Abnahme um eine gewisse, hinreichend bestimmte Zeit (äußerste Grenze liegt bei zwei Monaten) hinausgeschoben werden.[113]

Um parallele Gewährleistungsfristen von General- und Subunternehmer laufen lassen zu können, können Generalunternehmer mit dem Subunternehmer längere Gewährleistungsfristen vereinbaren. Hingegen wird eine formularmäßige, nicht den Einzelfall betrachtende, Gleichschaltung der Gewährleistungsfristen gemäß §307 Abs. 1 BGB als unzulässig erachtet.[114] Verlängert der Generalunternehmer gegenüber dem Subunternehmer die Gewährleistungsfrist um eine kurze Zeitspanne, um die kurz vor Ende der Gewährleistungsfrist vom Bauherrn angezeigten Mängelrügen an den Subunternehmer weitgeben zu können, liegt kein Verstoß gegen § 307 Abs. 1 BGB vor.

105 Grüneberg/*Retzlaff*, BGB-Kommentar, 82. Aufl. 2023, § 641 Rn. 3.
106 Grüneberg/*Retzlaff*, BGB-Kommentar, 82. Aufl. 2023, § 641 Rn. 3.
107 BGH, U. v. 6.5.1968, VII ZR 33/66, NJW 1968, S. 1524.
108 Ingenstau/Korbion/*Oppler*, VOB-Kommentar, 22. Aufl. 2023, § 12 Abs. 2 VOB/B Rn. 5.
109 BGH, U. vom 20.8.2009, VII ZR 212/07, NZBau 2010, S. 47.
110 BGH, U. v. 30.6.1983, VII ZR 185/81, BauR 1983, S. 573.
111 BGH, U. v. 6.5.1968, VII ZR 33/66, NJW 1968, S. 1524.
112 BGH, U. v. 21.12.1978 – VII ZR 269/77, BauR 79, S. 159; OLG Hamm, U. v. 5.7.1996, 12 U 168/95, BauR 1997, S. 472.
113 Leinemann/Hildebrandt/*Erdmann*, Der Bauvertrag nach VOB/B, 3. Aufl. 2021, Kapitel VII, S. 285.
114 *Schlünder*, NJW 1995, S. 1057, 1059 f.

3.2.1.8 Abnahme nach Kündigung des Bauvertrages

Die Kündigung wirkt im Gegensatz zum Rücktritt ex nunc und führt zur Vertragsbeendigung nur für die Zukunft. Dabei kann die Kündigung des Bauvertrages aus Gründen des § 8 VOB/B oder aus solchen der § 648, 648a, 650f Abs. 5 BGB erfolgen.

3.2.1.8.1 Abnahmeerfordernis trotz Kündigung

Nach der Kündigung beschränkt sich der Umfang der von dem Auftragnehmer noch geschuldeten Leistungspflicht auf die bis zur Kündigung erbrachten Leistungen.[115] Damit erlischt der Erfüllungsanspruch im Hinblick auf die bis zur Kündigung nicht erbachten Leistungen. Jedoch kommt es durch die Kündigung nicht zu einer automatischen Beendigung des Erfüllungsstadiums und zu einer automatischen Herbeiführung der Abnahmewirkungen.[116] Insbesondere stellt die Kündigungserklärung als solche keine konkludente Abnahme der bis zur Kündigung erbrachten Leistungen als im Wesentlichen vertragsgemäß dar.[117] Eine fiktive Abnahme ist hier ausgeschlossen. Jedoch kann die konkludente Abnahme dadurch erfolgen, dass der Auftraggeber Drittunternehmer mit der Fertigstellung der Leistung beauftragt, ohne gegenüber dem vorigen Auftragnehmer die Mängelrüge erklärt zu haben.[118] Der Auftraggeber darf die Abnahme ausschließlich wegen der bis zur Kündigung erbrachten Leistungen bei einer Wesentlichkeit der Mängel verweigern.[119] Nach der Kündigung hat der Auftragnehmer jedoch nach § 640 Abs. 1 Satz 1 BGB einen Anspruch auf Abnahme gegenüber dem Auftraggeber, sofern die bis zur Kündigung erbrachten Leistungen abnahmereif und nicht mit wesentlichen Mängeln behaftet sind.[120] Verweigert der Auftraggeber seine Mitwirkung zur Abnahme im Rahmen eines Bauvertrages, hat der Auftragnehmer einen Anspruch auf Zustandsfeststellung nach § 650g BGB.[121]

3.2.1.8.2 Ermittlung des Leistungsstands

In der Regel besteht ein Bedürfnis, die bis zur Kündigung fertiggestellten Leistungen festzustellen. Dies insbesondere vor dem Hintergrund, dass der Auftraggeber nach Kündigung regelmäßig ein Drittunternehmen mit der Fertigstellung der Leistung beauftragen wird und danach die bis zur Kündigung erbrachten Leistungen nicht mehr feststellbar sein dürften.[122] Der Auftragnehmer kann alsbald nach der Kündigung ein Aufmaß und Abnahme der von ihm ausgeführten Leistungen verlangen, § 8 Abs. 6 VOB/B.[123] Bei Weigerung einer Partei kommt ausnahmsweise sogar eine gerichtliche Beweissicherung trotz Zutrittsverbot auf der Baustelle in Betracht.[124] Liegt eine Kündigung aus wichtigem Grund i.S.d. § 648a BGB vor, muss zur Vermeidung eines späteren Streits über den Umfang der von dem Auf-

115 BGH, U. v. 19.12.2002, VII ZR 103/00, NJW 2003, S. 1450, 1452.
116 BGH, U. v. 19.12.2002, VII ZR 103/00, NJW 2003, S. 1450, 1452.
117 BGH, U. v. 19.12.2002, VII ZR 103/00, NJW 2003, S. 1450, 1452.
118 Leinemann/Hildebrandt/*Erdmann*, Der Bauvertrag nach VOB/B, 3. Aufl. 2021, Kapitel VII, S. 286.
119 BGH, U. v. 25.3.1993, X ZR 17/92, BauR 1993, S. 469, 471.
120 BGH, U. v. 19.12.2002, VII ZR 103/00, NJW 2003, S. 1450, 1452.
121 Leinemann/Kues/*Geheeb*, BGB-Bauvertragsrecht, Kommentar, 2. Aufl. 2012, § 648 Rn. 15.
122 Leinemann/Kues/*Geheeb*, BGB-Bauvertragsrecht, Kommentar, 2. Aufl. 2012, § 648 Rn. 16.
123 BGH, U. v. 22.5.2003, VII ZR 143/02, ZfBR 2003, S. 567.
124 OLG Düsseldorf, U. v. 12.4.2000, 5 U 28/99, BeckRS 2000, 31387359.

tragnehmer erbrachten Leistung zumindest eine gemeinsame Leistungsfeststellung stattfinden, § 648a Abs. 4 BGB.[125]

3.2.1.8.3 Fälligkeit des Vergütungsanspruchs des Auftragnehmers

Sofern der Auftraggeber die Abnahme rechtmäßig verweigert hat und nach wie vor Erfüllung des Vertrages verlangt, kann der Auftragnehmer nach der Kündigung nur noch aus Abschlagsrechnungen vorgehen und Abschlagszahlungen verlangen.[126] Die Vorleistungspflicht des Auftragnehmers entfällt, sobald sich der Vertrag nicht mehr im Erfüllungsstadium befindet. Da keine Vorleistungspflicht mehr besteht, bedarf es auch keines besonderen Schutzes des Auftraggebers durch den Zuspruch eines Anspruchs auf Abschlagszahlung.[127] Der Auftragnehmer hat zur raschen Abwicklung den bereits fälligen Anspruch auf Abschlagszahlung in den alsbald fällig werdenden Anspruch auf die Schlusszahlung durch Erstellung einer Schlussrechnung umzustellen und als Teil dieses Zahlungsanspruchs geltend zu machen. Gemäß § 650g Abs. 4 Satz 1 Nr. 2 BGB ist die Erteilung einer prüffähigen Schlussrechnung Fälligkeitsvoraussetzung. Nach mittlerweile gefestigter Rechtsprechung wird der Anspruch auf Schlusszahlung beim gekündigten Vertrag unter den gleichen Voraussetzungen wie beim vollständig erfüllten Vertrag fällig, sodass die Abnahme auch beim gekündigten Bauvertrag Fälligkeitsvoraussetzung ist.[128] Eine Abnahme ist dann obsolet, wenn zwischen den Parteien ein sog. Abrechnungsverhältnis entsteht. Von einem Abrechnungsverhältnis ist dann auszugehen, wenn die Parteien auf eine vollständige Erfüllung verzichten, beispielsweise durch Zurückweisung sämtlicher wegen Mängeln möglicher Nachbesserungen oder durch Geltendmachung von Schadensersatz anstelle von Erfüllung bzw. Mängelbeseitigung.[129] Wichtig ist die Feststellung, dass auch nach einer Kündigung die Wirkungen der Abnahme eintreten, wenn es auch wirklich eine rechtsgeschäftliche Abnahme im Sinne des § 640 BGB bzw. § 12 VOB/B gegeben hat.[130] Besondere Bedeutung hat das für die Mängelrechte, denn diese entstehen erst mit der Abnahme.[131] Genauso bedeutend ist dies jedoch in Bezug auf die Verjährung von Mängelrechten. Die Verjährungsfrist beginnt nicht mit der Kündigung, sondern erst mit der Abnahmeerklärung zu laufen.

Zu guter Letzt wird auch der Werklohn erst mit der Abnahme fällig.[132] Ausnahmsweise kann die Fälligkeit jedoch auch ohne Abnahme eintreten. Dies ist der Fall, wenn ein sog. Abrechnungsverhältnis begründet wurde, z.B. wenn der Besteller wegen Mängeln nur noch Mängel- bzw. Gewährleistungsansprüche geltend macht, die auf Zahlung gerichtet sind.[133]

---

125 Grüneberg/*Retzlaff*, BGB-Kommentar, 82. Aufl. 2023, § 648a Rn. 11.
126 BGH, U. v. 21.2.1985, VII ZR 160/83, NJW 1985, S. 1840 ff.
127 BGH, U. v. 21.2.1985, VII ZR 160/83, NJW 1985, S. 1840 ff.
128 BGH, U. v. 11.5.2003, VII ZR 146/04, NJW 2006, S. 2475, 2476.
129 Leinemann/Kues/*Geheeb*, BGB-Bauvertragsrecht, Kommentar, 2. Aufl. 2012, § 648 Rn. 21.
130 BGH, U. v. 19.2.2002, VII ZR 103/00, BauR 2003, S. 689.
131 BGH, U. v. 19.1.2017, VII ZR 301/13, BauR 2017, S. 875.
132 BGH, U. v. 11.5.2006, VII ZR 146/04, BauR 2006, S. 1294.
133 BGH, U. v. 16.5.2002, VII ZR 479/00, BauR 2002, S. 1399; BGH, U. v. 22.9.2005, VII ZR 117/03, BauR 2005, S. 1913; OLG Celle, U. v. 13.5.2020, 14 U 71/19, NJW 2020, S. 3663.

3.2.2 Die technische Vorbereitung der Begehung vor der Abnahme

Grundsätzlich stellt sich für den Sachverständigen die Frage, in welchem Umfang er seine Tätigkeit im Zuge von Qualitätskontrollen und Abnahmen schuldet, um eine Inanspruchnahme anschließend möglichst zu vermeiden. Der Umfang seiner Tätigkeit hängt insbesondere von der geschuldeten Leistung und den zugrunde liegenden Qualitätsanforderungen ab.

3.2.2.1 Grundlagen zur Durchführung von Abnahmen

Der Sachverständige wird immer häufiger mit der Abnahme von Bauwerken und/oder Außenanlagen beauftragt. Dabei soll der Sachverständige im Rahmen der Abnahme dem Auftragnehmer gegenüber erklären, dass die Bauleistung dem geschuldeten Vertragssoll entspricht und frei von wesentlichen Mängeln ist. Vor dem Hintergrund, dass durch die Abnahme Rechtsfolgen ausgelöst werden, wie z.B. der Übergang vom Erfüllungsanspruch zum Nacherfüllungsanspruch, der Gefahrübergang nach § 644 BGB und die Fälligkeit des Werklohnanspruchs, muss der Sachverständige seinen Tätigkeitsumfang im Rahmen der Qualitätskontrollen und Abnahmen vertraglich klar abgrenzen.

Zur Durchführung der Abnahmebegehung erhält der Sachverständige dabei regelmäßig umfassende Planungsunterlagen als Grundlage für die anstehende Tätigkeit. Bei Bedarf sind ferner Baubeschreibungen, Projektänderungsanzeigen und Zusatzvereinbarungen zusätzlich zum Bauvertrag anzufordern, um das tatsächliche Vertragssoll in Vorbereitung einer Abnahmebegehung zu erfassen.

Nicht unproblematisch ist, dass zum Zeitpunkt der Abnahme potenziell vorhandene Mängel nicht offen zutage liegen und oftmals vom Sachverständigen gar nicht mehr erkannt werden können. Da aber der Gutachterauftrag i.d.R. ein Werkvertrag ist und das Aufdecken von Mängeln der werkvertraglich geschuldete Erfolg ist, kann sich der Sachverständige i.d.R. nicht dadurch von einer Haftung befreien, dass er im Vertrag mit dem Bauherrn darauf hinweist, dass er lediglich eine Sichtkontrolle durchführt oder dass er eine Haftung für versteckte Mängel ausschließt (vgl. im Einzelnen hierzu Abschnitt 3.1.3 in Beitrag 3.1). Es ist deshalb wichtig, dass der Sachverständige, wenn irgend möglich, darauf besteht, frühzeitig eingebunden zu werden, um baubegleitend Mängel aufzudecken, bevor sie überdeckt werden. Ist dies nicht möglich, muss der Sachverständige zur Vermeidung einer Haftung Bedenken dergestalt anzeigen, dass er überdeckte Mängel ohne Bauteilöffnung nicht ausfindig machen kann. Die Gefahr der Haftung des Sachverständigen darf an dieser Stelle aber auch nicht überbetont werden. Dies deshalb nicht, da jeder Schadensersatzanspruch gegen den Sachverständigen ein Verschulden voraussetzt. Kann der Sachverständige den verdeckten Mangel ohne Bauteilöffnung aber gar nicht erkennen und schließt der Bauherr explizit Bauteilöffnungen aus, ist ein Verschulden eher fernliegend.

3.2.2.2 Qualitätsanforderungen

Der Umfang der Tätigkeit des Sachverständigen hängt jedoch auch von den zugrunde liegenden Qualitätsanforderungen, die üblicherweise erwartet werden können, ab. Diese ergeben sich insbesondere aus den vertraglichen Vereinbarungen im Hinblick auf einzuhaltende Qualitäten und Ausführungen. Darüber hinaus haben die Ausführungen den DIN-Normen bzw. den technischen Regelwerken, den technischen Baubestimmungen und den allgemein anerkannten Regeln der Technik im Bauordnungsrecht gerecht zu werden. Regelmäßig werden Baubeschreibungen, Planunterlagen und Leistungsverzeichnisse ebenfalls Gegenstand der bauvertraglichen Vereinbarung hinsichtlich des zu erbringenden Bausolls.

Im Rahmen der Prüfung der Qualitätsanforderungen hat der Sachverständige eindeutig die Definition der Qualitäten zu klären. Die Formulierung „in gehobener Qualität" stellt keinesfalls eine eindeutige Formulierung dar, sodass vielmehr im Vorfeld zu klären ist, was die Vertragsparteien unter dem Begriff „gehobene Qualität" verstehen.

Sofern der Sachverständige um die Einschätzung gebeten wird, ob die eine oder andere Norm als anerkannte Regel der Technik angesehen werden kann, muss der Sachverständige einzelfallabhängig technisch fundiert begründen, warum eine DIN-Norm nicht als allgemein anerkannte Regel der Technik einzuschätzen ist. Dabei ist zu beachten, dass der Sachverständige sich an der Definition des Begriffs der anerkannten Regeln der Technik abarbeiten muss. Die Feststellung, dass eine Regel allgemein bekannt und richtig ist, genügt einem solchen Gutachterauftrag keinesfalls. Es sind vielmehr konkrete Ausführungen erforderlich, aus denen sich ergibt, dass die bestimmte technische Regel nachweislich technisch richtig ist und sich in der Praxis bewährt hat. Beides ist durch Fachliteratur und ggf. empirische Untersuchung zu belegen. Gleiches gilt dafür, dass die Richtigkeit der technischen Regel bei den beteiligten Verkehrskreisen allgemein bekannt sein muss und für richtig gehalten wird. Auch hier bedarf es empirischer Nachweise.

Im Rahmen von Abnahmebegehungen muss der Sachverständige entscheiden, ob die Einhaltung einzelner technischer Regelwerke und DIN-Normen tatsächlich geschuldet ist, mithin ob sie den anerkannten Regeln der Technik entsprechen.

Im Rahmen der Abnahmebegehungen ist ferner auf die Anforderungen des Bauordnungsrechts zu achten. Dies ist insbesondere hinsichtlich der Grundanforderungen hinsichtlich mechanischer Festigkeit und Standsicherheit, Brandschutz, Wärmeschutz, Gesundheitsschutz und Umweltschutz als bauordnungsrechtlich zu berücksichtigende Anforderungen zu betrachten.

3.2.2.3 Umfang der Tätigkeit des Sachverständigen

Verträge, die vor Beginn oder während der Baumaßnahme geschlossen werden, beinhalten als Leistungsziel z.B. eine baubegleitende Qualitätsüberwachung in Verbindung mit einer Abnahmebegleitung nach Fertigstellung der Baumaßnahme bzw. auch die Erklärung der Abnahme.

Anzuraten ist, im Rahmen des Werkvertrages zwischen dem Auftraggeber und dem Sachverständigen folgende Sachverhalte genauer zu definieren:

- Erfolgt eine Überwachung oder eine Sicherung der Qualität?
- Erfolgen Stichprobenprüfungen zu festgeschriebenen Überwachungsstufen?
- Erfolgt eine durchgängige Überwachung?

Die Vereinbarung einer durchgängigen Überwachung wird nahegelegt. Dabei wird empfohlen, einen individuellen, objektabhängigen Überwachungsplan vor Durchführung der Überwachungstätigkeit zu erstellen und mit dem Auftraggeber abzustimmen. Der Überwachungsplan sollte dabei insbesondere das Gewerk, die Bauteilbeschreibung, die Überprüfungsleistung und den voraussichtlichen Termin der Überprüfung und weitere Anmerkungen beinhalten. Aus einem solchen Überwachungsplan ergeben sich auch die Genauigkeitsgrenzen der Tätigkeit des Sachverständigen im Rahmen baubegleitender Qualitätsüberwachungsmaßnahmen. Soll der Sachverständige darüber hinaus die Abnahme vornehmen oder für Teilleistungen eine Fertigstellungsbescheinigung erstellen, ist eine durchgängige Überwachung zwingend erforderlich. Vgl. im Einzelnen hierzu Abschnitt 3.1.3 in Beitrag 3.1.

3.2.3 Die Zustandsfeststellung gemäß § 650g BGB

3.2.3.1 Rechtscharakter der Vorschrift des § 650g Abs. 1 bis 3 BGB

Vor dem Hintergrund, dass es im Rahmen von Bauverträgen häufig zu Streitigkeiten über das Vorliegen von Mängeln, einer bestehenden Abnahmereife nach § 640 Abs. 1 BGB sowie über die Frage der Gefahrtragung nach § 644 BGB kommt, kam es zur Neuregelung der Zustandsfeststellung in § 650g BGB.[134] Bis zur Abnahme trägt grundsätzlich der Auftragnehmer nach § 644 Abs. 1 Satz 1 BGB die Gefahr des Werks. Kommt es aufgrund von Unklarheit über die Abnahmereife nicht zur Abnahme, muss der Auftragnehmer in der Praxis auf Werklohnzahlung klagen. Wurde dem Auftraggeber die Leistung trotz verweigerter Abnahme verschafft und nutzt er dieses bzw. führt das Bauvorhaben fort und beruft sich dann im laufenden Klageverfahren auf das Bestehen von Mängeln, so muss der Auftragnehmer darlegen und beweisen, dass die Mängelrügen zum Zeitpunkt seiner Abnahmeforderung nicht vorlagen, sondern erst später durch den Auftraggeber herbeigeführt wurden.[135] Um diese Darlegungs- und Beweislast zu umgehen und den Gefahrübergang vorzuziehen, regelt § 650g Abs. 1 bis Abs. 3 BGB eine Obliegenheit des Auftraggebers zur Mitwirkung an der Zustandsfeststellung und stellt einen starken Anreiz für einen kooperativen Abnahmeprozess dar. Sie dient Dokumentationszwecken, um den Zustand des Bauwerks zum Zeitpunkt der verweigerten Abnahme festzuhalten und um späteren Streitigkeiten vorzubeugen. Nach erfolgter Zustandsfeststellung erfährt der Auftragnehmer hinsichtlich der Gefahrtragung in Ergänzung zu § 644 BGB eine Begünstigung.[136]

3.2.3.2 Voraussetzungen der Abnahme

3.2.3.2.1 Berechtigung des Auftragnehmers

Der Auftragnehmer muss objektiv zu der Annahme berechtigt sein, die Leistung abnahmereif hergestellt zu haben, ohne dass die Leistung auch tatsächlich abnahmereif ist.[137] Darü-

134 Leinemann/Kues/*von Kiedrowski*, BGB-Bauvertragsrecht, Kommentar, 2. Aufl. 2012, § 650g Rn. 1.
135 Leinemann/Kues/*von Kiedrowski*, BGB-Bauvertragsrecht, Kommentar, 2. Aufl. 2012, § 650g Rn. 1.
136 Leinemann/Kues/*von Kiedrowski*, BGB-Bauvertragsrecht, Kommentar, 2. Aufl. 2012, § 650g Rn. 1.
137 Grüneberg/*Retzlaff*, BGB-Kommentar, 82. Aufl. 2023, § 650g Rn. 3.

ber hinaus muss der Auftragnehmer dem Auftraggeber die Leistung zur Abnahme angeboten sowie seine Arbeiten abgeschlossen haben.[138] Ist das Werk nicht abnahmereif, so kann die Zustandsfeststellung dennoch vorgenommen werden, wenn der Auftraggeber zustimmt.[139]

3.2.3.2.2 Vom Auftraggeber verweigerte Abnahme

Ferner muss der Auftraggeber die Abnahme der Leistung unter Angabe von Mängeln verweigert haben. Die Abnahmeverweigerung liegt vor, wenn der Auftragnehmer den Auftraggeber nach § 640 Abs. 2 Satz 1 BGB unter angemessener Fristsetzung auffordert, die aus Sicht des Auftragnehmers abnahmefähige und -bedürftige Leistung abzunehmen und der Auftraggeber die Abnahme unter Angabe mindestens eines Mangels verweigert.[140] Insbesondere kommt es, entgegen des Wortlauts des § 650g Abs. 1 BGB, nicht auf die Benennung von (mehreren) Mängeln an. Bei der Formulierung handelt es sich offensichtlich um eine frühere Entwurfsfassung, die die in der verabschiedeten Fassung des § 650g Abs. 2 Satz 1 BGB geänderte Angabe „mindestens eines Mangels"[141] im Wege eines offensichtlichen Redaktionsversehens unberücksichtigt lässt.[142] Die Leistung ist dann nicht abnahmefähig und -bedürftig, wenn diese noch nicht in Gänze fertiggestellt wurde, sondern vielmehr noch bedeutende Restarbeiten vom Auftragnehmer zu leisten sind.[143]

Die Abnahmeverweigerung kann ausdrücklich oder konkludent erklärt werden. Handelt es sich bei dem Auftraggeber um einen Verbraucher und wurde dieser nicht in Textform des § 640 Abs. 2 Satz 2 BGB ordnungsgemäß über die Rechtsfolgen einer unterlassenen oder ohne Angabe von Mängeln verweigerten Abnahme aufgeklärt, so stellt die – nach fruchtlosem Verstreichenlassen der gesetzten Frist – erfolgte Abnahmeverweigerung die Grundlage für die Aufforderung des Auftragnehmers gegenüber dem Auftraggeber zur Vornahme einer gemeinsamen Zustandsfeststellung dar.[144]

Der Auftragnehmer kann auch dann die Vornahme einer gemeinsamen Zustandsfeststellung verlangen, wenn der Auftraggeber von sich aus und ohne eine etwaige Fristsetzung die Abnahmeverweigerung unter Bezugnahme auf vorliegende Mängel erklärt hat.[145] Gleiches gilt bei zuvor vereinbarter förmlicher Abnahme, sodass die Zustandsfeststellung nach § 650g Abs. 1 BGB durchgeführt werden kann, wenn der Auftraggeber die Abnahme im Zuge der förmlichen Abnahmebegehung verweigert.[146] Sofern das Bauwerk in den Einflussbereich des Auftraggebers gelangt ist, besteht ein berechtigtes Interesse daran, den Zustand des Bauwerks auch dann zu dokumentieren, wenn zwischen den Vertragsparteien Einigung darüber besteht, dass noch keine Abnahmereife vorliegt.[147]

---

138 Grüneberg/*Retzlaff*, BGB-Kommentar, 82. Aufl. 2023, § 650g Rn. 3.
139 Grüneberg/*Retzlaff*, BGB-Kommentar, 82. Aufl. 2023, § 650g Rn. 3.
140 Leinemann/Kues/*von Kiedrowski*, BGB-Bauvertragsrecht, Kommentar, 2. Aufl. 2012, § 650g Rn. 3.
141 BT-Drs. 18/11437, S. 14, 47.
142 BeckOK/*Hummel*, Bauvertragsrecht, 21. Edition, Stand 31.1.2023, § 650g BGB Rn. 11.
143 BeckOK/*Hummel*, Bauvertragsrecht, 21. Edition, Stand 31.1.2023, § 650g BGB Rn. 12.
144 MüKo/*Busche*, BGB, 9. Aufl. 2023, § 650g Rn. 5.
145 *Leinemann*, NJW 2017, S. 3113, 3118.
146 Leinemann/Kues/*von Kiedrowski*, BGB-Bauvertragsrecht, Kommentar, 2. Aufl. 2012, § 650g Rn. 4.
147 *Leinemann*, NJW 2017, S. 3113, 3118.

3.2.3.2.3 Termin

Ein gemeinsamer Termin wird nicht zwingend vorausgesetzt, da die Zustandsfeststellung auch sukzessiv erfolgen kann. Wurde ein Termin vereinbart oder hat der Unternehmer eine angemessene Frist (wie § 640 Abs. 2 Satz 1 BGB) gesetzt und bleibt der Besteller dem Termin unentschuldigt fern, kann der Unternehmer eine einseitige Zustandsfeststellung vornehmen.[148] Eine ordnungsgemäße Entschuldigung des Bestellers setzt das Vorliegen eines erheblichen Grundes, wie eines Unfalls oder einer plötzlichen Erkrankung, sowie einer unverzüglichen entsprechenden Mitteilung voraus.

3.2.3.3 Inhalt der Zustandsfeststellung

Der Inhalt der Zustandsfeststellung hängt vom Einzelfall ab. Die Zustandsfeststellung soll insbesondere den Unternehmer vor der Haftung nicht erwähnter zukünftiger Mängel schützen.[149] Der Besteller hat daher sämtliche Mängel oder Schäden zu Protokoll zu geben.

3.2.3.4 Form der Zustandsfeststellung

Die Zustandsfeststellung ist gemäß § 650g Abs. 1 Satz 2, Abs. 2 Satz 3 BGB unter Angabe des Datums zu unterzeichnen. Die Angabe des Datums ist zwar keine konstitutive Voraussetzung für eine gemeinsame Zustandsfeststellung, sie wird aber aus Dokumentations- und Beweiszwecken für sinnvoll erachtet.[150] Das beiderseitige Unterschriftserfordernis hingegen wurde als notwendige Voraussetzung vom Gesetzgeber ausgestaltet, wodurch sichergestellt werden soll, dass die Niederschrift tatsächlich auch die gemeinsam getroffenen Feststellungen wiedergibt.[151] Wird die Unterschrift durch den Besteller jedoch grundlos zur Vereitelung der Zustandsfeststellung verweigert, so wird diese Vorgehensweise einem unentschuldigten Fernbleiben i.S.d. § 650g Abs. 2 BGB gleichgestellt.[152] Wird die Zustandsfeststellung digital festgehalten (inklusive Lichtbilder, Videos etc.), muss sie – zur Vorbeugung von Manipulationen – sicher digital fixiert werden, vereinbarungsgemäß hinterlegt und manipulationssicher hochgeladen werden.[153]

3.2.3.5 Arten der Zustandsfeststellung

Es gibt zwei Arten der Zustandsfeststellung – zum einen die gemeinsame und zum anderen die einseitige Zustandsfeststellung.

3.2.3.5.1 Gemeinsame Zustandsfeststellung nach § 650g Abs. 1 BGB

Nach § 650g Abs. 1 BGB hat der Besteller nach Verweigerung der Abnahme unter Angabe von Mängeln auf Verlangen des Unternehmers an einer gemeinsamen Zustandsfeststel-

---

148 Grüneberg/*Retzlaff*, BGB-Kommentar, 82. Aufl. 2023, § 650g Rn. 5.
149 Grüneberg/*Retzlaff*, BGB-Kommentar, 82. Aufl. 2023, § 650g Rn. 6.
150 BT-Drs. 18/8486, S. 59, 60; BeckOK/*Hummel*, Bauvertragsrecht, 21. Edition, Stand 31.1.2023, § 650g BGB Rn. 21.
151 BT-Drs. 18/8486, S. 59.
152 Leinemann/Kues/*von Kiedrowski*, BGB-Bauvertragsrecht, Kommentar, 2. Aufl. 2012, § 650g Rn. 11.
153 Grüneberg/*Retzlaff*, BGB-Kommentar, 82. Aufl. 2023, § 650g Rn. 7.

lung des Werks mitzuwirken. Dazu muss das Verlangen des Unternehmers dem Besteller auch zugegangen sein. Handeln Dritte für die Parteien, kommen die Vorschriften über die Stellvertretung oder Botenschaft zum Tragen.

In der Regel erfolgt die gemeinsame Zustandsfeststellung durch die gemeinsame, raumweise Begehung des Bauwerks und/oder der Außenanlage zur Überprüfung des Vorliegens offenkundiger Mängel.[154] Darüber hinaus haben die Vertragsparteien den bestehenden Zustand sowie die Funktionstauglichkeit des Bauwerks und/oder der Außenanlage zu protokollieren und bei Bedarf eine Foto- und/oder Videodokumentation anzufertigen. Die Nichtdokumentation offenkundiger Mängel oder fehlender bzw. mangelhafter Funktionen führt dazu, dass die Gefahrtragungsregel des § 650g Abs. 3 Satz 1 BGB zulasten des Bestellers eintritt. Es wird vermutet, dass der Mangel oder die Funktionsuntauglichkeit nach der Zustandsfeststellung entstanden ist. Nach § 650g Abs. 3 Satz 2 BGB greift die Vermutungsregelung nicht, wenn der Mangel seiner Art nach nicht vom Besteller verursacht worden sein kann.

Können sich die Bauvertragsparteien für einzelne vom Besteller gerügte Mängel nicht auf einen unstreitig vorhandenen Zustand verständigen, so fehlt es ausschließlich hinsichtlich dieses Mangels bzw. dieser einzelnen Mängel an einer gemeinsamen Zustandsfeststellung mit der Folge, dass nur insoweit die Rechtswirkungen des § 650g Abs. 3 BGB nicht eintreten.[155] Die etwaigen Differenzen sind zwingend in der Niederschrift aufzunehmen.[156] Insbesondere führt der Streit um den bestehenden Zustand im Rahmen einer gemeinsamen Zustandsfeststellung keinesfalls zu einer einseitigen Zustandsfeststellung nach § 650g Abs. 2 BGB.[157] Dem Unternehmer obliegt im Falle der Streitigkeit um die Abnahme die Darlegungs- und Beweislast dahingehend, dass das Werk auch im Hinblick auf diesen Bereich keinen wesentlichen Mangel aufweist.[158]

3.2.3.5.2 Einseitige Zustandsfeststellung nach § 650g Abs. 2 BGB

Misslingt die gemeinsame Zustandsfeststellung, weil der Besteller dem gemeinsamen Termin zur Zustandsfeststellung fernbleibt oder die gemeinsame Zustandsfeststellung ohne Grund vereitelt, kommt nach § 650g Abs. 2 BGB ersatzweise eine einseitige Zustandsfeststellung durch den Unternehmer in Betracht. Dabei muss der Besteller bei einem ordnungsgemäß vereinbarten Termin oder einem vom Unternehmer mit angemessener Frist bestimmten Termin unentschuldigt gefehlt haben. Die Angemessenheit der Frist hängt vom Einzelfall ab, u.a. davon, ob die gemeinsame Zustandsfeststellung einer gewissen Vorbereitung bedarf oder auch davon, ob der Besteller „vor Ort" ist.[159] In der Regel dürfte jedoch ein Vorlauf von fünf Werktagen bzw. einer Woche diesem Erfordernis gerecht werden.[160] Bleibt der Besteller aufgrund eines unverschuldeten Umstandes (§§ 276 bis 278 BGB) aus,

154 Leinemann/Kues/*von Kiedrowski*, BGB-Bauvertragsrecht, Kommentar, 2. Aufl. 2012, § 650g Rn. 8.
155 BeckOK/*Hummel*, Bauvertragsrecht, 21. Edition, Stand 31.1.2023, § 650g BGB Rn. 26.
156 BT-Drs. 18/8486, S. 59, 60; Leinemann/Kues/*von Kiedrowski*, BGB-Bauvertragsrecht, Kommentar, 2. Aufl. 2012, § 650g Rn. 10.
157 *Kniffka/Retzlaff*, BauR 2017, S. 1747, 1825.
158 Leinemann/Kues/*von Kiedrowski*, BGB-Bauvertragsrecht, Kommentar, 2. Aufl. 2012, § 650g Rn. 10.
159 MüKo/*Busche*, BGB, 9. Aufl. 2023, § 650g Rn. 7.
160 *Kniffka/Retzlaff*, BauR 2017, S. 1747, 1826.

kommt eine einseitige Zustandsfeststellung nicht in Betracht, sofern der Besteller dem Unternehmer sein Ausbleiben unverzüglich (§ 121 BGB) mitteilt.[161] Der Besteller trägt für die entschuldigenden Umstände und auch für deren unverzügliche Mitteilung an den Unternehmer die Darlegungs- und Beweislast.[162] Finden sich beide Bauvertragsparteien zur gemeinsamen Zustandsfeststellung ein, aber können sich nicht über den festzustellenden Zustand einigen, scheidet eine einseitige Zustandsfeststellung ebenfalls aus.[163] Insoweit schlägt der Gesetzgeber dem Unternehmer die Einleitung eines selbständigen Beweisverfahrens i.S.d. §§ 485 ff. ZPO vor, um den Zustand des Bauwerks von einem gerichtlich bestellten Sachverständigen feststellen zu lassen, was in der Praxis jedoch mehrere Monate Zeit in Anspruch nehmen kann.[164]

Liegen sämtliche Voraussetzungen vor und hat der Unternehmer Zugang zum Bauwerk und/oder zur Außenanlage, kann er die einseitige Zustandsfeststellung vornehmen. Er hat diese unter Angabe des Tages zu dokumentieren, gegenzuzeichnen und dem Besteller eine Abschrift der einseitigen Zustandsfeststellung zur Verfügung zu stellen, sodass eine nachträgliche Manipulation der einseitigen Zustandsfeststellung verhindert wird.[165] Ist dem Unternehmer der Zugang zum Bauwerk und/oder zur Außenanlage verwehrt, so muss es ihm möglich sein, die Zustandsfeststellung aus der Erinnerung, den insoweit geführten Korrespondenzen oder von außerhalb zu machenden Beobachtungen heraus erstellen zu können.[166]

3.2.3.6 Kosten der Zustandsfeststellung

Grundsätzlich trägt jede Partei die ihr durch die Zustandsfeststellung entstandenen Kosten selbst.[167] Fordert der Unternehmer den Besteller trotz des Vorhandenseins von wesentlichen Mängeln zur Zustandsfeststellung auf oder bleibt er dem vereinbarten Termin unentschuldigt fern, kommt ein Erstattungsanspruch des Bestellers in Betracht.[168] Bleibt hingegen der Besteller der vereinbarten oder angemessen terminierten Zustandsfeststellung unentschuldigt fern, erwachsen dem Unternehmer daraus keine Erstattungsansprüche, sondern vielmehr das Recht, die Zustandsfeststellung einseitig vorzunehmen, da die entsprechende Mitwirkung nur eine Obliegenheit des Bestellers darstellt.[169]

3.2.3.7 Vermutungsregelung des § 650g Abs. 3 BGB – Rechtsfolgen

Wurde das Bauwerk und/oder die Außenanlage dem Besteller verschafft, nachdem eine Zustandsfeststellung nach § 650g Abs. 1 oder Abs. 2 BGB stattgefunden hat, wird die Gefahrtragungsregel des § 644 Abs. 1 BGB zugunsten des Unternehmers dahingehend eingeschränkt, dass nunmehr die Vermutung gilt, dass ein offenkundiger Mangel, der in der

161 Leinemann/Kues/*von Kiedrowski*, BGB-Bauvertragsrecht, Kommentar, 2. Aufl. 2012, § 650g Rn. 14.
162 BeckOK/*Hummel*, Bauvertragsrecht, 21. Edition, Stand 31.1.2023, § 650g BGB Rn. 44.
163 BT-Drs. 18/8486, S. 59.
164 MüKo/*Busche*, BGB, 9. Aufl. 2023, § 650g Rn. 7.
165 BT-Drs. 18/8486, S. 60.
166 *Kniffka/Retzlaff*, BauR 2017, S. 1747, 1825; BeckOK/*Hummel*, Bauvertragsrecht, 21. Edition, Stand 31.1.2023, § 650g BGB Rn. 47.
167 Leinemann/Kues/*von Kiedrowski*, BGB-Bauvertragsrecht, Kommentar, 2. Aufl. 2012, § 650g Rn. 16.
168 *Kniffka/Retzlaff*, BauR 2017, S. 1747, 1826.
169 BeckOK/*Hummel*, Bauvertragsrecht, 21. Edition, Stand 31.1.2023, § 650g BGB Rn. 48.

Zustandsfeststellung nicht dokumentiert wurde, erst nach der Zustandsfeststellung entstanden und vom Besteller zu vertreten ist, § 650g Abs. 3 BGB. Auf diesem Wege können dem Besteller auch von Dritten verursachte Schäden zugerechnet werden, sofern er die Vermutung nicht widerlegen kann.[170]

Auf den ersten Blick ist dies nicht verständlich. Hier ist daran zu erinnern, dass das Gesetz lediglich festgestellt hat, dass vermutet wird, dass Mängel, die nach der Zustandsfeststellung festgestellt werden und nicht Gegenstand des Protokolls der Zustandsfeststellung waren, vom Besteller zu vertreten sind. Die Tatsache, dass der Besteller das Vorhandensein eines Mangels zu vertreten haben soll, ändert nach dem Wortlaut des Gesetzes am Vorhandensein der Mängelrechte oder an der Gefahrtragung aber nichts. § 650g BGB spricht mit keinem Wort davon, dass die Leistungs- oder Preisgefahr vorzeitig auf den Auftraggeber übergehen soll. Verständlich wird dies erst dann, wenn man die Rechtsprechung des Bundesgerichtshofes mitberücksichtigt. Danach gilt, dass für Schäden bzw. Mängel, die vor der Abnahme entstehen und vom Besteller zu vertreten sind oder sogar nur aus seiner Gefahrensphäre stammen, die Preisgefahr analog §645 Abs. 1 BGB vom Besteller zu tragen ist.[171] Diesen Grundsatz will der Gesetzgeber offenkundig auch für die Zustandsfeststellung des § 650g BGB fruchtbar machen. Ist diese Betrachtungsweise zutreffend, bedeutet dies, dass nicht etwa die Leistungsgefahr, sondern vielmehr nur die Preisgefahr auf den Besteller übergeht. Der Auftragnehmer bleibt also verpflichtet, auch nach der Zustandsfeststellung und vor der Abnahme auftretende Schäden/Mängel zu beseitigen, erhält hierfür jedoch eine zusätzliche Vergütung.

Um dem Besteller das Werk zu verschaffen, muss der Unternehmer das Bauwerk und/oder die Außenanlage übergeben oder – sofern das Bauwerk und/oder die Außenanlage bereits im Besitz des Bestellers ist – zur Benutzung freigeben.[172] Zudem muss eine ordnungsgemäße gemeinsame oder einseitige Zustandsfeststellung stattgefunden haben. Schließlich muss ein offenkundiger Mangel vorliegen. Dies ist dann der Fall, wenn der Mangel ohne Weiteres im Rahmen der Zustandsfeststellung hätte erkannt werden müssen. Dabei gilt es, die entsprechende Fachkunde des Bestellers für die Beurteilung heranzuziehen.[173] Der Gesetzgeber nimmt an, dass eine Beschädigung der Oberfläche durch beispielsweise Abplatzungen/Flecken/Kratzer von Böden, Wänden, Türen etc. offenkundige Mängel sind. Offenkundige Mängel von technischen Anlagen sind dann anzunehmen, wenn die Funktionsweise sich bei einfacher Prüfung als fehlerhaft erweist. Ist der Mangel jedoch erst aufgrund einer Bauteilöffnung oder einer zeitlich längeren, auch nur testweisen, Inbetriebnahme feststellbar, so kann nicht mehr von Offenkundigkeit die Rede sein.[174]

Handelt es sich um einen Materialfehler oder besteht der Mangel darin, dass das Bauwerk nicht dem Planvorhaben entspricht, so liegt ein Mangel, der seiner Art nach nicht vom Besteller verursacht werden konnte, i.S.d. § 650g Abs. 3 Satz 2 BGB vor.[175]

---

170 BT-Drs. 18/8486, S. 60; BT-Drs. 18/9496, S. 60.
171 BGH, U. v. 21.8.1997, VII ZR 17/96, BauR 1997, S. 1019.
172 Leinemann/Kues/*von Kiedrowski*, BGB-Bauvertragsrecht, Kommentar, 2. Aufl. 2012, § 650g Rn. 18.
173 BT-Drs. 18/8486, S. 60.
174 Leinemann/Kues/*von Kiedrowski*, BGB-Bauvertragsrecht, Kommentar, 2. Aufl. 2012, § 650g Rn. 19.
175 BT-Drs. 18/9496, S. 60.

3.2.3.8 Regelungen in den Allgemeinen Geschäftsbedingungen

Der Ausschluss der Zustandsfeststellung sowie die Vermutungsregelung nach § 650g Abs. 3 BGB dürfen in den Allgemeinen Geschäftsbedingungen des Bestellers nicht abbedungen werden. Nach § 309 Nr. 12 BGB sind Allgemeine Geschäftsbedingungen unwirksam, wenn sie die Beweislast zum Nachteil des Verwendungsgegners abändern. Dies gilt gemäß 310 Abs. 1 Satz 2 i.V.m. § 307 Abs. 1 BGB auch im unternehmerischen Verkehr,[176] sodass die Zustandsfeststellung mit der Vermutungsregelung nach § 650g Abs. 3 BGB in den Allgemeinen Geschäftsbedingungen des Bestellers nicht wirksam ausgeschlossen werden kann.[177] Dies dürfte insbesondere einer Inhaltskontrolle nach § 307 BGB wohl nicht standhalten. In den Allgemeinen Geschäftsbedingungen dürfen jedoch konkretisierende Regelungen zur Terminvereinbarung oder Fristsetzung sowie zur Durchführung in angemessenem Ausmaß vereinbart werden.[178]

3.2.3.9 Anwendung im Rahmen des Architekten- und Ingenieurvertrages

Die Regelungen über die Zustandsfeststellung nach § 650g Abs. 1 bis Abs. 3 BGB gelten gemäß § 650q Abs. 1 BGB entsprechend für den Architekten- und Ingenieurvertrag.

Die Anwendung der Vorschrift über die Zustandsfeststellung wird insbesondere dann interessant, wenn der Besteller die Abnahme der Bauüberwachungsleistung gemäß § 650s BGB unter Monierung solcher im Bauwerk verkörperten Mängel verweigert, für deren Vorliegen der Architekt neben dem Bauunternehmer verantwortlich gemacht wird.[179] Im Rahmen der Zustandsfeststellung kann nämlich festgestellt werden, ob zum Zeitpunkt der Verweigerung der Abnahme des Bestellers der möglicherweise behauptete Mangel überhaupt vorliegt.[180]

3.2.3.10 Anwendung im Rahmen des Bauträgervertrages

Die Regelungen über die Zustandsfeststellung nach § 650g Abs. 1 bis Abs. 3 BGB kommen ebenfalls für den Bauträgervertrag nach § 650u Abs. 1 BGB zur Anwendung. Es wird auf die obigen Ausführungen verwiesen, sofern es im Rahmen eines Bauträgervertrages um die Errichtung eines mangelfreien Werkes und die Gefahrtragung des Bauträgers bis zur Abnahme geht.[181]

---

176 BGH, B. v. 6.2.2014, VII ZTR 160/12, NZBau 2014, S. 221, 223.
177 BeckOK/*Hummel*, Bauvertragsrecht, 21. Edition, Stand 31.1.2023, § 650g BGB Rn. 66.
178 Leinemann/Kues/*von Kiedrowski*, BGB-Bauvertragsrecht, Kommentar, 2. Aufl. 2012, § 650g Rn. 25.
179 *Kniffka/Retzlaff*, BauR 2017, S. 1747, 1869.
180 *Kniffka/Retzlaff*, BauR 2017, S. 1747, 1869.
181 Leinemann/Kues/*von Kiedrowski*, BGB-Bauvertragsrecht, Kommentar, 2. Aufl. 2012, § 650g Rn. 27.

3.3 Die Haftung von Privatsachverständigen

Alexander J. Weber

Übersicht

3.3.1 Vorbemerkungen zur Haftungsfrage

Die Haftung von gerichtlich ernannten Bausachverständigen wird in Beitrag 2.11 behandelt. Vorliegend geht es um Haftungsfragen im Zusammenhang mit Ihrer Tätigkeit als im Privatauftrag tätige Sachverständige (= Privatsachverständige), z.B. aufgrund von Fehleinschätzungen und daraus resultierend fehlerhaften Gutachten oder Pflichtverletzungen, die sich maßgeblich in der Praxis auswirken. Baurechtliche Probleme werden heute ohne die Einschaltung von (Bau-)Sachverständigen kaum mehr gelöst und demzufolge spielen insbesondere Privatsachverständige bei der Klärung von Baustreitigkeiten vorgerichtlich und im Prozess eine entscheidende Rolle. Für den Baurechtsanwalt sind oftmals die im Privatauftrag erstellten Gutachten von Bausachverständigen unabdingbare Voraussetzung für die erfolgreiche Führung eines baurechtlichen Mandats. Für die sachgerechte Klärung der Fragen, ob beispielsweise Mängel vorliegen und wie diese zu beseitigen sind, welchen Aufwand das erfordert oder ob die Abnahmereife gegeben ist, wird ein gewissenhaft arbeitender Anwalt in der Regel zur Vermeidung eigener Haftungsrisiken auf die Hinzuziehung von technisch versierten Bausachverständigen verweisen. Eine alternative, fachtechnisch professionelle Aufklärung des der Streitigkeit zugrunde liegenden Sachverhalts ist anders nicht denkbar.

In einem Zivilrechtsstreit ist und bleibt ein vorgelegtes Privatgutachten ein substantiiertes, nach richtiger Ansicht urkundlich belegtes[1] Parteivorbringen[2]. Das Gericht muss ein Privatgutachten deshalb mit aller Sorgfalt würdigen und darf es nicht übergehen. Andernfalls ist das ergangene Urteil wegen Verletzung des rechtlichen Gehörs (Art. 103 GG) angreifbar.[3] Vor diesem Hintergrund ist die im Privatauftrag geleistete sorgfältige und gewissenhafte Gutachtertätigkeit auch unter haftungsrechtlichen Gesichtspunkten in der Praxis von enormer Bedeutung und oftmals essenziell für den Ausgang und die Entscheidung eines geführten Rechtsstreits oder dessen einvernehmliche Abwendung im Vorfeld.

3.3.2 Einführung in die Thematik

Die meisten Gutachten werden in der Praxis als sog. Privatgutachten erstattet. Das heißt, eine Partei beschafft sich dieses bei einer von ihr ausgewählten, sachverständigen Person. Sie hat die Kenntnis von technischen und wissenschaftlichen Erfahrungen zu übermitteln, die festgestellten Tatsachen mitzuteilen und schließlich eine oder mehrere bestimmte Tatsachen aufgrund eigener Erfahrungssätze zu beurteilen.[4]

Falls keine besonderen Festlegungen im Rahmen der Beauftragung erfolgen, haftet der privat beauftragte Sachverständige nach den **gesetzlichen Bestimmungen zum Werkvertragsrecht**.[5] Sein Gutachten muss objektiv richtig erstattet sein, ansonsten besteht eine Haftung für dessen Fehlerhaftigkeit und die sich daraus ergebenden negativen Folgen für die Auftraggeberseite. Das stellt keine Überraschung dar. Auf der Grundlage des geschlossenen Vertrags ist ein Gutachten frei von Sachmängeln zu erstellen. Es gelten sodann die allgemeinen werkvertraglichen **Sachmängelhaftungsregeln**, die als streng zu bezeichnen sind, weil bereits für leicht fahrlässige Pflichtverletzungen gehaftet wird (wenn beispielsweise wegen eines fehlerhaften Gutachtens ein Schaden entstanden ist). Auch der Beruf des Sachverständigen ist aus diesem Grund mit einer großen Verantwortung verbunden und die Möglichkeiten zur Vereinbarung eines rechtswirksamen Haftungsausschlusses oder einer Haftungsbeschränkung sind begrenzt.

Zu dem Risiko der privatsachverständigen Tätigkeit gehören auch die Haftung gegenüber fremden Dritten sowie die Haftung für eingesetzte Hilfskräfte und deren schuldhafte Pflichtverletzungen, die sich der Bausachverständige grundsätzlich zurechnen lassen muss. Der Vertrag über die Erstellung von Privatgutachten wird dem **Werkvertragsrecht** des BGB zugeordnet (§§ 631 ff. BGB), weil nicht lediglich Tätigkeiten und Bemühungen der Auftraggeberseite gegenüber geschuldet sind, sondern ein Ergebnis, also im Sinne des Werkvertragsrechts ein **Erfolg**. Privatsachverständige haften im Rahmen des ihnen erteilten Auftrags in der Rechtsfolge für die Richtigkeit und Vollständigkeit ihrer Gutachten. Dabei regelt das BGB nicht, worin der konkrete Erfolg zu sehen ist. Die Vertragsparteien sind daher gut beraten, wenn sie den Erfolg selbst und zweifelsfrei bestimmen durch eine schriftliche Definition der Zweckbestimmung, die sehr unterschiedlich ausfallen kann. Auf

1 Vgl. *Kniffka/Koeble*, Kompendium des Baurechts, 3. Aufl. 2020, 20. Teil II. 1.
2 BGH, U. v. 10.12.1991 – VI ZR 234/90, NJW 1992, S. 1459.
3 BGH, B. v. 27.1.2010 – VII ZR 97/08, BauR 2010, S. 931.
4 Vgl. *Werner/Pastor*, Der Bauprozess, 17. Aufl. 2020, Rn. 3094.
5 Vgl. *Motzke/Bauer/Seewald*, Prozesse in Bausachen, 3. Aufl. 2018, § 2 Rn. 44.

diese zu vereinbarende Zweckbestimmung ist deshalb große Sorgfalt im Vorfeld zu legen, weil Gutachten häufig auch in die Hände Dritter gelangen, die möglicherweise auf das Gutachten vertrauen und in diesem Vertrauen schutzwürdig sind.[6] Auch eine Haftung gegenüber der anderen Partei (Gegner) ist möglich, weil das Gutachten häufig mit Schutzwirkung gegen Dritte erstellt wird oder dahingehend ausgelegt werden kann.[7] Gegenüber anderen, außenstehenden Personen haftet ein Privatsachverständiger nach Maßgabe des Rechts der unerlaubten Handlung (§§ 823, 826 BGB), was nicht allzu praxisrelevant ist. Vernachlässigt der im Privatauftrag tätige Sachverständige – zusammenfassend – die ihm obliegenden Verpflichtungen, macht er sich gegenüber der Auftraggeberseite ersatzpflichtig und weil häufig eine Nachbesserung eines mangelhaften Gutachtens nicht möglich ist, muss entweder eine Minderung des Honorars hingenommen oder in der Praxis weitaus häufiger **Schadensersatz** geleistet werden, ggf. auch gegenüber Dritten. Das gilt insbesondere auch für die Fälle, in denen die Auftraggeberseite dadurch einen Rechtsverlust erleidet, weil aufgrund nicht rechtzeitiger Tätigkeit des Bausachverständigen Ansprüche (beispielsweise wegen zwischenzeitlich eingetretener Verjährung oder Baufortschritt) nicht mehr durchsetzbar sind. Ein nicht seltener, jedoch vermeidbarer Haftungsfall. Somit sind laufende Fristen/vereinbarten Termine oder relevante Bautenstände penibel zu überwachen. Grundsätzlich ist im Haftungsfall die Auftraggeberseite so zu stellen, als hätte der Bausachverständige das Gutachten mangelfrei erstattet, weshalb grundsätzlich eine gute und angemessen dimensionierte Berufshaftpflichtversicherung zur eigenen Vorsorge anzuraten ist.

3.3.3 Anspruchsgrundlagen

Die Haftung von privaten Bausachverständigen hängt denknotwendigerweise von der heranzuziehenden Anspruchsgrundlage ab. Üblich ist die Haftung aufgrund des geschlossenen Werkvertrags (§§ 631 ff. BGB), seltener die aus unerlaubter Handlung (§§ 823 ff. BGB). Eine Ausnahme von der Haftung ist denkbar, wenn der private Bausachverständige lediglich beratend tätig war. Denn dann liegt ein Dienstvertrag (kein Werkvertrag) i.S.v. §§ 611 BGB bzw. ein Geschäftsbesorgungsvertrag mit Dienstvertragscharakter i.S.v. §§ 675, 611 BGB vor.[8]

§ 611 BGB – Vertragstypische Pflichten beim Dienstvertrag

(1) Durch den Dienstvertrag wird derjenige, welcher Dienste zusagt, zur Leistung der versprochenen Dienste, der andere Teil zur Gewährung der vereinbarten Vergütung verpflichtet.

(2) Gegenstand des Dienstvertrags können Dienste jeder Art sein.

6 Vgl. *Pott/Dahlhoff/Kniffka/Rath*, HOAI, 8. Aufl. 2006, S. 358.

7 BGH, U. v. 14.11.2000 – X ZR 203/98, NJW 2001, S. 514.

8 Vgl. *Thode/Wirth/Kuffer/Vogel*, Praxishandbuch Architektenrecht, 2. Aufl. 2016, § 18 Rn. 2 m.w.N.

§ 675 BGB – Entgeltliche Geschäftsbesorgung

(1) Auf einen Dienstvertrag oder einen Werkvertrag, der eine Geschäftsbesorgung zum Gegenstand hat, finden, soweit in diesem Untertitel nichts Abweichendes bestimmt wird, die Vorschriften der §§ 663, 665 bis 670, 672 bis 674 und, wenn dem Verpflichteten das Recht zusteht, ohne Einhaltung einer Kündigungsfrist zu kündigen, auch die Vorschriften des § 671 Abs. 2 entsprechende Anwendung.

(2) Wer einem anderen einen Rat oder eine Empfehlung erteilt, ist, unbeschadet der sich aus einem Vertragsverhältnis, einer unerlaubten Handlung oder einer sonstigen gesetzlichen Bestimmung ergebenden Verantwortlichkeit, zum Ersatz des aus der Befolgung des Rates oder der Empfehlung entstehenden Schadens **nicht**[9] verpflichtet.

Es ist im Unterschied zum Werkvertrag der Auftraggeberseite gegenüber kein konkreter Erfolg geschuldet, also beispielsweise kein inhaltlich richtiges Gutachten, sondern eine bloße Tätigkeit/eine Diensthandlung, was dazu führt, dass die Haftung gemäß § 675 Abs. 2 BGB in der Regel mit den benannten Ausnahmen ausgeschlossen sein kann. Ein Gutachten unterscheidet sich dabei von einer bloßen Beratungstätigkeit dadurch, dass der gutachterlichen Äußerung des Sachverständigen eine eingehende Untersuchung vorausgeht und eine eingehende Begründung folgt;[10] was auf die bloße beratende Tätigkeit eines Bausachverständigen nicht zutrifft.

3.3.3.1 Haftung aus Vertrag

Die Haftung folgt primär direkt aus dem geschlossenen Werkvertrag. Der private Bausachverständige haftet *nicht* nach den Vorschriften für *gerichtliche* Sachverständige (§ 839a BGB), sondern nach Werkvertragsrecht, weil seine Tätigkeit (sein Auftrag) erfolgsbestimmt ist, § 631 Abs. 1 BGB. Bei Werkverträgen entrichtet die Auftraggeberseite die Vergütung dafür, dass ein bestimmtes Ergebnis, ein konkreter Zweck erreicht wird. Es reicht also nicht aus, dass der Bausachverständige als Werkunternehmer *tätig* wird, vielmehr kommt es auf das **Resultat** seiner Arbeit an. Die Abgrenzung von anderen Verträgen wie beispielsweise Dienstverträgen ist nicht immer leicht.

§ 631 BGB – Vertragstypische Pflichten beim Werkvertrag

(1) Durch den Werkvertrag wird der Unternehmer zur Herstellung des versprochenen Werkes, der Besteller zur Entrichtung der vereinbarten Vergütung verpflichtet.

(2) Gegenstand des Werkvertrags kann sowohl die Herstellung oder Veränderung einer Sache als auch ein anderer durch Arbeit oder Dienstleistung herbeizuführender Erfolg sein.

Wegen der Erfolgsbezogenheit des Werkvertrags ist in diesen Fällen in der Konsequenz das **Mangelhaftungsrecht** des BGB (§§ 633 ff. BGB) anwendbar. Dabei unterscheiden sich die **primären** Gewährleistungsansprüche im Werkvertragsrecht gerichtet auf Neuerstellung/Nacherfüllung und die **sekundären** Gewährleistungsansprüche (Ersatzvornahme, Minderung, Rücktritt sowie der Anspruch auf Schadens- oder Aufwendungsersatz). Um sekundäre Gewährleistungsansprüche handelt es sich, weil sie den primären Gewährleistungsansprüchen gegenüber nachrangig sind und nur unter bestimmten Voraussetzungen

9 Hervorhebung durch den Verfasser.
10 Vgl. *Jochem/Kaufhold*, HOAI-Kommentar, 6. Aufl. 2016, § 33 Rn. 1.

geltend gemacht werden können. Zentrale Vorschrift ist § 633 BGB, der festlegt, wann das erstellte Werk (Gutachten) als mangelhaft gilt. Geschuldet wird in der Regel als Erfolg ein schriftlich auszuarbeitendes, inhaltlich vollständig korrektes Gutachten, wobei auch die Erstellung eines Energieausweises durch eine sachverständige Person dem Werkvertragsrecht unterfällt.[11] Damit haftet ein Bausachverständiger mit Privatauftrag für seine Tätigkeit wie jeder Architekt, Ingenieur oder Bauunternehmer nach den werkvertraglichen Gewährleistungsvorschriften. Er hat haftungsrechtlich einzustehen für sein Gutachten, dem beispielsweise die vereinbarte Beschaffenheit fehlt, das den Zweck nicht erreicht oder unvollständig ist, das (fachlich) unrichtig ist und dafür, dass das Gutachten von dem gestellten Auftrag abweicht oder nicht nachvollzogen werden kann.[12] Die Auftraggeberseite muss in diesen Fällen dem Bausachverständigen grundsätzlich eine angemessene Frist zur Mangelbeseitigung einräumen, d.h. die Chance geben, sein mangelhaftes Gutachten nachzubessern, zu korrigieren, zu ergänzen, zu vervollständigen oder neu herzustellen und damit den Vertrag nachzuerfüllen.

§ 634 BGB – Rechte des Bestellers bei Mängeln

Ist das Werk mangelhaft, kann der Besteller, wenn die Voraussetzungen der folgenden Vorschriften vorliegen und soweit nicht ein anderes bestimmt ist,

1. nach § 635 Nacherfüllung verlangen, (...).

Verlangt die Auftraggeberseite Nacherfüllung, so kann der Bausachverständige nach seiner Wahl den Mangel beseitigen oder ein neues Werk herstellen. Er hat dabei die zum Zwecke der Nacherfüllung erforderlichen Aufwendungen zu tragen, darf die Nacherfüllung unbeschadet des § 275 Abs. 2 und 3 BGB allerdings auch verweigern, wenn sie nur mit unverhältnismäßigen Kosten möglich ist und sein mangelhaftes Gutachten nach Maßgabe der §§ 346 bis 348 BGB zurückverlangen, vgl. § 635 BGB. Diese Nachweisführung der Unverhältnismäßigkeit wird einem Sachverständigen in der Praxis allerdings nur selten gelingen, die Anforderungen an dieses Tatbestandsmerkmal sind hoch. Außerdem kommt eine Nachbesserung nur in solchen Fällen in Betracht, in welchen die Leistung des Bausachverständigen noch *nachholbar* ist, was bei Verfehlungen, die sich auf eine bereits erstellte Bauleistung ausgewirkt haben, regelmäßig nicht mehr möglich ist. Haben sich Mängel der Planung oder Überwachung bereits im Bauwerk verkörpert, haften Bausachverständige Auftraggebern in der Regel auf Schadensersatz und dazu bedarf es einer vorherigen Fristsetzung (zur Mangelbeseitigung) nicht.

Die Möglichkeit, einen anderen Sachverständigen mit der Fehlerbehebung oder Neuerstellung zu beauftragen (sog. Selbstvornahme der Auftraggeberseite), ist grundsätzlich erst mit ergebnislosem Ablauf der gesetzten, angemessenen Frist nach Maßgabe des § 637 BGB möglich. Bausachverständige haften der Auftraggeberseite dann auf Erstattung der entstandenen, zusätzlichen Aufwendungen in Geld und verlieren den eigenen Vergütungsanspruch, weil der Werkerfolg nicht eingetreten ist. Sachverständige erhalten eine Vergütung lediglich insoweit, als ihre Leistung bestimmungsgemäß verwertbar ist. Sie haften bei Vorliegen der rechtlichen Voraussetzungen im Weiteren auf Kostenvorschuss bei-

11 Vgl. *Englert/Motzke*, Baukommentar, 2. Aufl. 2009, § 631 BGB Rn. 43.
12 Vgl. *Koenen*, Der Sachverständigenbeweis im Bauprozess, 2012, Rn. 149.

spielsweise für die Neuerstellung eines Gutachtens durch einen anderen Bausachverständigen, vgl. § 637 Abs. 3 BGB. Auch eine angemessene Minderung der vereinbarten Vergütung zulasten des Sachverständigen ist denkbar, vgl. § 638 BGB. Auf eine entsprechende Herabsetzung wird man sich im beiderseitigen Interesse (nur) dann einigen können, wenn ein Gutachten wenigstens in Teilen mangelfrei und damit verwertbar ist. Der Anspruch kann auch auf Befreiung von der (gesamten) Vergütungspflicht gerichtet sein.[13]

Von enormem Haftungsrisiko ist die Regelung in § 634 Nr. 4 i.V.m. §§ 280, 281 BGB, wonach die Auftraggeberseite neben oder statt der Leistung Schadensersatz oder Ersatz vergeblicher Aufwendungen verlangen darf. Von Bedeutung sind dabei die Schäden, welche an anderen Gegenständen oder Rechtsgütern wegen eines mangelhaften Gutachtens hervorgerufen werden (sog. Haftung für **Mangelfolgeschäden**). Es geht um Schäden, die unabhängig davon eintreten oder eingetreten sind, dass der Vertrag noch (nach-)erfüllt wird.

Die Auftraggeberseite kann von Bausachverständigen im Rahmen deren vertraglicher Haftung auch diejenigen Schäden ersetzt verlangen, die ihr daraus entstehen, dass ein Gutachten nicht rechtzeitig fertiggestellt wurde. Zu denken ist in diesem Zusammenhang an Mietausfälle, Kosten für Ersatzbeschaffung, Nutzungsausfälle oder nicht mehr durchsetzbare Ansprüche. Dieses Haftungsrisiko für einen schuldhaft verursachten Schaden, der auf einem fehlerhaften/verspäteten Gutachten beruht, ist nicht zu unterschätzen und von hoher Praxisrelevanz.

§ 280 BGB – Schadensersatz wegen Pflichtverletzung

(1) Verletzt der Schuldner eine Pflicht aus dem Schuldverhältnis, so kann der Gläubiger Ersatz des hierdurch entstehenden Schadens verlangen. Dies gilt nicht, wenn der Schuldner die Pflichtverletzung nicht zu vertreten hat.

(2) Schadensersatz wegen Verzögerung der Leistung kann der Gläubiger nur unter der zusätzlichen Voraussetzung des § 286 verlangen.

(3) Schadensersatz statt der Leistung kann der Gläubiger nur unter den zusätzlichen Voraussetzungen des § 281, des § 282 oder des § 283 verlangen.

3.3.3.2 Pflichtverletzung

Die Pflichtverletzung von Bausachverständigen ist zusammen mit dem Vertretenmüssen haftungsrechtlich entscheidende Anspruchsvoraussetzung bei der Geltendmachung von Schadensersatzansprüchen. Sie ist der zentrale Begriff im Leistungsstörungsrecht und bezeichnet rein objektiv jedes Verhalten des Bausachverständigen, das von dem im Rahmen eines vertraglichen Schuldverhältnisses Geschuldeten negativ abweicht. Beispielsweise wenn das Gutachten mangelhaft ist, d.h., wenn es nicht die mit der Auftraggeberseite vereinbarte Beschaffenheit aufweist, wenn es nicht die nach dem Vertrag vorausgesetzte oder die für eine gewöhnliche Verwendung erforderliche Eignung besitzt oder eine übliche Beschaffenheit fehlt, die erwartet werden durfte.

13 OLG Frankfurt, U. v. 26.1.2006 – 26 U 24/05; BauR 2006, S. 1325–1327.

§ 633 BGB – Sach- und Rechtsmangel

(1) Der Unternehmer hat dem Besteller das Werk frei von Sach- und Rechtsmängeln zu verschaffen.

(2) Das Werk ist frei von Sachmängeln, wenn es die vereinbarte Beschaffenheit hat. Soweit die Beschaffenheit nicht vereinbart ist, ist das Werk frei von Sachmängeln,

1. wenn es sich für die nach dem Vertrag vorausgesetzte, sonst
2. für die gewöhnliche Verwendung eignet und eine Beschaffenheit aufweist, die bei Werken der gleichen Art üblich ist und die der Besteller nach der Art des Werkes erwarten kann.

Einem Sachmangel steht es gleich, wenn der Unternehmer ein anderes als das bestellte Werk oder das Werk in zu geringer Menge herstellt.

(3) Das Werk ist frei von Rechtsmängeln, wenn Dritte in Bezug auf das Werk keine oder nur die im Vertrag übernommenen Rechte gegen den Besteller geltend machen können.

Ergänzend zu § 633 BGB ist auf die Bestimmungen in den jeweils geltenden **Sachverständigenordnungen** hinzuweisen, also dem Satzungsrecht der Bestellungskörperschaften, die Allgemeingültigkeit besitzen und in denen konkrete Pflichtenkataloge enthalten sind mit Vorgaben u.a. zur unparteiischen Aufgabenerfüllung, Formen der Gutachtenerstattung, Gemeinschaftsgutachten, Feststellungen von Hilfskräften, Aufzeichnungspflicht, Haftungsausschluss, Haftpflichtversicherung, Schweigepflicht, Fortbildung, Bekanntmachung, Anzeigepflicht, Auskunftspflicht, Zusammenschlüssen mit Sachverständigen usw.[14] Auch Pflichtverletzungen in diesem Zusammenhang können Ersatzpflichten des Bausachverständigen begründen; vorstellbar ist demgemäß auch, dass ein an sich fehlerfreies Gutachten wegen eines Pflichtenverstoßes nicht verwendet werden kann oder darf, mithin unverwertbar wird. Erforderlich sind objektive, feststellbare Defizite speziell in Gestalt einer unvollständigen, (methodisch) offensichtlich grob fehlerhaften oder aus formellen Gründen unzulänglichen Gutachtenleistung, die zu gänzlicher oder teilweiser Unverwertbarkeit des Gutachtens führt, weil sich dieses nicht als Basis für eine zu treffende Entscheidung eignet. Ein Mangelhaftungsanspruch ist dann gegeben, wenn ein Gutachten offenbar unrichtig ist.[15]

3.3.3.3 Vertretenmüssen/Verschulden

Erforderlich für die Leistung von Schadensersatz im Rahmen der Haftung neben der Pflichtverletzung ist das Verschulden derselben durch Bausachverständige, im BGB als Vertretenmüssen bezeichnet, welches verschiedene Verschuldensformen kennt. Die Legaldefinition des **Vertretenmüssens** findet sich in § 276 Abs. 1 BGB als Haftungsmaßstab wieder.

14 Vgl. exemplarisch: Sachverständigenordnung (SVO) der Handwerkskammer Niederbayern-Oberpfalz v. 23.11.2012.

15 BGH Z 43, 374; BGH, U. v. 17.1.2013 – III ZR 10/12; NJW 2013, S. 1196–1298; OLG Frankfurt, U. v. 26.1.2006 – 26 U 24/05; BauR 2006, S. 1325–1327.

§ 276 BGB – Verantwortlichkeit des Schuldners

(1) Der Schuldner hat Vorsatz und Fahrlässigkeit zu vertreten, wenn eine strengere oder mildere Haftung weder bestimmt noch aus dem sonstigen Inhalt des Schuldverhältnisses, insbesondere aus der Übernahme einer Garantie oder eines Beschaffungsrisikos, zu entnehmen ist. Die Vorschriften der §§ 827 und 828 finden entsprechende Anwendung.

(2) Fahrlässig handelt, wer die im Verkehr erforderliche Sorgfalt außer Acht lässt.

(3) Die Haftung wegen Vorsatzes kann dem Schuldner nicht im Voraus erlassen werden.

Im Regelfall haben Sachverständige Vorsatz und Fahrlässigkeit zu vertreten, der Oberbegriff dafür wird **Verschulden** genannt. *Vorsatz* bedeutet, dass ein Sachverständiger mit Wissen und Wollen eine Pflichtverletzung begeht oder diese billigend in Kauf nimmt; von *grober Fahrlässigkeit* ist auszugehen, wenn Bausachverständige die im Verkehr erforderliche Sorgfalt in besonders schwerem Maße verletzt haben. Indes reicht bereits eine (leicht) fahrlässig begangene Sorgfaltspflichtverletzung für eine Haftung aus, vgl. Abs. 2. *Leichte Fahrlässigkeit* liegt vor, wenn eine Person ihre Sorgfaltspflicht in geringem Ausmaß verletzt. Haftungsmaßstab ist stets das Verhalten eines ordentlichen, normal veranlagten und gewissenhaft arbeitenden Sachverständigen in vergleichbarer Situation. Jedwede Abweichung von dieser objektiven Norm kann die Haftung begründen.

3.3.3.4 Sonstige Haftungsrisiken

Der Privatsachverständige kann zudem (wie jeder Werkunternehmer) auch wegen der Verletzung vertraglicher Treue-, Aufklärungs- oder Beratungspflichten haften. Entscheidend ist, dass Sachverständigen eine Pflichtverletzung nachgewiesen wird, sie diese zu vertreten haben und das zu einem Schaden führt. Soweit das Gesetz das Verschulden in § 280 Abs. 1 BGB vermutet, müssen Sachverständige den Gegenbeweis führen, wenn sie sich exkulpieren wollen, was in der Praxis nur selten gelingt.

3.3.3.5 Haftung aus unerlaubter Handlung

Besteht kein Werkvertragsverhältnis, haften Bausachverständige gegenüber Dritten nach den gesetzlichen Bestimmungen der §§ 823, 826 BGB auf Schadensersatz, wenn sie schuldhaft einen Schaden verursachen. Das Verschulden muss dabei nachgewiesen werden und es ist die Verletzung eines absoluten Rechtsguts erforderlich, wie beispielsweise Leben oder Gesundheit, nicht des Vermögens.

§ 823 BGB – Schadensersatzpflicht

(1) Wer vorsätzlich oder fahrlässig das Leben, den Körper, die Gesundheit, die Freiheit, das Eigentum oder ein sonstiges Recht eines anderen widerrechtlich verletzt, ist dem anderen zum Ersatz des daraus entstehenden Schadens verpflichtet. (…)

In einem Praxisbeispiel ist vorstellbar, dass ein Bausachverständiger im Auftrag einer Haftpflichtversicherung tätig wird und deren Versicherungsnehmer (Bauunternehmen) eine unzureichende Mangelbeseitigungsmethode empfiehlt. Resultiert daraus ein Schaden am Gebäude, kann das eine deliktische (Mit-)Haftung des Sachverständigen für den auf mangelhafter Nachbesserung beruhenden (weiteren) Schaden begründen.

Ein deliktischer Anspruch der Auftraggeberseite aus § 826 BGB ist realistisch nicht vorstellbar. Die Haftung aus sittenwidriger, vorsätzlicher Schädigung würde voraussetzen, dass Sachverständige bei der Erstellung eines Gutachtens leichtfertig oder gewissenlos und zumindest mit bedingtem Vorsatz zum Nachteil der Auftraggeberseite gehandelt haben. Sachverständige müssten sich beispielsweise durch nachlässige Ermittlungen zu den Grundlagen ihres Auftrags oder gar durch spekulative Angaben des Auftrags leichtfertig entledigt und damit eine Rücksichtslosigkeit gegenüber der Auftraggeberseite oder Dritten an den Tag gelegt haben, die angesichts der Bedeutung, die das Gutachten für deren Erschließung hatte, als gewissenlos bezeichnet werden muss.[16]

3.3.3.6 Beweislast

Es gelten die allgemeinen Beweislastregeln, sodass nach der Abnahme der Gutachterleistung die Auftraggeberseite die Mangelhaftigkeit des Werks (Gutachten) und die Zurechnung zulasten des Verfassers darzulegen und zu beweisen hat, d.h., alle haftungsbegründenden Anspruchsvoraussetzungen müssen von der Anspruchstellerseite vollumfänglich dargelegt und nachgewiesen werden. Das umfasst den Vortrag und Nachweis, dass die vereinbarte Werkleistung mangelhaft war, der Bausachverständige schuldhaft eine Pflichtverletzung begangen hat und dadurch ein konkreter Schaden eingetreten ist.

Die Anspruchstellerseite hat somit den behaupteten Schaden dem Grunde wie der Höhe nach sowie die Ursächlichkeit der Fehlleistung des Bausachverständigen für den Schaden zu beweisen. Bei Ansprüchen aus § 280 BGB wird das Verschulden dabei qua Gesetz (widerleglich) vermutet; demzufolge trifft den in Anspruch genommenen Bausachverständigen diesbezüglich wie auch hinsichtlich eines eventuellen Mitverschuldens der Auftraggeberseite die Darlegungs- und Beweislast.

3.3.3.7 Verjährung

Vgl. dazu Beitrag 3.4.

3.3.4 Exkurs: Vertrag zugunsten Dritter

Sachverständige haben eine objektiv-rechtliche Sorgfaltspflicht auch zugunsten Dritter. Wird durch ein (fehlerhaftes) Gutachten, auf das ein Dritter vertraute und vertrauen durfte, dieser geschädigt, kommt die Haftung von Sachverständigen auch gegenüber Dritten in Betracht.[17] Der abgeschlossene Vertrag ist entscheidend für diese sog. Drittwirkung bzw. für den Schutzbereich des Gutachtens. Dazu hat der BGH klargestellt, dass eine Einbeziehung in die Schutzwirkung dann gegeben sei, wenn ein Gutachten erkennbar für den Gebrauch gegenüber Dritten bestimmt ist.[18] Bausachverständige haften demnach nicht nur der Auftraggeberseite gegenüber, sondern auch gegenüber Dritten, die in den Schutzbereich des Gutachtens einbezogen sind, weil sie beispielsweise in Vertrauen auf dessen

16 BGH, NJW 2003, S. 2825 f.; NJW 2004, S. 3035, 3083; NJW 2013, S. 1296, 1298.
17 BGH, U. v. 13.11.1997 – X ZR 144/94, BauR 1998, S. 189.
18 BGH, U. v. 10.11.1994 – III ZR 50/94, BGH Z 127, S. 378 f.

inhaltliche Richtigkeit (finanziell nachteilige) Vermögensdispositionen treffen. Das sollte niemals übersehen werden.

Nicht haftbar Dritten gegenüber sind hingegen diejenigen Bausachverständigen, welche mit der technischen Abnahme beauftragt waren und bei einer Ortsbesichtigung im Rahmen einer Sichtabnahme lediglich sichtbare Mängel beanstandeten.[19] Ein Bauträger hatte in diesem entschiedenen Praxisfall einen Bausachverständigen nach Fertigstellung der Bauleistungen mit der technischen Beurteilung der Abnahmereife beauftragt. Der Bausachverständige bescheinigte die Abnahmereife, daraufhin zahlten die Erwerber den restlichen Kaufpreis. Als später kostenintensive Feuchtigkeitsschäden in dem Kellergeschoss des Objekts auftraten, nahmen die Erwerber den Sachverständigen in die Haftung. Die Gerichte sahen das – zutreffend – anders. Zwar kommt grundsätzlich eine Haftung des Bausachverständigen in Betracht, weil dessen Gutachtervertrag mit dem Bauträger eine Schutzwirkung zugunsten der Erwerber hatte (und auch ein Einbeziehungsinteresse der Erwerber in den Schutzbereich lag vor, weil aus deren Sicht dem Gutachten über die Frage der Abnahmereife besondere Beweiskraft zukam) – der Sachverständige verletzte jedoch keine Pflicht, weil er lediglich für solche Mängel einzustehen hatte, die er bei der Begehung hatte erkennen können und müssen, nicht aber für eine sich später erst herausstellende Mangelhaftigkeit des abzunehmenden Werks.[20] Im Rahmen der vertraglich vereinbarten Prüfungsdichte waren weitergehende Untersuchungen nicht geschuldet. Wie stets haftet ein Bausachverständiger in der Rechtsfolge ausschließlich für die Verletzung der übernommenen Pflichten, die deshalb präzise und sorgfältig in seinem Pflichtenprogramm zu definieren sind.

3.3.5 Exkurs: Mitverschulden

Das sog. Mitverschulden kann gegen einen geltend gemachten Schadensersatzanspruch eingewendet werden, weil der Anspruch nicht entsteht, soweit er nach § 254 BGB ausgeschlossen ist. Bausachverständige haften dann nicht. Dabei unterscheidet § 254 BGB zwischen einer Mitverantwortlichkeit bei der Entstehung des Schadens und einem Mitverschulden im Hinblick auf die Schadenshöhe, also bei dem Umfang eines eingetretenen Schadens.

§ 254 BGB – Mitverschulden

(1) Hat bei der Entstehung des Schadens ein Verschulden des Beschädigten mitgewirkt, so hängt die Verpflichtung zum Ersatz sowie der Umfang des zu leistenden Ersatzes von den Umständen, insbesondere davon ab, inwieweit der Schaden vorwiegend von dem einen oder dem anderen Teil verursacht worden ist.

(2) Dies gilt auch dann, wenn sich das Verschulden des Beschädigten darauf beschränkt, dass er unterlassen hat, den Schuldner auf die Gefahr eines ungewöhnlich hohen Schadens aufmerksam zu machen, die der Schuldner weder kannte noch kennen musste, oder dass er unterlassen hat, den Schaden abzuwenden oder zu mindern. Die Vorschrift des § 278 findet entsprechende Anwendung.

19 OLG Frankfurt, U. v. 4.3.2022 – 21 U 44/20.

20 Vgl. *Motzke*, NZBau 2000, S. 489, 490.

Die Verpflichtung zum Ersatz sowie der Umfang des zu leistenden Ersatzes hängen von den Umständen und insbesondere davon ab, inwieweit der Schaden vorwiegend von dem Bausachverständigen oder der Auftraggeberseite verursacht worden ist. Die Anspruchstellerseite kann ein Mitverschulden auch dann treffen, wenn es der geschädigte Auftraggeber trotz bestehender Möglichkeiten unterließ, den Schaden zu mindern.[21] Interessant ist, dass sich ein in den Schutzbereich des Gutachtervertrages einbezogener Dritter ein Mitverschulden der Auftraggeber nicht entgegenhalten lassen muss,[22] sodass in dieser bereits thematisierten Haftungskonstellation zum Nachteil von Bausachverständigen keine Anspruchskürzung erfolgt. Eine Schadensersatzpflicht besteht zudem nur, wenn der geltend gemachte Schaden aus dem Bereich der Gefahr stammt, zu deren Abwendung die verletzte Norm erlassen oder die verletzte Vertragspflicht übernommen worden ist. Die Schadensersatzpflicht hängt also auch davon ab, ob die verletzte Pflicht überhaupt den Schutz des Einzelnen bezweckt und der Verletzte ggf. zu dem geschützten Personenkreis gehört, wie auch juristisch zu prüfen ist, ob die Pflichtvorgabe das verletzte Rechtsgut schützen sollte. Schließlich muss die Verbotsnorm den Schutz des Rechtsguts gerade gegen die vorliegende Schädigung bezwecken; der geltend gemachte Schaden muss also auch nach Art und Entstehungsweise unter den Schutzzweck der verletzten Norm fallen. Diese Grundsätze zum Schutzzweck der Norm sind auch bei der Prüfung eines Mitverschuldens nach § 254 BGB zu beachten.[23] Sie gelten daher auch bei Verletzung einer Obliegenheit.[24]

Wenn die Auftraggeberseite dem Bausachverständigen unvollständige oder fehlerhafte Informationen geliefert oder sonst Vorgaben gemacht hat, die auf der Grundlage einer objektiven Betrachtung das Ergebnis negativ beeinflussten, hat das nichts mit Mitverschulden, sondern damit zu tun, dass der eingetretene Nachteil dem Sachverständigen nicht zugerechnet werden kann.[25]

3.3.6 Haftungsbeschränkungen

3.3.6.1 Allgemeine Geschäftsbedingungen

Allgemeine Geschäftsbedingungen (AGB) können für Werkverträge (somit auch für Gutachtenaufträge etc.) vereinbart werden und unterscheiden sich von anderen Vertragsbedingungen dadurch, dass sie für eine Vielzahl von Verträgen vorformuliert sind. Sie bieten grundsätzlich die Möglichkeit, gesetzliche Regelungen entweder ganz auszuschließen oder zu modifizieren, sofern es sich nicht um zwingende Vorschriften handelt, die immer gelten. Die AGB müssen in den Vertrag ausdrücklich (und auch nachweislich) einbezogen werden, damit sie Geltung erlangen. Dies geschieht in der Regel durch einen Hinweis im Vertragstext oder mit einer Vertragsanlage. Jegliche Standardverträge stellen in der Regel AGB dar. Eine grundlegende Modifizierung oder der Ausschluss der Haftung ist in ihnen

21 BGH, U. v. 14.11.2000 – X ZR 203/98; NJW 2001, S. 514.
22 BGH, U. v. 10.11.1994 – X ZR 144/97; NJW 1998, S. 1059, 1061.
23 *Kniffka*, ibr-online-Kommentar Bauvertragsrecht, Stand 26.5.2009, § 636 BGB Rn. 43–49.
24 BGH, U. v. 14.3.2006 – X ZR 46/04.
25 Vgl. *Bleutge*, Die Haftung des Sachverständigen für fehlerhafte Gutachten, IfS, Schriftreihe Band 17, 2002, S. 39.

heute rechtssicher nicht mehr möglich. Aus diesem Grund sind derlei Versuche im Ergebnis abzulehnen.

3.3.6.2 Individualvereinbarungen

Verzichten Bausachverständige auf die Verwendung von Haftungsklauseln in ihren AGB oder auf AGB insgesamt, können mit Vertragspartnern individuell Regelungen vereinbart werden, um eine gesetzliche Regelung auszuschließen oder zu modifizieren. Gemäß § 305 Abs. 1 Satz 3 BGB müssen derlei Haftungsklauseln miteinander verhandelt und sodann vertraglich vereinbart werden. Die Anforderungen an eine rechtswirksame Individualabrede sind streng und kaum zu erfüllen. Es könnte allenfalls versucht werden, auf diese Weise die Haftung für fahrlässig verursachte Schäden (die auf einem mangelhaften Gutachten beruhen) auszuschließen, wenn sie nicht durch eine vorsätzliche oder grob fahrlässige Pflichtverletzung des Bausachverständigen verursacht worden sind. Wegen der bestehenden Risiken ist allerdings auch von einem solchen Ansinnen abzuraten.

Eine Abkürzung von **Verjährungsfristen** ist wie der Haftungsausschluss oder die Haftungsbeschränkung in AGB und Individualvereinbarungen im Übrigen rechtswirksam nicht möglich und muss gleichfalls wegen der damit einhergehenden Haftungsrisiken im Ergebnis abgelehnt werden.

3.3.6.3 Haftungsbeschränkung durch Beschaffenheitsvereinbarung

Weil Haftungsausschlüsse und -beschränkungen rechtswirksam nicht realisierbar sind, sollte penibel auf die exakte Formulierung des Auftragsgegenstands und die Definition der Zweckbestimmung bei Auftragserteilung geachtet werden, wie auch auf eine Beschränkung der Verwendung eines Gutachtens gegenüber Dritten. Präzise Formulierungen sind gefragt, denn bereits durch die sorgfältige Definition des geschuldeten Werkerfolgs bestimmt sich, was konkret Bausachverständige der Auftraggeberseite schulden und diese von ihnen verlangen können. Zudem ist die Prüfungsdichte festzuhalten, also die Intensität und Tiefe der auszuführenden Untersuchungen zu vereinbaren, damit im Schadensfall nur für die Verletzung von übernommenen Pflichten eine Haftung begehrt werden kann. Dabei sollte positiv festgeschrieben werden, was Inhalt des Gutachtens sein soll und für welchen Zweck es zu dienen hat. Damit erschließt sich, was *nicht* Gegenstand des Gutachtenvertrags ist. Bestehen Zweifel, sollte ggf. negativ vereinbart werden, was die Begutachtung nicht beinhaltet bzw. welchen Zweck sie ausdrücklich nicht verfolgt. Dabei kann auch mit Vorgaben an Sachverständige gearbeitet werden, indem die Parteien beispielsweise vereinbaren, ob und ggf. welche Tatsachen der Tätigkeit bei der Ausarbeitung von Gutachten zu unterstellen oder anzunehmen sind.

Die zu vereinbarende Zweckbestimmung ist wichtig, weil damit festgelegt wird, ob und ggf. welchen Dritten das Gutachten (erwartbar) vorgelegt werden darf bzw. wird, um eine mögliche „Dritthaftung" einzuschränken. Das alles erspart den Parteien Missverständnisse und Streit über den Auftragsgegenstand, wie auch über die Frage, ob der Gutachtenauftrag als Werkvertrag vollständig fachgerecht erfüllt worden ist. Zu Beginn sollten Bausachverständige deshalb in ihren Gutachten die vereinbarte, präzise formulierte Auftragsdefinition und Zweckbestimmung wiedergeben, um sich vor unberechtigter Inanspruchnahme bestmöglich zu schützen und die Haftung zu beschränken.

Diese Hinweise unterliegen dabei den Grenzen des Charakters aller Architekten-, Ingenieur- sowie Sachverständigenverträge, dem sog. **Entwicklungsvertrag**. All diesen Verträgen ist gemein, dass sie i.d.R. vor Ausführungsbeginn geschlossen werden, sodass sich das vertraglich vereinbarte Leistungssoll auf die Durchführung der Werkleistung beschränken muss, deren Inhalt in Bezug auf die werkvertraglichen Ergebnisse, das zu planende Bauwerk oder den zu untersuchenden Gegenstand sich jedoch erst nachfolgend im Zuge der Leistungserbringung konkretisiert. Das hat zur Folge, dass sich ursprünglich vereinbarte Beschaffenheiten zur Aufgabenstellung ändern können und in der Regel auch müssen. Sachverständigen ist kein stur abzuarbeitendes Leistungsverzeichnis vorgegeben, wie z.B. bei einem Bauwerkvertrag. In der Rechtsfolge entwickelt sich das Vertragsverhältnis. Erst mit Fertigstellung und Abschluss kann die sachverständige Tätigkeit überprüft und bewertet werden, also zu einem maximal späten Zeitpunkt.

Im Ergebnis sind Werkverträge mit Bausachverständigen auch als Entwicklungsverträge zu qualifizieren, weil die Leistungsbestimmung bei Vertragsschluss oftmals (noch) nicht abschließend definiert werden kann.

Sind sichere Aussagen über Ergebnisse nicht möglich, sollte mit Wahrscheinlichkeiten zur Verringerung des eigenen Haftungsrisikos gearbeitet werden. Zwar nehmen Sachverständige eine besondere „hoheitliche" Aufgabe wahr und unterliegen damit einer objektiven Aufklärungsverpflichtung (vgl. dazu Beitrag 2.8), dennoch bestehen die gesetzlich geregelten, oben beschriebenen Inhaltsdefinitionen und Verpflichtungen gegenüber Auftraggebern. Es ist daher eine Herausforderung, im Vorfeld der Auftragserteilung mit der Auftraggeberseite zu erarbeiten und festzuhalten, welche Leistungen nicht vertragliche Gegenstände sind und/oder welchem Zweck die Tätigkeit nicht dienen soll, damit nachfolgend erhebliche und auch relevante Änderungen/Ergänzungen in dem Leistungsumfang vermieden werden.

Wenn die Erstellung eines inhaltlich vollständig richtigen Gutachtens nicht oder nur unter bestimmten Voraussetzungen möglich ist und deshalb Bausachverständige ihre Haftung beschränken möchten, muss bei der Auftragsannahme gegenüber der Auftraggeberseite und zur Vermeidung einer Haftung zugunsten eines Dritten im Gutachten selbst darauf hingewiesen werden, dass beispielsweise die Erstellung eines verlässlichen richtigen Gutachtens aus den konkret zu benennenden Gründen nicht möglich ist. Vorbehalte können Bausachverständige nur dann vor Ersatzansprüchen bewahren, wenn sie nicht allgemein gehalten sind, sondern insbesondere bei Verbrauchern als Auftraggeber derart deutlich und eindringlich abgefasst wurden, dass sowohl die Auftraggeberseite als auch deren Fachleute zu der Erkenntnis gelangen können, dass ein Gutachten nur als *vorläufig* zu betrachten ist.

Im Übrigen besteht mit der Möglichkeit, (vergütungspflichtige) **Vorgutachten** zu beauftragen, für die Aufraggeberseite ein probates Instrument, eine mögliche Bandbreite von potenziell möglichen Untersuchungs- und Gutachtenergebnissen aufgezeigt zu bekommen. Damit existiert eine belastbare Entscheidungsgrundlage, ob eine weitergehende, vertiefte Gutachtenerstellung beauftragt werden soll oder nicht.

Weil rechtswirksam ein **Urheberrechtsschutz** nicht vereinbart werden kann und damit Bausachverständige grundsätzlich nicht bestimmen können, ob und an wen die Auftraggeberseite ihre Gutachten weitergibt, sollte der Nutzungsumfang vertraglich geregelt werden. So kann z.B. die Dritthaftung beschränkt werden, indem beispielsweise vertraglich bei Auftragserteilung vereinbart wird, dass die Auftraggeberseite das Gutachten nur zu dem Zweck verwenden darf, für den es bestimmt ist und eine darüber hinausgehende Verwendung, wie auch die Weitergabe an Dritte, nur mit Zustimmung des Sachverständigen erfolgen darf. Gleiches gilt für etwaige Vervielfältigungen, Veröffentlichungen oder Werbezwecke. Dies kann allen Bausachverständigen nur empfohlen werden.

Haftungsbeschränkte Rechtsformen (GmbH, UG, PartGmbB etc.) können eine Alternative zur selbstständigen Sachverständigentätigkeit als Einzelunternehmer mit voller Haftung des Privatvermögens darstellen und erfordern eine umfassende, auch (steuer-)rechtliche Beratung.

3.3.7 Berufshaftpflichtversicherung

3.3.7.1 Einführung

Gefragt ist ein Versicherungsschutz, der an die individuellen Bedürfnisse angepasst ist. Bausachverständige sollten sich bewusst sein, dass die Gegenseite Fehler in ihren Gutachten suchen wird. Ein sorgfältiges und gewissenhaftes Arbeiten ist deshalb der beste Schutz vor Haftungsansprüchen. Mit dem drohenden Schadensersatzanspruch besteht ein präventives Instrument gegen die unsorgfältige Arbeitsweise von Sachverständigen. Ein Haftungsfall kann die Existenz gefährden, den persönlichen Ruin von Bausachverständigen oder das Ende ihrer Unternehmen bedeuten. Der professionelle Umgang mit einem gewissen Haftungsrisiko ist aus diesem Grund unumgänglich.

Feststellungen zu einem erhobenen Haftungsvorwurf dauern in einem gerichtlichen Verfahren Monate bis Jahre, wobei die Verfahrenskosten dabei ins Unerschwingliche steigen können. Hier bieten Haftpflichtversicherungen bereits bei dem Vorwurf einer Pflichtverletzung Schutz, beispielsweise einen Abwehrkostenschutz (Rechtsschutzversicherungsteil) und sodann die Abwehr ungerechtfertigter Ansprüche selbst. Wird die Pflichtverletzung durch Urteil, Anerkenntnis oder Vergleich festgestellt, kommt zudem der Befriedigungsschutz zum Tragen (Schadensversicherungsteil) und die Versicherung übernimmt die Zahlung des Schadenersatzanspruchs. Eine Haftpflichtversicherung macht insofern das Berufsrisiko von Bausachverständigen kalkulierbar. Sie tragen in ihrem Beruf ein besonders hohes Schadensrisiko, weil bereits eine kleine Unachtsamkeit oder Fehleinschätzung verheerende rechtliche Konsequenzen nach sich ziehen kann. Die Sachverständigen-Berufshaftpflicht sichert Vermögensschäden und Sachschäden an Objekten sowie Personenschäden rundum ab, die Versicherungsnehmer oder deren Mitarbeiter im Rahmen der beruflichen Tätigkeit bei Dritten verursachen. Die Versicherung schützt Bausachverständige und andere Gutachter somit vor den Folgen einer fehlerhaften Leistung. Zusatzbausteine sollten vereinbart werden, wo sie sinnvoll etwaige Deckungslücken schließen.

Die höchsten Schadenquoten sind bei Gebäudeschäden zu verzeichnen, für die Berufshaftpflichtversicherungen eine umfassende Deckung bieten. Der umfassende Schutz einer Berufshaftpflichtversicherung ist somit unerlässlich für

- Sachverständige, deren Fehleinschätzungen zu Schäden am Objekt oder Personenschäden führen können;
- Sachverständige, die auch Planungsleistungen erbringen;
- Bausachverständige, auf deren Expertise Planer oder ausführende Gewerke vertrauen;
- alle, die als Architekt oder Ingenieur in einer Kammer geführt werden wollen.

Der Versicherungsschutz von Bausachverständigen entfällt, wenn diese vorsätzlich oder grob fahrlässig gehandelt haben. Wenn ein Bausachverständiger beispielsweise Mängel der Bauleistung erkennt, das Bauunternehmen jedoch nicht zur Beseitigung auffordert sowie keinerlei Mängelbeseitigungsarbeiten anleitet oder überprüft und/oder der Auftraggeberseite trotz des fortbestehenden mangelhaften Bauwerks nicht empfiehlt, die Abnahme zu verweigern, verliert er seinen Versicherungsschutz. Werden Bautenstandsberichte zur frühzeitigen Erlangung von Kaufpreisteilsummen (Zahlungsraten) fehlerhaft ausgestellt, so kann der Berufshaftpflichtversicherer des Bausachverständigen die Deckung verweigern, wenn dieser bei der Erteilung eines Bautenstandsberichts bewusst pflichtwidrig gehandelt hat.[26]

3.3.7.2 Praxisbeispiele

Typische Fälle, in denen die Versicherung einem Bausachverständigen zur Seite steht und die Schadenbearbeitung übernimmt:

- Der Bausachverständige hat die Bausubstanz eines Gebäudes falsch eingeschätzt, bei der Umsetzung eines geplanten Anbaus entstehen Risse. Für die Kosten des Rückbaus und die Neuherstellung oder Instandsetzung ist der Sachverständige verantwortlich.
- Der Bausachverständige schätzt den Umfang eines Schimmelschadens falsch ein, Bewohner erleiden daraufhin damit zusammenhängende, massive gesundheitliche Schäden. Personenschäden mit hohen Schadenersatzforderungen sind die Folge.
- Der Bausachverständige versendet ein Gutachten per E-Mail. Wegen eines unerkannten Virus werden sensible Daten bei den Empfängern gelöscht. Für den entstandenen Schaden muss der Sachverständige aufkommen.
- Ein Bausachverständiger übernimmt die baubegleitende Qualitätskontrolle für ein Doppelhaus. Bei einem Prüftermin übersieht er einige Ausführungsmängel. Ein halbes Jahr nach der Bauabnahme kommt es zu Wassereinbrüchen in den Kellerräumen. Der Baugutachter haftet gesamtschuldnerisch mit dem Bauunternehmen für die kostenintensive Instandsetzung. Seine Berufshaftpflichtversicherung übernimmt sämtliche Verfahrenskosten und zahlt Schadenersatz an den Bauherrn.
- Ein staatlich anerkannter Sachverständiger für Brandschutz stellt dem Bauherrn eine Prüfbescheinigung aus, noch bevor die Zustimmung des Bauaufsichtsamtes zu einer zu-

26 LG Chemnitz, U. v. 13.6.2013 – 6 S 11/13.

stimmungsbedürftigen Abweichung vom Brandschutz vorliegt. Weil das Bauaufsichtsamt nach Anhörung der Feuerwehr die beantragte Abweichung nicht genehmigt, müssen bereits erfolgte Baumaßnahmen zurückgenommen werden. Der Sachverständige muss Schadensersatz leisten.

- Der Bausachverständige übernimmt für Freunde die Planung eines Anbaus. Dabei schätzt er die Bausubstanz des Einfamilienhauses falsch ein, während der Bauarbeiten entstehen Risse im Gebäude. Obwohl es nur ein „Freundschaftsdienst" war, haftet er für die Kosten des Rückbaus und der Instandsetzung.
- Ein Bausachverständiger wird mit der Überprüfung einer Flachdachinstandsetzung beauftragt. In seinem Büro werden jedoch versehentlich die Ergebnisse mit denen einer anderen Begutachtung verwechselt. Die Folge: Die im „falschen" Gutachten empfohlene Dachsanierung wird durchgeführt, obwohl sie eigentlich unnötig ist. Dies fällt erst während der laufenden Maßnahme auf. Der Auftraggeber verlangt einen Ausgleich für die Kosten der irrtümlich durchgeführten Reparaturarbeiten.
- Der Bausachverständige wird mit der Ermittlung des Energiebedarfs eines Mehrfamilienhauses beauftragt. Aufgrund eines Messfehlers weist er den Bedarf im Energieausweis zu hoch aus, was den Verkaufspreis der Immobilie mindert. Der Auftraggeber verlangt im Nachhinein Schadenersatz vom Energieberater für den entgangenen Gewinn.
- Ein Sachverständiger wird bei einem außergerichtlichen Streit zwischen Bauherrn und Handwerker als Gutachter hinzugezogen. Aufgrund seiner Bewertung – die sich im Nachhinein als falsch erweist – zahlt der Handwerker zu hohen Schadenersatz.

3.3.7.3 Empfehlung

Eine falsche Einschätzung, eine ungenaue Messung oder verpasste Fristen können bei der Auftraggeberseite zu hohen Schäden führen. Sofern Bausachverständige der Meinung sind, sich nur gegen Vermögensschäden absichern zu müssen, da sie keine Planungsleistungen erbringen würden, unterliegen sie einem mitunter folgenschweren Irrtum. Denn wer gelegentlich konkrete Lösungsvorschläge macht, wie ein Mangel oder Schaden behoben werden könnte, erbringt bereits Ingenieur- bzw. Architektenleistungen und haftet entsprechend. Ein Gespräch zur Klärung des Haftpflichtversicherungsschutzes sollte umfassend vorbereitet und kritisch geführt werden. Dazu bieten sich frei verfügbare Checklisten an, wie beispielsweise die **Checkliste** eines Fragenkatalogs zur Absicherung des Haftungsrisikos von Sachverständigentätigkeiten (Stand 3/2017) des Instituts für Sachverständigenwesen e.V. mit weiteren Literaturempfehlungen oder entsprechende **Checklisten** der Industrie- und Handelskammern. Insbesondere die Festlegung der Deckungssummen ist von erheblicher Bedeutung in Abhängigkeit von dem konkreten Tätigkeits- und Risikoumfang. Auch Objekt-Haftpflichtversicherungen für einen einzelnen Auftrag mit erhöhten Deckungssummen sind möglich. Der Versicherungsschutz erfasst zeitlich diejenigen Schäden, die während des laufenden Vertrags entstanden sind, auch wenn sie erst danach erkannt werden. Wichtig ist, dass Bausachverständige einen potenziellen Versicherungsfall *unverzüglich* bei dem Haftpflichtversicherer anzeigen. Diese Obliegenheit besteht bereits dann, wenn Sachverständige erkennen können, dass sie *möglicherweise* haftungsrelevant pflichtwidrig gehandelt haben. Einer tatsächlichen Inanspruchnahme bedarf es dazu nicht.

Zu achten ist abschließend auf die in dem Versicherungsvertrag vereinbarten Haftungsausschlüsse, für die es ggf. Zusatzbausteine gibt. Die Haftungsrisiken von Bausachverständigen sind vielfältig, sodass der im konkreten Einzelfall passende Versicherungsschutz gefunden und abgeschlossen werden muss.

3.4 Verjährung, Durchsetzbarkeit von Nacherfüllungs- und Schadensersatzansprüchen

Marc Steffen

Übersicht

3.4.1 Mängelrechte

3.4.1.1 Einführung

Dieser Beitrag beschäftigt sich mit der Frage, wann ein Werk mangelhaft ist und inwieweit sich hieraus Rechte des Bestellers ableiten lassen. Insoweit ist zu unterscheiden zwischen den gesetzlichen Anforderungen an die Sachmangelfreiheit gemäß § 633 BGB und aus einem Mangel folgenden Rechten gemäß §§ 634 bis 638 BGB. Der werkvertragliche Mangelbegriff ist von einer besonderen Erfolgsbezogenheit geprägt (sog. funktionaler Mangelbegriff) und unterscheidet sich insoweit vom Kaufrecht. Denn während der Verkäufer einer beweglichen Sache i.d.R. den Einsatzzweck der Kaufsache nicht kennt (und nicht kennen muss), sind dem Unternehmer eines Bauvertrages die Gesamtumstände und der vom Besteller gewünschte Gesamterfolg i.d.R. ohne Weiteres bekannt. So haftet der Dachdecker dafür, dass ein von ihm gebautes Dach regendicht sein muss. Dies selbst dann, wenn die fehlende Regendichtheit nur deshalb verfehlt wird, weil die Leistungsbeschreibung des Bestellers Fehler aufwies.[1]

Demgegenüber haftet der Verkäufer einer kunststoffmodifizierten Bitumendickbeschichtung (PMBC), der von dem Einsatzzweck des Produktes nichts weiß, nicht dafür, dass sich das Produkt für den konkreten Einsatzzweck (Wasserlastfall aufsteigendes Sickerwasser[2]) nicht eignet.

§ 633 BGB knüpft gedanklich an die Herstellungspflicht gemäß § 631 Abs. 1 BGB an. Die Herstellungspflicht des § 631 BGB wird durch den Mangelbegriff und die Pflicht zur Verschaffung eines mangelfreien Werks durch § 633 BGB konkretisiert. Hieraus folgt, dass der Sachmangel und der Rechtsmangel in § 633 ff. BGB als Unterfall der Nichterfüllung behandelt werden. Diese Verknüpfung von Herstellungspflicht gemäß § 631 Abs. 1 BGB mit der Pflicht zur Verschaffung eines Werkes frei von Sach- und Rechtsmängeln gemäß § 633 Abs. 1 BGB führt dazu, dass der Unternehmer nicht nur bei der Wahrnehmung der primären Herstellungspflicht, sondern auch auf der sekundären Nacherfüllungsebene frei und i.d.R. allein darüber entscheidet, wie er die Mangelfreiheit der Sache erreicht.[3]

Im Anschluss an die Ausführungen zum Mangelbegriff folgt die Klärung der Frage, inwieweit die sich aus dem Mangel ergebenden Rechte durchsetzbar sind und inwiefern die Einrede der Verjährung hierauf Einfluss hat.

1 BGH, U. v. 11.11.1999, VII ZR 403/98, NZBau 2000, S. 74.
2 So OLG Hamm, U. v. 14.8.2019, 12 U 73/18, NJW 2019, S. 3791.
3 BGH, U. v. 5.5.2011, VII ZR 28/10 Rn. 17, NJW 2011, S. 1872; BGH, U. v. 13.12.2001, VII ZR 27/00, NJW 2002, S. 1262.

3.4.1.2 Sach- und Rechtsmangel nach § 633 BGB

Im Werkvertrag trifft den Unternehmer die Verpflichtung, dem Besteller ein Werk frei von Sach- und Rechtsmängeln zu „verschaffen". Nicht von Bedeutung für die Frage der Existenz eines Mangels ist, ob den Unternehmer ein Verschulden trifft. Auf ein solches kommt es nicht an.[4]

3.4.1.2.1 Allgemeines

Zu Beginn lässt sich sagen, dass sich der Begriff „Sachmangel" zwar dem Kaufvertragsrecht anlehnt, es dem Gesetzgeber aber, anders als im Kaufrecht, im Werkvertragsrecht nicht darauf ankommt, ob es sich tatsächlich um eine Sache handelt. Werkleistungen sind nicht zwingend verkörpert. In Betracht kommen z.B. Abbrucharbeiten oder Reinigungsleistungen. Gleiches gilt für den Beförderungsvertrag, Werbeleistungen oder eine Software. Hier existiert i.d.R. gerade keine Verkörperung des Werkes und dennoch kann die Leistung mangelhaft sein.[5]

3.4.1.2.2 Prozessuales

3.4.1.2.2.1 Darlegungs- und Beweislast

Bis zur Abnahme muss der Unternehmer darlegen und beweisen, dass die von ihm erstellte Werk-/Bauleistung frei von Mängeln ist.[6]

Nach der Abnahme obliegt es dem Besteller darzulegen und zu beweisen, dass ein Mangel vorliegt.

Behält sich der Besteller bei der Abnahme seine Mängelrechte in Bezug auf einzelne Mängel vor, so trifft im Anschluss an die Abnahme weiterhin den Unternehmer die Darlegungs- und Beweislast.

Dies gilt grundsätzlich auch dann, wenn der Besteller den Mangel selbstständig beseitigt. Dies zumindest dann, wenn das Verhalten des Bestellers keine Verletzung der Kooperationspflicht beinhaltet. Beseitigt der Besteller einen Mangel, für den der Unternehmer darlegungs- und beweisbelastet ist, obliegt es dem Besteller, dies ausreichend zu dokumentieren und entsprechende Feststellungen zu diesem Mangel zu treffen. Können entsprechende Feststellungen erst bei der Mängelbeseitigung selbst getroffen werden, obliegt es dem Besteller, diese selbst zu dokumentieren. Verletzt er in diesem Sinne Kooperationspflichten, kann dies zu einer Beweisvereitelung, verbunden mit einer Umkehr der Darlegungs- und Beweislast, führen.[7]

---

4 BGH, U. v. 10.11.2005, VII ZR 147/04, NJW-RR 2006, S. 240.

5 Vgl. Palandt/*Retzlaff*, BGB, 80. Aufl. 2021, § 633 Rn. 15.

6 BGH, U. v. 6.7.2004, X ZR 7/02, BeckRS 2004, 07365; BGH, U. v. 24.10.1996, VII ZR 98/94, NJW-RR 1997, S. 339; BGH, U. v. 23.10.2008, VII ZR 64/07, NZBau 2009, S. 117.

7 BGH, U. v. 23.10.2008, VII ZR 64/07, NZBau 2009, S. 117.

Rechtsfolge der Beweisvereitelung ist eine Beweiserleichterung im Sinne des Anscheinsbeweises oder gar die vollständige Beweislastumkehr.[8]

Verweigert die nicht beweisbelastete Partei einem Sachverständigen den Zutritt zur Wohnung, führt dies zur Beweisvereitelung.[9]

3.4.1.2.2.2 Symptomtheorie

Es genügt in ständiger Rechtsprechung des BGH[10] für die beweisbelastete Partei, um ihrer Darlegungslast Genüge zu tun, wenn sie einen Mangel nach seinem äußeren Erscheinungsbild – den Symptomen – beschreibt.[11]

Zu den Ursachen des Symptoms – also den Mangel selbst – braucht nicht vorgetragen zu werden. Von der hinreichenden Beschreibung des Symptoms sind sämtliche Abweichungen von der vertraglich geschuldeten Beschaffenheit mit umfasst.[12]

Die Symptomrechtsprechung des BGH gilt auch in Prozessen gegen Architekten und Ingenieure.[13]

Der Symptomrechtsprechung des BGH ist nicht Genüge getan, sofern lediglich pauschal eine mangelhafte Ausführung gerügt wird.[14]

Die Symptomrechtsprechung des BGH führt im Prozess dazu, dass die Klärung der Ursache eines Mangels – z.B. ob ein Planungs-, Überwachungs- oder Ausführungsfehler vorliegt – keine Frage des Sachvortrages, sondern des gerichtlich zu erhebenden Beweises ist.[15]

Auch im Hauptsacheverfahren ist das erkennende Gericht deshalb – bei ausreichender Beschreibung des Mangelsymptoms – gehalten, von Amts wegen (!) die Mangelursachen im Rahmen der Beweisaufnahme aufzuklären. Dies ist deshalb besonders hervorzuheben, da im Zivilprozess – im Gegensatz zum Strafprozess – der Beibringungsgrundsatz gilt, nach welchem das Gericht seiner Entscheidung nur das zugrunde legen darf, was von den Parteien dargelegt und ggf. bewiesen wurde. Auch Tatsachen, die in einer Beweisaufnahme dem Gericht mitgeteilt werden, dürfen nur berücksichtigt werden, wenn sie von den Parteien aufgegriffen werden.[16]

Eine Aufklärung der Mangelursachen liegt bei einem geltend gemachten Kostenvorschussanspruch oder bei einem Anspruch auf Erstattung bereits entstandener Schäden unmittelbar auf der Hand. Eine seriöse Bezifferung von Mängelbeseitigungskosten ist nur dann

8 BGH, U. v. 23.11.2005, VIII ZR 43/05, NJW 2006, S. 434; BGH, U. v. 9.11.1995, III ZR 226/94, NJW 1996, S. 315; BGH, U. v. 17.6.1997, X ZR 119/94, WM 1998, S. 204; BGH, U. v. 27.9.2001, IX ZR 281/00, WM 2001, S. 2450.

9 OLG Stuttgart, U. v. 26.6.2017, 10 U 132/15, NJW-Spezial 2017, S. 652 m.w.N.

10 BGH, U. v. 30.10.2007, X ZR 101/06, NJW 2008, S. 576, Rn. 18; BGH, U. v. 8.5.2003, VII ZR 407/01, NZBau 2003, S. 501; BGH, U. v. 17.1.2002, VII ZR 488/00, NZBau 2002, S. 335; zur Symptomtheorie ausführlich: *Schmitz*, BauR 2015, S. 371 ff.

11 So schon BGH, U. v. 2.4.1998, VII ZR 230/96, BauR 1998, S. 632.

12 OLG Hamm, U. v. 17.7.2008, 21 U 145/05, BauR 2009, S. 1913; BGH, U. v. 6.10.1988, VII ZR 227/87, ZfBR 1989, S. 27; BGH, U. v. 9.10.1986, VII ZR 184/85, ZfBR 1987, S. 37.

13 BGH, U. v. 8.5.2003, VII ZR 407/01, NZBau 2003, S. 501.

14 OLG Brandenburg, U. v. 19.11.2008, 12 W 52/08, BeckRS 2008, 24166.

15 BGH, U. v. 8.5.2003, VII ZR 407/01, BauR 2003, S. 1247.

16 BGH, U. v. 19.1.1990, V ZR 241/88, NJW-RR 1990, S. 507.

möglich, wenn auch die Ursachen des Mangelsymptoms aufgeklärt wurden. Ein einfaches Beispiel kann dies schnell verdeutlichen: Ist das Mangelsymptom ein Feuchtigkeitsfleck an der Decke, macht es in Bezug auf die Mängelbeseitigungskosten einen riesigen Unterschied, ob die Ursache in einem konstruktionsbedingt undichten Dach liegt oder in einer undichten Schweißnaht eines unter Putz verlegten Wasserrohrs. Wie soll aber ein Sachverständiger die Mängelbeseitigungskosten ermitteln oder auch nur die Berechtigung eines geltend gemachten Schadensersatzanspruchs beurteilen, wenn im gerichtlichen Verfahren nicht mehr festgestellt wird, als dass es einen Wasserfleck an der Decke gibt? Ohne konkrete Feststellung zur Mangelursache lässt sich dies nicht klären. Dies kann insbesondere unangenehme Verjährungsfragen nach sich ziehen. Das Gericht ist deshalb gehalten, auch in einem Prozess, in welchem Nacherfüllung vom Auftragnehmer verlangt wird, die Mangelursachen aufzuklären. Dies ist keine Frage des Ausforschungsbeweises, sondern ausschließlich Konsequenz der Symptomrechtsprechung.[17]

3.4.1.2.2.3 Die Rolle des Bausachverständigen

Wie bereits in Beitrag 3.1 ausführlich dargelegt, schuldet der Sachverständige in aller Regel einen werkvertraglichen Erfolg. Die Sachverständigenleistung muss also ein bestimmtes, vorher vereinbartes Ziel erreichen. Hier sei in Erinnerung gerufen, dass die Begutachtung eines Bauvorhabens in Bezug auf Mängel i.d.R. ein Werkvertrag ist.[18]

In Bauprozessen lässt sich die Tätigkeit des Bausachverständigen im Wesentlichen in zwei Bereiche aufteilen. Zum einen die Erstellung eines Parteigutachtens und zum anderen die Erstellung des unabhängigen, gerichtlich beauftragten Sachverständigengutachtens als Strengbeweis im Rahmen eines Beweisbeschlusses. Beide Tätigkeiten verfolgen dabei ggf. diametral entgegengesetzte Interessen. Das Parteigutachten soll den Vortrag der Person, die sich auf das Gutachten beruft, im besten Falle bestätigen und untermauern. Das gerichtlich bestellte Gutachten hingegen soll dem Gericht als Entscheidungshilfe dienen, über Mängelansprüche befinden zu können.

Im Rahmen eines Parteigutachtens kann der Bausachverständige einerseits beauftragt werden, Mängel bzw. Mangelursachen ausfindig zu machen. Er kann jedoch gleichsam damit beauftragt werden, ein Parteigutachten der Gegenseite zu entkräften, in dem er darlegt, dass die behaupteten Mängel oder Mangelsymptome nicht vorliegen.

Im Rahmen von Bauprozessen stellt der Sachverständige daher eine zentrale Rolle für den Ausgang des Rechtsstreits dar. Darüber hinaus hat der Sachverständige auch maßgeblichen Einfluss auf die Dauer und den Fortgang eines Verfahrens.

3.4.1.2.3 Rechte des Bestellers bei Mängeln nach § 634 BGB

§ 634 BGB regelt die Rechte des Bestellers, wenn der Unternehmer ein mangelhaftes Werk liefert. Diese Pflichtverletzung des Unternehmers führt grundsätzlich zum allgemeinen Leistungsstörungsrecht, welches jedoch für das Werkvertragsrecht durch die Regelungen der §§ 635 ff. BGB modifiziert und ergänzt wird. Darüber hinaus wird der Besteller mit den Ansprüchen auf Nacherfüllung, Selbstvornahme inklusive Kostenvorschuss und Minde-

17 *Schmitz*, BauR 2015, S. 371, 377.
18 BGH, U. v. 11.10.2001, VII ZR 475/00; LG Hamburg, U. v. 4.12.2014, 321 O 87/12.

rung ausgestattet. Die Mängelrechte des § 634 Nr. 1 bis 4 BGB unterliegen schließlich einer eigenständigen Verjährung gemäß § 634a BGB. Die Mängelrechte des § 634 BGB sind unterschiedlich zu qualifizieren. Während es sich bei der Nacherfüllung, dem Aufwendungsersatz und Vorschuss hierauf, dem Schadensersatz und dem Ersatz vergeblicher Aufwendungen um einfache Ansprüche handelt, stellt das Selbstvornahmerecht eine Befugnis und der Rücktritt und die Minderung stellen Gestaltungsrechte dar.[19]

Grundsätzlich ist allen Mängelrechten gleich, dass dem Unternehmer zunächst das Recht zur zweiten Andienung zu gewähren ist, ihm also zunächst die Gelegenheit zur Nacherfüllung gemäß § 634 Nr. 1 i.V.m. § 635 BGB eingeräumt worden sein muss. Erst danach und nach Ablauf einer angemessenen Frist greifen die sog. sekundären Mängelrechte. Ist die angemessen gesetzte Frist fruchtlos verstrichen oder hat der Unternehmer die Nacherfüllung ernsthaft und endgültig verweigert, steht allein dem Besteller das Wahlrecht zu, welches der sekundären Mängelrechte er geltend machen will.[20]

Umstritten war bis zuletzt, ob es Mängelrechte bereits vor der Abnahme gibt. Dem wurde nun endgültig vom BGH eine Absage erteilt.[21]

Mängelrechte nach § 634 BGB können grundsätzlich erst nach der Abnahme geltend gemacht werden oder wenn dem Besteller ein Erfüllungsanspruch nicht mehr zusteht.[22]

Der BGH hat damit unterstrichen, dass die Abnahme die Zäsur des Werkvertragsrechts auch in Bezug auf die Begründung von Mängelrechten darstellt. Begründet wird die scharfe Trennung zwischen Erfüllungsstadium und der Begründung der Mängelrechte damit, dass der Erfüllungsanspruch schon begrifflich vom Nacherfüllungsanspruch zu unterscheiden ist. Das Gesetz sieht überdies vor, dass die Verjährung einheitlich nach § 634a BGB mit der Abnahme beginnt. Durch die Verwendung des Begriffs „verschaffen" in § 633 BGB verdeutlicht der Gesetzgeber überdies, dass die mangelfreie Leistung zu einem bestimmten Zeitpunkt und nicht fortlaufend über die Herstellungszeit geschuldet sein kann. Schließlich weicht der Maßstab für die Verweigerung der Nacherfüllung gemäß § 635 Abs. 3 BGB von dem Recht zur Verweigerung der Erfüllung nach § 275 Abs. 2 und 3 BGB nachhaltig ab. Es ist jedoch nicht zu erklären, weshalb bei Rechten, die nebeneinander bestehen, unterschiedliche Maßstäbe gelten sollen.

3.4.1.2.3.1 Nacherfüllung nach § 635 BGB

Wenn das Werk mangelhaft ist, steht dem Besteller gemäß § 634 Nr. 1 BGB ein Nacherfüllungsanspruch zu, der in § 635 BGB näher ausgestaltet ist. Während also § 635 BGB das Verhältnis zwischen Unternehmer und Besteller für den Fall des Nacherfüllungsverlangens des Bestellers regelt, bleibt Anspruchsnorm § 634 Nr. 1 BGB. Es gilt der Vorrang der Nacherfüllung. Das hat zur Folge, dass die weiteren Mängelrechte gemäß § 634 BGB grundsätzlich erst nach ergebnislosem Ablauf einer dem Unternehmer zur Nacherfüllung gesetzten

19 Vgl. Palandt/*Sprau*, BGB, 77. Aufl. 2018, § 634 Rn. 11.
20 BGH, U. v. 11.9.2012, XI ZR 56/11, NJW 2013, S. 1228.
21 BGH, U. v. 19.1.2023, NJW 2017, S. 2762.
22 BGH, U. v. 19.1.2017, VII ZR 235/15, NZBau 2017, S. 211; BGH, U. v. 17.1.2017, VII ZR 301/13, NZBau 2017, S. 216; BGH, U. v. 19.1.2017, VII ZR 193/15, NJW 2017, S. 1604.

angemessenen Frist geltend gemacht werden können. Der Nacherfüllungsanspruch ist demnach ein modifizierter Erfüllungsanspruch.[23]

Der Bestand des Nacherfüllungsanspruchs hängt nicht von einem Verschulden des Unternehmers ab. Der Unternehmer hat den Mangel auch dann zu beseitigen, wenn ihm kein Vorwurf zu machen ist.[24]

3.4.1.2.3.1.1 Voraussetzungen des Nacherfüllungsanspruchs

Zunächst bedarf es eines wirksamen Werkvertrages.[25] Dies ist deshalb keine Plattitüde, da die Abgrenzung des Dienst- vom Werkvertrag nicht immer einfach ist. Stellt sich jedoch heraus, dass es sich beim geschlossenen Vertrag gar nicht um einen Werk-, sondern eben um einen Dienstvertrag handelt, existieren keine Mängelrechte. Wichtig ist weiter, dass nur die Auslegung des Werkvertrages Aufschluss über den geschuldeten Bau-Soll geben kann. Welche Beschaffenheit im Einzelfall geschuldet ist, ergibt sich aus dem Vertrag und nur aus dem Vertrag.

Aus dem vereinbarten Bau-Soll lässt sich letztlich ableiten, ob ein Mangel vorliegt, der ebenfalls eine Voraussetzung für einen Nacherfüllungsanspruch darstellt. Maßgeblicher Zeitpunkt für die Frage, ob ein Mangel vorliegt, ist gemäß § 633 BGB der Zeitpunkt des Gefahrübergangs, der gemäß § 644 Abs. 1 Satz 1 BGB in den meisten Fällen auf den Zeitpunkt der Abnahme fällt.

Der Besteller muss zudem die Nacherfüllung in Form einer geschäftlichen Handlung[26] verlangt haben. Der Unternehmer muss hinreichend deutlich zur Beseitigung des Mangels aufgefordert werden. Die Aufforderung, lediglich die Bereitschaft zur Mängelbeseitigung zu erklären, genügt nicht.[27]

Das Nacherfüllungsverlangen unterliegt beim BGB-Bauvertrag keiner Form. Die VOB/B hingegen verlangt in § 13 Abs. 5 Nr. 1 ein schriftliches Nacherfüllungsverlangen. Hierzu genügt aber nach zutreffender Auffassung eine E-Mail.[28]

Es bietet sich jedoch aus beweistechnischer Sicht immer an, ein Nacherfüllungsverlangen schriftlich anzuzeigen. Der Besteller muss dabei den gerügten Mangel so konkret wie möglich bezeichnen, sodass der Unternehmer weiß, worauf sich das Nacherfüllungsverlangen bezieht. Nach der Symptomrechtsprechung[29] des BGH genügt hierfür die Darlegung des Mangels nach seinem äußeren objektiven Erscheinungsbild. Ursachen eines Mangels müssen gerade nicht beschrieben werden.

23 Messerschmidt/Voit/*Moufang/Koos*, Privates Baurecht, 4. Aufl. 2022, § 635 BGB Rn. 2; Palandt/*Sprau*, BGB, 80. Aufl. 2021, § 634 Rn. 3; *Locher*, Das Private Baurecht, § 4 Rn. 40.

24 BGH, U. v. 10.11.2005, VII ZR 147/04, BeckRS 2005, 14187.

25 Messerschmidt/Voit/*Moufang/Koos*, Privates Baurecht, 4. Auf. 2022, § 635 BGB Rn. 17.

26 BGH, U. v. 12.12.2001, X ZR 192/00, BauR 2002, S. 945.

27 Messerschmidt/Voit/*Moufang/Koos*, Privates Baurecht, 4. Aufl. 2022, § 635 BGB Rn. 23.

28 OLG Köln, U. v. 22.6.2016, 16 U 145/15, BeckRS 2016, 11445; a.A. aber unzutreffend OLG Frankfurt, B. v. 30.4.2012, 4 U 269/11, NJW 2012, S. 2206; OLG Jena, U. v. 26.11.2015, 1 U 209/15, BeckRS 2016, 28926.

29 BGH, U. v. 30.10.2007, X ZR 101/06, NJW 2008, S. 576, Rn. 18; BGH, U. v. 8.5.2003, VII ZR 407/01, NZBau 2003, S. 501; BGH, U. v. 17.1.2002, VII ZR 488/00, NZBau 2002, S. 335; zur Symptomtheorie ausführlich: *Schmitz*, BauR 2015, S. 371 ff.

Hierzu hat der Besteller dem Unternehmer eine angemessene Frist zu setzen. Eine unangemessene Frist hat lediglich zur Folge, dass eine angemessene Frist zu laufen beginnt.[30]

Der Besteller hat im Rahmen der Nacherfüllung Mitwirkungspflichten. Dies jedenfalls insoweit, als dass er dem Unternehmer die Bauleistung im zur Nacherfüllung erforderlichen Umfang zur Verfügung stellen muss, sodass der Unternehmer seine Nacherfüllung durchführen kann.[31]

Fehlt es an einer solchen Mitwirkungshandlung, fehlt es gleichsam an einem ordnungsgemäßen Nacherfüllungsverlangen.

3.4.1.2.3.1.2 Inhalt des Anspruchs

Der Nacherfüllungsanspruch verpflichtet den Unternehmer, alle Maßnahmen zu treffen, die erforderlich sind, um die von ihm nach dem jeweiligen Vertrag geschuldete Leistung in allen Einzelheiten und in ihrer Gesamtheit so herzustellen, wie dies von ihm vertraglich geschuldet wird.[32] Insoweit unterscheidet sich der Nacherfüllungsanspruch nicht vom Erfüllungsanspruch.

Der Unternehmer schuldet im Rahmen des Nacherfüllungsanspruchs in aller Regel die Beseitigung des Mangels mitsamt seiner Ursache. Lediglich die Mangelsymptome oder Mangelfolgen zu beseitigen, genügt nicht.[33]

Eine bestimmte Art der Nacherfüllung kann der Besteller hingegen nicht verlangen.

Der Unternehmer hat die Möglichkeit, zwischen Nachbesserung und Neuherstellung zu wählen. Dies wird damit begründet, dass der Unternehmer im Werkvertragsrecht eine viel größere Nähe zum Werk und dessen Produktionsprozess hat. Dies führt dazu, dass er aufgrund seiner größeren Sachkunde leichter entscheiden kann, ob der Mangel durch Nachbesserung behoben werden kann oder ob es notwendig ist, das Werk insgesamt neu herzustellen.[34]

3.4.1.2.3.1.3 Aufwendungen im Rahmen der Nacherfüllung

Der Unternehmer hat gemäß § 635 Abs. 2 BGB die zum Zwecke der Nacherfüllung erforderlichen Aufwendungen zu tragen. Hierzu gehören u.a. die namentlich genannten Transport-, Wege-, Arbeits- und Materialkosten. Somit trifft den Unternehmer grundsätzlich die gesamte Aufwendungslast, die für die Beseitigung der Mängel erforderlich ist. Hierzu können auch gesonderte Vergütungen für Planungs- und Aufsichtsleistungen eines Architekten gehören.[35]

Maßgebendes Kriterium für die Kostentragungslast dürfte zuletzt die Frage sein, inwieweit die Maßnahmen der Durchführbarkeit der Nacherfüllung dienen.[36]

30 BGH, U. v. 14.10.2020, VIII ZR 318/19, NJW 2021, S. 464.
31 BGH, U. v. 8.11.2007, VII ZR 183/05, NJW 2008, S. 511.
32 OLG Hamm, U. v. 25.9.2003, 21 U 8/03, BauR 2004, S. 868.
33 BGH, U. v. 7.5.2009, VII ZR 15/08, NJW-RR 2009, S. 1175.
34 RegE, BR-Drs. 338/01, S. 626.
35 BGH, U. v. 13.12.1962, II ZR 196/60, NJW 1963, S. 805.
36 BGH, U. v. 17.2.1999, X ZR 40/96, NJW-RR 1999, S. 813.

3.4.1.2.3.1.4 Ausschluss des Nacherfüllungsanspruchs

Dem Unternehmer bleibt ggf. die Möglichkeit, ihm gegenüber geltend gemachte Nacherfüllungsansprüche zu verweigern: Gemäß § 275 Abs. 1 BGB entfällt der Nacherfüllungsanspruch, wenn die Mangelbeseitigung für den Unternehmer oder für jedermann unmöglich ist (sog. echte Unmöglichkeit). Zudem kann ein Unternehmer die Nacherfüllung wegen unverhältnismäßiger Kosten (§ 635 Abs. 3 BGB), wegen sog. faktischer Unmöglichkeit (§ 275 Abs. 2 BGB) oder wegen persönlicher Unzumutbarkeit (§ 275 Abs. 3 BGB) verweigern. § 275 Abs. 1 BGB nimmt dabei eine Sonderstellung ein, da er einerseits von Amts wegen berücksichtigt wird und andererseits bei Vorliegen seiner Voraussetzungen der Nacherfüllungsanspruch entfällt. § 635 Abs. 3 BGB und § 275 Abs. 2 BGB ähneln sich auf den ersten Blick, der Anwendungsbereich des § 275 Abs. 2 BGB ist jedoch deutlich geringer. Während § 275 Abs. 2 BGB ein grobes Missverhältnis zwischen Aufwand und Nutzen fordert, verlangt § 635 Abs. 3 BGB unverhältnismäßige Kosten der Nachbesserung. § 275 Abs. 2 BGB hat zur Folge, dass der Unternehmer von seiner Leistungspflicht frei wird und gegen ihn auch keine weiteren verschuldensunabhängigen Ansprüche geltend gemacht werden können. Bei § 635 Abs. 3 BGB hingegen bleibt das verschuldensunabhängige Minderungsrecht erhalten.[37]

Der häufigste Fall ist der Einwand der Unverhältnismäßigkeit der Nacherfüllungskosten gemäß § 635 Abs. 3 BGB. Aufwendungen für die Beseitigung eines Mangels sind dann unverhältnismäßig, wenn der damit erzielte Erfolg der Mangelbeseitigung bei Abwägung aller Umstände des Einzelfalls in keinem vernünftigen Verhältnis zur Höhe des dafür erforderlichen Geldaufwandes steht und es dem Unternehmer deswegen nicht zugemutet werden kann, diese Aufwendungen tragen zu müssen.[38]

3.4.1.2.3.2 Selbstvornahme nach § 637 BGB

Die Selbstvornahme stellt einen dem Werkvertragsrecht eigenen Anspruch dar.[39] Der Besteller kann die Kosten für die Beseitigung eines Mangels im Wege der Selbstvornahme (ggf. durch Dritte) nur unter den Voraussetzungen des § 637 BGB verlangen. Liegen die Voraussetzungen für einen Anspruch aus § 637 BGB nicht vor, kommt kein Erstattungsanspruch aus einem anderen Rechtsgrund in Betracht.[40]

Grundsätzlich regelt § 637 BGB, dass der Besteller Mängel selbst oder durch Dritte beseitigen kann, nachdem er dem Unternehmer zuvor Gelegenheit gegeben hat, die Mängel zu beseitigen und schließlich hierfür Kostenersatz verlangen kann.

3.4.1.2.3.2.1 Voraussetzungen der Selbstvornahme

Zunächst setzt das Selbstvornahmerecht also einen Nacherfüllungsanspruch des Bestellers voraus. Der Unternehmer darf überdies nicht berechtigt sein, die Nacherfüllung zu verweigern.

37 BGH, U. v. 11.10.2012, VII ZR 179/11, NJW 2013, S. 370.

38 BGH, U. v. 18.7.2013, VII ZR 231/11, BeckRS 2013, 13704; BGH, U. v. 11.10.2012, VII ZR 179/11, NJW 2013, S. 370; BGH, U. v. 10.11.2005, VII ZR 137/04, NJW-RR 2006, S. 453; BGH, U. v. 10.11.2005, VII ZR 64/04, NJW-RR 2006, S. 304; BGH, U. v. 6.12.2001, VII ZR 241/00, NJW-RR 2002, S. 661.

39 BGH, U. v. 7.12.2005, VIII ZR 126/05, NJW 2006, S. 988.

40 BGH, U. v. 20.4.1978, VII ZR 143/77, BeckRS 1978, 31119895; BGH, U. v. 20.4.1978, VII ZR 94/77, BeckRS 1978, 31119918; BGH, U. v. 28.9.1967, VII ZR 81/65, NJW 1968, S. 43.

Darüber hinaus muss dem Unternehmer erfolglos eine angemessene Frist zur Nacherfüllung gesetzt worden sein. Im Wesentlichen gelten insoweit die Ausführungen zum Anspruch auf Nacherfüllung.

3.4.1.2.3.2.2 Inhalt des Aufwendungsersatzanspruchs

Gemäß § 637 Abs. 1 BGB hat der Besteller Anspruch auf Ersatz aller Aufwendungen, die zur ordnungsgemäßen Herstellung des Werkes erforderlich sind.

Die Beurteilung der Erforderlichkeit richtet sich danach, für welche Maßnahme sich ein vernünftiger, wirtschaftlich denkender Besteller bei einer Ex-ante-Betrachtung nach sachkundiger Beratung entscheiden würde.[41]

Soweit mehrere, gleichermaßen geeignete Methoden zur Mangelbeseitigung zur Verfügung stehen, ist der Besteller nur dann gehalten, sich für die kostengünstigere Variante zu entscheiden, wenn diese gleichermaßen sicher die Mangelbeseitigung und den vertraglich geschuldeten Erfolg herbeiführt.[42]

Wenn der Besteller zur Beseitigung der Mängel einen Dritten beauftragt, so hat er grundsätzlich auch einen Anspruch auf Erstattung der hierdurch entstandenen Kosten, solange diese notwendig und erforderlich waren. Stehen für den Besteller mehrere Arten der Nachbesserung durch einen Dritten zur Verfügung, so ist er im Rahmen der Schadensminderungspflicht gehalten, die wirtschaftlich vernünftigere Variante zu wählen. Hiervon wäre er nur befreit, wenn die preiswertere Methode voraussichtlich mit Unzulänglichkeiten behaftet wäre, die bei zumutbarem Mehraufwand ausbliebe.[43]

3.4.1.2.3.2.3 Anspruch auf Kostenvorschuss

Nach § 637 BGB kann der Besteller auch Vorschuss für die zu erwartenden Mangelbeseitigungskosten verlangen. Somit gewährt das Gesetz dem Besteller die Möglichkeit, die Mangelbeseitigung vorzufinanzieren und belässt das finanzielle und vor allem Insolvenzrisiko beim Unternehmer.

Der Besteller hat nach erfolgter Mangelbeseitigung hierüber abzurechnen. Einen überschießenden Betrag hat er an den Unternehmer zurückzuzahlen. Sollte der Kostenvorschuss hingegen die Kosten der Mangelbeseitigung nicht abdecken, ist der Besteller berechtigt, den darüberhinausgehenden Betrag vom Unternehmer erstattet zu verlangen.

3.4.1.2.3.3 Rücktritt nach den §§ 636, 323 BGB

Dem Besteller obliegt die Möglichkeit, aufgrund einer mangelhaften Leistung vom Vertrag zurückzutreten. Für den Rücktritt verweist § 634 BGB hinsichtlich der Voraussetzungen und Folgen auf die § 323 BGB und § 326 Abs. 5 BGB. § 326 Abs. 5 BGB lässt für die dort genannten Fälle lediglich die Fristsetzung gemäß § 323 Abs. 1 BGB entfallen und verweist im Übrigen auf § 323 BGB. Mit Ausnahme der Fristsetzung sind die Voraussetzungen und Folgen mithin in beiden Fällen identisch. Ein Verschulden des Unternehmers hinsichtlich des Mangels an seiner Leistung ist für das Rücktrittsrecht nicht erforderlich.

---

41 BGH, U. v. 31.1.1991, VII ZR 63/90, NJW-RR 1991, S. 789.
42 BGH, U. v. 29.6.2006, VII ZR 86/05, NZBau 2006, S. 642.
43 OLG Hamm, U. v. 17.3.1994, 27 U 227/93, NJW-RR 1995, S. 17.

3.4.1.2.3.3.1 Voraussetzungen des Rücktrittsrechts

Auch für das Rücktrittsrecht sind ein wirksamer Werkvertrag und eine mangelhafte Leistung des Unternehmers Anspruchsvoraussetzung. Darüber hinaus muss der Anspruch des Bestellers gemäß § 323 Abs. 1 BGB fällig sein. Der Besteller muss mithin grundsätzlich einen fälligen und einredefreien Nacherfüllungsanspruch haben, es sei denn, die Nacherfüllung ist unmöglich oder berechtigterweise wegen Unverhältnismäßigkeit verweigert worden.

Der Rücktritt ist indes unwirksam, wenn der zugrunde liegende Nacherfüllungsanspruch des Bestellers bereits verjährt ist und der Unternehmer sich hierauf beruft, so § 218 BGB.

Auch für den Rücktritt ist es überdies erforderlich, dass dem Unternehmer erfolglos eine angemessene Frist zur Nacherfüllung gesetzt wurde oder eine solche Frist entbehrlich war. Die Entbehrlichkeit der Fristsetzung bestimmt sich zunächst nach §§ 281, 280 Abs. 2, 323 Abs. 2 BGB und § 323 Abs. 5 BGB. Die hier normierten Fälle werden im Werkvertragsrecht durch die Regelung des § 636 BGB ergänzt. Gemäß §§ 281 Abs. 2, 323 Abs. 2 BGB ist die Fristsetzung entbehrlich, wenn der Unternehmer die Leistung ernsthaft und endgültig verweigert bzw. wenn besondere Umstände vorliegen, die unter Abwägung der beiderseitigen Interessen die sofortige Geltendmachung des Schadensersatzanspruchs rechtfertigen. § 636 BGB regelt in Gänze drei weitere Fälle, in denen die Fristsetzung entbehrlich ist. Zum einen, wenn die Nacherfüllung zu Recht gemäß § 635 Abs. 3 BGB verweigert wurde. Zum anderen, wenn die Nacherfüllung fehlgeschlagen ist. Und zuletzt, wenn dem Besteller die Nacherfüllung unzumutbar ist.

Der Rücktritt muss zuletzt erklärt werden. Eine solche Erklärung ist nicht formgebunden,[44] wenngleich auch an dieser Stelle aus beweistechnischen Gründen die Schriftform zu empfehlen ist.

Ein Rücktritt ist hingegen ausgeschlossen, wenn der Mangel unerheblich ist, § 323 Abs. 5 Satz 2 BGB.

3.4.1.2.3.3.2 Rechtsfolge des Rücktritts

Folge der wirksam erklärten Rücktrittserklärung ist, dass sich das vertragliche Erfüllungsverhältnis in ein Rückabwicklungsverhältnis im Sinne der §§ 346 ff. BGB umwandelt.

3.4.1.2.3.4 Schadensersatz nach den §§ 636, 280, 281 BGB

3.4.1.2.3.4.1 Voraussetzungen des Anspruchs auf Schadensersatz

Auch der Schadensersatzanspruch setzt einen wirksamen Werkvertrag sowie ein mangelhaftes Werk voraus. Gemäß §§ 280 Abs. 1, Abs. 3, 281, 282, 283 BGB müssen zusätzlich eine Pflichtverletzung des Unternehmers, ein Vertretenmüssen sowie der erfolglose Ablauf oder die Entbehrlichkeit einer Frist zur Nacherfüllung vorliegen. Ein Schadensersatzanspruch setzt also die Verletzung einer Vertragspflicht voraus. Dabei ist bislang ungeklärt, ob das Vorliegen einer mangelhaften Werkleistung genügt, um eine Pflichtverletzung des Unternehmers i.S.d. § 280 Abs. 1 BGB zu begründen, oder ob vielmehr der Mangel auf ein

44 BGH, U. v. 24.6.1999, VII ZR 196/98, NJW 1999, S. 3554; OLG Brandenburg, U. v. 24.6.2009, 4 U 137/08, BeckRS 2009, 19418.

objektiv pflichtwidriges Verhalten des Unternehmers zurückzuführen, also die (pflichtwidrige) Leistung des Unternehmers kausal für den Mangel gewesen sein muss.[45]

Die Erfolgshaftung des Unternehmers spricht eher dafür, dass bereits das Verursachen eines Mangels als solches als Pflichtverletzung zu betrachten ist.[46]

Jedenfalls wird man davon ausgehen müssen, dass das Vorliegen eines Mangels den ersten Anschein dafür bietet, dass der Mangel auf ein pflichtwidriges Verhalten des Unternehmers zurückzuführen ist.[47]

Beim Werkvertrag ist grundsätzlich die mangelhafte Leistung die Pflichtverletzung. Der Unternehmer verletzt dadurch, dass er dem Besteller ein mangelhaftes Werk verschafft, grundsätzlich seine Primärleistungs- und damit Hauptvertragspflicht.[48]

Wenn eine Werkleistung mangelhaft ist, liegt darin auch zugleich die Kausalität zwischen der Pflichtverletzung des Unternehmers und dem Mangel.

Nach § 280 Abs. 1 Satz 2 BGB muss der Unternehmer die Pflichtverletzung auch zu vertreten haben. Dies wird bei Vorliegen einer Pflichtverletzung gesetzlich vermutet. Den Unternehmer trifft insoweit die Darlegungs- und Beweislast, dass er es eben doch nicht zu vertreten hat.[49]

Zuletzt bedarf es eines erfolglosen Ablaufs einer angemessenen Frist oder der Entbehrlichkeit der Fristsetzung. Gemäß § 636 BGB ist die Frist entbehrlich, wenn der Unternehmer die Nacherfüllung gemäß § 635 Abs. 3 BGB verweigert[50] oder wenn die Nacherfüllung fehlgeschlagen bzw. dem Besteller unzumutbar ist. § 636 BGB zählt darüber hinaus Tatbestände auf, nach welchen die Fristsetzung entbehrlich ist. Genannt werden dabei die ernsthafte und endgültige Verweigerung der Nacherfüllung sowie besondere Umstände, die unter Abwägung der beiderseitigen Interessen die sofortige Geltendmachung des Schadensersatzes rechtfertigen, dem Besteller die Leistung durch den Schuldner wegen Nebenpflichtverletzung gemäß § 241 Abs. 2 BGB nicht mehr zumutbar ist oder nachträglich Unmöglichkeit eingetreten ist.

3.4.1.2.3.4.2 Inhalt und Umfang des Schadensersatzanspruchs

Nach den allgemeinen schuldrechtlichen Vorschriften kann der Besteller entweder Schadensersatz statt oder neben der Leistung verlangen. Beim Schadensersatz statt der Leistung geht der Nacherfüllungsanspruch unter und kann nicht weiter durchgesetzt werden.

Schadensersatz neben der Leistung umfasst dabei alle Schadenspositionen, die anlässlich des Mangels angefallen sind. Hierunter fallen z.B. Mangelfolgeschäden. Zu nennen sind hier beispielsweise Schäden an Bodenbelägen infolge eines Leitungsschadens.[51]

45 Messerschmidt/Voit/*Moufang/Koos*, Privates Baurecht, 4. Aufl. 2022, § 636 BGB Rn. 109.
46 Palandt/*Sprau*, BGB, 80. Aufl. 2021, § 634 Rn. 15, § 636 Rn. 9.
47 BGH, U. v. 16.5.2002, VII ZR 81/00, NJW 2002, S. 2708.
48 Palandt/*Sprau*, BGB, 80. Aufl. 2021, § 634 Rn. 6.
49 BGH, U. v. 12.5.2009, XI ZR 586/07, NJW 2009, 2298.
50 BGH, U. v. 11.10.2012, VII ZR 179/11, BauR 2013, S. 81.
51 BGH, U. v. 15.3.1990, VII ZR 311/88, NJW-RR 1990, S. 786.

Auch umfasst sein können die Kosten einer Ersatzwohnung für den Zeitraum der Mangelbeseitigung oder auch entgangener Gewinn und Verdienstausfall.[52]

Auch Kosten für Privatgutachten sind bei einem Schadensersatz neben der Leistung zu erstatten, wenn es der Feststellung dienen soll, ob und in welchem Umfang Mängel vorliegen sowie welche Mangelbeseitigungskosten hieraus erwachsen.[53]

3.4.1.2.3.4.3 Fiktive Mängelbeseitigungskosten

Nach der Rechtsprechung des VII. Senates des BGH kann ein Schadensersatz bei einem Werkvertrag nicht mehr in Höhe der fiktiven Mängelbeseitigungskosten verlangt werden.[54]

Nach der früheren Rechtsprechung des BGH wäre der Besteller, der ein mangelhaftes Werk behält und den Mangel nicht beseitigen lässt, berechtigt, als Schaden im Rahmen des kleinen Schadensersatzanspruchs nach §§ 634 Nr. 4 BGB i.V.m. den §§ 280, 281 BGB die fiktiven Mängelbeseitigungskosten zu verlangen. Das heißt, der Schaden bestand darin, dass gleichsam „fiktiv" ermittelt wird, welche Kosten anfallen würden, wenn der Mangel vollständig beseitigt würde. Auf eine tatsächliche Beseitigung des Mangels kam es nicht an. Der Besteller konnte frei darüber entscheiden, wie er den Schadensersatz verwendet.[55]

Der BGH argumentierte damals, dass der Mangel der Schaden selbst ist und da es häufig an einem Verkehrswert für mangelhafte Sachen fehlt, kann der Minderwert anhand der Beseitigungskosten geschätzt werden.[56]

Diese Rechtsprechung wurde jedoch vom VII. Senat des BGH für den Werkvertrag aufgegeben. Nunmehr muss der Besteller, der das Werk behält und den Mangel nicht beseitigen lässt, den Schaden in der Weise bemessen, dass er im Wege einer Vermögensbilanz die Differenz zwischen dem hypothetischen Wert, der durch das Werk geschaffenen oder bearbeiteten, im Eigentum des Bestellers stehenden Sache ohne Mangel, und dem tatsächlichen Wert der Sache mit Mangel ermittelt. Hat der Besteller die durch das Werk geschaffene oder bearbeitete Sache veräußert, ohne dass eine Mängelbeseitigung vorgenommen wurde, kann er den Schaden nach dem konkreten Mindererlös wegen des Mangels der Sache bemessen.[57]

Der BGH begründet die Aufgabe seiner bisherigen Rechtsprechung damit, dass er bei der Bemessung des Schadens anhand fiktiver Mangelbeseitigungskosten eine regelmäßige Überkompensation befürchtet. Denn der Mangel ist zwar weiter der Schaden selbst, aber der Vermögensschaden bemisst sich nicht anhand der Kosten der Mängelbeseitigung. Ein Mangel des Werks ist zunächst nur ein Leistungsdefizit. Dieses Leistungsdefizit führt zu

52 BGH, U. v. 10.6.1976, VII ZR 129/74, NJW 1976, S. 1502; BGH, U. v. 8.6.1978, VII ZR 161/77, NJW 1978, S. 1626; BGH, U. v. 16.3.2000, VII ZR 461/98, NJW 2000, S. 2020.

53 BeckOK/*Voit*, BGB, 66. Edition 2022, Stand 1.11.2022, § 636 Rn. 67.

54 BGH, U. v. 22.2.2018, VII ZR 46/17, NJW 2018, S. 1463.

55 Zur bisherigen Rspr. vgl. etwa BeckOK/*Voit*, BGB, 45. Edition 2017, Stand 1.2.2017, § 636 BGB Rn. 53; MüKo/*Busche*, BGB, 7. Aufl. 2018, § 634 Rn. 45; Erman/*Schwenker/Rodemann*, BGB, 15. Aufl. 2017, § 636 Rn. 24; jurisPK/*Genius*, BGB, 8. Aufl.2017, § 634 BGB Rn. 40, jeweils m.w.N.

56 BGH, U. v. 27.6.2002, VII ZR 238/01, BauR 2003, S. 123.

57 BGH, U. v. 22.2.2018, VII ZR 46/17, NJW 2018, S. 1463.

einer Störung des Äquivalenzverhältnisses und dadurch zu einem beim Besteller eintretenden Vermögensschaden.

Nach alldem ist also der Schaden anhand einer Vermögensbilanz zu ermitteln. Der BGH führt hierzu aus:

> *„Der Besteller hat die Möglichkeit, den Schaden nach allgemeinen schadensrechtlichen Grundsätzen in der Weise zu bemessen, dass er im Wege einer Vermögensbilanz die Differenz zwischen dem hypothetischen Wert der durch das Werk geschaffenen oder bearbeiteten, im Eigentum des Bestellers stehenden Sache ohne Mangel und dem tatsächlichen Wert der Sache mit Mangel ermittelt."*

Es lässt sich daher folgende Gleichung aufstellen:

Schaden = hypothetischer Wert ohne Mangel – tatsächlicher Wert der Sache mit Mangel

Mit Beschluss vom 13.3.2020 hat der V. Zivilsenat[58] eine Anfrage an den VII. Zivilsenat gemäß § 132 Abs. 3 GVG gerichtet. Inhalt der Anfrage war, ob der VII. Zivilsenat an seiner Rechtauffassung festhalten will, wonach der Schadenersatz statt der Leistung gemäß §§ 280, 281 Abs. 1 BGB nicht anhand der voraussichtlich erforderlichen, aber (noch) nicht aufgewendeten („fiktiven") Mängelbeseitigungskosten bemessen werden darf. Der V. Zivilsenat greift damit die herrschende Auffassung in der Literatur auf, die die Rechtsprechung des VII. Zivilsenates ganz[59] oder zumindest teilweise[60] für falsch halten. Umfassend begründete der V. Zivilsenat seine Zweifel an der neuen Rechtsprechung des VII. Zivilsenates und stellte dar, weshalb die Absage des VII. Zivilsenates an eine Ermittlung eines Schadenersatzanspruchs auf Basis der fiktiven Mängelbeseitigungskosten dogmatisch unzutreffend ist. Darüber hinaus erläuterte der V. Zivilsenat dezidiert, dass das behauptete Postulat, die Entscheidung des VII. Senats fuße auf den Besonderheiten des Werkvertragsrechts, inhaltlich unzutreffend sei und sogar der eigenen Argumentation des VII. Zivilsenates zuwiderlaufe.

Inhaltlich begründete der V. Zivilsenat, dass eine dogmatische Herleitung der Rechtsprechung des VII. Zivilsenates gerade nicht über §§ 249 ff. BGB erfolgen darf.[61]

Der Behauptung des VII. Zivilsenats, seine Entscheidungen beruhten auf den Besonderheiten des Werkvertragsrechts, tritt der V. Zivilsenat entgegen. So wird zunächst darauf hingewiesen, dass schon im Kern die Argumentation des VII. Zivilsenats auf der Behauptung beruhe, es drohe durch die Schadensermittlung durch fiktive Mängelbeseitigungskosten eine Überkompensation. Die behauptete Überkompensation ist das tragende Motiv der Entscheidung des VII. Zivilsenats. Eine Überkompensation ist jedoch gerade kein Phänomen des Werkvertragsrechts, sondern droht – unterstellt, das Argument wäre richtig – stets unabhängig vom Rechtsgebiet bei fiktiven Mängelbeseitigungskosten. Die Behauptung der Überkompensation wird überdies als empirisch nicht belegt zurückgewiesen. Die Behauptung des VII. Zivilsenats, dass die angeblichen „Besonderheiten des Werkvertragsrechts"

58 BGH, B. v. 12.3.2021, V ZR 33/19, NJW 2021, S. 1532.

59 Vgl. z.B. *Weyer*, NZBau 2013, S. 269; *Heinemeyer*, NJW 2018, S. 2441; *Lührmann*, NZBau 2018, S. 456; *Seibel*, NZBau 2019, S. 81; *Riehm*, NJW 2021, S. 27.

60 Zum Beispiel *Voit*, NJW 2018, S. 2166; *Vowinckel*, NZBau 2019, S. 87.

61 So aber *Halfmeier*, BauR 2013, S. 320 auf den der VII. Senat sich zunächst ausdrücklich bezogen hat.

aus einem bestehenden Kostenvorschussanspruch im Werkvertragsrecht hergeleitet werden können, den es im Kaufrecht in der Tat nicht gibt, weist der V. Zivilsenat zu Recht zurück. Er verweist darauf, dass es gerade auch im Werkvertragsrecht im Hinblick auf den planenden Architekten, dem ein Planungsfehler unterlaufen ist, keinen Vorschussanspruch gab. Auch der VII. Zivilsenat erkennt freilich, dass im Hinblick auf den Architekten das Fehlen eines Vorschussanspruchs einerseits und die fehlende Berechtigung, einen Schaden nach den fiktiven Mängelbeseitigungskosten zu ermitteln andererseits, nicht hinnehmbar wäre. Es ist schlechterdings unvertretbar, dem geschädigten Besteller allgemein und grundsätzlich das Vorfinanzierungsrisiko aufzubürden. Dieses Problem besteht im Kaufrecht von jeher, namentlich, dass das allgemeine Vorfinanzierungsrisiko wegen des Fehlens eines Vorschussanspruchs dem Besteller zugemutet wird.[62]

Dem wird in der Rechtsprechung des V. und VIII. Senats dadurch Rechnung getragen, dass der Auftraggeber, auch ohne dass er den Schaden bereits beseitigt hat, seinen Schaden anhand der fiktiven Mängelbeseitigungskosten bemessen darf. Dieses Problem bestand und besteht gleichlaufend auch in der bisherigen Rechtsprechung des VII. Senats gegenüber dem planenden oder bauüberwachenden Architekten. Nach der alten Rechtsprechung des VII. Senats war das Problem jedoch nicht virulent. Erst mit der Änderung der Rechtsprechung wurde das Problem offenbar. Der VII. Senat schafft mit seiner Rechtsprechung zu fiktiven Mängelbeseitigungskosten unvertretbare Härten bei Schadenersatzansprüchen gegen den Architekten. Diese selbst geschaffenen Härten kann er sodann nur durch einen Rückgriff auf § 242 BGB beseitigen. Es wurde ein vom VII. Senat erkanntes Problem – die Überkompensation – gelöst, und dadurch ein anderes Problem geschaffen, das wiederum nur durch einen Rückgriff auf § 242 BGB gelöst werden kann. Das dies nicht die bessere und schon gar nicht die dogmatisch richtigere Lösung darstellen kann, ist offensichtlich.

Der VII. Zivilsenat[63] hat auf den Beschluss des V. Zivilsenats geantwortet und dabei seine absolutistische Rechtsauffassung revidiert. So stützt der VII. Zivilsenat seine Rechtsprechung nunmehr ausdrücklich nicht darauf, dass sich die Ermittlung des Schadens aus §§ 249 ff. BGB ergibt. Der Schadensersatzanspruch gemäß § 280 BGB ist vielmehr ein Anspruch sui generis. Da ein Werkvertrag aber etwas anderes ist als ein Kaufvertrag, darf § 280 BGB für jedes Rechtsgebiet anders ausgelegt werden. Der VII. Zivilsenat begründet seine Auffassung weiter damit, dass dem Besteller anstelle eines mangelfreien Werks ein mangelhaftes Werk zur Verfügung steht. Daher ist dieses Ergebnis auch der Bezugspunkt für die Bemessung des Vermögensschadens. Das bedeutet, dass der VII. Zivilsenat davon ausgeht, dass der Schaden nur aus der Differenz zwischen der tatsächlich erlangten (mangelhaften) Leistung und der geschuldeten (mangelfreien) Leistung besteht.

Der VII. Senat hat mit seiner Argumentation den Grundsatz der Einheitlichkeit der Rechtsordnung gleich ganz über Bord geworfen. Diesen hat der VII. Senat in der Vergangenheit sogar für AGB-Regelwerke besonders betont.[64]

---

62 Vgl. BGH, U. v. 7.4.2021, VIII ZR 191/19, NJW 2021, S. 2277.
63 BGH, B. v. 8.10.2020, VII ARZ 1/20, NZBau 2021, S. 29.
64 BGH, U. v. 20.8.2009, VII ZR 212/07, NJW 2009, S. 3717.

Vor allem aber kann der Ausschluss, einen Schaden auf Basis der fiktiven Mängelbeseitigungskosten zu ermitteln, dogmatisch kaum begründet werden. Die Argumentation des VII. Senats ist allein vom Ergebnis her gedacht. Das Argument, der Schaden bestehe nur aus der Differenz zwischen dem mangelhaft erlangten und dem mangelfrei geschuldeten Werk, verkennt, dass das tatsächlich Erlangte (die erlangte mangelhafte Leistung) vom Schaden (den fiktiven Mängelbeseitigungskosten) nur in Abzug zu bringen wäre. Die Erwägungen des VII. Senats sind jedoch auch im Übrigen nicht zu Ende gedacht. Denn die mangelhafte Leistung – von der der VII. Senat behauptet, dass der Geschädigte sich diese als erhaltenen Wert zurechnen lassen müsse – stellt sich für den Besteller als eine aufgedrängte Bereicherung dar. Nach zutreffender Auffassung ist bei einer aufgedrängten Bereicherung jedoch nicht der objektive Wert entscheidend, um das Maß der Bereicherung zu ermitteln. Dies hat der VII. Senat offenbar schlicht übersehen. Entscheidend ist, dass der VII. Senat ausdrücklich die Ermittlung eines Schadens anhand fiktiver Mängelbeseitigungskosten nicht kategorisch ausschließt. Der BGH[65] formuliert: *„Danach kann in geeigneten Fällen der mangelbedingte Wertunterschied aus Gründen der Vereinfachung anhand fiktiver Mängelbeseitigungskosten geschätzt werden, § 287 ZPO."*

3.4.1.2.3.5 Minderung nach § 638 BGB

Mit der Minderung gibt das Gesetz dem Besteller die Möglichkeit, den Vergütungsanspruch des Unternehmers im Gegenzug für die mangelhafte Leistung herabzusetzen. Die Minderung stellt ein Gestaltungsrecht dar und erfordert die tatsächliche Erklärung. Nach rechtswirksamer Ausübung dieses Gestaltungsrechts ist der Besteller hieran gebunden. Somit ist der Besteller in der Folge gehindert, die weiteren Gewährleistungsrechte geltend zu machen.[66]

3.4.1.2.3.5.1 Voraussetzungen des Minderungsrechts

Das Gesetz spricht davon, dass der Unternehmer „statt zurückzutreten", mindern kann. Daraus folgt, dass für den Rücktritt und die Minderung dieselben Anforderungen gelten. Es wird insoweit auf die Kommentierung zum Rücktritt Bezug genommen. Erforderlich sind demnach ein Werkvertrag, ein Mangel und der Ablauf einer angemessenen Frist zur Nacherfüllung.

Erforderlich ist in jedem Falle die Minderungserklärung, die ausdrücklich oder konkludent erfolgen kann.

3.4.1.2.3.5.2 Rechtsfolgen der Minderung

Die wirksame Minderung führt zur Herabsetzung des berechtigten Werklohns in Höhe des Minderungsbetrags. Gemäß § 638 Abs. 3 BGB ist für die Berechnung des Minderungsbetrags die Vergütung in dem Verhältnis herabzusetzen, in dem der Wert des Werkes in mangelfreiem Zustand zu dem wirklichen Werk gestanden haben würde. Die dem Unternehmer vertraglich zukommende Vergütung für die mangelfreie Leistung muss im gleichen Verhältnis herabgesetzt werden, indem sich der Wert der mangelfreien Leistung zum Wert der mit Mängeln behaftenden Leistung befindet.[67]

65 BGH, B. v. 8.10.2020, VII ARZ 1/20, NZBau 2021, S. 29.
66 Messerschmidt/Voit/*Moufang/Koos*, Privates Baurecht, 4. Aufl. 2022, § 638 BGB Rn. 2.
67 MüKo/*Busche,* BGB, 9. Aufl. 2023, § 638 Rn. 8.

Die geminderte Vergütung ergibt sich aus der Formel.[68]

> Verkehrswert der Bauleistung bei Mangelfreiheit/Verkehrswert mit Mängeln
> = vereinbarter Werklohn/geminderte Vergütung

Der Wert des Bauwerks im Soll-Zustand ist dabei objektiv zu bestimmen, wobei es auf den subjektiven Verwendungszweck des Bestellers nicht ankommt.[69]

Die Höhe der Minderung kann auch durch Schätzung ermittelt werden, § 638 Abs. 3 Satz 2 BGB. Allerdings bedarf es auch hierfür einer ausreichenden Schätzungsgrundlage.

Im Fall der Minderung ist also die Vergütung in dem Umfang zu reduzieren, der dem Verhältnis des Werkes in mangelfreiem Zustand zum wirklichen Wert des Werkes entspricht.[70] Maßgebender Zeitpunkt ist insoweit der Zeitpunkt des Vertragsschlusses, so bleiben spätere Wertänderungen unberücksichtigt, jedoch bleibt das vereinbarte Preisniveau erhalten.[71] Dies gilt insbesondere auch bei Bauwerken.[72]

Ein etwaiges Mitverschulden des Bestellers ist in analoger Anwendung des § 254 BGB anzurechnen, sodass der Minderungsbetrag um die Mitverschuldensquote zu kürzen ist.[73] Um zudem die Bezifferung des Wertabschlags genauer und begründbar zu definieren, hat sich in der Praxis die von *Aurnhammer* entwickelte Zielbaummethode verfestigt.[74]

Im Rahmen dieser Methode wird der Gesamtwert der vereinbarten mängelfreien Leistung in Einzelbereiche aufgegliedert und jeder Teilgesichtspunkt der Gesamtleistung in eine Punkteskala zwischen „mangelfrei" und „völlig wertlos" eingestuft. Mithilfe dieser Bewertung werden die einzelnen Mängelaspekte der Gesamtleistung einzeln beleuchtet und beziffert. Im Rahmen der Zielbaummethode ist daher eine viel genauere und exaktere Auseinandersetzung mit der Gesamtleistung und ihren Einzelleistungen erforderlich, um bewerten zu können, welcher Aspekt der Gesamtleistung nach welchem Bewertungsschema als minderwertig beurteilt werden soll. Da es sich hierbei auch um eine Rechtsfrage handelt, ist diese Bewertung nicht ausschließlich von einem Sachverständigen zu bewerten, wenngleich dieser die Ermittlung aus technischer Sicht selbstredend zuvorderst vornehmen muss.[75]

Die Zielbaummethode schafft eine weitaus größere Transparenz als eine Schätzung nach § 638 Abs. 3 Satz 2 BGB. Zu beachten ist jedoch, dass die Zielbaummethode lediglich eine Anleitung zur Ermittlung eines Minderwertes darstellt und keineswegs selbst materielle Kriterien für die Frage der Minderwerteinstufung liefert.[76]

---

68 Palandt/*Sprau*, BGB, 80. Aufl. 2021, § 638 Rn. 4.
69 MüKo/*Busche*, BGB, 9. Aufl. 2023, § 638 Rn. 9.
70 Messerschmidt/Voit/*Moufang*/*Koos*, Privates Baurecht, 4. Aufl. 2022, § 638 BGB Rn. 16.
71 OLG Braunschweig, U. v. 20.6.2019, 8 U 62/18, NJW 2019, S. 3655 Rn. 41.
72 OLG Schleswig, U. v. 9.12.2016, 1 U 17/13, NJW-RR 2017, S. 591.
73 BT-Drs. 14/6040, S. 235; BGH, U. v. 28.1.2016, VII ZR 266/14, NJW 2016, S. 2032 Rn. 41.
74 *Aurnhammer*, BauR 1978, S. 356; *Aurnhammer*, BauR 1981, S. 139.
75 BeckOK/*Ganten*, VOB/B, 3. Aufl. 2013, § 13 Abs. 6 VOB/B Rn. 62.
76 Beck/*Ganten*, VOB/B, 3. Aufl. 2013, § 13 Abs. 6 VOB/B Rn. 63.

3.4.2 Verjährung der Mängelrechte

Wie und wann Mängelansprüche verjähren, richtet sich grundsätzlich nach § 634a BGB. Davon abweichend können die Parteien eines Werkvertrages allerdings auch andere Verjährungsfristen vereinbaren. Wird beispielsweise die Geltung der VOB/B vereinbart, so einigen sich die Parteien gemäß § 13 Abs. 4 VOB/B auf eine vierjährige Verjährungsfrist.

3.4.2.1 Regelungsgehalt

In § 634a BGB werden der Beginn und die Dauer der Verjährung von Mängelansprüchen wegen werkvertraglicher Leistungen geregelt. Mängelansprüche bei einem Bauwerk oder einem Werk, dessen Erfolg in der Erbringung von Planungs- oder Überwachungsleistungen hierfür besteht, verjähren gemäß § 634a Abs. 1 Nr. 2 BGB innerhalb von fünf Jahren. Handelt es sich hingegen um Mängelansprüche an einem Werk, dessen Erfolg in der Herstellung, Wartung oder Veränderung einer Sache oder in der Erbringung von Planungs- oder Überwachungsleistungen für dieses besteht, beträgt die Verjährungsfrist nach § 634a Abs. 1 Nr. 1 BGB lediglich zwei Jahre. Sowohl im Fall des § 634a Abs. 1 Nr. 1 BGB, als auch im Fall des § 634a Abs. 1 Nr. 2 BGB beginnt die Verjährung mit der Abnahme (§ 634a Abs. 2 BGB).

Alle sonstigen Werkleistungen, die in Negativabgrenzung zu § 634a Abs. 1 Nr. 1, 2 BGB nicht unter eine der beiden Nummern fallen, verjähren nach § 634a Abs. 3 BGB innerhalb der regelmäßigen Verjährungsfrist von drei Jahren, § 195 BGB. Für die Verjährung von arglistig verschwiegenen Mängeln bei einem Bauwerk gilt, dass diese in der regelmäßigen Verjährungsfrist verjähren, nicht jedoch vor Ablauf von fünf Jahren, § 634a Abs. 3 BGB. Die §§ 634a Abs. 4, 5 BGB regeln zudem für die Gestaltungsrechte des Rücktritts und der Minderung, welche aus der Natur der Sache heraus nicht der Verjährung unterliegen, dass der Rücktritt oder die Minderung dann unwirksam ist, wenn der Nacherfüllungsanspruch (im Fall des Rücktritts) oder der Erfüllungsanspruch (im Fall der Minderung) bereits verjährt ist. Die Gestaltungsrechte müssen stets vor Ablauf der Gewährleistungsfrist geltend gemacht werden, anderenfalls kann der Besteller von seinem Leistungsverweigerungsrecht nach § 214 Abs. 1 BGB Gebrauch machen.

3.4.2.1.1 Nicht erfasste Ansprüche

Die Vorschrift des § 634a BGB ist für einige Ansprüche nicht anwendbar. So verjährt der Erfüllungsanspruch, also der primäre Anspruch auf die Leistung, nach § 195, 199 BGB und nicht nach § 634a BGB.[77] Die Frist beginnt hier mit der Entstehung des Anspruchs zu laufen, also i.d.R. der Zeitpunkt der Fälligkeit.[78]

Wie der BGH[79] klargestellt hat, gilt § 634a BGB auch nicht für Ansprüche vor der Abnahme. Ebenso scheidet die Anwendung des § 634a BGB für deliktische Ansprüche nach

77 OLG Rostock, U. v. 2.2.2021, 4 U 70/19, BeckRS 2021, 4304; a.A. OLG Hamm, U. v. 30.4.2019, 24 U 14/18, ZfBR 2019, S. 570; offen gelassen BGH, U. v. 28.5.2020, VII ZR 108/19, BauR 2020, S. 1463.

78 Palandt/*Ellenberger*, BGB, 80. Aufl. 2021, § 199 Rn. 3.

79 BGH, U. v. 19.1.2017, VII ZR 301/13, WM 2017, S. 2123.

§§ 823 ff. BGB auch in den Fällen aus, in denen die Rechtsgutverletzung auf dem Mangel beruht.[80]

Auch bei Ansprüchen, die auf eine selbstständige Garantie gestützt werden, kommt § 634a BGB nicht zur Anwendung, da sich die selbstständige Garantie auf ein vertragsfremdes und damit nicht werkvertragliches Risiko erstreckt.[81]

3.4.2.1.2 Fünfjährige Verjährungsfrist

Nach § 634a Abs. 1 Nr. 2 BGB verjähren Mängelansprüche „bei einem Bauwerk" und für Mängelansprüche an einem Werk, dessen Erfolg in der Erbringung von Planungs- oder Überwachungsleistungen liegt, innerhalb von fünf Jahren ab dem Zeitpunkt der Abnahme an. Die Formulierung „bei einem Bauwerk" erfasst dabei sämtliche Leistungen, die zur Errichtung bzw. zur grundlegenden Erneuerung eines Bauwerks führen.[82]

Daher muss es sich also bei den zu erbringenden Leistungen um Arbeiten an einem Bauwerk handeln, welches in ständiger Rechtsprechung des BGH wie folgt definiert wird: *„Ein Bauwerk ist eine unbewegliche, durch Verwendung von Arbeit und Material in Verbindung mit dem Erdboden hergestellte Sache."*[83]

Nach dieser Definition können beispielsweise Hoch- und Tiefbauarbeiten und auch die Errichtung einer Photovoltaikanlage auf einem Dach ein Bauwerk darstellen.[84] Das Bauwerk muss, um die obere Definition zu erfüllen, nicht zwingend fest mit dem Erdboden verbunden sein, es reicht vielmehr aus, wenn die Sache durch ihre eigene Schwere mit dem Erdboden eine Verbindung eingeht.[85] Deshalb stellen auch Verkaufscontainer, eine Gleisanlage oder beispielsweise ein Hochseilgarten ein Bauwerk dar.[86]

Auch technische Anlagen können selbst als Bauwerk zu qualifizieren sein, wenn sie mit dem Erdboden unmittelbar oder mittelbar über ein Gebäude fest verbunden sind und eine dauernde Nutzung der technischen Anlage beabsichtigt ist.

Zu betonen ist im Allgemeinen, dass es stets für die Ermittlung einer Werkleistung als Arbeiten an einem Bauwerk darauf ankommt, dass die für Bauwerke typische Risikolage[87] zur Beurteilung herangezogen wird. Das ergibt sich aus den Motiven des Bürgerlichen

---

80 MüKo/*Busche*, BGB, 8. Aufl. 2020, § 634a Rn. 13; Prütting/Wegen/Weinreich/*Leupertz/Halfmeier*, BGB, 13. Aufl. 2018, § 634a Rn 3.

81 BeckOK/*Voit*, BGB, 66. Edition 2022, Stand 1.11.2022, § 634a Rn. 32.

82 BGH, U. v. 19.3.2002, X ZR 49/00, NZBau 2002, S. 389; BGH, U. v. 16.9.1993, VII ZR 180/92, BauR 1994, S. 101; Kniffka/*Kniffka*, ibrOK BauVertrR, Stand 10.8.2023, § 634a BGB Rn. 15, 16.

83 BGH, U. v. 24.2.2016, VIII ZR 38/15, NJW 2016, S. 2645; BGH, U. v. 20.5.2003, X ZR 57/02, NZBau 2003, S. 559.

84 BGH, U. v. 2.6.2016, VII ZR 348/13, NZBau 2016, S. 558; MüKo/*Busche*, BGB, 8. Aufl. 2020, § 634a Rn. 18, 20; BGH, U. v. 23.1.2002, X ZR 184/99, NZBau 2002, S. 387; OLG Köln, U. v. 20.12.1991, 11 U 190/90, NJW-RR 1992, S. 408; OLG Stuttgart, U. v. 8.11.1991, 13 U 40/90, BauR 1991, S. 462; BGH, U. v. 16.9.1971, VII ZR 5/70, NJW 1971, S. 2219.

85 BGH, U. v. 16.9.1971, VII ZR 5/70, NJW 1971, S. 2219; OLG Koblenz, U. v. 4.8.2009, 5 U 333/09, NJW-RR 2010, S. 164; OLG Frankfurt, U. v. 15.9.2017, 25 U 87/16, BeckRS 2017, 158725.

86 OLG Koblenz, U. v. 4.8.2009, 5 U 333/09, NJW-RR 2010, S. 164; BGH, U. v. 19.11.1970, VII ZR 230/68, Volltext nur bei Jurion.

87 BGH, U. v. 20.12.2012, VII ZR 182/10, NZBau 2013, S. 161; BGH, U. v. 12.11.1992, VII ZR 29/92, NJW-RR 1993, S. 592.

Gesetzbuchs (Motive II 489), die als Begründung für die fünfjährige Verjährung angeben, dass Mängel bei Bauwerken erst spät erkennbar werden.[88]

Als Bauwerk wurden z.B. ein Schwimmbecken,[89] eine Autowaschanlage,[90] eine Müllpresse,[91] eine Außentreppe,[92] eine Terrasse[93] oder auch die Erneuerung eines Trainingsplatzes[94] mit Rollrasen, Rasentragschicht, Bewässerungsanlage etc. eingestuft. Zu den Arbeiten an einem Bauwerk zählen darüber hinaus auch Reparatur-, Erneuerungs-, Modernisierungs- und Umbauarbeiten, wenn sie mit Arbeiten für eine Neuherstellung vergleichbar sind und nach Art und Umfang für Konstruktion, Bestand, Erhaltung und Nutzbarkeit des Bauwerks von wesentlicher Bedeutung sind.[95]

Zu nennen sind die Erneuerung einer Heizungsanlage,[96] umfassende Malerarbeiten[97] und z.B. auch die Erneuerung einer Elektroanlage in einem Gebäude in wesentlichen Teilen.[98]

Bei Reparaturarbeiten an einem bestehenden Gebäude ist stets sorgfältig zu prüfen, ob die zwei- oder fünfjährige Verjährungsfrist einschlägig ist. So fallen auch Umbauarbeiten an einem bereits errichteten Bauwerk unter die fünfjährige Frist, wenn sie für Konstruktion, Bestand, Erhaltung oder Benutzbarkeit des Gebäudes von wesentlicher Bedeutung sind und wenn die eingebauten Teile mit dem Gebäude fest verbunden werden.[99] Bei Reparaturen an einem Wasserrohr handelt es sich danach nicht um Arbeiten an einem Bauwerk.[100]

Bei der Erbringung von Planungs- oder Überwachungsleistungen kommt die fünfjährige Verjährungsfrist nur zum Tragen, wenn die Leistungen in enger Verbindung mit einem Bauwerk stehen. Die Leistungen müssen dem Bauwerk unmittelbar zugute kommen, also nicht nur solche sein, die sich auf ein erst noch zu errichtendes Bauwerk beziehen.[101] Die Leistung muss sich bestimmungsgemäß im Bauwerk verkörpert haben.[102]

Dies sind typischerweise Bauplanungs- und Objektüberwachungsleistungen, etwa von Tragwerksplanern, Statikern oder anderen Sonderfachleuten, ebenso wie reine Architektenleistungen etc. Nicht erfasst werden vorbereitende und in die Zukunft gerichtete Planungsleistungen, die sich dann später nicht in einem Bauwerk realisieren.[103]

---

88 BGH, U. v. 20.12.2012, VII ZR 182/10, NZBau 2013; BGH, U. v. 2.6.2016, VII ZR 348/13, NZBau 2016, S. 558.
89 BGH, U. v. 4.11.1982, VII ZR 65/82, NJW 1983, S. 567.
90 BGH, U. v. 15.5.1997, VII ZR 287/95, NJW-RR 1998, S. 89.
91 BGH, U. v. 23.1.2002, X ZR 184/99, NZBau 2002, S. 387.
92 OLG Frankfurt, U. v. 15.9.2017, 25 U 87/16, BeckRS 2017, 158725.
93 OLG Düsseldorf, U. v. 25.04.2019, 5 U 91/18, NJW 2019,S. 2944.
94 BGH, U. v. 20.12.2012, VII ZR 182/10, NZBau 2013, S. 161.
95 BGH, U. v. 2.6.2016, VII ZR 348/16, NZBau 2016, S. 558; Prütting/Wegen/Weinreich/*Leupertz/Halfmeier*, BGB, 13. Aufl. 2018, § 634a Rn. 6.
96 LG Frankfurt a. M., U. v. 6.5.2011, 2/09 S 52/10, NJW-RR 2011, S. 1244.
97 BGH, U. v. 16.9.1993, VII ZR 180/92, NJW 1993, S. 3195.
98 BGH, U. v. 30.3.1978, VII ZR 48/77, NJW 1978, S. 1522.
99 BGH, U. v. 7.12.2017, VII ZR 101/14, ZIP 2018, S. 130.
100 OLG Bamberg, U. v. 28.1.2016, 1 U 146/15, BeckRS 2016, 135237.
101 MüKo/*Busche*, BGB, 8. Aufl. 2020, § 634a Rn. 27.
102 BGH, U. v. 20.1.1972, VII ZR 148/70, NJW 1972, S. 625.
103 Müko/*Busche*, BGB, 8. Aufl. 2020, § 634a Rn. 27; a.A. *Lenkeit,* BauR 2002, S. 196, 208; Mansel/Budzikiewicz/*Budzikiewicz*, Das neue Verjährungsrecht, 2002, § 5 Rn. 227.

Verjährung von Sachverständigen- und Gutachterleistungen

- Eine Bestandsaufnahme für ein Grundstück nebst Bestandsimmobilie, die dazu dient, dem Auftraggeber nur eine Entscheidungsgrundlage für den Grundstückserwerb zu schaffen, stellt kein Werk dar, dessen Erfolg in der Erbringung von Planungs- und Überwachungsleistungen für ein Bauwerk liegt. Es gilt die kurze Verjährungsfrist von zwei Jahren.[104]
- Ein Schadstoffgutachten, das nur der Vorbereitung einer Grundstückssanierung dient, ist als Planungsleistung anzusehen. Etwaige Mängelansprüche verjähren somit in zwei Jahren. § 634a Abs. 1 Nr. 1 und Nr. 2 BGB erfassen Gutachten mit planerischem Charakter, wie Sanierungsgutachten oder Gutachten, die technische Empfehlungen zum Gegenstand haben; nur für sog. feststellende Gutachten kommt die Regelung des § 634a Abs. 1 Nr. 3 BGB in Betracht.[105]
- Ein Schadensgutachten, dass dazu dienen soll, Schäden an einem Bauwerk aufzudecken und die Sanierungskosten zu ermitteln, ist ein Werkvertrag, für den die fünfjährige Verjährungsfrist gilt.[106]
- Ein Gutachten, bei dem es um eine Feuchtigkeitssperre für ein Bauwerk geht, stellt eine Überwachungsleistung für ein Bauwerk dar. Es findet die fünfjährige Verjährungsfrist Anwendung.[107]

3.4.2.1.3 Zweijährige Verjährungsfrist

Nach § 634a Abs. 1 Nr. 1 BGB verjähren werkvertragliche Mängelansprüche, bei denen der Werkerfolg in der Herstellung, Wartung oder Veränderung einer Sache bzw. in der Erbringung von Planungs- oder Überwachungsleistungen hierfür besteht, hingegen bereits nach zwei Jahren. Auch hier beginnt die Verjährung mit der Abnahme des Werks.

Erfasst werden regelmäßig Reparatur- und Wartungsarbeiten an beweglichen Sachen, wie z.B. an nicht fest verbauten Maschinen oder an Kraftfahrzeugen (beispielsweise die Inspektion)[108]. Die Abgrenzung erfolgt insoweit negativ, sodass alle Arbeiten, die an einer Sache erbracht werden, die kein Bauwerk nach den oberen Kriterien darstellen, der Verjährungsregelung des § 634a Abs. 1 Nr. 1 BGB unterfallen. Ebenso sollen Reparaturarbeiten an Anlagen[109] von der zweijährigen Verjährungsfrist erfasst sein. Dies aber nur dann, wenn die vorgenommenen Reparaturarbeiten sich nicht insoweit auf das Bauwerk beziehen, als dass das Gebäude selbst von den Arbeiten betroffen wird oder sie für die Benutzbarkeit des konkreten Gebäudes von wesentlicher Bedeutung sind.[110]

104 OLG Frankfurt, U. v. 28.2.2020, 24 U 36/19, BauR 2021, S. 1338.
105 OLG Hamburg, U. v. 7.12.2012, 11 U 178/11, BeckRS 2014, 18871.
106 OLG Dresden, U. v. 14.10.2014, 4 U 2025/13, IBRRS 2017, 3738.
107 OLG Brandenburg, U. v. 19.7.2019, 7 U 164/18, NZBau 2019, S. 783.
108 OLG Köln, U. v. 17.5.1994, 22 U 262/93, NJW-RR 1994, S. 1339.
109 OLG Köln, U. v. 26.8.1994, 19 U 292/93, NJW-RR 1995, S. 337.
110 OLG Köln, U. v. 26.8.1994, 19 U 292/93, NJW-RR 1995, S. 337 m.w.N. zur Rechtsprechung des Reichsgerichts.

Schließlich fallen nach der Rechtsprechung auch Arbeiten an Grundstücken (Gartenarbeiten)[111] unter § 634a Abs. 1 Nr. 1 BGB, ebenso wie Instandhaltungs- oder Instandsetzungsarbeiten, aber nur, wenn diese gerade nicht für die Konstruktion, den Bestand und die Benutzbarkeit eines Bauwerks von wesentlicher Bedeutung sind.[112]

Die Beurteilung, ob die Sache bauwerksgleich ist, ist das maßgebliche Kriterium zur Abgrenzung des Anwendungsbereichs von § 634a Abs. 1 Nr. 1 BGB zu § 634a Abs. 1 Nr. 2 BGB. Die Abgrenzung ist jedoch äußerst schwierig und muss wohl vom Einzelfall abhängig gemacht werden. So sollen Reparaturarbeiten an einem Parkettboden[113] nicht für die Konstruktion und den Bestand eines Bauwerks von wesentlicher Bedeutung sein und deshalb innerhalb der zweijährigen Verjährungsfrist verjähren. Das nachträgliche Verlegen und Verkleben eines Teppichbodens in einer Wohnung soll hingegen der fünfjährigen Verjährungsfrist unterliegen, weil das Teppichverlegen nicht eine reine Ausbesserungsarbeit darstellt.[114] Fest steht, dass eine klare Linie nur schwer zu erkennen ist.

Neben den Arbeiten, die unmittelbar die Sache selbst betreffen, werden auch Planungs- und Überwachungsleistungen, die der Herstellung, Wartung oder Veränderung der jeweiligen Sache zu Gute kommen, von § 634a Abs. 1 Nr. 1 BGB erfasst. Hierrunter fallen etwa Planungsleistungen für reine Grundstücksarbeiten, beispielsweise die Planungen eines Landschafts- und Gartenarchitekten[115] oder die Erstellung von Plänen über ein vorhandenes Leitungsnetz,[116] aber auch die Planung einer Maschine.[117]

3.4.2.1.4 Regelverjährung

Unter § 634a Abs. 1 Nr. 3 BGB fallen Mängelrechte aus Werkleistungen, die weder unter die fünfjährige, noch unter die zweijährige Verjährungsfrist nach § 634a Abs. 1 Nr. 1 und 2 BGB zu subsumieren sind. § 634a Abs. 1 Nr. 3 BGB stellt somit einen Auffangtatbestand dar, der klarstellt, dass sonstige Werkleistungen innerhalb der regelmäßigen Verjährungsfrist verjähren. Erfasst werden sowohl Leistungen an Personen, als auch unkörperliche Leistungen, d.h. beispielsweise eine Tätowierung, ein Haarschnitt, eine Operation, ebenso wie Beförderungen, Konzertaufführungen, Gutachten[118] oder die Erstellung von Individualsoftwarelösungen.[119]

3.4.2.1.5 Arglistig verschwiegene Mängel

Wenn der Unternehmer das Vorliegen eines Mangels arglistig verschwiegen hat, unterliegen die Mängelansprüche des Bestellers der regelmäßigen Verjährung nach § 195 BGB. Die in § 634a Abs. 1 Nr. 1, 2 BGB geregelten Verjährungsfristen sind dann nicht anwend-

---

111 OLG Düsseldorf, U. v. 12.5.2000, 22 U 194/99, NZBau 2000, S. 573, im Fall der Pflasterung einer Terrasse, der Garagenzufahrt und der Herstellung einer Hofentwässerung.

112 Kniffka/*Kniffka*, ibrOK BauVertrR, Stand 10.8.2023, § 634a BGB Rn. 35.

113 OLG Hamm, U. v. 28.10.1998, 12 U 99/97, NJW-RR 1999, S. 462.

114 BGH, U. v. 16.5.1991, VII ZR 296/90, NJW 1991, S. 2486.

115 BGH, U. v. 17.12.1992, VII ZR 45/92, NJW 1993, S. 723.

116 OLG Köln, U. v. 20.1.2010, 11 U 3/10, BauR 2010, S. 1089.

117 Kniffka/*Kniffka*, ibrOK BauVertrR, Stand 10.8.2023, § 634a BGB Rn. 314.

118 Palandt/*Retzlaff*, BGB, 80. Aufl. 2021, § 634a Rn. 10.

119 Müko/*Busche*, BGB, 8. Aufl. 2020, § 634a Rn. 33, 34; Prütting/Wegen/Weinreich/*Leupertz/Halfmeier*, BGB, 13. Aufl. 2018, § 634a Rn. 10; Palandt/*Retzlaff*, BGB, 80. Aufl. 2021, § 634a Rn. 10.

bar. Letztlich regelt § 634a Abs. 3 BGB für arglistig verschwiegene Mängel damit eine Verlängerung der Verjährung für diejenigen Ansprüche, die sonst nach § 634a Abs. 1 Nr. 1 BGB verjähren und bewirkt einen Gleichlauf der Verjährungsfrist für die Ansprüche i.S.d. § 634a Abs. 1 Nr. 2 BGB jedenfalls dann, wenn die Verjährung nicht durch § 199 Abs. 1 BGB später zu laufen beginnt.

3.4.2.1.5.1 Arglist

Nach der Rechtsprechung des BGH verschweigt ein Unternehmer einen Mangel arglistig, wenn ihm dieser bei der Abnahme bekannt ist und er ihn dennoch nicht offenbart.[120]

Der Unternehmer muss den Mangel zunächst erkannt und ihn dennoch nicht gegenüber dem Besteller offenbart haben. Das Element der Arglist wird dabei in die vorgenannten Voraussetzungen integriert, sodass ein Mangel dann arglistig verschwiegen wird, wenn der Unternehmer den Mangel bewusst böswillig nicht offenbart.[121]

Angenommen wurde ein arglistiges Verschweigen des Unternehmers gegenüber dem Besteller beispielsweise im Fall eines Grundwassereintritts durch die Kelleraußenwände, weil der Unternehmer statt Sperrbeton Hohlblocksteine verwendet und den Besteller auf diesen Umstand nicht hingewiesen hatte.[122]

Ebenfalls wurde die Arglist des Unternehmers angenommen in einem Fall, in dem der Bauunternehmer bewusst abweichend vom Vertrag einen nicht erprobten Baustoff verwendete und den Besteller auf das mit der Verwendung des Baustoffes verbundene Risiko nicht hingewiesen hatte.[123]

3.4.2.1.5.2 Darlegen und Beweisen der Arglist

Der Besteller hat alle Umstände in Bezug auf die Arglist darzulegen und zu beweisen.[124]

Da die Führung eines Negativbeweises überaus schwierig ist, ist der Besteller häufig auf den Anscheinsbeweis angewiesen. Der Anscheinsbeweis erlaubt bei typischen Geschehensabläufen den Nachweis eines ursächlichen Zusammenhanges bzgl. eines schadhaften Verhaltens ohne exakte Tatsachengrundlage, sondern aufgrund von Erfahrungssätzen. Der typische Geschehensablauf, bei dem nach der Lebenserfahrung auf das Hervorrufen einer bestimmten Folge oder die Verursachung durch ein bestimmtes Verhalten geschlossen werden kann (Anschein), muss entweder unstreitig sein oder mit Vollbeweis bewiesen sein. Voraussetzung für einen Erfahrungssatz ist, dass er eindeutig und überprüfbar formuliert werden kann, dem neuesten Stand von Wissensstand und Forschung entspricht und seine Richtigkeit nach der Lebenserfahrung hinreichend feststeht.[125]

---

120 BGH, U. v. 8.3.2012, VII ZR 116/10, NZBau 2012, S. 359; BGH, U. v. 11.10.2007, VII ZR 99/06, NZBau 2008, S. 60.

121 Kniffka/*Kniffka*, ibrOK BauVertrR, Stand 10.8.2023, § 634a BGB Rn. 56.

122 BGH, U. v. 5.12.1985, VII ZR 5/85, NJW 1986, S. 980.

123 BGH, U. v. 23.5.2002, VII ZR 219/01, NZBau 2002, S. 503.

124 BGH, U. v. 6.2.1975, VII ZR 209/72, BauR 75, S. 419; BGB, U. v. 14.7.1983, VII ZR 365/82, NJW 1983, S. 2699; BGB, U. v. 12.11.2010, V ZR 181/09, NJW 2011, S. 1279.

125 OLG Düsseldorf, U. v. 7.2.2020, 22 U 548/19, BeckRS 2020, 7833; BGH, U. v. 4.3.1997, VI ZR 51/96, NJW 1997, S. 1853; BGH, U. v. 25.3.1993, VII ZR 280/91, NJW-RR 1993, S. 1022.

Der Anscheinsbeweis greift danach, wenn ein Mangel derart offensichtlich ist, dass der Unternehmer ihn nach der Lebenserfahrung erkannt und als Mangel eingeordnet hat.[126]

3.4.2.1.6 Auswirkung der Verjährung auf Rücktritt und Minderung

§ 634a BGB regelt darüber hinaus den Umgang mit den Gestaltungsrechten des Rücktritts und der Minderung. Bei Rücktritt und Minderung handelt es sich rechtstechnisch um Gestaltungsrechte, d.h. um subjektive Rechte, durch die ein neues Recht einseitig begründet oder ein bestehendes Rechtsverhältnis geändert oder aufgehoben werden kann. Gestaltungsrechte unterliegen jedoch nicht der Verjährung, weil nach § 194 BGB nur Ansprüche verjähren können. Durch den in § 634a Abs. 4 und 5 BGB jeweils geregelten Verweis auf § 218 BGB wird somit verhindert, dass durch die Ausübung eines Gestaltungsrechts nach Verjährungseintritt die Anspruchsverjährung faktisch umgangen wird.[127]

Die Regelung des § 634a Abs. 4 BGB ordnet deshalb unter Bezugnahme auf § 218 BGB an, dass der Rücktritt des Bestellers unwirksam ist, wenn sich der Unternehmer auf den Verjährungseintritt des Nacherfüllungsanspruchs beruft. Für den Fall der Minderung gilt § 634a Abs. 5 BGB, der regelt, dass die Minderung vonseiten des Bestellers nach den §§ 634a Abs. 5, 218 BGB unwirksam ist, wenn sich der Unternehmer auf den Verjährungseintritt des Erfüllungsanspruchs beruft.

3.4.2.2 Sonderregelungen nach der VOB/B

Wie bereits einleitend erwähnt, können die Parteien eines Werkvertrages durch die Vereinbarung der VOB/B auch andere Verjährungsfristen vereinbaren. § 13 Abs. 4 VOB/B enthält in seinen Nummern 1 und 2 Verjährungsfristen, die von denen des BGB abweichen. Die Verjährungsfristen in § 13 Abs. 4 Nr. 1 und Nr. 2 VOB/B differenzieren, ebenso wie das BGB, zwischen unterschiedlichen Arten von Werkleistungen. Nach § 13 Abs. 4 Nr. 1 Satz 1 VOB/B beträgt die Verjährungsfrist für Bauwerke vier Jahre, für andere Werke, deren Erfolg in der Herstellung, Wartung oder Veränderung einer Sache besteht und für die vom Feuer berührten Teile von Feuerungsanlagen, zwei Jahre. Dies gilt jedoch nicht für feuerberührte und abgashemmende Teile von industriellen Feuerungsanlagen. Für diese beträgt die Verjährungsfrist ein Jahr (§ 13 Abs. 4 Nr. 1 Satz 2 VOB/B). Für maschinelle und elektrotechnische/elektronische Anlagen oder Teile davon, bei denen die Wartung Einfluss auf die Sicherheit und Funktionsfähigkeit der Anlage hat, beträgt die Verjährungsfrist gemäß § 13 Abs. 4 Nr. 2 VOB/B zwei Jahre, sofern die Vertragsparteien nichts anderes vereinbart haben und sich der Auftraggeber dafür entschieden hat, dem Auftragnehmer die Wartung für die Dauer der Verjährungsfrist nicht zu übertragen. Die in § 13 Abs. 4 VOB/B geregelten Verjährungsfristen gelten mit entsprechenden Ausnahmen (§ 13 Abs. 5 Nr. 1 Satz 2 sowie Satz 3 VOB/B und § 13 Abs. 7 Nr. 4 VOB/B) für alle dem Auftraggeber zustehenden Rechte, die sich aus § 13 Abs. 5 bis Abs. 7 VOB/B ergeben.[128]

---

126 Vgl. dazu OLG Brandenburg, U. v. 30.6.1999, 13 U 141/98, BauR 1999, S. 1191; OLG Schleswig, U. v. 12.3.2004, 14 U 9/03, NZBau 2004, S. 442; OLG Hamm, U. v. 4.11.1997, 21 U 45/97, NJW-RR 1999, S. 171; OLG Braunschweig, U. v. 7.10.1999, 8 U 91/99, BauR 2000, S. 109.

127 Müko/*Busche*, BGB, 8. Aufl. 2020, § 634a Rn. 55.

128 Leinemann/*Schliemann*, Der Bauvertrag nach VOB/B, 7. Aufl. 2019, § 13 VOB/B Rn. 92.

3.4.2.3 Quasi-Unterbrechung gemäß § 13 Abs. 5 VOB/B

Gemäß § 13 Abs. 5 Satz 1 VOB/B ist der Unternehmer verpflichtet, alle während der Verjährungsfrist hervortretenden Mängel, die auf eine vertragswidrige Leistung des Unternehmers zurückzuführen sind, auf seine Kosten zu beseitigen, wenn der Besteller dies vor Ablauf der Verjährungsfrist schriftlich verlangt. Für die verjährungshemmende Wirkung der Mängelanzeige genügt auch eine E-Mail.[129]

Dieser Anspruch auf Beseitigung der gerügten Mängel verjährt gemäß § 13 Abs. 5 Nr. 1 Satz 2 VOB/B innerhalb von zwei Jahren ab dem Zugang des schriftlichen Mangelbeseitigungsverlangens, jedoch nicht vor Ablauf der Regelfrist nach Abs. 4 von vier Jahren oder der an ihrer Stelle vereinbarten Frist. Diese Regelung soll dem Besteller einen Ausgleich für die entgegen der gesetzlichen Verjährungsfrist von fünf Jahren verkürzte Verjährungsfrist von vier Jahren der VOB/B zugestehen.[130]

Es lässt sich also sagen, dass das erste schriftliche Beseitigungsverlangen die Verjährungsfrist ab Zugang auf zwei Jahre verlängert, sofern die verbliebene reguläre Verjährungsfrist nicht ohnehin länger ist. Wird andererseits die schriftliche Rüge eines Mangels am letzten Tag der regulären Verjährungsfrist ausgesprochen, wird damit die Zweijahresfrist gemäß § 13 Abs. 5 Nr. 1 Satz 2 VOB/B ausgelöst, sodass die Gewährleistungsfrist auf faktisch fast sechs Jahre ausgeweitet werden kann.

Bezüglich durchgeführter Mängelbeseitigungsarbeiten stehen dem Besteller wiederum Mängelansprüche zu, die der Verjährung unterliegen. Nach § 13 Abs. 5 Nr. 1 Satz 3 VOB/B beginnt mit der Abnahme der Mängelbeseitigungsleistung für diese eine Verjährungsfrist von zwei Jahren neu zu laufen, die ebenfalls nicht vor Ablauf der Regelfrist nach § 13 Abs. 4 Nr. 1 VOB/B von vier Jahren oder der an ihrer Stelle vereinbarten Frist endet. Daraus ergibt sich eine Quasi-Unterbrechung der Verjährungsfrist um zwei Jahre, die jedenfalls nach Auffassung der VII. Zivilsenates des BGH zulässig ist.[131] Denn die Möglichkeit, durch einseitige Erklärung die Gewährleistung auf bis zu sieben Jahre zu verlängern, ist mit den wesentlichen Grundgedanken der gesetzlichen Regelung vereinbar. Dafür spricht bereits, dass bei einer Klage oder einem selbständigen Beweisverfahren die Verjährungsfrist mitunter sogar noch mehr ausgedehnt wird (siehe § 204 Abs. 1 Nr. 7 und Nr. 1 BGB; § 202 Abs. 2 BGB).

3.4.2.4 Abweichende Vereinbarungen

Die Vorschrift des § 634a BGB ist grundsätzlich dispositiv, kann also auch abbedungen bzw. abgeändert werden. Eine solche Vereinbarung unterliegt aber sowohl bei individualvertraglichen Vereinbarungen, als auch im Rahmen von Allgemeinen Geschäftsbedingungen jedenfalls den Grenzen der Sittenwidrigkeit, Treu und Glauben und bei AGB den Anforderungen an die Wirksamkeit von Allgemeinen Vertragsbedingungen (§§ 138, 242 bzw. § 306 ff. BGB). Unter Berücksichtigung des § 202 Abs. 1 und Abs. 2 BGB können die Verjährungsfristen von den Vertragsparteien sowohl im Hinblick auf die Dauer der Verjäh-

129 OLG Köln, U. v. 22.6.2016, 16 U 145/15, BeckRS 2016, 11445.
130 BGH, U. v. 20.12.1971, VII ZR 97/70, NJW 1972, S. 530.
131 BGH, U. v. 27.9.2018, VII ZR 45/17, NJW 2019, S. 421.

rungsfristen, als auch im Hinblick auf den Beginn[132] oder die Hemmung abgeändert werden. Individuell ausgehandelte Abweichungen von § 634a BGB sind zulässig, solange sie nicht die Grenze von § 138 BGB, also der Sittenwidrigkeit, überschreiten.[133] Dies ist anzunehmen, wenn objektiv ein besonders grober Verstoß gegen das gesetzliche Leitbild vorliegt.

In Allgemeinen Geschäftsbedingungen sind die Möglichkeiten, von den Verjährungsfristen für Mängelansprüche abzuweichen, noch deutlich stärker beschränkt. Eine abweichende Bestimmung zur Verjährung, insbesondere eine Verkürzung, ist wie bereits erwähnt beispielsweise in § 13 VOB/B geregelt. Eine Verkürzung der Verjährungsfrist in Allgemeinen Geschäftsbedingungen ist nach § 202 Abs. 1 BGB grundsätzlich dann möglich, wenn die Verjährung nicht im Hinblick auf die Haftung wegen Vorsatzes erleichtert wird. Demgegenüber ist eine Verkürzung der Verjährungsfrist nach § 634a Abs. 1 Nr. 2 BGB unwirksam, wenn der Unternehmer in seinen AGB eine Verkürzung gegenüber einem Besteller, der nicht Unternehmer ist, vornimmt.

Im Übrigen kann die Verjährung von Mängelansprüchen bis zu einer Mindestfrist von einem Jahr verkürzt werden.

Eine Verlängerung der Verjährungsfristen ist bis zur Grenze von 30 Jahren (vgl. § 202 Abs. 2 BGB) möglich. Wird die Verjährungsfrist jedoch durch den Besteller als Verwender der AGB verlängert und damit eine unangemessene Benachteiligung des Unternehmers herbeigeführt, weil die Verlängerung der Verjährungsfrist mit dem Grundgedanken der gesetzlichen Regelung nicht mehr in Einklang steht, dann ist eine solche Verlängerung nach § 307 Abs. 1, 2 BGB unwirksam.[134]

Ob und wie eine Verlängerung der Verjährungsfrist in Allgemeinen Geschäftsbedingungen zulässig ist, muss stets nach einer Betrachtung im Einzelfall erfolgen. Für Flachdacharbeiten hat der BGH eine Verlängerung der Verjährungsfrist auf zehn Jahre und einen Monat für zulässig erachtet.[135]

Der BGH hat hierzu ausgeführt, dass eine solche Verlängerung nur dann zulässig ist, wenn der Besteller ein besonderes Interesse an der Verlängerung der Verjährungsfrist hat. Das ist beispielsweise der Fall, wenn es sich um ein Gewerk handelt, bei dem Ausführungsmängel wie auch Planungsmängel häufig vorkommen und erfahrungsgemäß Mängel oft erst später als fünf Jahre nach der Abnahme auftreten.[136]

Es lässt sich erkennen, dass nur in Ausnahmefällen eine deutliche Verlängerung der Verjährungsfrist zulässig ist, also nur bei besonders mangelanfälligen und schadensgeneigten Gewerken.

Besondere Aufmerksamkeit ist bei der Erstellung und Unterzeichnung von Abnahmeprotokollen geboten. Denn auch in Abnahmeprotokollen können abweichende Vereinbarungen zur Dauer der Verjährung getroffen werden. Die Unterzeichnung des Abnahmeprotokolls

132 BGH, U. v. 27.5.1999, VII ZR 291/97, NJW-RR 2000, S. 164.
133 MüKo/*Busche*, BGB, 8. Aufl. 2020, § 634a Rn. 60.
134 MüKo/*Busche*, BGB, 8. Aufl. 2020, § 634a Rn. 63.
135 BGH, U. v. 9.5.1996, VII ZR 259/94, NJW 1996, S. 2155.
136 BGH, U. v. 9.5.1996, VII ZR 259/94, NJW 1996, S. 2155.

durch den Unternehmer führt zur verbindlichen Änderung der Verjährung, wenn im Abnahmeprotokoll ein anderer Verjährungsbeginn oder ein anderes Verjährungsende als im Vertrag vereinbart eingetragen wird.[137]

Dies wird damit begründet, dass die Unterschrift des Unternehmers unter dem Abnahmeprotokoll eine Willenserklärung und nicht bloß eine reine Wissenserklärung darstelle.[138] An dieser Auffassung bestehen jedoch erhebliche Zweifel. Jedenfalls ist durch Auslegung zu ermitteln, ob durch die Angabe einer anderen Verjährungsfrist im Abnahmeprotokoll als im Bauvertrag vereinbart, eine einvernehmliche Verkürzung bzw. Verlängerung der Gewährleistungsfrist vereinbart wurde oder ob ein Redaktionsversehen vorliegt.[139]

Dem Unternehmer ist daher zu raten, stets genau zu prüfen, welche Inhalte sich im Abnahmeprotokoll wiederfinden und bei Unklarheiten unverzüglich schriftlich zu widersprechen. Dies muss wohl auch für die übrige Baustellenkorrespondenz gelten.

3.4.2.5 Hemmung und Neubeginn der Verjährung

Die bereits laufende Verjährungsfrist kann gehemmt werden oder ihr Lauf kann neu beginnen. Hemmung im Sinne von § 209 BGB bedeutet, dass die Zeit vom Eintritt bis zum Ende des Hemmungsgrundes in die Verjährungsfrist nicht mit eingerechnet wird, sondern der Hemmungszeitraum wird hinten an die Verjährungsfrist angehängt. Hemmungstatbestände können enden und neu beginnen und es können verschiedene Hemmungstatbestände zueinanderkommen. Dies führt dazu, dass die Verjährungsfrist immer wieder neu zu berechnen ist. Da die einzelnen Hemmungstatbestände ihrerseits wiederrum nicht selten in Bezug auf ihren Anfang und ihr Ende schwer greifbar sind, entstehen immer wieder erhebliche Risiken. Diese Rechtsunsicherheit wird noch dadurch verschärft, dass sich verschiedene Hemmungs- und Neubeginntatbestände nur auf die jeweils betroffenen Mängel beziehen.[140]

Dies führt dazu, dass die Gewährleistungsfrist nicht mehr einheitlich behandelt wird, sondern für den gesamten Vertrag viele verschiedene Fristenden gelten können.

Neben der Hemmung kann die Verjährung auch von Neuem beginnen. § 212 BGB regelt, dass mit Eintritt eines bestimmten Ereignisses die Verjährungsfrist insgesamt von vorne zu laufen beginnt. Das ist beispielsweise beim Anerkenntnis der Fall.

3.4.2.5.1 Rolle der Symptomrechtsprechung in Bezug auf die Verjährung

Maßgebend in Bezug auf die Beurteilung von Hemmungs- und Neubeginntatbeständen von Mängelansprüchen ist die Symptomrechtsprechung des Bundesgerichtshofes. Der Besteller hat den Mangel nach seinem äußeren Erscheinungsbild zu beschreiben und muss nicht bereits die Ursachen für das Vorhandensein des Mangels ermitteln. Der Unternehmer

137 OLG Braunschweig, U. v. 20.12.2012, 8 U 7/12, BauR 2013, S. 824; KG, U. v. 15.4.2014, 7 U 57/13, BeckRS 2014, 119072; OLG Düsseldorf, U. v. 9.2.2016, 21 U 183/15, WM 2017, S. 811.

138 OLG Düsseldorf, U. v. 9.2.2016, 21 U 183/15, WM 2017, S. 811.

139 BGH, U. v. 27.9.2018, VII ZR 45/17, NJW 2019, S. 421.

140 BGH, U. v. 3.12.1992, VII ZR 86/92, NJW 1993, S. 851; BGH, U. v. 12.4.2007, VII ZR 236/05, NJW 2007, S. 1952.

hat dann die Mängelbehauptung zu überprüfen und Grund und Umfang seiner Leistungspflicht selbst zu beurteilen.[141]

Wird das äußere Erscheinungsbild eines Mangels gerügt, wird damit der Mangel insgesamt mit all seinen Ausprägungen zum Gegenstand der Mangelrüge.[142]

Rügt der Besteller z.B. einen Wasserfleck an der Decke, ist mit dieser Rüge nicht nur das undichte Dach als Mangelursache umfasst, sondern auch alle Folgeschäden, die ebenfalls auf dem undichten Dach beruhen. Die Verjährung kann dann also nicht nur in Bezug auf den Wasserfleck an der Decke gehemmt sein, sondern auch in Bezug auf die eigentliche Mangelursache – undichtes Dach – und die weiteren Folgen des undichten Daches.[143]

3.4.2.5.2 Hemmung durch Verhandeln und durch Rechtsverfolgung

Die wichtigsten Vorschriften für die Hemmung der Verjährung sind § 203 und § 204 BGB. Sie definieren die verschiedenen Tatbestände, die eine Hemmung der Verjährung bewirken. Zu nennen ist hier zunächst die Hemmung durch Verhandeln gemäß § 203 BGB. Führen die Vertragsparteien über einen Anspruch oder die den Anspruch begründenden Umstände Verhandlungen, so ist die Verjährung gehemmt. Die Hemmungswirkung endet, wenn eine der Parteien die Fortsetzung der Verhandlung verweigert oder sie beendet. Nach § 203 Satz 2 BGB tritt die Verjährung frühestens drei Monate nach dem Ende der Hemmung ein. Der Begriff des Verhandelns wird nach der Rechtsprechung des Bundesgerichtshofes weit ausgelegt. Danach genügt jeder Meinungsaustausch über den Schaden bzw. Mangel. Dies jedenfalls dann, wenn nicht die Einstandspflicht sofort und eindeutig zurückgewiesen wird.[144]

Für den Beginn der Hemmung muss eine konkrete Vergleichsbereitschaft objektiv nicht bestehen.[145] Bereits die Mitteilung, der Schadensfall sei der Haftpflichtversicherung zur Prüfung übergeben worden, kann ein Verhandeln begründen.[146] Es bedarf also lediglich der Bereitschaft zur Aufnahme von Verhandlungen.

Darüber hinaus kann die Verjährung auch durch Rechtsverfolgung gehemmt werden. § 204 BGB zählt die einzelnen Hemmungstatbestände auf. Von besonderer Bedeutung für das Baurecht sind:

- Nr. 1 – Klageerhebung;
- Nr. 3 – Zustellung des Mahnbescheides;
- Nr. 5 – Aufrechnung im Prozess;

---

141 BGH, U. v. 26.2.1987, VII ZR 64/86, NJW-RR 1987, S. 798.

142 BGH, U. v. 3.7.1997, VII ZR 210/96, NJW-RR 1997, S. 1376; BGH, U. v. 24.8.2006, VII ZR 41/14, NJW-RR 2016, S. 1423.

143 BGH, U. v. 7.7.2005, VII ZR 59/04, NZBau 2005, S. 638; BGH, U. v. 18.1.1990, VII ZR 260/88, NJW 1990, S. 1472; BGH, U. v. 20.4.1989, VII ZR 334/87, BauR 1989, S. 603; BGH, U. v. 30.10.2007, X ZR 101/06, NJW 2008, S. 576.

144 BGH, U. v. 26.10.2006, VII ZR 194/05, NJW 2007, S. 587; BGH, U. v. 30.10.2007, X ZR 101/06, NJW 2008, S. 576.

145 BGH, U. v. 8.5.2001, VI ZR 208/00, NJW-RR 2001, S. 1168.

146 BGH, U. v. 1.2.2007, IX ZR 180/04, NJW-RR 2007, S. 1358.

- Nr. 6 – Zustellung der Streitverkündung;
- Nr. 7 – Zustellung des Antrags auf Durchführung eines selbständigen Beweisverfahrens;
- Nr. 11 – Beginn des schiedsgerichtlichen Verfahrens.

Für die Hemmung der Verjährung kommt es (mit Ausnahme der Streitverkündung) nicht auf die Zulässigkeit des Antrags auf Einleitung des Verfahrens an. Auch die unzulässige Klage hemmt die Verjährung.[147] Ein unzulässiger Antrag auf Durchführung eines selbständigen Beweisverfahrens hemmt die Verjährung, wenn er nicht als unstatthaft zurückgewiesen wurde.[148] Eine Hemmung der Verjährung kommt jedoch nur in Betracht, wenn der Antragsteller überhaupt antragsberechtigt ist.[149]

Der Umfang der Hemmung hängt vom dargelegten Streitgegenstand ab und begrenzt demnach die Hemmungswirkung. Hiervon auszunehmen ist der Feststellungsantrag, der zur Hemmung der Verjährung des Anspruchs insgesamt führt.[150]

Auch nur hilfsweise geltend gemachte Ansprüche hemmen die Verjährung. Bei einer Zahlungsklage kommt es auf den bezifferten Betrag an. Eine Teilklage hemmt nur in Höhe des eingeklagten Betrages.[151]

Bei einer Vorschussklage wird denklogisch die Feststellung mit beantragt, dass der Unternehmer den vollen erforderlichen Betrag für die Beseitigung des Mangels mitzutragen hat. Die Hemmung betrifft also den über den einklagten Teil hinausgehenden Betrag, der erforderlich ist, um den Mangel tatsächlich zu beseitigen.[152]

3.4.2.6 Prozessuales und Darlegungs- und Beweislast

Die Einrede der Verjährung wird nicht von Amts wegen geprüft, sondern muss innerhalb des Prozesses als prozessuale Einrede von demjenigen erklärt werden, der sich auf sie beruft. Die jeweilige Partei kann sich auch auf eine vorprozessual erklärte Einrede der Verjährung berufen.

Wird die Einrede der Verjährung erstmals im Rahmen eines Prozesses erhoben und ist der Anspruch nur wegen der Einrede der Verjährung nicht mehr durchsetzbar, stellt dies ein erledigendes Ereignis dar, unabhängig davon, ob die Verjährung bereits vor Klagerhebung eingetreten war.[153]

Um den Prozess nicht zu verlieren, muss der Kläger in diesem Fall den Rechtstreit unverzüglich für erledigt erklären. Widerspricht der Beklagte der Erledigungserklärung, muss der Kläger beantragen, dass festgestellt wird, dass die Klage bis zur Einrede der Verjährung begründet war. Auf diese Weise kann der Kläger die Kostentragungslast vermeiden.

---

147 BGH, U. v. 12.4.2007, VII ZR 236/05, NJW 2007, S. 1952; BGH, U. v. 6.12.2007, IX ZR 143/06, NJW 2008, S. 519.

148 BGH, U. v. 22.1.1998, VII ZR 204/96, NJW 1998, S. 1305.

149 BGH, U. v. 29.10.2009, I ZR 191/07, NJW 2010, S. 2270.

150 BGH, U. v. 25.2.2010, VII ZR 187/08, NZBau 2010, S. 365.

151 BGH, U. v. 18.3.1976, VII ZR 35/75, NJW 1976, S. 960.

152 BGH, U. v. 25.9.2008, VII ZR 204/07, NJW 2009, S. 60; BGH, U. v. 10.11.1988, VII ZR 140/87, NJW-RR 1989, S. 208.

153 BGH, U. v. 27.1.2010, VIII ZR 58/09, NJW 2010, S. 2422.

Wenn die Einrede der Verjährung erstmals im Berufungsverfahren erhoben wird, besteht die Gefahr, dass derjenige, der sich auf die Verjährung beruft, mit dieser Einrede gemäß § 531 ZPO präkludiert ist.

Im Allgemeinen trägt derjenige, der sich auf die Einrede der Verjährung beruft, auch die Darlegungs- und Beweislast für alle Umstände, die die Einrede begründen. Im Zweifel hat er alle Umstände darzulegen und zu beweisen.[154] Hierzu muss in jedem Fall zum Beginn und zum Ende der Verjährungsfrist vorgetragen werden. Demnach muss der Besteller, der sich auf die Verjährung beruft, auch immer zur Abnahme vortragen.[155]

Wenn also dargelegt und bewiesen ist, dass die Verjährungsfrist zu laufen begonnen hat und sie nach der Vereinbarung oder nach dem Gesetz abgelaufen wäre, obliegt es sodann dem anderen Teil, Umstände darzulegen und ggf. zu beweisen, die zu einer Verjährungsverlängerung durch Hemmung oder Neubeginn führen würden. Dann obliegt es wiederum demjenigen, der die Einrede der Verjährung erhoben hat, darzulegen und zu beweisen, dass die Hemmung der Verjährung wieder geendet hat.[156]

154 BGH, U. v. 20.5.2003, X ZR 57/02, NZBau 2003, S. 559.

155 BGH, U. v. 30.1.1980, VIII ZR 237/78, NJW 1981, S. 274; BGH, U. v. 25.6.2015, VII ZR 220/14, ZfBR 2015, S. 676.

156 BGH, U. v. 30.9.1993, VII ZR 136/92, NJW-RR 1994, S. 373.

3.5 Honorierung von außergerichtlichen Sachverständigenleistungen

Werner Seifert

Übersicht

3.5.1 Allgemeiner Überblick über die Honorierung der Leistungen von Bausachverständigen

3.5.1.1 Allgemeine Grundsätze für eine angemessene Vergütung

Sachverständige sind allgemein Dienstleister. Von vielen anderen Dienstleistern unterscheiden sie sich aber insbesondere dadurch, dass sie über eine besondere Sachkunde, also über ein überdurchschnittliches Expertenwissen, verfügen, in der Lage sind, Gutachten zu erstatten und ihre Aufträge unter strenger Wahrung der Unparteilichkeit selbsttätig zu erfüllen. In der Regel sind sie zur persönlichen Gutachtenerstattung verpflichtet. Sie sind deshalb in vielen Fällen auch „Einzelkämpfer", die selbst bei guter Auftragslage nicht ohne Weiteres Mitarbeiter einstellen und beschäftigen können. Als Dienstleister mit einer besonderen Sachkunde muss ihnen deshalb auch eine besondere Vergütung zustehen, die über der Vergütung liegt, wie sie üblicherweise von nicht sachverständigen Kollegen ihres Berufsstands verlangt wird. Soweit sie für ihre Auftragsbewältigung nicht beliebig viele Mitarbeiter einstellen und Aufgaben delegieren können und damit der Mehrwertfaktor „Personal" nur sehr eingeschränkt genutzt werden kann, können sie ihr Einkommen im Wesentlichen nur über zwei Parameter steuern:

- **Zeiteinsatz**
- **Leistungspreis**

Das zur Verfügung stehende Zeitkontingent ist zweifellos begrenzt. Damit ist ersichtlich, dass Bausachverständige im Wesentlichen den Preis für ihre Leistung nutzen müssen, um insgesamt zu einem angemessenen Einkommen zu gelangen. Umso unverständlicher ist es, wenn sich Bausachverständige unter Wert verkaufen und unangemessen niedrige Stundensätze anbieten.

Insbesondere die **fachliche Qualifikation des Sachverständigen** sowie der **Umfang und der Schwierigkeitsgrad der Aufgabenstellung** bestimmen aber die Angemessenheit der Vergütung („Honorar"). Umgekehrt können **einwandfreie Sachverständigenleistungen** dauerhaft nur erbracht werden, wenn Sachverständige eine **angemessene Vergütung** erhalten. Denn diese müssen ihre besondere Sachkunde kontinuierlich auf einem aktuellen Stand halten und neueste fachliche Entwicklungen verfolgen. Sie können sich nicht auf dem Polster einer einmal erlangten öffentlichen Bestellung und Vereidigung ausruhen. Gerade Bausachverständige müssen neben einer sachspezifischen Fortbildung auch die einschlägige Rechtsprechung sowie den fachbezogenen baurechtlichen Meinungsstreit verfolgen. Allgemein sind sie zur Weiterbildung verpflichtet. Idealerweise erlangen sie eine entsprechende Reputation auch über fachliche Veröffentlichungen, die im Allgemeinen allerdings vergleichsweise gering vergütet werden. Ein solcher Aufwand muss dann über die „normale" Sachverständigentätigkeit „quersubvensioniert" werden.

Damit ist ersichtlich, dass der *Billige-Jakob-Sachverständige* weder sich selbst noch seinen Kunden noch dem gesamten Berufsstand gerecht werden kann.

Darüber hinaus müssen Sachverständige ihre Gutachtenerstattung unabhängig durchführen können. Ihre wirtschaftliche Situation muss es auch zulassen können, Aufträge abzulehnen, wenn beispielsweise das auftraggeberseitig gewollte Ergebnis mit der eigenen fachlichen Überzeugung nicht in Einklang zu bringen ist.

Außerhalb der gerichtlichen Gutachtenerstattung muss sich der Bausachverständige um eine angemessene Vergütung allerdings selbst bemühen. Während der Sachverständige bei Gericht den restriktiven Beschränkungen des JVEG (Justizvergütungs- und Entschädigungsgesetz) unterworfen ist, kann er bei der privaten Gutachtenerstattung, abgesehen von Ausnahmefällen mit preisrechtlichen Beschränkungen durch die HOAI (Honorarordnung für Architekten und Ingenieur; vgl. unter Abschnitt 3.5.4), die Möglichkeiten des freien Marktes weitgehend nutzen.

3.5.1.2 Grundlagen der Honorierung bei der privaten Gutachtenerstattung

Bausachverständige erbringen ihre Leistungen für private oder öffentliche Auftraggeber auf Basis zivilrechtlicher Verträge. Die Art der Vergütung richtet sich nach dem Leistungsinhalt des Auftrags. Bei außergerichtlichen Gutachtenaufträgen – sog. *Privatgutachten* – können die Aufgaben von Bausachverständigen vielfältig sein:

Beispiele

- *Leistungs- bzw. Qualitätskontrolle von Unternehmerleistungen, Bauüberwachung*
- *Ausarbeiten von Lösungsvorschlägen bei Baumängeln*
- *Aufstellungen von Abrechnungsunterlagen (z.B. nach VOB oder HOAI)*
- *Überprüfen von Abrechnungsunterlagen (z.B. nach VOB oder HOAI)*
- *Vorbereitung von gerichtlichen Auseinandersetzungen durch mündliche Beratung oder schriftliche Gutachten*
- *Begleitung einer Partei bei gerichtlichen Auseinandersetzungen*
- *Schriftliche Auseinandersetzung mit Gerichtsgutachten*
- *Führen oder Begleiten von Schlichtungsgesprächen*
- *Durchführen oder Begleiten von Mediationsverfahren*
- *Mitwirken bei Schiedsgerichtsverfahren*
- *Ausarbeiten von Schiedsgutachten*
- *sonstige Privatgutachten*

Bei Privatgutachten schulden Bausachverständige im Allgemeinen einen werkvertraglichen Erfolg. Ein Gutachten muss allgemein sachlich richtig sein. Dessen Beschaffenheit richtet sich ansonsten nach den vertraglichen Vereinbarungen. Insofern ist regelmäßig Werkvertragsrecht anzuwenden (§§ 631 ff. BGB).

Ausnahmsweise können aber auch dienstvertragliche Leistungspflichten mit einem Bausachverständigen vereinbart sein. Dann ist Dienstvertragsrecht anzuwenden (§§ 611 ff. BGB). Dies ist immer dann der Fall, wenn dieser allein eine Tätigkeit ohne Werkerfolg schuldet.

Beispiel

Ein Dienstvertrag liegt vor, wenn ein Bausachverständiger von einem Prozessbeteiligten allein zur Teilnahme an einer Gerichtsverhandlung beauftragt wird.

Sowohl beim Werkvertrag als auch beim Dienstvertrag sieht das Gesetz keine bestimmte Form der Vertragsvereinbarung vor. Ein Vertrag kann **in Schriftform** (§ 126 BGB), **in Textform** (§ 126b BGB), aber auch **mündlich** geschlossen werden. Ein solcher kann sich auch aus einem **schlüssigen Verhalten** der Vertragspartner ergeben („konkludenter Vertragsschluss"). Im Zweifel ist entscheidend, ob die erbrachte Leistung auftraggeberseitig **entgegengenommen** bzw. **verwertet** wird.[1] Dabei kommt es auf ein **Erklärungsverhalten des Auftraggebers** an. Ein solches liegt beispielsweise dann vor, wenn der Auftraggeber das Gutachten zur Wahrung seiner Interessen verwertet oder daraus entsprechende Schlüsse zieht oder auf der Basis des Gutachtens bestimmte Handlungen vornimmt oder entsprechende Entscheidungen trifft.

Als Gegenleistung für die übernommene vertragliche Verpflichtung erhält der Bausachverständige allgemein eine Vergütung (Honorar).

Praxistipp

Aufträge nur mit schriftlicher Honorarvereinbarung bearbeiten.

Ein **mündlicher Gutachtenvertrag** kommt allerdings **nicht** zustande, wenn die **Schriftform verabredet** ist. Teilt z.B. ein Sachverständiger auf eine ihm angetragene Bitte um Erstellung eines Gutachtens mit, er werde Untersuchungen vor Ort zu einem bestimmten Stundensatz durchführen, vor Erstellung seines Gutachtens müsse aber ein schriftlicher Vertrag geschlossen werden, erhält er, wenn es nicht zur Vertragsunterzeichnung kommt, für seine durchgeführten Untersuchungen auch keine Vergütung.[2] Dies steht auch im Einklang mit dem Gesetz. Denn wenn eine Beurkundung des beabsichtigten Vertrag verabredet worden ist, so ist im Zweifel der Vertrag nicht geschlossen, bis die Beurkundung erfolgt ist (§ 154 Abs. 2 BGB).

Praxistipp

Einen Gutachtenauftrag in der Regel nicht von der Beurkundung abhängig machen.

Im Zweifel muss der Bausachverständige zunächst beweisen, dass ihm ein Auftrag übertragen wurde und welchen Inhalt dieser Vertrag hat.

Liegt ein geschlossener Vertrag vor, gilt im Zweifel eine **Vergütung** als **stillschweigend vereinbart**, wenn die Leistung den Umständen nach nur gegen eine Vergütung zu erwarten ist – beim Werkvertrag nach § 632 Abs. 1 BGB; beim Dienstvertrag nach § 612 Abs. 1 BGB.

---

1 Vgl. ausführlich zum Vertragsschluss: *Locher/Koeble/Frik,* 13. Aufl. 2016, Einl. Rn. 54–59.
2 AG Diez, U. v. 27.12.2006 – 8 C 296/06, IBR 2007, S. 1182.

Für die **Bemessung der Vergütung** des Sachverständigen ist zunächst der Inhalt der zwischen den Parteien getroffenen Vereinbarung maßgeblich. Die Höhe der Vergütung können nach § 632 Abs. 2 BGB – in dieser Reihenfolge – bestimmen:[3]

- **tatsächliche Honorarabsprache**,
- **eventuell vorliegende Taxe**,
- **übliche Vergütung**.

Kann eine übliche Vergütung nicht festgestellt werden (z.B. für eine sehr spezielle Aufgabenstellung), ist sie nach den Grundsätzen der **ergänzenden Vertragsauslegung** zu bestimmen. Wenn sich auch auf diesem Wege die Vertragslücke nicht schließen lässt, kann der Bausachverständige die Vergütung **nach billigem Ermessen** einseitig festlegen (vgl. unter Abschnitt 3.5.1.3).

Bei der außergerichtlichen Vergütung des Bausachverständigen ist allgemein zu untersuchen, welcher Leistungsinhalt geschuldet ist. Bestehen für Leistungen von Bausachverständigen öffentlich-rechtliche Gebührenvorschriften („Taxen"), z.B. auch für Prüfingenieure (mit landesrechtlichen Gebührenregelungen) oder preisrechtliche Vorschriften (insbesondere: Verordnung über die Honorare für Leistungen der Architekten und der Ingenieure – HOAI), können sich Vergütungsvereinbarungen nur in diesem Rahmen bewegen. Eine Besonderheit ergibt sich allerdings für Leistungen nach der HOAI, mit einem Vertragsschluss ab dem 1.1.2021. Denn seit diesem Zeitpunkt bildet die HOAI allgemein nur noch eine Preisorientierung (§ 1 Satz 2 und § 2a HOAI). Mit einem Vertragsschluss seit dem 1.1.2021 können also auch Honorare für Leistungen nach der HOAI vollkommen frei vereinbart werden. Voraussetzung dafür ist allerdings eine Vereinbarung in Textform (§ 7 Abs. 1 Satz 1 HOAI).

Für Leistungen von Bausachverständigen können im Rahmen von Privatgutachten im Regelfall **freie Honorarvereinbarungen** geschlossen werden (vgl. unter Abschnitt 3.5.2). Nur in Sonderfällen, in denen preisrechtliche Bindungen der Vertragspartner vorliegen, wie sie sich insbesondere aus der HOAI mit einem Vertragsschluss bis zum 31.12.2020[4] ergeben können, liegen **Beschränkungen bei den Honorarvereinbarungen** vor. Leistungen von Bausachverständigen können dabei die verschiedenen **Leistungsbilder der HOAI** mit den dort benannten Grundleistungen (vgl. unter Abschnitt 3.5.4) und Besonderen Leistungen (vgl. unter Abschnitt 3.5.5) betreffen. Bei der Frage, ob die HOAI anwendbar ist, kommt es aber nicht darauf an, ob Leistungen von einem Architekten oder Ingenieur zu erbringen sind, sondern auf den Leistungsinhalt. Denn die HOAI ist nicht berufsstands-, sondern leistungsbezogen zu verstehen.[5] Für eine **Anwendung der HOAI** muss also eine Leistung vorliegen, deren Honorierung nach dieser Verordnung geregelt ist. Liegt ein Anwendungsfall der HOAI vor, ist zu beachten, dass Honorarvereinbarungen dann regelmäßig preisrechtlichen Einschränkungen unterliegen. Für vertiefende Fragen zur Honorar-

3 BGH, U. v. 4.6.2006 – X ZR 122/05, IBR 2006, S. 1398.

4 Sog. HOAI 2013.

5 BGH, U. v. 22.5.1997 – VII ZR 290/05, BauR 1997, S. 677; IBR 1997, S. 286.

abrechnung nach der HOAI ist auf die einschlägige Kommentierung zur HOAI zu verweisen.[6]

Schließlich können Bausachverständige auch bei einer außergerichtlichen Streitbeilegung als Schiedsgutachter, Schiedsrichter, Mediator, Schlichter oder Adjudikator tätig werden. Hierfür sind besondere Honorierungsgrundsätze zu beachten (vgl. unter Abschnitt 3.5.6).

Praxistipp

Zunächst sollte untersucht werden, ob ein Anwendungsfall nach der HOAI vorliegt. Soweit davon auszugehen ist oder Zweifel bestehen, sollte eine Honorarvereinbarung mittels schriftlicher Vertragsurkunde vor Leistungsbeginn getroffen werden.

Wurde trotz Vertragsschluss eine Honorarvereinbarung nicht getroffen und sind auch keine öffentlich-rechtliche oder preisrechtliche Vergütungsvorschriften anwendbar, kann der Bausachverständige die **übliche Vergütung** verlangen (vgl. nachfolgend: Abschnitt 3.5.1.3).

Kann ein Bausachverständiger einen Vertragsschluss dagegen nicht beweisen, kommen als Anspruchsgrundlage ausnahmsweise Ansprüche nach **Treu und Glauben** (§ 242 BGB) auch aus **Geschäftsführung ohne Auftrag** („GoA"; § 677 BGB) oder **ungerechtfertigter Bereicherung** (§ 812 BGB) in Betracht. Eine Geschäftsführung ohne Auftrag kann vorliegen, wenn ein Vertrag, z.B. aus formalen Gründen, nicht zustande kam, bzw. sich im Nachhinein als nichtig erweist, die Leistung aber gleichwohl erbracht wurde bzw. erbracht werden musste. Die Übernahme der *Geschäftsführung* muss aber dem wirklichen oder mutmaßlichen Willen des *Geschäftsherrn* entsprochen haben (§ 683 BGB). In diesen Fällen sollte der Bausachverständige jedoch regelmäßig einen im Baurecht erfahrenen Rechtsanwalt konsultieren.

3.5.1.3 Übliche Vergütung

Wurde ein Vertrag über eine private Gutachtenerstattung oder andere privatgutachterliche Leistungen konkludent, mündlich, in Textform oder schriftlichen geschlossen, ist die Vergütung über eine Taxe oder über preisrechtliche Vorschriften nicht bestimmt und fehlt auch eine Honorarvereinbarung oder eine sonstige Absprache über die Vergütung, so ist die **übliche Vergütung** als vereinbart anzusehen (§ 632 Abs. 2 BGB).[7]

Allerdings ist die übliche Vergütung bei den Leistungen der Bausachverständigen vielfach nur schwer oder nicht feststellbar.

Allgemein gilt, dass eine **Vergütung üblich** ist, wie sie zur **Zeit des Vertragsabschlusses** für **Leistungen gleicher Art und Güte** sowie **gleichen Umfangs** am **Leistungsort** nach **allgemein anerkannter Auffassung** bezahlt werden muss.[8]

Eine allgemein gültige übliche Vergütung gibt es für Bausachverständige nicht.

---

6 Vgl. z.B. *Fuchs/Berger/Seifert*, Beck'scher HOAI- und Architektenrechts-Kommentar: HOAI, 2016, oder *Locher/Koeble/Frik*, Kommentar zur HOAI, 13. Aufl. 2016.

7 BGH, U. v. 10.10.2006 – X ZR 42/06, BauR 2006, S. 2110; IBR 2006, S. 1559.

8 *Grüneberg,* § 632 Rn. 15; vgl. auch Bayerlein/*Roeßner,* § 42 Rn. 10 ff.

Schon die **Stundensätze der vor dem 18.8.2009 gültigen Fassungen der HOAI** (§ 6 Abs. 2 HOAI 1996 mit 38,- bis 82,- Euro für den Auftragnehmer) waren für eine **Bemessung der üblichen Vergütung** bei Gutachtenaufträgen von Bausachverständigen **nicht geeignet**. Zwar werden Baugutachten regelmäßig von Architekten und/oder Ingenieuren erbracht, aufgrund ihres Geltungsbereichs war die HOAI in diesen Fällen aber schon im Grundsatz nicht anwendbar. Denn aufgrund der Ermächtigungsnorm des ArchLG (Gesetz zur Regelung von Ingenieur- und Architektenleistungen) gilt die HOAI (nach wie vor) nur dann, wenn es um Leistungen geht, die in der HOAI beschrieben sind.[9] Die Leistungen von Bausachverständigen sind, abgesehen von Tatbeständen, wie sie sich explizit aus der HOAI ergeben (vgl. unter Abschnitt 3.5.4), nicht von der HOAI erfasst und regelmäßig auch schwieriger als sonstige Leistungen von Architekten und Ingenieuren. Darüber hinaus erfordern sie allgemein auch eine besondere Sachkunde.

Auch die Umfragen unter Bausachverständigen haben gezeigt, dass die Stundensätze der HOAI für derlei Tätigkeiten nicht als *üblich* anzusehen sind (vgl. unter Abschnitt 3.5.2.4).

Auch aus dem **JVEG** ergeben sich privatrechtlich **keine üblichen Vergütungen**.[10] Selbst bei einem prozessbegleitend eingeholten Privatgutachten, sind die Vergütungssätze des JVEG nicht maßgeblich.[11]

Gleichwohl hat das OLG Zweibrücken die Auffassung vertreten, dass das JVEG zwar nicht unmittelbar, aber doch als **Orientierungsmaßstab für die übliche Vergütung** heranzuziehen sei. Demnach sei ein höherer Zuschlag als 20 % auf Sätze des JVEG, für ein von einem Prozessbeteiligten eingeholtes Privatgutachten, nicht gerechtfertigt. Bei einem Satz von 75,00 Euro der damaligen Anlage 1 zu § 9 JVEG hat das Gericht nur einen Stundensatz von **90,00 Euro** und ein **Kilometergeld von 0,36 Euro** als gerechtfertigt angesehen.[12] Das LG Saarbrücken hat entschieden, dass sich die ortsübliche Vergütung eines Sachverständigen an den Sätzen des JVEG orientieren würde. Ein Zuschlag von 20 % könne nicht geltend gemacht werden.[13] Weil die Festlegungen nach JVEG auf der Basis von Umfragen durchgeführt wurden, die schon zum Zeitpunkt der Festlegung veraltet waren und darüber hinaus auch Abminderungen vorgenommen wurden, die damit begründet wurden, dass Rücksicht auf die öffentlichen Haushalte zu nehmen sei, die Haftungsrisiken für gerichtliche Sachverständige gering seien und der öffentliche Auftraggeber ein solventer Schuldner und „Großauftraggeber" sei, ist diese Ansicht **abzulehnen**. Bei privater Gutachtenerstattung sind die Sätze des JVEG allgemein weder sachgerecht noch ortsüblich.

Will man auf die Stundensätze abstellen, wie sie bei Sachverständigen nach Bestellungsgebieten abgefragt wurden (vgl. unter Abschnitt 3.5.2.2), muss mindestens eine zwischenzeitliche Preissteigerung berücksichtigt werden. Gerade bei Bausachverständigen sind darüber hinaus erhebliche regionale Unterschiede festzustellen. Dabei liegt eher ein Süd-Nord-Gefälle als ein West-Ost-Gefälle vor. Auch die individuelle Qualifikation eines Sachverständigen darf nicht unberücksichtigt bleiben.

9 BGH, 22.5.1997 – VII ZR 290/05; BauR 1997, S. 677; IBR 1997, S. 286.

10 BGH, U. v. 4.4.2006 – X ZR 122/05, IBR 2006, S. 1398; ebenso: *Wessel*, IBR 2013, S. 32; vgl. Praxishinweis zu AG Kassel, U. v. 9.10.2012 – 435 C 6301/11.

11 BGH, B. v. 25.1.2007 – VII ZB 74/06; BauR 2007, S. 744; IBR 2007, S. 287.

12 OLG Zweibrücken, B. v. 12.11.2007 – 1 W 54/07, IBR 2008, S. 119.

13 LG Saarbrücken, U. v. 13.1.2022 – 10 S 64/21, IBR 2022, S. 1009 (nur online).

Vor dem Hintergrund, dass in der freien Wirtschaft für einen freiberuflichen Gutachter häufig höhere Kosten aufgewendet werden müssen als für einen gerichtlich bestellten Gutachter, hat das Schleswig-Holsteinische Oberlandesgericht bereits im Jahre 2008 entschieden, dass es nicht unangemessen ist, wenn sich die Vergütung des Parteigutachters für die Substantiierung der Höhe eines Minderungsanspruchs hinsichtlich einer mangelhaften Leistung in Höhe von **140,00 Euro netto** bemisst.[14] Bezüglich der Vergütungssätze des JVEG hat das LG Fulda zur Beurteilung komplexer bautechnischer Fragestellungen, die eine besondere Sachkunde des Sachverständigen erfordern, eine Erhöhung des Regelstundensatzes auf 155 Euro netto für sachgerecht erachtet.[15] Aufgrund allgemeiner Preissteigerung sind, je nach Sachgebiet, inzwischen auch deutlich höhere Sätze üblich und angemessen (vgl. unter Abschnitt 3.5.2.4).

Üblich ist aber nicht in jedem Fall eine Abrechnung nach Zeitaufwand. Die Üblichkeit einer Vergütung kann sich allgemein auch über eine am Markt verbreitete Berechnungsregel ergeben.[16] Anders als z.B. bei Kfz-Sachverständigen ist aber bei der Gutachtenerstattung von Bausachverständigen eine **Abrechnung nach Zeitaufwand** regelmäßig als **üblich** anzusehen (vgl. unter Abschnitt 3.5.2.4). Ausnahmen davon ergeben sich allenfalls für Immobiliensachverständige, die nach Immobilienwerten abrechnen (vgl. unter Abschnitt 3.5.3).

Kann die übliche Vergütung dann nicht festgestellt werden, ist eine solche Vertragslücke durch eine **ergänzende Vertragsauslegung** zu schließen. Dabei können der **Gegenstand** und die **Schwierigkeit** der Werkleistung und insbesondere die mit dem Vertrag verfolgten **Interessen der Parteien** von Bedeutung sein.[17]

Man wird dann allgemein davon ausgehen können, dass eine **angemessene Vergütung** dem Willen der Vertragspartner entspricht. Für deren Bestimmung kann dann innerhalb der **üblichen Spanne** von einem **Mittelwert** ausgegangen werden. Besondere Umstände des Einzelfalls sind dabei allerdings zu würdigen.[18]

Weil sich eine angemessene Vergütung nach Marktpreisen richtet und renommierte Bausachverständige höhere Preise erzielen können, wirkt sich auch die gutachterliche **Auslastung** eines Sachverständigen und dessen persönliche **Reputation** auf die individuelle übliche Vergütung aus. Entscheidend ist auch das **Verhältnis von gerichtlichen zu privaten Gutachtenaufträgen**. Ein überwiegend mit Gerichtsaufträgen befasster Bausachverständiger wird auch bei Privatgutachten allenfalls entsprechend erhöhte Honorare verlangen können. Bausachverständige, die dagegen schwerpunktmäßig privat tätig sind, erzielen nicht selten Stundensätze, die gerichtliche Stundensätze um das Doppelte und mehr überschreiten.[19]

Nur wenn sich nach alledem eine vertraglich festgelegte Vergütung nicht ermitteln lässt, kommt eine **einseitige Bestimmung der Gegenleistung** (also der Vergütung) durch den

14 OLG Schleswig, B. v. 25.8.2008 – 9 W 52/08, DS 6/2009, S. 195.
15 OLG Fulda, B. v. 22.11.2022 – 4 OH 13/22, IBR 2023, S. 163.
16 BGH, U. v. 10.10.2006 – X ZR 42/06, BauR 2006, S. 2110; IBR 2006, S. 1559.
17 BGH, U. v. 4.4.2006 – X ZR 80/05, IBR 2006, S. 459; BGH, U. v. 4.4.2006 – X ZR 122/05, IBR 2006, S. 1398.
18 *Grüneberg,* § 632 Rn. 15 f.; BGH, U. v. 4.4.2006 – X ZR 122/05, IBR 2006, S. 1398.
19 *Seifert*, NZBau 5/2017, Editorial.

Sachverständigen **nach billigem Ermessen** in Betracht (§§ 315, 316 BGB).[20] Eine einseitige Festsetzung kann also nicht willkürlich vorgenommen werden. Sie muss vielmehr der Billigkeit entsprechen. Bei der Prüfung der Frage, ob ein Preis „billigem Ermessen" entspricht, geht es aber zunächst nicht um einen „gerechten Preis". Vielmehr ist zu prüfen, ob sich die getroffene Bestimmung noch **in den Grenzen der Billigkeit** bewegt. Dabei sind der **Vertragszweck** und die **Interessenslage der Parteien** zu berücksichtigen. Entscheidend kommt es auch auf die **Bedeutung der Leistung** an, deren **angemessener Gegenwert** zu ermitteln ist. Zu berücksichtigen ist ferner, dass die Vergütung die Gegenleistung für das als Erfolg geschuldete Gutachten darstellt. Es muss daher in **angemessenem Verhältnis** zu dem stehen, was der Auftraggeber durch das Gutachten an **wirtschaftlichem Wert** erhalten soll. Schließlich kommt es darauf an, welche Honorare andere Sachverständige **für ähnliche Gutachten** verlangen.[21]

Der geforderte Stundensatz ist in diesem Zusammenhang nur sekundär zu untersuchen. Zwar rechnen Bausachverständige ganz überwiegend nach Zeitaufwand ab (vgl. unter Abschnitt 3.5.2.4), sodass sich deren übliche Vergütung allgemein auch über eine Abrechnung nach Stundensätzen ergibt. Setzt der Bausachverständige jedoch einen unangemessen hohen Aufwand an, muss er sich eine entsprechende **Honorarkürzung** gefallen lassen. Denn trotz einer detaillierten und korrekten Zeiterfassung kann der berechnete Zeitaufwand überzogen sein, wenn der Sachverständige **Grundsätze einer wirtschaftlichen Betriebsführung** unbeachtet lässt. Ein überzogener Zeitaufwand stellt eine **Pflichtverletzung** dar, für die der Sachverständige schadensersatzpflichtig sein kann. Der Schadensersatzanspruch des Auftraggebers bemisst sich dann über den nicht gerechtfertigten Aufwand.[22]

Wenn die Grenzen der Billigkeit überschritten werden, kann die Bestimmung der Vergütung nur noch durch eine Entscheidung des Gerichts ersetzt werden.[23]

Für die **Bestimmung der üblichen Vergütung** auf der Grundlage einer **Umfrage** kommt es nach der Rechtsprechung des BGH auf folgende Grundsätze an:[24]

- „Da bei der Ermittlung der üblichen Vergütung **Ausreißer** unberücksichtigt bleiben müssen, kann **nicht das gesamte Spektrum** der aus der Umfrage ersichtlichen Beträge zugrunde gelegt werden."
- „Entscheidend ist vielmehr der Bereich, in dem sich die **Mehrzahl** und damit die die Üblichkeiten bestimmenden Werte halten.
- Die Üblichkeit der Vergütung bezieht sich auf Leistungen, die einem „als einheitlich empfundenen Wirtschaftsbereich zuzuordnen sind". Dabei geht es also um **Branchenüblichkeit**.
- Maßgeblich ist die Vergütung, die „**zur Zeit des Vertragsschlusses** nach einer festen Übung am Ort der Werkleistung gewährt zu werden pflegt."

20 BGH, U. v. 4.4.2006 – X ZR 122/05, IBR 2006, S. 1398; BGH, U. v. 4.4.2006 – X ZR 80/05, IBR 2006, S. 460.
21 BGH, U. v. 4.4.2006 – X ZR 80/05, IBR 2006, S. 460.
22 OLG Düsseldorf, U. v. 6.12.2002 – 5 U 93/01, BauR 2003, S. 1418; IBR 2003, S. 488.
23 BGH, U. v. 4.4.2006 – X ZR 80/05, IBR 2006, S. 460.
24 BGH, U. v. 4.4.2006 – X ZR 122/05; vgl. auch *Hommerich/Reiß*, JVEG, Evaluation und Marktanalyse, Abschnitt 3.1.7.3, S. 43.

Fraglich ist allerdings für den jeweiligen Einzelfall, was als „Ausreißer" bezeichnet werden kann und wie sich eine „Mehrzahl" zusammensetzt.

Hommerich/Reiß weisen darauf hin, dass in der Statistik Werte als **Ausreißer** angesehen werden, „wenn sie weiter als jeweils das Zweieinhalbfache der Spannbreite des zweiten und dritten Quartils zum Merdian vom Zentralwert entfernt sind. Bei Normalverteilung der Daten ist davon auszugehen, dass rund 5 % der Einzelwerte außerhalb dieser Spannbreiten liegen".[25]

Unter „**Mehrzahl**" ist zunächst schlicht „mehr als die Hälfte" der Befragten zu verstehen.[26]

Zur Feststellung einer üblichen Vergütung müssen Einzelwerte um einen „**Median**" (= Zentralwert) herum gruppiert werden. Beim Median handelt es sich um einen Wert, „der in der Mitte einer ihrer Größe nach geordneten Reihe von Einzelwerten liegt". Der Median ist demnach der Wert, den mindestens 50 % der Befragten (= „Mehrzahl") nicht über- und unterschreiten[27]. Am oberen und unteren Ende einer Verteilung können Ausreißer gleichmäßig gestrichen und so die gesuchte Spannbreite um den Zentralwert gefunden werden. *Hommerich/Reiß* gehen für eine „Üblichkeit" von einer 60 %-Spannbreite als aussagefähige Spanne aus.

Im Gegensatz zum Median ist das „**arithmetische Mittel**" (= rechnerischer Durchschnitt) als geeignete Maßzahl weniger geeignet, da es „ausreißerempfindlich" ist.[28]

Hommerich/Reiß gehen im Ergebnis davon aus, dass der **Median** einer geeigneten Umfrage der Mittelwert ist, der die Anforderungen des BGH zur **üblichen Vergütung** am besten erfüllt.[29]

Aufgrund der werkvertraglichen Vorleistungspflicht steht dem Bausachverständigen ohne besondere Zahlungsvereinbarungen die Vergütung in der Regel erst zu, wenn die vertraglich vereinbarte Leistung **vollständig erbracht** und dem Auftraggeber **ausgehändigt** ist.

Um Zahlungs- insbesondere auch Insolvenzrisiken des Auftraggebers zu vermeiden, hat es sich in der Praxis aber bewährt, entsprechende Zahlungsvereinbarungen zu treffen. Dabei können **Abschlags**- oder auch **Vorschusszahlungen** vereinbart werden.

Vorschusszahlungen werden bereits vor der Leistungserbringung geleistet. Der Sachverständige beginnt mit der Leistungserbringung dann erst nach Eingang der Vorauszahlung.

Abschlagszahlungen werden als Teilzahlung der Gesamtvergütung im Verhältnis zum Bearbeitungsgrad der Leistungserbringung geleistet. Bei größeren bzw. länger laufenden Aufträgen hat es sich auch bewehrt feste Zahlungspläne oder monatliche Abschlagszahlungen zu vereinbaren.

---

25 *Hommerich/Reiß*, JVEG, Evaluation und Marktanalyse, Abschnitt 3.1.7.4, S. 44.
26 *Hommerich/Reiß*, JVEG, Evaluation und Marktanalyse, Abschnitt 3.1.7.4, S. 44.
27 *Hommerich/Reiß*, JVEG, Evaluation und Marktanalyse, Abschnitt 3.1.7.2, S. 42 mit Verweis auf *Kromrey*, Empirische Sozialforschung, S. 439.
28 *Hommerich/Reiß*, JVEG – Evaluation und Marktanalyse, Abschnitt 3.1.7.5, S. 45.
29 *Hommerich/Reiß*, JVEG – Evaluation und Marktanalyse, Abschnitt 3.1.7.5, S. 45.

Auch Kombinationen aus Vorschusszahlung und Abschlagszahlungen können vertraglich vereinbart werden.

Eine besondere Zahlungsvereinbarung bei der Gutachtenerstattung kann auch in der Form getroffen werden, dass das Honorar nach Fertigstellung des Gutachtens gezahlt wird, das Gutachten selbst aber zunächst noch beim Sachverständigen verbleibt und erst nach Eingang der Zahlung an den Auftraggeber ausgehändigt wird.

Schließlich ist es auch möglich, **Lastschriftverfahren** oder eine **Zahlung per Nachnahme** mit der Postzustellung zu vereinbaren. Bei Zahlungsunfähigkeit des Auftraggebers geht der Sachverständige dann allerdings gleichwohl leer aus.[30]

Ohne besondere Zahlungsvereinbarungen können Bausachverständige solche Sonderzahlungen in der Regel jedoch nicht verlangen.

Praxistipp

Bei Honorarvereinbarungen sollte das Recht auf Abschlags- und Vorauszahlungen vereinbart werden.

3.5.2 Freie Honorarvereinbarung

3.5.2.1 Grundsätze für eine freie Honorarvereinbarung

Zunächst besteht der Grundsatz der Vertragsfreiheit. Dies gilt selbstverständlich auch hinsichtlich der Vergütung als Gegenleistung für die vertraglich geschuldete Leistung des Bausachverständigen. Einschränkungen ergeben sich allenfalls durch öffentlich-rechtliche Taxen oder preisrechtliche Vorschriften (z.B. nach der HOAI). Liegt eine solche Beschränkung nicht vor, kann ein Honorar formfrei und in der Höhe frei vereinbart werden, soweit nicht Sittenwidrigkeit oder Wucher vorliegen (§ 138 BGB). Eine solche (wirksame) Abrede, gleichgültig ob schriftlich oder mündlich getroffen, ist bis zur Vertragsbeendigung bindend.

Aufgrund der besonderen Schwierigkeiten und Unwägbarkeiten bei der Feststellung der üblichen Vergütung (vgl. oben bei Abschnitt 3.5.1.3), kann den Vertragspartnern nur dringend geraten werden, von der Möglichkeit einer vertraglichen Honorarvereinbarung Gebrauch zu machen.

Allgemein sollten in jedem Fall vereinbart werden:

- **Honorar**
- **Nebenkosten**
- **Umsatzsteuer**

30 Bayerlein/*Roeßner*, § 9 Rn. 60.

Eine **freie Honorarvereinbarung** kann auf vielfältige Weise erfolgen. Bei Bausachverständigen hat sich im Allgemeinen eine **Vergütung nach Zeitaufwand** mit vereinbarten **Stundensätzen** durchgesetzt (vgl. unter Abschnitt 3.5.2.4). Teilweise werden auch **Tagessätze** vereinbart. Frei vereinbart werden können aber auch **Pauschalhonorare**, die eine Honorierung entweder als **Festpreis** oder nach einem **Berechnungsmodus** vorsehen (vgl. unter Abschnitt 3.5.2.4). Im Rahmen einer freien Honorarvereinbarung können darüber hinaus auch **Differenzvergütungsvereinbarungen** getroffen werden. Mit solchen Vereinbarung wird dem Bausachverständigen ein Vergütungsausgleich gewährt, wenn er im Rahmen einer privatgutachterlichen Beauftragung als Zeuge bei Gericht geladen wird und dort nur die geringe Zeugenentschädigung erhält (vgl. unter Abschnitt 3.5.2.6).

Unter **Nebenkosten** sind die bei der Ausführung des Auftrags entstehenden erforderlichen Auslagen zu verstehen (vgl. unter Abschnitt 3.5.7).

Hinsichtlich der Abrechnung der **Umsatzsteuer** („Mehrwertsteuer") kommt es zunächst darauf an, dass der Auftraggeber nicht von der Umsatzsteuer befreit ist. Andernfalls muss die Umsatzsteuer gemäß § 19 Abs. 1 Umsatzsteuergesetz unerhoben bleiben. Für eine gesonderte Abrechnung der Umsatzsteuer kommt es ferner darauf an, dass eine solche besonders vereinbart ist. Dies gilt insbesondere für Verträge mit **Endverbrauchern** (also z.B. für sog. Privatbauherrn). Ist bezüglich der gesonderten Berechnung der Umsatzsteuer nichts Besonderes vereinbart, wird der Verbraucher, außerhalb der Abrechnungsvorschriften der HOAI, allgemein von **Bruttovereinbarungen** ausgehen können. Der Umsatzsteueranteil ist dann also vom vereinbarten Honorar in Abzug zu bringen. Nur bei einer ausdrücklichen **Nettovereinbarung**, kann dagegen über das vereinbarte Nettohonorar die Umsatzsteuer zusätzlich abgerechnet werden.

Bei Abrechnungen nach der **HOAI** ist die Umsatzsteuer nicht Gegenstand der anrechenbaren Kosten (§ 4 Abs. 1 Satz 4 HOAI). Aufgrund von § 16 HOAI hat der Auftragnehmer auch einen gesonderten Anspruch auf Ersatz der Umsatzsteuer, die auf das berechnete Honorar und die Nebenkosten entfällt.

Praxistipp

▶ *Die gesonderte Abrechnung der Umsatzsteuer auf Honorar und Nebenkosten gesondert vereinbaren.*

Nettovereinbarungen als solche eindeutig kenntlich machen, z.B. durch die Formulierung „...zuzüglich der gesetzlichen Umsatzsteuer".

3.5.2.2 Stundensatzvereinbarungen

Für die Abrechnung von Privatgutachtenaufträgen treffen Bausachverständige in den meisten Fällen **Stundensatzvereinbarungen.** Weder für den Auftraggeber noch für den Sachverständigen ergibt sich dabei – eine mangelfreie und wirtschaftliche Gutachtenerstattung vorausgesetzt[31] – ein besonderes Risiko für ein unangemessenes Leistung/Preis-Verhältnis. Insofern sind Vereinbarungen mit Abrechnung nach tatsächlichem Zeitaufwand allgemein **sach- und interessensgerecht.**

In vielen Fällen verlangt der Auftraggeber aber vor Auftragserteilung wenigstens eine grobe **Einschätzung des erforderlichen Zeitaufwands**. An eine unverbindliche, mündliche Schätzung, ohne nähere Prüfung und Berechnung, bei der nur ein ungefährer Betrag benannt wird, ist der Sachverständige nicht gebunden.

Anders verhält es sich bei einem **Kostenanschlag** i.S. von § 649 BGB, bei dem die gewollte Unverbindlichkeit zweifelsfrei ist, der Sachverständige also keine Gewähr für dessen Richtigkeit übernommen hat. Dieser stellt dann zwar auch nur eine unverbindliche fachmännische Berechnung der voraussichtlichen Kosten im Rahmen der Vertragsanbahnung dar und ist damit allenfalls als bloße Geschäftsgrundlage, nicht aber als Vertragsbestandteil anzusehen.[32] Der Sachverständige ist aber verpflichtet, dem Auftraggeber eine zu erwartende Überschreitung anzuzeigen (§ 649 Abs. 2 BGB). Bei einer wesentlichen Überschreitung steht dem Auftraggeber ein **Kündigungsrecht** zu (§ 649 Abs. 1 BGB). Eine solche wird allgemein bei etwa 15 % bis 25 % angenommen.[33] Kündigt der Auftraggeber nicht, so hat er die Vergütung zu bezahlen. Er kann aber gegebenenfalls einen Schadensersatzanspruch geltend machen (§ 280 BGB). Konkrete Aufwandsermittlungen sollten deshalb sorgfältig vorgenommen werden oder ganz unterbleiben.

An solche Schätzungen ist der Sachverständige allerdings nicht mehr gebunden, wenn sich der Gutachtenauftrag später wesentlich verändert hat.

Praxistipp

▶ *Schriftliche Aufwandsschätzungen nur mit einer möglichst genauen Leistungsbeschreibung durchführen und dabei die gewollte Unverbindlichkeit zweifelsfrei zum Ausdruck bringen.*

Voraussetzung bei einer Honorarvereinbarung mit Abrechnung nach Zeitaufwand ist, dass der Auftraggeber dem Sachverständigen bei der **Zeiterfassung** Vertrauen schenken kann. Der Sachverständige sollte deshalb detailliert erfassen an welchem **Tag**, in welchem **Zeitraum**, mit welcher **Dauer**, welche **Leistungsinhalte** von ihm oder seinen **Mitarbeitern**, mit welcher **Qualifikation** erbracht werden. Um den Aufwand möglichst exakt abrechnen zu können, sollte der Zeitaufwand mindestens nach Viertelstunden genau, besser minutengenau, erfasst werden. Gelingt es dem Sachverständigen nicht, angemessene Stundensätze zu vereinbaren, ist es nicht akzeptabel, einen Ausgleich über einen übersetzten Zeitaufwand zu suchen.

31 Vgl. oben: Ein überzogener Zeitaufwand stellt eine Pflichtverletzung dar, für die der Sachverständige schadensersatzpflichtig sein kann; OLG Düsseldorf, U. v. 6.12.2002 – 5 U 93/01, BauR 2003, S. 1418; IBR 2003, S. 488.

32 *Grüneberg,* § 650 Rn. 1.

33 *Grüneberg,* § 650 Rn. 2.

Praxistipp

▶ *Vereinbaren, dass die Zeiterfassung des Sachverständigen die Abrechnungsgrundlage darstellt.*

Soweit nichts anderes vereinbart wird, ist die Abrechnung der **Reisezeit** bei Terminen außerhalb des Geschäftssitzes des Bausachverständigen zu den vereinbarten Stundensätzen üblich und auch gerechtfertigt. Denn diese gehört zum Gesamtaufwand bei der Gutachtenerstattung. Sie wird im Übrigen auch bei Gerichtsaufträgen vollumfänglich vergütet. Bei einer freien Vereinbarung gilt bei Reisen ohne entsprechende Vereinbarung auch nicht die 15 km-Grenze des § 15 Abs. 2 Nr. 4 HOAI. Nach dieser Vorschrift im Geltungsbereich der HOAI können Fahrtkosten bis zu einem „Umkreis von 15 Kilometern um den Geschäftssitz des Auftragnehmers" nicht abgerechnet werden. Außerhalb einer Anwendung der HOAI gilt eine solche Regelung selbstverständlich nicht (vgl. unter Abschnitte 3.5.7.2, 3.5.7.3).

Praxistipp

▶ *Vertragliche Regelung zur Vergütung der Reisezeit und zur Reisekostenabrechnung treffen.*

Nach der Rechtsprechung des Bundesgerichtshofs muss der Auftragnehmer (Sachverständige) zur schlüssigen Begründung eines nach Zeitaufwand zu bemessenden Vergütungsanspruchs grundsätzlich nur darlegen, wie viele Stunden für die Erbringung der Vertragsleistungen angefallen sind.[34]

Bei einer Stundensatzvereinbarung ist der Sachverständige nach Treu und Glauben allerdings zu einer wirtschaftlichen Betriebsführung verpflichtet. Verletzt der Sachverständige eine solche vertragliche Nebenpflicht wirkt sich dies nicht unmittelbar vergütungsmindernd aus. Eine solche Pflichtverletzung führt vielmehr zu Gegenansprüchen des Auftraggebers in Form eines Schadenersatzes wegen Pflichtverletzung (§ 280 Abs. 1 BGB). Der Auftraggeber ist hierzu in der Darlegungs- und Beweislast.[35]

3.5.2.3 Umfragen unter Sachverständigen

a) Umfrage von 2002/2003

Bei einer Umfrage unter Sachverständigen, die Ende 2002 von den Industrie- und Handelskammern, Handwerkskammern, Ingenieurkammern, Architektenkammern und dem Bundesverband öffentlich bestellter sowie besonders qualifizierter Sachverständiger (BVS) unter öffentlich bestellten und vereidigten Sachverständigen durchgeführt wurde, wurden für Bausachverständige folgende durchschnittliche Stundensätze ermittelt:[36]

34 BGH, U. v. 17.4.2009 – VII ZR 164/07, NZBau 2009, S. 450.
35 BGH, U. v. 17.4.2009 – VII ZR 164/07, NZBau 2009, S. 450; BGH, U. v. 1.2.2000 – X ZR 198/97, BauR 2000, S. 1196.
36 Der Sachverständige, Okt. 2003, 274 f. (Auszug).

Sachgebiete	Privat West	Privat Ost
Abbruch	87,75 €	104,20 €
Abrechnung im Hoch- und Ingenieurbau	98,11 €	91,67 €
Akustik, Lärmschutz	90,04 €	67,20 €
Altbausanierung	82,39 €	65,00 €
Altlasten	73,22 €	58,88 €
Bauphysik	89,65 €	69,94 €
Baustoffe	89,52 €	68,33 €
Bauwerksabdichtung	91,20 €	86,34 €
Beton, Stahlbeton und Spannbeton	85,22 €	68,78 €
Bewertung von Immobilien	95,10 €	61,68 €
Brandschutz und Brandursachen	87,52 €	68,07 €
Dachkonstruktionen	83,28 €	80,60 €
Elektro(tech)nische Anlagen und Geräte	87,27 €	76,00 €
Erd- und Grundbau	78,10 €	61,33 €
Fenster, Türen, Tore	89,98 €	81,00 €
Fliesen und Bau- bzw. Bodenkeramik	88,16 €	110,00 €
Fußböden	83,32 €	93,83 €
Heizungs-, Klima und Lüftungstechnik	81,94 €	70,00 €
Holz/Holzbau	79,20 €	57,97 €
Honorare (Architekten und Ingenieure)	102,34 €	69,00 €
Immissionen	88,34 €	60,00 €
Ingenieurbau	82,08 €	63,56 €
Innenausbau	87,22 €	65,00 €
Kältetechnik	92,06 €	81,27 €
Mieten und Pachten	90,32 €	69,15 €
Sanitärtechnik	84,86 €	70,00 €
Schäden an Gebäuden	92,77 €	72,20 €
Stahlbau	78,53 €	55,33 €
Statik im Bauwesen	83,92 €	62,94 €
Straßenbau	85,21 €	59,92 €

Sachgebiete	Privat West	Privat Ost
Tiefbau	82,06 €	82,50 €
Vermessungstechnik	65,55 €	–
Wärme- und Kälteschutz	94,51 €	62,30 €
Wasserversorgung und Abwasser	75,30 €	60,78 €

Bei den „Ost-Werten" war allerdings zu berücksichtigen, dass in verschiedenen Sachgebieten damals nur sehr wenige Sachverständige zur Verfügung standen und damit das Umfrageergebnis für diese Bereiche nur eine eingeschränkte Aussagekraft haben konnte. Die West- und Ost-Werte haben sich in den vergangenen Jahren weiter angeglichen. Darüber hinaus war zu beachten, dass bei den Baupreisen sowohl für den Bereich „West" als auch für den Bereich „Ost" bundesweit ein statistisch belegtes Süd-Nord-Gefälle herrschte. Das galt und gilt auch heute noch auch für die Stundensätze der Bausachverständigen.

Aufgrund des Umfragezeitpunkts können die vorbenannten Stundensätze für das letzte Quartal 2002 als allgemein üblich angesehen werden.

b) Umfrage von 2009 (Hommerich/Reiß-Gutachten)

Mit dem Ziel die Abrechnungspraxis insbesondere auch von Sachverständigen bei der Erbringung von außergerichtlichen Leistungen zu ermitteln, führten *Hommerich/Reiß* im Zeitraum Mai bis August 2009 eine „Marktanalyse zum Justizvergütungs- und -entschädigungsgesetz – die Vergütung von Sachverständigen, Dolmetschern und Übersetzern" durch schriftliche Befragung von über 13.300 Sachverständigen durch.[37]

Gegenstand der Erhebung waren, bezogen auf die verschiedenen Berufsgruppen die Marktüblichkeit von Abrechnungseinheit, Höhe der Leistungshonorare sowie der Umgang mit Nebenkosten.[38]

Im Ergebnis gaben **48 %** an, sich außergerichtliche Leistungen ausschließlich auf der Basis von **Stundensätzen** vergüten zu lassen. Bei **47 %** erfolgt die Abrechnung **teils über Pauschalhonorare und teils auf Stundensatzbasis**. Lediglich **5 %** der Sachverständigen rechnen ihre außergerichtlichen Tätigkeiten **ausschließlich** auf der Grundlage von **Pauschalhonoraren** ab.

Nach der Studie erfolgt die **Kalkulation** der Pauschalhonorare bei 69 % der Sachverständigen wiederum **auf der Grundlage eines Stundensatzes**. Dabei wurde auch ein Zusammenhang zwischen dem Sachgebiet und der Art der Honorarabrechnung festgestellt.[39] Aus der Umfrage ergab sich auch, dass 94 % aller Sachverständigen, die sowohl über Stundensätze als auch über Pauschalhonorare abrechnen, bei Abrechnung über Stundensätze und bei Kalkulation über Pauschalhonorare von gleichen Stundensätzen ausgehen.[40]

37 *Hommerich/Reiß*, JVEG – Evaluation und Marktanalyse, 2010.
38 *Hommerich/Reiß*, JVEG – Evaluation und Marktanalyse, Abschnitt 1, S. 13.
39 *Hommerich/Reiß*, JVEG – Evaluation und Marktanalyse, Abschnitt 1, S. 14 und Abschnitt 4.2.1, S. 65.
40 *Hommerich/Reiß*, JVEG – Evaluation und Marktanalyse, Abschnitt 4.2.4, S. 71.

Auf der Grundlage von **Stundensätzen** rechnen Bausachverständige zu folgenden Anteilen ab:[41]

- **Honorarabrechnung von Architekten und Ingenieuren (83 %),**
- Bauwesen: handwerklich-technische Ausführung **(62 %),**
- **Bauwesen: Bauvertragswesen, Baubetrieb, Abrechnung von Bauleistungen (62 %).**

Auf der Grundlage von **Pauschalhonoraren** rechnen Bausachverständige zu folgenden Anteilen ab:[42]

- **Bewertung von Immobilien: Gebäude und bebaute Grundstücke (12 %),**
- **Bewertung von Immobilien: unbebaute Grundstücke (11 %).**

Bei diesen beiden Sachgebieten wird aber überdurchschnitt ich häufig sowohl nach Stundensätzen als auch über Pauschalhonorare abgerechnet (69 % bzw. 67 %).[43]

Aus der Umfrage ergibt sich, dass sich **12 %** der Sachverständigen bei der Abrechnung von außergerichtlichen Leistungen **an eine Gebührenordnung gebunden** sehen bzw. sahen.[44] Dabei geht es im Wesentlichen um die HOAI.[45] Gemäß *Hommerich/Reiß*-Gutachten gilt dies vor allem für Sachverständige in den Sachgebieten „Bewertung von Immobilien", „Akustik, Lärmschutz" und „Mieten und Pachten".[46]

Dazu ist allerdings festhalten, dass die Umfrage von Mai bis August 2009 durchgeführt wurde, mit dem Inkrafttreten der HOAI 2009 zum 18.8.2009, also unmittelbar zum Ende der Umfrage, die HOAI im Bereich der „**Wertermittlungen**" dereguliert wurde und die entsprechenden Vorschriften des § 34 HOAI a.F. bei der Neufassung **aus der HOAI komplett gestrichen** wurden. Der Anteil der Sachverständigen, die bei außergerichtlichen Leistungen an eine Gebührenordnungen respektive an die HOAI gebunden sind, ist also seitdem drastisch gesunken und dürfte nunmehr deutlich unter 5 % liegen. In diesem Punkt ist die Umfrage also nicht mehr aktuell. Damit ist festzustellen, dass Sachverständige im ganz Wesentlichen auf der Grundlage von Stundensätzen abrechnen oder zumindest kalkulieren.

Die Hälfte der Sachverständigen berechnet das Honorar auf der Grundlage **fester Stundensätze**. Die andere Hälfte verwendet **variable Stundensätze**. Sie machen die Höhe des Stundensatzes von folgenden Faktoren abhängig:[47]

- **Schwierigkeit der zu erbringenden Leistungen (82 %),**
- **Dringlichkeit der Erledigung (51 %),**
- **Art des Auftraggebers (44 %).**

41 *Hommerich/Reiß*, JVEG – Evaluation und Marktanalyse, Abschnitt 4.2.1, S. 66, Tab. 17.
42 *Hommerich/Reiß*, JVEG – Evaluation und Marktanalyse, Abschnitt 4.2.1, S. 66, Tab. 18.
43 *Hommerich/Reiß*, JVEG – Evaluation und Marktanalyse, Abschnitt 4.2.2, S. 67, Tab. 19.
44 *Hommerich/Reiß*, JVEG – Evaluation und Marktanalyse, Abschnitt 4.2.2, S. 67, Abb. 8.
45 *Hommerich/Reiß*, JVEG – Evaluation und Marktanalyse, Abschnitt 4.2.2, S. 68, Tab. 20.
46 *Hommerich/Reiß*, JVEG – Evaluation und Marktanalyse, Abschnitt 1, S. 14.
47 *Hommerich/Reiß*, JVEG – Evaluation und Marktanalyse, Abschnitt 1, S. 15 und Abschnitt 4.2.3, S. 70, Abb. 9.

Innerhalb der Bausachverständigen werden insbesondere von Sachverständigen für die Honorarabrechnung von Leistungen für Architekten und Ingenieure variable Stundensätze verwendet (70 %).[48]

Im Vergleich mit der gerichtlichen Vergütung nach dem JVEG haben *Hommerich/Reiß* aber festgestellt, dass die **außergerichtlichen Stundensätze**, unabhängig vom Sachgebiet, **die Vergütung nach dem JVEG teilweise erheblich übersteigen**.[49]

Nach den Erhebungen von *Hommerich/Reiß* ergeben sich bezogen auf das Bauwesen folgende **feste Stundensätze** für außergerichtliche Gutachten:[50]

Sachgebiete		**Median**	**100 % Spannbreite**	**60 % Spannbreite**
2	Akustik, Lärmschutz	88 €	60–150 €	74–102 €
3	Altlasten, Bodenschutz	90 €	55–160 €	72–105 €
5	Bauwesen			
5.1	Planung	90 €	60–170 €	75–110 €
5.2	handwerklich-technische Ausführung	80 €	38–150 €	70–95 €
5.3	Schadensfeststellung, -ursachenermittlung und -bewertung	95 €	39–185 €	75–120 €
5.4	Bauvertragswesen, Baubetrieb und Abrechnung von Bauleistungen	96 €	60–175 €	75–120 €
5.5	Baustoffe	98 €	65–180 €	82–120 €
9	Bewertung von Immobilien			
9.1	Gebäude und bebaute Grundstücke	100 €	55–250 €	85–135 €
9.2	unbebaute Grundstücke	100 €	50–180 €	85–134 €
18	Garten- und Landschaftsbau			
18.1	Planung	82 €	55–150 €	75–113 €
18.2	handwerklich-technische Ausführung	85 €	60–120 €	62–100 €

48 *Hommerich/Reiß*, JVEG – Evaluation und Marktanalyse, Abschnitt 4.2.3, S. 69.
49 *Hommerich/Reiß*, JVEG – Evaluation und Marktanalyse, Abschnitt 1, S. 15 f.
50 *Hommerich/Reiß*, JVEG – Evaluation und Marktanalyse, Abschnitt 10 Anhang, S. 268 f. Tab. 20.

Sachgebiete		Median	100 % Spannbreite	60 % Spannbreite
18.3	Schadensfeststellung, -ursachenermittlung und -bewertung	88 €	60–130 €	75–110 €
21	Hausrat und Inneneinrichtung	86 €	60–140 €	70–100 €
22	Honorarabrechnungen von Architekten und Ingenieuren	150 €	120–200 €	120–190 €
30	Mieten und Pachten	120 €	75–180 €	98–127 €
46	Vermessungs- und Katasterwesen	74 €	42–120 €	72–83 €

Nach den Erhebungen von *Hommerich/Reiß* ergeben sich bezogen auf das Bauwesen folgende **variable Stundensätze** für außergerichtliche Gutachten:[51]

Sachgebiete		Median	100 % Spannbreite	60 % Spannbreite
2	Akustik, Lärmschutz	83 €	46–149 €	65–94 €
3	Altlasten, Bodenschutz	66 €	40–165 €	55–80 €
5	Bauwesen			
5.1	Planung	80 €	32–150 €	65–95 €
5.2	handwerklich-technische Ausführung	75 €	35–135 €	65–90 €
5.3	Schadensfeststellung, -ursachenermittlung und -bewertung	80 €	40–150 €	70–95 €
5.4	Bauvertragswesen, Baubetrieb und Abrechnung von Bauleistungen	90 €	45–200 €	75–110 €
5.5	Baustoffe	85 €	38–150 €	70–100 €

51 *Hommerich/Reiß*, JVEG – Evaluation und Marktanalyse, Abschnitt 10 Anhang, S. 269 f. Tab. 21.

Sachgebiete		Median	100 % Spannbreite	60 % Spannbreite
9	Bewertung von Immobilien			
9.1	Gebäude und bebaute Grundstücke	80 €	30–160 €	70–100 €
9.2	unbebaute Grundstücke	80 €	40–160 €	65–105 €
18	Garten- und Landschaftsbau			
18.1	Planung	80 €	60–110 €	75–90 €
18.2	handwerklich-technische Ausführung	77 €	40–120 €	60–82 €
18.3	Schadensfeststellung, -ursachenermittlung und -bewertung	80 €	50–120 €	68–90 €
21	Hausrat und Inneneinrichtung	79 €	50–120 €	64–90 €
22	Honorarabrechnungen von Architekten und Ingenieuren	102 €	35–170 €	77–123 €
30	Mieten und Pachten	90 €	50–125 €	70–100 €
46	Vermessungs- und Katasterwesen	66 €	45–100 €	50–79 €

c) Marktanalyse zum JVEG (BMJV 2019)

Für die Neufassung des JVEG führte das damalige Bundesministerium der Justiz und für Verbraucherschutz (BMJV) eine Umfrage zur Vergütung unter Sachverständigen als Online-Befragung durch. Das Ergebnis wurde mit Abschlussbericht vom 30.1.2019 veröffentlicht.[52]

Mit der Befragung, die im Zeitraum von April bis Juni 2018 durchgeführt wurde, sollten die aktuellen Preise für die Dienstleistungen von insbesondere Sachverständigen auf dem freien Markt erhoben werden. Bei etwa 16.000 Einladungen war eine Rücklaufquote von knapp 30 % zu verzeichnen.[53]

52 www.bmj.de/SharedDocs/Publikationen/DE/Fachpublikationen/Marktanalyse_Justizverguetung_2.html?nn=17134 (Abschlussbericht vom 30.1.2019).

53 *Hommerich/Reiß*, JVEG – Evaluation und Marktanalyse, S. 12.

Bezüglich der Sachverständigen im „Bauwesen" wurden die folgenden durchschnittlichen Stundensätze (median) ermittelt (Auszug):[54]

40.1	Vermessungstechnik	85 €
3	Altlasten und Bodenschutz	89 €
11	Einbauküchen	95 €
15.1	Garten- und Landschaftsbau einschließlich Sportanlagenbau – Planung	95 €
15.2	Garten- und Landschaftsbau einschließlich Sportanlagenbau – handwerklich-technische Ausführung	95 €
15.3	Garten- und Landschaftsbau einschließlich Sportanlagenbau – Schadensfeststellung, -ursachenermittlung	95 €
29	Möbel und Inneneinrichtung	95 €
2	Akustik, Lärmschutz	100 €
5.2	Bauwesen – handwerklich-technische Ausführung	100 €
5.6	Bauwesen – Geotechnik, Erd- und Grundbau	105 €
5.1	Bauwesen – Planung	110 €
5.3	Bauwesen – Schadensfeststellung, -ursachenermittlung	110 €
5.4	Bauwesen – Bauprodukte	110 €
5.5	Bauwesen – Bauvertragswesen, Baubetrieb und Abrechnung von Bauleistungen	110 €
26.3	Solarthermie	110 €
26.1	Photovoltaikanlagen	115 €
8	Bewertung von Immobilien und Rechten an Immobilien	120 €
12.2	Elektrotechnische Anlagen und Geräte	120 €
12.3	Kommunikations- und Informationstechnik	120 €
28	Mieten und Pachten	120 €
12.1	Elektronik (insbesondere Mess-, Steuerungs- und Regelungs-elektronik)	125 €
21	Kältetechnik	125 €
20	Honorarabrechnungen von Architekten, Ingenieuren und Stadt-planern	154 €

54 *Hommerich/Reiß*, JVEG – Evaluation und Marktanalyse, S. 39 f.

3.5.2.4 Pauschalpreisvereinbarungen

Unter Pauschalhonorar- oder Pauschalpreisvereinbarungen werden allgemein **Festpreisvereinbarungen** verstanden. Dabei wird als Honorar also ein bestimmter Betrag vereinbart.

Aus den Erhebungen von *Hommerich/Reiß* ergibt sich, dass etwa 47 % der Sachverständigen teils auf Stundenbasis und teils über Pauschalhonorare und nur etwa 5 % ausschließlich über Pauschalhonorare abrechnen, wobei letztere zu etwa 69 %, also mehr als zwei Drittel, die Pauschale auf der Grundlage eines Stundensatzes kalkulieren. Damit legen etwa **98 %** aller befragten Sachverständigen der Abrechnung oder der Kalkulation **Stundensätze** zugrunde.[55] In den Sachgebieten „Bauwesen – handwerklich-technische Ausführung", „Bauvertragswesen, Baubetrieb und Abrechnung von Bauleistungen" und „Honorarabrechnungen von Architekten und Ingenieuren" wird überdurchschnittlich häufig ausschließlich auf der Basis von Stundensätzen abgerechnet. Gemäß Marktanalyse des BMJV von 2019 haben im Sachgebiet 5.1 „Bauwesen – Planung" nur 3 % und im Sachgebiet 5.2 „Bauwesen – handwerklich-technische Ausführung" nur 2 % angegeben, ausschließlich anhand von Pauschalhonoraren abzurechnen.[56] In diesen Sachgebieten ist die Abrechnung nach Pauschalen also die Ausnahme.[57]

Der Sachverständige ist im Regelfall nicht daran gehindert, Vereinbarungen mit einem Festpreis („Pauschale") einzugehen. Weil er an eine solche einmal vereinbarte Pauschalhonorarvereinbarung gebunden ist, wird der kluge Bausachverständige eine solche Honorarvereinbarung allerdings möglichst nur dann eingehen, wenn er sich weitgehend sicher sein kann, dass der kalkulierte Aufwand auch ausreichend genau eingeschätzt werden kann. Voraussetzung für eine solche Vereinbarung ist also eine möglichst genaue **Leistungs- bzw. Aufgabenbeschreibung**, mit einem klar bestimmten und abgegrenzten **Leistungsumfang** und auf dieser Basis eine **auskömmliche Vorkalkulation** des zu erwartenden Aufwands.

Praxistipp

Bei Pauschalhonorarvereinbarungen sollte eine Leistungsbeschreibung zum Vertragsgegenstand gemacht werden.

Ist eine **Aufwandskalkulation** nicht oder nur vage möglich, sollte eine solche Vereinbarung nicht getroffen und eine Abrechnung nach Zeitaufwand vereinbart werden.

In Pauschalpreisvereinbarungen können auch **Öffnungsklauseln** aufgenommen werden, die eine Honoraranpassung vorsehen, wenn sich z.B. der Aufgabeninhalt erweitert oder sich der Ausführungszeitraum oder die Dauer der Leistungserbringung verändert.

55 *Hommerich/Reiß*, JVEG – Evaluation und Marktanalyse, Abschnitt 4.2.1, S. 65.
56 Abschlussbericht vom 30.1.2019, S. 45.
57 Abschlussbericht vom 30.1.2019, S. 66.

Praxistipp

Bei Pauschalhonorarvereinbarungen vertragliche Öffnungsklauseln bestimmen und dafür klare Berechnungsgrundlagen vereinbaren. In Verträge keine Absichtserklärungen aufnehmen.

Vereinbarungen über ein Pauschalhonorar können auch über einen bestimmten Berechnungsmodus erfolgen, der in keinem Zusammenhang zum tatsächlichen Aufwand steht. So können beispielsweise Honorare für Aufmaßtätigkeiten oder Substanzaufnahmen in bestehenden Gebäuden über Nutzflächen (NF) oder Brutto-Grundflächen (BGF) i.S. der DIN 277 vereinbart werden. Auch Honorarvereinbarungen nach der **HOAI** sind Pauschalhonorarvereinbarungen mit einem Berechnungsmodus. Die Berechnungsgrundlagen sind dann **anrechenbare Kosten, Honorarzone, Honorartafel** (§ 6 Abs. 1 HOAI) sowie der übertragene **Leistungsumfang** (§ 8 Abs. 1 und 2 HOAI). Darüber hinaus sind pauschale Honorarvereinbarungen auch über andere Modi möglich, wenn auch unüblich.

Praxistipp

Pauschalpreisvereinbarungen nur als deutlich gekennzeichnete Nettovereinbarungen treffen.

Pauschalpreisvereinbarungen für Leistungen außerhalb der HOAI können auch mündlich getroffen werden. Auf die Textform (§ 126b BGB) oder Schriftform (§ 126 BGB) kommt es dann also nicht an.

Wurde eine Pauschalpreisvereinbarung getroffen und erweist sich diese im Nachhinein als unauskömmlich, ist der Auftragnehmer gleichwohl an die getroffene Vereinbarung gebunden. Er kann davon also nicht einseitig abweichen. Anders liegt der Fall nur, wenn von einer **Störung der Geschäftsgrundlage** („Wegfall der Geschäftsgrundlage") auszugehen ist (§ 313 BGB). Ein solcher Fall liegt dann vor, wenn.. [58]

a) Umstände, die zur Grundlage des Vertrags geworden sind. sich nach Vertragsabschluss **schwerwiegend verändert** haben oder

b) wesentliche Vorstellungen, die zur Grundlage des Vertrags geworden sind, sich als **falsch** herausstellen.

Es muss also zu einem **krassen Missverhältnis zwischen Leistung und Vergütung** gekommen sein, sodass ein Festhalten an der vertraglichen Vergütung unzumutbar wäre.[59]

58 *Werner/Pastor,* Der Bauprozess, 16. Aufl. 2018, Rn. 2956 ff.
59 BGH, U. v. 14.10.1992 – VII ZR 91/91; BauR 1993, S. 458.

Praxistipp

Festpreisvereinbarungen nur bei genauer Vorkalkulation treffen. Gegebenenfalls Öffnungsklausel zu einer Abrechnung nach Zeithonorar vorsehen; z.B. bei Änderung oder Erweiterung des Vertragsgegenstands.

3.5.2.5 Differenzvergütungsvereinbarungen

Bausachverständige werden von Prozessparteien vielfach mit prozessvorbereitenden oder -begleitenden Gutachten beauftragt. Schriftsätzlich werden sie dann entsprechend als „Zeugen" benannt. Wird der Sachverständige dann gerichtlich geladen, stellt sich die Frage, ob er gerichtlich nach dem JVEG nur als Zeuge entschädigt wird oder eine gerichtliche Vergütung als Sachverständiger erhält.

Eine Vereinbarung, aus der sich ergibt, dass im Falle einer Ladung als Zeuge für die Zeit der Inanspruchnahme der Unterschiedsbetrag zwischen dem vereinbarten Stundenhonorar und dem vom Gericht gezahlten Geld vom Auftraggeber verlangt werden kann, verstößt nicht gegen die guten Sitten und ist also zulässig.[60] Eine entsprechende Forderung ist auch nicht von einer gerichtlichen Vernehmung abhängig.[61]

Praxistipp

Im Gutachtervertrag sollte eine Klausel enthalten sein, die bei einer gerichtlichen Ladung eine Vergütung der Differenz zwischen dem vereinbarten privaten Stundenhonorar und einem ggf. gerichtlich gezahltem Geld regelt.

3.5.3 Honorare für Leistungen bei der Immobilienbewertung

3.5.3.1 Grundlagen

Für die Honorierung von Leistungen bei der Immobilienbewertung lagen im Bereich von Privatgutachten schon immer besondere Verhältnisse vor.

Bis zur Neufassung der HOAI von 2009, die zum 18.8.2009 in Kraft trat, waren Wertermittlungsgutachten an die HOAI gebunden. Erstellte ein Sachverständiger ein Immobilien-Wertgutachten, so stand ihm ohne schriftliche Honorarvereinbarung ein Honorar nach § 34 HOAI 1996 zu.[62] Die Vorschriften des § 34 HOAI 1996 waren anzuwenden, wenn **Werte von Grundstücken, Gebäuden und anderen Bauwerken oder von Rechten**

60 AG Wuppertal, U. v. 3.8.2006 – 97 C 138/06, IBR 2007, S. 1183 mit Praxishinweis von *Ulrich*.
61 AG Wuppertal, U. v. 3.8.2006 – 97 C 138/06, IBR 2007, S. 1183 mit Praxishinweis von *Ulrich*.
62 LG Köln, U. v. 21.3.2007 – 13 S 216/06, IBR 2008, S. 338.

an Grundstücken zu ermitteln waren. Von § 34 HOAI 1996 nicht erfasst waren aber insbesondere Ermittlungen bei Mieten und Pachten sowie Wertermittlung von technischen Anlagen. Honorare für solche Gutachten konnten demnach schon immer frei vereinbart werden.

Weil die HOAI insgesamt **tätigkeitsbezogen** und nicht berufsstandsbezogen zu verstehen ist,[63] war es für die Anwendung von § 34 HOAI 1996 gleichgültig, ob Wertermittlungen von Architekten bzw. Ingenieuren oder Maklern oder sonstigen Wertermittlungsgutachtern durchgeführt wurden. Für Wertermittlungsgutachten war es also nur entscheidend, ob es sich um ein Gutachten im Anwendungsbereich des § 34 HOAI 1996 handelte.

Seit dem Wegfall des § 34 HOAI 1996 können **alle Wertermittlungsgutachten** im privaten Bereich grundsätzlich nach einer **freien Honorarvereinbarung** erbracht werden.

Der Umstand, dass für Wertermittlungsgutachten die HOAI bis 2009 Honorartafeln enthielt und es die Sachverständigen dieser Sachgebiete gewohnt waren damit abzurechnen, hat allerdings dazu geführt, dass Immobilienbewertungsgutachter **pauschalierte Abrechnungssysteme** kennen und im Allgemeinen auch anwenden wollen. Von Verbänden wurden daher verschiedene Honorarempfehlungen mit **Pauschalsätzen** eingeführt, die in der Praxis auch vergleichsweise breite Akzeptanz finden. Nach Einschätzung von Immobiliensachverständigen werden mindestens 90 % aller Wertermittlungsgutachten auf der Grundlage einer solchen freien Pauschalvereinbarung abgerechnet.

Zu nennen sind folgende Empfehlungen, die online auf den Internetseiten der betreffenden Verbände verfügbar sind:

- **Honorarrichtlinie des BVS für Gutachten über den Verkehrswert (Stand 2022)**,[64]
- **Honorar-Richtlinie des LVS-Bayern zur Immobilienbewertung (Fassung vom 09.10.2020)**.[65]

3.5.3.2 BVS-Richtlinie

Die Richtlinie des BVS[66], Berlin, ist überschaubar auf einer Seite zusammengefasst. Sie ist damit vergleichsweise leicht zu handhaben.

In einer Vorbemerkung stellt die Richtlinie zunächst klar, dass die Honorare für Wertermittlungsgutachten grundsätzlich frei verhandelbar sind und die Richtlinie daher nur eine **unverbindliche Empfehlung** darstellen kann.

Die Richtlinie wurde formuliert für die Erstattung von Gutachten über den Verkehrswert von immobilienwirtschaftlichen Grundstücken.

63 BGH, U. v. 22.5.1997 – VII ZR 290/05, BauR 1997, S. 677; IBR 1997, S. 286.
64 www.bvs-ev.de (Standpunkte und Richtlinien, Honorarrichtlinie, Fassung 2022).
65 www.lvs-bayern.de („Honorar-Richtlinie des LVS-Bayern zur Immobilienbewertung").
66 Bundesverband öffentlich bestellter und vereidigter sowie qualifizierter Sachverständiger e.V., Berlin.

Für die Bemessung des Honorars ist zunächst der durch den Sachverständigen ermittelte **Verkehrswert maßgeblich**. Bezogen auf den jeweiligen Wert werden folgende Grundhonorare als Nettohonorare empfohlen:

Wert	Honorar
150.000 €	1.800 €
200.000 €	1.900 €
300.000 €	2.100 €
400.000 €	2.300 €
500.000 €	2.500 €
600.000 €	2.670 €
700.000 €	2.800 €
800.000 €	2.920 €
1.000.000 €	3.160 €
1.250.000 €	3.460 €
1.500.000 €	3.760 €
1.750.000 €	4.060 €

Wert	Honorar
2.500.000 €	
3.000.000 €	5.600 €
4.000.000 €	6.800 €
5.000.000 €	7.700 €
6.000.000 €	8.500 €
7.000.000 €	9.400 €
8.000.000 €	10.300 €
9.000.000 €	11.100 €
10.000.000 €	12.000 €
15.000.000 €	15.000 €
20.000.000 €	18.000 €
25.000.000 €	21.000 €

Da die vorbenannten Honorare von Zeit zu Zeit erhöht werden, ist auf den jeweils aktuellen Stand gemäß Internet-Seite des BVS zu verweisen.[67]

In Fällen einer **Wertminderung**, z.B. bei Abschlägen für Instandsetzungseinfluss, Reparatureinfluss, ökologische Lasten, Abbruchkosten oder Erschließungsproblemen usw. soll sich das Honorar auf der Grundlage der **ungekürzten Werte** bemessen.

Zuschläge sind für folgende **Besonderheiten** vorgesehen:

Besonderheiten	Korrektur
bei mehreren Stichtagen pro Wertermittlungsstichtag bzw. Qualitätsstichtag	+ 20 % bis + 50 %
Rechte am Grundstück:	
Erbbaurecht	+ 40 %
Wegerecht	+ 20 %
Leitungsrecht	+ 20 %
Wohnungsrecht	+ 30 %
Nießbrauch	+ 30 %

67 www.bvs-ev.de.

Besonderheiten	Korrektur
Überbau	+ 30 %
weitere Rechte, je nach Schwierigkeit	+ 10 % – + 40 %
mehrere bauliche Anlagen	
mehrere unterschiedliche, aber wesentlich Wert tragende bauliche Anlagen auf einem Grundstück	+ 20 % – + 60 %

Fallen **mehrere Rechte** am Grundstück zusammen, wird empfohlen, die einzelnen **Faktoren** zu **addieren**, wenn keine Gemeinsamkeiten bei den Rechten bestehen. Unter Gemeinsamkeiten sind z.B. ein kombiniertes Geh-, Fahr- und Leitungsrecht auf der gleichen Teilfläche eines Grundstücks zu verstehen.

Rechte ohne Werteinfluss sind nicht zu berücksichtigen.

Bei Fällen gleicher **Voraussetzungen** (z.B. Wohnungsrecht und Nießbrauch für die gleiche Person) soll **ein Recht voll** und **jedes weitere Recht** mit einem **halben Korrekturfaktor** berücksichtigt werden.

Weitere Zuschläge sind wie folgt vorgesehen:

- Zuschlag für **erschwerte Arbeitsbedingungen**, wie z.B. Schmutz, Sicherheit, Gefahrenabwehr usw.: **20 %** („Faktor 1,2").
- Zuschlag für **besondere Leistungen**, wie z.B. für die Beschaffung von erforderlichen Unterlagen örtliche Aufnahme der Gebäude und Aufmaß, Erstellung oder Ergänzung von Plänen und maßstabsbezogenen Skizzen: **20 % bis 50 %** je nach Aufwand.

Praxistipp

▶ *Bei besonderen Leistungen sollte im Zweifel ein gesondertes Honorar nach Zeitaufwand vereinbart werden.*

Ein **Minderungsfaktor zwischen 0,9 und 0,6** ist vorgesehen, wenn ein früheres Gutachten zu aktualisieren ist. Die Höhe des Faktors soll vom Aufwand abhängig sein, der mit der Aktualisierung verbunden ist. Hierbei besteht also ein nicht unerheblicher (Verhandlungs-)Spielraum.

Ferner sieht die BVS-Richtlinie vor, dass **Nebenkosten** gesondert frei zu vereinbaren sind. Bei Fahrten mit dem Kraftfahrzeug wird aber eine zusätzliche Pauschale in Höhe von 0,70 Euro pro gefahrenen Kilometer vorgeschlagen.

Praxistipp

▶ *Für allgemeine Nebenkosten sollte eine Pauschale in Höhe von 2 % bis 5 % vereinbart werden.*

Praxistipp

Bei Bahnfahrten sollte 1. Klasse und bei Einsatz einer BahnCard eine anteilige Umlage der Kosten der BahnCard vereinbart werden.

Schließlich stellt die BVS-Richtlinie klar, dass **alle Angaben ohne die gesetzliche Umsatzsteuer** dargestellt sind. Soweit der Sachverständige also von der Umsatzsteuer nicht befreit ist, muss er auf alle berechneten Beträge die Umsatzsteuer noch zusätzlich erheben.

Praxistipp

Im Vertrag ist die zusätzliche Berechnung der Umsatzsteuer klarzustellen. Verbraucher können andernfalls von Bruttobeträgen ausgehen.

3.5.3.3 Honorar-Richtlinie des LVS-Bayern

Der LVS-Bayern[68] hat demgegenüber eine abweichende Honorar-Richtlinie veröffentlicht.

In einer Vormerkung stellt der LVS-Bayern klar, dass sich die Richtlinie auf die Erstellung von Gutachten zum Verkehrswert (gemäß § 194 BauGB) von Immobilien bezieht.

Nach den Empfehlungen des LVS-Bayern soll sich die Vergütung aus drei Komponenten zusammensetzen:

- **1. Tabellenhonorar als Basishonorar, bestehend aus einem objektunabhängigen Sockelbetrag, einem objektspezifischen Wertanteil und einem Objektfaktor**
- **2. Zeithonorar für die Ortsbesichtigung und Beschaffung von Unterlagen**
- **3. Nebenkosten**

Zu 1. Tabellenhonorar als Basishonorar:

Das Basishonorar ist vorgesehen für die Ausarbeitung, Erstellung und erste Ausfertigung des Gutachtens. Dieses ist zunächst über einen „Sockelbetrag" zu ermitteln, der über einen Anteil aus dem Objektwert zu erhöhen ist:

Objektwert	Sockelbetrag	Erhöhung
bis 1 Mio. €	1.900 €	+ 0,2 % des Objektwertes
über 1 Mio. €	2.900 €	+ 0,1 % des Objektwertes

Als **Objektwert** soll nach dieser Richtlinie der ermittelte Verkehrswert im lastenfreien Zustand also ohne wertmindernde Rechte und Lasten gemäß Grundbuch Abteilung II und ohne Abzüge von Sonderwerten, wie z.B. Instandhaltungsrückstand, temporärerer Minderungsertrag usw. gelten.

68 Landesverband Bayern öffentlich bestellter und vereidigter sowie qualifizierter Sachverständiger e.V., München.

Für das **Basishonorar** ergibt sich damit folgende Honorartabelle für Nettohonorare (zzgl. MwSt.):

Wert	**Honorar**
bis 250.000 €	2.400 €
300.000 €	2.500 €
400.000 €	2.700 €
500.000 €	2.900 €
600.000 €	3.100 €
700.000 €	3.300 €
800.000 €	3.500 €
900.000 €	3.700 €
1.000.000 €	3.900 €
1.100.000 €	4.000 €
1.200.000 €	4.100 €
1.300.000 €	4.200 €
1.400.000 €	4.300 €
1.500.000 €	4.400 €

Wert	**Honorar**
1.6000.000	4.500 €
1.700.000	4.600 €
1.800.000	4.700 €
1.900.000	4.800 €
2.000.000	4.900 €
2.500.000	5.400 €
3 000.000	5.900 €
3.500.000	6-400 €
4.000.000	6.900 €
4.500.000	7.400 €
5.000.000	7.900 €
10.000.000	12.900 €
20.000.000	22.900 €

Die veröffentlichte Tabelle enthält darüber hinaus auch eine Spalte, die das Basishonorar brutto also einschließlich 19 % Mehrwertsteuer ausweist.

Die Basishonorare sollen mit **Objektfaktoren** multipliziert werden. Diese sollen die Objekt- bzw. Auftragsmerkmale berücksichtigen. In der Richtlinie werden folgende Einzelfaktoren aufgezählt:

Objekt- und Auftragsmerkmale, Besonderheiten	**Faktor**
keine Besonderheiten	= 1,0
Bewertung bei gemischten Nutzungen im Objekt	mind. 1.1
Bewertung von Wohnungs-/Teileigentum	mind. 1,2
Bewertung von Sonderimmobilien	mind. 1,4
Bewertung von Erbbaurechten	mind. 1,5
Bewertung bei besonderer Eilbedürftigkeit	1,2

Die Aufzählung soll nicht abschließend sein.

Der Gesamtfaktor soll sich durch Multiplikation der Einzelfaktoren ergeben.

Zu 2. Zeithonorar für die Ortsbesichtigung und Beschaffung von Unterlagen:

Vom Basishonorar nicht erfasst sollen zunächst der Aufwand für **Ortsbesichtungen** und die **Beschaffung** der für die Gutachtenerstattung erforderlichen **Objektunterlagen**, die nicht vom Auftraggeber gestellt werden, sowie die Bewertung von Rechten, Lasten und Beschränkungen sowie von besonderen objektspezifischen Merkmalen, sein. Die Vergütung dafür soll nach **Zeitaufwand** oder mit einer **Aufwandspauschale** vereinbart werden.

Dafür sieht die Richtlinie einen „**Basis-Stundensatz**" „ab Januar 2021 für Bayern" in Höhe von **150,00 Euro/Std. oder** den individuellen **Bürostundensatz** des Sachverständigen vor. Der Basisstundensatz ist aus dem Stundensatz abgeleitet, den das Bayerische Staatsministerium des Innern nach der Zuständigkeitsverordnung im Bauwesen (ZustVBau) für Amtshandlungen im Vollzug der Bayerischen Bauordnung (BayBO) bekannt gibt.

Zu 3. Nebenkosten:

Als **Nebenkosten** nach dieser Richtline sollen der Ersatz von **Auslagen** und **Aufwendungen** sowie die **Umsatzsteuer** (Mehrwertsteuer) gelten.

Für folgende beispielhaft aufgezählte Auslagen und Aufwendungen werden folgende Empfehlungen gegeben:

Auslagen und Aufwendungen	Preis
Reisekostenersatz, Fahrtkosten PKW	0,70 €/km
Sonstige Reisekosten	auf Nachweis
Kopierkosten für Mehrfertigungen, schwarz/weiß	0,15 €/Seite
Kopierkosten für Mehrfertigungen, farbig	1,00 €/Seite
Fotografien	2,00 €/Stück
Portokosten	auf Nachweis
Kosten, Auslagen, Auskünfte von Ämtern o. Dritten	auf Nachweis

Die Honorare sind um die gesetzliche Umsatzsteuer zu erhöhen.

Honorar für andere Leistungen (Ziffer III der Richtlinie):

Schließlich enthält die Richtlinie unter Ziffer III auch Empfehlungen für Leistungen, die nicht im Zusammenhang mit einem Verkehrswertgutachten stehen, wie z.B. Beratungen, Teilnahme an Abnahmen, fachlichen Stellungnahmen, Schiedsgutachten.

Mit der Richtlinie wird dafür eine Abrechnung nach Zeitaufwand mit dem jeweiligen „Büro-Stundensatz" empfohlen (vgl. oben). Dafür wird eine Erhöhung um einem Faktor vorgeschlagen, der abhängig sein soll, von der Art und der Besonderheit des Auftrags, wie z.B. Schwierigkeit, erforderliche besondere Kenntnisse, Qualifikation usw. Empfohlen wird ein Erhöhungsfaktor zwischen 1,3 und 3,0.

3.5.3.4 Vergleich der Grundhonorare BVS/LVS-Bayern

Die Honorarempfehlungen des BVS und des LVS-Bayern lassen sich aufgrund unterschiedlicher Berechnungssysteme und Zuschläge nur schwer allgemein vergleichen. Für die Nettogrundhonorare (zzgl. MwSt.) ergibt sich aber folgender Vergleich:

Wert	Grundhonorare BVS[69]	Basishonorare LVS-Bayern[70]
300.000 €	2.100 €	2.500 €
400.000 €	2.300 €	12.000 €
500.000 €	2.500 €	2.900 €
600.000 €	2.670 €	3.100 €
700.000 €	2.800 €	3.300 €
800.000 €	2.920 €	3.500 €
1.000.000 €	3.160 €	3.900 €
1.500.000 €	3.760 €	4.400 €
2.000.000 €	44.360 €	4.900 €
2.500.000 €	4.960 €	5.400 €
3.000.000 €	5.600 €	5.900 €
4.000.000 €	6.800 €	6.900 €
5.000.000 €	7.700 €	7.900 €
10.000.000 €	12.000 €	12.900 €
20.000.000 €	12.000 €	22.900 €

3.5.4 Honorar für Grundleistungen nach der HOAI

3.5.4.1 Grundlagen

Aufgrund der für den Geltungsbereich der HOAI maßgeblichen Ermächtigungsgrundlage des ArchLG ist die HOAI auf natürliche und juristische Personen unter der Voraussetzung anwendbar, dass sie Architekten- und Ingenieuraufgaben erbringen, die in der HOAI beschrieben sind.[71] Die **HOAI ist also leistungsbezogen** zu verstehen. Ob der Auftragnehmer selbst Architekt oder Ingenieur ist, ist dabei unerheblich.

69 Vgl. oben Abschnitt 3.5.4.2; zzgl. Erhöhungen für Besonderheiten, Zuschläge für erschwerte Bedingungen und besondere Leistungen sowie Nebenkosten.

70 Vgl. oben Abschnitt 3.5.4.3; zzgl. Objektfaktoren, Zeithonorar für die Ortsbesichtigung und Beschaffung von Unterlagen, Honorare für Sonderwerte und Nebenkosten.

71 So auch schon für die ursprünglichen Ermächtigungsgründe von 1971: BGH, U. v. 22.5.1997 – VII ZR 290/05, BauR 1997, S. 677; IBR 1997, S. 286.

Soweit von Bausachverständigen in dieser Hinsicht Leistungen nach der HOAI zu erbringen sind, ist für die zutreffende Anwendung der Honorarberechnungsvorschriften zunächst eine Abgrenzung von **Grundleistungen** und **Besonderen Leistungen** vorzunehmen. Bei der Frage der maßgeblichen Fassung kommt es auf den Zeitpunkt des Vertragsschlusses an. Insofern sind folgende Fassungen anzuwenden:

- **Bei Verträgen vom 17.7.2013 bis einschließlich 31.12.2020: HOAI 2013**
- **Bei Verträgen ab dem 1.1.2021: HOAI 2021**

Mit der Neufassung von 2021 blieben die Tafelwerte der Honorartafeln zwar unverändert, aufgrund der Rechtsprechung des EuGH vom 4.7.2019[72] und der insofern notwendig gewordenen Neufassung der HOAI bei der die verbindlichen Unter- und Obergrenzen entfallen sind, ist eine entsprechende Unterscheidung wichtig.

Die HOAI 2013 ließ Honorarvereinbarung, mit einer Unterschreitung der Mindestsätze oder einer Überschreitung der Höchstsätze nur in den Ausnahmefällen des § 7 Abs. 3 oder 4 HOAI 2013 zu. Bei einer Höchstsatzüberschreitung konnte der Auftraggeber eine entsprechende Verminderung des Honorars und bei einer Mindestsatzunterschreitung der Auftragnehmer eine entsprechende Erhöhung („Aufstockung") des Honorars verlangen.[73] Hinsichtlich einer Abgrenzung von Grundleistungen und Besonderen Leistungen ist aber nach beiden Fassungen § 3 Abs. 1 maßgeblich. Demnach umfassen **Grundleistungen** die Leistungen, die zur ordnungsgemäßen Erfüllung eines Auftrags im Allgemeinen erforderlich sind. Sachlich zusammengehörige Grundleistungen sind zu jeweils in sich abgeschlossenen Leistungsphasen zusammengefasst. Die Grundleistungen sind in den einzelnen Leistungsbildern der HOAI **abschließend aufgezählt**.[74]

Werden von Bausachverständigen Grundleistungen nach der HOAI erbracht, sind für die Honorarabrechnung die Vorschriften der zum Zeitpunkt des Vertragsschlusses maßglichen Fassung der HOAI zu beachten. wichtiger Stichtag ist insofern der 1.1.2021. Davor ist die HOAI 2013 mit verbindlichen Mindest- und Höchstsätzen anzuwenden.

Eine **Honorarabrechnung nach Zeithonorar kommt nach der HOAI 2013 nur ausnahmsweise in Betracht. Voraussetzung dafür ist dann, dass die** Honorarvereinbarung schriftlich bei Auftragserteilung geschlossen wurde und das Honorar im Ergebnis zwischen Mindest- und Höchstsatz liegt (§ 7 Abs. 1 und 5 HOAI 2013).[75] Ist dies nicht der Fall kann der Auftraggeber gegen eine Abrechnung nach Zeitaufwand **Einwendungen gegen die Prüffähigkeit** der Honorarrechnung erheben. Der Bausachverständige ist dann verpflichtet, nach den Abrechnungsvorschriften der einzelnen Leistungsbilder der HOAI abzurechnen. Ohne schriftliche Honorarvereinbarung bei Auftragserteilung kann nur ein Mindestsatzhonorar verlangt werden (§ 7 Abs. 5 HOAI).

Bei Anwendung der HOAI 2021 ist eine Honorarvereinbarung nach Zeithonorar unproblematisch, solange diese in Textform (§ 126b BGB) erfolgt, weil die HOAI in dieser Fassung jetzt nur noch als Orientierungshilfe dient (§§ 1 und 2a HOAI 2021). Liegt allerdings eine

72 EuGH, U. v. 4.7.2019 – Rs. C-377/17.
73 Vgl. ausführlich *Berger*, in: *Fuchs/Berger/Seifert*, § 7 HOAI 2013 Honorarvereinbarung.
74 *Fuchs/Seifert*, in: Fuchs/Berger/Seifert, HOAI § 3 Rn. 15.
75 BGH, U. v. 17.4.2009 – VII ZR 164/07, IBR 2009, S. 334.

Honorarvereinbarung in Textform nicht vor, gilt für Grundleistungen der jeweilige Basishonorarsatz als vereinbart, der sich bei der Anwendung der Honorargrundlagen des § 6 ergibt (§ 6 Abs. 1 Satz 2 HOAI 2021).

Praxistipp

▶ *Honorarvereinbarungen mindestens in Textform schließen.*

Bei Anwendung der HOAI 2021 sind Besonderheiten im Vertragsschluss mit Verbrauchern zu beachten. Denn nach § 7 Abs. 2 HOAI 2021 hat der Auftragnehmer den Auftraggeber, sofern dieser Verbraucher ist, „vor Abgabe von dessen verbindlicher Vertragserklärung zur Honorarvereinbarung in Textform darauf hinzuweisen, dass ein höheres oder niedrigeres Honorar als die in den Honorartafeln" der HOAI enthaltenen Werte vereinbart werden kann. Erfolgt der Hinweis nach Satz 1 nicht oder nicht rechtzeitig, gilt nach Satz 2 dieser Vorschrift „für die zwischen den Vertragsparteien vereinbarten Grundleistungen anstelle eines höheren Honorars ein Honorar in Höhe des jeweiligen Basishonorarsatzes als vereinbart." Das gilt auch für Vereinbarungen von Zeithonoraren.

Praxistipp

▶ *Bei Honorarvereinbarungen mit Verbrauchern vor der Honorarvereinbarung auf die Tafelwerte der HOAI hinweisen und dazu in Textform zu erklären, dass ein höheres oder niedrigeres Honorar als die in den Honorartafeln enthaltenen Werte vereinbart werden kann.*

Grundleistungen können Bausachverständige grundsätzlich aus allen **Leistungsbildern (beider Fassungen) der HOAI** erbringen:

Teil 2	Abschnitt 1	§ 18	Flächennutzungsplan
Teil 2	Abschnitt 1	§ 19	Bebauungsplan
Teil 2	Abschnitt 2	§ 23	Landschaftsplan
Teil 2	Abschnitt 2	§ 24	Grünordnungsplan
Teil 2	Abschnitt 2	§ 25	Landschaftsrahmenplan
Teil 2	Abschnitt 2	§ 26	Landschaftspflegerischer Begleitplan
Teil 2	Abschnitt 2	§ 27	Pflege- und Entwicklungsplan
Teil 3	Abschnitt 1	§ 34	Gebäude und Innenräume
Teil 3	Abschnitt 2	§ 39	Freianlagen
Teil 3	Abschnitt 3	§ 43	Ingenieurbauwerke
Teil 3	Abschnitt 4	§ 47	Verkehrsanlagen
Teil 4	Abschnitt 1	§ 51	Tragwerksplanung
Teil 4	Abschnitt 2	§ 55	Technische Ausrüstung

Leistungen für **Umweltverträglichkeitsstudie, Bauphysik, Geotechnik** und **Ingenieurvermessung** sind zwar in Anlage 1 der HOAI enthalten. Seit der HOAI in der Fassung von 2009 sind solche Leistungen allerdings nicht mehr preisrechtlich geregelt (§ 3 Abs. 1 Satz 2 HOAI). Daran hat sich mit der HOAI 2021 nichts geändert. Die Honorare können dafür also frei vereinbart werden. Honorarvereinbarungen nach Zeitaufwand sind daher im Grundsatz nicht zu beanstanden. Bei Honorarabrechnungen nach der HOAI gelten übergreifend für alle Teile der HOAI zunächst die **allgemeinen Vorschriften** nach Teil 1, §§ 1–16.

Bausachverständige werden vielfach beauftragt, auf der Basis von gutachterlichen Feststellungen Grundleistungen zu erbringen, also geeignete Planungen zu fertigen (Leistungsphasen 1 bis 5), die Vergabe vorzubereiten, bei dieser mitzuwirken (Leistungsphasen 6 und 7) oder die Bauüberwachung (Leistungsphase 8) ganz oder in Teilen zu übernehmen. Gerade bei der Objektüberwachung werden Bausachverständige vielfach tätig. Bei der Feststellung von Mängeln, der **Entwicklung eines Sanierungskonzeptes** und der **Beaufsichtigung der Sanierungsarbeiten** handelt es sich um **Architektenleistungen** und nicht um Sachverständigentätigkeiten,[76] auch wenn der Bausachverständige in dieser Sache zuvor ein Gutachten über die erforderlichen Sanierungsarbeiten erstattet hat.[77]

Eine **baubegleitende Qualitätssicherung** ist eine Objektüberwachung i.S. der Leistungsphase 8, soweit es dabei um Grundleistungen i.S. der HOAI geht. Auch eine als „**Baucontrolling**" verbrämte Objektüberwachungsleistung eines Bausachverständigen oder einer Sachverständigenorganisation kann nicht losgelöst von den preisrechtlichen Vorschriften der HOAI vereinbart werden.[78]

Für alle Grundleistungen kann die Honorarabrechnung grundsätzlich nur nach den Grundsätzen der HOAI erfolgen (vgl. nachfolgend Abschnitt 3.5.4.3).

Praxistipp

▶ *Leistungsinhalt und Leistungsumfang möglichst scharf definieren.*

Begriffe nach der HOAI verwenden.

Für alle Leistungen nach der HOAI sind die grundlegenden Vorschriften des § 7 HOAI zu beachten. Honorarvereinbarungen müssen allgemein zu einem Honorar führen, das **zwischen Mindest- und Höchstsatz liegt (Abs. 1). Mindestsatzunterschreitungen** (Abs. 3) oder **Höchstsatzüberschreitungen** (Abs. 4) sind nur in wenigen Ausnahmefällen zulässig.[79] Solche Abweichungen müssen auch **schriftlich bei Auftragserteilung** vereinbart werden. Nur zu diesem Zeitpunkt kann der durch die HOAI gesetzte Rahmen von Mindest- und Höchstsätzen ausgeschöpft werden (Abs. 1). Fehlt dagegen ein schriftlicher Vertrag, der bei Auftragserteilung also bei Leistungsbeginn geschlossen worden sein muss, bleibt nur eine Abrechnung nach den Mindestsätzen der HOAI (§ 7 Abs. 5 HOAI).

76 BGH, U. v. 12.5.2005 – VII ZR 349/03, BauR 2005, S. 1349; IBR 2005, S. 429.
77 Ebenso: OLG Düsseldorf, U. v. 1.9.1999 – 5 U 267/98, BauR 1999, S. 1477; IBR 2000, S. 179.
78 LG Berlin, Vergleich v. 30.5.2002 – 16 O 576/01, IBR 2003, S. 89.
79 Vgl. ausführlich: *Locher/Koeble/Frik,* 13. Aufl. 2016, § 7.

3.5.4.2 Gemischte Aufträge

Bei einer gemischten Leistung, wenn also preisrechtlich nicht geregelte gutachterliche Tätigkeiten und Grundleistungen nach der HOAI innerhalb eines Auftrags zusammentreffen, stellt sich die Frage, ob dann das Preisrecht der HOAI anzuwenden ist. Zu § 33 HOAI 1996 („Gutachten") wurden in der Literatur verschiedene Lösungen diskutiert:[80]

- **Einheitstheorie**
- **Aufspaltungstheorie**
- **Auftragstheorie**
- **Schwerpunkttheorie**

Die **Einheitstheorie**, nach der für alle denkbaren Fälle von Gutachten unterschiedslos die HOAI anzuwenden sein soll, dürfte von vornherein ausscheiden, das das Preisrecht der HOAI nur auf dort geregelte Leistungen beschränkt ist.

Auch die **Auftragstheorie**, nach der es darauf ankommen soll, wie der Gegenstand des Auftrags formuliert ist, dürfte für solche Fälle unmaßgeblich sein.

Nach der **Schwerpunkttheorie** kommt es darauf an, ob der Schwerpunkt der Leistung bei preisrechtlich gebundenen Leistungen, also z.B. bei Planung, Ausschreibung, Vergabe oder Ausführungsüberwachung liegt oder bei gutachterlichen Leistungen, also z.B. Schadensfeststellungen oder baubetrieblichen Untersuchungen. Nach der Rechtsprechung des AG Kassel ist die HOAI jedenfalls nicht anwendbar, wenn sich der Auftrag schwerpunktmäßig mit Fragestellungen beschäftigt, die nicht Gegenstand der Leistungsbilder der HOAI sind.[81]

Dem Zweck des Preisrechts der HOAI wird allerdings nur die **Aufspaltungstheorie** gerecht. Danach ist eine getrennte Betrachtung hinsichtlich des tatsächlichen Auftragsinhalts vorzunehmen. Für Grundleistungen i.S. der Leistungsbilder der HOAI ist das Preisrecht der HOAI anzuwenden. Für gutachterliche Leistungen ist die HOAI dagegen nicht anwendbar. Dafür kann dann eine freie Honorarvereinbarung getroffen werden.[82]

Dabei kann es in der Praxis allerdings zu erheblichen Abgrenzungsschwierigkeiten kommen. Um solche zu vermeiden, kann nur dringend dazu geraten werden, bei gemischten Aufträgen eine Honorarvereinbarung schriftlich bei Auftragserteilung zu schließen. Soweit eine solche Vereinbarung für den preisrechtlich geregelten Teil im Ergebnis zwischen Mindest- und Höchstsatz liegt, ist eine solche Vereinbarung auch dann wirksam, wenn dafür ein Zeithonorar vereinbart wird. Die Vereinbarung eines **Zeithonorars für Architekten- und Ingenieurleistungen i.S. der HOAI** ist nach der Rechtsprechung des Bundesgerichtshofs nämlich **wirksam**, wenn sie schriftlich bei Auftragserteilung unter Berücksichtigung des Preisrahmens der Mindest- und Höchstsätze erfolgt. Die Wirksamkeit einer

80 *Locher/Koeble/Frik*, 13. Aufl. 2016, § 3 Rn. 13; *Pott/Dahlhoff/Kniffka/Rath*, 8. Aufl. 2006, § 33 Rn. 4 m.w.N. LG Berlin, Vergleich v. 30.5.2002 – 16 O 576/01, IBR 2003, S. 89.

81 AG Kassel, U. v. 9.10.2012 – 435 C 6301/11, IBR 2013, S. 32.*Locher/Koeble/Frik*, 13. Aufl. 2016, § 3 Rn. 13; *Pott/Dahlhoff/Kniffka/Rath*, 8. Aufl. 2006, § 33 Rn. 4 m.w.N.

82 *Wessel*, IBR 2013, S. 32; vgl. Praxishinweis zu AG Kassel, U. v. 9.10.2012 – 435 C 6301/11.

solchen Honorarvereinbarung hängt nicht davon ab, ob die Preisvorschriften der HOAI eine Abrechnung nach Zeithonorar anordnen oder zulassen.[83]

Praxistipp

▶ *Bei gemischten Aufträgen, die Leistungen nach der HOAI und Sachverständigenleistungen enthalten, sollte die Honorarvereinbarung (pauschal oder nach Zeitaufwand) in Textform erfolgen*

3.5.4.3 Honorarberechnung

Für alle Honorarberechnungen nach dem System der HOAI sind zunächst die **Honorarberechnungsgrundlagen** nach § 6 Abs. 1 HOAI zu beachten. Nach § 6 Abs. 1 HOAI richtet sich das Honorar nach folgenden Berechnungsparametern:

Satz 1:

- **Nr. 1: Leistungsbild**
- **Nr. 2: Honorarzone**
- **Nr. 3: Honorartafel**

Satz 2 (bei Objekt- und Fachplanungen)[84]:

- **Nr. 2: anrechenbare Kosten des Objekts auf der Grundlage der Kostenberechnung**

Bei Umbauten und Modernisierungen gelten diese Grundsätze gemäß § 6 Abs. 2 HOAI analog. Hinzu kommt dann allerdings ein Umbau- oder Modernisierungszuschlag auf das Honorar (Nr. 5).

Die **anrechenbaren Kosten** ergeben sich bei Grundleistungen bei Gebäuden und Innenräumen nach den Vorschriften des § 33 HOAI, bei Grundleistungen bei Freianlagen nach § 38 HOAI, bei Grundleistungen bei Ingenieurbauwerken nach § 42 HOAI, bei Grundleistungen bei Verkehrsanlagen nach § 46 HOAI, bei Grundleistungen bei der Tragwerksplanung nach § 50 HOAI und bei Grundleistungen bei der Technischen Ausrüstung nach § 54 HOAI.

Sie sind (auch bei Anwendung der HOAI 2021) unter Zugrundelegung der Kostenermittlungsarten nach **DIN 276 in der Fassung von 2008** zu ermitteln. Werden Kostenermittlungen nach einer anderen Fassung zugrunde gelegt, ist die Honorarabrechnung in aller Regel als nicht prüffähig anzusehen.[85] Für eine verordnungsgerechte Ermittlung der anrechenbaren Kosten sind nach der HOAI die Kosten allgemein nach vier Kostenkategorien zu unterscheiden:[86]

---

83 BGH, U. v. 17.4.2009 – VII ZR 164/07, IBR 2009, S. 334.

84 § 6 Abs. 1 Nr. 1 ist bei Leistungen der Flächenplanung nach Teil 2 HOAI und Nr. 2 bei der Ingenieurvermessung nach Anlage 1 Nr. 1.4.2 HOAI zu beachten.
BGH, U. v. 17.4.2009 – VII ZR 164/07, IBR 2009, S. 334.

85 Analog: BGH, U. v. 22.1.1998 – VII ZR 259/96, BauR 1998, S. 354; IBR 1998, S. 156.

86 Zu den zahlreichen Sonderfällen bei den anrechenbaren Kosten: vgl. die Kommentarliteratur zur HOAI; insbesondere: *Locher/Koeble/Frik* und *Fuchs/Berger/Seifert*.

- **voll** anrechenbare Kosten (bei Gebäuden und Innenräumen: § 33 Abs. 1),
- **bedingt** anrechenbare Kosten (bei Gebäuden und Innenräumen: § 33 Abs. 3),
- **ggf. beschränkt** anrechenbare Kosten (bei Gebäuden und Innenräumen: § 33 Abs. 2),
- **nicht** anrechenbare Kosten (bei Gebäuden und Innenräumen: § 33 Abs. 3).

Werden **vorhandene oder vorbeschaffte Baustoffe oder Bauteile eingebaut**, sind dafür bei den anrechenbaren Kosten ortsübliche Preise anzusetzen (§ 4 Abs. 2 Nr. 4).

Das Gleiche gilt, wenn der Auftraggeber selbst Lieferungen oder Leistungen („**Eigenleistung**") erbringt: Auch dann sind dafür ortsübliche Preise anzusetzen.

Bei **Baumaßnahmen im Bestand** sind seit der HOAI 2013 bei den anrechenbaren Kosten jetzt wieder[87] **anrechenbare Kosten aus vorhandener Bausubstanz** zu berücksichtigen (§ 4 Abs. 3 HOAI).[88]

Praxistipp

▶ *Anrechenbare Kosten aus Eigenleistung (§ 10 Abs. 2 Nr. 1 HOAI), vorhandenen Baustoffen und Bauteilen (§ 4 Abs. 2 Nr. 4 HOAI) und vorhandener Bausubstanz (§ 4 Abs. 3 HOAI) sollten bereits im schriftlichen Vertrag bestimmt werden.*

Darüber hinaus ist die auf die Kosten von Objekten entfallende **Umsatzsteuer nicht Bestandteil der anrechenbaren Kosten (§ 4 Abs. 1 Satz 4 HOAI).** Der Auftragnehmer hat allerdings Anspruch auf Ersatz der gesetzlich geschuldeten Umsatzsteuer (§ 16 HOAI).

Die **Honorarzone** bei Objekten richtet sich nach den **Planungsanforderungen**, wie sie sich für das Objekt ergeben. Als Orientierung dienen dabei die **Objektlisten in den Anlagen 10 bis 15 HOAI:**

- Anlage 10 Nr. 10.2: Objektliste Gebäude
- Anlage 10 Nr. 10.3: Objektliste Innenräume
- Anlage 11 Nr. 11.2: Objektliste Freianlagen
- Anlage 12 Nr. 12.2: Objektliste Ingenieurbauwerke
- Anlage 13 Nr. 13.2: Objektliste Verkehrsanlagen
- Anlage 14 Nr. 14.2: Objektliste Tragwerksplanung
- Anlage 15 Nr. 15.2: Objektliste Technische Ausrüstung

---

87 Bis zur Fassung von 2009 war diesbezüglich § 10 Abs. 3a HOAI a.F. anzuwenden. Bei der Fassung von 2009 waren anrechenbare Kosten aus vorhandener Bausubstanz nicht zu berücksichtigen.

88 Vgl. dazu auch die Kommentierung zu § 4 Abs. 3 HOAI; z.B. *Seifert/Fuchs*, in: Fuchs/Berger/Seifert, HOAI § 4 Rn. 96–126; *Locher/Koeble/Frik*, § 4 Rn. 53 ff.

Maßgeblich ist im Zweifel aber eine Honorarzoneneinordnung nach **Bewertungsmerkmalen**:[89]

- § 35 Abs. 2: Bewertungsmerkmale Gebäude
- § 35 Abs. 3: Bewertungsmerkmale Innenräume
- § 40 Abs. 2: Bewertungsmerkmale Freianlagen
- § 44 Abs. 2: Bewertungsmerkmale Ingenieurbauwerke
- § 48 Abs. 2: Bewertungsmerkmale Verkehrsanlagen
- § 56 Abs. 2: Bewertungsmerkmale Technische Ausrüstung

Die Einzelbewertung nach Bewertungsmerkmalen und Punktebewertung kann gegenüber der Objektliste zu einer abweichenden Einordnung führen. Mittels qualitativer Einordnung sind dabei zunächst die **Bewertungsmerkmale** in Anforderungsstufen einzuordnen. Bei fünf Honorarzonen sind dies bei der **Objekt- und Tragwerksplanung:**

Honorarzone I:	*sehr geringe Planungsanforderungen*
Honorarzone II:	*geringe Planungsanforderungen*
Honorarzone III:	*durchschnittliche Planungsanforderungen*
Honorarzone IV:	*hohe Planungsanforderungen*
Honorarzone V:	*sehr hohe Planungsanforderungen*

Bei der **Technischen Ausrüstung** mit nur drei Honorarzonen sind dies:

Honorarzone I:	*geringe Planungsanforderungen*
Honorarzone II:	*durchschnittliche Planungsanforderungen*
Honorarzone III:	*hohe Planungsanforderungen*

Sind Bewertungsmerkmale aus mehreren Honorarzonen anwendbar und bestehen deswegen Zweifel, welcher Honorarzone das Objekt zugerechnet werden kann, dann ist eine **Punktebewertung** bei der Objektplanung durchzuführen:

- § 35 Abs. 4, 6: Gebäude
- § 35 Abs. 5, 6: Innenräume
- § 40 Abs. 3, 4: Freianlagen
- § 44 Abs. 3, 4: Ingenieurbauwerke
- § 48 Abs. 3, 4: Verkehrsanlagen
- § 56 Abs. 3, 4: Technische Ausrüstung

Bei der Tragwerksplanung gibt es über die Objektliste der Anlage 14 Nr. 14.2 keine Bewertungsmerkmale oder Punktebewertung.

89 BGH, U. v. 13.11.2003 – VII ZR 362/02, BauR 2004, S. 354; IBR 2004, S. 78.

Dafür ist zunächst die Anzahl der **Bewertungspunkte** mittels Feinbewertung zu bestimmen. Die Bewertungsmerkmale können dabei mit vorgegebenen Punkten bewertet werden. Beispiel für Gebäude (§ 35 Abs. 4 HOAI):

Einbindung in die Umgebung	1 bis 6 Punkte
Anzahl der Funktionsbereiche	1 bis 9 Punkte
Gestalterische Anforderungen	1 bis 9 Punkte
Konstruktive Anforderungen	1 bis 6 Punkte
Technische Ausrüstungen	1 bis 6 Punkte
Ausbau	1 bis 6 Punkte

Aus der Summe der Bewertungspunkte ergeben sich schließlich die Honorarzonen. Beispiel für Gebäude (§ 35 Abs. 6 HOAI):

Honorarzone I	bis 10 Punkte
Honorarzone II	bis 10 Punkte
Honorarzone III	19 bis 26 Punkte
Honorarzone IV	27 bis 34 Punkte
Honorarzone V	35 bis 42 Punkte

Als Einordnungshilfe für die Punktebewertung wurden in der Literatur Bewertungstabellen entwickelt.[90] Besonderheiten ergeben sich bei der **Honorarzonenermittlung bei Umbau und Modernisierung** (§ 6 Abs. 2 HOAI). In diesen Fällen ist nicht die Honorarzone zu ermitteln, der das Objekt i.S. der Objektliste angehört. Maßgeblich ist vielmehr die Honorarzone, der der Umbau oder die Modernisierung bei **sinngemäßer Anwendung der Bewertungsmerkmale** zuzuordnen ist (§ 6 Abs. 2 Nr. 2 HOAI). Damit ist klar zum Ausdruck gebracht, dass es auf die Objektlisten in diesen Fällen nicht ankommt. Umstritten ist, was unter einer *sinngemäßen Anwendung der Bewertungsmerkmale* zu verstehen ist. Während von Teilen der Literatur und Rechtsprechung die Ansicht vertreten wird, dass nur diejenigen Kriterien zum Ansatz kommen können, die überhaupt vorliegen, dass also beispielsweise das Bewertungsmerkmal „Einbindung in die Umgebung" wegzufallen habe, wenn das Objekt in seiner äußeren Gebäudehülle unverändert bleibt und damit keinen Einfluss auf die Umgebung ausübt und umgekehrt, wird dagegen mehrheitlich die Auffassung vertreten, dass anstelle der für den Neubau entwickelten Merkmale, entsprechend angepasste Merkmale heranzuziehen sind, sodass beispielsweise das Bewertungsmerkmal „Einbindung in die Umgebung" sinngemäß als „Einbindung in das vorhandene Gebäude" aufzufassen ist.[91]

Die maßgeblichen Honorare sind den **Honorartafeln** (bei Gebäuden und Innenräumen nach § 35 Abs. 1 HOAI) zu entnehmen. Dabei sind die zulässigen Mindest- und Höchst-

90 Ausführlich: *Seifert*, in: Fuchs/Berger/Seifert, HOAI § 35 Rn. 44 ff.

91 *Fuchs/Seifert*, in: Fuchs/Berger/Seifert, HOAI § 6 Rn 48.

sätze für Zwischenstufen der in den Honorartafeln angegebenen anrechenbaren Kosten, durch **lineare Interpolation** zu ermitteln (§ 13 HOAI). Liegen die anrechenbaren Kosten unterhalb der Honorartafel konnte das Honorar auch schon nach der HOAI 2013 frei vereinbart werden (§ 7 Abs. 2). Das insbesondere auch für Objekte mit anrechenbaren Kosten oberhalb der Honorartafeln.[92] Mit der HOAI 2021 hat sich für solche Objekte nichts geändert.

Darüber hinaus ist auch der **übertragene Leistungsumfang** zu berücksichtigen. Werden dem Bausachverständigen nur einzelne **Leistungsphasen** aus den Leistungsbildern der HOAI übertragen, dürfen dafür nur die bei den Leistungsbildern entsprechend bestimmten **Vomhundertsätze** berechnet werden (§ 8 Abs. 1). Für Leistungen bei Gebäuden bestimmt die HOAI bei den verschiedenen Fassungen für folgende Leistungsphasen folgende Prozentsätze:

Leistungsphasen		**bis HOAI 2009 (§ 33)**	**ab HOAI 2013 (§ 34 Abs. 3)**
1	Grundlagenermittlung	3 v.H.	2 %
2	Vorplanung	7 v.H.	7 %
3	Entwurfsplanung	11 v.H.	15 %
4	Genehmigungsplanung	6 v.H.	3 %
5	Ausführungsplanung	25 v.H.	25 %
6	Vorbereitung der Vergabe	10 v.H.	10 %
7	Mitwirken bei der Vergabe	4 v.H.	4 %
8	Objektüberwachung	31 v.H.	32 %
9	Objektbetreuung und Dokumentation	3 v.H.	2 %

Auch für nur **teilweise übertragene Leistungsphasen** darf nur ein Honorar berechnet werden, das dem Anteil der übertragenen Leistungen an der gesamten Leistungsphase entspricht (§ 8 Abs. 2).

Praxistipp

▶ *Leistungsbewertung für den übertragenen Leistungsumfang bereits bei der Vertragsformulierung vornehmen.*

Darüber hinaus werden in der HOAI eine Fülle von **Sonderfällen** geregelt, z.B.:

- *§ 9: Vorplanung, Entwurfsplanung und Objektüberwachung als Einzelleistung*
- *§ 10: Honorar bei Planungsänderungen*
- *§ 11: Honorar bei mehreren Objekten*

92 BGH, U. v. 24.6.2004 – VII ZR 259/02, BauR 2004, S. 1640; IBR 2004, S. 626.

- *§ 6 Abs. 2: Umbauten und Modernisierungen*
- *§ 12: Instandsetzungen und Instandhaltungen*

Diesbezüglich ist auf die einschlägige Kommentarliteratur zur HOAI zu verweisen.[93]

Beispiel

Honorarberechnungen für Grundleistungen bei Gebäuden

Anrechenbare Kosten gemäß §§ 4 und 33 HOAI	6.788.573,65 €

Ermittlung des Gesamthonorars gemäß §§ 35 und 13 HOAI:

Honorarzone:	III		gemäß §§ 5 Abs. 1 und 35 Abs. 2, 4, 6, 7 bzw. 3, 5 – 7 HOAI
Honorarsatz:	Basishonorarsatz		gemäß §§ 7 und 35 Abs. 1 HOAI
Anrechenbare Kosten:	Mindestsatz:		Höchstsatz:
5.000.000 €	478.207 €		596.416 €

Tafelwerte bei vertraglich vereinbartem Honorarsatz:

478.207 €	Honorar, bei	5.000.000 €	anrechenbaren Kosten
686.862 €	Honorar, bei	7.500.000 €	anrechenbaren Kosten

Interpolation:

478.207 €	478.207 € + (6.788.573,65 € - 5.(7.500.000 € - 5.000.000 €)000.000 €) * (686.862 €- 478.207 €)/(7.500.000 € - 5.000.000 €)	=

Grundhonorar	627.484,93 €
Zuschlag f. Leistungen bei Umbauten u. Modernisierungen (§ 36 Abs. 1 HOAI) 20 %	125.496,99 €
Gesamthonorar mit Zuschlag	752.981,92 €

Ermittlung des Honorars für die Leistungsphasen gemäß § 34 Abs. 3 HOAI:

Leistungsphasen:	Bewertung:	Honorar
1. Grundlagenermittlung	2 %	15.059,64 €
2. Vorplanung	7 %	52.708,73 €
3. Entwurfsplanung	15 %	112.947,29 €
4. Genehmigungsplanung	3 %	22.589,46 €
5. Ausführungsplanung	25 %	188.245,48 €
6. Vorbereitung der Vergabe	10 %	75.298,19 €
7. Mitwirkung bei der Vergabe	4 %	30.119,28 €
8. Objektüberwachung und Dokumentation	32 %	240.954,21 €
9. Objektbetreuung	2 %	15.059,64 €
Honorarsumme für Leistungsphasen	**100 %**	**752.981,92 €**

Werden nicht alle Leistungsphasen eines Leistungsbildes übertragen, so dürfen nur die für die übertragenen Phasen vorgesehenen Prozentsätze berechnet werden (§ 8 Abs. 1 HOAI).

93 Vgl. einschlägige Kommentarliteratur zur HOAI, insbesondere: *Fuchs/Berger/Seifert*, *Locher/Koeble/Frik*.

Werden nicht alle Grundleistungen einer Leistungsphase übertragen, so darf für die übertragenen Grundleistungen nur ein Honorar berechnet werden, das dem Anteil der übertragenen Grundleistungen an der gesamten Leistungsphase entspricht. Dasselbe gilt auch, wenn dem Auftragnehmer wesentliche Teile von Grundleistungen nicht übertragen werden (§ 8 Abs. 2 HOAI).

3.5.5 Honorar für Besondere Leistungen

3.5.5.1 Allgemeiner Überblick

Neben den in den Leistungsbildern der HOAI abschließend aufgezählten Grundleistungen können von Bausachverständigen auch Besondere Leistungen erbracht werden.

Nach der Systematik der HOAI kann es sich dabei grundsätzlich um zwei verschiedene Arten von Besonderen Leistungen handeln:

- **Besondere Leistungen, die zu Grundleistungen hinzutreten (hinzutretende Besondere Leistungen)**
- **Besondere Leistungen, die an die Stelle von Grundleistungen treten (ersetzende Besondere Leistungen)**

In beiden Fällen geht es damit um Besondere Leistungen, die in einer Beziehung zu Grundleistungen stehen. Solche Besondere Leistungen kommen daher nur dann in Betracht, wenn daneben auch Grundleistungen zum Vertragsgegenstand gehören.

Darüber hinaus können aber auch Besondere Leistungen zu erbringen sein, die zwar in den Leistungsbildern der HOAI als solche benannt sind, diese aber weder Grundleistungen ersetzen noch zu solchen hinzutreten. Solche Besondere Leistungen werden als sog. **isolierte Besondere Leistungen** bezeichnet.

Besondere Leistungen werden in den Leistungsbildern der HOAI benannt:[94]

- Anlage 9: Flächenplanung
- Anlage 10 Nr. 10.1: Gebäude und Innenräume
- Anlage 11 Nr. 11.1: Freianlagen
- Anlage 12 Nr. 12.1: Ingenieurbauwerke
- Anlage 13 Nr. 13.1: Verkehrsanlagen
- Anlage 14 Nr. 14.1: Tragwerksplanung
- Anlage 15 Nr. 15.1: Technische Ausrüstung

Sie sind aber in den Leistungsbildern nicht abschließend aufgezählt (§ 3 Abs. 3 HOAI). Sie können auch in anderen Leistungsbildern oder Leistungsphasen vereinbart werden, in denen sie nicht aufgeführt sind, soweit sie dort nicht Grundleistungen darstellen.

94 Ab Anlage 10: jeweils in der rechten Spalte der Tabellen.

3.5.5.2 Hinzutretende Besondere Leistungen

In den meisten Fällen treten Besondere Leistungen zu den Grundleistungen hinzu. Für solche Besondere Leistungen kann das Honorar frei vereinbart werden (§ 3 Abs. 3 HOAI). Wird ein Honorar nicht vereinbart, steht dem Auftragnehmer im Zweifel die übliche Vergütung zu (§ 632 Abs. 2 BGB). Das wird im Allgemeinen dann ein Zeithonorar mit ortsüblichen Stundensätzen sein. Voraussetzung ist, dass der Auftragnehmer eine Auftragserteilung für die betreffenden Besonderen Leistungen beweisen kann.

Mit Inkrafttreten der HOAI 2009 am 18.8.2009 wurde die restriktive Vorschrift des § 5 Abs. 4 HOAI 1996 beseitigt, nach der es als Anspruchsvoraussetzung für die Abrechnung eines solchen besonderen Honorars auf eine schriftliche Honorarvereinbarung ankommen sollte. Allein eine (schriftliche) „Auftragserteilung" sollte also nicht ausreichen.

Das Honorar sollte in einem angemessenen Verhältnis zu dem Honorar für die Grundleistung zu berechnen sein, mit der die Besondere Leistung nach Art und Umfang vergleichbar ist.

Bereits damals hätte man über die Zulässigkeit einer solchen Regelung diskutieren können, weil diese Regelung im Widerspruch zu § 632 Abs. 2 BGB stand und insofern fraglich sein musste, ob eine solche dann von der Ermächtigungsgrundlage abgedeckt war. Mit der neueren Fassung scheitert ein Honoraranspruch aber schon von vornherein nicht an solchen Formalien.

Praxistipp

▶ *Besondere Leistungen, die zu den Grundleistungen hinzutreten, nur nach Honorarvereinbarung in Textform erbringen.*

3.5.5.3 Ersetzende Besondere Leistungen

Besondere Leistungen können auch Grundleistungen ersetzen. Soll ein Bausachverständiger beispielsweise eine Leistungsbeschreibung mit Leistungsprogramm aufstellen, dann tritt diese an die Stelle der Grundleistung „Aufstellen von Leistungsbeschreibungen mit Leistungsverzeichnissen nach Leistungsbereichen". Die HOAI benennt im Leistungsbild Gebäude und Innenräume bei Anlage 10, Ziff. 10.1 folgende ersetzende Besondere Leistungen:

In **Leistungsphase 5** „Ausführungsplanung":

- Aufstellen einer detaillierten Objektbeschreibung als Grundlage der Leistungsbeschreibung mit Leistungsprogramm
- Prüfen der vom bauausführenden Unternehmen auf Grund der Leistungsbeschreibung mit Leistungsprogramm ausgearbeiteten Ausführungspläne auf Übereinstimmung mit der Entwurfsplanung

In der **Leistungsphase 6** „Vorbereitung der Vergabe":

- Aufstellen der Leistungsbeschreibungen mit Leistungsprogramm auf der Grundlage der detaillierten Objektbeschreibung

In der **Leistungsphase 7** „Mitwirkung bei der Vergabe“:

- Prüfen und Werten der Angebote aus Leistungsbeschreibung mit Leistungsprogramm einschließlich Preisspiegel

Für diese ersetzenden Besonderen Leistungen enthält die Spalte „Besondere Leistungen“ folgende Regelung:

„Diese Besondere Leistung wird bei Leistungsbeschreibung mit Leistungsprogramm ganz oder teilweise Grundleistung. In diesem Fall entfallen die entsprechenden Grundleistungen dieser Leistungsphase“.

Demnach ist nach der HOAI vorgesehen für solche Besondere Leistungen ebenfalls ein Grundleistungshonorar zu berechnen, weil *ein Honorar zu berechnen ist, das dem Honorar für die ersetzten Grundleistungen entspricht.*[95] Dafür können Bausachverständige also das entsprechende **Grundleistungshonorar** vereinbaren. Seit der HOAI 2021 ist aber auch **eine Honorarvereinbarung nach Zeitaufwand ohne weiteres zulässig**.

3.5.5.4 Isolierte Besondere Leistungen, Leistungen außerhalb der HOAI

Werden dem Auftragnehmer Besondere Leistungen übertragen, die **nicht im Zusammenhang mit Grundleistungen**, sondern isoliert zu bearbeiten sind, handelt es sich dabei um sog. *isolierte Besondere Leistungen*. Dazu gehört beispielsweise isoliert beauftragte **Bestandsaufnahme** oder **Substanzerkundungen**. Diese sind in Anlage 10 Nr. 10.1 HOAI ausdrücklich als Besondere Leistung benannt. Darüber hinaus können auch Leistungen für den **Sicherheits- und Gesundheitskoordinators** nach der Baustellenverordnung („SiGeKo“), **Brandschutzkonzepte** oder **Brandschutzgutachten, Leistungen für die Baustellelogistik** usw. Leistungen, ohne Bezug zu Grundleistungen sein. Ein Honorar kann dafür **völlig frei** verhandelt und vereinbart werden.

Praxistipp

▶ *Honorare für Besondere Leistungen in Textform vereinbaren.*

Haben die Vertragspartner bei isolierten Besonderen Leistungen bzw. Leistungen außerhalb der HOAI keine Honorarvereinbarung getroffen, so steht dem Auftragnehmer im Zweifel **die übliche Vergütung** nach § 632 Abs. 2 BGB zu. Eine übliche Vergütung wird bei Sachverständigenleistungen in der Regel nach Stundensätzen zu bemessen sein (zur Üblichkeit von Stundensätzen von Bausachverständigen: vgl. oben Abschnitte 3.5.1.3, 3.5.2.2 und 3.5.2.4).

95 Für die HOAI 1996 auch so entschieden: KG, Teilurteil v. 30.7.1999 – 4 U 122/97, IBR 2002, S. 148.

3.5.6 Honorar für Bausachverständige bei außergerichtlicher Streitbeilegung

Im Rahmen der außergerichtlichen Streitbeilegung kommen für Bausachverständige Leistungen insbesondere bei folgenden Verfahren in Betracht, für die grundlegend unterschiedliche Honorierungsgrundsätze zu berücksichtigen sind:

- **Schiedsgutachtenverfahren** (vgl. nachfolgend Abschnitt 3.5.6.1)
- **Schiedsgerichtsverfahren** (vgl. nachfolgend Abschnitt 3.5.6.2)
- **Mediationsverfahren** (vgl. nachfolgend Abschnitt 3.5.6.3)
- **Schlichtungsverfahren** (vgl. nachfolgend Abschnitt 3.5.6.4)
- **Adjudikation-Verfahren** (vgl. nachfolgend Abschnitt 3.5.6.5)

3.5.6.1 Honorar für Schiedsgutachten

Die Grundlage für jedes Schiedsgutachten sollte regelmäßig ein schriftlicher Schiedsgutachtenvertrag bilden, bei dem insbesondere die **Honorierung** des Schiedsgutachters, die Erstattung von notwendigen **Auslagen** sowie die Berechnung der **Umsatzsteuer** zweifelsfrei vereinbart werden (vgl. unter Abschnitt 3.5.2.1). Zur **Sicherung der Vergütung** sollte vertraglich auch vereinbart werden, dass der Schiedsgutachter berechtigt ist, von den Beteiligten **Kostenvorschüsse** und **Abschlagszahlungen** zu verlangen (vgl. unter Abschnitt 3.5.1.4).

Verbindliche Honorarregelungen für die Erstattung von Schiedsgutachten bestehen nicht.

Für eine **sachgerechte Höhe der Vergütung** für ein Schiedsgutachten kommt es zunächst auf das **betroffene Sachgebiet** an. Hier sind mitunter bereits erhebliche Unterschiede festzustellen (vgl. unter Abschnitt 3.5.2.2 bis 3.5.2.4 hinsichtlich der Stundensätze von Bausachverständigen). Weiter sind **Schwierigkeitsgrad** des Schiedsgutachtens, **Umfang** der schiedsgutachterlichen Leistung, **Qualifikation** des Schiedsgutachters sowie die **wirtschaftlichen Interessen der Parteien** für die Bemessung einer sachgerechten Vergütung von Bedeutung.

Die Vereinbarung wird üblicherweise als zeitaufwandsbezogene **Stundensatzvereinbarung** (vgl. oben Abschnitte 3.5.2.2 bis 3.5.2.4) oder als **Pauschalhonorarvereinbarung**, mit Festpreis oder Berechnungsmodus (vgl. oben Abschnitt 3.5.2.5), getroffen. Bei einer Honorarvereinbarung mit Berechnungsmodus kommt bei Bausachverständigen im Wesentlichen die HOAI in Betracht. Bei Schiedsgutachten ist es aber auch nicht ausgeschlossen, eine Honorierung nach **Streitwert** zu vereinbaren. Dabei könnte vertraglich insbesondere auf die Gebührensätze des Gesetztes über die Vergütung der Rechtsanwältinnen und Rechtsanwälte (RVG) abgestellt werden.[96]

Die Besonderheit beim Schiedsgutachtenvertrag ergibt sich zunächst daraus, dass der Schiedsgutachter die Leistung als Dritter zu bestimmen hat (§ 317 BGB) und er es deshalb

96 Ebenso Bayerlein/*Roeßner*, § 43 Rn. 2.

auch mit mehreren Auftraggebern zu tun hat. Insofern ist in besonderer Weise zu regeln, wer welchen Anteil der Vergütung zu tragen hat.

Aufgrund gesetzlicher Regelung haften mehrere Auftraggeber eines Schiedsgutachtens grundsätzlich **gesamtschuldnerisch** (§ 427 BGB). Dass der Schiedsgutachter gegebenenfalls auch berechtigt ist, die vollen Schiedsgutachtenkosten von jedem der Beteiligten zu fordern, sollte aber vertraglich klargestellt werden.

Darüber hinaus sollte die **Verteilung der Kosten** vertraglich vereinbart werden. Allgemein bieten sich vier Möglichkeiten an:

- Kostenverteilung im Verhältnis des Obsiegens und Unterliegens,
- gleichmäßige Kostenverteilung,
- fixe Quotelung der Kosten,
- einseitige Kostenübernahme durch einen Beteiligten.

Bei Schiedsgutachten bei Baustreitigkeiten hat sich vielfach eine Kostenverteilung im Verhältnis des **Obsiegens und Unterliegens** eingebürgert. Um Streitigkeiten zu vermeiden, sollte dann aber auch eine Aufteilung der Schiedsgutachtenkosten zwischen Antragsteller und Antraggegner durch den Schiedsgutachter nach **billigem Ermessen** vereinbart werden. Die vom Schiedsgutachter vorgenommene Kostenaufteilung ist dann nur angreifbar, wenn sie unbillig ist. Eine solche Kostenverteilung entspricht auch den Grundsätzen des Zivilprozesses (§§ 91, 92 ZPO).

Für den Bausachverständigen einfacher und auch hinsichtlich der von den Beteiligten zu zahlenden Beträge weniger Streitpotenzial ergibt sich, wenn vertraglich bereits ein **fester Aufteilungsmodus** der Verfahrenskosten vereinbart wird. Bei einem Antragsteller und einem Antragsgegner wird dann üblicherweise jeweils eine hälftige Kostenbeteiligung vereinbart. Bei mehr als zwei Beteiligten ist vertraglich zu klären, ob die Schiedsgutachtenkosten gleichmäßig oder nach einem anderen Schlüssel aufgeteilt werden. Mitunter wird auch eine ungleiche Aufteilung der Verfahrenskosten vereinbart, z.B. halbiert nach Antragstellern und Antragsgegnern, wobei unter diesen dann jeweils die Kosten entsprechend der auf jeder Seite Beteiligten aufzuteilen sind.

Denkbar ist aber auch, dass ein Beteiligter ein besonderes Interesse an einem Schiedsgutachten hat und deshalb, z.B. um einen zeit- und kostenaufwendigen Zivilprozess, mit unbekannter Gutachterbeauftragung und unsicherem Gesamtausgang zu vermeiden, bereit ist, **die gesamten Schiedsgutachtenkosten vollständig alleine zu tragen.** Dies wird aber nur der Fall sein, wenn die Streitsumme ganz erheblich über den zu erwartenden Schiedsgutachtenkosten liegt.

Eine weitere Besonderheit beim Schiedsgutachtenvertrag liegt in der Tatsache, dass sich daraus in der Regel eine **Bindungswirkung** für die Verfahrensbeteiligten ergibt. Das Schiedsgutachten darf deshalb nicht unbillig (§ 319 BGB)[97] oder offenbar unrichtig sein. Für ein Schiedsgutachten, das offenbar unbillig oder unrichtig ist, steht dem Schiedsgutachter kein Vergütungsanspruch zu. Dies ist z.B. dann der Fall, wenn das Schiedsgutachten

97 Vgl. Bayerlein/*Bock*, § 26 Rn. 41–50.

einen **gravierenden Begründungsmangel** aufweist.[98] Ein Schiedsgutachten eines Bausachverständigen kann aber auch dann mangelhaft sein, wenn er dieses auf der Grundlage von **fehlerhaften rechtlichen Grundlagen** erstellt oder allein **Rechtsausführungen** vornimmt. Weil aber Schiedsgutachten im Honorar- und Baubereich regelmäßig ohne eine Darlegung von rechtlichen Grundlagen, mithin ohne Rechtsausführungen, nicht erstellt werden können, sollte sich der Schiedsgutachter, zur **Sicherung seiner Vergütung**, vertraglich entsprechend absichern, gegebenenfalls mit folgender Vertragsklausel:

Beispiel

„Als Grundlage für die Gutachtenerstattung muss der Schiedsgutachter auch von Rechtsgrundlagen ausgehen. Im Zweifel wird dem Schiedsgutachter das Recht eingeräumt, einen im betreffenden Fachgebiet erfahrenen Volljuristen nach dessen Wahl beizuziehen.

Ein Volljurist ist auch dann beizuziehen, wenn einer der Auftraggeber oder deren Verfahrensbevollmächtige einer Rechtsauffassung des Schiedsgutachters ggf. auch im Schiedsgutachten nicht zustimmt. Strittige Rechtsfragen sind dann durch den Volljuristen zu klären.

Ergeben sich daraus Änderungen im Schiedsgutachten oder einem Zwischenergebnis zum Schiedsgutachten, muss das Schiedsgutachten auch bei dieser veränderten Rechtsgrundlage erstellt werden. Der Schiedsgutachter behält dabei seinen Vergütungsanspruch für den gesamten Zeitaufwand.

Die Auswahl von geeigneten Volljuristen erfolgt durch den Schiedsgutachter. Die Verfahrensbeteiligten sind darüber vorher in Kenntnis zu setzen. Beigezogene Volljuristen können aus denselben Gründen abgelehnt werden, die zur Ablehnung eines Richters im Sinne der ZPO berechtigen.

Die Kosten von beigezogenen Juristen werden nach folgenden Anteilen von den Verfahrensbeteiligten getragen: ...“

Nach werkvertraglichen Grundsätzen kommt bei einer mangelhaften Gutachtenerstattung für den Bausachverständigen eine Nacherfüllung („Nachbesserung“) in Betracht (§ 635 BGB). Um die Vergütung ganz oder teilweise nicht zu gefährden, sollte der Bausachverständige eine Rüge des einen oder anderen Schiedsbeteiligten sorgfältig prüfen und von sich aus eine Nachbesserung anbieten, soweit Fehler zu korrigieren sind.

3.5.6.2 Honorar für Sachverständige als Schiedsrichter

Aufgrund der oft engen Verknüpfung von Sach- und Rechtsfragen werden Bausachverständige auch als **Schiedsrichter** benannt bzw. beauftragt, z.B. für ein sog. Zweierschiedsgericht, bestehend aus einem Juristen und einem Sachverständigen. Hinsichtlich der Vergütung gelten dann besondere Grundsätze.

98 OLG Frankfurt, U. v. 26.1.2006 – 26 U 24/05, IBR 2006, S. 366.

Bei Schiedsgerichtsverfahren sind zunächst die rechtlichen Grundlagen der §§ 1025 bis 1066 ZPO zu beachten. Vergütungsregelungen enthält die ZPO allerdings nicht. Deshalb sollten darüber hinaus schiedsgerichtliche Regelungen über eine gesonderte **Schiedsordnung** zwischen dem Schiedsgericht und den Parteien vereinbart werden. Insofern ist die Vergütung dann regelmäßig über die anzuwendende Schiedsordnung bestimmt. Bei Baustreitigkeiten können z.B. folgende zwei Schiedsordnungen verwendet werden:[99]

- Schlichtungs- und Schiedsordnung (SOBau): Herausgeber: ARGE Baurecht im Deutschen Anwaltsverein[100]
- Schiedsgerichtsordnung für das Bauwesen einschließlich Anlagenbau (SGO Bau); Herausgeber: Deutscher Beton- und Bautechnik-Verein e.V. und Deutsche Gesellschaft für Baurecht e.V.[101]

Beide Schiedsordnungen regeln voneinander abweichende Vergütungen, die sich aber beide nach dem RVG richten.

Denkbar sind grundsätzlich allerdings auch freie Vergütungsvereinbarungen, z.B. mit einer Honorierung nach Zeitaufwand, mit Stunden- oder Tagessätzen. Üblich sind in solchen Fällen Stundensätze, wie sie von Fachanwälten für Bau- und Architektenrecht vereinbart werden.

Gleichwohl stellt sich bei Schiedsgerichtsverfahren die Frage nach der *üblichen Vergütung* kaum, weil sich spätestens aus dem Verfahrensablauf herauskristallisiert, welche Schiedsordnung gelten soll. So wird ein Schiedsgericht nach Konstituierung in aller Regel den vorläufigen Streitwert festsetzen und von den Parteien entsprechende **Kostenvorschüsse** verlangen. Aus der Einzahlung der geforderten Beträge ergibt sich dann eine konkludente Zustimmung zur Verfahrensweise des Schiedsgerichts.[102]

Zu den Kosten des Schiedsgerichts gehören, neben den **Vergütungen der Schiedsrichter**, auch die entstandenen **Auslagen** (Nebenkosten), einschließlich der **Kosten für Protokollführer und Schreibkräfte** sowie die gesetzliche **Umsatzsteuer**.

3.5.6.3 Honorar für Sachverständige als Mediatoren

Seit einigen Jahren haben Bausachverständige auch zunehmend das Betätigungsfeld der „Mediation" für sich erkannt.

Honorare für Leistungen bei der Mediation werden allgemein frei verhandelt, im Allgemeinen mit **Stundensätzen** oder **Tagessätzen**. Üblich sind Stundensätze, die etwa 20 % bis 50 % über den sonst üblichen Stundensätzen von Sachverständigen liegen.

99 Abgedruckt auch bei *Ingenstau/Korbion*, Anhang 4, Annex 1 und 2.
100 www.arge-baurecht.de; www.anwaltverein.de.
101 www.baurecht-ges.de.
102 Bayerlein/*Roeßner*, § 45 Rn. 4; mit Verweis auf: *Maier*, Handbuch der Schiedsgerichtsbarkeit, Rn. 486.

3.5.6.4 Honorar für Sachverständige bei der Schlichtung

Bei einfacher gelagerten Fällen werden Bausachverständige mitunter auch unmittelbar von den Parteien als **Schlichter** gerufen oder von Schlichtungsstellen als Schlichter oder in ein Schlichtungsgremium berufen. Mitunter enthalten auch Verträge bereits Schlichtungsvereinbarungen.

Wird ein Bausachverständiger unmittelbar von den Parteien beauftragt, gelten hinsichtlich der Vergütung als Schlichter die Ausführungen oben zum Honorar für Sachverständige als Schiedsgutachter sinngemäß (vgl. unter Abschnitt 3.5.6.1).

Darüber hinaus haben auch Kammern als Körperschaften des öffentlichen Rechts (Industrie- und Handelskammern, Handwerkskammern, Architektenkammern, Ingenieurkammern usw.) **Schlichtungsstellen** eingerichtet. Wird eine solche Schichtungsstelle angerufen, sind für die Parteien die Gebührensätze der Schlichtungsstelle maßgeblich. Für Bausachverständige, die von einer solchen Schlichtungsstelle berufen werden, werden von dieser im Allgemeinen Aufwandsentschädigungen gezahlt, die weit unter den sonst üblichen Vergütungen liegen.

Darüber hinaus können Schlichtungsverfahren auch frei vereinbart werden. Es empfiehlt sich dann aber auf eine Schlichtungsordnung zurückzugreifen. Hier ist insbesondere die SOBau zu benennen:

- Schlichtungs- und Schiedsordnung (SOBau): Herausgeber: ARGE Baurecht im Deutschen Anwaltsverein.[103]

3.5.6.5 Honorar für Sachverständige bei der Adjudikation

Hinsichtlich einer außergerichtlichen Streitbelegung kommen für Bausachverständige schließlich auch Tätigkeiten in einem Adjudikations-Verfahren in Betracht.

Da der Adjudikator abrufbereit zur Verfügung stehen und auch in der Lage sein muss, zu einer schnellen Entscheidung zu finden, wird das Honorar für den Adjudikator im Allgemeinen mit zwei Sätzen vereinbart:

- Monatliche **Bereitschaftspauschale (Standby-Gebühr)**
- **Tagessatz** für die tatsächliche Tätigkeit

Solche Regelungen sind international auch gebräuchlich.[104]

Vergütungsregelungen, wie sie allgemein für Schiedsgerichtsverfahren vereinbart werden, erscheinen für Adjudikations-Verfahren dagegen ungeeignet.[105]

103 www.arge-baurecht.de; www.anwaltverein.de.

104 *Boldt*, Vorläufige baubegleitende Streitbeilegung durch ein Dispute Adjudication Board (DAB) in Deutschland, S. 260 m.w.N.

105 *Boldt*, Vorläufige baubegleitende Streitbeilegung durch ein Dispute Adjudication Board (DAB) in Deutschland, S. 260.

Hinsichtlich der Kosten für ein Adjudikations-Verfahren wird empfohlen, dass diese die Bauvertragsparteien **je zur Hälfte** tragen.[106] Eine dahingehende Vereinbarung sollte mit den Vertragspartnern geschlossen werden. Soweit die Entscheidung des Adjudikators von einem der beteiligten Bauvertragsparteien nicht akzeptiert wird, kann ein Ausgleich der Kosten, über eine Quotenverteilung, in einem gegebenenfalls anschließenden Gerichts- oder Schiedsgerichtsverfahren vorgenommen werden.[107]

Aufgrund von § 427 BGB haften auch beim Adjudikations-Verfahren mehrere Auftraggeber des Adjudikators grundsätzlich **gesamtschuldnerisch**, sodass der Adjudikator gegebenenfalls auch berechtigt ist, die vollen Kosten von jedem der Bauvertragspartner zu fordern. Dies sollte aber vertraglich klargestellt werden.

3.5.7 Nebenkosten

3.5.7.1 Allgemeines

Nebenkosten sind **Auslagen**, die dem Bausachverständigen bei der Ausführung seines Auftrags entstehen. Dazu gehören insbesondere

- Binden von Gutachten
- Kosten für Vervielfältigungen (SW und Farbe) von Dokumenten und Fotografien
- Kosten für Porto-, Telefon- und Datenübertragung
- Reisekosten (Fahrtkosten, Übernachtungen usw.)

Weitere Nebenkosten können hinzu kommen (vgl. z.B. § 14 Abs. 2 HOAI).

Hinsichtlich der Nebenkostenabrechnung von Bausachverständigen ist zunächst zu unterscheiden, ob es sich bei der vertraglich vereinbarten Leistung um eine solche nach der HOAI oder außerhalb des Geltungsbereichs der HOAI handelt.

3.5.7.2 Nebenkosten bei Leistungen nach der HOAI

Liegen **Leistungen nach der HOAI** vor, ist die Nebenkostenabrechnung nach § 14 HOAI geregelt. Insofern können die Nebenkosten abzüglich der abziehbaren Vorsteuern neben den Honoraren abgerechnet werden. Als Regelabrechnung ist bei den Nebenkosten auch ohne Vereinbarung in Textform eine Abrechnung nach Einzelnachweis vorgesehen (§ 14 Abs. 3 Satz 2 HOAI).

Eine **pauschale Nebenkostenabrechnung** können die Parteien bei einem Anwendungsfall von § 14 HOAI dagegen nur dann vereinbaren, wenn diese in **Textform** erfolgt (§ 14 Abs. 3 HOAI). Die Höhe der Pauschale ist preisrechtlich nicht beschränkt[108] und damit frei verhandelbar. Die HOAI lässt auch Vereinbarungen zu, die eine Kombination aus Einzel-

106 *Boldt*, Vorläufige baubegleitende Streitbeilegung durch ein Dispute Adjudication Board (DAB) in Deutschland, S. 259.
107 *Boldt*, Vorläufige baubegleitende Streitbeilegung durch ein Dispute Adjudication Board (DAB) in Deutschland, S. 260.
108 OLG Braunschweig, U. v. 11.3.2004 – 8 U 17/99, IBR 2005, S. 553.

nachweis und Pauschale vorsehen. So kann beispielsweise vereinbart werden, Fahrt-, und Hotelkosten nach Einzelnachweis und alle übrigen Kosten mit einem Pauschalsatz abzurechnen. Voraussetzung dafür ist aber, dass eine solche Vereinbarung in Textform getroffen wird.

Fahrtkosten, die im Zusammenhang mit Leistungen nach der HOAI entstanden sind, dürfen nach § 14 Abs. 2 Nr. 4 HOAI nur berechnet werden, wenn die Reise über den **Umkreis von 15 km** vom Geschäftssitz des Auftragnehmers hinausgeht. In diesem Fällen können dann in jedem Fall die **steuerlichen Pauschalsätze** abgerechnet werden. Höhere Sätze können nur bei einer Vereinbarung in Textform abgerechnet werden oder wenn der Bausachverständige, ohne Vereinbarung in Textform, die höheren Aufwendungen nachweisen kann.

In Textform kann eine Nebenkostenabrechnung bei Leistungen nach der HOAI ausnahmsweise auch **ganz oder teilweise ausgeschlossen** werden (§ 14 Abs. 1 Satz 2 HOAI).

Die **Höhe der Pauschale** hängt von den Besonderheiten des Einzelfalls ab, insbesondere von der Höhe der Vergütung und dem erforderlichen Nebenkostenaufwand. Im Zweifel sollte wenigstens über eine überschlägige Ermittlung die sachgerechte Höhe der Nebenkostenpauschale kalkuliert werden. In vielen Fällen haben sich Pauschalen in einer Größenordnung von 2 % bis 7 % als sachgerecht erwiesen.

Praxistipp

▶ *Werden Leistungen nach der HOAI erbracht, sollte eine Vereinbarung zur Nebenkostenabrechnung in Textform getroffen werden, die wenigstens in Teilbereichen eine Pauschalierung vorsieht.*

3.5.7.3 Nebenkosten bei Leistungen außerhalb der HOAI

Werden von Bausachverständigen **Leistungen außerhalb der HOAI** erbracht, findet auch § 14 HOAI prinzipiell keine Anwendung. Damit kann jede Vereinbarung getroffen werden, auch formfrei. Denkbar ist in einem solchen Fall, im Gegensatz zu § 14 HOAI, also auch eine mündlich vereinbarte Pauschalabrechnung. Zu beachten ist aber, dass der Auftragnehmer in aller Regel beweispflichtig ist, sodass von einer mündlichen Pauschalvereinbarung nur abgeraten werden kann. Vereinbarungen sind in jedem Fall in Textform zu empfehlen.

Praxistipp

▶ *Bei Leistungen außerhalb der HOAI sollte eine Regelung zu Abrechnung der Nebenkosten ausdrücklich in Textform vereinbart werden.*

Auf Einzelnachweis kann der beauftragte Bausachverständige entstandene Auslagen in jedem Fall abrechnen.

Hommerich/Reiß haben durch Umfrage ermittelt, dass bei außergerichtlicher Tätigkeit die Mehrzahl der Sachverständigen anfallende Nebenkosten gesondert abrechnen. Die gesonderte **Nebenkostenabrechnung** ist also **marktüblich**. Nach der Studie werden allgemein folgende Nebenkosten im Sachverständigenbüro gesondert angesetzt:[109]

- Kosten für **fachliche Mitarbeiter** auf der Grundlage der angefallenen Arbeitsstunden[110];
- Kosten für **Hilfskräfte** (z.B. Sekretärin) ebenfalls auf der Grundlage der angefallenen Arbeitsstunden[111];
- Kosten für **gemietete technische Geräte** gegen Kostennachweis;
- **Fremddienstleistungen** nach tatsächlichem Aufwand bzw. Kostennachweis;
- **Reisekosten (Bahn, Flugzeug, Mietwagen)** gegen Kostennachweis;
- **Reisekosten** mit dem **eigenen Pkw** nach Kilometergeld;[112] im Mittel 0,50 Euro/km;
- **Übernachtungskosten** gegen Nachweis;
- **Verpflegungsmehraufwand** („Tagegeld") mit einem mittleren Satz von 35,00 Euro;
- **Portokosten** nach tatsächlichem Aufwand;
- **Fotokopien, Ausdrucke und Fotos** nach tatsächlichem Aufwand und Anzahl der Seiten;
- **Schreibkosten** nach tatsächlichem Aufwand, überwiegend nach Seiten mit einem Satz von 2,00 bis 2,40 Euro/Seite.

Kosten, die bei der **Nutzung eigener technischer Geräte** entstehen, werden gemäß der Studie von *Hommerich/Reiß* von der Mehrzahl der Sachverständigen bereits bei der Kalkulation des Stundensatzes bzw. des Pauschalhonorars berücksichtigt.[113]

Bei **Telefon- und Telefaxkosten** gibt es in der Praxis keine einheitliche Abrechnungsart. Gemäß der Umfrage von *Hommerich/Reiß* rechnen Sachverständige solche Nebenkosten etwa zu gleichen Teilen nach tatsächlichem Aufwand oder über eine Pauschale ab, oder sie sehen solche Kosten als im Stundensatz enthalten an.[114]

Hinsichtlich der allgemeinen Nebenkosten (Telefon, Telefax, sonstige Netzkosten, Porto, Kopien, definierte Anzahl an Vervielfältigungen des Gutachtens, ggf. Fotoarbeiten, mit Begrenzung der Erstbilder und Abzüge) empfiehlt es sich aber, eine **pauschale Nebenkostenabrechnung** zu vereinbaren. Das vermindert den Aufwand bei der Abrechnung. Dabei sollte der tatsächliche Aufwand beim Vertragsschluss abgeschätzt werden. Eine Vereinbarung kann dann als fester Betrag oder als Prozentsatz (z.B. 3 % bis 5 % der sonstigen Nettovergütung) getroffen werden.

Bei umfangreichen Fotodokumentationen sollten Einheitspreise für Bilder und Abzüge vereinbart werden. Dabei sollte auch geregelt werden, ob Bilder und Abzüge analog oder digital hergestellt werden.

109 *Hommerich/Reiß*, JVEG – Evaluation und Marktanalyse, Teil A Abschnitt 1, S. 18–20.
110 Im Jahr 2009: bei einem mittleren Stundensatz von 60,00 Euro/Std.
111 Im Jahr 2009: bei einem mittleren Stundensatz von 40,00 Euro/Std.
112 Im Jahr 2009: im Mittel 0,50 Euro/km.
113 *Hommerich/Reiß*, JVEG – Evaluation und Marktanalyse, Teil A Abschnitt 1, S. 19.
114 *Hommerich/Reiß*, JVEG – Evaluation und Marktanalyse, Teil A Abschnitt 1, S. 20.

Bei den **Fahrtkosten** hat das OVG Nordrhein-Westfallen im Januar 2008 ein Kilometergeld von 0,50 Euro/km als nicht zu beanstanden angesehen.[115] Dies deckt sich auch mit dem Umfrageergebnis von *Hommerich/Reiß*, die 2009 festgesellt haben, dass im Mittel ein Satz von 0,50 Euro/km in Rechnung gestellt werden.[116]

In Zeiten drastisch gestiegener Treibstoff- und Energiekosten sind auch deutlich höhere Sätze vertretbar, soweit sie betriebswirtschaftlich realistisch sind.

Bei **Bahnreisen** ist es allgemein üblich, dass Bausachverständige **1. Klasse** reisen. Aus Gründen der Klarheit empfiehlt es sich insofern, dies auch vertraglich zu vereinbaren. Ferner sollte vertraglich geregelt werden, dass der Auftraggeber auch die Kosten für Reservierungen übernimmt. Verwendet der Bausachverständige eine **BahnCard**, empfiehlt es sich, eine prozentuale Umlage deren Kosten auf die mutmaßlichen Auftraggeber eines Jahres vertraglich zu vereinbaren.

Beispiel

„Bei Bahnfahrten werden die Kosten für die 1. Klasse einschließlich Reservierungskosten erstattet. Bei Verwendung einer BahnCard 25 oder 50 werden zusätzlich 5 % der Kosten der BahnCard in Rechnung gestellt."

Bei Verwendung einer BahnCard 100 könnte alternativ auch vereinbart werden, dass die Preise der Deutschen Bahn ohne Ermäßigung abgerechnet werden oder ersatzweise der steuerliche Kilometersatz.

Hinsichtlich der **Reisezeit** bei längeren Reisen sollte vereinbart werden, dass auch der dafür benötigte **Zeitaufwand** zu den normalen, ansonsten vereinbarten Stundensätzen bezahlt wird. Das ist zwar allgemein üblich, sollte aber klargestellt werden, um Missverständnisse zu vermeiden.

Ausdrücklich vereinbart sollte schließlich werden, wie die **Umsatzsteuer (USt.)** bei der Nebenkostenabrechnung behandelt wird. Allgemein entfällt die Umsatzsteuer auch auf entsprechende Auslagen, sodass in jedem Fall vereinbart werden sollte, dass die Umsatzsteuer auch auf die Nebenkosten berechnet wird. Bei Nebenkostenabrechnungen auf Einzelnachweis sollte klargestellt werden, ob ein Netto- oder Bruttoansatz von z.B. Hotel-, Bahn- oder Taxikosten vorgenommen wird. Bei einem Bruttoansatz von Nebenkosten erfolgt allerdings ein doppelter Umsatzsteueraufschlag auf den eigentlich gezahlten Nettobetrag. Sachgerecht sind deshalb Nettovereinbarungen. Dabei wird die vom Sachverständigen bei Auslagen gezahlte Umsatzsteuer zunächst heraus gerechnet. Auf die so ermittelten Nettoauslagen wird dann, mit der Hauptleistung, der gesetzliche Regelsteuersatz (zurzeit 19 %) berechnet (vgl. nachfolgendes Beispiel). Da es sich bei den Nebenkosten um Nebenleistungen zur Hauptleistung handelt, teilen diese umsatzsteuerrechtlich das Schicksal der Hauptleistung und sind deshalb mit dem Regelsteuersatz zu berechnen (Abschnitt 29 Abs. 5 UStR).

115 OVG Nordrhein-Westfalen, B. v. 4.1.2008 – 8 E 1152/07, IBR 2008, S. 1133.

116 *Hommerich/Reiß*, JVEG – Evaluation und Marktanalyse, Teil A Abschnitt 1, S. 19.

Bei Vereinbarung einer gemischten Nebenkostenabrechnung (Gutachten, Vervielfältigungen, Porto usw. mit einer Pauschale und Fahrt- sowie Hotelkosten auf Nachweis), auf der Basis einer Nebenkosten-Nettovereinbarung, könnte eine Honorarberechnung wie folgt aussehen:

Beispiel

Rechnungsposition	Brutto:	USt.-Satz		USt.	Betrag:
Honorar gemäß gesonderter Aufstellung					4.500,00 €
Nebenkosten:					
Pauschale, vereinbart: 5 %					225,00 €
Auf Nachweis:					
Bahnfahrten gemäß Beleg	119,00 €	19 %	–	19,00 €	100,00 €
Taxifahrten gemäß Belege	26,00 €	7 %	–	1,70 €	24,30 €
Nettoentgelt					4.849,30 €
Zzgl. Umsatzsteuer		19 %			921,37 €
Gesamtsumme, brutto					**5.770,67** €

3.5.8 Verjährung und Verwirken von Honorarforderungen

Hinsichtlich der **Verjährung** der Vergütung des Bausachverständigen gelten die allgemeinen Verjährungsgrundsätze des BGB (§§ 194 ff. BGB). Nach § 195 BGB beträgt die regelmäßige Verjährungsfrist grundsätzlich für alle Ansprüche **drei Jahre**. Das gilt auch für Honorarforderungen bei der privaten Gutachtenerstattung. Die Verjährungsfrist beginnt mit dem Schluss des Jahres in dem der Anspruch entstanden ist (§ 199 Abs. 1 BGB). Eine Forderung wird mit ihrem Entstehen sofort fällig (271 Abs. 1 BGB). Voraussetzung dafür ist bei einem Werkvertrag die Abnahme und die Erteilung einer prüffähigen Schlussrechnung (§ 650g Abs.4 BGB). Bei Leistungen von Bausachverständigen beginnt die Verjährung demnach regelmäßig mit dem Ende des Jahres, in dem – bei einem Werkvertrag – die **Abnahme** erfolgt (§ 640 BGB) und eine prüffähige Schlussrechnung gestellt wurde oder – bei einem Dienstvertrag – die **Leistung erbracht** wurde (§ 614 BGB). Rügt der Auftraggeber (begründet) die mangelnde Prüffähigkeit innerhalb einer Frist von 30 Tagen nach Zugang der Schlussrechnung, tritt keine Fälligkeit ein (§ 650g Abs. 4 Satz 2 BGB), sodass dann die Forderung auch nicht verjähren kann.

Betrifft die Forderung eine Architekten- oder Ingenieurleistung i.S. der **HOAI**, ist § 15 Satz 1 HOAI anwendbar. Dort wird aber auf § 650g Abs. 4 BGB verwiesen, sodass sich bei Architektenleistungen nach der HOAI gegenüber anderen werkvertraglichen Leistungen keine Besonderheiten ergeben.

Mit der HOAI 2013 wurden die Fälligkeitsvoraussetzungen für das Architektenhonorar in § 15 Abs. 1 an die allgemeinen gesetzlichen Vorschriften angepasst. Insofern wird das Honorar jetzt fällig, **wenn die Leistung abgenommen und eine prüffähige Honorarschlussrechnung überreicht** worden ist. Wie dem Wortlaut des zweiten Halbsatzes entnommen werden kann, lässt die HOAI davon allerdings auch abweichende Vereinbarungen zu, die entsprechend der bisherigen Regelung z.B. auf die vertragsgemäße Leistungserbringung abstellen können. Trotz abweichendem Wortlaut dürfte das dann allerdings im Ergebnis zu keinem abweichenden Regelungsinhalt führen, weil eine Abnahme allgemein eine vertragsgemäße Leistungserbringung voraussetzt.

Ausnahmsweise kann eine Honorarforderung eines Privatgutachters auch **verwirkt** sein, wenn eine Forderung zwar noch nicht verjährt ist, sich aber aus anderen Umständen ergibt, dass der Auftragnehmer die Forderung nach Treu und Glauben nicht mehr geltend machen kann oder will und der Auftraggeber darauf vertraut hat, darauf auch vertrauen durfte und sich darauf eingestellt hat, dass eine (weitere) Honorarforderung nicht gestellt wird. Eine gerichtliche Entscheidung zu einem solchen Fall der Bausachverständige betrifft, liegt aber, soweit ersichtlich, nicht vor.

Ein Verwirken ist aber bei Anwendung der HOAI denkbar. Weil es dort für die Fälligkeit auf die Vorlage einer prüffähigen Honorarschlussrechnung ankommt (§ 15 Abs. 1 HOAI) und somit ohne Rechnungsstellung des Auftragnehmers oder mangels einer (gerügten) Prüffähigkeit der Rechnung eine Verjährung nicht eintreten kann, kommt hier ausnahmsweise ein **Verwirken** in Betracht, wenn z.B. ein Auftragnehmer nach geraumer Zeit noch nicht abgerechnet hat, und der Auftraggeber aber die Stellung einer Honorarschlussrechnung einfordert. Wird der Auftragnehmer dann nicht tätig, wird man nach Treu und Glauben nach geraumer Zeit von einem Verwirken ausgehen können. Nach diesseitiger Auffassung müssen für ein Verwirken von Honorarforderungen dann aber die allgemeinen Verjährungsgrundsätze des BGB maßgeblich sein (§§ 194 ff. BGB).

Teil 4:

Ausgewählte Beispiele der Bautechnik

4.1 Dachabdichtungen, Hinweise zu Holzdächern

Matthias Zöller

Übersicht

4.1.1 Flachdachabdichtungen

Flachdachabdichtungen haben nach wie vor einen vergleichsweise schlechten Ruf. Leider ist noch immer die Auffassung weit verbreitet, dass Dachabdichtungen nicht sicher dicht zu bekommen seien. Die Erfahrung aus der Bauschadenssachverständigentätigkeit zeigt aber, dass geneigte Dächer mit Eindeckungen tatsächlich nicht zuverlässiger sind als flache mit Abdichtungen. Nur lassen sich Fehler bei geneigten Dächern i.d.R. schneller lokalisieren und können mit vergleichsweise geringem Aufwand beseitigt werden.

Bei Flachdächern dagegen besteht häufig das Problem, dass aus der Lage der Schadensstelle im Gebäudeinnern keine Rückschlüsse auf die schadensverursachende(n) Fehlstelle(n) in der Abdichtung gezogen werden können. Nicht selten wird in einem Akt der Verzweiflung der gesamte Flachdachaufbau erneuert, um mit dem „Schuss aus Kanonen" den „Spatz" der Fehlstelle sicher zu erwischen. Die daraus entstehenden hohen Kosten und die nach wie vor bestehende Furcht vor erneuten Schadensfällen führen zum allgemein schlechten Ruf von Flachdachkonstruktionen. Wie aber kann diesem Problem begegnet werden?

Flachdachabdichtungen sind zuverlässig, wenn sie während ihrer wirtschaftlichen Nutzungsdauer auch bei ungünstig hohen Beanspruchungen funktionieren. Instandhaltungen (Anmerkung: darunter werden Inspektionen, Wartungen und Instandsetzungen verstanden) sind zwar regelmäßig erforderlich, setzen aber voraus, dass Abdichtungen dafür auch zugänglich sind. Unter dicken Belagsschichten oder hinter Aufbauten liegende Bauteilschichten müssen daher so konzipiert werden, dass sie auch ohne Instandhaltungsmaßnahmen gebrauchstauglich bleiben. Allerdings schützen gerade jene Aufbauten oder

Schichten die Abdichtung vor mechanischen und thermischen Einwirkungen, sie tragen sogar zur Erhöhung der Zuverlässigkeit bei.

Regelwerke werden unter verallgemeinerten Bedingungen verfasst, sie können nicht alle denkbaren Situationen berücksichtigen. Sie regeln daher nur Grundsätze, aber nicht alle möglichen Anwendungsfälle. Sie richten sich an Planer und Ausführende, enthalten also Empfehlungen für noch herzustellende Bauteile. Regelwerke befassen sich ausdrücklich (mit wenigen Ausnahmen) nicht mit der Bewertung des Bestands. Ob Regelwerke zur Bewertung des bereits Vorhandenen herangezogen werden können, ist daher keine technische, sondern eine juristische Frage (siehe auch Beitrag 1.6 in diesem Handbuch). Für Techniker und Sachverständige bedeutet dies, dass sie sich regelmäßig jeweils mit der vorhandenen Situation auseinandersetzen müssen und Regelwerke im besten Fall als Orientierung verwenden können. Sachverständige müssen regelmäßig klären, worauf ein evtl. Schaden beruht (kausale Zusammenhänge aufzeigen) und Prognosen zur Gebrauchstauglichkeit abgeben. Diese können sich auch auf spätere Zeitpunkte beziehen und nicht nur auf den der Fertigstellung. Sachverständige sollen sich daher nicht ausschließlich auf einen Vergleich zwischen Regelwerken und Ausführung zurückziehen, sondern sich inhaltlich mit dem Bestand auseinandersetzen.[1]

Regelwerke beschreiben als Hilfestellung zum Werkerfolg Anforderungen an Stoffe und Ausführungen, um Schäden während der Nutzungsdauer zu vermeiden. Dazu zählen auch die nötige Fehlertoleranz der handwerklichen Herstellung sowie Beschädigungsrisiken der Abdichtung während der Verarbeitung und beim Aufbringen der folgenden Bauteilschichten. Für die Dauerhaftigkeit der Abdichtung sind Alterungsprozesse durch Verwitterung sowie durch chemische und physikalische Prozesse zu berücksichtigen, die die Eigenschaften von Abdichtungen im Laufe der Zeit verändern können. Auch dabei ist zu berücksichtigen, dass nicht in jeder Einbausituation alle möglichen Einwirkungen vorliegen, sondern z.B. unter dickeren Schutzschichten liegende Abdichtungen nicht durch UV-Strahlen belastet sind und erheblich geringeren thermischen Einwirkungen unterliegen als frei bewitterte Abdichtungsschichten.

Das notwendige Maß der Zuverlässigkeit wird bestimmt durch die Bedeutung des Versagens, d.h. wie schwerwiegend die Schadensfolgen sind, sowie durch den Aufwand zur Schadensbeseitigung. Für einfache Bauaufgaben, z.B. Vordächer oder Balkone, bei denen Undichtheiten zu keinen nennenswerten Schäden führen und Fehlstellen leicht gefunden werden können, reichen einfache Abdichtungsmaßnahmen aus. Wenn aber Fehlstellen beispielsweise nur durch großflächige Entfernung von aufwendigen Gartengestaltungselementen festgestellt werden können, die unter den Flachdachflächen liegenden Räume hochwertig genutzt werden (z.B. zur Produktion von elektronischen Gütern, als Museen oder Archive, bei denen Wasserschäden gravierende Folgen haben), oder wenn eine Reparatur mit kostenintensiven Betriebsunterbrechungen verbunden ist, soll die Abdichtung zuverlässig und dauerhaft an allen Stellen funktionieren. Dann ist dem Aufwand für die Herstellung einer Abdichtung eine andere Bedeutung beizumessen als bei Dächern, bei denen Wassereintritte eher unbedeutend sind, wie z.B. bei Betrieben, in denen ohnehin andau-

---

1 *Boldt/Zöller*, Anerkannte Regeln der Technik – Inhalt eines unbestimmten Rechtsbegriffs. Baurechtliche und -technische Themensammlung Heft 8, 2017.

ernd offen mit Wasser hantiert wird. An Dächer sind hohe Zuverlässigkeitsanforderungen zu stellen, wenn sie nur unter hohem Aufwand erreichbar und so Reparaturen mit einem hohen Aufwand verbunden sind. Dazu zählen Dächer von Hochhäusern oder solche, bei denen wegen eines hohen Installationsgrads die Dachabdichtung nicht zugänglich ist. Zuverlässige Abdichtungen sollen auch bei hoher Beanspruchung einem nur geringen Beschädigungsrisiko unterliegen. Dennoch eventuell vorkommende Beschädigungen der Abdichtung dürfen sich nicht oder nur unbedeutend auf den Feuchteschutz auswirken. Die Abdichtungsfunktion und die zu erwartende Nutzungsdauer müssen überdurchschnittlich sein.

Dachabdichtungen werden von Handwerkern unter freiem Himmel bei unterschiedlichen Witterungsbedingungen hergestellt. Daher sollen Stoffe nicht nur unter Laborbedingungen verarbeitbar sein, sondern auch bei durchschnittlicher Ausführungssorgfalt zu zuverlässigen Abdichtungen führen. Die Anforderungen an den Untergrund, die Arbeitsbedingungen und der Zeitabschnitt nach der Verarbeitung sollen die Baustellenrealität berücksichtigen.

Fehlertolerante Systeme sind zuverlässig, weil geringfügige Abweichungen von Idealvorgaben bei der Verarbeitung nicht zum Versagen des Gesamtsystems führen. Dazu zählen Abdichtungen, die einfach verarbeitet werden können, bei denen kleinere Verarbeitungsfehler nicht zu Schäden führen und solche, die unmittelbar nach der Verarbeitung begehbar und gegen mechanische Beschädigungen wenig anfällig sind.

Fehlertoleranz bedeutet auch, dass nicht schon geringe Mengen von Feuchtigkeit im Dachaufbau zu ernsthaften Schäden führen, z.B. durch Fäulnis eingebauter Hölzer oder Formverlust von Dämmstoffen. Sollten Leckstellen in Abdichtungen während der Nutzung auftreten, sind fehlertolerante Abdichtungen und fehlertolerante Bauteilquerschnitte in der Lage, entweder Wasser im Dach nicht weiterzuleiten oder schlimme Schäden zu verhindern. Wenn Wasser in einen Dachaufbau eindringen kann, sollten entweder nur feuchteunempfindliche Stoffe vorhanden sein oder sich die Leckstelle durch Tropfstellen im Innern, lokal begrenzt, zeigen. Dann kann mit kleinem Aufwand das Loch lokalisiert und abgedichtet werden. Dieser Grundsatz kann auch bei Dächern angewendet werden, indem die Funktionen der einzelnen Schichten getrennt werden: das Tragwerk, die Abdichtung und die Wärmedämmung sollten nicht in einer Ebene, sondern übereinander angeordnet werden (siehe auch Kapitel 4.1.3.2).

4.1.2 Technische Empfehlungen

Mit diesem Beitrag sollen die bereits seit Längerem in den Technischen Empfehlungen verankerten Hinweise zu Flachdachabdichtungen vorgestellt werden. Dazu liegen DIN 18531[2] in fünf Teilen und die Flachdachrichtlinie[3] vor.

2 DIN 18531-1:2017-07 Abdichtung von Dächern sowie von Balkonen, Loggien und Laubengängen (fünf Teile).

3 Deutsches Dachdeckerhandwerk, Regelwerk. Fachregel für Abdichtungen – Flachdachrichtlinie. Aufgestellt und herausgegeben vom Zentralverband des Deutschen Dachdeckerhandwerks – Fachverband Dach-, Wand- und Abdichtungstechnik e.V. und Hauptverband der Deutschen Bauindustrie e.V. – Bundesfachabteilung Bauwerksabdichtung, Ausgaben 2016 und 2019, Köln.

4.1.2.1 Anwendungsklassen

Die Dachabdichtungsnorm für nicht genutzte Dachflächen DIN 18531 beschreibt zwei Anwendungsklassen (Stand Ende 2023):

- Anwendungsklasse K1: Standardfall: hohe Qualität für Abdichtungen auf Wohn- und Gewerbegebäuden, Bürogebäude mit dem dafür üblichen Zuverlässigkeitsgrad;
- Anwendungsklasse K2: Überdurchschnittliche Anforderung an die Zuverlässigkeit, z.B. bei ungewöhnlich hohen Schadensfolgen in Archiven oder Museen (Verlust von (Kultur-)Gütern bei häufig erst später Feststellung von Undichtheiten aufgrund automatisierter Systeme und geringer Personenkontrolle), Produktionsstätten (hohe Folgekosten durch Betriebsunterbrechung) oder bei im Gebrauchszustand nicht mehr bzw. nicht mit verhältnismäßigem Aufwand zugänglichen Abdichtungen.

Aus den Anwendungsklassen ergeben sich Qualitätsanforderungen nicht nur an Abdichtungen, sondern auch an die der Planungs- und Ausführungsdetails.

Allerdings sind die derzeitigen Regelungen nicht praxisgerecht und deswegen zu kritisieren. DIN 18531 unterscheidet bei den Anwendungsklassen nach dem Aufwand für die Abdichtung und nach dem Gefälle.

Wegen Deckendurchbiegungen, unvermeidbaren Unebenheiten und Höhenversätzen sowie Dickenschwankungen kann eine Planungsangabe nicht zum gleich großen Gefälle am Dach führen. Die Gefälleangabe bezieht sich in der Norm (richtigerweise) nur auf die Planungsangabe. Die Planung eines zweiprozentigen Gefälles führt im besten Fall zur Vermeidung von größeren Gegengefällestrecken und damit zur Vermeidung großer, tiefer Pfützen – mehr kann nicht erwartet werden. Die möglichen Abweichungen beziehen sich auf beide Anwendungsklassen: In K1 und in K2 kann also das Gefälle des gebauten Dachs bei den jeweiligen Stoffklassen unterschritten werden. Verbraucher haben aber nichts von einer Angabe auf Papier, sie sind an der tatsächlichen Ausführung interessiert. Abdichtungen müssen mit und ohne Gefälle gleichartig dicht sein. Man wird kaum Undichtheiten tolerieren wollen, wenn ein Gefälle von 2 % vorhanden ist.

Besonders widersprüchlich ist die Differenzierung nach Belagsschichten. Diese gehören nicht in eine Norm, die Abdichtungsschichten, aber keine Beläge beschreibt. Bei der Stoffauswahl differenziert DIN 18531:2017-07 nur noch eingeschränkt zwischen K1 und K2. Meistens ist der Aufwand vorzusehen, der zuvor für nicht genutzte Dächer für K2 gefordert wurde.

Die inhaltlichen Kriterien sind zumindest aus Sicht von Gebäudenutzern weitgehend „abhandengekommen". Daher ist verständlich, dass die Flachdachrichtlinie des ZVDH keine Anwendungsklassen mehr ausweist. Nach jetzigem Entwurfsstand (2023) wird auch DIN 18531 die Anwendungsklassen aufgeben.

Das heißt aber nicht, dass grundsätzlich solche Klassen nicht sinnvoll sind. Nur müssen die aus Anwender- und Verbrauchersicht relevanten Kriterien ausgearbeitet werden. Weder Gefälle noch Bahnendicke sind für Verbraucher von zentralem Interesse, sondern z.B. die Dauerhaftigkeit, die Vermeidung der Folgen von Unterläufigkeit, die Auffindbarkeit eventueller Leckstellen. Planer sollen sich orientieren können, um einerseits in angemessener Zuverlässigkeit und Dauerhaftigkeit planen zu können und sich andererseits im Nachhinein nicht den Vorwurf gefallen lassen zu müssen, unnötig teuer und damit unwirtschaftlich geplant zu haben.

4.1.2.2 Gefällegebung

Realisierte Gefällegebungen erhöhen die Entwässerungsleistung. Bei gefällelosen Dächern unterliegt die Abdichtung höheren Einwirkungen: An den Rändern von Pfützen wird die Abdichtung wechselweise durch Feuchtigkeit bei unterschiedlichen Temperaturen in unmittelbar angrenzenden Teilflächen beansprucht. In länger stehenden Pfützen können sich Mikroorganismen bilden, die die Abdichtung bzw. deren Nähte angreifen können. Werden Leckstellen der Abdichtungsschicht zugestanden, wird bei einer Ausführung mit Gefälle weniger Wasser diese durchdringen als in Situationen ohne Gefälle innerhalb von Pfützen.

Eine Abdichtung wird bei Gefällegebungen weniger beansprucht, da Wasser auf kleinere Fehlstellen kürzer einwirkt, klimatische Wechselbeanspruchungen an Rändern von Pfützen verkleinert werden und sich weniger mikrobieller Bewuchs bildet, der Abdichtungssysteme angreifen kann.

Allerdings müssen Abdichtungen auch ohne Gefälle dicht sein. Geplante Gefällegebungen können nicht sicherstellen, dass sich keine Pfützen bilden. Gefälle sind für Abdichtungen nur dann erforderlich, wenn stehendes Wasser die Abdichtungsschichten beschädigen könnte.

Gefällegebungen erfordern einen erhöhten Planungs- und Herstellungsaufwand, gefällegebende Schichten, Kehlen und Grate sowie unterschiedliche Anschlusshöhen. Leitungen von Dachabläufen in Dachmitten häufig in darunterliegenden Räumen sind schwieriger zu entwässern.

Eine Neigung von 2 % führt auch nicht zur Pfützenfreiheit, da durch nicht zu vermeidende Unebenheiten, beispielsweise an Bahnenüberlappungen oder aufgrund Durchbiegungen der Konstruktion, noch immer Wasser stehen bleiben kann.

Soll eine Dachfläche rasch und vollständig entwässert werden, werden deutlich größere Neigungen von mindestens ca. 5 % erforderlich. Aus technischen Gründen ist das aber nicht erforderlich. Daher fordern die Regelwerke nicht die Pfützenfreiheit. Wird die Neigung von 2 % unterschritten, ist für den üblichen Qualitätsstandard ein höherer Abdichtungsaufwand zu planen. Damit soll eine vergleichbare Zuverlässigkeit erzielt werden wie bei dem üblichen Abdichtungsaufwand und einer geplanten Gefällegebung von 2 %.

Tatsächlich gelten die Hinweise zur möglichen Unterschreitung eines geplanten Gefälles für beide Anwendungsklassen, sodass die bisherige Anforderung an eine Gefälleplanung keinen Beitrag zur Zuverlässigkeit eines Dachs leistet. Besser wäre, sowie das bereits die frühere DIN 18195-5 forderte, Maßnahmen zu empfehlen, die große und tiefe Pfützen vermeiden – wenn diese sich tatsächlich auf die Abdichtung negativ auswirken können. Dazu zählt z.B. die Anordnung von Deckenabläufen an Tiefpunkten von Dachflächen. Auch die engeren Abstände von Deckenabläufen können zu diesem Ergebnis führen, ohne dass eine Gefällegebung grundsätzlich erforderlich wird.

Allerdings müssen Abdichtungen gegenüber dauerhaft einwirkendem Wasser dicht sein. Abdichtungsschichten dürfen nicht durch Wasser geschädigt werden. Leckstellen in Abdichtungen sind nicht tolerabel, weder in Abdichtungen mit noch in solchen ohne Gefällegebungen. Werden Löcher, sich öffnende Nähte oder andere Schwachstellen befürchtet, sind Gefällegebungen zwar tatsächlich geeignet, um die Folgen solcher Löcher klein zu halten. Man wird sie aber nicht als zuverlässige Ausgleichsmaßnahme akzeptieren.

Wenn Abdichtungen zuverlässig dicht sind, stellt sich die Frage, welche Funktion einer Gefällegebung noch zukommt. Sicher werden einige Belagskonstruktionen in Abhängigkeit von einer Gefällegebung unterschiedlich gut funktionieren. Allerdings sind Beläge, also z.B. Dachterrassenbeläge, Intensivbegrünungen, extensive Begrünungen oder andere Bauteilschichten, die auf Abdichtungen aufgebracht werden, nicht Gegenstand der Abdichtungsnormen, die sich bislang intensiv mit Gefällegebung auseinandersetzen und auf die sich andere Regelwerke beziehen.

Bei Terrassenbelägen und bei extensiven Begrünungen kann sich im Belagsaufbau aufstauendes Wasser schädigend auswirken. Bei größeren Wasseransammlungen können sich Bakterien oder andere Mikroben bilden, die zu Geruchsbelästigungen führen können. Lange stehendes Wasser in Schüttungen kann zu einem verstärkten Wachstum von Gräsern und anderen Pflanzen sowie zu vermehrtem Algenwachstum auf Belagsoberflächen führen. Dachterrassen- oder Balkonbeläge werden zwar seit Langem nicht mehr unmittelbar in Mörtelbett verlegt. Nur bei Treppenstufen findet sich noch diese Verlegetechnik, die aber aufgrund der zusätzlichen dynamischen Beanspruchungen in nicht wenigen Fällen zur Ablösung der Beläge führen kann. Zusätzlich besteht die Gefahr von Ausblühungen zumindest solange, bis lösliche Salze aus dem Mörtel ausgewaschen sind, sowie ein Risiko von Frostaufbrüchen, das durch stauendes Wasser verstärkt wird. Allerdings kann bereits die Speicherwirkung, also die kapillare Wasseraufnahme des Mörtels, genügen, um diese Schäden hervorzurufen.

Bei extensiven Begrünungen können dafür ausgewählte, an Trockenheit angepasste Pflanzen aufgrund des erhöhten Wasserangebots faulen oder durch andere verdrängt werden. Diese können aber bei längeren Trockenphasen wieder absterben, sodass solche Flächen wegen gefällelosen Abdichtungen veröden können.

Daher sollte bei Belagsschichten, die gegen stauendes Wasser empfindlich sind, durch Maßnahmen zur Vermeidung von großen Pfützen auf der Abdichtung entwässert werden.

Die nicht in den Abdichtungsnormen und nicht in der Flachdachrichtlinie geregelten Belagsschichten können daher jeweils bauweisenbedingt Gefälle zur ausreichend raschen Ableitung von Wasser aus diesen notwendig machen. Das gilt aber bei Weitem nicht für alle der jeweils genannten Belagsschichten. Auch bei diesen ist danach zu differenzieren, ob Stauwasser sich schädigend auswirken kann oder ob das nicht zu erwarten ist.

Gefälle erfordern größere Konstruktionshöhen, können Probleme bei den Anschlüssen an aufgehende Bauteile ergeben, bedeuten einen erhöhten Aufwand für gefällegebende Schichten entweder im Rohbau oder für Estriche bzw. Dämmschichten. Abdichtungen sind aufgrund von gegeneinander geneigten Oberflächen an Kehlen und Graten aufwendiger in der Herstellung. Dachabläufe müssen an Tiefpunkten liegen, was nicht selten zu Problemen der Leitungsführung in den darunterliegenden Geschossen führt. Bei größeren Gefällen besteht ein gewisses Risiko, dass der Belag abrutscht.

Pfützenfreiheit auf Abdichtungen erfordert eine Gefälleplanung von 4 bis 5 % (in Abhängigkeit von tatsächlichen Unebenheiten und Höhenversätzen der Oberfläche). In vielen Fällen führt eine so starke Gefällegebung nur zur Kompensation von möglichen Unebenheiten zu größeren Aufwendungen für z.B. größere Stockwerkshöhen oder lässt sich, insbesondere bei Maßnahmen im Gebäudebestand, grundsätzlich nicht realisieren. Auf Dachterrassen führt ein Gefälle von mehr als 3 % zu Nutzungseinschränkungen auf den vergleichsweise stark geneigten Flächen. Aber selbst bei einem hohen Aufwand für gefällegebende Schichten lassen sich Pfützenbildungen nicht vollständig vermeiden. Intensivbegrünungen dagegen gedeihen durch eine Wasserbevorratung auf einer gefällelosen Abdichtung besser. Aber gerade solche Dächer müssen besonders zuverlässig dicht sein, weil die Abdichtung und Begrünung zur Instandhaltung nicht zugänglich sind.

Die Gefällegebung hat sich nicht nur in Fachkreisen, sondern im allgemeinen Bewusstsein verselbstständigt. Sie entspricht aber nicht mehr dem heutigen technischen Verständnis. Abdichtungen müssen unabhängig von der Gefällegebung dicht sein, insbesondere unter Anstaubewässerungen oder in Behältern. Daher besteht hinsichtlich der Anforderungen an Abdichtungen keine grundsätzliche Notwendigkeit einer Gefällegebung. Das schließt nicht aus, dass manche Abdichtungen mit deutlichem Gefälle zu verlegen sind, weil sie entweder in der Fläche oder an Nähten durch stehendes Wasser geschädigt werden könnten. Dabei handelt es sich aber um wenige Fälle, aus denen keine Schlussfolgerungen auf andere Bauarten gezogen werden dürfen. Selbst bei Belagsschichten sind gefällelose Ausführungen möglich, wenn sich länger stehendes Wasser nicht schädigend auswirken kann. Diese nicht in den Abdichtungsregeln beschriebenen Konstruktionen sind differenziert zu betrachten und dürfen ebenfalls nicht zur grundsätzlichen Forderung führen, dass Abdichtungen immer mit Gefällegebung zu konstruieren sind.

Die derzeitigen Technischen Empfehlungen für Abdichtungen können hinsichtlich der Gefälleanforderung missverstanden werden. Sie fordern für die Planung ein Gefälle von 2 %, weisen aber darauf hin, dass aufgrund zulässiger Unebenheiten und anderer Maßtoleranzen auf großen Dachflächen in Überlagerung mit (durch Schwinden und Kriechen sich erst nachträglich einstellenden) Deckendurchbiegungen sowie Staustufen an Abläufen Senken entstehen können, in denen Niederschlagswasser verbleiben kann. Eine planerische Vorgabe lässt sich auf größeren Dachflächen nicht genau umsetzen. Das Planungsmaß von 2 % führt im besten Falle dazu, dass es keine größeren Gegengefällesituationen mit großen und tiefen Pfützen gibt.

Sollen Pfützen vermieden werden, wird die Planung eines Gefälles von mindestens 5 % empfohlen, wobei auch das nicht sicherstellt, dass kleine Wasseransammlungen auf Abdichtungen verbleiben können. Der mit einer so großen Neigung bei vielen Dächern verbundene Aufwand hat auch Nachteile. Wegen unvermeidlicher Abweichungen können in Teilflächen auch größere Neigungen als 5 % entstehen, die sich negativ auf die Gebrauchstauglichkeit von Belagsschichten sowie Dachterrassen auswirken können.

DIN 18531 empfiehlt bei Anwendungsklasse K1 eine Mindestneigung der Abdichtung von 2 % (in allen Dachbereichen). Damit eine Abdichtung der Anwendungskategorie K1 noch entspricht, ist bei weniger als 2 % geneigten Dächern der höhere Abdichtungsaufwand zu betreiben, der bei Anwendungsklasse K2 (dort mit Gefällegebung) gefordert wird. Diese Regelung entspricht im Grunde der Flachdachrichtlinie von 2001/2003, die für wenig bis nicht geneigte Dächer einen höheren Abdichtungsaufwand forderte. Bei der Anwendungsklasse K2 werden die höhere Qualität der Abdichtung *und* grundsätzlich das Gefälle der Dachabdichtung von mindestens 2 % sowie im Bereich von Kehlen von mindestens 1 % gefordert.

Ein häufiges Missverständnis besteht darin, dass Planungsanforderungen und die Wirklichkeit am Dach gleichgesetzt werden. Die Hinweise zur möglichen Unterschreitung des Gefälles in den Abdichtungsregelwerken am gebauten Dach gelten für beide Anwendungsklassen. Wenn aber in beiden Anwendungsklassen bei den jeweils dort genannten Stoffeigenschaften das Gefälle des Dachs gegen Null gehen darf und die Planungsanforderung im besten Falle nur sicherstellt, dass es keine großen und Pfützen gibt, ist die Anforderung des Gefälles hinsichtlich des ausgeführten Dachs kein relevantes Kriterium. Pfützenbildungen sind damit nicht grundsätzlich zu beanstanden. Sie sind noch nicht einmal ein Qualitätskriterium des gebauten Dachs, sondern nur eines, das sich auf eine Planungsvorgabe bezieht. Da sich die Stoffanforderungen im Sinne der Norm auf Anforderungen nach K2 beschränken (werden), gibt es praktisch keine Unterschiede mehr zwischen den Anwendungsklassen, weswegen sie obsolet sind.

Das bedeutet aber nicht, dass unterschiedliche Qualitätsanforderungen nicht sinnvoll wären. Nur sind die derzeitigen Kriterien nicht geeignet. Sie wären es, wenn sie die für Gebäudeeigentümer oder -betreiber relevanten Aspekte beschrieben, die auf die Dauerhaftigkeit der Abdichtungsschicht, deren Nichtunterläufigkeit oder geeignete Kompensationsmaßnahmen und auf die Auffindbarkeit von eventuellen Leckstellen eingingen. Einfachste Aufgaben, wie z.B. Abdichtungen von offenen Unterstellhallen oder von Balkonen, sollten kostengünstig möglich sein. Abdichtungen, bei denen keine Instandhaltungen oder nur solche mit hohem Aufwand möglich sind, sollten nur mit Bauarten und Bauweisen verwirklicht werden, die besondere Zuverlässigkeit erwarten lassen. Dann ist der ggf. höhere Aufwand wirtschaftlich, weil die Zuverlässigkeit dann ein Wirtschaftlichkeitskriterium ist.

4.1.2.3 Vermeidung der Folgen der Unterläufigkeit

Die eingangs erwähnte Hauptursache des schlechten Rufs der Flachdächer ist mit dem Umstand zu begründen, dass eine Abtropfstelle im Innenraum nicht unmittelbar einer verursachenden Leckstelle in der Abdichtung zugeordnet werden kann. Das wiederum ist ein Problem der Unterläufigkeit der meisten Dachbauweisen (Abbildung 1).

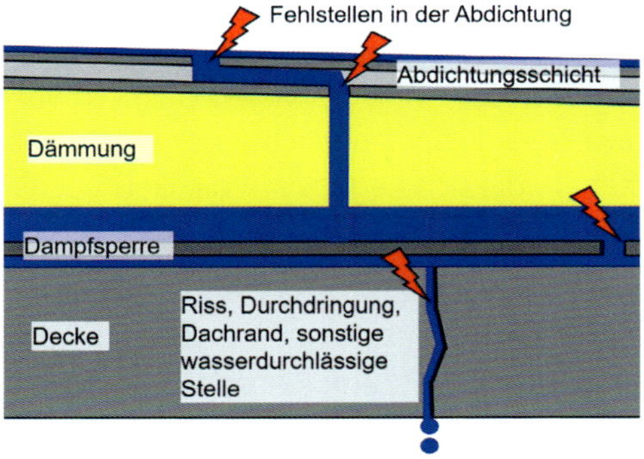

Abbildung 1: Problem Unterläufigkeit: Bei Fehlstellen in jeweils mehreren Lagen, die in Verbindung stehen, kann eine Abtropfstelle im Innenraum aufgrund der inneren Sickerwege nicht einer verursachenden Stelle in der Abdichtung zugeordnet werden; Quelle: Matthias Zöller

Folgende Maßnahmen können die negativen Folgen der Unterläufigkeit einschränken oder ganz vermeiden:

Bei Bauweisen mit Abdichtungen auf wasserdurchlässigen Dämmschichten und Dampfsperren kann die Dachfläche durch Abschottungen des gesamten Dachaufbaus vom Untergrund bis zur Abdichtung in kleinere Felder unterteilt werden, um bei eventuellen Leckstellen zu vermeiden, dass der gesamte Dachaufbau durchfeuchtet wird. Abschottungen sind vorzugeben und zu dokumentieren. Allerdings sind diese Maßnahmen nur dann vollständig wirksam, wenn gleichzeitig Kontrollmechanismen vorgesehen werden, die eventuelle Lecks indizieren. Das können z.B. Wasserstandsmeldesysteme innerhalb des Dachaufbaus sein.

Seit einiger Zeit sind Systeme verfügbar, bei denen unmittelbar unter einer nicht elektrisch leitfähigen Abdichtung elektrisch leitfähige Abdichtungsunterlagen verlegt werden, die bereits unmittelbar nach der Herstellung eine elektronische Leckortung im Widerstandsmessprinzip ermöglichen. Dabei wird eine elektrische Spannung auf die elektrisch leitfähige Unterlage angelegt. Mit dem Gegenpol kann dann an der Abdichtungsoberfläche nach elektrischen Strömen gesucht werden, die nur dort entstehen, wo elektrisch leitfähige Verbindungen in Form von Fehlstellen der Abdichtungen vorliegen. So lassen sich vergleichsweise schnell neue Abdichtungen auf Leckstellen prüfen.

Nicht zu empfehlen sind Wasserstandsprüfungen als Dichtheitsprüfung für Dachabdichtungen. Liegen auch nur kleine Fehlstellen in der Abdichtung vor, läuft das Wasser aus der Prüfung in die Dämmschicht. Das ist nur vermeidbar, wenn die Abdichtung dicht ist. So können durch diese Untersuchung nicht nur unerhebliche Schäden entstehen: Wenn Wasser durch die Prüfung in den Dachquerschnitt gelangt, kann möglicherweise nur deswegen der gesamte Dachaufbau einschließlich Dämmung ausgetauscht werden müssen. Technisch ist das zwar nur selten erforderlich, aus juristischer Sicht sind aber solche Ansprüche denkbar, da ein Besteller nicht nur eine dichte Dachabdichtung fordert, sondern auch eine trockene Dämmung.

Die Abschottung des Dämmstoffquerschnitts oder Leckortungen sind aber nur schadensbegrenzende Maßnahmen. Sie helfen nicht, Schäden grundsätzlich zu vermeiden. Die Wirkungsweise von Abschottungen hängt stark von der Ausführungssorgfalt des jeweiligen Handwerkers ab und lässt sich während der Bauzeit nicht überprüfen.

Die Zuverlässigkeit einer Abdichtung sollte daher durch schadensvermeidende Konzepte erhöht werden, bei denen mögliche Fehler in der Abdichtung sich nicht oder nur unwesentlich auswirken. Dazu zählen Bauweisen, bei denen aus der Lage von eventuellen Abtropfstellen im Innenraum auf die der schadensverursachenden Leckstelle in der Abdichtung geschlossen werden kann. Bei Industriegebäuden mit Leichtdachkonstruktionen sind Dachflächen einschließlich der tragenden Konstruktion häufig vergleichsweise stark geneigt, sodass Wasser im Dachaufbau sich nur in eine Richtung zur Traufe verteilt und deswegen schadensverursachende Leckstellen mit vergleichsweise geringem Aufwand feststellbar sind.

Bei mehrlagigen Abdichtungsbauarten kann die Zuverlässigkeit nur durch vollflächiges Verbinden der einzelnen Lagen erzielt werden (Abbildung 2).

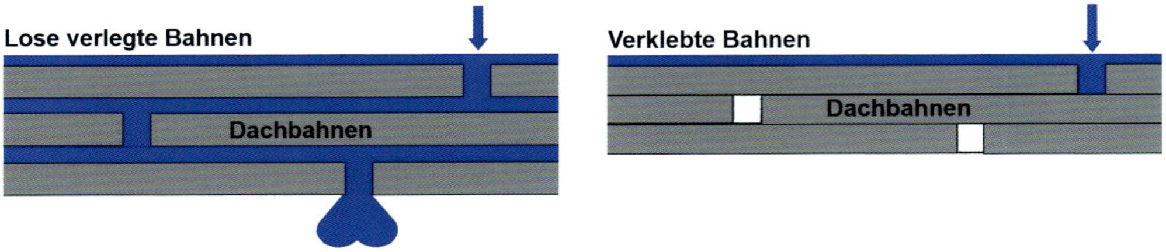

Abbildung 2: Prinzip von mehrlagig ausgeführten und vollflächig miteinander verbundenen Dichtungsschichten. Fehlstellen in einzelnen Schichten führen zur Wasserdurchlässigkeit der Abdichtung (links). Sie bleiben ohne Auswirkung, wenn kein Wasser zwischen den Abdichtungsschichten fließen kann (rechts). Der vollflächige Verbund vermeidet die Unterläufigkeit der einzelnen Schichten, wodurch sich Fehlstellen nicht auswirken; Quelle: Matthias Zöller

Nicht nur Abdichtungsschichten untereinander, sondern auch die erste Abdichtungsschicht zum Untergrund kann so verbunden werden, dass zwischen der Abdichtung und dem Untergrund kein Wasser sickern kann. Bei dieser Betonverbundabdichtung wird die Eigenschaft von Beton genutzt, der in einer Qualität, die bei Konstruktionsbeton vorliegt, Wasser in nicht nennenswerten Umfang weiterleitet. So können massive Deckenkonstruktionen zum Feuchteschutz beitragen (Abbildung 4).

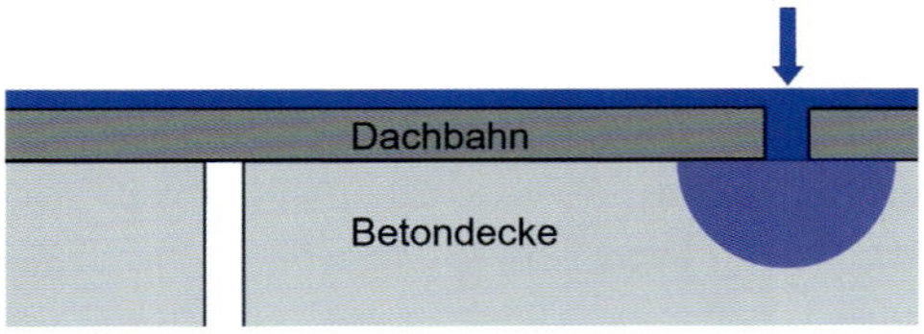

Abbildung 3: Fehlstellen in der Abdichtung bleiben ohne Auswirkung, solange kein Wasser zwischen diese und einen wasserundurchlässigen Untergrund sickern kann; Quelle: Matthias Zöller

Mit Ausnahme von Rissen, Fugen, Durchdringungen oder vergleichbaren Stellen, an denen Wasser die Decke durchdringen kann, werden sich bei solchen Bauweisen mögliche Leckstellen nicht auswirken können. Fehlstellen werden sich nur auswirken, wenn sie über Rissen oder anderen wasserführenden Stellen der Stahlbetondecke liegen. Dann aber kann die Abtropfstelle im Innenraum unmittelbar der schadensverursachenden Fehlstelle in der Abdichtung zugeordnet werden; diese ist damit auffindbar.

Die einfache Lokalisierbarkeit von Fehlstellen ist eine wichtige Voraussetzung für die Zuverlässigkeit eines Flachdachs, da Leckstellen mit geringem Aufwand beseitigt werden können und nicht unter Einsatz aufwendiger Verfahren geortet werden müssen. In den meisten Fällen aber werden Fehlstellen in Betonverbundabdichtungen zu keinen Schäden führen, da unter Löchern in der Abdichtung der Feuchteschutz durch den Beton übernommen wird.

Verbundabdichtungen können durch flächiges Aufschmelzen von Bitumenbahnen ausgeführt werden, wobei aber die Hohlstellenfreiheit stark von der Ausführungssorgfalt des jeweiligen Handwerkers abhängt. Besser geeignet ist das Gießverfahren, bei dem heißflüssige Bitumenmasse auf die Stahlbetondecke aufgegossen wird, in die Bitumenbahnen blasenfrei eingerollt werden (Abbildung 4).

Abbildung 4: Verlegung von Bitumenbahnen im Gießverfahren, hier auf einer Stahlbetondecke; Quelle: Matthias Zöller

Für adhäsive Verbindungen von Abdichtungen aus PMBC (Polymer Modified Bitumenous Coatings, früher KMB – Kunststoffmodifizierte Bitumendickbeschichtung) und wasserundurchlässigem Beton beim Lastfall drückendes Sickerwasser fordert die Norm für Bauwerksabdichtungen DIN 18533[4], dass Untergründe mechanisch abtragend vorzubereiten sind, wozu z.B. Fräsen, Strahlen, Schleifen oder vergleichbare Methoden geeignet sind. Diese in Regelwerken für Übergänge von flüssig zu verarbeitenden Abdichtungen auf wasserundurchlässigen Stahlbeton geforderten Maßnahmen können auf Dachflächen übertragen werden: Durch mechanisch abtragende Vorbehandlung mit Entfernung der Zementleimschicht kann der Sickerweg zwischen Abdichtung und Untergrund vermieden sowie eine nichtunterläufige Verbindung zwischen Abdichtung und Beton hergestellt werden (Abbildung 5).

Abbildung 5: Im linken oberen Bildteil ist die Oberfläche einer Stahlbetondecke mit Zementleimschicht (Betonschlämme) zu sehen, durch die Wasser parallel zum Untergrund sickern kann. Im rechten Bildteil ist diese entfernt worden, das Korngerüst des Betons ist freigelegt. Sandstrahlen ist wegen der Staubentwicklung nicht zu empfehlen; besser geeignet sind Kugel- oder Eisstrahlen, Schleifen, Fräsen mit jeweiligen Staubschutzhauben; Quelle: Matthias Zöller

Vor Verarbeitung einer Abdichtung soll der Untergrund trocken sein, um Ablösungen durch die Einwirkung der Wärme des Heißbitumens und damit verbundenem, schlagartigem Verdampfen von Restfeuchtigkeit zu vermeiden.

Die vorbehandelte Stahlbetondecke sollte einen Voranstrich erhalten oder grundiert werden, um kleinste Unebenheiten zu füllen und damit die Klebefläche zwischen Bitumen und Beton zu vergrößern (Abbildung 6).

4 DIN 18533-1:2017-07 Abdichtung von erdberührten Bauteilen — Teil 1: Anforderungen, Planungs- und Ausführungsgrundsätze.

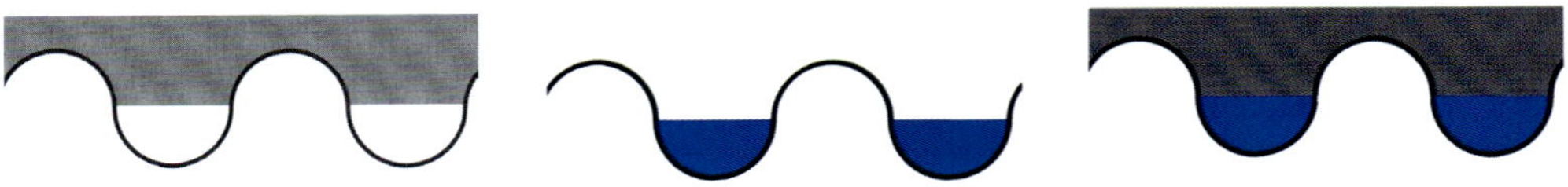

Abbildung 6: Klebemasse haftet nur auf den Kuppen, füllt aber nicht die (mikrofeinen) Täler der Oberfläche des Untergrunds (links). Die niedrig-viskose und damit flüssigere Grundierung füllt die Täler (Mitte), sodass die flüssig aufzubringende Abdichtung eine deutlich größere Verbindungsfläche zum Untergrund aufweist, damit der Haftverbund größer und die Gefahr der Unterläufigkeit kleiner wird (rechts); Quelle: Matthias Zöller

Grundierungen bestehen aus kunstharzbasierten Systemen, die den Vorteil bieten, Restfeuchtigkeit aus dem Beton von der Abdichtung fernzuhalten, um dort Ablösungen zu vermeiden. Allerdings ist die Anhaftung der Abdichtung an der Grundierung sicherzustellen, wozu es erforderlich werden kann, in die noch flüssige Grundierung Quarzsand einzustreuen, um die mechanische Anhaftung durch Verkrallung zu verbessern. Dagegen bilden Voranstriche aus gleichartigem Material der Abdichtung, die fließfähiger eingestellt sind, grundsätzlich eine gute Verbindung zwischen der Untergrundvorbehandlung und der Abdichtungsschicht. Allerdings sind dann lösemittelhaltige Voranstriche zu empfehlen, weil mit den lösemittelarmen oder -freien das Lösemittel Wasser im Untergrund Probleme durch Restfeuchtigkeit durch schlagartiges Verdampfen erzeugen kann.

Für obere Lagen können entweder Bitumenbahnen verwendet werden, die nicht Schweißbahnen sind und damit nicht über eine Trennfolie verfügen, die für das weiche Bitumen notwendig ist. Alternativ können Schweißbahnen im Schweißverfahren verarbeitet werden. Dadurch wird die Gießmasse unter den zuerst verlegten Bahnen nochmals thermisch aktiviert. Falls sich wegen des grundsätzlich nicht so ganz zuverlässigen Schweißverfahrens kleinere Lücken zwischen den beiden Abdichtungslagen bilden sollten, ist die erste Lage bereits als vollständige Abdichtung vorhanden, die in Verbindung mit dem darunter angeordneten Beton einen zuverlässigen Feuchtigkeitsschutz bildet.

Prinzipiell lassen sich Verbundabdichtungen auch durch flüssig zu verarbeitende Abdichtungssysteme herstellen, wobei die Anforderungen an die klimatischen Bedingungen vor und während der Verarbeitung und an die Ausführungssorgfalt höher sind als bei Verfahren mit Heißbitumen.

Der Wärmeschutz bei Verbundabdichtungen kann durch geeignete extrudierte Hartschaum-Dämmplatten auf der Seite der Wasserbeanspruchung der Abdichtung erreicht werden, den sog. Umkehrdächern.

Soll die Dämmung unter der Abdichtung liegen, können alle Schichten des Dachaufbaus vollständig miteinander verklebt werden. Dafür sind Schaumglasplatten und Duroplast-Platten aus Polyurethan bzw. Polyisocyanurat (PIR) geeignet, die jeweils auch als Gefälledämmplatten erhältlich sind. Bei diesen sog. Kompaktdächern werden auf die in Heißbitumen eingegossenen Dämmplatten Bitumenbahnen im Gießverfahren verlegt. Aus Gründen der Zuverlässigkeit sollten Kompaktdächer mit Betonverbundabdichtungen kombiniert werden. Dann ist zumindest die Dachabdichtung zuverlässig dicht, auch wenn kleinere Fehlstellen zu Feuchtigkeitsansammlungen in der Dämmung führen können.

Wenn aus Kostengründen keine Kompaktdächer realisiert werden sollen, lassen sich Dampfsperren als Betonverbundabdichtung realisieren, wobei keine Bahnen mit Metallbandeinlagen (also keine diffusionsdichten Schichten) gewählt werden sollten, weil diese nur geringe Kohäsionen aufweisen und keine Scherkräfte aus Restschwinden der Dämmplatten übertragen können. Dann aber kann auch Betonverbundabdichtung mit klassischen Flachdachaufbauten kombiniert werden, wenn Dämmstoffe gewählt werden, die gegen Feuchtigkeit unempfindlich sind. Zwar erhöht sich bei Undichtheiten in der Abdichtung die Feuchtigkeit in der Wärmedämmung, häufig bleibt diese aber noch so wirksam, dass sich keine Nutzungseinschränkungen in darunterliegenden Innenräumen ergeben (siehe Forschungsbericht zur Wärmeleitfähigkeit feuchter Dämmstoffe[5]).

4.1.2.4 Nahtfügungen von Kunststoffbahnen

Während Bitumenbahnen entweder im Heißklebeverfahren oder mit offener Flamme thermisch aktiviert und entweder in der Fläche oder nur an den Nähten durch Wärme verflüssigtes Bitumen verklebt werden, dürfen bei Kunststoffdachbahnen keine Schweißbrenner verwendet werden.

EPDM-Bahnen lassen sich, soweit diese Elastomere die Bindematrix bilden und nicht nur Beimengungen sind, regelmäßig nicht an Baustellen fügen, sondern sind werkseitig in großen Flächen vorzukonfektionieren.

PVC als thermoplastischer Kunststoff ermöglicht Nahtfügungen in Dachbahnen, die wegen des großen Temperaturschweißfensters fehlertolerant an Baustellen verarbeitet werden können. Da aber PVC nicht nur Vorteile hat, entwickeln sich Bahnen aus Flexiblen Polyolefinen (FPO) auf Polyethylen- oder Polypropylenbasis zu einem Hauptwerkstoff von Kunststoffdachbahnen. Diese weisen viele Vorteile auf, aber auch den Nachteil, dass zur Verarbeitung an Baustellen ein nur kleines Temperaturschweißfenster zur Verfügung steht.

Für die zulässigen Nahtfügungen ist es daher notwendig, während der Verarbeitung durchgehend konstante Temperaturen von Warmgasgeräten zu erzielen. Schweißgeräte, die keine Steuerung über eine Temperaturmessung haben, sondern bei denen die Temperatur über einen Spannungsregler eingestellt wird, können dies nicht gewährleisten. An Baustellen ist es üblich, dass elektrische Geräte mit hoher Energieaufnahme, z.B. Schneidegeräte, angeschaltet und nach kurzem Betrieb wieder abgeschaltet werden. In diesen Zeitspannen sinkt die elektrische Spannung der Baustellenversorgung, die Temperatur am Schweißgerät sinkt ebenso, sodass Nähte von Kunststoffdachbahnen in diesen Bereichen nicht ausreichend gefügt werden. Daher ist der Einsatz von Geräten empfehlenswert, die über die Warmgastemperaturmessung gesteuert sind.

Ebenso sollten Schweißdüsen eingesetzt werden, die beim Überfahren eine der Bahnenoberflächen anrauen, um die Verbindung der Bahnen an Nähten untereinander zu erhöhen.

5 *Liebert/Oswald/Spilker/Treml/Ziegler/Zöller*, Langzeitverhalten feuchter Dämmstoffe auf Flachdächern – Praxiserfahrungen und Wärmestrommessungen. Forschungsbericht abgeschlossen im Februar 2018, AIBau Aachener Institut für Bauschadensforschung und angewandte Bauphysik gGmbH, Download unter https://aibau.de/bauschadensforschung-veroeffentlichungen/.

Immer wieder kommt es zu Undichtheiten an Übergängen von mit Automaten gefügten Nähten, die an Rändern aus geometrischen Gründen mit Handgeräten zu fügen sind. Zum einen ist erfahrungsgemäß die Fügequalität mit Handgeräten nicht so gut wie die von Automaten geschweißten. Zum anderen können kapillare Lücken an den Übergängen der Schweißverfahren entstehen. An T-Stößen sind die Bahnen so anzuhobeln, dass ebenfalls keine kapillaren Lücken entstehen.

Nach dem Verschweißen ist unter baupraktischen Bedingungen kein Nahtprüfungsverfahren mit hinreichender Zuverlässigkeit einsetzbar:

- Mit Saugglocken können lediglich punktuelle Untersuchungen vorgenommen werden.
- Mit der Prüfnadel lässt sich nur die Fügequalität an der vorderen Kante von Nähten prüfen.
- Wasserstandsprüfungen sind ungenau: Bei kleinen Leckstellen dringt nur wenig Wasser ein, sodass übliche Prüfdauern von ein oder zwei Tagen nicht ausreichen, zu erkennen, ob ein Dach dicht ist oder nicht. Das Wasser verdunstet schneller als Wasser durch Leckstellen die Abdichtungsschicht durchdringen kann, es kann dann aber Dämmschichten befeuchten oder Wasserschäden im Gebäude verursachen. Wasserstandsprüfungen setzen voraus, dass Dachbahnen vollständig dicht sind, um Schäden in Gebäuden oder Bauteilschichten bei eventuellen Leckstellen zu vermeiden. Dann aber sind solche Prüfungen obsolet.
- Prüfungen durch Ausschneiden von Dachbahnen an Nahtfügungen zur Schälprüfung verursachen Leckstellen, die instandzusetzen sind und beschränken den Erkenntnisgewinn auf einzelne Stellen.

Nähte von Kunststoffdachbahnen sind daher mit großer Sorgfalt zu fügen, damit sie an allen Stellen wirksam und dauerhaft zuverlässig dicht sind.

4.1.2.5 Lagesicherung von Flachdächern

Zur Lagesicherung von Dachabdichtungen stehen drei Möglichkeiten zur Verfügung, die auch untereinander kombiniert werden:

- Auflast mit z.B. einer 5 cm dicken Kiesschüttung, Begrünungen oder Terrassenbelägen;
- mechanische Befestigung durch Befestiger mit Tellern, Schrauben und Dübeln oder Verschraubungen in Stahltrapezblechen, wobei thermisch getrennte Dübel mit Schiebeschaften Durchstanzen der Teller durch Dachbahnen beim Begehen verhindern;
- Verkleben aller Bauteilschichten miteinander und mit dem Untergrund.

Häufig werden insbesondere bei Leichtdachkonstruktionen die einzelnen Schichten mit Polyurethansprühschäumen verklebt. Das ist an Musterflächen problemlos machbar, unter Baustellenbedingungen aber nicht problemfrei realisierbar:

- Klebeschäume müssen Ebenheitstoleranzen ausgleichen, damit sie insbesondere in der Ebene zwischen Dampfsperre und Dämmplatte einen hinreichenden Kontakt sicherstellen. Schon das ist eine kaum zu meisternde Herausforderung, da insbesondere Dampfsperren aus Bitumenbahnen durch Höhenversatz an Nähten eine so unebene Fläche erzeugen, dass nicht selten kein ausreichender Kontakt zwischen den Klebeschäumen und den Unterseiten von Dämmplatten entsteht.

- Klebeschäume müssen zum Zeitpunkt der Verlegung der Dämmplatten noch offen sein, d.h., sie dürfen keine Trocknungshaut gebildet haben. Dazu sind Klebeschäume nach dem Aufbringen und vor dem Verlegen von Dämmplatten feucht zu halten. Diese Anforderung wird selten umgesetzt, sodass die Trocknungshäute eine Anhaftung der Klebemassen an Dämmplatten verhindern.
- Dämmplatten müssen mit dem richtigen Druck angepasst werden. Ist er zu gering, schweben die Dämmplatten auf drei Einzelstellen. Ist der Anpressdruck zu hoch, wird die Platte heruntergedrückt und stellt sich wieder hoch, sodass die Klebeschäume Kohäsionsbrüche erfahren und versagen.
- Nach dem Verlegen der Dämmplatten dürfen diese nicht mechanisch belastet werden, bis die Klebeschäume vernetzt sind. Sie dürfen also mindestens zwei Stunden lang nicht begangen werden, was unter Baustellenbedingungen häufig nicht machbar ist und dadurch die im vorherigen Punkt beschriebene Problematik verursacht.

Diese Risiken führen nicht selten dazu, dass die Bauteilschichten in solchen Dächern nicht wunschgemäß untereinander verklebt sind und „eher aus Gewohnheit liegenbleiben", als dass sie gegen die jeweils anzunehmenden Windsogkräfte einen hinreichenden Lageschutz gewährleisten. Daher sollte jeweils fallbezogen überlegt werden, ob nicht eine der beiden anderen Optionen gewählt wird, um eine zuverlässige Lagesicherung zu erzielen.

Bei der Lagesicherung durch Auflast ist auf die Verwehsicherheit von Schüttmaterialen in Abhängigkeit von der anstehenden Windgeschwindigkeit und damit verbundenen Windsogkräften zu achten.

Bei Verschraubungen sollte geprüft werden, ob korrosionsgeschützte Befestiger ausreichen oder korrosionsbeständige notwendig werden. Durch das Eindrehen von Schrauben durch Bleche wird die Zinkschicht als Korrosionsschutzüberzug abgestreift. Dann hängt der Korrosionsschutz von der Qualität des Stahls der Schraube ab.

4.1.2.6 Entwässerung von Dachflächen

Zur Entwässerung von Dachflächen gibt DIN 1986-100[6] wertvolle Hinweise. Häufig übersehen werden die Anforderungen an Notabläufe bzw. Notüberläufe. Bei Dachterrassen mit niveaugleichen Türschwellen sollte nicht die Möglichkeit der in dieser Norm enthaltenen Option der Wasserrückhaltung genutzt werden, wenn die Gefahr von Wassereintritten in das Gebäude durch die Schwellen bei Wasseranstau gegeben ist.

Dagegen ist die Beschränkung der möglichen Wasserrückhaltung auf Massivdächern nicht nachvollziehbar, da Leichtdachkonstruktionen ebenso auf die Gewichtsbelastung des Rückstauwassers ausgelegt werden können.

Dennoch sollten Wasserrückhaltungen nach Möglichkeit vermieden werden, da Notab- und Notüberläufe wichtige Indikatoren für Probleme mit Hauptabläufen bilden, wenn das

6 DIN 1986-100: 2016-12 Entwässerungsanlagen für Gebäude und Grundstücke – Teil 100: Bestimmungen in Verbindung mit DIN EN 752 und DIN EN 12056.

durch sie abtropfende Wasser nicht nur eingesehen wird, sondern am besten über Eingängen bei der täglichen Nutzung stört und diese Störung Anlass ist, Hauptabläufe zu inspizieren. Erfahrungsgemäß liegt die Hauptfunktion nicht in der Ableitung von der Jahrhundertregenmenge, sondern in der Indikation von Problemen bei Hauptabläufen.

Balkone oder Terrassen sollten nicht an gemeinsame Regenfallrohre höher liegender Dachflächen angeschlossen werden, um bei Störungen der Ablaufsysteme Rückstau von Niederschlagswasser höherer Dachflächen auf tieferliegende Freiflächen zu vermeiden. Die Norm lässt dies nur zu, wenn mindestens die Hälfte der Brüstungen offen ist und rückstauendes Wasser über die Ränder störungsfrei nach unten ablaufen kann. Allerdings ist diese Festlegung nicht ganz nachvollziehbar, denn es kommt auf die tatsächliche Ablaufleistung und nicht auf eine prozentuale Größe einer nicht bestimmbaren Brüstungslänge an.

Der Rückstau kann allerdings durch die tiefer als die Rückstauebene liegende, offene Einleitung über z.B. Wasserfangkästen vermieden werden. So werden Anschlüsse von Balkonen an Regenfallrohre höher liegender Dachflächen möglich. Allerdings sind diese Kästen vor Fassaden so auszubilden, dass sie schadensfrei überstaut werden können, d.h., die seitliche Einleitung muss entweder druckwasserdicht ausgebildet werden oder der Wasserfangkasten von der Fassade abgerückt werden. Genauso sind direkt vor Fassaden montierte Wasserfangkastenoberseiten gegenüber Fassaden abzudichten, damit eventuell überlaufendes Wasser diese nicht als Druckwasser beansprucht.

4.1.3 Holzflachdächer mit Dämmung in Tragwerksebene

Gegenüber der früher üblichen Praxis, Dachgeschosse unter Steildächern nicht zu nutzen, werden heute Räume unter Dächern regelmäßig hochwertig zu Wohnzwecken ausgebaut. Die großen Lufträume der früher nicht genutzten Dachgeschosse, die zum Feuchte- und Wärmeschutz beitrugen, werden nun auf schmale Luftspalte innerhalb der Dachebene reduziert, wenn sie nicht sogar ganz entfallen.

Aber nicht nur geneigte Dächer werden mit Holztragwerken errichtet, sondern auch Flachdächer. Zur Reduzierung der Bauteilhöhe werden häufig die Zwischenräume des Tragwerks mit Dämmstoff gefüllt. Der energetisch sinnvolle und mittlerweile bei Neubaumaßnahmen realisierte steigende thermische Wärmeschutz hat aber zur Folge, dass den äußeren Schichten in Dachebenen weniger Wärme aus Innenräumen zugeführt wird.

Die geänderten Bedingungen sowie die mittlerweile fast üblichen extensiven Begrünungen auf Dachflächen führen zu einer Zunahme der Schadensanfälligkeit von geneigten Dachkonstruktionen, die in diesem Beitrag näher betrachtet werden.

4.1.3.1 Feuchteschutz

Bei Dachtragwerken aus Holz mit Dämmungen in Tragebene ist zur Vermeidung von Feuchtigkeitsschäden (z.B. durch Holzfäulnis) nachzuweisen, dass die im Sommer austrockenbare Wassermenge größer als die Tauwassermenge in der kalten Jahreszeit ist.

Unter folgenden Voraussetzungen braucht nach DIN 4108-3[7] für einen Dachaufbau kein rechnerischer Nachweis geführt zu werden:

1. Bei belüfteten Dächern mit einer belüfteten Schicht unmittelbar über der Dämmung soll der Diffusionswiderstand $s_{d,i}$ der raumseitig der Dämmung liegenden Bauteilschichten bei Dächern mit einer Neigung von mindestens 5° größer als 2 m sein, bei Sparrenlängen zwischen 10 und 15 m soll $s_{d,i}$ mehr als 5 m, bei längeren Sparren mehr als 10 m betragen. Außenseitig der Dämmung ist eine belüftete Luftschicht höher als 2 cm bzw. 2 ‰ der Sparrenlänge sowie eine Belüftung von mehr als 2 ‰ der Sparrenlänge an Traufe und Pult bei einer Entlüftung > 0,5 ‰ der Sparrenlängen beidseitig des Firsts anzuordnen. Die Lüftungsquerschnitte betragen damit mindestens 200 cm^2/lfm. Ab einer Sparrenlänge von 11 m sollte der freie Lüftungsquerschnitt um 20 cm^2/m bzw. in der Höhe um 0,2 cm je Meter zusätzlicher Länge des Sparrens erhöht werden.

   Bei Dächern mit Neigungen unter 5° und Sparrenlängen bis 10 m sollen die Lüftungsquerschnittshöhen mindestens 5 cm und $s_{d,i}$ mehr als 100 m betragen. Unter Berücksichtigung von Trocknungsschwinden ist die Planung von mindestens 7 cm hohen Latten zu empfehlen.

2. Für nicht belüftete Dächer, also ohne belüftete Schicht unmittelbar über der Dämmung, können andere belüftete Schichten, z.B. Hinterlüftungen von Deckungen, die Belüftung übernehmen. Bei nicht belüfteten Dächern (die nicht unmittelbar über der Dämmung eine belüftete Schicht aufweisen) kann auf einen rechnerischen Nachweis verzichtet werden, wenn die Summen der Diffusionswiderstände der raumseitigen Schichten der Dämmung ein bestimmtes Verhältnis zu den außenseitigen, bis zur nächsten belüfteten Schicht einhalten. Dabei wird das Prinzip verfolgt: innen diffusionsdichter als außen. Bis November 2014 waren nicht nur Dächer ohne Holz zwischen äußerer Abdichtung und innerer Dampfsperre, sondern auch Holzdächer mit zwischen den tragenden Hölzern angeordneter Wärmedämmung nachweisfrei, wenn raumseitig der Wärmedämmung eine Schicht mit einem Diffusionswiderstand mit $s_{d,i}$> 100 m angeordnet wurde. Das änderte sich mit der Fassung dieser Norm von November 2014, die für diese Bauweise an der Außenseite der Wärmedämmung mit einem maximalen Diffusionswiderstand von $s_{d,e}$< 2 m (vergleichsweise) diffusionsoffene Dächer fordert.

   Bei allen Konstruktionen darf der Wärmedurchlasswiderstand der Bauteilschichten unterhalb der diffusionshemmenden Schicht ohne Nachweis max. 20 % betragen. Aber hier zeigen Berechnungsbeispiele, dass auch größere Anteile durch Nachweisführung möglich sind.

   Werden die o.a. Anforderungen nicht eingehalten, bedeutet dies nicht, dass diese deswegen unzulässig sind. Vielmehr sind diese Konstruktionen bauphysikalisch nachzuweisen. Mittlerweile sind Nachweise nach Glaser mit einer Trocknungsreserve von 250g/m^2 in der Tauwasserebene zu führen oder instationäre Nachweise mit aufwendigen Rechenmodellen (WUFI[8] oder Delphin[9]).

---

7 DIN 4108-3:2018-10 Wärmeschutz und Energie-Einsparung in Gebäuden – Teil 3: Klimabedingter Feuchteschutz – Anforderungen, Berechnungsverfahren und Hinweise für Planung und Ausführung.

8 Wärme und Feuchte Instationär, Fraunhofer-Institut für Bauphysik IBP, Stuttgart/Holzkirchen – Valley.

9 Simulationsprogramm für den gekoppelten Wärme-, Luft-, Feuchte-, Schadstoff- und Salztransport, Institut für Bauklimatik, Fakultät Architektur, TU Dresden.

4.1.3.2 Feuchteschäden in Dächern vermeiden

An die wärmedämmenden Eigenschaften von Außenbauteilen werden seit ca. 30 Jahren deutlich steigende Anforderungen gestellt. Das hat bei Holzdächern häufig zur Folge, dass Hohlräume vollständig mit Dämmstoff ausgefüllt werden und auf früher übliche Lüftungsebenen über der Dämmung verzichtet wird (Abbildung 7 Mitte).

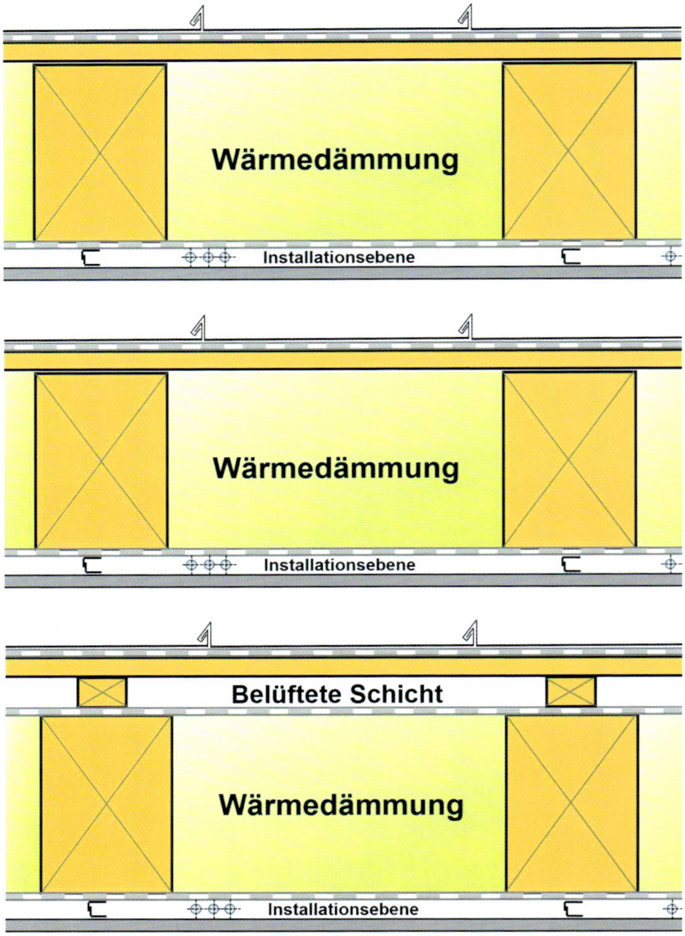

Abbildung 7: Schematische Darstellung eines belüfteten Dachs (oben), eines nicht belüfteten Dachs (Mitte) und eines nicht belüfteten Dachs mit einer belüfteten Schicht unter der Eindeckung (unten); Quelle: Matthias Zöller

Diffusionsdichte Eindeckungen aus Blechen oder Abdichtungen mit Bahnen auf einer Schalung über den Sparren erfordern nach den mittlerweile überkommenen Regeln zur Vermeidung von Tauwasserbildung Dampfdiffusionssperren raumseitig der Dämmschicht. Bis vor einiger Zeit waren Holzkonstruktion nachweisfrei, wenn auf der Raumseite der Wärmedämmung eine diffusionshemmende Schicht mit einem Widerstand ($s_{d,i}$) von mehr als 100 m angeordnet wurde (sog. Dicht-Dicht-Konstruktionen; siehe vorheriges Kapitel). Mit

Nachweisen, die sich auf Diffusion beschränken, aber andere, baurelevante Feuchtetransportmechanismen ausblenden, sind diese Dachkonstruktionen zwar nach den normativen Festlegungen, aber nicht hinsichtlich der tatsächlichen Gebrauchstauglichkeit nachweisbar. Die Holzkonstruktion des Dachs ist beidseitig diffusionssperrend abgedeckt, wenn raumseitig Schichten mit so hohen Widerständen gegen Diffusion angeordnet werden. Diese Planungsgrundlage ist nicht geeignet, derartige Dächer ausreichend fehlertolerant gegen massive Schäden zu schützen. Zudem lassen sich unter Baustellenbedingungen Abweichungen der Ausführung von Planungsidealvorgaben nicht vermeiden. Aber nicht nur deswegen treten leider immer wieder erhebliche Durchfeuchtungsschäden auf (Abbildung 8).[10]

Abbildung 8: Nach wenigen Jahren verfaulte Dachschalung in einer beidseitig diffusionsdicht abgedeckten Dachkonstruktion mit extensiver Begrünung; Quelle: Matthias Zöller

In einer Fußnote wies die frühere Ausgabe der DIN 4108-3 von 2001 darauf hin, dass bei Dächern mit Dämmungen in Ebene des Holztragwerks ohne belüftete Schichten und äußere diffusionshemmende Schichten von mehr als 2 m äquivalente Luftschichtdicke Feuchtigkeit aus z.B. Baufeuchte oder später unplanmäßige eingedrungenes Wasser nur schlecht oder gar nicht austrocknen kann. Dieser Hinweis bezog sich leider nicht auf die hier betrachteten Holzflachdächer, sondern auf solche mit Dachdeckungen. Inhaltlich lässt sich diese Fußnote auch auf Holzflachdächer anwenden, nur wird in bestimmten Fällen zu hinterfragen sein, ob diese Hinweise in den betroffenen Fachkreisen im zeitlichen Geltungsbereich der Norm bekannt waren und ob verstanden wurde, dass die Gefahren insbesondere bei Holzflachdächern bestehen.

Die in Teil 3 der DIN 4108 angeführten Berechnungsverfahren und Dimensionierungsregeln berücksichtigen nur Wasserdampfdiffusion unter Nutzungsbedingungen. Andere Ursachen von Feuchtigkeitsbildungen, etwa Baufeuchte, kleinere Leckstellen in Abdichtungen oder Konvektion von Raumluft, sind in den Nachweisverfahren nicht berücksichtigt, weil diese nicht einfach quantifizierbar und damit nicht genau prognostizierbar sind. DIN 4108-3 betrachtet daher nicht den gesamten „Feuchtigkeitshaushalt" in beidseitig diffusionssperrend abgedeckten Dächern.

Der zuvor benannte Warnhinweis ist im neuen Geltungsbereich der Norm auch für Flachdächer anzuwenden. Er enthält aber den Zusatz, dass vor dem Verschließen der Dachkonstruktion die Feuchtigkeit des Holzes die zulässige Materialfeuchtigkeit nicht überschreiten darf. Dieser Zusatz verwässert leider die eigentliche Schadensproblematik, die auch auf

10 *Oswald*, Fehlgeleitet – Unbelüftete Holzdächer mit Dachabdichtungen, db 07/2009.

Feuchteumlagerungsprozessen beruhen kann. Praktisch ist der zulässige Materialfeuchtegehalt bei 18 Masse-% anzusiedeln. Dieser liegt dann ca. 10 Masse-% über dem praktischen Feuchtegehalt, der im späteren Zustand in Holzflachdächern üblich ist. Bezogen auf ein Trockengewicht von Konstruktionsholz von 600 kg/m^3 werden je Kubikmeter Vollholz damit ca. 60 l Wasser eingeschlossen. Wenn sich diese nicht unerhebliche Wassermenge innerhalb der geschlossenen Konstruktion umverteilt und an bestimmten Stellen konzentriert, wird rasch ein äußerst kritischer Gehalt erreicht, bei dem holzzerstörende Pilze das Tragwerk zerstören können.

Ein baupraktisches Problem ist damit die Holzfeuchtigkeit, die schon vor dem Aufbringen der Abdeckung vorhanden war.

Durch

- Feuchtigkeitsumlagerung bei unterschiedlichen Temperaturen in verschiedenen Dachbereichen in und senkrecht zur Dachebene;
- kleinere Undichtheiten der oberen Eindeckung, Abdichtung bzw. Zusatzmaßnahme;
- kleinere Leckstellen in (der) inneren Luftdichtheitsschicht(en);
- kleine Fehlstellen in Luftdichtheitsschichten
- oder Abweichungen von Annahmen bei rechnerischen Nachweisen instationärer Verfahren (WUFI, Delphin)

sind bei wenig fehlertoleranten Systemen grundsätzlich Schäden zu befürchten.

Wenn aber eine Konstruktion durch nur kleine Fehler geschädigt werden kann, ist sie nicht ausreichend fehlertolerant. Mittlerweile wurden Regelwerke geändert. Die neuen Regeln beschreiben richtigerweise, dass beidseitig diffusionsdicht abgedeckte Holzdächer grundsätzlich nicht fehlertolerant sind. Nur in Ausnahmen ist zu erwarten, dass sie schadensfrei funktionieren.

Das aber heißt nicht, dass bereits errichtete Dächer diese Anforderungen unbedingt einhalten müssen. Diese lassen sich durch Monitoring prüfen. Insbesondere nach etlichen Jahren lassen sich Erkenntnisse gewinnen, auf deren Grundlage verlässliche Prognosen der fallbezogenen Konstruktion möglich sind.[11]

4.1.3.3 Varianten zum Feuchteschutz

Zur Vermeidung von Schadensfällen sind drei Varianten zu empfehlen:

1. Aufdachdämmung ohne oder mit einem kleineren Teil der Wärmedämmung in Tragwerksebene (nachweisfrei);
2. belüftete Schichten auf der raumabgewandten Seite der Dämmung (nachweisfrei oder Nachweis gut möglich);
3. instationärer rechnerischer Nachweis aller anderen Konstruktionen (machbar, aber die von den Varianten am wenigsten zu empfehlende).

---

11 *Oswald/Sous/Spilker/Zöller*, Zuverlässigkeit von Holzdachkonstruktionen ohne Unterlüftung der Abdichtungs- oder Decklage. Forschungsbericht abgeschlossen im März 2014, AIBau Aachener Institut für Bauschadensforschung und angewandte Bauphysik gGmbH, Download unter https://aibau.de/bauschadensforschung-veroeffentlichungen).

Variante 1 ist die unkritischste. Wird die Wärmedämmung außerhalb des Holztragwerks angeordnet, ist dieses dem Raumklima zugeordnet und damit ein Innenbauteil. Zwar kann der Raum zwischen den Traghölzern nicht oder nur wenig zum Wärmeschutz genutzt werden (nachweisfrei bis 20 % des Wärmeschutzes der Aufdachdämmung), in sehr vielen Fällen ist aber eine über dem Dachtragwerk angeordnete Dämmschicht unproblematisch. Energetisch ist die Lösung sogar im Vorteil, weil die Hölzer des Tragwerks keine Wärmebrücken bilden, keine Fugen zwischen Holztragwerk und Dämmung Schwachstellen bilden und für die Dämmung auf dem Dach Dämmstoffe geringer Wärmeleitfähigkeit gewählt werden können (Abbildung 9).

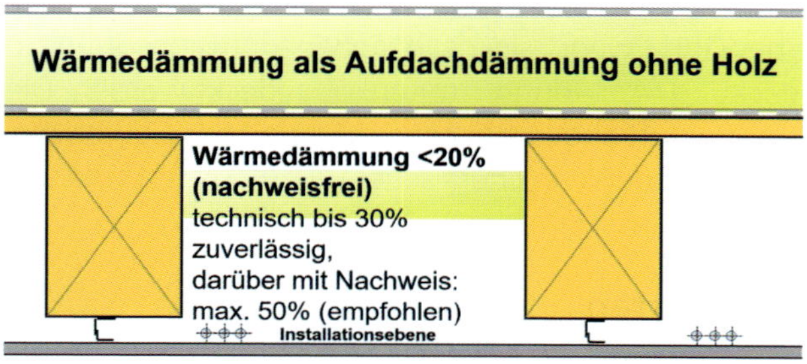

Abbildung 9: Schematische Darstellung eines Dachs mit Aufdachdämmung; am zuverlässigsten ist die Konstruktion, wenn das Holz innen einsehbar und nicht mit einer Innenbekleidung versehen ist, weil dann die unmittelbar auf der tragenden Schalung aufgebrachte Dampfsperre als Abdichtung genutzt werden kann und eventuell Leckstellen durch Feuchtefleckenbildung an der Innenseite indiziert werden. Allerdings ist in diesem Fall Brettsperrholz weniger geeignet, da dieser Holzwerkstoff Wasser nicht durch den Querschnitt hindurchleitet. Besser sind dann massive tragende Hölzer; Quelle: Matthias Zöller

Bei Variante 3 muss die im Winterhalbjahr durch Diffusionsvorgänge eingetragene Feuchtigkeit, die in kühlen Bauteilschichten zu Tauwasser kondensiert, durch eine entsprechende Anordnung der Bauteilschichten im Sommerhalbjahr zur Raumseite, also nach innen, austrocknen. Dazu sollen die äußeren Deckschichten möglichst dunkel sein, keinen schweren Oberflächenschutz aufweisen, damit die Sonnenenergie in den Dachquerschnitt gelangt, dauerhaft keine verschatteten Dachteilflächen aufweisen und möglichst keine ruhenden Luftschichten beinhalten, über die parallel zur Dachfläche Feuchtigkeit innerhalb des Querschnitts transportiert werden könnte.

Diese Variante ist in den meisten Fällen rechnerisch im instationären Verfahren nachzuweisen. Die Rahmenbedingungen sind während der Nutzungsdauer sicherzustellen, nachträgliche Änderungen während der Nutzungsdauer des Dachs sind auszuschließen.

Weder die Dachfläche, noch Teilflächen dürfen ohne neuen Nachweis begrünt werden, Solaranlagen erhalten oder als Dachterrasse genutzt werden. Sogar nachbarlicher Baumwuchs ist zu begrenzen! Diese Variante ist daher möglich, aber mit (dauerhaften) Einschränkungen verbunden.

Allerdings führen diese Hinweise nicht dazu, dass bereits errichtete Dächer rückgebaut werden müssen. Am zuverlässigsten lässt sich durch Monitoring über einen Zeitraum von mindestens fünf Jahren, zu empfehlen sind zehn Jahre, die konkrete Gebrauchstauglichkeit erkennen, weil dann entweder Feuchtigkeitsschäden entstehen und Maßnahmen zu empfehlen sind oder keine Feuchtigkeitsschäden entstanden sind und die Konstruktion im konkreten Fall uneingeschränkt verwendungsgeeignet ist.[12]

Variante 2 wird als traditionelle Bauweise mit guten Erfahrungen empfohlen. Allerdings entspricht das belüftete Dach, bei dem eine belüftete Schicht unmittelbar über der Wärmedämmung angeordnet ist, nicht mehr dem heutigen energetischen Standard, da von außen einströmende Luft durch nur kleinere Lücken in der Wärmedämmung die energetische Qualität nicht nur unerheblich beeinträchtigen kann.[13] Deswegen wird diese Art von Dächern fast ausschließlich mit vollgefüllten Hohlräumen zwischen dem Holztragwerk und einer diffusionsoffenen, aber winddichten Abdeckung zur belüfteten Schicht realisiert. Diese Bauweise wird in neuen Veröffentlichungen sowie Regelwerksaussagen empfohlen. Vollsparrendämmungen haben sich bewährt, wenn sie nach außen diffusionsoffen zu einer belüfteten Ebene unter der Eindeckung (Abbildung 7 unten) abgedeckt werden. Die tragenden Hölzer sind gegenüber der Außenluft abgeschlossen und damit der Gebrauchsklasse GK 0 nach DIN 68800[14] zuzuordnen, in der kein chemischer Holzschutz erforderlich wird.

4.1.3.4 Feuchteadaptive Dampfsperren

Variante 3 erfordert meistens die raumseitige Anordnung von feuchteadaptiven Dampfsperren. Deren Funktion basiert auf der Eigenschaft einiger Kunststoffe, bei höherer relativer Feuchtigkeit der Umgebungsluft einen geringen Diffusionswiderstand aufzuweisen. Sie lassen im Sommer bei hohen relativen Raumluftfeuchten eine Austrocknung zur Raumseite zu. Bei geringen relativen Feuchten im Winter steigt der Diffusionswiderstand, wenn die Innenraumluft allgemein trockener ist. So kann im Winterhalbjahr weniger Feuchtigkeit von der Raumseite in den Dachquerschnitt eindiffundieren.

Diese Membranen sind oft die Voraussetzung, dass rechnerische, instationäre Nachweise geführt werden können, die nicht nur Diffusionsvorgänge in einem Jahreszyklus, sondern alle Transportmechanismen über mehrere Jahre berücksichtigen. Sie sind wesentlich genauer und lassen eine realistische Prognose zu, weswegen diese Verfahren als Standard in die neuen Regelwerke Einzug hielten.

In Räumen, in denen im Winter mit hohen Raumluftfeuchten zu rechnen ist, z.B. (anfangs) durch Baufeuchte oder (dauerhaft) nutzungsbedingt, können feuchtevariable Membranen das Gegenteil von dem bewirken, was sie sollen. Dann kann im Winter der Feuchtegehalt in kritische Bereiche zunehmen. Daher sollten feuchtevariable Dampfsperren nur eingesetzt werden, wenn durch ein Lüftungskonzept sichergestellt ist, dass im Winter die relative Raumluftfeuchte nicht zu hoch ist.

---

12 *Oswald/Sous/Spilker/Zöller*, Zuverlässigkeit von Holzdachkonstruktionen ohne Unterlüftung der Abdichtungs- oder Decklage. Forschungsbericht abgeschlossen im März 2014, AIBau Aachener Institut für Bauschadensforschung und angewandte Bauphysik gGmbH, Download unter https://aibau.de/bauschadensforschung-veroeffentlichungen).

13 *Borsch-Laaks*, Durchströmung von Dämmschichten – Ergebnisse der Bauforschung in der Praxis, 8. Effizienz-Tagung Bauen + Modernisieren, 4./5.11.2016, Hannover.

14 DIN 68800-2: 2022-02 Holzschutz – Teil 2: Vorbeugende bauliche Maßnahmen im Hochbau.

Feuchtevariable Dampfsperren können daher im Gebäudebestand eine Situation verbessern, sie sollten aber nicht die einzige Grundlage einer Planung bei Neubau oder Modernisierungen ohne ausreichende rechnerische Trocknungsreserve werden.

Der Zuverlässigkeitsgrad beidseitig diffusionsdicht abgedeckter Dächer ganz ohne Belüftung hängt von der Ausführungssorgfalt ab. Kleinere Fehler können größere Schäden zur Folge haben. Da Feuchtigkeitsbildungen nicht immer sicher ausgeschlossen werden können, sollte das Dach ausreichend schnell austrocknen können. Damit wird die Konstruktion gegen kleinere und nicht vermeidbare Fehler der Ausführung tolerant.

Lassen sich bei Beachtung der neuen Regeln ausreichend fehlertolerante Konstruktionen errichten, die über die vorgesehene Nutzungsdauer bei üblichen Instandhaltungsmaßnahmen ihre Aufgabe erfüllen? Folgende Sachverhalte sind zu bedenken:

1. Was passiert bei späteren Änderungen, wie z.B. einer Umnutzung, bei Teilverschattungen oder (teilflächiger) Begrünung, bei Bekiesung oder bei dem Aufbringen eines Terrassenbelags?
2. Welche Folgen sind zu erwarten bei einem auch nur leichten Absacken des Dämmstoffs, wodurch ein unkontrollierter Hohlraum auf der kalten Seite entsteht? Wie ist die Kontrolle der Montage des Dämmstoffs möglich? Reichen stichprobenartige Prüfungen aus?
3. Wenn der Feuchtegehalt von 12/15 ± 3 M-% unter Sonnenerwärmung auf ca. 5 bis 8 % abtrocknet (das sind übliche Werte an Hölzern in trockenen Teilflächen von Dächern), reicht die Trocknungsleistung nach innen oder sind Feuchtekonzentrationen an kühleren Bauteilschichten zu befürchten?
4. Besteht eine Gefahr von Auffeuchtungen bei Verwendung von feuchtevariablen Diffusionssperren in den ersten Jahren, wenn durch Baufeuchte die inneren Folien im Winter diffusionsoffen sind und deswegen auf der kalten Seite des Dachs besonders viel Tauwasser entstehen kann? Was sind die Folgen bei Raumnutzungen, die eine höhere relative Raumluftfeuchte erzeugen? Sind bei solchen Dachkonstruktionen hygrisch gesteuerte, ventilatorgestützte Systeme im Unterdruckbetrieb zur Vermeidung hoher Raumluftfeuchten und zur Vermeidung von Sickerströmungen von Raumluft in die Tragkonstruktion verpflichtend einzusetzen?
5. Sind die dauerhaft zu beachteten Einschränkungen und die Prüfpflicht beim Einbau nicht ein Hinweis auf eine grundsätzlich nur eingeschränkte Zuverlässigkeit?

Die Belüftung von Dächern wird wegen der nicht immer einfachen Anschlüsse an Dachrändern sowie wegen der dickeren Konstruktion infrage gestellt. Allerdings hatte der Verfasser bislang mit Dächern zu tun, bei denen die Dachränder frei lagen und die Konstruktionshöhe keine Rolle spielte.

4.1.3.5 Belüftete Schichten

An belüftete Schichten über der Dämmung (Abbildung 7 unten) werden Anforderungen zur Ableitung von Feuchtigkeit aus Diffusionsvorgängen gestellt. Für eine ausreichende Dimensionierung sprechen weitere Gründe:

- Sommerlicher Wärmeschutz

  Im Sommer steigen die Temperaturen unter der Dacheindeckung durch eine gut funktionierende Belüftung im Dachaufbau nicht so stark an, wodurch die Innenräume weniger erwärmt werden. Die Belüftung der Eindeckung dient daher auch dem Raumklima bzw. der Energieeinsparung, weil an heißen Tagen weniger gekühlt werden muss, auch wenn dieser Aspekt bei den heute üblichen geringen Wärmeleitfähigkeiten der Dämmstoffschichten eine geringere Bedeutung hat. Wärmeempfindliche Bauteile innerhalb des Dachaufbaus, wie einige diffusionsoffene wasserableitende Ebenen, werden aber weniger erhitzt und altern damit weniger schnell.

- Abtrocknung des Dachaufbaus

  Falls sich Feuchtigkeit im Dachaufbau bilden sollte, wird diese bei einer funktionierenden Belüftung schneller abtrocknen.

- Geringere biologische Belastung

  In gut durchlüfteten Hohlräumen siedeln sich erfahrungsgemäß weniger Insekten an als in solchen, die nicht nach außen abgeschottet, aber nur gering belüftet sind.

Zum Glück sind bislang sehr wenige Schadensfälle bekannt geworden, bei denen die durch die Belüftung eingetragene Feuchtigkeit Schäden zur Folge hatte. Diese sind allerdings – ebenfalls zum Glück – weit weniger stark ausgeprägt als die zuvor beschriebenen Fäulnisschäden an Holztragwerken.

Abbildung 10: Schimmelpilzbildung an der Unterseite der OSB-Schalung sowie auf der Oberseite der stark verformten Holzweichfaserplatten, die als Winddichtung über der Wärmedämmung eingesetzt wurden; Quelle: Matthias Zöller

Schimmelpilz bildet sich auf der Unterseite der OSB-Schalung, die bei leichten Dachschalungen ohne schweren Oberflächenschutz durch Infrarotstrahlung in klaren Nächten nach oben auskühlt oder durch kaltes/gefrorenes Wasser in scheren Oberflächenschutzschichten über der Abdichtung kalt bleibt, wodurch sich an der Unterseite Tauwasser aus von außen eingetragener Luft bilden kann. Dieses kann auf die Oberseite der Holzweichfaserplatten unter der belüfteten Schicht abtropfen.

Es stellen sich folgende Fragen:

- Von welchen Parametern hängt die Feuchtigkeitsbildung ab?
- Kann Schimmelpilzbildung in belüfteten Schichten vermieden werden?
- Sind Schimmelpilze in Bereichen der Nutzungsklasse IV (UBA-Schimmelleitfaden 2017[15]) üblich?

15 Leitfaden zur Vorbeugung, Erfassung und Sanierung von Schimmelbefall in Gebäuden (Schimmelleitfaden), UBA Umweltbundesamt 2017.

Oder sind zukünftig

- belüftete Flachdächer zu meiden,
- bevorzugt mit Aufdachdämmungen oder
- mit ausreichender Reserve der nachgewiesenen Konstruktionen zu planen?

Möglicherweise handelt es sich bei den bislang bekannt gewordenen Schäden um Einzelfälle. Es ist aber nicht auszuschließen, dass sich innerhalb von Dachquerschnitten vergleichsweise häufig Schimmelpilze bilden, die wegen der verdeckt liegenden Schichten nicht auffallen und nicht zur Schadensausweitung führen. Dann handelt es sich um eine übliche Beschaffenheit, die bislang einfach nicht bekannt war, aber nach Art des Werks möglicherweise sogar unvermeidbar ist. Die Schimmelgefahr lässt sich aber reduzieren, indem weniger schimmelanfällige Baustoffe verwendet werden. Dazu sind z.B. Massivholzschalungen anstelle von Holzwerkstoffen oder Unterdeckbahnen/Unterspannbahnen anstelle von Holzfaserplatten geeignet.

4.2 Abdichtung und Feuchteschutz erdberührter Bauteile

Matthias Zöller

Übersicht

4.2.1 Abdichtungen nach Norm

Räume in Untergeschossen neuer Gebäude werden häufig hochwertig genutzt. Dort werden auch feuchteempfindliche Dinge gelagert, wie Papier oder Kleider, die schon gegenüber höherer Luftfeuchtigkeit empfindlich sind. Solche Nutzungen benötigen Bauwerksabdichtungen an den erdberührten Bauteilen, die dafür sorgen, dass außerhalb des Gebäudes anstehendes Erdreich kein Wasser oder auch nur Feuchtigkeit in die Innenräume abgeben kann. Alternativ sind wasserundurchlässige Betonkonstruktionen möglich, die keine (zusätzliche) Abdichtung erfordern.

Zur eventuell benötigten Trockenheit der Raumluft sind in der Regel zusätzliche Maßnahmen nötig, um z.B. im Sommer hohe Luftfeuchtigkeit zu vermeiden. Diese entsteht wie beim bekannten Effekt, wenn im Sommer ein kühles Bier aus dem Kühlschrank genommen wird und sich an der Flasche Tauwasser bildet. Das Gleiche passiert durch Lüftungsvorgänge bei wärmerer Außenluft in kühleren Untergeschossräumen. Dort zeigt sich häufig Tauwasser nicht unmittelbar, da es vom Untergrund absorbiert wird. Für Schimmelpilzbildung ist aber noch nicht einmal Tauwasser notwendig. Dieser genügt eine hohe relative Feuchte als ein nicht unwesentliches Kriterium. Damit sind Wachstumsbedingungen für Schimmelpilze früher gegeben, als sich Tauwasser bilden kann.

Bauwerksabdichtungen sind notwendig, wenn

- nur durch die Abdichtung die beabsichtigte Nutzung der Räume im Gebäudeinneren ermöglicht wird oder
- die Bauteile durch Abdichtungen vor Schäden zu schützen sind.

Schadensuntersuchungen an Bauwerksabdichtungen zeigen, dass Fehler bei der Ausführung der Abdichtungen zwar eine häufige Schadensursache darstellen – Schwächen bei der Planung der abzudichtenden Bauteile provozieren aber ebenso Risiken, wie z.B. verwinkelte Untergründe, häufige Materialwechsel, die ungünstige Lage von Dehnungsfugen oder Durchdringungen. Die Abdichtungsnormen stellen daher den Grundsatz voran, dass nicht nur die Abdichtung selbst, sondern auch der Untergrund einschließlich aller dazugehörenden Bauteile, insbesondere aber die Geometrien, wesentlich zur dauerhaften Dichtheit an allen Stellen von Abdichtungen beitragen. Die Normen richten sich daher nicht nur an die Ausführenden von Abdichtungen, sondern auch an diejenigen, die das Bauwerk und die Abdichtung planen. Die Baubeteiligten müssen zusammenwirken. Damit wird zum Ausdruck gebracht, dass diese Normen Anwender dazu auffordern, nicht stur die dort beschriebenen Verfahren umzusetzen, sondern (eigen-)verantwortlich zu handeln. Das bedeutet aber auch, dass im Nachhinein Anwendern diese für den konkreten Einzelfall notwendige Entscheidung zuzugestehen ist, normative Festlegungen zu konkretisieren oder sogar von diesen abzuweichen, um den Werkerfolg in seinen vielfältigen Aspekten einschließlich Wirtschaftlichkeitsbetrachtungen sicherzustellen.

Normen verstehen sich als Hilfe zum Werkerfolg. Normen können für Planung und Ausführung beachtet werden. Sie verzichten i.d.R. auf die Bewertung des bereits Vorhandenen und schließen ihre Anwendbarkeit in der Bauwerkserhaltung und der Baudenkmalpflege grundsätzlich aus. Ist das Werk hergestellt, sollen sich Prüfende mit dem Vorhandenen auseinandersetzen und abschätzen, ob die konkrete Bauweise unter Berücksichtigung zukünftiger Einwirkungen dauerhaft gebrauchstauglich ist. Eine solche Prüfung erfordert Sachverstand. Der wird aber auch bei Planung und Anwendung gefordert, denn Normen legen zwar vieles fest, gewähren aber für Anwender keine Garantie, dass sich der Werkerfolg auch sicher einstellen wird.

Man neigt gerne dazu, Abweichungen von normativen Vorschlägen zu dramatisieren mit der Begründung, dass Baubeteiligte schließlich die normativen Festlegungen hätten beachten können und damit auch müssen. Das alleine ist aber ein juristischer Akt und hat nichts mit einer technischen Bewertung zu tun. Letztere soll sich ausschließlich mit dem konkreten Sachverhalt beschäftigen.

Durch Varianten können juristische Entscheidungen vorbereitet werden. Dabei sollen auch Varianten aufgezeigt werden, mit denen eine vergleichbare Dauerhaftigkeit erzielt werden kann (insofern diese nicht bereits gegeben ist) und eventuelle Abweichungen vom Regelwerk kompensiert werden können.

Abdichtungen von erdberührten Bauteilen sind seit Juli 2017 in der Reihe der DIN 18533[1] beschrieben. In Teil 1 werden die grundsätzlichen Festlegungen getroffen. Die Verarbeitung von Stoffen bestimmter Bauweisen oder Bauarten sind in den folgenden Teilen 2 und 3 enthalten.

1 Reihe DIN 18533:2017-07 Abdichtung von erdberührten Bauteilen (drei Teile).

Die Abdichtungsnorm bezieht sich auf die in DIN SPEC 20 000-202[2] beschriebenen Stoffe. Allerdings werden wesentliche Anforderungen in DIN 18533 zitiert.

Die Abdichtungsnormen sind nicht für Bauteile anzuwenden, die wasserundurchlässig sind. Sie gelten daher z.B. nicht für Bodenplatten aus Beton, die einen ausreichenden Schutz gegen Bodenfeuchte oder, bei WU-Konstruktionen nach WU-Richtlinie[3], Beanspruchungsklasse 1, gegen drückendes Wasser bieten.

Die derzeit[4] noch in DIN 18533-1 beschriebenen Wassereinwirkungen sind aber Teil der Baugrundbeschaffenheit und werden zukünftig in DIN 4095-1[5] beschrieben.[6] Der Schutz gegen auf Bauwerksflächen einwirkendes Wasser aus dem Baugrund dagegen ist Gegenstand in den technischen Regeln für Abdichtungen[7] bzw. für wasserundurchlässige Betonkonstruktionen[8]. In bisheriger Ermangelung von Regeln zu Wassereinwirkung im Baugrund haben Letztgenannte auch Wassereinwirkungen behandelt, obwohl sie dafür nicht einschlägig sind.

Wenn Normen Begriffe wie *Sonderlösungen* oder *Sonderkonstruktionen* verwenden, meinen sie damit nicht erhöhte Risiken. Das sind Synonyme für Konstruktionen, die in diesen Normen nicht abschließend geregelt sind. Regelwerke sollen Hilfestellungen geben, sind aber keine „Kochbücher", sie können keine Detailplanung ersetzen. Das kann dazu führen, dass Vorschläge aus Regelwerken übernommen werden, aber auch dazu, dass andere als die darin enthaltenen Details gewählt und von Regelwerksempfehlungen abgewichen wird, um einerseits die Gebrauchstauglichkeit, die Verwendungseignung, sicherzustellen und andererseits wirtschaftlich zu handeln und nicht notwendigen Kostenaufwand zu vermeiden.

Im Gebäudebestand kann DIN 18533-1 angewendet werden, wenn die darin enthaltenen Empfehlungen sinnvoll umsetzbar sind. So können regelmäßig Abdichtungen unter Bodenplatten nur mit einem sehr großen Aufwand nachträglich eingefügt werden. Dies wäre ohnehin nur bei Druckwasser, nicht aber bei Bodenfeuchte erforderlich. In den zum Glück bei üblichen Gebäuden seltenen Druckwasserfällen werden aber andere Maßnahmen sinnvoller umsetzbar sein.

Bauwerksabdichtungen sind häufig nach ihrem Einbau für eine Wartung oder Erneuerung nur schwer oder überhaupt nicht zugänglich. Die Regeln der Abdichtungstechnik zielen

2 DIN SPEC 20000-202 Anwendung von Bauprodukten in Bauwerken – Teil 202: Anwendungsnorm für Abdichtungsbahnen nach Europäischen Produktnormen zur Verwendung als Abdichtung von erdberührten Bauteilen, von Innenräumen und von Behältern und Becken.

3 DAfStb: Richtlinie Wasserundurchlässige Bauwerke aus Beton (WU-Richtlinie), Ausgabe 2017, Deutscher Ausschuss für Stahlbeton im Deutschen Institut für Normung e.V., Berlin; Erläuterungen zur DAfStb-Richtlinie; Schriftenreihe Heft 555, Juli 2006.

4 Stand: Dezember 2023.

5 DIN 4095-1:2023-03 – Entwurf – Baugrund – Dränung zum Schutz baulicher Anlagen – Teil 1: Begriffe und Wassereinwirkungen.

6 *Zöller/Hilliges/Krajewski/Odenwald*, Wassereinwirkungen im Baugrund nach E DIN 4095-1, Teil 1 in BauSV 3/2023, Teil 2 in BauSV 5/2023.

7 Reihe DIN 18533:2017-07 Abdichtung von erdberührten Bauteilen (drei Teile).

8 DAfStb Richtlinie Wasserundurchlässige Bauwerke aus Beton (WU-Richtlinie), Ausgabe 2017, Deutscher Ausschuss für Stahlbeton im Deutschen Institut für Normung e.V., Berlin; Erläuterungen zur DAfStb-Richtlinie; Schriftenreihe Heft 555, Juli 2006.

deswegen insbesondere für den erdberührten Bereich auf eine hohe Zuverlässigkeit und die langfristige Gebrauchstauglichkeit ab. Dies erklärt die erhöhten Anforderungen z.B. an die Stoffe im Hinblick auf Rissüberbrückungseigenschaften, die erhöhten Anforderungen an Schichtdicken und Lagenzahl, den relativ hohen Aufwand im Bereich von Verwahrungen und erhöhte Anforderungen an die Qualität des Untergrundes, die Kontrolle und den Schutz der Abdichtungen.

Die Abdichtungsnorm DIN 18533 empfiehlt Abdichtungsschichten gegen von außen einwirkendes Wasser. Dabei sind für den Regelfall Abdichtungen an der Einwirkungsseite und damit an Außenseiten von Wänden und unter Bodenplatten anzuordnen und nur als Ausnahme in Wassereinwirkungsklasse W1-E, Bodenfeuchte, und einem Abstand der Abdichtung auf der Bodenplatte zum Bemessungsgrundwasserstand von 50 cm möglich.

4.2.2 Wassereinwirkungsklassen

DIN 18533-1 unterscheidet nach Situation oberhalb (Wassereinwirkungsklasse W1-E, Bodenfeuchte und nicht drückendes Sickerwasser) und unterhalb des Bemessungswasserstands (Wassereinwirkungsklasse W2-E, Druckwasser). Nach dem Verständnis der Norm setzt sich der Bemessungswasserstand aus allen Wasserständen zusammen, die unterhalb der Geländeoberkante theoretisch denkbar sind:

- aus dem höchsten, zu erwartenden Grundwasserstand,
- aus einem Wasserstand, der sich aus Sickerwasser durch Stauwasser bildet und
- einem Wasserstand durch Hochwasser, der als oberer Pegel für alle darunterliegenden Bereiche, auch im Erdreich und unter der Bodenplatte, anzusetzen ist.

Wassereinwirkungsklasse W1-E liegt nach dieser Norm nur vor, wenn

- der zu erwartende und anzunehmende Bemessungswasserstand maximal 50 cm unter Oberkante der Bodenplatte liegt;
- die Bodendurchlässigkeit k mindestens stark durchlässig ist[9] bzw. mindestens 10^{-4} m/s[10] beträgt oder eine Dränung nach DIN 4095 erreichtet wird
- und kein Hochwasserereignis zu erwarten ist.

Ist der Boden weniger durchlässig, also ist $k < 10^{-4}$ m/s, werden in Situationen oberhalb des Bemessungsgrundwasserstands für W1-E Dränungen zur Ableitung des in den Boden bzw. der Arbeitsraumverfüllung infiltrierenden Niederschlags erforderlich, falls nicht Bodenflächen und erdberührte Wandflächen – auf ganzer Höhe – gegen Druckwasser geschützt werden. Von dieser Regel kann abgewichen werden, wenn geotechnische Gutachten geringere Wassereinwirkungen nachweisen.

9 DIN 4095:1990-06 Baugrund; Dränung zum Schutz baulicher Anlagen; Planung, Bemessung und Ausführung.

10 DIN 18130-1:1998-05 Baugrund – Untersuchung von Bodenproben; Bestimmung des Wasserdurchlässigkeitsbeiwerts – Teil 1: Laborversuche (zurückgezogen; vorherige Fassung von 1983-11).

Dabei wurde schon in der Vorgängernorm DIN 18195-1[11] übersehen, dass als Voraussetzung für die Empfehlung einer Dränanlage nach DIN 4095 Böden als höchstens *schwach durchlässig* eingestuft werden. Diese weisen nach der in Bezug genommenen DIN 18130 einen Durchlässigkeitsbereich k von weniger als 10^{-6} m/s und mehr als 10^{-8} m/s auf. Damit wurden durchlässige Böden von mehr als 10^{-6} m/s „vergessen", für die DIN 4095 keine Dränung vorsieht. Die in DIN 4095-1 vorgesehene Grenze zwischen Grundwasserleiter und Grundwassernichtleiter von k 10^{-6} m/s ist daher nicht neu, sondern lediglich in der Vergangenheit von den Abdichtungsnormen nicht richtig interpretiert worden. Man darf sich nicht von sich in Baugruben sammelnden Wasser irritieren lassen, denn der Bauzustand darf nicht gleichgesetzt werden mit dem späteren Zustand nach Fertigstellung (Abbildung 1).

Abbildung 1: Sich am Fuß einer offenen Baugrube sammelndes Wasser ist kein Indiz für die spätere Wassereinwirkung, sobald die Baugrube verfüllt ist. Aber selbst das in offene Baugruben hineinlaufende Niederschlagswasser kommt in der Regel nicht und nur in Ausnahmefällen als Druckwasser unter die Bodenplatte; Quelle: Matthias Zöller

Während der Bauzeit läuft von Erdmassen, die neben der Baugrube gelagert werden, Niederschlag in großen Mengen in die Baugrube hinein und sammelt sich auf der Baugrundfläche. Das ist nach der Verfüllung der Arbeitsräume nicht mehr der Fall, dabei sind die erheblich geringeren Sickergeschwindigkeiten zu berücksichtigen.

4.2.3 Erfahrungen aus Bestandsgebäuden

Der größte Anteil der Gebäude in Deutschland ist der Baubestand. In Altbauten sind erdberührte Bauteilflächen nicht nach den heutigen Anforderungen oder gar nicht abgedichtet. Davon verfügt ein großer Anteil über Keller. Trotz nicht vorhandenen bzw. nicht funktionierenden Abdichtungen werden nur äußerst selten Untergeschosse durch Grundwasser ge-

11 DIN 18195-1, letzte Fassung 2011-12, Bauwerksabdichtungen (zurückgezogen).

flutet. Im Allgemeinen weisen die Bauteiloberflächen einen leicht feuchten, aber keinen feuchtegeschädigten Zustand auf (Abbildung 2).

Sicherlich hat man in der Vergangenheit vermieden, Untergeschosse in Bereichen zu errichten, die durch Grundwasser gefährdet sind. So wurden Baugebiete regelmäßig aufgeschüttet, damit Untergeschosse von Wohngebäuden oberhalb des Grundwasserspiegels liegen. Dennoch zeigt der „Lehrmeister Altbaubestand", dass nur in sehr seltenen Fällen tatsächlich von Druckwasser an den erdberührten Bauteilen durch Grundwasser auszugehen ist.

Die sehr große Anzahl von Gebäudekellern im Bestand ohne oder mit nicht funktionierenden Abdichtungen ermöglicht eine Abschätzung, in welcher Häufigkeit die erdberührten Bauteilflächen nur durch Bodenfeuchte oder nicht drückendem Sickerwasser beansprucht sind und wie oft Grundwasser einwirkt. Zwar sind keine statistischen Erhebungen bekannt, dennoch kommt es in Untergeschossen von Altbauten nur zur Überflutung von Fußbodenflächen, wenn Keller durch Grundwasser beansprucht werden oder wenn wasserführende Grundleitungen in Arbeitsräumen undicht sind und dadurch Niederschlagswasser von Dachflächen auf die Keller einwirkt. Andere Ursachen, die nicht mit dem Baugrund zusammenhängen, können ebenfalls zu Wassereintritten in flüssiger Form führen, z.B. ungünstig angeordnete unterirdische Versickerungseinrichtungen bzw. undichte Zisternen oder die Zuleitung von Oberflächenwasser in vor Wänden angeordneten Vertikaldränen, die in der Sockelzone oben offen sind.

Abbildung 2: Typische Situationen in Altbaukellern ohne Abdichtungen und ohne Dränungen bei Arbeitsraumverführungen mit in der Regel geringdurchlässigem, bindigem Bodenmaterial; Quelle: Matthias Zöller

Bei Untergeschossen von Gebäuden, deren Sohle sich oberhalb des höchsten Grundwasserspiegels befindet, können in der Regel aus dem Baugrund resultierende Feuchtigkeitsschäden auf Schäden in Form von bröselndem Putz, Dunkelverfärbungen oder abblätternder Farbe an Kellerwänden eingeschränkt werden, wenn Einwirkungen aus Druckwasser z.B. aus fehlerhaften Entwässerungseinrichtungen, undichten Abflussleitungen, fehlerhaft angeordneten Versickerungseinrichtungen bzw. undichten Zisternen in Gebäudenähe oder Oberflächenwasserzuleitungen zu Gebäuden ausgeschlossen werden können.

Feuchtigkeitsschäden dieser Art konnten in der Vergangenheit entweder belassen oder mit vergleichsweise einfachen Maßnahmen behoben werden. Stand kein Grundwasser an, konnten die jeweiligen Ursachen beseitigt werden. Nur in Fällen mit anstehendem Grundwasser oder mit aus einer Umgebung im Untergrund auf einer geringdurchlässigen Bodenschicht dem Gebäude zufließendem Stauwasser (Schichtenwasser) waren ggf. druckwasserhaltende Schutzmaßnahmen erforderlich, insofern nicht besondere Lösungen entwickelt werden konnten, etwa in Hanglagen eine Grundwasserführung durch oder unter dem Gebäude.

4.2.4 Zuordnungen

Der Entwurf zu DIN 4095-1:2023-03 enthält das Kontaktflächenmodell, das die Zuordnungen an der Schnittstelle zwischen Baugrund und Gebäude bzw. bauliche Anlagen vorsieht (Abbildung 2).

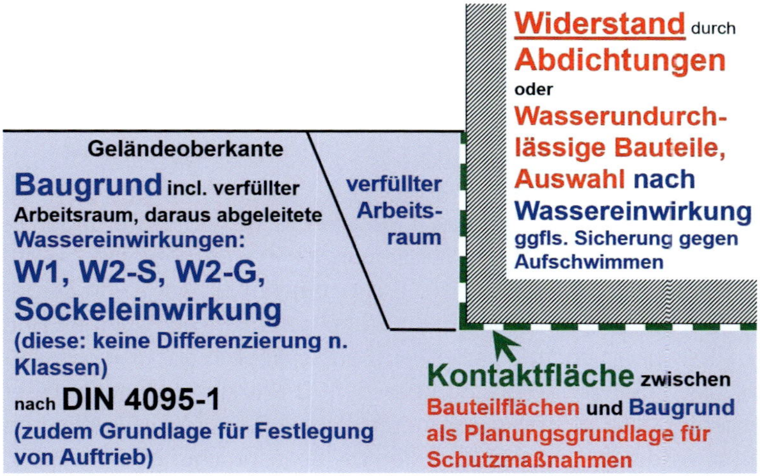

Abbildung 3: Erweiterte Prinzipskizze zum Kontaktflächenmodell der DIN 4095-1 mit Zuordnungen der Einwirkungen W1, W2-S und W2-G sowie Maßnahmen durch Abdichtungen oder wasserundurchlässige Bauteile; W1: Bodenfeuchte und Sickerwasser, W2-S: Druckwasser durch Stauwasser, W2-G: Druckwasser durch Grundwasser; Quelle: Matthias Zöller

Die Prinzipskizze in Abbildung 3 beschreibt die Zuordnungen, wofür die jeweiligen technischen Regeln einschlägig sind. DIN 4095-1 beschreibt Wassereinwirkungen im Baugrund an der Kontaktfläche zu Bauteilflächen als Grundlage für Planung und Auswahl von Abdichtungen bzw. WU-Bauteile, ohne damit vorzugeben, welche Konsequenzen das für die

Planung und Auswahl von Abdichtungen bzw. WU-Bauteile hat. Die Schutzmaßnahmen gegen das jeweilige einwirkende Wasser sind Gegenstand der Abdichtungsnorm oder der WU-Richtlinie, wobei diese beiden technischen Regelwerke sich nicht zu Wassereinwirkungen äußern sollen, wie das derzeit noch der Fall ist. Nach der Festlegung der Wassereinwirkungsklasse kann die entsprechende Schutzmaßnahme durch Abdichtungen oder Bauteile aus wasserundurchlässigem Beton gewählt werden.

Abbildung 3 enthält eine der möglichen Entwicklungen, aus dem Baugrund nicht nur Wassereinwirkungen, sondern auch Lastannahmen gegen z.B. Aufschwimmen abzuleiten.

Die Abdichtungsnorm DIN 18533 beschreibt die geringere Wassereinwirkung als W1-E, während die WU-Richtlinie diese mit Beanspruchungsklasse BK 2 definiert. Umgekehrt entspricht die höhere Beanspruchungsklasse BK 1 der Wassereinwirkungsklasse W2-E. Ein Vorteil der Neuordnung für Anwender liegt u.a. darin, dass die Wassereinwirkungen einheitlich mit W1 (geringe Einwirkung aus Bodenfeuchte und Sickerwasser im Unterdruck bzw. in Saugspannung) und W2 (Druckwasser) beschrieben werden und nicht mehr nach unterschiedlichen Klassen und dazu im gegenläufigen Sinn unterteilt werden.

Stauwasser und Grundwasser erzeugen Druckwasser an den erdberührten Bauteilflächen. Dennoch ist die Differenzierung nach der Wasserentstehung sinnvoll, da die Ableitung von Grundwasser einen Eingriff in den natürlichen Wasserhaushalt darstellt und eine wasserrechtliche Erlaubnis erfordert. Die Einleitung von Grundwasser in das Kanalnetz ist nach den meisten öffentlichen Entwässerungssatzungen grundsätzlich nicht zulässig. Bei der Dränung von Stauwasser sind deutlich geringere Wassermengen zu erwarten als bei Grundwasser. Dies eröffnet Betreibern von öffentlichen Entwässerungsanlagen eine Möglichkeit, die Einleitung von Dränwasser in das Kanalnetz – im Ausnahmefall und mit Gebührenerhebung – zu gestatten.[12]

4.2.5 Exkurs: WU-Bodenplatten

Untersuchungen an der TU München[13] haben gezeigt, dass Beton, der als wasserundurchlässig gilt, bei entsprechender Nachbehandlung Wasser lediglich in eine Tiefe von 2–3 cm aufnimmt und nur dann Wassereindringtiefen von 7–8 cm erreicht werden, wenn Betonbauteile kurze Zeit nach dem Betonieren ausgeschalt und bei sommerlicher Wärme Wind ausgesetzt werden. Der Forschungsbericht[14] bezieht sich ausschließlich auf druckwasserbeanspruchte Außenbauteile. Sowohl die Forschung an der TU München als auch dieser Bericht kommen zum Ergebnis, dass durch wasserundurchlässige Bauteile aus Stahlbeton ohne wasserführende Trennrisse oder andere Fehlstellen bei Beanspruchungsklasse BK 1,

12 Siehe *Zöller/Hilliges/Krajewski/Odenwald*, Wassereinwirkungen im Baugrund nach E DIN 4095-1, Teil 1 in BauSV 3/2023, Teil 2 in BauSV 5/2023.

13 *Schießl/Beddoe*, Wassertransport in WU-Beton – kein Problem! Aachener Bausachverständigentage 2004.

14 *Oswald/Wilmes/Kottje*, Weiße Wannen – hochwertig genutzt; Praxisbewährung und Ausführungsempfehlungen; Wasserundurchlässige Bauwerke aus Beton mit hohem Wassereindringwiderstand; Forschungsbericht B I 5 80 01 95 – 9 abgeschlossen 2005; gefördert vom Bundesministerium für Raumordnung, Bauwesen und Städtebau, Bonn; AIBau Aachener Institut für Bauschadensforschung und angewandte Bauphysik gGmbH, Aachen.

also Druckwasser, weder flüssiger, noch kapillarer Wassertransport noch nennenswerter Diffusionsausgleich stattfindet.

Bei BK 2 (Bodenfeuchte und druckfreies Sickerwasser) wirkt lediglich durch an Bodenkörnungen anhaftendes Wasser in Unterdruckspannung ein. Der Wassertransport beruht auf der Adhäsion der Wassermoleküle an den Kapillarwandungen durch Aszension, solange der Benetzungs- oder Randwinkel kleiner als 90° ist, der Winkel, der sich an der Grenze eines Wassertropfens auf dem Untergrund bildet. Die Transportrichtung wird nur durch Kapillare vorgegeben und ist unabhängig von der Erdanziehungskraft, der sog. Schwerkrafteinwirkung. Im ungestörten Beton spielt der außen anstehende, hydrostatische Druck in Kapillaren wegen deren geringen Dimensionen keine Rolle. Ausschlaggebend sind ausschließlich Kapillarkräfte.

Leider findet sich in Sachverständigengutachten nicht selten die unbelegte und falsche Behauptung, dass Kapillarfeuchte durch Befestigungen von Installationen Abdichtungsschichten durchdringen kann. Wasser kann bei Bodenfeuchte, an Bodenkörnungen anhaftendes Wasser im Unterdruck, Risse nicht frei durchströmen, sondern wird nur durch Kapillarkräfte transportiert. Diese beruhen auf der Wechselwirkung der Eigenspannung des Wassers mit den Oberflächen an den Kapillarwandungen (Abbildung 4).

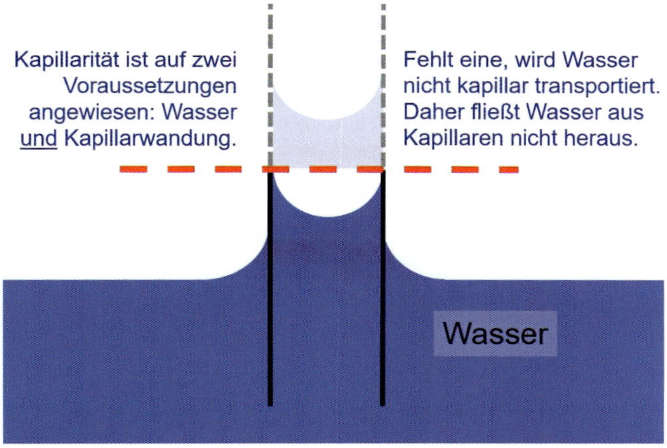

Abbildung 4: Abdichtungen auf Bodenplatten aus Konstruktionsbeton sind i.d.R. nicht erforderlich, weil durch Kapillarität transportiertes Wasser an Kapillarwandungen gebunden ist und in Saugspannung befindliches Wasser nicht aus Kapillaren herausfließen kann; Quelle: Matthias Zöller

Je breiter ein Riss ist, desto kleiner ist das Verhältnis von der Grenzfläche zwischen Wasser an Kapillarwandung und der Dicke des Wasserfilms, desto geringer ist die Einwirkung der Kapillarkräfte, desto geringer ist die kapillare Steighöhe. Kapillarität transportiert Wasser im Unterdruck durch Saugspannung und kann daher aus Kapillaren nicht austreten. Davon ausgenommen ist ein Weitertransport für den Fall, dass an eine Kapillare im z.B. einer Bodenplatte unmittelbar eine andere Kapillare eines unmittelbar angrenzenden Bauteils anschließt. Wenn z.B. ein Löschblatt auf eine feuchte, mineralische Oberfläche angedrückt wird, nimmt das Löschblatt durch Kapillarität Wasser aus d esem Bauteil auf. Die meisten Baustoffe haben aber einen zu geringen Kontaktflächenanteil zu angrenzenden Baustoffen. Durch Unebenheiten erfolgt kein unmittelbarer kapillarer Anschluss. Weiterhin sind viele Baustoffe, die auf Bodenplatten verlegt werden, nicht kapillaraktiv, sodass diese keine Feuchtigkeit aus ggf. feuchten Betonbodenplatten aufnehmen können.

Für die geringe Wassereinwirkung an Außenseiten von Betonbauteilen nach BK 2 durch Saugspannung sind Bodenplatten – nach den perspektiven Aspekten der WU-Richtlinie – wasserundurchlässig, wenn sie 15 cm dick sind und der Beton das WU-Kriterium erfüllen. Dabei wird ein 28 Tage altes Betonprisma über eine Zeitdauer von 72 Stunden mit einem Prüfdruck von 5 bar beaufschlagt. Ist Wasser danach bis höchstens 5 cm eingedrungen, ist das WU-Kriterium erfüllt. In der für BK 2 geforderten Bodenplattendicke von 15 cm sind aber Sicherheiten enthalten. Die o.a. Forschung an der TU München hat gezeigt, dass Wasser nur bei sehr ungünstiger „Nachbehandlung" bis zu 7 oder 8 cm kapillar eintritt. Das kann der Fall sein, wenn Wände kurz nach dem Betonieren (viel zu früh) ausgeschalt werden und die Betonflächen durch Sonne und Wind schnell trocknen. Unter Bedingungen guter Nachbehandlung aber, die an Unterseiten von Bodenplatten, an der Seite der Wassereinwirkung, gegeben sind, ist der Kristallisationsgrad des Betons hoch. Der Wassereintritt ist dann regelmäßig auf weniger als 5 cm begrenzt. Da die Bildung von Kristallnadeln im Beton kontinuierlich fortschreitet, wird Beton im Laufe der Zeit immer dichter, die Kapillargrößen werden immer kleiner, die Wassertransportleistung nimmt stetig ab. Das hat zur Folge, dass Konstruktionsbeton unter der Voraussetzung, dass er mit üblichen Techniken eingebaut wird, das WU-Kriterium an der Einwirkungsseite von Betonbodenplatten, der Unterseite, regelmäßig erfüllt.

Die WU-Richtlinie fordert zwar bei BK 2 Maßnahmen zur Beschränkung von Rissbreiten. Dabei geht es nicht um die Vermeidung des Eintritts von Flüssigwasser, sondern um die Begrenzung von Wasserdampfdiffusion. Allerdings wurde dabei übersehen, dass durch Risse kein Wasser gasförmig hindurchdiffundiert[15] sowie bei hochwertig genutzten Innenräumen häufig das Diffusionsgefälle eher von innen nach außen als von außen nach innen gerichtet ist. Daher sind diese Anforderungen übertrieben.

Wenn Betonbauteile zwar an der Einwirkungsseite Wasser aufnehmen können, dieses aber nicht bzw. in nicht einem praktisch relevanten Umfang ein Bauteil durchdringen kann, sind sie wasserundurchlässig. Dann findet die Reihe der Abdichtungsnorm DIN 18533 nach ihrem Anwendungsbereich in Teil 1 keine Anwendung.

Praktisch wird bei zu erwartendem Grundwasser keine Abdichtung mehr unter Bodenplatten in relevantem Umfang verwirklicht, da diese für Instandhaltung nicht zugänglich sind. Bei an Unterseiten von Bodenplatten anstehendem Grundwasser ist in Abhängigkeit der Überstauhöhe auch eine Sicherung gegen Aufschwimmen des Gebäudes bzw. Schutz von Bodenplatten gegen den unterseitig anstehenden Auftrieb vorzusehen. Dann ist der Mehraufwand, Bodenplatten als wasserundurchlässige Konstruktionen zu gestalten, vergleichsweise gering. Diese beiden Aspekte führen bei einem sehr großen Anteil von im Grundwasser stehenden Bauteilen dazu, dass keine Abdichtungen, sondern wasserundurchlässige Betonkonstruktionen verwirklicht werden.

15 Vgl. *Spitzner*, Flankenübertragung und Fehlstellen bei Dampfsperren – wann liegt ein ernsthafter Mangel vor? – Aachener Bausachverständigentage 2003.

Damit sind Abdichtungen weder unter Bodenplatten noch auf Bodenplatten erforderlich. Nach praktischer Relevanz findet die Abdichtungsnorm DIN 18533 für Gebäude lediglich noch bei Abdichtungen an erdberührten Wänden Anwendung, und das meistens auch nicht in Fällen anstehenden Grundwassers, sondern lediglich bei Bodenfeuchte oder Stauwasser. Der Anwendungsbereich der Abdichtungsnorm für außen an Bauwerksflächen angeordnete, mehrlagige Abdichtungen beschränkt sich praktisch auf z.B. Infrastrukturbauwerke, die in offener Bauweise hergestellt werden.

4.2.6 Kapillarbrechende Schüttungen Raumnutzungsklasse RN 1-E

Abdichtungen sind bei Druckwasser erforderlich. Dann aber ist die Abdichtung unter einer Bodenplatte anzuordnen und nicht auf ihr. Bei einer Abdichtung unter der Bodenplatte entfällt die Notwendigkeit einer Abdichtung auf der Bodenplatte. DIN 18533 beschäftigt sich lediglich mit von außen an die Kontaktfläche einwirkender Feuchtigkeit und Wasser, nicht aber mit in Bauteilen enthaltener Baufeuchte und nicht mit Wasserdampfdiffusion.

Wassertransport durch Kapillarität führt nicht zu an der inneren Bauteiloberfläche austretendem Wasser, da dieses Wasser an Kapillare durch Unterdruck und Saugspannung gebunden ist (Abbildung 4). Heutiger Konstruktionsbeton weist ab einer Güte von C 20/25, spätestens ab einer von C 25/30, gegenüber Bodenfeuchte keine kapillare Leitfähigkeit auf, die bei baupraktisch relevanten Dicken Betonbauteile durchdringen könnte. Bei Raumnutzungsklasse RN 1-E entfällt unter technischen Gesichtspunkten damit die Notwendigkeit einer kapillarbrechenden Schüttung. Bei für die Ableitung von Lasten eventuell notwendigem Bodenaustausch sind andere Anforderungen zu stellen, die nicht mit dem Feuchtigkeitsschutz in Zusammenhang stehen (Abbildung 5).

Abbildung 5: Durch Niederschlagswasser aufgeweichter, feinkörniger Boden; Quelle: Matthias Zöller

Deswegen sind, wie oben ausgeführt, auf Bodenplatten keine Abdichtungen erforderlich, es genügen unter der (technisch allerdings unzutreffenden) Annahme, dass durch Bodenplatten Wasser kapillar aufsteigen könnte, kapillare trennende Schichten, an die deutlich geringere Anforderungen zu stellen sind als an Abdichtungen.

4.2.7 Wassereinwirkungsklasse W2-E

Wassereinwirkungsklasse W2-E fasst alle möglichen Wasserquellen zusammen, die zu Druckwasser führen können. Das ist aus Sicht von Fachleuten der Abdichtungstechnik nachvollziehbar, da Wasser, das einen Druck auf Bauwerksflächen ausübt, eine gleichartige Einwirkung bedeutet und es gleichgültig ist, woher das Wasser kommt.

Allerdings überschreitet die Abdichtungsnorm mit der pauschalen Zusammenlegung aller Einwirkungsformen ihren Anwendungsbereich. Sie suggeriert, dass sie mit den in ihr enthaltenen Regelungen Fragen des Baugrunds klären kann. Dabei ist der Ausschuss für Abdichtungen weder für Baugrund zuständig noch durch Geotechniker beraten:

- Die Festlegung des Bemessungsgrundwasserstands BGW, der Wasserstand, der sich als freier Wasserspiegel innerhalb des Bodens als wassergesättigte Bodenzone oder in Klüften von Gestein bildet, ist eine geotechnische Frage und keine der Abdichtungstechnik.
- Hochwasser beeinflusst i.d.R. den Grundwasserstand nur bei lang anhaltender Einwirkung, z.B. in Ufernähe, nicht aber spontan wie Geländeoberflächenüberflutungen. Dabei wird der Einfluss von Hochwasser auf Grundwasserstände bereits in Bemessungsgrundwasserständen BGW berücksichtigt und darf nicht pauschal im Baugrund unterhalb Geländeoberkante fortgesetzt werden.
- Oberhalb des Bemessungsgrundwasserstands bildet sich durch Sicker- oder Hochwasser i.d.R. kein und nur in Ausnahmefällen Druckwasser an Unterseiten von Bodenflächen.

Die pauschale Zusammenfassung aller Einwirkungen zu einem Bemessungswasserstand in der Abdichtungsnorm ist daher nicht richtig. In einer Abdichtungsnorm, die durch Spezialisten von Abdichtungen ausgearbeitet wird, können keine Aspekte des Baugrunds geklärt werden. Diesbezügliche Regelungen sind technisch und formal unbegründet, die Abdichtungsnorm ist für Baugrund nicht einschlägig. Damit sind alle Beschreibungen zu den Wassereinwirkungsklassen hinsichtlich der Entstehung von Wasser im Baugrund in der Abdichtungsnorm grundsätzlich nicht verwendbar, auch wenn es in Teilbereichen Übereinstimmungen zu der Norm gibt, die zukünftig die Wassereinwirkungen technisch begründet beschreiben wird, der neuen DIN 4095-1. Da die Beschreibungen von denselben Sachverhalten in unterschiedlichen Normen als Doppelregelungen unzulässig sind, sollte der Arbeitsausschuss der Abdichtungsnorm auf Empfehlungen bezüglich des Ursprungs von Wasser im Baugrund in der Abdichtungsnorm verzichten.

4.2.8 Übergänge von Abdichtungen an Beton

Der Übergang von Abdichtungen an Bodenplatten aus Beton wurde zuerst in DIN 18195-1 (bzw. in der Vorgängernorm DIN 4117[16] beschrieben. Dabei ging es jeweils um nicht drückendes Sickerwasser und Kapillarwasser als Bodenfeuchte. Für diesen in DIN 18533 Teil 1 von Juli 2017, Kapitel 8.8.3.3 beschriebenen Fall war und ist es nachvollziehbar, dass die Abdichtung an gemauerten Wänden über den Bodenplattenvorsprung bis an deren

16 DIN 4117:1950-06 Abdichtung von Hochbauten gegen Erdfeuchtigkeit – Richtlinien (zurückgezogen).

Stirnfläche um 10 cm nach unten geführt wurde. Sie bildete damit eine Art Regenschirm, der von oben kommendes Wasser nach außen leitete, das staufrei versickerte.

Seit einer Änderungserfassung A1 der DIN 18195 im Jahr 2009 und der Normfassung von Mai 2010 sind auch Übergänge von Abdichtungen an wasserundurchlässige Betonplatten bei Druckwasser möglich. Dass es sich dabei um eine gut funktionierende und bewährte Technik handelt, zeigen die zahlreichen Beiträge nach dem unglücklichen und inhaltlich falschen Urteil vom 14.8.2019 des OLG Hamm.[17]

Für Übergänge im Druckwasser ist ein druckwasserdichter Anschluss gefordert, damit kein Wasser die Abdichtung unterfließen und in das Gebäude eindringen kann. Wenn aber ein druckwasserdichter Anschluss hergestellt wird, kann dies auch an Oberseiten von Bodenplatten erfolgen, sodass es nicht erforderlich ist, z.B. durch Bodenplattenüberstände gegen Auftrieb gesicherte, weit überstehende Bodenplatten oberseitig vollständig abzudichten, nur um den Übergang an die senkrechte Fläche anzulegen. Der Übergang an Oberseiten hat auch Vorteile: Diese Flächen von Bodenplatten können besser mechanisch abtragend vorbehandelt werden und trocknen besser als die schmalen Stirnflächen, die unmittelbar am Erdreich liegen (Abbildung 6).

Abbildung 6: Die in diesem Fall an der Oberseite, nicht aber an der Stirnfläche der überstehenden Bodenplatte aufgetragene Abdichtung aus PMBC haftet fest und nicht hinterläufig am Beton an; Quelle: Matthias Zöller

17 *Seibel*, Warum das OLG Hamm-Urteil nicht überzeugt – kritische Anmerkungen zu OLG Hamm, Urteil vom 14.8.2019 – 12 U 73/18; *Voit*, Statistische Auswertung als Grundlage der Anerkennung in Fachkreisen: Was ist repräsentativ, was suggestiv? Beiträge Aachener Bausachverständigentage 2020.

Übergänge von Deckenabdichtungen an Wänden aus wasserundurchlässigen Betonkonstruktionen müssen ebenfalls nicht bis an die Stirnflächen von Bodenplatten geführt werden, sondern lediglich 20 cm unter die Anschlussfuge von Wand zu Decke (Abbildung 7).

Abbildung 7: Abdichtungen von Deckenflächen untergeschossiger Baukörper werden 20 cm unter die Fuge zwischen Decke und darunter anschließender Wand geführt. Wasserundurchlässige Wandflächen einschließlich Bodenplattenüberstände werden nicht zusätzlich abgedichtet; Quelle: Matthias Zöller

Genauso können Abdichtungen von z.B. gemauerten Wänden an untere Wandbereiche aus WU-Konstruktion anschließen, ohne bis zur Stirnfläche der Bodenplatte geführt werden zu müssen

Damit ist es nicht nötig, die Abdichtung an der Stirnfläche der Bodenplatte (um 15 cm) nach unten zu führen, wenn der Übergang druckwasserdicht hergestellt wird. Es genügt, die Abdichtung in einer Breite von 15 cm nichtunterläufig an den Beton anzuschließen. Dann sind dafür notwendige Maßnahmen an Untergrund und die Ausführung der Abdichtung gegen Druckwasser erforderlich. Die Norm sollte solche Übergänge nicht auf bestimmte Bereiche beschränken, da es dazu keine technische Notwendigkeit gibt, zumal schon die seit Langem bestehende Empfehlung dem widerspricht, Deckenabdichtungen 20 cm unter die Fuge von Decken an Wänden zu führen.

DIN 18531 enthält (in Teil 3) die Vorgabe, Untergründe nicht nur mit Voranstrichen, sondern mit kunstharzbasierten Grundierungen zu versehen. Diese Anforderung basiert auf einer Empfehlung des ehemaligen Obmanns der DIN 18195, Dr. *Eberhard Braun*, der zu den Aachener Bausachverständigentagen 2002[18] vortrug, dass Ränder von Abdichtungsanschlüssen an Beton (osmotisch) unterlaufen werden können und im Laufe der Zeit Ablösungen zu befürchten sind. *Arno Kohls* hat ebenfalls zur Tagung 2002 in einem Beitrag zu kunststoffmodifizierten Bitumendickbeschichtungen und WU-Beton beigetragen. Später wurden Untersuchungen zur Dauerhaftigkeit von Übergängen angestellt mit nicht nur der üblichen Prüfzeit, sondern über sehr lange Zeiträume. Diese und die Untersuchungen am AIBau[19] haben praktisch belegt, dass sich die von *Braun* befürchteten Thesen nicht bestätigen. Grundsätzlich ist zu empfehlen, systembezogene Empfehlungen von Herstellern

18 Aachener Bausachverständigentage 2002, Pro + Kontra – Das aktuelle Thema: Sind Abdichtungskombinationen im Druckwasser dauerhaft?: *Braun*, Die Leistungsgrenzen von Kombinationen zwischen WU-Beton und hautförmigen Abdichtungen, *Kohls*, Kunststoffmodifizierte Bitumendickbeschichtungen und WU-Beton.

19 Bericht zur Umfrage: Praxisbewährung von Abdichtungsübergängen von PMBC auf WU-Beton, Aachener Institut für Bauschadensforschung und angewandte Bauphysik AIBau gGmbH (Download unter www.aibau.de).

ernst zu nehmen. Dann darf davon ausgegangen werden, dass die Abdichtungsanschlüsse auch gut geeignet sind. Wesentlich ist aber die zuvor festzulegenden Wassereinwirkung, ob und welche Maßnahmen jeweils erforderlich werden.[20]

4.2.9 Sockel

Sockelzonen bilden den unteren Abschluss von Fassaden, werden aber sowohl in DIN 18533-1 als auch in DIN 4095-1 als Streifen unterhalb der angrenzenden Geländeoberkante von ca. 20 cm definiert. DIN 18533-1 nennt zusätzlich eine obere Begrenzung von 30 cm über Oberkante des angrenzenden Geländes.

An Sockeln können unterschiedliche Geländeformen anschließen. Das können z.B. geschlossene Beläge, Boden, Vegetationsschichten oder Kiesstreifen sein. Sockel müssen aber in allen Situationen verwendungsgeeignet sein, Maßnahmen dürfen nicht danach differenzieren, ob z.B. Kiesstreifen anschließen. In folgendem Fallbeispiel haben sich an Stellen, an denen Kiesstreifen an die Sockel anschließen, Schäden gebildet (Abbildungen 8 bis 11).

Abbildung 8: An Gebäude können verschiedenartige Geländeformen an Sockel anschließen, hier ein Kiesstreifen, und unmittelbar daneben geschlossene Pflasterbeläge; Quelle: Matthias Zöller

Abbildung 9: Am Sockel des in Abbildung 1 gezeigten Gebäudes sind am Kiesstreifen Schäden entstanden ...; Quelle: Matthias Zöller

Abbildung 10: ...die auch zur Durchfeuchtung der Sockelzone im unmittelbar angrenzenden Innenraum führten; Quelle: Matthias Zöller

20 Vgl. *Zöller/Hilliges/Krajewski/Odenwald*, Wassereinwirkungen im Baugrund nach E DIN 4095-1, Teil 1 in BauSV 3/2023, Teil 2 in BauSV 5/2023.

Ursache der Schäden war Stauwasser im Kiesstreifen, der Niederschlagswasser nicht nach unten ableitete, sondern darin aufstauen ließ (Abbildung 11).

Abbildung 11: Im Kiesstreifen staut sich Niederschlagswasser, das die (fehlerhaft ausgeführte) Sockelabdichtung und Bauwerksabdichtung überbeanspruchte; Quelle: Matthias Zöller

Unabhängig von der Durchlässigkeit des Baugrunds und der Anordnung eines Kiesstreifens ist an der Geländeoberfläche bei Starkniederschlägen mit aufstauendem Oberflächenwasser zu rechnen. Sich an der Geländeoberfläche stauendes Wasser wird meistens durch Kiesstreifen nicht (dauerhaft) verhindert, da sich diese im Laufe der Zeit zusetzen können und das auch oft der Fall ist. Häufig werden sie auch unterseitig durch Rückenstützen der Kantensteine verschlossen, die an der gebäudeabgewandten Seite zum Gelände angeordnet werden. Früher oder später leiten Kiessteifen deshalb eindringendes Niederschlagswasser nicht nach unten in den Baugrund ab, sondern erhöhen die Wassereinwirkung in der Sockelzone.

Niederschlagswasser an der Geländeoberfläche führt zu einem geringen hydrostatischen Wasserdruck im Bereich der Sockelzone, bewirkt aber im Allgemeinen keine relevante Wasseraufsättigung im unterhalb der Sockelzone an der erdberührten Gebäudewand anstehenden Boden. Das bedeutet, dass aus einer Druckwassereinwirkung an der Sockelzone nicht auf die Wassereinwirkung in den darunterliegenden Wandbereichen geschlossen werden kann.

Um die Wassereinwirkung möglichst gering zu halten, sollte das Gelände unmittelbar vor der Sockelzone nicht zum Gebäude hingeneigt sein (Abbildungen 12 und 13). Das gilt umso mehr im Bereich von bodentiefen Fenstern und Türen und noch mehr bei feuchteempfindlichen Abdichtungsuntergründen, etwa bei Konstruktionen mit Holz (Abbildung 14).

Abbildung 12: Die Geländegestaltung ist entscheidend dafür, wie stark die Wassereinwirkung an Sockelzonen ist. Wird die Geländeoberfläche nicht vom Gebäude weg geneigt, ist mit zumindest temporären Geländeoberflächenüberflutungen und damit mit unnötig hohem Druckwasser an der Sockelzone zu rechnen; Quelle: Matthias Zöller

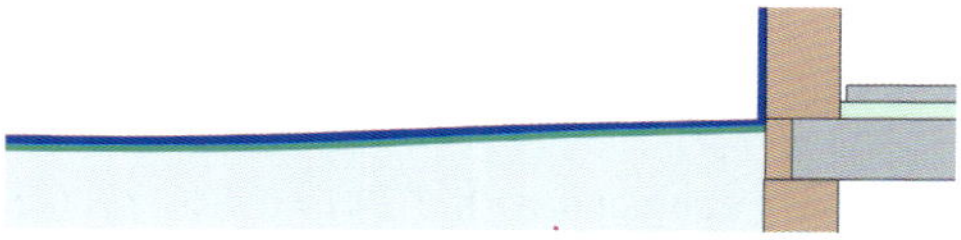

Abbildung 13: Wird dagegen das Gelände vom Gebäude weg geneigt, ist die Wassereinwirkung hinsichtlich Stauhöhe und -zeit erheblich geringer; Quelle: Matthias Zöller

Kiesstreifen oder geschlossene Beläge verändern nicht (dauerhaft) die Wassereinwirkung, mit der zu rechnen ist. Das ist aber nicht neu. Abdichtungen, die der Reihe der DIN 18533 Wassereinwirkungsklasse W4-E entsprechen, haben sich für die Wassereinwirkung bewährt, die in Abbildung 15 schematisch dargestellt ist. Die Erfahrung mit Abdichtungen in Sockelzonen zeigt, dass die Abdichtungsstoffe, die in DIN 18533 Teile 2 und 3 geregelt sind, einen guten Schutz bieten. Feuchtigkeitsschäden an Sockeln entstehen nicht wegen der in der Abdichtungsnorm beschriebenen Bauarten, sondern nur dann, wenn Abdichtungen fehlerhaft verarbeitet oder Untergründe fehlerhaft vorbereitet wurden oder ungeeignet sind.

Damit ist die Neigung des an Sockel angrenzenden Geländes zur Stauwasservermeidung entscheidend. Sockelzonen von Gebäuden, an denen Stauwasser auftreten kann (Abbildung 12), bedürfen eines Schutzes durch druckwassergeeignete Abdichtungen entsprechend Wassereinwirkungsklasse W2-E.

Der Forschungsbericht zu Abdichtungen auf nicht massiven Untergründen im Sockelbereich[21] differenzierte nach feuchteempfindlichen und feuchteunempfindlichen Untergründen. Feuchteempfindliche Untergründe werden im feuchten Zustand geschädigt. Holz kann faulen, feuchter Porenbeton kann bei Frost-/Tauwechsel zerfallen. Allerdings ist das Schadenspotenzial bei Holzkonstruktionen nicht nur auf Sockelzonen der Fassaden beschränkt, sondern erstreckt sich auch auf Innenbereiche. Beim Holz[Bau]Physik-Kongress 2022[22] wurde die Empfehlung ausgesprochen: *Holz, dass feucht werden könnte, muss trocknen können – ansonsten sollten in Fußbodenaufbauten keine feuchteempfindlichen Hölzer eingesetzt werden.* Das lässt sich nicht nur für Sockelzonen in Fassaden, sondern für alle Sockelbereiche von Holzwänden auf Bodenplatten anwenden (Abbildung 14).

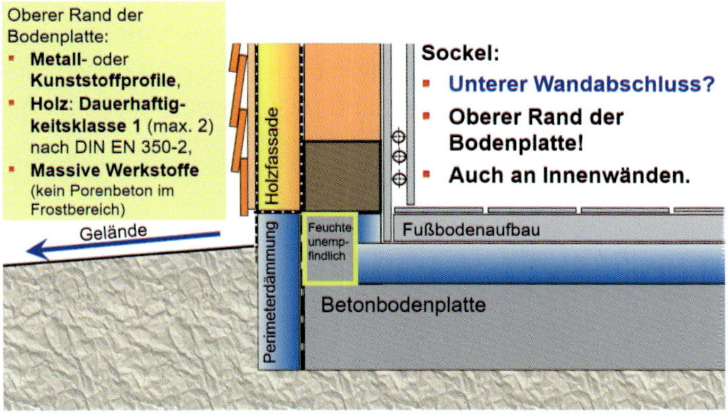

Abbildung 14: Empfehlung für Sockelbereiche von Holzbauten; Quelle: Matthias Zöller

21 *Sous/Wilmes/Zöller*, Dauerhaftigkeit von Abdichtungen auf nichtmassiven Untergründen im Sockelbereich. Forschungsbericht abgeschlossen im März 2016; gefördert vom Bundesministerium für Raumordnung, Bauwesen und Städtebau, Bonn; Aktenzeichen: SWD – 10.08.18.7-13.38/II3 – F20-12-126, AIBau Aachener Institut für Bauschadensforschung und angewandte Bauphysik gGmbH, Aachen.

22 *Zöller*, Holzbausockel: Einwirkung von außen, Widerstand von innen – Neues im Kampf gegen feuchtes Holz; 11. Internationaler Holz[Bau]Physik-Kongress 16./17.9.2022, Leipzig.

Wie feuchteempfindlich der Untergrund an Sockeln ist, ist aber keine Frage für die Abdichtungsnorm und schon gar nicht für eine Norm für Baugrund. Diese dürfen nicht nach solchen Kriterien unterscheiden, sondern müssen auf der hinreichend sicheren Seite liegende Empfehlungen aussprechen, um Feuchtigkeitsschäden zu vermeiden.

Der Entwurf zu DIN 4095 Teil 1 enthält zu Sockelzonen folgende Ausführungen:

4.4.4 Wassereinwirkung an der Sockelzone von Gebäuden

Wasseraufstau an der Geländeoberfläche infolge Starkniederschlägen (bis maximal etwa 10 cm Wassersäule) oder Geländeüberflutungen infolge Hochwasser können zu einer Druckwassereinwirkung an der Sockelzone von Gebäuden führen. Dieses sich kurzzeitig an der Geländeoberfläche bildende Stauwasser führt in der Regel aber nicht zu einer Druckwassereinwirkung auf die Bauwerksflächen im Baugrund, da sich die Wassersättigung auf den unmittelbar unterhalb der Geländeoberfläche anstehenden Baugrundbereich beschränkt und darunter keine wassergesättigte Strömung erfolgt.

Die Wassereinwirkung an Sockelzonen von Gebäuden oberhalb der Geländeoberkante und bis 0,2 m unterhalb der Geländeoberfläche beschränkt sich auf jeweils kurzzeitig einwirkenden Wasserabfluss an der Fassade und auf Stauwasser geringer Höhe an der Geländeoberfläche in Abhängigkeit der Geländeneigung und Gestaltung des an den Sockel angrenzenden Geländestreifens. Eine Wassereinwirkungsklasse wird in dieser Norm dafür nicht definiert.

DIN 4095-1 bildet damit für Sockelzonen keine eigene Wassereinwirkungsklasse. Das ist auch nicht notwendig, da nur mit einer Einwirkung zu rechnen ist. Eine Klassifizierung kann nach Aspekten der Abdichtung sinnvoll sein, da die Regeln für Abdichtungen in Sockelzonen von den Wassereinwirkungen darunterliegender Bereiche an erdberührten Wandflächen abhängen. Allerdings wäre es wünschenswert, dass auch die Abdichtungsnorm keine eigene Klasse für Sockelzonen beschreibt, sondern diese jeweils als obere Ränder der darunterliegenden Wassereinwirkungen definiert und dazu jeweils Abdichtungsmaßnahmen differenziert.

4.2.10 Abdichtungen an Sockeln in und unter Wänden

Die in der Abdichtungsnorm DIN 18533 beschriebene Klasse W4-E versteht sich nur als oberer Rand der Wassereinwirkungsklasse W1-E für Bodenfeuchte und ist nur bei druckfrei im Boden sickerndes Wasser anzusetzen. Wassereinwirkungsklasse W2-E hat eigene Sockelregelungen für Abdichtungsbauarten, wobei die Sockelabdichtung mit der von unten kommenden Abdichtung auszubilden ist. W4-E ist daher nicht als oberer Rand von W2-E anzusetzen. Klasse W4-E sollte daher als oberer Rand in Klasse W1-E integriert werden, anstatt zu suggerieren, dass auch bei W2-E in der Sockelzone mit Abdichtungsbauart gearbeitet werden kann, die Klasse W4-E vorbehalten sind. Allerdings sind Feuchtigkeitsschäden an Sockeln regelmäßig nicht auf die in der Abdichtungsnorm enthaltenen Bauarten zurückzuführen, sondern auf Fehler der Abdichtung und bzw. oder der Untergrundvorbehandlung (Abbildung 15).

Abbildung 15: Die häufigsten Ursachen von Feuchtigkeitsschäden in Sockelzonen sind nicht in den Abdichtungsbauarten der Wassereinwirkungsklasse W4-E zu suchen, sondern in Fehlern der Verarbeitung oder der Untergrundvorbereitung; Quelle: Matthias Zöller

Neben diesen Sockelregeln der Klasse W4-E ist auch die Abdichtung auf Bodenplatten und damit auch die Abdichtung auf Bodenplatten unter Wänden zu überdenken. Werden Bodenplatten im normativen Kontext nach W2-E an deren Unterseiten abgedichtet, sind keine Abdichtungen auf der Bodenplatte erforderlich, weder auf der Fläche, noch unter Wänden. DIN 18533-1 schließt die Anwendbarkeit der gesamten Normenreihe für wasserundurchlässige Bauteile aus z.B. wasserundurchlässigem Beton nach WU-Richtlinie aus (siehe oben). Abdichtungen auf Bodenplatten und unter Wänden sind nicht erforderlich, wenn Bodenplatten wasserundurchlässig sind. Das trifft regelmäßig für Bodenplatten zu, die lediglich durch Bodenfeuchte beansprucht sind, während druckwasserbelastete Bodenplatten entweder unterseitig abzudichten oder aus wasserundurchlässigen Konstruktionen zu errichten sind. Auch dann sind Abdichtungen weder in bzw. unter Wänden noch auf Bodenplatten erforderlich.

4.2.11 Deckenflächen

Deckenflächen von in der Erde stehenden Baukörpern sind in DIN 18533-1 als Wassereinwirkungsklasse W3-E beschrieben, um ein vollständiges Konzept von Abdichtungen erdberührter Bauteilflächen in einer Abdichtungsnorm anzubieten. Allerdings handelt es sich bei diesen oberseitig abzudichtenden Deckenflächen ebenfalls um Dachflächen, die sich von Dachflächenabdichtungen nach DIN 18531-1 nur darin unterscheiden, dass sie nicht über die Erdoberfläche hinausstehen.

Abbildung 16: Deckenflächen von Untergeschossen werden regelmäßig gleichartig abgedichtet wie intensiv begrünte Deckenflächen oder solche von befahrenen Verkehrsflächen aus Beton; Quelle: Matthias Zöller

Zwar lässt DIN 18533 bei untergeordneten Nutzungen einfachere Abdichtungsbauarten zu als DIN 18531 Teile 1 bis 3. Da aber regelmäßig Abdichtungen unter dicken Belagsschichten nicht zugänglich sind (Abbildung 9), ist der Aufwand für Instandsetzungen von (einzelnen) Fehlstellen so hoch, dass regelmäßig entweder Abdichtungsbauart nach DIN 18531 oder nach DIN 18532[23] gewählt und ausgeführt werden, insofern nicht weiße Decken nach der WU-Richtlinie realisiert werden. W3-E in DIN 18531 ist eine Doppelregelung zu DIN 18531, die nicht mit den Grundsätzen zur Ausarbeitung von DIN-Nomen nach DIN 820 vereinbar ist.

4.2.12 Fazit

Mit der Neuaufteilung der Wassereinwirkungen im Baugrund einerseits und den Schutzmaßnahmen andererseits werden differenzierte Betrachtungen möglich. Damit können Anforderungen in vielen Fällen vermindert werden, ohne die Zuverlässigkeit zu beeinträchtigen. DIN 4095-1 bietet eine gute Grundlage, nicht nur, um Anforderungen durch Wassereinwirkungen sachgerecht zu beschreiben, sondern auch, um fallbezogen geringere Aufwände betreiben zu müssen, was sich auf die Wirtschaftlichkeit auswirkt und Umweltauswirkungen in nicht nur unerheblichem Maße verringern kann.

Festlegungen sollen von zuständigen Fachkreisen getroffen werden, um zu vermeiden, dass aus fachtechnisch unbegründeten, nicht erforderlichen und damit übertriebenen Sicherheitsüberlegungen Anforderungen an Baumaßnahmen maximiert werden. Maximierung von baulichen Anforderungen führen nicht nur zum Nachteil gemeinschaftlicher, volkswirtschaftlicher Interessen und zu unnötigen Umweltauswirkungen, sondern auch zu möglichen Haftungsproblemen von Anwendern von Normen, die bei Empfehlung, mehr als das fachtechnisch Notwendige zu tun, gegen das Wirtschaftlichkeitsgebot verstoßen und damit für diese Mehraufwendungen haften können.

Das kann vermieden werden, indem die jeweiligen Festlegungen in Ausschüssen bearbeitet werden, die fachbezogen kompetent beraten sind. Wassereinwirkungen im Baugrund unterliegen dem Anwendungsbereich der geotechnisch beratenen DIN 4095-1. Abdichtungen oder wasserundurchlässige Betonkonstruktionen sind Gegenstand der Technischen Empfehlungen für Abdichtungen in DIN 18533 bzw. der Richtlinie für wasserundurchlässigen Beton des Deutschen Ausschusses für Stahlbeton.

Durch die Zuordnungen werden Zuständigkeiten sachgerecht beschrieben:

- die Wassereinwirkungen im Sachgebiet Baugrund DIN 4095-1,
- der Schutz durch Abdichtungen bzw. wasserundurchlässige Betonkonstruktionen in DIN 18533 bzw. WU-Richtlinie.

23 Reihe DIN 18532:2017-07 Abdichtung von befahrbaren Verkehrsflächen aus Beton, Teile 1 bis 6.

4.3 Geneigte Dächer

Géraldine Liebert/Silke Sous

Übersicht

4.3.1 Funktionsebenen im geneigten Dach

Geneigte Dächer umfassen mehrere Funktionsebenen, die neben der reinen Statik insbesondere unterschiedliche bauphysikalische Anforderungen erfüllen müssen (Abbildungen 1 und 2). Die Eindeckung leitet Niederschlagswasser ab und überträgt die auf die Dachkonstruktion einwirkenden Schnee- und Windlasten auf das Dachtragwerk, zudem schützt sie die darunter liegenden Schichten vor UV-Strahlung. Die Hinterlüftung der Eindeckung sorgt für das zügige Abtrocknen von eingedrungenem Niederschlagswasser. Die zweite wasserableitende Ebene stellt in dieser Hinsicht eine Zusatzmaßnahme zur Regensicherheit dar. Die bei belüfteten Dachaufbauten vorhandene Belüftungsebene oberhalb der Wärmedämmung bewirkt das Abtrocknen von eventuell auftretendem Tauwasser oder von Baufeuchte, die z.B. aus dem Einbau von Holzbauteilen mit erhöhtem Feuchtegehalt resultiert. Die Wärmedämmung gewährleistet den erforderlichen Wärmeschutz und die notwendige Energieeinsparung. Die Luftdichtheitsebene verhindert im Zusammenspiel mit der Winddichtheitsebene Rotationsströmungen im Dach, gewährleistet eine Tauwasserfreiheit der Dachkonstruktion und trägt somit zum Feuchteschutz und zur Energieeinsparung bei. Die innere Bekleidung bildet schließlich den Raumabschluss. Ihr kann, bei entsprechender Ausführung, auch die Funktion der Luftdichtheitsebene zugewiesen werden.

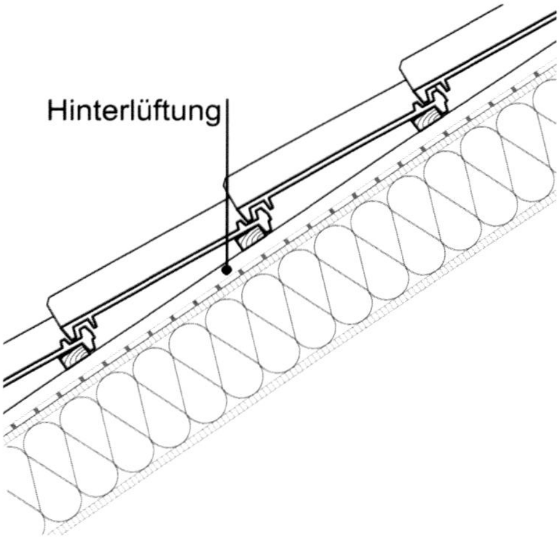

Abbildung 1: Unbelüftetes Steildach; Quelle: AIBau

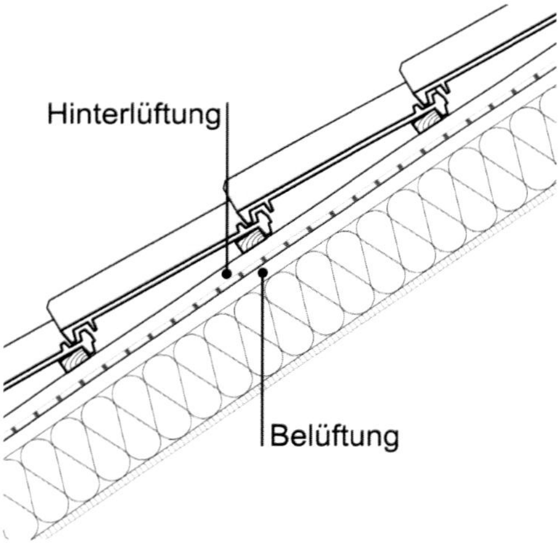

Abbildung 2: Belüftetes Steildach; Quelle: AIBau

4.3.2 Ableitung von Niederschlagswasser

4.3.2.1 Primäre Wasserableitung durch Dachdeckungen – Regeldachneigung

Wie sicher eine Dachdeckung gegen Niederschlagswasser aus Regen bzw. Schnee ist, hängt nicht nur davon ab, wie sicher sie dieses auftreffende Wasser ableitet, sondern auch davon, ob durch Wind von unten eingetriebenes oder durch Schneeschmelze aufstauendes Wasser das Deckmaterial durchdringen/hinterlaufen kann. Dieses bei zu geringer Neigung hinter das Deckmaterial gelangte Wasser ist über eine zweite wasserableitende Ebene (siehe Abschnitt 4.3.2.3) abzuführen. Die erforderlichen Regeldachneigungen zum Erzielen einer ausreichenden Regensicherheit hängen von den verwendeten Dachdeckungsmaterialien und deren Eigenschaften ab. Man unterscheidet zwischen verfalzten und nicht verfalzten Ziegeln bzw. Dachsteinen.

Ziegel- und Dachsteindeckungen unterscheiden sich in der Art der Überdeckung: Verfalzte Dachsteine und Dachziegel bilden durch ineinandergreifende Auf- und Abkantungen einen Widerstand gegen eintreibendes Wasser. In den Falzen wird Wasser gesammelt und abgeführt. Die Falzräume leiten Niederschlagswasser entweder erst auf die Oberseite des Deckelements oder direkt auf das jeweils darunter liegende Element. Die Regensicherheit hängt vom Überdeckungsmaß, der Verfalzungsart und der Dachneigung ab. Je ausgeprägter die Verfalzung ist, desto geringer ist die Wahrscheinlichkeit des Eindringens von Niederschlägen unter die Eindeckung und desto geringer kann die Regeldachneigung ausgeführt werden. Strangdachziegel und Dachsteine, die ebenfalls stranggepresst hergestellt werden, weisen nur an den Seiten Falze auf. Pressdachziegel haben diese auch an der Kopf- und ggf. an der Fußseite.

Grundsätzlich wird bei Dachziegeln und Dachsteinen differenziert nach:

- umlaufender Verfalzung;
- nur seitlicher Verfalzung, aber mit Fußrippen oder Fußfalzen;
- ebener Kontaktfläche, mit seitlicher Verfalzung;
- ebener Kontaktfläche ohne jegliche Verfalzung.

Die Kontaktflächen von verfalzten Dachziegeln bzw. -steinen untereinander beschränken sich auf Falzen und Rippen. Im Gegensatz dazu liegen nicht oder nur an den Seiten verfalzte Dachziegel bzw. -steine flächig aufeinander. Die Regensicherheit wird bei diesen durch die Deckung im Verband oder durch einen Seitenfalz erreicht.

Die Regensicherheit eines Deckmaterials hängt somit von der Dachneigung und dem Deckprinzip bzw. der Falzart ab. Übliche Regeldachneigungen (RDN) sind in den Fachregeln des Dachdeckerhandwerks[1] beschrieben. So beträgt bei einer mehrfachen Verfalzung die Regeldachneigung beispielsweise 22°, bei Verschiebefälzen, unterbrochenen Ringfälzen 30°, bei einer einfachen Seitenverfalzung 35°. Bei Ziegeln ohne Verfalzungen liegen die Regeldachneigungen zwischen 30° und 40°, wobei die der Biberschwanzdoppel- oder -kronendeckung 30° betragen. Kehlsparren müssen bei überdeckten Metallkehlen mindestens 10° geneigt sein. Allerdings geben Hersteller von Dachziegeln und Dachsteinen zum Teil auch niedrigere Regeldachneigungen an, wenn sie diese nachgewiesen haben.

1 ZVDH-Fachregel: Dachziegel und Dachsteine 12/2012 mit Änderungen von 02/2016; Hrsg.: Zentralverband des Dt. Dachdeckerhandwerks (ZVDH), Köln.

4.3.2.2 Hinterlüftung der Dachdeckung

Der Raum zwischen der Dachdeckung und der zusätzlichen Wasser ableitenden Maßnahme soll ausreichend belüftet sein, um eine zügige Abtrocknung der Deckungsmaterialien an der Unterseite zu ermöglichen und dadurch Frostschäden zu vermeiden. Gewährleistet wird diese Funktion durch den Einbau einer Konterlattung, die über der Unterspannbahn (Vordeckung, Unterdach, siehe Abschnitt 4.3.2.3) auf den Sparren anzubringen ist. Der hierdurch entstehende Luftraum ist an der Traufe und am First zu be- und entlüften. Auch an Dachrinnen bzw. Traufstreifen sowie an Wohnraumdachfenstern, Dachgauben, Schornsteinen und anderen aufgehenden Bauteilen ist diese Schicht anzuschließen. Sollte dies nicht fachgerecht erfolgen, kann Niederschlagswasser an den Zwängungspunkten aufstauen und erhebliche Durchfeuchtungsschäden verursachen.

4.3.2.3 Zusatzmaßnahmen zur Regensicherheit – zweite wasserableitende Ebene

Dachdeckungen aus Dachziegeln und Dachsteinen sind zwar regensicher, aber nicht zu 100 % dicht gegenüber Wasser (Abbildung 3). Bei den zu Beginn des letzten Jahrhunderts üblichen nicht ausgebauten Dachräumen (z.B. Trockenböden) stellte dieser Raum quasi eine Pufferzone dar, in der nicht notwendigerweise vollständige Trockenheit ein zwingendes Kriterium war. Werden Dachgeschosse aber – wie in Zeiten zunehmender Wohnungsknappheit üblich – zu Wohnzwecken genutzt, muss ein Eindringen von Niederschlagsfeuchtigkeit in den Dachaufbau und den unmittelbar darunter befindlichen Raum verhindert werden. Flugschnee oder Regenwasser, das bei Wind durch die Eindeckung in den darunter liegenden Zwischenraum eindringt, muss von dort abfließen oder abtrocknen können. Auch in kühlen Nächten an der Unterseite der Dachdeckung entstehendes Tauwasser, das in die Dachkonstruktion abtropft, muss schadenfrei abgeleitet werden. Dies erfordert zusätzliche Wasser ableitende Maßnahmen in Form von Unterdächern, Unterdeckungen oder Unterspannungen (Abbildung 4).

Abbildung 3: Typische Altbausituation: Nicht ausgebautes Dach ohne zweite Entwässerungsebene; Quelle: AIBau

Abbildung 4: Typische Einbausituation einer diffusionsoffenen Unterdeckbahn als zweite Wasserableitende Ebene; Quelle: AIBau

Diese Aspekte betreffen nicht nur Zwischensparrendämmungen, sondern sind auch bei einer Aufsparrendämmung zu berücksichtigen, da die vorgefertigten Dämmelemente nicht immer werkseitig mit einer zusätzlichen wasserableitenden Schicht ausgestattet sind und daher entlang der Elementfugen Wasser in den Aufbau eindringen kann.

4.3.2.3.1 Erhöhte Anforderungen

Zusatzmaßnahmen zur Wasserableitung sind inzwischen bei annähernd allen Dachdeckungen erforderlich. Die Qualität der zweiten Entwässerungsebene ist hinsichtlich folgender erhöhter Anforderungen zu differenzieren und abzustufen:

- dem Maß der Unterschreitung der Regeldachneigung;
- konstruktiven Besonderheiten (lange Sparren, ungünstige Dachgeometrien, Häufigkeit von Gauben = Unterbrechungen des Regelquerschnitts);
- der Nutzung des Dachgeschosses, insbesondere bei Wohnnutzung (aber auch bei Abstellräumen, die Wohnungen zugeordnet sind);
- klimatischen Verhältnissen (insbesondere bei exponierter Lage, die das Eindringen von Flugschnee und Treibregen begünstigt);
- örtlichen Bestimmungen.

4.3.2.3.2 Zusatzmaßnahmen

Als Zusatzmaßnahmen werden in Abhängigkeit von Werkstoff und Deckungsart folgende Varianten unterschieden:

- wasserdichtes und regensicheres Unterdach,
- Unterdeckung,
- Unterspannung.

Unter dem Begriff regensicheres und wasserdichtes Unterdach wird eine wasserdichte Zusatzmaßnahme auf tragfähiger Unterlage verstanden. Eine Unterdeckung besteht aus einer ausreichend wasserundurchlässigen Bahn auf einem tragfähigen Untergrund oder stattdessen aus Unterdeckplatten. Unterspannungen werden aus einer ausreichend wasserundurchlässigen Bahn ohne tragfähigen Untergrund hergestellt. Eine Naht- und Perforationssicherung der jeweiligen Maßnahme erfolgt durch eine regensichere Verklebung der Nähte und Stöße sowie ggf. unterhalb der Konterlattung (Abbildung 5) durch Sicherungen gegen Wassereintrieb (z.B. durch Nageldichtbänder).

In Abhängigkeit vom Maß der Unterschreitung der Regeldachneigung und vom Vorhandensein weiterer erhöhter Anforderungen (w.e.A.) sind jeweils folgende Maßnahmen erforderlich:

Tabelle 1: Mindestdachneigung 10° (w.e.A.: weitere erhöhte Anforderung, Wohnnutzung wird als 2 w.e.A. gewertet. RDN: Regeldachneigung)[2]

Unterschreitung der Regeldach-neigung	**keine w.e.A.**	**1 w.e.A.**	**2 w.e.A.**	**3 w.e.A.**
> RDN	Unterspannung	Unterspannung	Unterspannung	Unterspannung nahtgesichert
RDN 0°–4°	Unterspannung nahtgesichert	Unterspannung nahtgesichert	Unterspannung naht- und perforationsgesichert	Unterspannung naht- und perforationsgesichert
RDN 4°–8°	Unterspannung naht- und perforationsgesichert	Unterspannung naht- und perforationsgesichert	Unterspannung naht- und perforationsgesichert	Unterspannung naht- und perforationsgesichert
RDN 8°–12°	regensicheres Unterdach	regensicheres Unterdach	wasserdichtes Unterdach	wasserdichtes Unterdach

Öffnungen sind bis zur Dachdeckung zu sichern und in die zweite Entwässerungsebene miteinzubeziehen, d.h., dass die Zusatzmaßnahmen unterhalb der Dachdeckung an Bauteildurchdringungen anzuschließen sind.

Im Rahmen einer Forschungsarbeit des AIBau zu Schäden an Unterspannbahnen[3] wurde festgestellt, dass einige marktübliche Produkte bereits nach kürzerer Zeit versagen (Abbildung 6).

Abbildung 5: Zusätzliche Perforationssicherung unterhalb der Konterlattung; Quelle: AIBau

Abbildung 6: Völlig zerstörte Unterspannbahn; Quelle: AIBau

2 ZVDH-Fachregel: Dachziegel und Dachsteine 12/2012 mit Änderungen von 02/2016; Hrsg.: Zentralverband des Dt. Dachdeckerhandwerks (ZVDH), Köln; ZVDH-Fachregel: Metallarbeiten im Dachdeckerhandwerk 06/2017 mit Änderungen von 03 und 11/2020; Hrsg.: Zentralverband des Dt. Dachdeckerhandwerks (ZVDH), Köln.

3 *Oswald/Sous/Zöller*, Dauerhaftigkeit von diffusionsoffenen Unterspann- und Unterdeckbahnen unter Eindeckungen, Forschungsbericht des Aachener Instituts für Bauschadensforschung und angewandte Bauphysik gemeinnützige GmbH (AIBau), gefördert vom Bundesamt für Bauwesen und Raumordnung, Bonn, abgeschlossen 2013; www.aibau.de.

Ein weiterer Vorteil von naht- und perforationsgesicherten Unterdeck- und Unterspannbahnen ist das Erreichen einer winddichten Abdeckung im Dachaufbau oberhalb der Dämmebene. So werden Rotationsströmungen in der Ebene der Wärmedämmung vermieden und ein Insektenangriff an der tragenden Holzkonstruktion wird verhindert. Dann müssen Hölzer nicht mehr der GK 1 zugeordnet werden und somit kann auf einen chemischen Holzschutz verzichtet werden.

4.3.2.4 Belüftungsschicht oberhalb der Wärmedämmung

Eine oberhalb der Wärmedämmung vorhandene Belüftungsebene steht über die Belüftungsöffnungen mit der Außenluft in Verbindung und soll so ggf. auftretendes Tauwasser und/oder Baufeuchte, die beispielsweise durch den Einbau von Hölzern mit erhöhten Feuchtegehalten im Dachquerschnitt vorhanden ist, abtrocknen lassen. Dazu sind Mindesthöhen der Lüftungsquerschnitte erforderlich, die in Abhängigkeit von der Dachneigung variieren. Bei Dachneigungen ≥ 5° soll der freie Luftspaltquerschnitt 2 cm betragen, bei Dachneigungen < 5° mindestens 5 cm, um die Durchströmbarkeit der Luftschicht zu gewährleisten. Es ist zu berücksichtigen, dass durch Bautoleranzen diese Höhen des Luftspaltes eingeschränkt sein können. Dann können Hilfskonstruktionen (z.B. Latten) die notwendige Spalthöhe sicherstellen (Hinweise hierzu siehe Abschnitt 4.3.5 und DIN 4108-3[4]).

Zu berücksichtigen ist, dass durch die Belüftung Wasser innerhalb des Dachaufbaus durch Tauwasser entstehen kann, weil in klaren Nächten die Temperatur im Belüftungsraum um bis zu 10 K geringer sein kann als die der Außenluft. Das führt dazu, dass bei einer Belüftung Hölzer der Gebrauchsklasse 2 zuzuordnen sind und ein chemischer Holzschutz erforderlich wird. Um diese negativen Effekte zu vermeiden, sollten Dächer zwischen den Sparren vollständig gedämmt werden und die Anforderung von Belüftungen an die Hinterlüftungen von Dacheindeckungen übertragen werden.

4.3.3 Wind- und Schneelasten

4.3.3.1 Windlasten und Windsogsicherung

Bei geneigten Dächern muss bautechnisch sichergestellt werden, dass kleinformatige und sich überlappende Eindeckungen aufgrund zu großer Windsoglasten nicht geschädigt werden. Daher müssen die sich auf die Eindeckungen auswirkenden Lasten vorab geprüft und die beabsichtigte Eindeckung dementsprechend ausgelegt werden. Dies erfolgt über die Berücksichtigung unterschiedlicher Parameter. Die maßgeblichen Einflüsse auf die jeweiligen Windzonen ergeben sich aus:

- Lage des Bauwerks,
- Gebäudehöhe,
- Gebäudeform,

4 DIN 4108-3 Wärmeschutz und Energie-Einsparung in Gebäuden – Teil 3, Klimabedingter Feuchteschutz, 2018-10 und Normentwurf E DIN 4108-3:2023-04.

- Luftdurchlässigkeit der Gesamtkonstruktion,
- Gebäudeöffnungen,
- Struktur der Dachfläche (z.B. Dachaufbauten oder Durchdringungen).

4.3.3.1.1 Lage des Bauwerks

Die Windzonenkarte nach DIN 1055-4[5] und ZVDH[6] beinhaltet eine auf die Regionen Deutschlands bezogene Zuordnung von zeitlich gemittelten Windgeschwindigkeiten v_{ref} und diesen zugeordneten Geschwindigkeitsdrücken q_{ref}. Unterschieden werden diese Gebiete nach vier Windzonen. Windzone 4 befindet sich in Küstennähe der Nordsee und ist mit den größten Windgeschwindigkeiten und Geschwindigkeitsdrücken untersetzt. Zum Landesinnern und an der Ostseeküste schließt sich Windzone 3 an. In Ostdeutschland und entlang der niederländischen Grenze sowie im Alpenvorland befinden sich Gebiete, die der Windzone 2 zugeordnet werden und schließlich umfasst Windzone 1 die Mitte Deutschlands mit den niedrigsten Windgeschwindigkeiten und Geschwindigkeitsdrücken.

4.3.3.1.2 Gebäudeform und Flächeneinteilung des Dachs

Bei geneigten Dächern werden Windbeanspruchungsflächen in Flächen- und Randbereiche unterteilt. Hierbei sind die Ränder sowie die Traufen- und Firstbereiche einer höheren Windlast zugeordnet, als der Regelquerschnitt der Dachfläche. Detaillierte Bereichseinteilungen je nach Dachform beinhalten die ZVDH-Fachregeln[7]. Konkrete Anforderungen sind im Einzelnen nachzuweisen.

4.3.3.1.3 Luftdurchlässigkeit

Bei der Dimensionierung der Windsogsicherung ist die Art der Unterlage von Bedeutung: Bei offenen Deckunterlagen, bei denen die Schichten unter der Dachdeckung luftdurchlässiger als die der Dachabdichtung sind, wird der Windsog, der von außen auf die Eindeckung einwirkt, durch Windinnendruck verstärkt. Der Luftdruck unter der Eindeckung bewirkt eine zusätzliche Belastung.

Bei einer geschlossenen Unterlage stellt sich zwischen dieser und der Eindeckung der vergleichbare Luftdruck ein wie auf der Außenseite. Damit wird die Sogwirkung nach außen ohne den zusätzlichen Windinnendruck deutlich verringert.

Unterspannbahnen und Stahltrapezbleche ohne zusätzlich dichtende Maßnahmen zählen zu den offenen, Ortbetondecken, Holzverschalung mit einer Bahnenabdeckung bzw. eine Wärmedämmung unter den Dachdeckungen mit Winddichtigkeitsschichten zu den geschlossenen Unterlagen.

---

5 DIN 1055-4 Einwirkungen auf Tragwerke – Teil 4: Windlasten, 2005-03 mit Berichtigung 1 von 2006-03.

6 ZVDH-Fachregel: Dachziegel und Dachsteine 12/2012 mit Änderungen von 02/2016; Hrsg.: Zentralverband des Dt. Dachdeckerhandwerks (ZVDH), Köln.

7 ZVDH-Fachregel: Dachziegel und Dachsteine 12/2012 mit Änderungen von 02/2016; ZVDH-Fachregel: Metallarbeiten im Dachdeckerhandwerk 06/2017 mit Änderungen von 03 und 11/2020; Hrsg.: Zentralverband des Dt. Dachdeckerhandwerks (ZVDH), Köln.

Öffnungen, wie z.B. Lüftungsschlitze, Fugen, Fenster, Lichtbänder mit mehr als 5 % der Gesamtdachansichtsfläche mit Verbindung der Luftschicht nach außen bewirken, dass auch eine sonst geschlossene Deckunterlage wie eine offene zu behandeln ist. Wenn jedoch Maßnahmen getroffen sind, dass während sturmartigen Wetters diese Öffnungen sicher verschlossen sind, entfällt diese Verschärfung.

4.3.3.1.4 Maßnahmen zur Windsogsicherung

In Abhängigkeit der Zonierung der Dachfläche sowie der Gebäudehöhe, der Dachneigung, der Windzone und der Luftdurchlässigkeit können den Tabellen der Regelwerke (z.B. DIN 1055-4[8]) zum vereinfachten Nachweis Hinweise zu den notwendigen Verklammerungen der Elemente der Dachdeckungen entnommen werden.

Dachsteine oder Tonziegel sollten in Abhängigkeit der Windsogeinwirkung mechanisch befestigt werden, da insbesondere in Firstbereichen und an Ortgängen sonst Windsogschäden auftreten können.

4.3.3.2 Schneelasten und Schneesicherung

4.3.3.2.1 Schneelasten

Der Anhang zur Schneelastnorm[9] enthält nationale Festlegungen ergänzend zum Nationalen Anhang zum Eurocode 1 – DIN EN 1991-1-3[10]. Er fasst die in Deutschland zu berücksichtigenden Grundsätze zur Bestimmung der Werte von Schneelasten für die Berechnung und Bemessung von Hoch- und Ingenieurbauten zusammen. Es werden Anwendungserfahrungen und Auslegungen sowie Vereinfachungen zu den Formbeiwerten berücksichtigt.

Die Norm für Schneelasten ist in der Muster-Verwaltungsvorschrift Technische Baubestimmungen (MVV TB)[11] enthalten. In der „Anlage A 1.2.1/4 Schneelasten" der DIBt-Tabelle[12] findet man folgenden Hinweis:

„Hinsichtlich der Zuordnung der Schneelastzonen nach Verwaltungsgrenzen wird auf die Tabelle ‚Zuordnung der Schneelastzonen nach Verwaltungsgrenzen' […] hingewiesen."

Bei der *„Zuordnung der Schneelastzonen nach Verwaltungsgrenzen"*[13] handelt es sich um eine digitale Tabelle im Excel-Format, in der – untergliedert in die einzelnen Bundesländer –

8 DIN 1055-4 Einwirkungen auf Tragwerke – Teil 4: Windlasten, 2005-03 mit Berichtigung 1 von 2006-03.

9 DIN EN 1991-1-3:2010-12 „Eurocode 1: Einwirkungen auf Tragwerke – Teil 1-3: Allgemeine Einwirkungen – Schneelasten", Dezember 2010 mit Änderung A1 von 2015-12.

10 DIN EN 1991-1-3/NA:2019-04 „Nationaler Anhang – National festgelegte Parameter – Eurocode 1: Einwirkungen auf Tragwerke – Teil 1-3: Allgemeine Einwirkungen – Schneelasten"; April 2019.

11 „Muster-Verwaltungsvorschrift Technische Baubestimmungen (MVV TB)", Hrsg.: Deutsches Institut für Bautechnik (DIBt), Berlin; Ausgabe 2023/1; Amtliche Mitteilungen 2023/2 (Ausgabe: 17.4.2023 mit Druckfehlerberichtigung vom 10.5.2023).

12 DIBt-Tabelle zur Zuordnung der Schneelastzonen nach Verwaltungsgrenzen, 02/2023 (kostenlos verfügbar unter www.dibt.de); Hrsg.: Dt. Institut für Bautechnik, Berlin.

13 DIBt-Tabelle zur Zuordnung der Schneelastzonen nach Verwaltungsgrenzen, 02/2023 (kostenlos verfügbar unter www.dibt.de); Hrsg.: Dt. Institut für Bautechnik, Berlin.

detaillierte Informationen zur Zuordnung einer Gemeinde bzw. eines Landkreises in eine Schneelastzone zusammengestellt sind.

Die Schneelast wird aus beobachteten Messwerten von Wetterstationen entweder aus der Schneehöhe oder aus dem Wasseräquivalent abgeleitet. Das Wasseräquivalent gibt die Wassermenge an, die sich ergibt, wenn die Schneedecke vollständig geschmolzen ist. Dieser Wert ist für die Schneelastermittlung direkt verwendbar. Wird lediglich die Höhe der Schneedecke gemessen und dokumentiert, so lässt dies noch keine genauen Rückschlüsse auf das tatsächliche Gewicht des Schnees zu. Hierfür ist nämlich auch die Kenntnis der genauen Dichte des Schnees erforderlich und diese wird/wurde an den meisten deutschen Messstationen nicht dokumentiert. Pulverschnee – also relativ trockener Neuschnee – hat eine Dichte von etwa 50 kg/m^3, stark durchnässter Altschnee kann jedoch auch 600 kg/m^3 wiegen und eine Eisschicht hat ein noch höheres Gewicht.

Schneehöhenmessdaten sind beim DWD mit einer deutlich höheren Stationsdichte verfügbar, als Messwerte zum Wasseräquivalent. In einem amtlichen Gutachten des DWD von Mai 2017[14] wurden daher im Auftrag des Deutschen Instituts für Bautechnik (DIBt) die verfügbaren DWD-Zeitreihen der Wasseräquivalente der Schneedecke und der Schneehöhe in den bayerischen Landkreisen Passau, Rottal-Inn, Berchtesgadener Land, Traunstein und Miesbach sowie den angrenzenden Regionen untersucht. Für Gebäude in einer Höhenlage von über 1.500 m über NN muss demnach weiterhin in jedem Einzelfall von der zuständigen Behörde ein entsprechender Rechenwert für die Schneelast festgelegt werden. Für Gebäude in Höhenlagen zwischen 1.000 m und 1.500 m über NN wird die Festsetzung durch die Behörden empfohlen.

4.3.3.2.1.1 Außergewöhnliche Schneelasten im norddeutschen Tiefland

Im norddeutschen Tiefland (nördlich der „Grenzlinie Norddeutsches Tiefland" gemäß Schneelastzonenkarte in DIN EN 1991-1-3/NA[15] wurden Schneelasten bis zu einem Mehrfachen der in der Berechnung anzusetzenden Werte gemessen. Daher ist seit 2019 zusätzlich für alle Gebäude in den Schneelastzonen 1 und 2 im norddeutschen Tiefland auch die außergewöhnliche Bemessungssituation mit Schnee zu überprüfen und nachzuweisen.

4.3.3.2.1.2 Schneelastverteilung auf gereihten Dächern

Bei aneinandergereihten Dächern und Sheddächern verteilen sich Schneelasten nicht gleichmäßig. Am Tiefpunkt, an dem die geneigten Dachflächen aneinanderstoßen, sammeln sich höhere Schneelasten, da der Schnee in der Kehle nicht abrutschen kann. Der Ansatz der Formbeiwerte für unverwehte Schneelasten erfolgt abhängig von der Dachneigung. Für die Innenfelder ist der mittlere Neigungswinkel für die Lastannahme maßgebend. Wie bereits oben erwähnt, ist im Bereich des „norddeutschen Tieflandes" auch der

---

14 *Wichura/Hoffmann,* Forschungsvorhaben: Flächenhafte Analyse von Schneelastmesswerten in fünf Landkreisen und ihr Vergleich mit den Schneelastzonendaten der DIN 1055-5:2005 als Pilotuntersuchung für die Überarbeitung der Schneelastzonenkarte – Amtliches Gutachten; Hrsg.: Deutscher Wetterdienst (DWD), Abteilung Klima- und Umweltberatung, Mai 2017.

15 DIN EN 1991-1-3/NA:2019-04 „Nationaler Anhang – National festgelegte Parameter – Eurocode 1: Einwirkungen auf Tragwerke – Teil 1-3: Allgemeine Einwirkungen – Schneelasten"; April 2019.

Lastfall der außergewöhnlichen Schneelast nachzuweisen. Dies erfolgt mithilfe eines speziellen, in der Norm DIN EN 1991-1-3/NA definierten Wertes der charakteristischen Schneelast.

4.3.3.2.2 Schneesicherung

Einige Durchführungsverordnungen der Landesbauordnungen verlangen Schnee- und Eisschutzvorrichtungen zum Schutz gegen Abrutschen von Schnee und Eis über allgemein zugänglichen Wege, Terrassen und über Eingängen, wenn die Dachneigung steiler als 45° ist (die Durchführungsverordnungen der Länder können abweichende Anforderungen stellen).

Allerdings kann auch abrutschender Schnee oder Eis von Dächern mit glatten Eindeckungen Schäden verursachen. Bei solchen Flächen, auf denen Eisplatten abrutschen können, sind Fangvorrichtungen zu empfehlen, um einer Unfallgefahr durch herabfallende Schnee- und Eisplatten vorzubeugen.

Als Schnee- und Eisrückhaltesysteme sind gebräuchlich:

- Schneefanggitter,
- Schneefangprofile (Winkelstahl, Rundstahl, Rundhölzer etc.) mit entsprechenden Haltern,
- bei Metalldeckungen Rohr-Schneefangsysteme, einfach oder doppelt, mit Klemmlaschen,
- Einzelstützen und über die Fläche verteilte Halter.

Alle linearen Schnee- und Eisfangvorrichtungen sind bei kleinformatigen Dachdeckungen auf jedem Sparren und bei großformatigen Metalldeckungen auf jeder Lasche bzw. auf jedem Falz zu befestigen.

4.3.4 Wärmeschutz

An geneigte Dächer werden aus Gründen des baulichen Wärmeschutzes und der Energieeinsparung im Rahmen des Referenzgebäudeverfahrens Anforderung hinsichtlich der Begrenzung der Transmissionswärmeverluste gestellt. Zur Einhaltung dieser Anforderungen sollten bei Neubauten etwa 20 cm Wärmedämmung mit einer Wärmeleitfähigkeit von WLG 035 vorgesehen werden.

Werden bei Bestandsgebäuden Bauteile zu mehr als 10 % der Gesamtfläche hinsichtlich ihres wärmetechnischen Aufbaus verändert, sind die Anforderungen nach § 9 des Gebäudeenergiegesetzes[16] einzuhalten. Das bedeutet, dass in Abhängigkeit der bereits vorhandenen Dämmwerte bei dem neu entstehenden Aufbau mindestens 16 cm Dämmschicht bei durchgehender Verlegung realisiert werden müssen. Von der Einhaltung dieser Anforderung darf abgewichen werden, wenn bautechnische Gründe dieser Dämmschichtdicke entgegenstehen. Dann können auch geringere Schichtdicken ausgeführt werden, die jedoch mit einem Dämmstoff mit geringerer Wärmeleitfähigkeit zu realisieren sind.

16 Gesetz zur Einsparung von Energie und zur Nutzung erneuerbarer Energien zur Wärme- und Kälteerzeugung in Gebäuden (Gebäudeenergiegesetz – GEG), 01/2024.

4.3.4.1 Lage der Wärmedämmung

Erfolgt die Wärmedämmung auf der Außenseite der Sparren als Aufsparrendämmung (Abbildung 7), sind sämtliche Anschlüsse an Durchdringungen der Dachfläche neu zu planen. Vorteilhaft ist bei dieser Variante eine wärmebrückenfreie Verlegung aufgrund der durchgehenden und nicht durch Holzsparren unterbrochenen Dämmebene.

Wird die Dämmmaßnahme stattdessen als Zwischensparrendämmung ausgeführt (Abbildung 8), wirken Sparren als Wärmebrücken. Bei einem Sparrenanteil von etwa 10 % ist zur Gewährleistung eines mit einer durchgehenden Dämmschicht vergleichbaren Dämmwertes eine Erhöhung der Dämmschichtdicke von etwa 20 % erforderlich. Diese Erhöhung entfällt, wenn die Zwischensparrendämmung z.B. mit einer Dämmung unterhalb der Holzsparren kombiniert wird, da die Wärmebrückenwirkung der Hölzer weitgehend vermieden wird. In diesem Fall ist ein besonderes Augenmerk auf die Planung und fachgerechte Ausführung bezüglich des bauphysikalischen Feuchteschutzes zu legen (siehe Abschnitt 4.3.5).

Abbildung 7: Typische Einbausituation einer Aufsparrendämmung; Quelle: AIBau

Abbildung 8: Typische Einbausituation einer Zwischensparrendämmung; Quelle: AIBau

4.3.4.2 Detailgestaltung von Anschlüssen und Vermeidung von Wärmebrücken

Weiterhin sollten bei Zwischensparrendämmungen in den einzelnen Sparrenfeldern entlang der Ränder der Dämmung Lücken vermieden werden, da hierdurch Luftströmungen (Rotationen) entstehen, die die Effektivität der Dämmmaßnahme beeinträchtigen (Abbildung 9).

Zur Vermeidung von Wärmebrücken sind die an die geneigte Dachfläche angrenzenden Ortgänge gemäß Beiblatt 2 der DIN 4108[17] oberseitig und seitlich mitzudämmen – bestenfalls in einer Breite von 6 cm. Mindestens sollte der Hohlraum zwischen Streichsparren und Wandfläche vollständig gedämmt werden (Abbildung 10).

Der untere Anschlussbereich entlang der Traufe muss ebenfalls lückenlos in die Dämmmaßnahme einbezogen werden. Jedoch ist hier das Hauptaugenmerk darauf zu richten,

17 DIN 4108 Beiblatt 2: Wärmeschutz und Energie-Einsparung in Gebäuden; Beiblatt 2: Wärmebrücken – Planungs- und Ausführungsbeispiele; 2019-06.

dass eine ggf. zusätzlich eingebaute Unterspannbahn nicht in ihrer Entwässerungsfunktion durch Zustopfen oder Hochdrücken derart eingeschränkt wird, dass ein Anstauen des abfließenden Wassers verursacht wird.

Abbildung 9: Lücken in Wärmedämmungen begünstigen Rotationsströmungen; Quelle: AIBau

Abbildung 10: Lückenlose Verlegung der Dämmung auch angrenzend an und oberhalb von Ortgängen; Quelle: AIBau

4.3.5 Bauphysikalischer Feuchteschutz

4.3.5.1 Grundsätze

Um hygienisches Wohnen zu gewährleisten, muss die Entstehung von Tauwasser im Dachquerschnitt durch eindringende Feuchtigkeit aus Wasserdampfdiffusion und Luftströmung in das Bauteil soweit begrenzt werden, dass Schäden vermieden werden. In den meisten Fällen werden die zur Verfügung stehenden Sparrenquerschnitte vollständig gedämmt und es wird auf eine Belüftung der Dachkonstruktion aufgrund der geringen zur Verfügung stehenden Sparrenhöhe verzichtet. Der energetisch sinnvolle und mittlerweile bei Neubaumaßnahmen steigende Wärmeschutz hat zur Folge, dass den äußeren Schichten in Dachebenen weniger Wärme aus den Innenräumen zugeführt wird.

Bei Dachtragwerken aus Holz mit Dämmungen in Tragebene ist zur Vermeidung von Feuchtigkeitsschäden nachzuweisen, dass die im Sommer austrockenbare Wassermenge größer als die Tauwassermenge in der kalten Jahreszeit ist. DIN 4108-3[18] fordert darüber hinaus, dass während der Tauperiode in Wänden und Dächern weniger als insgesamt 1,0 kg/m² Tauwasser anfallen darf. Bei nicht kapillar wasseraufnahmefähigen Bauteilschichten wird die Tauwassermenge auf 0,5 kg/m² begrenzt. Bei Holz darf die Material-

18 DIN 4108-3 Wärmeschutz und Energie-Einsparung in Gebäuden – Teil 3, Klimabedingter Feuchteschutz, 2018-10 und Normentwurf E DIN 4108-3:2023-04.

feuchte um nicht mehr als 5 %, bei Holzwerkstoffen mit Ausnahme von Holzwolle-Leichtbauplatten und Mehrschicht-Leichtbauplatten um nicht mehr als 3 % steigen.

Diffusionsoffene Schichten sollen gemäß DIN 4108-3 einen Diffusionswiderstand der äquivalenten Luftschichtdicke von höchstens 0,5 m aufweisen, diffusionsbremsende Schichten zwischen 0,5 m und 10 m, diffusionshemmende Schichten zwischen 10 m und 100 m und diffusionssperrende Schichten zwischen 100 m und 1.500 m. Diffusionsdichte Schichten haben einen Widerstand von mehr als 1.500 m.

Unter den folgenden genannten Voraussetzungen braucht nach DIN 4108-3 für einen Dachaufbau kein rechnerischer Nachweis geführt werden:

Bei belüfteten Dächern mit einer belüfteten Schicht unmittelbar über der Dämmung muss der Diffusionswiderstand s_{di} der raumseitig der Dämmung liegenden Bauteilschichten bei Dächern mit einer Neigung von mindestens 5° größer als 2 m sein. Außenseitig der Dämmung ist eine belüftete Luftschicht höher als 2 cm bzw. 2 ‰ der Sparrenlänge sowie eine Belüftung von mehr als 2 ‰ der Sparrenlänge an Traufe und Pult bei einer Entlüftung > 0,5 ‰ der Sparrenlängen beidseitig des Firsts anzuordnen. Die Lüftungsquerschnitte betragen damit mindestens 200 cm^2/lfm, ab einer Sparrenlänge von 11 m steigt der freie Lüftungsquerschnitt um 20 cm^2/m bzw. in der Höhe um 0,2 cm je Meter zusätzlicher Länge des Sparrens.

Bei Dächern mit Neigungen unter 5° und Sparrenlängen bis 10 m sollen die Lüftungsquerschnittshöhen mindestens 5 cm und s_{di} mehr als 100 m betragen.

Für nicht belüftete Dächer, also ohne belüftete Schicht unmittelbar über der Dämmung, kann die Hinterlüftung der Dachdeckung die Funktion einer Belüftung übernehmen.

Werden unbelüftete Dachkonstruktionen ohne Luftschicht unmittelbar oberhalb der Dämmschicht realisiert, sind zu einer notwendigen andauernden Schadenfreiheit einige bauphysikalische Aspekte zu berücksichtigen. So kann auf eine Belüftung dann verzichtet werden, ohne dass ein diffusionstechnischer Nachweis erforderlich wird, wenn die Zuordnung für Werte der wasserdampfdiffusionsäquivalenten Luftschichtdicken der außen- und raumseitig zur Wärmedämmschicht liegenden Schichten der nachfolgenden Tabelle 2 der DIN 4108-3 (und auch im Entwurf von DIN 4108-3 von 4/2023) vorgenommen wird und die benannten Verhältnisse der Summen der Diffusionswiderstände der raumseitigen Schichten der Dämmung im Vergleich zur Summe der außenseitigen Schichten zur nächsten belüfteten Schicht beachtet werden:

Tabelle 2: Wasserdampfdiffusionsäquivalente Luftschichtdicke (m) in Anlehnung an DIN 4108-3 und DIN 68800-2[19]

außen $s_{d,e}$ in m	**innen $s_{d,i}$ in m**
≤ 0,1	≥ 1,0
0,1 < $s_{d,e}$ ≤ 0,3	≥ 2,0
0,3 < $s_{d,e}$ ≤ 2,0	≥ 6x $s_{d,e}$
Nur, wenn kein Holz bzw. Holzwerkstoffe zwischen $s_{d,e}$ und $s_{d,i}$	

19 DIN 68800-2: Holzschutz – Teil 2: Vorbeugende bauliche Maßnahmen im Hochbau, 2022-02.

Bei einer raumseitigen Schicht mit einem Diffusionswiderstand mit s_d > 100 m ist grundsätzlich kein diffusionstechnischer Nachweis erforderlich, wenn sich kein Holz oder keine Holzwerkstoffe zwischen den äußeren und inneren begrenzenden Schichten befinden. Die Holzschutznorm DIN 68800-2 beschränkt für nachweisfreie Konstruktionen den äußeren Diffusionswiderstand $s_{d,e}$ auf maximal 4 m, wenn dieser werkseitig hergestellt wurde und eine ausreichende Luftdichtheit der Konstruktion nachgewiesen wurde. Handelt es sich bei den ausgeführten Dächern nicht um nachweisfreie Konstruktionen, besteht die Möglichkeit einen stationären Nachweis unter Berücksichtigung der Trocknungsreserve von 250 g/m² oder einen instationären Nachweis (hygrothermische Berechnung) zu führen.

Zu empfehlen ist jedoch, auf der Außenseite der Dämmung eine diffusionsoffene Unterspannbahn und raumseitig der Dämmung eine moderate Dampfsperre vorzusehen. Durch diesen Dachaufbau kann ggf. in die Konstruktion eingedrungene Feuchtigkeit weiterhin austrocknen.

Sollte die vorhandene Dachkonstruktion mit einer diffusionsdichten Unterspannbahn (Stichwort: Pappe) ausgestattet werden, muss zur Gewährleistung von Tauwasserfreiheit auf der Innenseite der Wärmedämmung eine Dampfsperren mit relativ hohen s_d-Wert verlegt werden, wenn der neue Dachaufbau nicht rechnerisch nachgewiesen werden soll. Eine Austrocknung von ggf. eindringender Feuchte ist dann nicht mehr möglich und birgt ein hohes Schadenspotenzial – insbesondere für die tragenden Holzbauteile (siehe Warnhinweis in Abschnitt 4.3.5.2).

Bei diesen vollständig gedämmten Dachkonstruktionen ist eine Hinterlüftung der Dachdeckung außerhalb der i.d.R. diffusionsoffenen Abdeckung zu empfehlen.

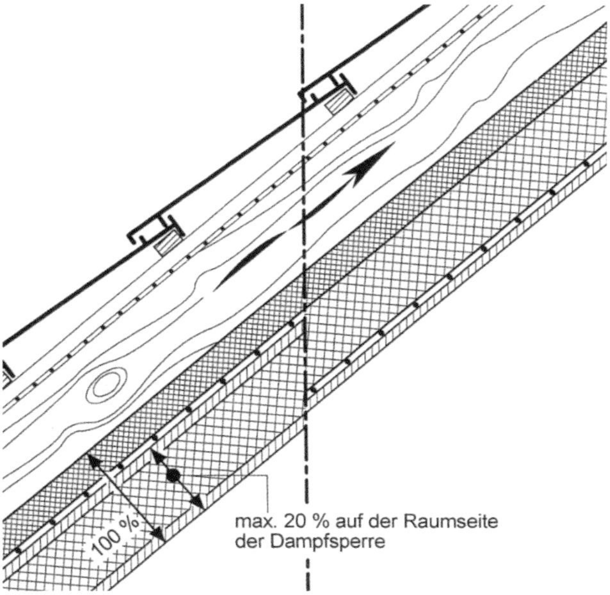

Abbildung 11: Bei nachweisfreiem Dachaufbau beträgt die Grenze des Anteils des Wärmedurchlasswiderstandes raumseitig des Dampfsperre 20 %; Quelle: AIBau

Wird zusätzlich zu einer Zwischensparrendämmung ein Teil der notwendigen Dämmschicht als Untersparrendämmung ausgeführt, ist zur Nachweisfreiheit des Dachaufbaus zu beachten, dass der Wärmedurchlasswiderstand der Bauteilschichten raumseitig der diffusionshemmenden Schicht max. 20 % des gesamten Wärmedurchlasswiderstandes betragen darf (Abbildung 11).

Werden die o.a. Anforderungen nicht eingehalten, bedeutet dies nicht, dass der gewählte Dachaufbau deswegen unzulässig ist. Vielmehr können diese Konstruktionen bauphysikalisch u.a. mit folgenden Annahmen im Periodenbilanzverfahren nachgewiesen werden (seit DIN 4108-3:2014-11):

Tabelle 3: Klimabedingungen für die Beurteilung der Tauwasserbildung in Bauteilen in Anlehnung an DIN 4108-3

	Tauperiode	**Verdunstungsperiode**
Innenraum	20 °C, 50 % r.F. 1.168 Pa	1.200 Pa (alt: 12 °C, 70 % r.F.)
Außenluft	–5 °C, 80 % r.F. 321 Pa	1.200 Pa
Dauer	2160 h (90 d)	2160 h (90 d)

Seit Oktober 2018 sind in DIN 4108-3 Angaben zu Sättigungsdampfdrücken im Tauwasserbereich von Dächern enthalten, die Aufenthaltsräume gegen Außenluft abschließen. Bei diesen ist in der Verdunstungsperiode ein Wasserdampfteildruck von 2.000 Pa für 90 Tage anzusetzen.

4.3.5.2 Warnhinweis in Regelwerken

Sowohl DIN 4108-3 als auch das Merkblatt Wärmeschutz bei Dach und Wand des ZVDH[20] weisen darauf hin, dass *„bei nicht belüfteten Dächern mit belüfteter oder nicht belüfteter Dachdeckung und äußeren diffusionshemmenden Schichten mit $s_{d,e}$ > 2 m erhöhte Baufeuchte oder später z.B. durch Undichtheiten eingedrungene Feuchte nur schlecht oder gar nicht austrocknen kann."*

Dieser grundsätzlich Warnhinweis wurde mit dem Zusatz versehen, die Holzfeuchte auf die jeweils zulässige Materialfeuchte bei Einbau/vor dem Verschließen des Dachaufbaus zu begrenzen. Außer Acht bleibt dadurch jedoch, dass auch trotz Einhaltung dieser Einbaufeuchte Schäden an den eingebauten Holzbauteilen aufgrund von Feuchteumlagerungsprozessen entstehen können und diese beidseits dicht umschlossene Holzkonstruktion daher zudem eine geringe Fehlertoleranz aufweist.

4.3.5.3 Feuchteschutz durch feuchtevariable Dampfbremsen

Bei feuchtevariablen Dampfbremsen handelt es sich um Folien auf Polyamidbasis oder aus Polyethylen-Copolymer hergestellte Folien (Abbildung 13), die gegenüber Wasserdampf in Abhängigkeit von der sie umgebenden relativen Luftfeuchte ihre Durchlässigkeit verän-

20 ZVDH-Merkblatt: Merkblatt Wärmeschutz bei Dach und Wand 05/2018; Hrsg.: Zentralverband des Dt. Dachdeckerhandwerks (ZVDH), Köln.

dern. Ist die Umgebungsfeuchte niedrig, ist der s_d-Wert groß. Ist die Umgebungsfeuchte hoch, ist der s_d-Wert niedrig. Bei relativen Luftfeuchtegehalten unter 40 % steigt der s_d-Wert je nach Material etwa bis 10 m, ab etwa 75 % rel. Feuchte sinkt er unter 1 m. Feuchtevariable Dampfbremsen weisen also im Winter (bei relativ trockener Innenraumluft) eine dampfsperrende Wirkung auf, ermöglichen im Sommer (bei relativ hoher Innenraumluftfeuchte) jedoch aufgrund relativer Diffusionsoffenheit eine Austrocknung der Konstruktion zum Innenraum hin. Wichtig ist, dass auch die innenraumseitige Bekleidung entsprechend diffusionsoffen gewählt wird, um diese Funktion nicht zu unterbinden.

Üblicherweise ist die Umgebungsfeuchte auf das Innenraumklima bezogen. Im Winter ist das Innenraumklima – durchschnittliche Heiz- und Lüftungsgewohnheiten vorausgesetzt – üblicherweise trocken. In dieser Zeit soll möglichst wenig Feuchtigkeit in die Bauteile hinein diffundieren, da auf der Außenseite tiefe Temperaturen herrschen und die Gefahr von Tauwasserbildung im Querschnitt besteht.

Im Sommer weist das Innenraumklima üblicherweise höhere Feuchtegehalte auf. Aufgrund des dann niedrigeren Diffusionswiderstandes soll die im Bauteilquerschnitt eingeschlossene Feuchte leichter nach innen austrocknen können.

Bei der Verwendung feuchtevariabler Dampfbremsen ist bereits bei Planung und entsprechendem Baufortschritt zu berücksichtigen, dass die Folien diese Eigenschaft nicht nur auf der Seite des Bauteilquerschnitts besitzen, sondern auch auf der Innenraumseite. D.h. bei sehr hohen relativen Luftfeuchten im Innenraum (z.B. beim Einbau von Putz und Estrich im Winter) können die Folien eine so hohe Diffusionsoffenheit entfalten, dass die Feuchtigkeit in den Bauteilquerschnitt gelangt. Dieser Effekt ist natürlich nicht gewünscht und sollte durch geeignete Maßnahmen soweit wie möglich ausgeschlossen werden.

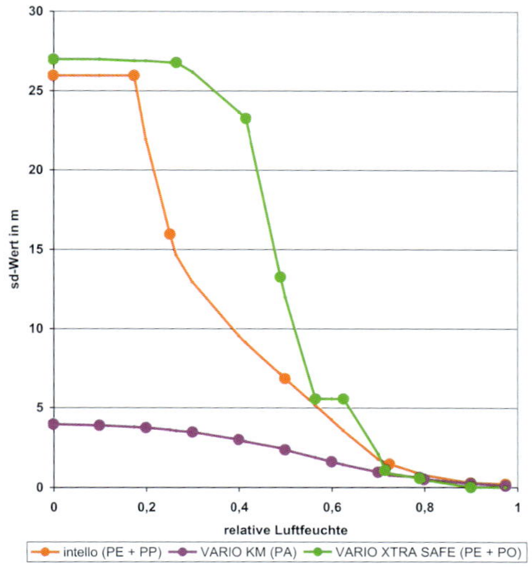

Abbildung 12: Verlauf der s_d-Werte von feuchtevariablen Dampfbremsschichten (Werte entnommen aus WUFI 5.3); Quelle: AIBau

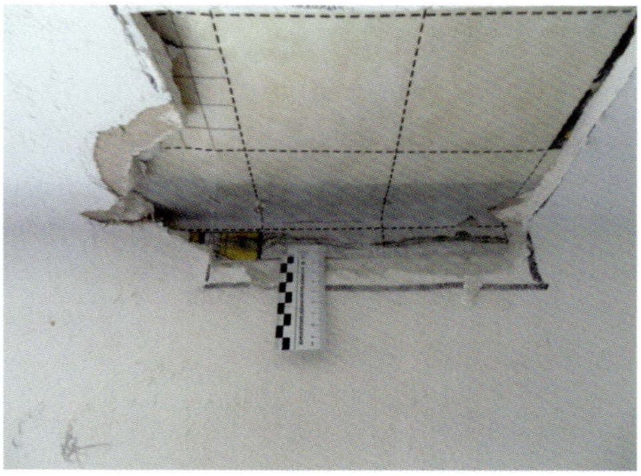

Abbildung 13: Typische Einbausituation einer feuchtevariablen Dampfbremse mit verklebtem und eingeputztem Folienrand; Quelle: AIBau

Entscheidend für das Maß der Verringerung des Dampfsperrwertes ist allerdings weniger das Innenraumklima, sondern die unmittelbar an der feuchtevariablen Dampfsperre anliegende Luftfeuchte.

In welchem Maß der s_d-Wert bei höherer Feuchte absinkt, ist bei den Produkten unterschiedlich. Meist liegen die s_d-Werte minimal bei 0,25 m, maximal bei 5 bis 10 m. Auch die Kurvenverläufe der s_d-Werte sind unterschiedlich, wie die Zusammenstellung dreier typischer feuchtevariabler Dampfbremsen zeigt (Abbildung 12).

Erkennbar ist nicht nur, dass die s_d-Werte der Materialien stark differieren, sondern auch, dass bei 70 % Luftfeuchte die s_d-Werte noch um die 2 m liegen. Erst ab etwa 75 % r.F. fallen die s_d-Werte unter 1 m. Sehr niedrige s_d-Werte werden erst deutlich über 80 % r.F. erreicht.

Die Austrocknungsbeschleunigung findet nicht allgemein im Sommer statt, sondern tatsächlich erst mit einer deutlichen Umkehrdiffusion durch das Bauteil hindurch. Um die Vorteile einer feuchtevariablen Dampfbremse zu nutzen, d.h. die Austrocknung nach innen zu ermöglichen, kommt es also in erster Linie darauf an, dass die Umkehrdiffusion in Gang gesetzt wird. Auf die hierzu notwendigen Randbedingungen, aber auch die in der Praxis bestehenden Anwendungsgrenzen wird detailliert im Beitrag „4.5 Besonderheiten des Holzbaus" eingegangen.

4.3.6 Wind- und Luftdichtheit

4.3.6.1 Winddichtheit

Die Winddichtheit beschreibt die Eigenschaft einer Dachkonstruktion, nicht oder nur in geringem Maße mit Außenluft durchströmt zu werden. Die Ebene der Winddichtheit befindet sich meist auf der Außenseite der Wärmedämmung. Eine Durchströmung der Dämmschicht mit Außenluft kann zu einem Wärmeentzug aus diesen Materialien führen, vor allem wenn es sich um Faserdämmstoffe handelt. Außerdem können zusätzliche Wärmeverluste entstehen, wenn die Gefache Hohlräume aufweisen, die nicht vollständig mit Dämmstoff ausgefüllt sind und die dabei entstandenen Luftspalte mit der Außenluft in Verbindung stehen.

Regelwerke, die sich mit der Planung und Ausführung solcher Winddichtheitsschichten befassen, liegen derzeit (noch) nicht vor.

Um Durchströmungen gedämmter Dachflächen sicher zu vermeiden, ist nicht nur eine auf der Außenseite der Wärmedämmung verlegte Winddichtheitsschicht notwendig, sondern auch ausreichend winddichte untere Anschlüsse im Bereich von Traufen sowie zusätzliche Maßnahmen an einbindenden Kehlbalkendecken, bei deren Fehlen Wärmeverluste eintreten.

4.3.6.2 Luftdichtheit

Luftströmungen durch die Dachkonstruktion von innen nach außen sind zu verhindern, um Energieverluste (Grenzwerte: siehe DIN 4108-7[21]) und ein Durchströmen warmer und feuchterer Luft durch den Dachaufbau mit der Folge von Tauwasserbildung zu vermeiden. Um Behaglichkeit zu gewährleisten, müssen Lüftungswärmeverluste und Zugerscheinungen im ausgebauten Dach vermieden werden. Diese Anforderungen lassen sich durch fachgerecht geplante und ausgeführte Luftdichtheitsebenen realisieren.

Mögliche Schwachstellen der Luftdichtheit einer geneigten Dachfläche stellen alle Durchdringungspunkte und Unterbrechungen dar. Bei den Dachdetails spielt der luftdichte Anschluss zwischen der Dachkonstruktion und den Mauerkronen der Außenwände eine wesentliche Rolle. Werden Folien als Luftdichtheitsebenen verwendet, sind diese an den Übergängen zu Giebelwänden dauerhaft dicht z.B. durch Einputzen anzuschließen (Abbildungen 14 und 15).

Abbildung 14: Luftdichtheitsebenen an vorhandene Giebelwände dicht anschließen ...; Quelle: AIBau

Abbildung 15: ... durch Einputzen oder Ankleben auf vorgeputztem Untergrund; Quelle: AIBau

Bei Aufsparrendämmungen ist insbesondere zu berücksichtigen, dass die luftdichte Hülle durchgängig gestaltet werden muss. Aus diesem Grund dürfen die Sparren die luftdichte Ebene im Bereich der Traufe nicht durchdringen, sondern Dachüberstände müssen dann durch Aufschieblinge gestaltet werden. Diese werden oberhalb der luftdichten Ebene angeordnet (siehe DIN 4108-7).

Auch bei plattenförmigen Baustoffen, die die Luftdichtheitsfunktion übernehmen können, müssen Plattenstöße und Fugen zu angrenzenden Bauteilen dauerhaft dicht verschlossen werden. Dies kann durch Überspachteln mit Fugendeckstreifen oder Überkleben geschehen. Montageschäume können diese Funktion *nicht* erfüllen, da sie im ausgehärteten Zustand nicht ausreichend verformbar sind, sodass an diesen Fehlstellen Leckagen entstehen.

---

21 DIN 4108-7 Wärmeschutz und Energie-Einsparung in Gebäuden – Teil 7: Luftdichtheit von Gebäuden – Anforderungen, Planungs- und Ausführungsempfehlungen sowie -beispiele, 2011-01.

4.3.7 Mauerkronenabdeckungen und Ortgangausbildungen

Zur Vermeidung des Wassereintrags durch Wind unter die Mauerkronenabdeckung soll der waagrechte Überstand von Mauerkronenabdeckungen und Ortgangausbildungen vor den darunter befindlichen Bauteiloberflächen mindestens 2 cm betragen, bei Kupfer besser 5 cm. Verunreinigungen durch abtropfendes Wasser sind nicht (immer) zu vermeiden. Dennoch kann die Formgebung der Abkantung dazu beitragen, dass abtropfendes Wasser von der Abkantung nicht zur Fassade, sondern mehr von der Fassade weg geleitet wird. Daher sind Mauerkronenabdeckungen und Ortgangausbildungen mit einer Neigung zum Gebäude auszustatten, sodass Wasser nicht an der Fassade außen, sondern nach innen abgeleitet wird. Das Gefälle der Abdeckung sollte dazu mindestens 8 % bzw. 5° betragen.

In Abhängigkeit von den jeweiligen Gebäudehöhen soll die abgekantete Blechbekleidung des Ortgangs die Fassadenoberfläche (z.B. Putz oder Sichtmauerwerk) in vertikaler Richtung unterschiedlich weit (zwischen 50 und 100 mm) überdecken.[22]

4.3.8 Dachentwässerung

4.3.8.1 Vorgehängte Dachrinnen

Bei außenliegenden Dachrinnen soll die äußere Seite der Rinne niedriger als die hauszugewandte Seite sein. Dadurch kann Wasser, das nicht von der Rinne aufgenommen wird, nach außen frei ablaufen und nicht zum Innenraum gelangen.

Selbsttragende, vorgehängte Dachrinnen können ohne oder mit Gefälle zu den Abläufen verlegt werden, wobei die Abflussleistung bei Gefälle höher und die Schmutzansammlung geringer ist. Nicht selbsttragende Dachrinnen werden auf zu Abläufen mit Gefälle hergestellten flächigen Unterlagen verlegt und mit Haften befestigt. Wasserrückstände in den Dachrinnen sind möglich. Bei langen Rinnen sind Dehnungsausgleichsstücke in Abhängigkeit von der Einbausituation und dem verwendeten Metall (thermischer Ausdehnungskoeffizient) zwischen 6 m und 15 m (nach Tabelle I.7[23]) erforderlich.

Dachrinnen sind regensicher zu fügen. Dazu lassen sich Metalle löten, (zusätzlich) nieten, kleben oder schweißen. Bei Dachrinnen aus beschichteten oder mit Überzügen versehenen Metallen oder aus Kunststoffen sind die Stöße durch Nieten und Kleben miteinander zu verbinden. Besondere Herstellverfahren, wie Kunststoffschweißen oder dergleichen, sind ebenfalls möglich.

22 Vgl. ZVDH-Fachregel: Metallarbeiten im Dachdeckerhandwerk 06/2017 mit Änderungen von 03 und 11/2020; Hrsg.: Zentralverband des Dt. Dachdeckerhandwerks (ZVDH), Köln.

23 ZVDH-Fachregel: Metallarbeiten im Dachdeckerhandwerk 06/2017 mit Änderungen von 03 und 11/2020; Hrsg.: Zentralverband des Dt. Dachdeckerhandwerks (ZVDH), Köln.

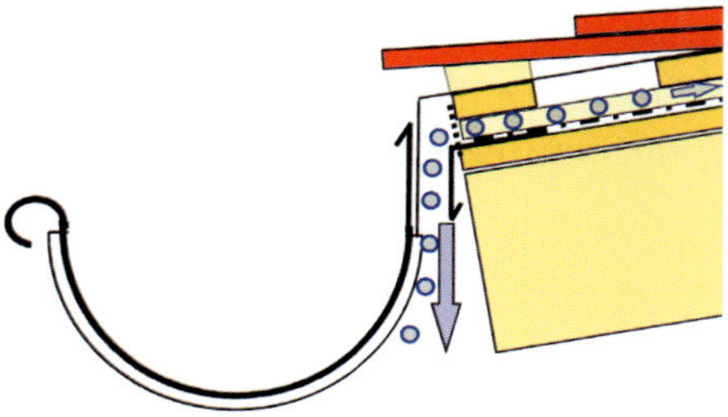

Abbildung 16: Traufe mit hochhängender Rinne; Quelle: AIBau

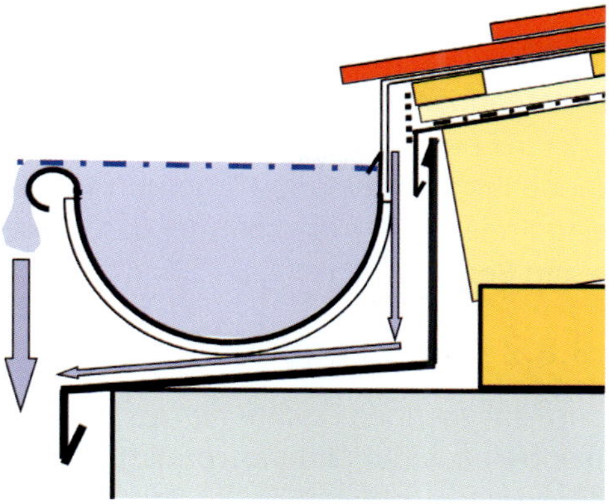

Abbildung 17: Traufe mit hochhängender Gesimsrinne; Quelle: AIBau

Wird die Rinne auf der Traufbohle hochhängend angebracht (Abbildung 16), endet die Unterspannbahn unter der Rinne. Ein Tropfblech sichert dann die Wasserableitung, da Unterspannbahnen bei längerer UV-Einwirkung verspröden. Vorteile dieser Ausführung gegenüber tiefhängenden Rinnen sind eine dauerhafte Kontrolle der Regensicherheit der Eindeckung, die Gewährleistung der Hinterlüftung der Dachdeckung trotz des Überdeckens der Rinne selbst bei Schnee und Eis sowie der UV-Schutz der Unterspannbahn. In schneereichen Gebieten, in denen mit Schnee- und Eisschanzenbildung an der Traufe über einen längeren Zeitraum zu rechnen ist, ist es sinnvoll, die Zusatzmaßnahme hinter die Rinne auf einen Tropfwinkel zu führen, um die Belüftung der Dachdeckung in der Konterlattenebene sicherzustellen. Hierbei ist jedoch mit abtropfender Feuchtigkeit hinter der Rinne zu rechnen.

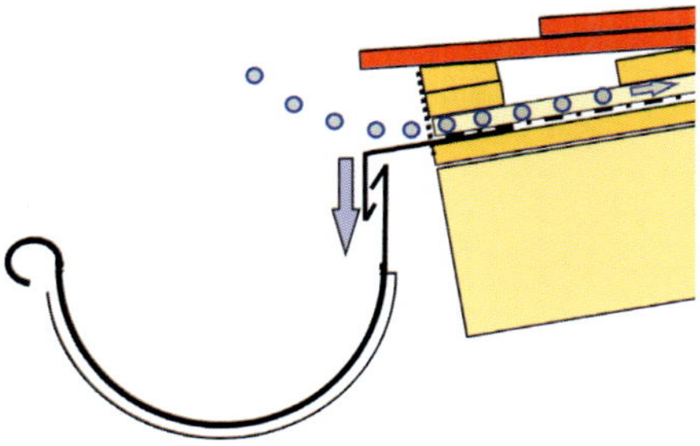

Abbildung 18: Traufe mit tiefhängender Rinne 1; Quelle: AIBau

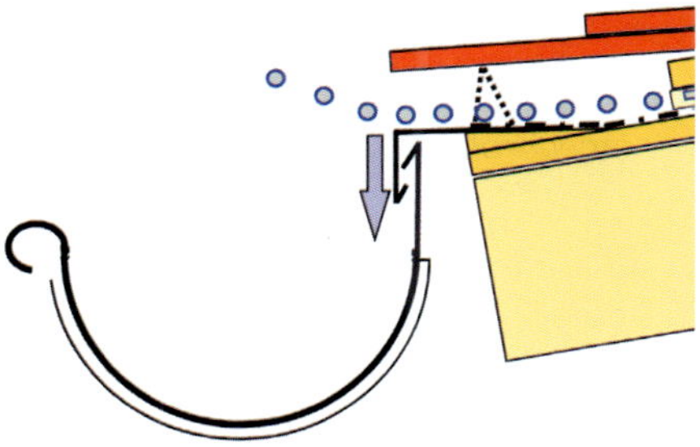

Abbildung 19: Traufe mit tiefhängender Rinne 2; Quelle: AIBau

Bei über Außenwänden angeordneten Gesimsrinnen (Abbildung 17) empfehlen sich zur Vermeidung von Feuchteschäden fensterbankartige Zusatzmaßnahmen unter der Rinne.

Bei tiefhängenden Dachrinnen (Abbildungen 18 und 19) endet die Unterspannbahn am hinteren Ende der Dachrinne. In diesem Fall ist unbedingt darauf zu achten, dass die Unterspannbahn nicht zu kurz ausgeführt wird, da dann das unter die Eindeckung gelangte und ablaufende Wasser die Sparrenköpfe dauerhaft durchfeuchtet und zu Feuchteschäden in diesem Bereich führt.

4.3.8.2 Innenliegende Rinnen

Bei innenliegenden Dachrinnen kann Feuchtigkeit bei erhöhtem Niederschlag, verstopften Abläufen, aus der Bildung von Eispanzern bei periodisch auftretenden Schneeschmelzen oder aus Undichtheiten in das Bauwerk eindringen (Abbildung 20). Elektrische Heizbänder sind zu empfehlen, um einer Eisschanzenbildung vorzubeugen, unter Glasdächern sind sie erforderlich.

Innenliegende Dachrinnen können wasserdicht als „Flachdachstreifen" ausgebildet und durch Notabläufe gesichert werden. Zu berücksichtigen ist, bei nicht separat entwässerten Notabläufen, dass bei evtl. Verstopfungen im Entwässerungssystem Niederschlagswasser von der Dachfläche durch den gemeinsamen Entwässerungsanschluss auf die untere Rinne rückstauen und von dort in das Gebäude eindringen kann. Alternativ kann eine ausreichend bemessene Sicherheitsrinne in zweiter Ebene mit eigener Entwässerung hergestellt werden, die die anfallende Niederschlagsmenge ableitet (Abbildung 21).

Abbildung 20: Nicht fachgerechter Abschluss einer innenliegenden Dachrinne; Quelle: AIBau

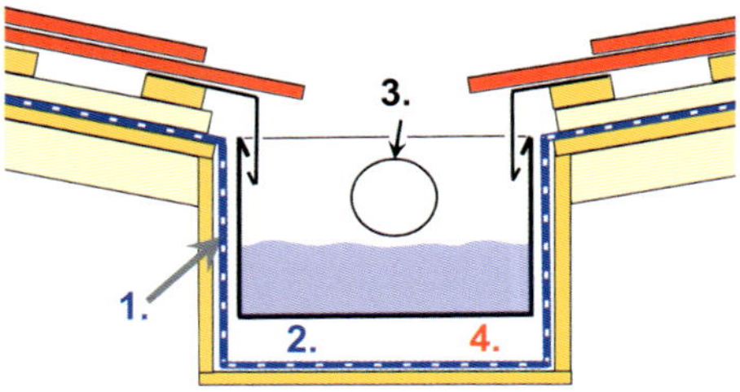

Abbildung 21: Beispiel für innenliegende Rinne mit separat entwässernder Zusatz-Sicherheitsrinne; Quelle: AIBau[24]

Bei verzinkten Rinnen und Metallverkleidungen ist ein Abstand zu dichten Unterlagen zu empfehlen, damit das zur Oxidation benötigte Kohlendioxid an die Oberflächen der verzinkten Teile gelangt.

24 1. Sicherheitsrinne aus Dachabdichtung als Zusatzmaßnahme; 2. Rinne und Sicherheitsrinne nicht gemeinsam entwässern; 3. Separate Speier ins Freie für Rinne und Sicherheitsrinne; 4. ggf. Begleitheizung in schneereichen Gebieten.

Das Merkblatt zur Bemessung von Entwässerungen des ZVDH[25] trifft sehr genaue Regelungen für die Bemessung von Dachflächen, die auf den o.a. Regelwerken aufbauen. Darin werden u.a. die Sicherheitsfaktoren für die jeweilige Anordnung von Dachrinnen getroffen:

Tabelle 4: Sicherheitsfaktoren zur Bemessung von Entwässerungsrinnen in Abhängigkeit von der Einbausituation

Situation	**Sicherheitsfaktor**
vorgehängte Dachrinnen	1,0
vorgehängte Rinnen über Eingängen	1,5
innenliegende Rinnen, vergleichbare Anlagen	2,0
innenliegende Rinnen, besonders hohe Sicherheit, z.B. bei Krankenhäusern, Theatern, EDV-Nutzung, Lagern für Substanzen, die mit Nässe toxische/entflammbare Gase entwickeln oder für Kunstgegenstände	3,0

Die Größen der Dachflächen bestimmen die Größe der Abläufe, Rinnen, Fallrohre etc., für die umfangreiche Tabellen zur Berechnung und Berechnungsbeispiele praxisnah dargestellt werden. So reduzieren z.B. Laubfangvorrichtungen in Rinnen das Ablaufvermögen um ca. 50 %.

4.3.9 Holzschutz

4.3.9.1 Schutz gegen Holzzerstörung

Holz ist ein Baustoff, der ab einem Feuchtigkeitsgehalt von ca. 30 Masse-% durch Mikroorganismen zersetzt wird. Solange das Holz trocken bleibt, wird es diesem natürlichen Zersetzungsprozess durch holzzerstörende Pilzbildungen entzogen. Außerdem müssen tierische Holzschädlinge ferngehalten werden. Die Normenreihe der DIN 68800[26] beschreibt dazu die Anforderungen und auch die Maßnahmen zum Schutz des Holzes, wenn nutzungsbedingt Feuchtigkeit unvermeidbar einwirkt. Aus Sicherheitsgründen wird die Grenze des zulässigen Feuchtegehalts auf 20 % angesetzt.

Die gesamte Normenreihe beschreibt eine Vielzahl von konstruktiven Maßnahmen, um den Einsatz von Giften zu vermeiden. Bei Gebrauchsklassen, die einen chemischen Holzschutz erfordern, sind dauerhaftere Hölzer nach DIN EN 350[27] vorzuziehen, die mit ausführlichen Beispielen aufgelistet werden. Zum Holzschutz sind konstruktive Maßnahmen

25 ZVDH-Merkblatt: Merkblatt zur Bemessung von Entwässerungen 03/2011 (sowie ein Merkblattentwurf vom 17.12.2020); Hrsg.: Zentralverband des Dt. Dachdeckerhandwerks (ZVDH), Köln.

26 Normenreihe der DIN 68800: Holzschutz.

27 DIN EN 350-2 Natürliche Dauerhaftigkeit von Vollholz – Teil 2: Leitfaden für die natürliche Dauerhaftigkeit und Tränkbarkeit von ausgewählten Holzarten von besonderer Bedeutung in Europa, 1994-10.

zur Trockenhaltung möglich, die den chemischen vorzuziehen sind. In Innenräumen soll auf chemische Holzschutzmaßnahmen verzichtet werden.

Typische bauliche Maßnahmen zur Vermeidung übermäßiger Feuchte bei Bauten mit nach außen sichtbaren tragenden Holzkonstruktionen sind z.B. ausreichende Dachüberstände. Ziel ist es zudem, dauerhafte (länger als eine Woche andauernde) relative Luftfeuchten von mehr als 85 % zu vermeiden.

Als weitere Maßnahmen, die zur Holzfeuchtebegrenzung führen, werden benannt:

- Begrenzung der Rissbildung durch Beschränkung der Querschnittsmaße und durch kerngetrennten Einschnitt bei Vollholz;
- Verwendung von Brettschichtholz und technisch getrocknetem Vollholz;
- gehobelte Oberfläche;
- Stauwasser in den Anschlüssen muss verhindert werden;
- Hirnholz muss abgedeckt werden;
- Niederschlagswasser muss direkt abgeführt werden;
- nicht vertikal stehende Bauteile sind oberseitig abzudecken.

Im Außenbereich ist die Wirksamkeit von chemischen Holzschutzmitteln zeitlich begrenzt, gegen Insekten in vielen Fällen nutzlos, weil diese ihre Eier in Rissen ablegen, die meistens nicht chemisch geschützt werden können. Technisch getrocknete Hölzer beinhalten keine Lockstoffe mehr für Insekten und müssen nicht gegen diese geschützt werden.

DIN 68800-2:2022-02 führt hierzu aus:

„Jede der folgenden Maßnahmen reicht allein aus, um einen Bauschaden durch Insekten zu vermeiden:

a) Einsatz von Holz in Räumen mit üblichem Wohnklima oder vergleichbaren Räumen oder Einsatz unter entsprechenden Bedingungen;

b) Einsatz von Brettschichtholz, Brettsperrholz, technisch getrocknetem Bauholz oder Holzwerkstoffen mit einer Holzfeuchte u ≤ 20 % im Gebrauchszustand;

c) eine allseitige insektenundurchlässige Abdeckung des zu schützenden Holzes;

d) offene Anordnung des Holzes, sodass es kontrollierbar ist und an sichtbar bleibender Stelle dauerhaft ein Hinweis auf die Notwendigkeit einer regelmäßigen Kontrolle angebracht wird;

e) Verwendung von Farbkernhölzern, die einen Splintholzanteil ≤ 10 % aufweisen."

Die Holzschutznormen beschreiben keine Maßnahmen gegen oberflächige Schimmelpilzbildungen, die sich unter bestimmten Voraussetzungen auch schon bei einem Holzfeuchtegehalt unter 20 % bilden können. Ein oberflächennaher Feuchtegehalt von etwa 80 % ist ausreichend.

4.3.9.2 Hinweis zu Schimmelpilzbildungen bei Dachüberständen

4.3.9.2.1 Ursachen von Feuchtigkeitsbildung, Wachstumsgrundlage von Schimmelpilzen

Unterseiten von Dachüberständen neigen zu einem oberflächigen Schimmelbefall, da die häufig sehr schlanken Dachüberstände aufgrund von Abstrahlungsvorgängen stark nach oben auskühlen (Abbildungen 22 und 23). Wenn die Bauteiloberflächen kühler sind als die sie umgebende Luft, kann sich an deren Unterseiten bei hohen relativen Luftfeuchten in den Nachtstunden Tauwasser bilden.

Die Situation verstärkt sich bei evtl. Luftundichtigkeiten der Gebäudehülle z.B. an den Anschlüssen zwischen Dach und Wand sowie bei Fenstern in gekippter Stellung. Warme und damit i.d.R. feuchtere Luft gelangt nach außen und steigt unter die Dachüberstände. Diese Feuchte fördert eine Schimmelbildung an der Unterseite der Dachüberstände.

Klimatische Randbedingungen, wie der Standort des Gebäudes in nebelreichen Gebieten, Waldrandlagen, Nähe zu Kompoststätten und Gegenden mit geringen Schadstoffbelastungen in der Außenluft, können ebenfalls zur vermehrten Bildung von Schimmelpilzen beitragen.

Abbildung 22: Starke Schimmelpilzbildungen auf BFU-Platten von Dachüberständen 1; Quelle: AIBau

Abbildung 23: Starke Schimmelpilzbildungen auf BFU-Platten von Dachüberständen 2; Quelle: AIBau

4.3.9.2.2 Schutzmaßnahmen durch geeignete Holzauswahl

Für tragende Platten sind aus Sicherheitsgründen bei solch hohen Feuchtebelastungen biozid ausgerüstete Platten zu verwenden, für nicht tragende werden solche empfohlen. Massivhölzer im Dachüberstand sollen, Holzwerkstoffe und Mehrschichtplatten müssen nach heutigem Kenntnisstand gegen Schimmelpilzbildungen vorbeugend behandelt werden. Dazu zählen auch die Schnittkanten.

Massivhölzer sind weniger anfällig als verleimte Furnierplatten. Wenig resistente Hölzer und damit auch aus diesen hergestellten Furniere nach DIN EN 350-2[28] (u.a. Birke, Buche und Seekiefer) werden eher befallen als z.B. Douglasie oder Lärche-Kernholz. Auch Furnierschichtholz oder Sperrholz aus Fichte ist ohne besondere konstruktive Maßnahmen und Anstriche für diesen Verwendungszweck nur bedingt geeignet.

4.3.9.3 Auswahlkriterien für Holz und Holzwerkstoffe

Neben den o.g. Anforderungen an Holz und Holzwerkstoffe hinsichtlich des konstruktiven Holzschutzes bestehen bei der Verwendung dieser Baustoffe weitere Auswahlkriterien, die nach DIN 4074-1[29] nach visueller Sortierung „S“ und maschineller Sortierung „MS“ unterschieden werden und in sog. Sortierklassen (S 7/MS 7: Tragfähigkeit gering, S10/MS10: Tragfähigkeit üblich, S13/MS13: Tragfähigkeit überdurchschnittlich und MS17: Tragfähigkeit besonders hoch) eingeteilt werden. Die Sortierklassen unterscheiden nach:

- Vollständigkeit des Querschnitts;
- Arten von Rissen;
- Verfärbungen, von Pilzen mit/ohne statische Auswirkungen, Fäulnis und Insektenbefall;
- Querwuchs, Verwindung und Krümmung.

Weiter werden die Anforderungen an Brettschichtholz sowie Befestigungsmitteln, einschließlich der Dicke und Einschlag- bzw. Einschraubtiefen, beschrieben.

Für Dachlatten sind folgende Querschnitte (nach Sortierkriterien S10 bzw. MS10) in Abhängigkeit der Sparrenabstände erforderlich (nach DIN 18334[30]):

Tabelle 5: Querschnittsdimensionierung und Sparrenabstände

Lattenquerschnitte in mm/mm	**(24/48)***	**24/60**	**30/50**	**40/60**
Zulässige Stützweiten bzw. Sparrenabstand in m	0,70	0,80	0,80	1,00
Sortierklasse	S 13	S 13	S 10	S 10
Lattenquerschnitte zur Aufnahme von Dachdeckungen *(nur bei engen Lattenabständen)				

28 DIN EN 350-2 Natürliche Dauerhaftigkeit von Vollholz – Teil 2: Leitfaden für die natürliche Dauerhaftigkeit und Tränkbarkeit von ausgewählten Holzarten von besonderer Bedeutung in Europa, 1994-10.

29 DIN 4074-1 Sortierung von Holz nach der Tragfähigkeit – Teil 1: Nadelschnittholz, 2012-06.

30 DIN 18334 VOB Vergabe- und Vertragsordnung für Bauleistungen – Teil C: Allgemeine Technische Vertragsbedingungen für Bauleistungen (ATV) – Zimmer- und Holzbauarbeiten, 2016-06 (Neuausgabe in 2023-09 geplant).

4.3.10 Weitere Ein- und Ausbauten

4.3.10.1 Durchdringungen, Schornsteine, Dachflächenfenster, Dachgauben

Im Bereich von Unterbrechungen des Dachregelquerschnitts müssen alle Funktionsebenen geneigter Dächer dauerhaft dicht angeschlossen werden. Hierzu zählen die zweite wasserableitende Ebene, die Wärmedämmung (siehe Abschnitt 4.3.4.2) und die Luftdichtheitsebene.

Typische Unterbrechungen sind Rohrdurchdringungen oder Schornsteine, aber auch Dachgauben oder Dachflächenfenster. Werden die beispielsweise luftdichten Anschlüsse entlang von Dachflächenfenstern mithilfe von Klebebändern realisiert, ist auf die Materialkompatibilität zwischen den unterschiedlichen Stoffen zu achten (Abbildung 24). Hinweise sind in DIN 4108-11[31] zu finden oder können aus Produktdatenblättern der Hersteller entnommen werden.

Der Anschluss von Durchdringungen wird zuverlässig durch den Einsatz von zu den jeweiligen Systemen gehörenden Manschetten gelöst. Klebebänder, die nicht auf die angrenzenden Materialien abgestimmt sind, neigen zu Ablösungen (Abbildung 25).

Abbildung 24: Die Luftdichtheitsebene wurde in der Leibung des Dachflächenfensters nur teilweise verklebt; Quelle: AIBau

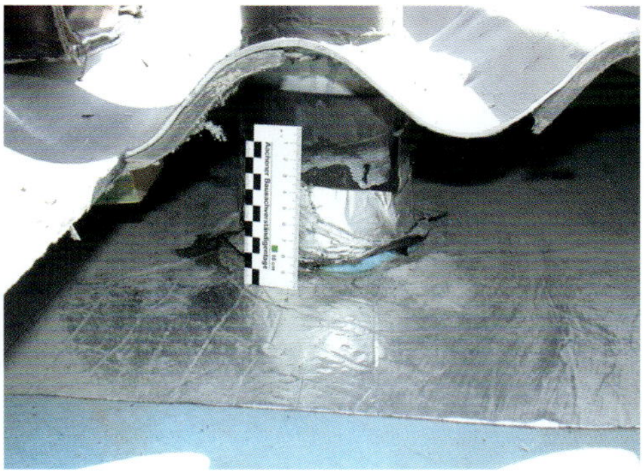

Abbildung 25: Nicht dauerhafte Klebeverbindung an einer Dachdurchdringung; Quelle: AIBau

4.3.10.2 Solaranlagen

Werden Solaranlagen (PV- bzw. Solarthermieanlagen) auf geneigten Dächern installiert, so ist auch hier darauf zu achten, dass sämtliche Durchdringungspunkte an die entsprechenden Funktionsebenen angeschlossen werden. Die Durchführung der Dachhaken der Solaranlage durch die Ebene der Eindeckung sollte möglichst mit entsprechenden Formsteinen bzw. auf die Eindeckung abgestimmte Metallformelemente erfolgen. Handwerklich erstellte Aussparungen an den Dachziegeln/-steinen können die Stabilität und die Druckfes-

31 DIN 4108-11 Wärmeschutz und Energie-Einsparung in Gebäuden – Teil 11: Mindestanforderungen an die Dauerhaftigkeit von Klebeverbindungen mit Klebebändern und Klebemassen zur Herstellung von luftdichten Schichten, 2018-11.

tigkeit des Deckwerkstoffs vermindern und so zum Bruch der Ziegel/Dachsteine führen. Zudem wird die Regensicherheit der Deckwerkstoffe durch die partielle Unterbrechung beeinträchtigt, was zu einem erhöhten Feuchteeintrag unter die Ebene der Eindeckung führen kann. Aufgrund der zusätzlichen Verschattung der Dachfläche durch die Solaranlage kann die (vermehrt) eingedrungene Feuchtigkeit zudem schlechter wieder abtrocknen und ggf. zu Schäden an der (Konter-)Lattung führen. Detaillierte Hinweise können dem AIBau-Forschungsbericht „Solaranlagen auf geneigten Dachflächen im Gebäudebestand" entnommen werden.[32]

Bei in die Dachdeckung integrierten Solaranlagen gelten für die Planung, Auswahl und Lagesicherung die gleichen Anforderungen wie an die Dachdeckung selbst. Das bedeutet vor allem, dass die Anlage auch die weiteren Funktionen der Schichten übernehmen muss, die durch sie ersetzt werden. Hierzu zählen neben dem Feuchteschutz auch die Anforderungen an den Brandschutz, die von einer sog. harten Bedachung aus Dachziegeln/-steinen erbracht werden.

32 *Spilker/Liebert/Zöller u.a.,* Solaranlagen auf geneigten Dachflächen im Gebäudebestand, Forschungsbericht des Aachener Instituts für Bauschadensforschung und angewandte Bauphysik gemeinnützige GmbH (AIBau) und der DGS Berlin, gefördert vom Bundesinstitut für Bau-, Stadt- und Raumforschung (BBSR), Bonn, abgeschlossen 2019 (www.aibau.de).

4.4 Mauerwerk und Verblendmauerwerk

Eric Brehm

Übersicht

4.4.1 Einführung

Mauerwerk ist eine Bauweise mit jahrtausendelanger Anwendungsgeschichte. Die Normungshistorie von Mauerwerk ist dagegen kurz – erst seit Mitte des 20. Jahrhunderts wird die Bemessung und Ausführung von Mauerwerk in DIN-Normen geregelt. Mit der wachsenden Wichtigkeit von bauphysikalischen Anforderungen durch die Einführung der EnEV sowie gestiegenen Anforderungen an den Schallschutz, nahm die Innovation im Mauerwerk stark Fahrt auf. Die Entwicklung führte u.a. zu großformatigem Mauerwerk, der Anwendung von Dünnbettmörteln und hochwärmedämmenden Steinen. Im Zuge dessen entstand eine große Vielfalt möglicher Mauerwerkskonstruktionen, deren Ausführungsdetails eine entsprechende Bandbreite aufweisen. Die Ausführung von Mauerwerk wird definiert von bauphysikalischen Aspekten, insbesondere Wärme- und Feuchteschutz.

Die Bemessung und Ausführung von Mauerwerkskonstruktionen ist in Deutschland in DIN EN 1996[1] mit zugehörigen Nationalen Anwendungsdokumenten (NA) geregelt. Ergänzend kommen die Teile der Normenreihe DIN EN 771[2] in Verbindung mit DIN 20000[3] hinzu, in der ein Großteil der Steine geregelt wird. Des Weiteren existieren Normen, wie z.B. DIN 4103-1[4], welche sich mit speziellen Bauteilen (z.B. nichttragenden Trennwänden aus Mauerwerk) beschäftigen. Zusätzlich kommt den Merkblättern der Deutschen Gesellschaft für Mauerwerks- und Wohnungsbau e.V. (DGfM) und den Richtlinien des Deutschen Ausschusses für Mauerwerksbau e.V. (DAfM) eine besondere Bedeutung zu, neben den umfangreichen Sammlungen an Ausführungsdetails, die von den Mauerwerksherstellern publiziert werden. Abschließend seien noch kurz die Normen für Abdichtung sowie Bauphysik erwähnt, die sich zudem verhältnismäßig oft ändern. Es ist also zu erkennen, dass die Regelungssituation im Mauerwerk durchaus komplex ist und eine Vielzahl unterschiedlicher Regelungen im Zusammenhang mit einer vielfältigen Produktpalette die Planung und Ausführung, insbesondere der Details, verkompliziert.

In diesem Beitrag wird die korrekte Ausführung der Mauerwerksbauweise beschrieben und erläutert, um eine Beurteilungsgrundlage für mögliche Ausführungsfehler und Schäden bereitzustellen.

4.4.2 Grundlagen des Mauerwerksbaus

4.4.2.1 Anwendung

Mauerwerk ist eine Bauweise, die sich aus der Verbindung der Baustoffe Mauerstein und Mauermörtel zu einem tragenden Bauteil ergibt. Zu dessen Ausführung und Konstruktion sind Regelungen in DIN EN 1996 und den entsprechenden Nationalen Anhängen DIN EN 1996/NA zu finden. Außerdem sind weiterführende Hinweise etwaiger Merkblätter und Fachliteratur zu beachten. Hier sind insbesondere die Merkblätter der Deutschen Gesellschaft für Mauerwerks- und Wohnungsbau (DGfM) und die Richtlinien und Hefte des Deutschen Ausschuss für Mauerwerk (DAfM) zu nennen.

Im Verband angeordnet ist Mauerwerk in der Lage, hohe Druck-, aber auch in Scheibenrichtung wirkende Schubkräfte aufzunehmen. Im Vergleich hierzu sind die Zug- und Biegezugfestigkeiten von Mauerwerk gering. Aus diesem Grund wird Mauerwerk überwiegend in vertikalen Bauteilen, wie Wänden, Pfeilern und Stützen, eingesetzt. Öffnungsüberspan-

1 DIN EN 1996 Bemessung und Konstruktion von Mauerwerksbauten.
2 DIN EN 771 Festlegungen für Mauersteine.
3 DIN 20000 Anwendung von Bauprodukten in Bauwerken.
4 DIN 4103-1 Nichttragende innere Trennwände – Teil 1: Anfoderungen und Nachweise, 2015.

nende Bauteile aus Mauerwerk sind in der Regel ausschließlich in Form von Bögen vorzufinden. Durch eine an der Momentenlinie ausgerichtete Konstruktion kann dabei das Auftreten von Zugspannungen nahezu vollständig ausgeschlossen werden. Durch dieses Konstruktionsprinzip lassen sich u.a. Kappendecken, aber auch Brückenbögen verwirklichen. Dieser Beitrag beschränkt sich auf die im Hochbau übliche Verwendung von Mauerwerk in vertikalen Bauteilen.[5]

Mauerwerkswände erfüllen im modernen Hochbau neben der Funktion als tragendes Bauteil eine Vielzahl weiterer Funktionen.[6] Hierzu gehören die Funktionen

- Raumabschluss,
- Schallschutz,
- Kälte- und Wärmeschutz,
- Brandschutz und
- Witterungsschutz.

Die korrekte Planung und Ausführung unter Beachtung aller zu erfüllenden Ansprüche an das Mauerwerk ist von größter Bedeutung für die spätere Nutzung. Nur durch eine fehlerfreie Ausführung, aber auch Planung, können die hohen Anforderungen an die Gebrauchstauglichkeit, Dauerhaftigkeit und Tragfähigkeit erfüllt werden.

4.4.2.2 Baustoffe

4.4.2.2.1 Allgemeines

Da es sich bei der Bauweise Mauerwerk um eine aus zwei verschiedenen Baustoffen zusammengesetzte Bauweise handelt, werden nachfolgend die Eigenschaften der Komponenten Mauerstein und Mauermörtel beschrieben. Auch innerhalb dieser Baustoffe gibt es eine große Anzahl unterschiedlicher Varianten von Steinen und Mauermörtel.

4.4.2.2.2 Steine

4.4.2.2.2.1 Mechanische Eigenschaften

In Deutschland werden im Wesentlichen künstliche Steine gemäß DIN EN 771 in Verbindung mit DIN 20000 aus Mauerziegel, Kalksandstein, Porenbeton und Leichtbeton verwendet. Des Weiteren kommen Steine nach Produktnorm mit allgemeiner Bauartgenehmigung (aBG) und Steine nach allgemeiner bauaufsichtlicher Zulassung in Verbindung mit allgemeiner Bauartgenehmigung zum Einsatz (abZ+aBG). Die Steine unterscheiden sich, neben ihren bauphysikalischen und Festigkeitseigenschaften, in ihrem Verformungsverhalten.

5 Vgl. Deutsche Gesellschaft für Mauerwerks- und Wohnungsbau, Vorlesung 1 – Grundlagen des Mauwerksbaus, 9 10 2023; abrufbar unter https://www.mauerwerksbau-lehre.de/vorlesungen/1-grundlagen-und-baustoffe-des-mauerwerksbaus.

6 Vgl. a.a.O.

Die Spannungs-Dehnungsbeziehung von Mauerwerk unterscheidet sich je nach verwendeter Stein-Mörtel-Kombination erheblich. Untenstehend sind die Spannungs-Dehnungs-Beziehungen nach *Schubert*[7] für die üblicherweise verwendeten Mauersteine dargestellt. Für eine vollständige Darstellung der einzelnen Steineigenschaften wird auf die entsprechende Fachliteratur verwiesen.

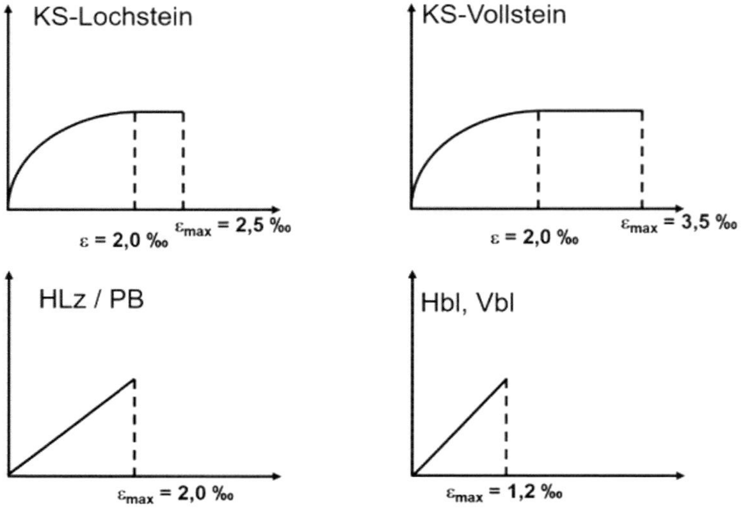

Abbildung 1: Spannungs-Dehnungsbeziehung von Mauerwerk[8]

4.4.2.2.2.2 Steinformate

Die vorzufindenden Steinformate haben ihren Ursprung in der DIN 4172[9], in welcher die Baurichtmaße im Hochbau geregelt werden. Das Baurichtmaß entspricht jeweils einem Vielfachen von 12,5 cm und beruht auf der Achtelteilung eines Meters. Das Baurichtmaß dient als Grundlage für die Planenden. Die Berücksichtigung der erforderlichen Mauerwerksfugen erfolgt im Baunennmaß. Bei der Ermittlung des Baunennmaßes wird die Fugendicke mit einem Zentimeter angesetzt.[10] Aus diesem Grund ergeben sich die bei Verwendung von Standardformaten üblichen Steinlängen von 24 cm und Steinbreiten von 11,5 cm. Die Standardformate werden in Dünnformat, Normalformat und Vielfache dieser Formate unterschieden (vgl. Abbildung 2).

- Dünnformat (DF): 240 mm x 115 mm x 52 mm
- Normalformat (NF): 240 mm x 115 mm x 71 mm
- 1,5 NF = 2 DF = 240 mm x 115 mm x 113 mm

7 *Meyer*, Spannungs-Dehnungs-Linien von Mauerwerk, Mauerwerk-Kalender 1992, S. 615–622.
8 Entnommen aus: Meyer, Spannungs-Dehnungs-Linien von Mauerwerk, Mauerwerk-Kalender 1992, S. 615–622.
9 DIN 4172 Maßordnung im Hochbau, September 2015.
10 Vgl. a.a.O.

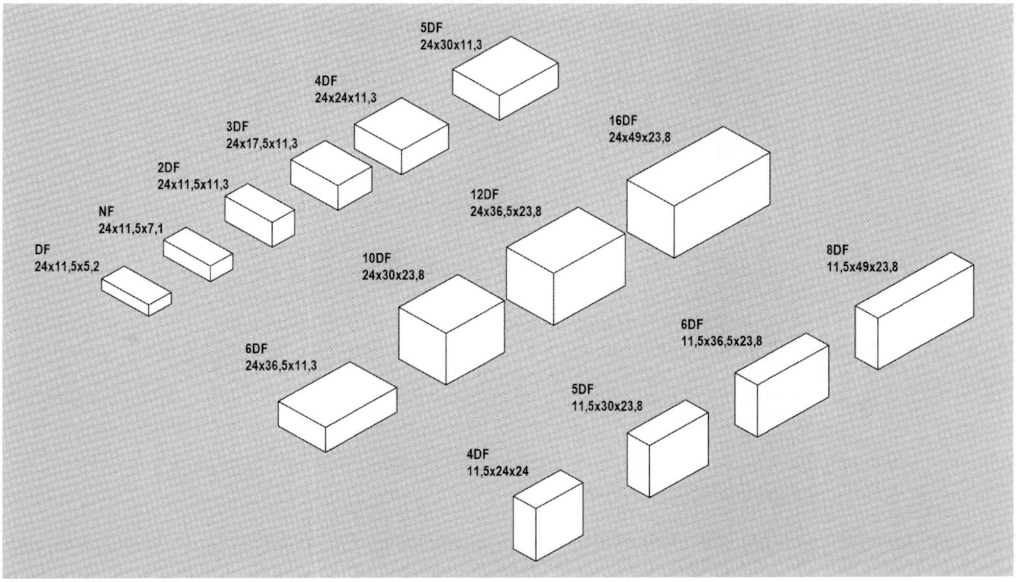

Abbildung 2: Steinformate[11]

Neben den genannten Standardformaten kommen im heutigen Hochbau vermehrt Plansteine oder großformatige Planelemente zum Einsatz, welche in Dünnbettmörtel verlegt werden. Die in Kombination mit Dünnbettmörtel verwendeten Plansteine weichen in den Abmessungen von den Standardformaten ab, da die Stoßfugen knirsch und die Lagerfugen lediglich mit einer Dicke von 1 bis 3 mm hergestellt werden. Plansteine müssen besondere Anforderungen an die Ebenheit und Planparallelität ihrer Lagerflächen erfüllen. Die maximale Abweichung der Abmessungen beträgt 1,0 mm.[12]

4.4.2.2.3 Mörtel

Die Aufgabe von Mauermörtel besteht darin, die auf das Bauteil einwirkenden Kräfte von Stein zu Stein zu übertragen. Des Weiteren gleicht der Mörtel herstellungsbedingte Toleranzen der Mauersteine aus. Dies ist u.a. der Grund dafür, weshalb Dünnbettmörtel ausschließlich in Kombination mit Plansteinen verwendet werden darf.

Bei der Planung von Mauerwerk stehen verschiedene Mörtelarten zur Auswahl, welche nach DIN 20000-412 in Normalmauermörtel, Dünnbettmörtel und Leichtmauermörtel eingeteilt werden. Bei Verwendung von Mauermörtel ist die Konformität der Eigenschaftskennwerte mit genannter DIN durch die ausführende Firma sicherzustellen.[13]

Normalmauermörtel (NM) stehen gemäß DIN EN 998-2 in den Mörtelklassen M1, M2,5, M5, M10 und M20 zu Verfügung.[14] Die Benennung erfolgt anhand der Druckfestigkeit des

11 Darstellung des Autors in Anlehnung an Deutsche Gesellschaft für Mauerwerks- und Wohnungsbau, Vorlesung 1 – Grundlagen des Mauwerksbaus, 9 10 2023; abrufbar unter https://www.mauerwerksbau-lehre.de/vorlesungen/1-grundlagen-und-baustoffe-des-mauerwerksbaus.

12 Vgl. a.a.O.

13 Vgl. a.a.O.

14 DIN EN 998-2 Festlegungen für Mörtel im Mauerwerksbau – Teil 2: Mauermörtel, Februar 2017.

Mauermörtels in N/mm². Die angestrebte Solldicke der Lagerfuge beträgt bei Verwendung dieses Mauermörtels 12 mm. In Deutschland sind die Bezeichnungen der Mörtelgruppen nach DIN 18580 für Nomalmauermörtel geläufiger. Die Zuordnung erfolgt entsprechend der untenstehenden Auflistung gemäß DIN 18580 für Baustellenmörtel.[15]

- M1 = NM I
- M2,5 = NM II
- M5 = NM IIa
- M10 = NM III
- M20 = NM IIIa

Nach DIN 18580 darf ausschließlich Normalmauermörtel als Baustellenmörtel hergestellt werden. Alle weiteren Mörtelarten müssen entsprechend dem werksseitig festgelegten Mischungsverhältnis geliefert werden. Vorhandene Lieferformen sind Werk-Trockenmörtel, Werk-Frischmörtel und Werk-Vormörtel.

Leichtmauermörtel (LM) wird vor allem bei Verwendung von Wärmedämmsteinen eingesetzt, da dieser aufgrund der geringeren Rohdichte einen günstigeren Wärmedurchlassgrad besitzt. Die Benennung der Leichtmauermörtel nach DIN EN 1996 erfolgt entsprechend dem Rechenwert der Wärmeleitfähigkeit. Es steht LM 21 (0,21 W/(m·K) und LM 36 (0,36 W/(m·K) zu Verfügung. Gemäß DIN EN 998-2 entsprechen die genannten Mörtel der Mörtelklasse M5 unter der Voraussetzung, dass die Anforderungen an die Wärmeleitfähigkeit ebenfalls erfüllt werden. Die Solldicke der Lagerfuge entspricht der Solldicke bei Verwendung von Normalmauermörtel.[16]

Dünnbettmörtel sind für die Verwendung bei Nutzung von Plansteinen vorgesehen. Das Größtkorn des Mörtels darf nur 1,0 mm betragen. Dünnbettmörtel können gemäß DIN EN 988-2 in die Mörtelklasse M10 eingeordnet werden.

4.4.2.3 Planung und Auswahl der Baustoffe

4.4.2.3.1 Allgemeines

Bei der Wahl der Baustoffe muss DIN EN 1996-2[17] beachtet werden. Es ist darauf zu achten, dass die gewählten Baustoffe für die angedachte Nutzung geeignet sind. Der Nachweis der Eignung ist allerdings in DIN EN 1996-2 nicht immer klar geregelt und lässt einen gewissen Interpretationsspielraum offen. Vor allem in Bezug auf die zu verwendenden Mörtel wird hier häufig auf die örtlichen Erfahrungen der Planer und Ausführenden verwiesen. Im Allgemeinen gilt die Eignung dann zweifelsfrei als erwiesen, wenn eine technische Zulassung, eine nationale Norm oder eine andere anerkannte Bestimmung vorliegt. Im Zweifelsfall sollte vor allem bei hohen Beanspruchungsklassen (siehe Umweltklassen in

15 DIN 18580 Baustellenmörtel, Juni 2019.

16 Vgl. Deutsche Gesellschaft für Mauerwerks- und Wohnungsbau, Vorlesung 1 – Grundlagen des Mauwerksbaus, 9 10 2023; abrufbar unter https://www.mauerwerksbau-lehre.de/vorlesungen/1-grundlagen-und-baustoffe-des-mauerwerksbaus.

17 DIN EN 1996-2 Eurocode 6: Bemessung Konstruktion von Mauerwerk – Teil 2: Planung, Auswahl der Baustoffe und Ausführung von Mauerwerk.

Abschnitt 4.4.2.3.2) in aggressiver Umgebung die Eignung mit dem Hersteller abgestimmt werden. Bei Mauerwerk, welches der Witterung ausgesetzt ist, sollte außerdem auf eine ausreichende Frostbeständigkeit geachtet werden. Sollte die vorhandene Produktnorm unterschiedliche Klassen der Frostwiderstandsfähigkeit aufweisen, sind bei Schornsteinköpfen, Kellereingangs-, Stütz-, und Gartenmauern Steine der höchsten Klasse der Frostwiderstandsfähigkeit einzusetzen.[18]

4.4.2.3.2 Mikroumweltbedingungen

Mauerwerk ist verschiedenen Umgebungseinflüssen ausgesetzt, welche maßgebend für die Wahl der Baustoffe sind. DIN EN 1996-2 unterteilt diese in Mikroumweltbedingungen verschiedener Kategorien (siehe Tabelle 1). Die Mikroumweltbedingungen reichen von Klasse MX1 – für Mauerwerk in einer trockenen Umgebung – bis zur Klasse MX5 für Mauerwerk in chemisch angreifender Umgebung.

Gemäß DIN EN 1996-2 müssen für die Bestimmung der Umweltklassen weitere Faktoren berücksichtigt werden. Dies sind Klimafaktoren, Feuchte und Durchnässung, Frost-Tau-Wechsel und das Vorhandensein von chemischen Substanzen, deren Reaktion Schäden verursachen können.

Tabelle 1: Umweltklassen nach DIN EN 1996-2

Umweltklasse	Umgebungsbedingungen
MX1	in trockener Umgebung
MX2	Feuchte oder Durchnässung ausgesetzt
MX3	Feuchte oder Durchnässung und Frost-Tau-Wechseln ausgesetzt
MX4	der Einwirkung von salzhaltiger Luft oder Meerwasser ausgesetzt
MX5	in einer Umgebung mit stark angreifenden Chemikalien

4.4.2.3.2.1 Makroumweltbedingungen

Makroumweltbedingungen sind Klimafaktoren, welche die Mikroumweltbedingungen maßgeblich beeinflussen. Dies sind Regen, Schnee, Wind, Temperatur und Schwankungen der relativen Luftfeuchte.

4.4.2.3.2.2 Aggressive chemische Umgebungen

Aggressive chemische Umgebungen können z.B. Küstenregionen sein, in denen die Einwirkungen von Chloridanteilen in der Luft immer zu berücksichtigen sind. Des Weiteren können Sulfatquellen in natürlichen Böden, im Grundwasser, in der Luft oder auch in der Nähe von Müllhalden das Mauerwerk schädigen. Des Weiteren können auch verwendete Baustoffe eine Sulfatquelle darstellen.

18 Vgl. DIN EN 1996-2 Eurocode 6: Bemessung Konstruktion von Mauerwerk – Teil 2: Planung, Auswahl der Baustoffe und Ausführung von Mauerwerk.

Generell sollte bei Vorhandensein aggressiver Chemikalien, mit Ausnahme von Chloridanteilen aus der Luft oder Meerwasser, die Umweltklasse MX5 angenommen werden. Wenn durch einen Feuchtetransport Salze in das Mauerwerk eingetragen werden können, sollten mögliche erhöhte Konzentrationen und Mengen der vorhandenen Chemikalien berücksichtigt werden.

4.4.2.3.3 Mischkonstruktionen

Gemäß DIN EN 1996-2 ist die Planung und Ausführung von Mischkonstruktionen innerhalb eines Stockwerks nicht zu empfehlen. Mischkonstruktion meint die Verwendung unterschiedlicher Steinarten innerhalb eines Gebäudes oder in angrenzenden Bauteilen. Einerseits besteht die Gefahr von Verwechslungen, wodurch Baustoffe an falscher Stelle eingebaut werden, oder es werden aufgrund abweichender Eigenschaftskennwerte unverträgliche Materialkombinationen gewählt.

Besondere Verwechslungsgefahr besteht dann, wenn gleiche Steinarten mit unterschiedlicher Festigkeitsklasse verwendet werden. Hinzu kommt bei Verwendung unterschiedlicher Steinarten ein unterschiedliches Verformungsverhalten aufgrund von Schwinden, Kriechen oder Temperaturwechsel. Schließt beispielsweise ein stark schwindendes Mauerwerk (z.B. Kalksandstein) kraftschlüssig an ein schwindarmes Mauerwerk (z.B. Ziegel) an, wird die Verformung durch das verformungsärmere Mauerwerk gehindert. Von Mischkonstruktionen, die form- und kraftschlüssig miteinander verbunden werden, wird generell abgeraten.

4.4.2.4 Mörtelfugen

Infolge der Verbindung der Baustoffe Mauerstein und Mörtel entsteht das für Mauerwerk charakteristische Fugenbild. Das jeweilige Fugenbild unterscheidet sich in Abhängigkeit der Ausbildung des Mauerwerkverbands (siehe Abschnitt 4.4.2.5). Im Allgemeinen wird zwischen Stoß- und Lagerfugen unterschieden. Stoßfugen sind vertikale Fugen zwischen den Einzelsteinen. Lagerfugen nennt man die horizontalen Fugen zwischen den Steinreihen (siehe Abbildung 3).

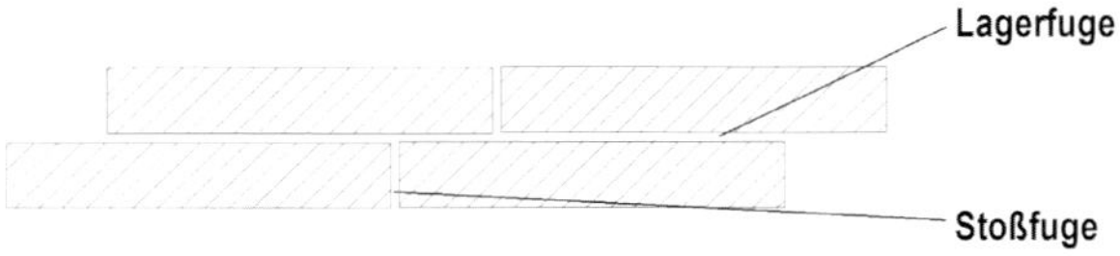

Abbildung 3: Bezeichnung von Mauerwerksfugen; Quelle: Eric Brehm

Je nach verwendetem Mörtel ist in DIN EN 1996-1-1 und DIN EN 1996-1-1/NA die herzustellende Fugendicke geregelt. So sollen Lagerfugen aus Normal- und Leichtmörtel eine Fugendicke von ca. 12 mm aufweisen. Geringfügige Abweichungen von der Solldicke sind zu vernachlässigen. Bei Verwendung von Dünnbettmörteln sind Lagerfugendicken zwischen 0,5 mm und 3 mm zulässig. Neben der Lagerfugendicke ist auf einen vollflächigen Mörtelauftrag zu achten, um einen ungehinderten vertikalen Kraftfluss durch das Mauerwerk zu ermöglichen. Der Mörtel in Lagerfugen sorgt u.a. für einen Haftverbund zwischen den Steinen, zudem werden herstellungsbedingte Unebenheiten der Mauersteine ausgeglichen und damit Spannungsspitzen in den Lagerflächen vermieden.

Für die Vermörtelung der Stoßfugen bei Verwendung von Normal- und Leichtmauermörtel fordert DIN EN 1991-1-1/NA eine Sollfugendicke von 10 mm. Eine Stoßfugenvermörtelung liegt nach DIN EN 1991-1-1/NA vor, wenn über die gesamte Steinhöhe mindestens die Hälfte der Steinbreite mit Mörtel versehen ist. Stoßfugen müssen jedoch nicht zwangsläufig vermörtelt werden.[19]

Wird Dünnbettmörtel in Kombination mit Plansteinen verwendet, können die Mauersteine knirsch aneinandergesetzt werden. Dies kann stumpf mit glatten Stirnflächen oder ineinander verzahnt mit Steinen, die ein Nut-Federsystem an den Stirnflächen besitzen, erfolgen. Die unvermörtelte Stoßfuge darf gemäß DIN EN 1996-1-1/NA maximal 5 mm dick sein, andernfalls ist die Fuge beidseitig mit Mörtel zu verschließen. Bei Missachtung dieser Regeln ist mit negativen Folgen für die Mauerwerkseigenschaften, insbesondere für den Schallschutz und die Risssicherheit, des ggf. aufgetragenen Putzes zu rechnen.

Bei der Herstellung der Fugen ist darauf zu achten, dass der Mörtel entsprechend den Angaben des Herstellers verarbeitet wird. Vor Auftrag des Mörtels sind Verschmutzungen von Steinoberflächen zu entfernen. Bei Überschreitung der Verarbeitbarkeitszeit besteht die Gefahr, dass der Haftverbund zwischen Mauersteinen verringert wird.

4.4.2.5 Verbandstypen

Charakteristisch für Mauerwerk ist, dass übereinanderliegende Steine zueinander versetzt angeordnet werden. Das Maß, um welches die Mauersteine zueinander versetzt werden, wird Überbindemaß genannt. In DIN EN 1996-1-1 sind Mindestwerte für das Überbindemaß festgelegt. Infolge der Überbindung der Steine entsteht ein „Verband". Der Verband ermöglicht die scheibenartige Tragwirkung.

Heutzutage werden Mauerwerkswände im Wesentlichen als Einsteinmauerwerk hergestellt, d.h., die Steine überbinden nur in Längsrichtung der Wand. Innerhalb der Verbände wird in Läufer- und Binderschichten unterschieden. Als Läufer werden Steine bezeichnet, welche mit der langen Seite in Wandlängsrichtung verlegt werden. Binder dagegen werden quer zur Wandlängsrichtung eingebaut. Im modernen Mauerwerksbau sind Binderschichten nur noch selten anzutreffen. Diese werden ausschließlich im sog. Verbandsmauerwerk benötigt und verbinden die im Läuferverband gemauerten Steinreihen zu einer Wandschale. Des Weiteren wird in Regelverbände bei tragenden Wänden und Zierverbände bei nichttragenden Wänden unterschieden.

Abbildung 4 zeigt eine kleine Auswahl gängiger Regelverbände. Unter Beachtung der normativ geforderten Überbindemaße kann eine nahezu beliebige Anzahl möglicher Verbände hergestellt werden.

19 DIN EN 1996-1-1/NA Nationaler Anhang – National festgelegte Parameter – Eurocode 6: Bemessung und Konstruktion von Mauerwerksbauten – Teil 1-1: Allgemeine Regeln für bewehrtes und unbewehrtes Mauerwerk.

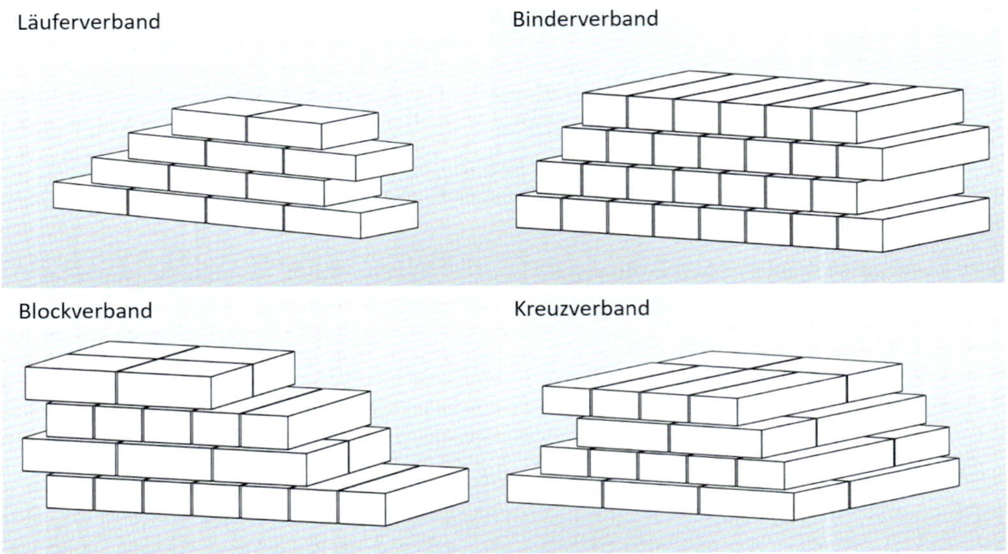

Abbildung 4: Gängige Verbandstypen; Quelle: Eric Brehm

4.4.2.6 Überbindemaß

Das Überbindemaß l_{ol} bezeichnet das Maß, um welches Mauersteine einer Reihe zur darunterliegenden versetzt angeordnet sind (vgl. Abbildung 5). Gemäß DIN EN 1996-1-1 und DIN EN 1996-1-1/NA hat das Überbindemaß für Mauersteine mindestens 40 % der Steinhöhe h_u, aber nicht weniger als 40 mm, zu betragen. Bei Steinen mit einer Höhe h_u größer 250 mm sind 20 % der Steinhöhe, aber mindestens 100 mm, als Überbindemaße gefordert. Geringere Überbindemaße sind nur in Ausnahmefällen möglich.[20]

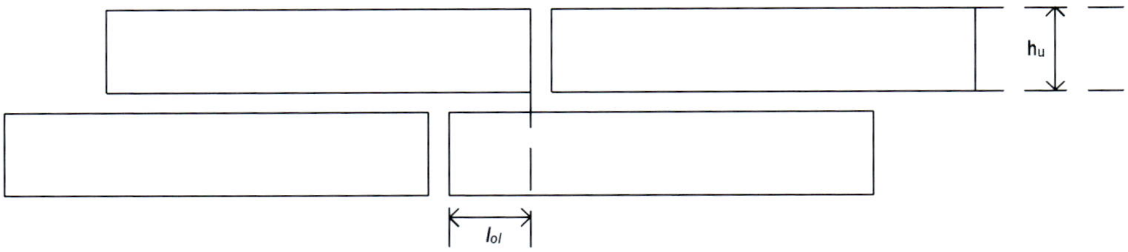

Abbildung 5: Überbindemaß nach DIN EN 1996-1-1; Quelle: Eric Brehm

Bei Wandenden und Pfeilern sollte der korrekten Ausbildung des Überbindemaßes besondere Beachtung zukommen, da die Tragfähigkeit erheblich reduziert wird, wenn der Verband nicht kraftschlüssig wirkt.

20 DIN EN 1996-1-1 Eurocode 6: Bemessung und Konstruktion von Mauerwerksbauten – Teil 1-1: Allgemeine Regeln für bewehrtes und unbewehrtes Mauerwerk.

4.4.2.7 Dehnungsfugen

Dehnungsfugen dienen dazu, Verformungen aufgrund von Temperatur, Feuchtigkeit, Kriechen, Schwinden oder Belastung im Mauerwerk schadensfrei zu ermöglichen. Dehnungsfugen sind demnach in Bereichen zu planen, wo größere Verformungen zu erwarten sind, wie z.B. in Gebäudeecken oder an Fenstern. Gemäß DIN EN 1996-2 hat dies unter Berücksichtigung folgender Randbedingungen zu erfolgen:

- verwendete Baustoffe und deren Verhalten unter Belastung und anderer Umgebungseinflüsse,
- Grundriss,
- Ausmaß der Verformung,
- Anforderungen an das Mauerwerk (Brand-, Schallschutz und Wärmedämmung).

Dehnungsfugen sind nach DIN EN 1996-2 so anzuordnen, dass die Tragfähigkeit des Mauerwerks nicht negativ beeinflusst wird. Sie haben dabei die gesamte Wandkonstruktion zu durchlaufen und sind bei zweischaligem Mauerwerk entsprechend durch alle Schichten zu führen. Bei Verzicht oder fehlerhafter Ausführung werden Bauteile in ihrer Verformung gehindert, wodurch Spannungen im Mauerwerk entstehen. Bei Überschreitung der Zugfestigkeit des Mauerwerks bzw. Haftscherfestigkeit des Mörtels entstehen Risse.

Während für den Abstand von Dehnungsfugen bei nichttragenden Wänden normative Vorgaben gemacht werden, sind bei tragenden Wänden keine Vorgaben in DIN EN 1996-2 enthalten. Hier muss vonseiten der Planer eine sinnvolle Anordnung unter Berücksichtigung der konstruktiven Randbedingungen gewählt werden. Sinnvolle Bereiche für Dehnungsfugen können z.B. am Übergang von verschiedenen Materialien, im Bereich von Querschnittswechseln oder am Übergang von verschiedenen Gebäudeteilen sein. Grundsätzlich muss darauf geachtet werden, dass Gebäudefugen auch im Putz übernommen werden, da sich an diesen Stellen sonst Risse ausbilden werden.

Angaben zu maximalen Abständen von Dehnungsfugen in Vormauerschalen sind in Abschnitt 4.4.3.2 zu finden.

4.4.2.8 Herstellungstoleranzen

Die Ausführung von Mauerwerk erfordert vonseiten der Ausführenden eine sorgfältige und gewissenhafte Arbeitsweise, dennoch stellen Maurerarbeiten ein eher grobes Gewerk dar, weshalb gewisse Abweichungen von den Planungsvorgaben hinzunehmen sind.

Die nach DIN EN 1996-2 zulässigen Herstellungstoleranzen sind in Tabelle 2 aufgeführt. Diese gelten, solange keine geringeren Grenzwerte vonseiten der Planung festgelegt werden.

Tabelle 2: Herstellungstoleranzen nach DIN EN 1996-2

Position	Maximale Abweichung
Vertikalität	
über ein Geschoss über die gesamte Gebäudehöhe, bei drei oder mehr Geschossen senkrechte Fluchtlinie	± 20 mm ± 50 mm ± 20 mm
Ebenheit[a]**:**	
über einen Meter über 10 Meter	± 10 mm ± 50 mm
Dicke:	
der Wandscheibe[b] der zweischaligen Wand	± 5 mm oder ± 5 % der Schalendicke, wobei der größere Wert maßgebend ist ± 10 mm
[a] Die Ebenheit wird als maximale Abweichung von einer geraden Linie zwischen zwei beliebigen Punkten gemessen. [b] AusgenommenWandschalen mit der Breite oder Länge eines einzelnen Mauersteins, bei denen die Maßtoleranzen des Mauersteins die Schalendicke bestimmen.	

4.4.3 Wände aus Mauerwerk

4.4.3.1 Einschaliges Mauerwerk

Einschaliges Mauerwerk kommt sowohl im Innenbereich als auch im Außenbereich zum Einsatz. Es besteht lediglich aus dem Mauerwerk selbst und einem Innen- und Außenputz. Kommt einschaliges Mauerwerk im Außenbereich zum Einsatz, können entweder wärmedämmende Steine, z.B. dämmstoffgefüllte Ziegel oder Porenbeton, verbaut werden, um den Anforderungen an den Wärmeschutz zu entsprechen, oder es kommt eine Wärmedämmverbundsystem zum Einsatz (vgl. Abbildung 6). Bei der Wahl des Wandaufbaus sind die Anforderungen an den Schall- und Wärmeschutz zu beachten.[21]

21 Vgl. Deutsche Gesellschaft für Mauerwerks- und Wohnungsbau, Vorlesung 1 – Grundlagen des Mauwerksbaus, 9 10 2023; abrufbar unter https://www.mauerwerksbau-lehre.de/vorlesungen/1-grundlagen-und-baustoffe-des-mauerwerksbaus.

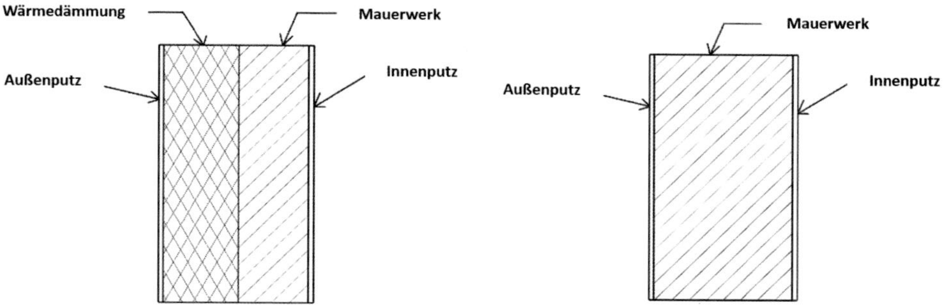

Abbildung 6: Einschaliger Wandaufbau; Quelle: Eric Brehm

Bei Kelleraußenwänden kommt anstatt eines Außenputzes eine vertikale Abdichtungsschicht zum Einsatz. Eventuell erforderliche Dämmschichten können sowohl innen als auch außen aufgebracht werden (siehe Abbildung 7).

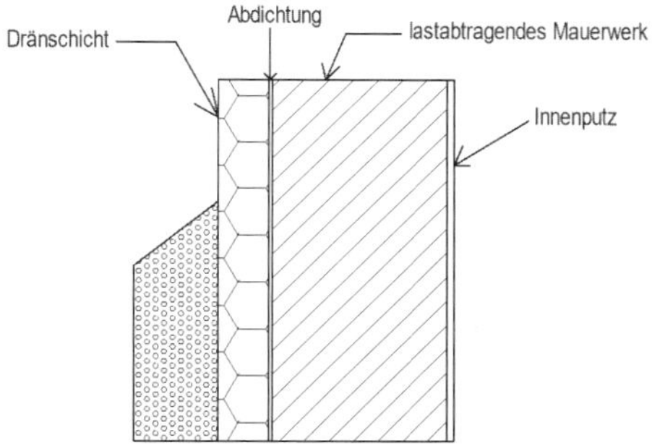

Abbildung 7: Einschaliger Wandaufbau einer Kellerwand; Quelle: Eric Brehm

4.4.3.2 Zweischalige Mauerwerkswände

Neben der einschaligen Ausführung von Außenmauerwerk besteht die Möglichkeit, Mauerwerk zweischalig auszuführen. In diesem Fall besteht die Wand aus einer tragenden, inneren Schale und einer äußeren, nichttragenden Schale, welche die tragende Schicht vor Witterungseinflüssen schützt. Ist die Dicke der äußeren Schale kleiner als 9 cm, wird von Bekleidungen gesprochen. Diese werden in DIN 18515 geregelt. Der sog. Schalenzwischenraum, der sich zwischen Außen- und Innenschale befindet, kann mit Wärmedämmung gefüllt werden (siehe Abbildung 8).

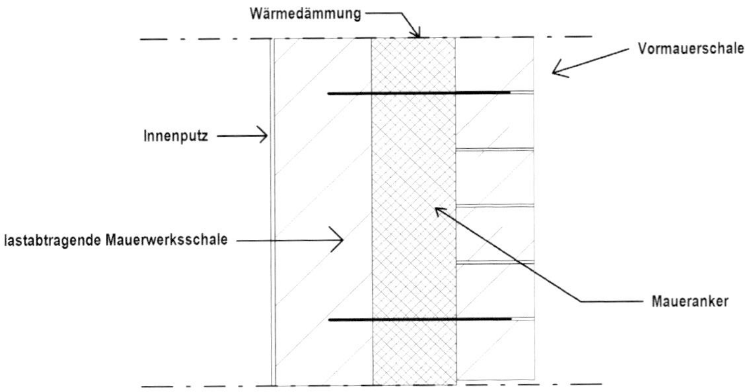

Abbildung 8: Zweischaliger Wandaufbau; Quelle: Eric Brehm

Im Anhang D der DIN EN 1996-2/NA[22] sind Bestimmungen für zweischaliges Mauerwerk zusammengeführt. Dort wird aufgeführt, dass für den statischen Nachweis der Außenwand lediglich die innere Schale anzusetzen ist. Befinden sich Pfeiler in der äußeren Schale, welche ausschließlich Lasten aus der Außenschale erhalten, beträgt die Mindestlänge des Pfeilers 240 mm.

In Abhängigkeit von der Dicke der Außenschalen sind maximal zulässige Abfangungshöhen vorgesehen. Das bedeutet, dass die Außenschale in einem normativ geregelten vertikalen Abstand aufgelagert werden muss. Dabei ist ebenfalls, abhängig von der Dicke der Schale, ein maximaler Überstand der Schale über das Auflager zu berücksichtigen. Tabelle 3 zeigt die normativ vorgegebenen Grenzwerte.

Tabelle 3: Ausführungsvarianten von zweischaligem Mauerwerk i.A.a. DIN EN 1996-2/NA

Fugendicke	**90 mm ≤ t < 105 mm**	**105 mm ≤ t < 115 mm**	**t = 115 mm**
Fugenausbildung	Fugenglattstrich	Fugenglattstrich, nachträgliche Verfugung	nachträgliche Verfugung
max. Abfangungshöhe	6 m	6 m	12 m
max. Überstand Auflager	15 mm	15 mm	25 mm 38 mm, *wenn alle zwei Geschosse abgefangen*

22 DIN EN 1996-2/NA Nationaler Anhang – National festgelegte Parameter- Eurocode 6: Bemessung und Konstruktion von Mauerwerksbauten – Teil 2: Planung, Auswahl der Baustoffe und Ausführung von Mauerwerk, Januar 2012.

Die Verbindung von Außen- und Innenschale erfolgt durch Anker nach allgemeiner bauaufsichtlicher Zulassung aus nichtrostendem Stahl (vgl. Abbildung 9). Nach DIN EN 1996-2 gilt für die Befestigung mit Ankern nach allgemeiner bauaufsichtlicher Zulassung, dass der Ankerdurchmesser mindestens 4 mm betragen muss. Des Weiteren ist mindestens Mörtel der Mörtelgruppe NM IIa zu verwenden. Außerdem sind folgende Randbedingungen zu berücksichtigen:

- vertikaler Abstand: höchstens 500 mm,
- horizontaler Abstand: höchstens 750 mm,
- lichter Abstand der Mauerwerksschalen: höchstens 150 mm,
- Mindestanzahl der Anker nach Tabelle 4.

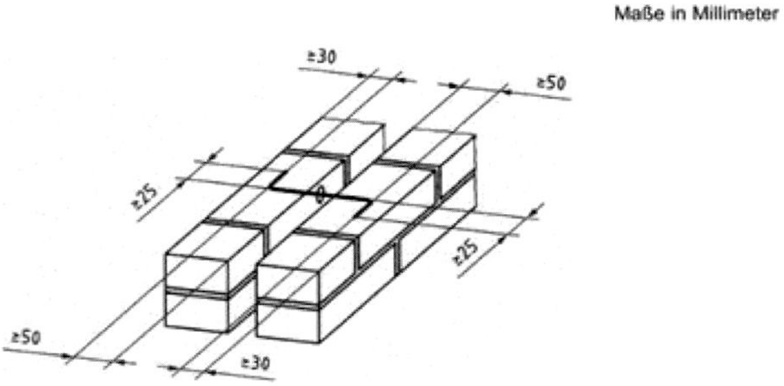

Abbildung 9: Positionierung von Mauerwerksankern bei zweischaligem Mauerwerk[23]

Tabelle 4: Mindestanzahl von Drahtankern je m² Wandfläche (Windzonen nach DIN EN 1991-1-4/NA)

Gebäudehöhe	**Windzone 1–3, Windzone 4: Binnenland**	**Windzone 4: Küste der Nord- und Ostsee und Inseln der Ostsee**	**Windzone 4: Inseln der Nordsee**
h ≤ 10 m	7[a]	7	8
10 m < h ≤ 18 m	7[b]	8	9
18 m < h ≤ 25 m	7	8[c]	–
a) in Windzone 1 und Windzone 2 Binnenland: fünf Anker/m² b) in Windzone 1: fünf Anker/m² c) ist eine Gebäudegrundrisslänge kleiner als h/4: neun Anker/m²			

23 Entnommen aus: DIN EN 1996-2/NA Nationaler Anhang – National festgelegte Parameter- Eurocode 6: Bemessung und Konstruktion von Mauerwerksbauten – Teil 2: Planung, Auswahl der Baustoffe und Ausführung von Mauerwerk, Januar 2012.

Ausbildung von Dehnungsfugen in Vormauerschalen

Formänderungen aus Wärme, Feuchte, Kriechen, Bauteildurchbiegungen oder anderen Belastungen führen zu Spannungen im Mauerwerk. Diese müssen nach DIN 1996-2 bzw. NDP Abschnitt 2.3.4.(2) planerisch berücksichtigt werden. Damit Verformungen der Vormauerschale aufgenommen werden können, sind planmäßig vertikale Dehnungsfugen anzuordnen. Die maximalen Abstände der Dehnungsfuge können Tabelle 5 entnommen werden.

Tabelle 5: Maximale Fugenabstände bei Vormauerschalen[24]

Allgemein	**an Gebäudeecken**
Kalkstandstein, Porenbeton, Betonsteinen	6 bis 8
Leichtbetonsteine	4 bis 6
Mauerziegel	10 bis 20

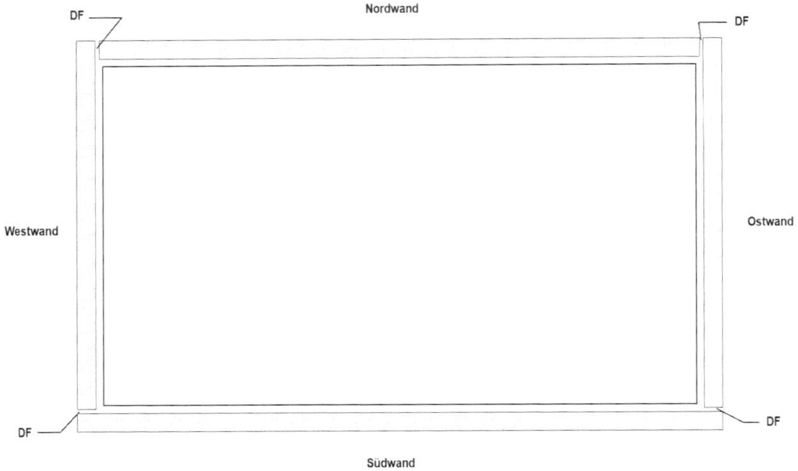

Abbildung 10: Anordnung der Dehnungsfugen in Gebäudeecken[25]

Des Weiteren sollte bei der Anordnung der Dehnungsfugen auf die Exposition der Wand geachtet werden. Da die Nordwand bzgl. Sonneneinstrahlung und damit bzgl. einer Temperaturdehnung am wenigsten exponiert ist, wird die Anordnung der Dehnungsfugen in Gebäudeecken gemäß Abbildung 10 empfohlen. Dies führt dazu, dass die am stärksten exponierte Südwand in ihrer Ausdehnung völlig unbehindert ist. Dabei sollte der Abstand der ersten Dehnungsfuge zu einer verformungsbehindernden Wandecke nur die Hälfte des in Tabelle 5 genannten Abstands betragen. Sind in Außenwänden Fenster- und Türöff-

24 Entnommen aus: DIN EN 1996-2 Eurocode 6: Bemessung Konstruktion von Mauerwerk – Teil 2: Planung, Auswahl der Baustoffe und Ausführung von Mauerwerk.

25 Darstellung des Autors in Anlehnung an Schubert, Zweischalige Außenwände – Dehnungsfugen in der Außenschale. Mauerwerk, Heft 6, Dezember 2003.

nungen vorhanden, ist es sinnvoll, Dehnungsfugen in Verlängerung der Laibung vorzusehen, da diese Bereiche aufgrund der Querschnittschwächung durch die Öffnung einer besonderen Rissgefährdung ausgesetzt sind (vgl. Abbildung 11).

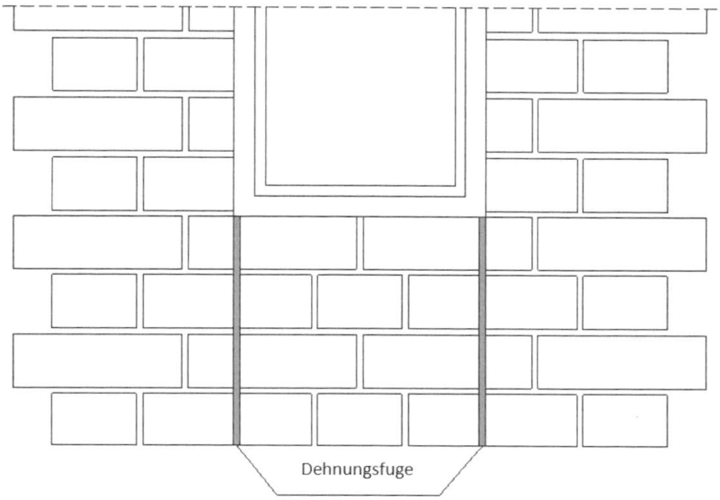

Abbildung 11: Anordnung von Dehnungsfugen im Brüstungsbereich[26]

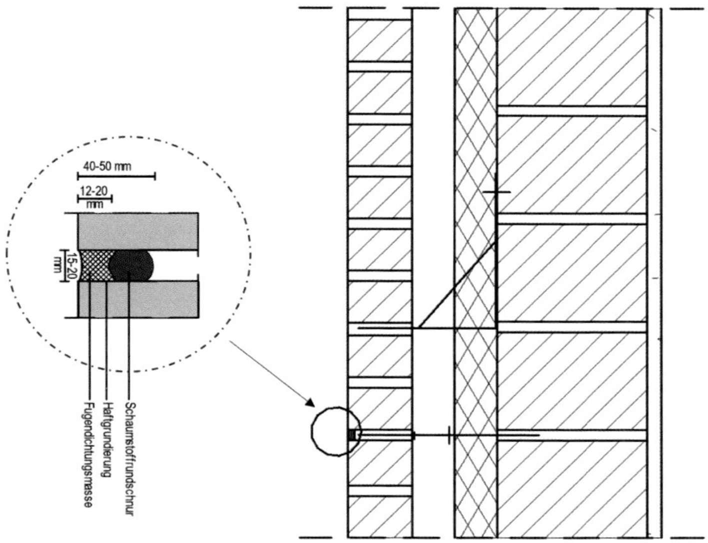

Abbildung 12: Ausführung einer horizontalen Dehnungsfuge in einer Vormauerschale; Quelle: Eric Brehm

26 Darstellung des Autors in Anlehnung an Schubert, Zweischalige Außenwände – Dehnungsfugen in der Außenschale. Mauerwerk, Heft 6, Dezember 2003.

Neben vertikalen Dehnungsfugen kann es erforderlich sein, auch horizontale Dehnungsfugen in Vormauerschalen vorzusehen. Diese werden unter Attiken, Dachüberständen, Balkonen, Balken, Fenstern und Abfangungen von Außenschalen, wenn diese höher als 6 bis 12 m sind (vgl. Tabelle 3), eingefügt. Horizontale Fugen sind nach *Schubert*[27] gemäß Abbildung 12 herzustellen.

4.4.3.3 Tragende Innenwände

Innenwände weisen in der Regel keine Anforderungen an den Wärmeschutz auf. Es bestehen daher primär Anforderungen an den Schallschutz (siehe hierzu Normenreihe DIN 4109). Werden die Mauerwerkswände in der Statik als tragende Bauteile berücksichtigt, kommen Anforderungen an die Tragfähigkeit hinzu. Auf die korrekte Ausführung von Bauteilanschlüssen wird in Abschnitt 4.4.4 eingegangen.

4.4.3.4 Nichttragende Innenwände

Von einer nichttragenden Innenwand wird gemäß DIN EN 1996-1-1 gesprochen, wenn diese ausschließlich durch Eigenlasten belastet wird. In der Richtlinie Nr. 1 des Deutschen Ausschusses für Mauerwerk (DAfM) zu nichttragenden Trennwänden sind Hinweise zu deren Konstruktion und Ausführung zu finden. So wird empfohlen, Trennwände so spät wie möglich aufzumauern und zu verputzen, um Einflüsse aus Kriechen und Schwinden der angrenzenden Bauteile zu reduzieren.

Bei der Ausbildung nichttragender Wände ist es von großer Bedeutung sicherzustellen, dass diese auch tatsächlich frei von äußeren Lasten sind. Aus diesem Grund ist es u.a. notwendig, die Durchbiegung der angrenzenden Geschossdecken zu betrachten. Die Durchbiegung von Decken im Bereich von verformungsempfindlichen Bauteilen sollte auf das Verhältnis Deckenspannweite zu Durchbiegung von L/500 begrenzt werden. Ohne planerische Berücksichtigung der Deckenverformung kann es zu einer außerplanmäßigen Belastung der nichttragenden Wand kommen. Im ungünstigsten Fall resultieren hieraus Risse, die eine Sanierung der nichttragenden Wand erforderlich machen. Die Ausbildung sog. gleitender Deckenanschlüsse wird in Abschnitt 4.4.4.1.2 detailliert erläutert.

Die Durchbiegung von Decken ist auch unterhalb nichttragender Mauerwerkswände zu berücksichtigen. Hierfür empfiehlt der DAfM die konstruktive Trennung von Wand und Decke durch die Einlage einer Bitumendachbahn. Dies dient dazu, dass bei Verformung der Decke unterhalb der Trennwand der zu erwartende Riss an definierter Stelle in einem nicht sichtbaren Bereich auftritt. Durch diese selbsttragende Ausführung der Innenwand wird erreicht, dass die Eigenlasten der nichtragenden Wand bereits bei geringer Durchbiegung in steifere Deckenbereiche weitergeleitet werden. Beträgt die Deckenspannweite mehr als 6,0 m, sind weiterführende Maßnahmen, z.B. Bewehrungseinlagen in der Lagerfuge, zum Schutz vor Rissbildung erforderlich. Die beschriebene selbsttragende Konstruktion stellt einen Ausnahmefall dar und wird in der Praxis eher selten planerisch beabsichtigt. Bei kleinen Deckenspannweiten stellt sich dieser Effekt in der Regel ohne weitere planerische Maßnahmen ein.

27 *Schubert*, Zweischalige Außenwände – Dehnungsfugen in der Außenschale. Mauerwerk, Heft 6, Dezember 2003.

Abbildung 13 zeigt eine nichttragende Mauerwerkswand auf einer weitgespannten Geschossdecke. Aufgrund der großen Deckenverformung stellt sich der für Mauerwerk typische Druckbogen ein, welcher u.a. bei dem Konstruktionsprinzip der selbsttragenden Wand genutzt wird. Die Mauersteine, die sich unterhalb des Gewölbes befinden, werden lediglich durch den Haftverbund zwischen Stein und Mörtel gehalten. Um der dargestellten Rissbildung entgegenzuwirken, empfehlen sich bei großen Deckenspannweiten Bewehrungseinlagen in der Lagerfuge.

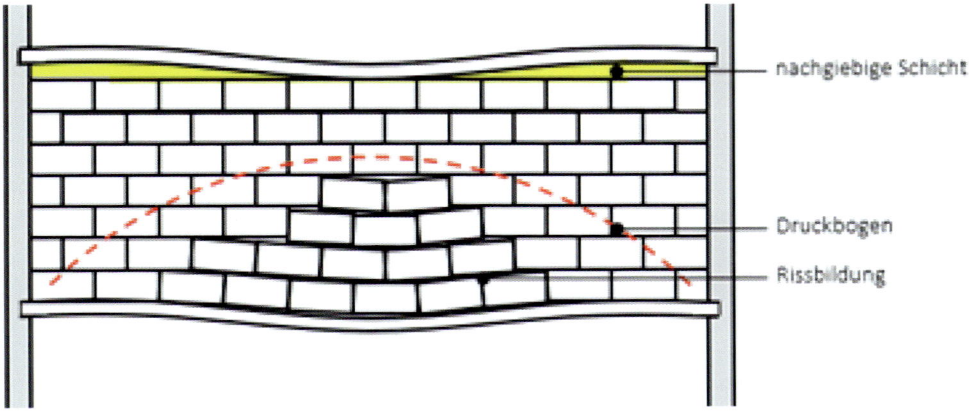

Abbildung 13: Lastabtrag nichttragender Innenwände bei großer Deckenverformung; Quelle: Eric Brehm

4.4.4 Anschlussdetails

4.4.4.1 Wandanschluss

Anschlüsse für tragende Wände können mittels liegender bzw. stehender Verzahnung oder aber stumpf gestoßen ausgeführt werden. Dabei ist darauf zu achten, dass die Wände so miteinander verbunden werden, dass die vorhandenen Vertikal- und Horizontallasten untereinander abgetragen werden können. Die Verbindung am Wandschluss sollte entweder durch den Mauerwerksverband (liegende bzw. stehende Verzahnung) gewährleistet werden, oder durch Anker oder Bewehrung (Stumpfstoß).

Während Wandaußenecken stehend oder liegend verzahnt ausgeführt werden, wird bei dem Anschluss von Wandinnenwänden an die Außenwand häufig ein Anschluss mittels Stumpfstoßtechnik gewählt. Die Lage und Anzahl der Anker ist in der statischen Berechnung zu berücksichtigen. Werden besondere Anforderungen an die Gebäudeaussteifung gestellt, ist die Verwendbarkeit der Stumpfstoßtechnik detailliert zu prüfen. Unter Umständen kann die Verwendung einer liegenden/stehenden Verzahnung aus statischen Gründen erforderlich sein. Mit Blick auf den Wärmeschutz ist die Stumpfstoßtechnik einer Verzahnung vorzuziehen.[28]

28 Deutsche Gesellschaft für Mauerwerks- und Wohnungsbau, Zentralverband deutsches Baugewerbe, Merkblatt nichttragende Innere Trennwände aus Mauerwerk, August 2017.

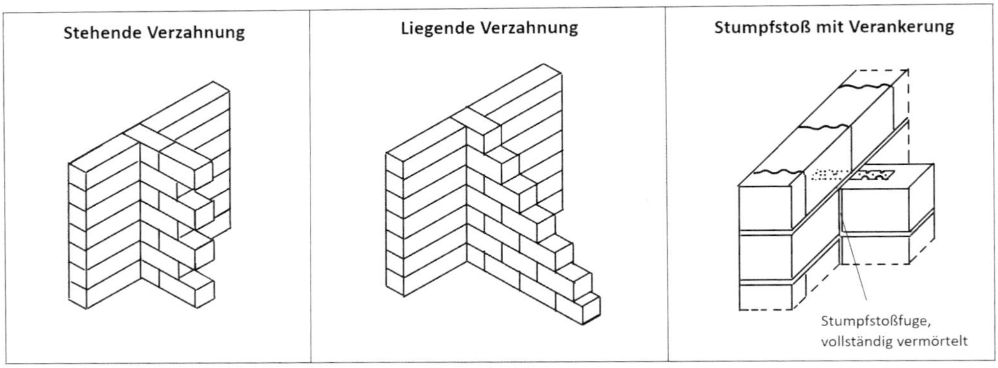

Abbildung 14: Wandanschluss tragende Wand[29]

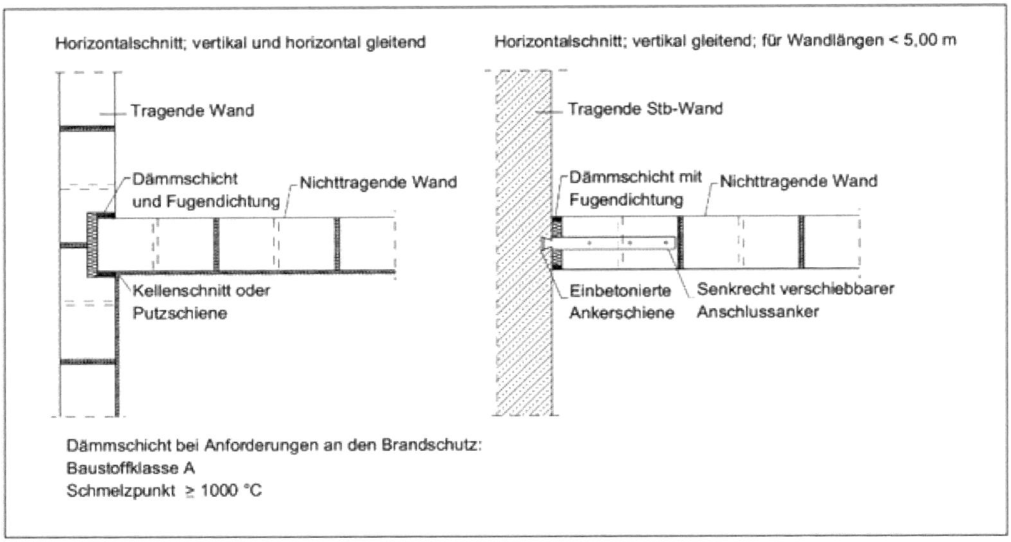

Abbildung 15: Gleitender Wand-Wandanschluss[30]

Für die Herstellung der druck- und zugfesten Verankerung bei Stumpfstößen können Krallenanker, Bewehrungsstahl, Winkelhaken oder Lochbleche verwendet werden.

Die beschriebenen Anschlüsse werden als starre Anschlüsse bezeichnet. Starre Anschlüsse können sowohl bei tragenden Wänden, aber auch bei nichttragenden Wänden verwendet werden. Allerdings nur dann, wenn aufgrund geringer Wandlängen und geringer Spannweiten der Geschossdecken keine Zwangskräfte aus unterschiedlicher Formänderung der angrenzenden Bauteile zu erwarten sind. Wird eine Innenwand mittels Verzahnung an eine Außenwand angeschlossen und kommen Steine unterschiedlicher Wärmeleitfähigkeit

29 Darstellung des Autors in Anlehnung an *Oswald/Schubert*, Praxistipps für die Ausführung von Mauerwerk – Mit Erläuterungen zu DIN EN 1996 (Eurocode 6), September 2019.

30 Entnommen aus: Deutsche Gesellschaft für Mauerwerks- und Wohnungsbau, Zentralverband deutsches Baugewerbe, Merkblatt nichttragende Innere Trennwände aus Mauerwerk, August 2017.

zum Einsatz, ist eine zusätzliche Wärmedämmung im Bereich der einbindenden Wand anzuordnen.[31]

Ist mit größeren Zwangskräften aus unplanmäßiger Krafteinleitung infolge von Schwinden, Kriechen oder Verformung angrenzender Bauteile zu rechnen, müssen die Innenwandanschlüsse gleitend hergestellt werden. Dabei ist darauf zu achten, dass dennoch eine seitliche Halterung der Wände erhalten bleibt. Ausführungsvarianten gleitender Wandschlüssen werden in Abbildung 15 dargestellt.

Neben den statischen Anforderungen müssen auch die bauphysikalischen Anforderungen des Brand-, Schall- und Wärmeschutzes berücksichtigt werden. Dabei muss im Hinblick auf den Schallschutz besonders der Aspekt der Flankenübertragung betrachtet werden.

4.4.4.2 Decken- und Dachanschluss

4.4.4.2.1 Anschluss tragender Wände

Gemäß DIN EN 1996-1-1 müssen Wände derart an Decken oder Dächer angebunden werden, dass die horizontalen Bemessungslasten in die aussteifenden Bauteile übertragen werden können. Für die Übertragung horizontaler Lasten wird in DIN EN 1996-1-1 die Lastübertragung durch Anker, Reibung und Ringanker oder -balken aufgeführt. Bei ausreichendem Reibungswiderstand reicht das bloße Aufliegen der Decke, des Dachs oder Ringbalkens auf der Mauerwerkswand.

Reicht der Reibungswiderstand nicht aus, ist die Anordnung von Ankern oder Ringankern erforderlich. Diese sind kraftschlüssig mit Mauerwerk und Decke oder Dach zu verbinden. DIN EN 1996-1-1 schreibt dabei Ankerabstände für Gebäude bis vier Stockwerke von maximal 2,00 m vor. Bei höheren Gebäuden wird der Maximalabstand der Anker auf 1,25 m verringert. Ringbalken sind anzuordnen, wenn zwischen Mauerwerkswand und Deckenauflager eine Gleitschicht vorgesehen ist oder um die Lastübertragung in der Dachscheibe zu unterstützen.

Vor allem bei Anschlüssen von Dachdecken sind trotz Einhaltung der konstruktiven Vorgaben aus DIN EN 1996-1-1 immer wieder Schäden in Form einer übermäßigen Rissbildung zu erkennen. Dies ist in der Regel auf ein unterschiedliches Schwind- oder Kriechverhalten der verwendeten Materialien (Mauerwerk und Beton) zurückzuführen. Auch ein unterschiedlicher Wärmedehnungskoeffizient kann Ursache für eine Rissbildung im Mauerwerk im Bereich des Deckenanschlusses sein. Die zu beobachtenden Risse stellen in der Regel lediglich einen optischen Mangel dar.

Besonders bei Flachdächern aus Stahlbeton ist häufig zu beobachten, dass es aufgrund der fehlenden Auflast auf den Deckenrändern zu einem „Aufschüsseln" der Decke in den Eckbereichen kommt. Infolgedessen sind horizontale Risse am Übergang zwischen Stahlbetondach und Mauerwerk zu beobachten. Dieses Aufschüsseln kann durch eine Verankerung der Eckzugkräfte mittels Stahlbetonstützen in den Gebäudeecken verhindert werden (Abbildung 16). Tritt in Kombination mit dem Aufschüsseln der Decke eine Schwindverkür-

31 Vgl. Deutsche Gesellschaft für Mauerwerks- und Wohnungsbau, Zentralverband deutsches Baugewerbe, Merkblatt nichttragende Innere Trennwände aus Mauerwerk, August 2017.

zung der Deckenplatte auf, bilden sich die häufig zu sehenden treppenartige Risse aus, welche aus einer Schubbeanspruchung der Wand durch die Schwindverkürzung resultiert. Die Schwindverkürzung der Deckenplatte kann ebenfalls durch das Einbringen von Stahlbetonstützen in den Ecken behindert werden.

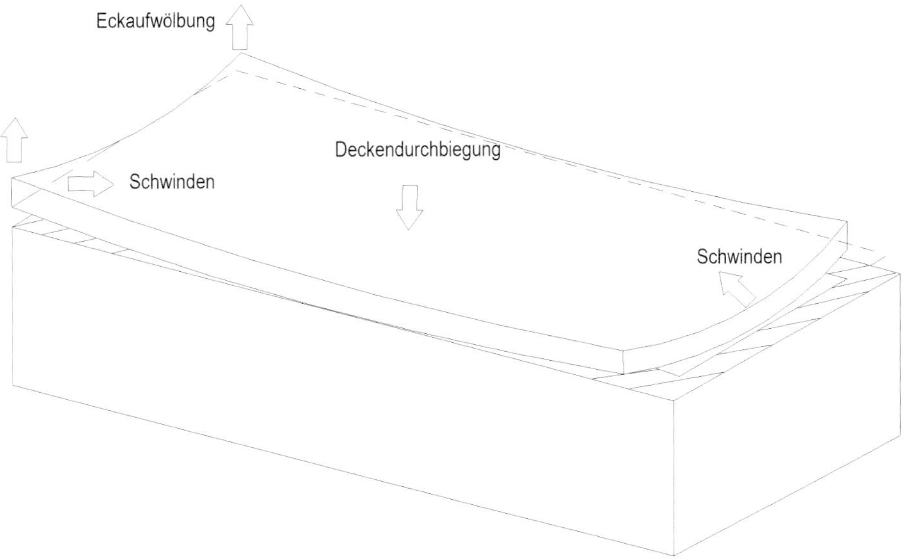

Abbildung 16: Schematische Darstellung möglicher Deckenverformungen; Quelle: Eric Brehm

4.4.4.2.2 Anschluss nichttragender Wände

Der Anschluss nichttragender Wände an Decken oder Dächer erfolgt, indem der Lastabtrag von Horizontalkräften in Plattenrichtung der Trennwand sichergestellt wird, ohne einen vertikalen Lastübertrag von der Decke auf die Trennwand zu ermöglichen. Dies kann gemäß Richtlinie des DAfM[32] mithilfe von Metallwinkeln, welche an der Unterseite der Decke angebracht werden, als gleitender Deckenanschluss erfolgen. Das Mauerwerk wird dabei nicht bis an die Decke hochgemauert, sondern endet ca. 2 cm (bzw. entsprechend statischer Anforderung) unterhalb der Decke (siehe Abbildung 17 a)) zwischen den angedübelten Winkeln. Aufgrund von Anforderungen an Brand- und Schallschutz ist es notwendig, den Spalt zwischen Decke und Mauerwerk beispielsweise mit Mineralwolle zu füllen. Dieser Anschluss ist vor allem bei großen Deckenspannweiten sinnvoll, wenn mit maßgeblichen Verformungen der Decke zu rechnen ist. Sind sehr geringe Verformungen der Decke aus Schwinden oder planmäßiger Belastung zu erwarten, können die Anschlussfugen starr vermörtelt werden. Diese Vorgehensweise ist vor allem im Neubau nicht zu empfehlen, da Verformungen aus Kriechen- und Schwinden noch lange nach Fertigstellung des Rohbaus auftreten können. Weitere Ausführungsvarianten können der DIN und Abbildung 17 entnommen werden.

32 Deutscher Ausschuss für Mauerwerk, Richtlinie Nr. 1: Nichttragende innere Trennwände, Dezember 2019.

Nichttragende Innenwände gelten laut Richtlinie des DAfM auch als horizontal gehalten, wenn in den drei obersten Lagerfugen eine konstruktive Bewehrung angebracht wurde, welche ggf. statisch nachzuweisen ist. Diese Ausführungsvariante findet in der Praxis allerdings kaum Anwendung.

Für den Anschluss des Wandfußes bei nichttragenden Wänden wird, wie bereits in Abschnitt 4.4.3.4 erläutert, die Einlage einer Trennlage z.B. in Form einer Bitumendachbahn empfohlen, um bei großen Deckenverformungen die Entstehung des unvermeidlichen horizontalen Risses (Deckenabriss) am Wandfuß im nicht sichtbaren Bereich zu provozieren (siehe Abbildung 18).

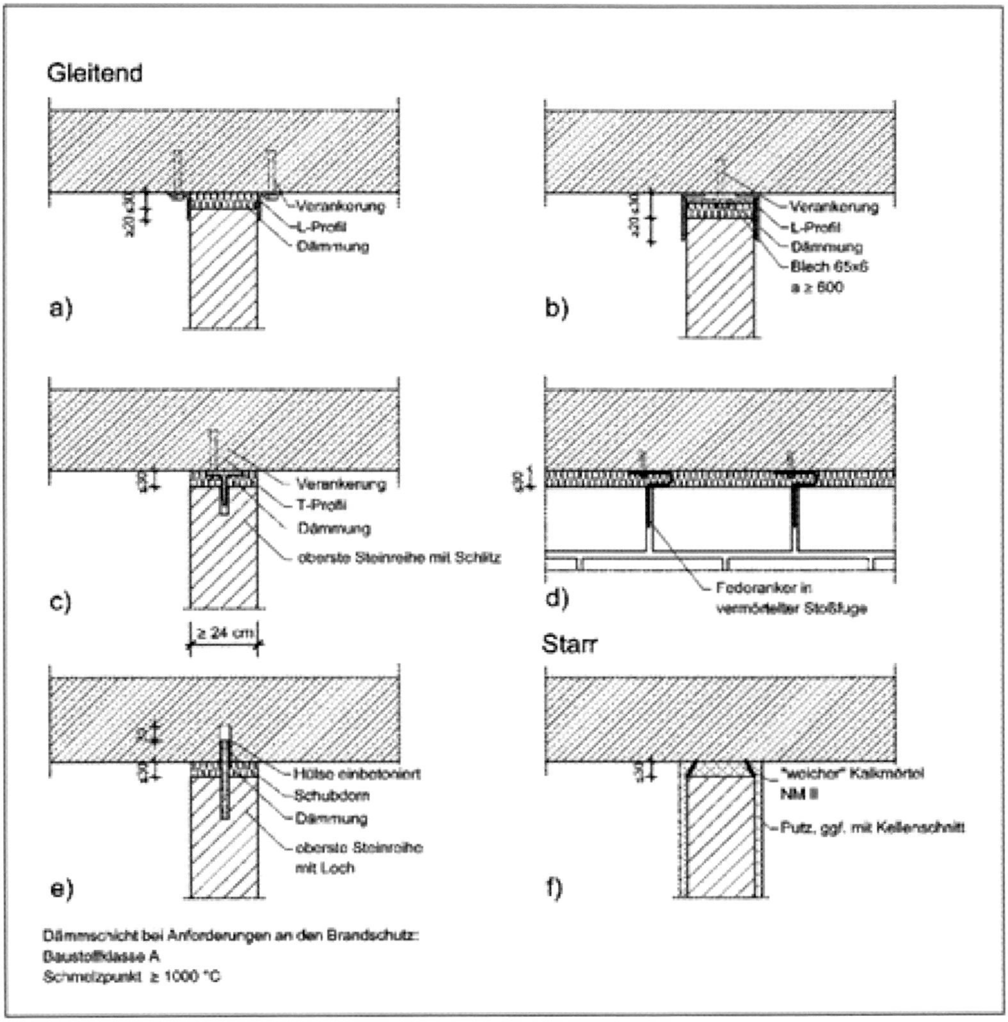

Abbildung 17: Mögliche Ausführung von Deckenanschlüssen[33]

33 Entnommen aus: Deutsche Gesellschaft für Mauerwerks- und Wohnungsbau, Zentralverband deutsches Baugewerbe, Merkblatt nichttragende innere Trennwände aus Mauerwerk, August 2017.

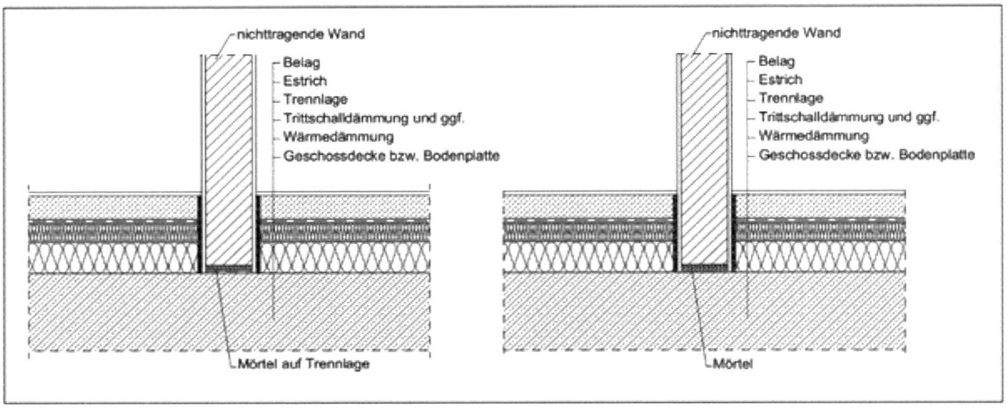

Abbildung 18: Gleitender (links) und starrer (rechts) Anschluss am Wandfuß[34]

4.4.5 Schlitze und Durchbrüche

Schlitzen und Durchbrüchen ist besondere Aufmerksamkeit zuzuwenden, da diese bei Nichtbeachtung der anerkannten Regeln der Technik die Tragfähigkeit von Mauerwerkswänden negativ beeinflussen können. Dementsprechend sind sie gemäß DIN EN 1996-1-1 und der Richtlinie Nr. 2 des DAfM[35] nur in definierten Installationszonen zulässig (vgl. Abbildungen 19 und 20). Dabei wird zwischen vertikal, horizontal und schräg verlaufenden Schlitzen unterschieden. Bei vertikalen Schlitzen ist eine Vernachlässigung der Auswirkungen auf die allgemeine Tragfähigkeit der Mauerwerkswand zulässig, solange diese die Grenzwerte für die vertikale Schlitztiefe $t_{ch,v}$ nicht überschreiten (siehe Tabelle 6). Ein rechnerischer Nachweis darf entfallen, wenn die Wand zweiseitig gehalten bemessen wurde und eine maximale Querschnittsschwächung von 6 % auf einem Meter Wandlänge vorliegt. Bei einer größeren Schlitztiefe ist die Tragfähigkeit mit reduziertem Mauerwerksquerschnitt rechnerisch nachzuweisen.

Die Schlitzhöhe horizontal und schräg verlaufender Schlitze sollte nach DIN EN 1996-1-1 nicht mehr als ein Achtel der lichten Geschosshöhe betragen. Ein Nachweis mit abgemindertem Mauerwerksquerschnitt wird in diesem Fall nur erforderlich, wenn die horizontale Schlitztiefe $t_{ch,h}$ sowie die Lastexzentrizität ein Drittel der Wanddicke übersteigen. Grenzwerte hierzu sind in Tabelle 7 zu finden. Dieser lässt die Anordnung horizontal und schräg verlaufender Schlitze nur in den nach DIN 18015-3 definierten Installationszonen zu. Diese sollten, wie in Abbildung 19 und Abbildung 20 zu erkennen, möglichst direkt unter oder über der Decke erfolgen. Für Langlochziegel verbietet sich die Anordnung solcher Schlitze.

Zur nachträglichen Herstellung von Schlitzen muss angemessenes Werkzeug verwendet werden. Dieses sollte saubere Schnitte ermöglichen, die in der Tiefe regulierbar sind, wie es z.B. bei einer Mauerschlitzfräse der Fall ist. Von Bohrhämmern und ähnlichem Gerät wird abgeraten, da dadurch eine Schädigung der Mauerwerksstruktur entstehen kann.

34 Entnommen aus: Deutsche Gesellschaft für Mauerwerks- und Wohnungsbau, Zentralverband deutsches Baugewerbe, Merkblatt nichttragende innere Trennwände aus Mauerwerk, August 2017.

35 Deutscher Ausschuss für Mauerwerk, Richtlinie Nr. 2: Schlitze und Aussparungen in Mauerwerk.

Tabelle 6: Zulässige Größe vertikaler Schlitze und Aussparungen nach DIN EN 1996-1-1/NA

Wanddicke [mm]	**Nachträglich hergestellte Schlitze und Aussparungen**[c]		**Mit der Errichtung des Mauerwerks hergestellte Schlitze und Aussparungen**			
	maximale Tiefe[a] $t_{ch,v}$ [mm]	**maximale Breite**[b] [mm]	**Verbleibende Mindestwanddicke** [mm]	**maximale Breite**[b] [mm]	**Mindestabstand der Schlitze und Aussparungen**	
					von Öffnungen	**untereinander**
115–149	10	100	–	–	≥ zweifache Schlitzbreite bzw. ≥ 240 mm	≥ Schlitzbreite
150–174	20	100	–	–		
175–199	30	100	115	260		
200–239	30	125	115	300		
240–299	30	150	115	385		
300–364	30	200	175	385		
≥ 365	30	200	240	385		

[a] Schlitze, die bis maximal 1 m über den Fußboden reichen, dürfen bei Wanddicken ≥ 240 mm bis 80 mm Tiefe und 120 mm Breite ausgeführt werden.
[b] Die Gesamtbreite von Schlitzen nach Spalte 3 und Spalte 5 darf je 2 m Wandlänge die Maße in Spalte 5 nicht überschreiten. Bei geringeren Wandlängen als 2 m sind die Werte in Spalte 5 proportional zur Wandlänge zu verringern.
[c] Abstand der Schlitze und Aussparungen von Öffnungen ≥ 115 mm.

Tabelle 7: Zulässige Größe horizontaler und schräger Schlitze nach DIN EN 1996-1-1/NA

Wanddicke [mm]	**Maximale Schlitztiefe** $t_{ch,h}$[a] [mm]	
	Unbeschränkte Länge	**Länge ≤ 1250 mm**[b]
115–149	–	–
150–174	–	0[c]
175–239	0[c]	25
240–299	15[c]	25
300–364	20[c]	30
über 365	20[c]	30

[a] Horizontale und schräge Schlitze sind nur zulässig in einem Bereich ≤ 0,4 m ober- oder unterhalb der Rohdecke sowie jeweils an einer Wandseite. Sie sind nicht zulässig bei Langlochziegeln.
[b] Mindestabstand in Längsrichtung von Öffnungen ≥ 490 mm, vom nächsten Horizontalschlitz zweifache Schlitzlänge.
[c] Die Tiefe darf um 10 mm erhöht werden, wenn Werkzeuge verwendet werden, mit denen die Tiefe genau eingehalten werden kann. Bei Verwendung solcher Werkzeuge dürfen auch in Wänden ≥ 240 mm gegenüberliegende Schlitze mit jeweils 10 mm Tiefe ausgeführt werden.

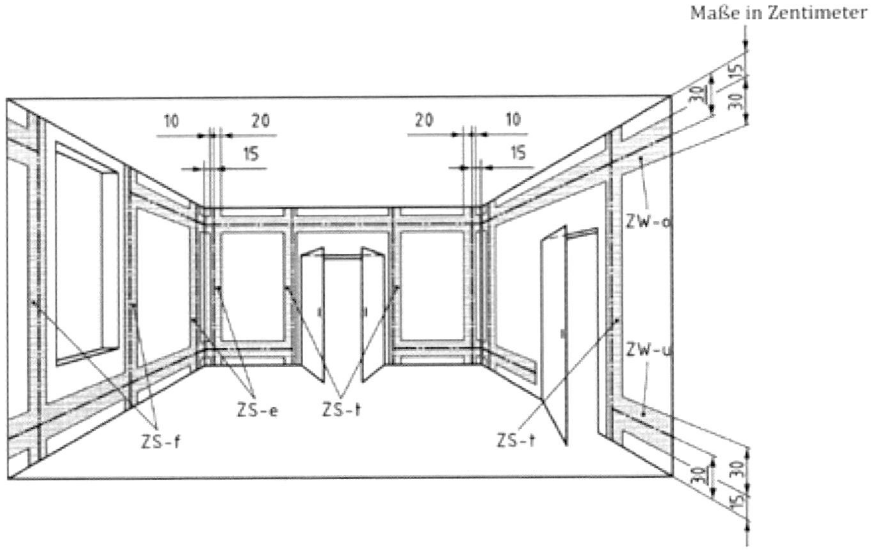

Legende

ZS-t Senkrechte Installationszonen an Türen: von 10 cm bis 30 cm neben den Rohbaukanten
ZS-f Senkrechte Installationszonen an Fenstern: von 10 cm bis 30 cm neben den Rohbaukanten
ZS-e Senkrechte Installationszonen an Wandecken: von 10 cm bis 30 cm neben den Rohbauecken
ZW-u Untere waagerechte Installationszone: von 15 cm bis 45 cm über dem Fußboden
ZW-o Obere waagerechte Installationszone: von 15 cm bis 45 cm unter der Deckenbekleidung

Abbildung 19: Senkrechte sowie obere und untere waagerechte Installationszonen[36]

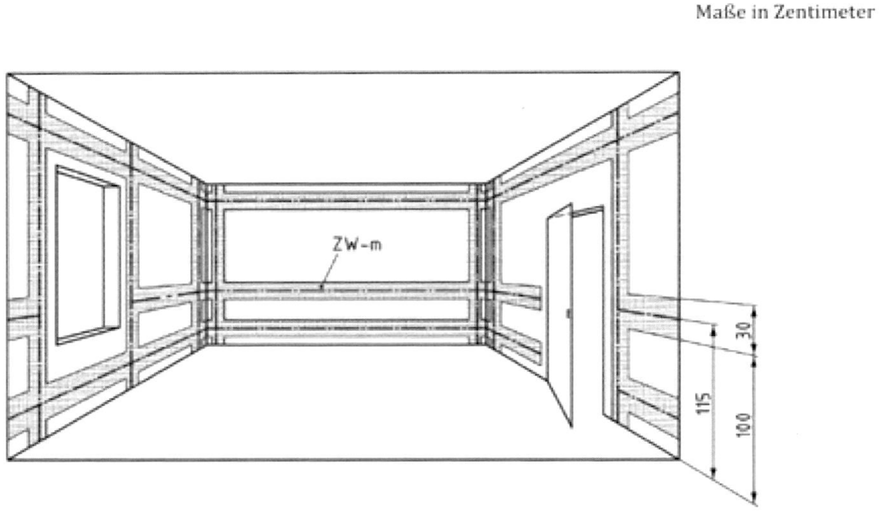

Legende

ZW-m Mittlere waagerechte Installationszone: von 100 cm bis 130 cm über dem Fußboden

Abbildung 20: Mittlere waagerechte Installationszonen[37]

36 Entnommen aus: DIN 18015-3 Elektrische Anlagen in Wohngebäuden, September 2016.
37 Entnommen aus: DIN 18015-3 Elektrische Anlagen in Wohngebäuden, September 2016.

4.4.6 Abdichtung

4.4.6.1 Allgemein

Regelungen zur Abdichtung von Bauteilen waren ehemals in der Normenreihe DIN 18195 zu finden, welche durch DIN 18530 bis DIN 18535 ersetzt wurde. Für Wandabdichtungen ist DIN 18533[38] mit folgenden Teilen zu berücksichtigen:

- Teil 1: Anforderungen, Planungs- und Ausführungsgrundsätze[39]
- Teil 2: Abdichtung mit bahnenförmigen Abdichtungsstoffen[40]
- Teil 3: Abdichtung mit flüssig zu verarbeitenden Abdichtungsstoffen[41]

In der DIN 18533-1 werden die zu beachtenden Wassereinwirkungsklassen (siehe Tabelle 8), Raumnutzungsklassen, Rissklassen (siehe Tabelle 9) sowie Rissüberbrückungsklassen definiert. Gemäß den entsprechenden Anforderungen werden Ausführungsempfehlungen formuliert.

Tabelle 8: Wassereinwirkungsklassen nach DIN 18533-1

Nr.	1 Klasse	2 Art der Einwirkung	3 Beschreibung	4 Abdichtung nach
1	**W1-E**	**Bodenfeuchte und nicht drückendes Wasser**	5.1.2.1	8.5
2	**W1.1-E**	Bodenfeuchte und nicht drückendes Wasser bei Bodenplatten und erdberührten Wänden	5.1.2.2	8.5.1
3	**W1.2-E**	Bodenfeuchte und nicht drückendes Wasser bei Bodenplatten und erdberührten Wänden mit Dränung	5.1.2.3	8.5.1
4	**W2-E**	**Drückendes Wasser**	5.1.3.1	8.6
5	**W2.1-E**	Mäßige Einwirkung von drückendem Wasser ≤ 3 m Eintauchtiefe	5.1.3.2	8.6.1
6	**W2.2-E**	Hohe Einwirkung von drückendem Wasser > 3 m Eintauchtiefe	5.1.3.3	8.6.2
7	**W3-E**	Nicht drückendes Wasser auf erdüberschütteten Decken	5.1.4	8.7
8	**W4-E**	Spritzwasser und Bodenfeuchte am Wandsockel sowie Kapillarwasser in und unter Wänden	5.1.5	8.8

38 DIN 18533: Abdichtung von erdberührten Bauteilen, 2017.

39 DIN 18533-1 Abdichtung von erdberührten Bauteilen – Teil 1: Anforderungen, Planungs- und Ausführungsgrundsätze, 2017.

40 DIN 18533-2 Abdichtung von erdberührten Bauteilen – Teil 2: Abdichtung mit bahnenförmigen Abdichtungsstoffen, 2017.

41 DIN 18533-3 Abdichtung von erdberührten Bauteilen – Teil3: Abdichtung mit flüssig zu verarbeitenden Abdichtungsstoffen, 2017.

DIN 18533-1 fordert, dass die Abdichtung lagesicher und dicht ist, u.a. auch dann, wenn diese über Bewegungsfugen hinweggeführt wird. Einwirkungen aus Bauteilbewegungen, Wasser- und/oder Erddruck sowie Nutz- und Verkehrslasten, aber auch sonstige Einwirkungen wie UV-Strahlung oder Temperaturschwankungen, müssen ohne Funktionsbeeinträchtigung der Abdichtung aufgenommen werden. Die Abdichtung muss außerdem vor Schäden geschützt werden, die z.B. aus mechanischer oder thermischer Beanspruchung während oder nach der Baumaßnahme entstehen können. Als Beispiel für derartige Schutzschichten werden in DIN 18533-1 auch ohnehin angebrachte Schichten, wie Dränmatten oder Perimeterdämmplatten, genannt, solange diese nicht selbst die Abdichtungsschicht verletzen.

Tabelle 9: Rissklassen nach DIN 18533-1

Nr.	1	2	3
	Rissklasse	**Rissbreite/ Rissbreitenänderung**	**Typischer Abdichtungsuntergrund**[a]
1	**R1-E**	≤ 0,2 mm	Stahlbeton ohne rissverursachende Zwang- und Biegeeinwirkung; Mauerwerk im Sockelbereich; Untergründe für Querschnittsabdichtungen
2	**R2-E**	≤ 0,5 mm	Geschlossene Fugen von flächigen Bauteilen (z.B. bei Fertigteilen); unbewehrter Beton; Stahlbeton mit rissverursachender Zwang-, Zug- oder Biegeeinwirkung; erddruckbelastetes Mauerwerk; Fugen an Materialübergängen
3	**R3-E**	≤ 1,0 mm – Rissversatz ≤ 0,5 mm	Fugen von Abdichtungsrücklagen; Aufstandsfugen von erddruckbelasteten Wänden
4	**R4-E**	≤ 5,0 mm – Rissversatz ≤ 2,0 mm	–

[a] Ohne statischen Nachweis der Rissbreite. Eine andere Zuordnung ist durch einen solchen Nachweis möglich.

4.4.6.2 Außenwandabdichtung

Sowohl für die generelle Abdichtung von Mauerwerk als auch explizit für den Keller aus Mauerwerk hat die DGfM Merkblätter[42] veröffentlicht. Darin werden verschiedene Abdichtungsmöglichkeiten für Außenwandflächen, auch für Kelleraußenwände, beschrieben. Besonders im Wohnungsbau hat sich die kunststoffmodifizierte Bitumendickbeschichtung (PMBC) bewährt, für deren ordnungsgemäße Anwendung auf die DIN 18533 und die jeweiligen Herstellerangaben verwiesen wird. Gemäß Merkblatt der DGfM eignet sich Mauerwerk aufgrund der Saugfähigkeit als Untergrund für diese Art der Abdichtung, solange dieses keine poröse oder unebene Oberfläche aufweist. In diesem Fall sind Angleichungen durch Putz- oder Spachtelmassen erforderlich. Kanten gilt es vor dem Auftrag der PMBC anzufasen, Kehlen müssen vorab mit der Dickbeschichtung selbst gefüllt und ausgerundet werden.

42 Deutsche Gesellschaft für Mauerwerk- und Wohnungsbau, Merkblatt zur Abdichtung von Mauerwerk, Berlin 2016.

Das Abbinden der PMBC kann je nach Umgebungsbedingungen variieren und bedarf daher besonderer Aufmerksamkeit. Weitere Schichten dürfen gemäß Merkblatt der DGFM erst nach vollständiger Durchtrocknung aufgebracht werden. Stellt die Durchtrocknungsdauer oder die Sensibilität gegenüber Frost und Niederschlag der PMBC ein Problem für den weiteren Bauablauf dar und ist eine entsprechend geringe Belastungsklasse aus Bodenfeuchtigkeit anzutreffen, wird daher stattdessen die Verwendung von Bitumendichtungsbahnen empfohlen. Die Abdichtung mit Heißbitumenaufstrichen wird im Merkblatt der DGfM als Sonderfall bezeichnet, der bei nicht unterkellerten Gebäuden als Grundmauerschutz eingesetzt werden kann.

Die vertikale Abdichtungskonstruktion ist in jedem Fall über die Geländeoberkante (GOK) hinweg zu führen, damit durch Spritzwasser, Schlagregen oder zeitweiligen Wasseranstau kein Wasser zwischen Abdichtung und Mauerwerk gelangen kann. Als Mindestmaß werden in der DIN 18533-1 15 cm ab Geländeoberkante genannt, empfohlen werden jedoch 30 cm. Handelt es sich um verputztes Mauerwerk, welches mit PMBC abgedichtet wird, ist diese, wie in Abbildung 21 dargestellt, zu planen und auszuführen. In der linken Zeichnung reicht die PMBC bis knapp unter die Geländeoberkante, wobei der gesamte Sockelbereich mit wasserabweisendem Putz zu versehen ist. Dieser ist vor direktem Kontakt mit der Erde beispielsweise durch eine Noppenbahn zu schützen. Die rechte Darstellung in Abbildung 21 zeigt eine alternative Ausführung mit der PMBC bis 30 cm über die GOK.

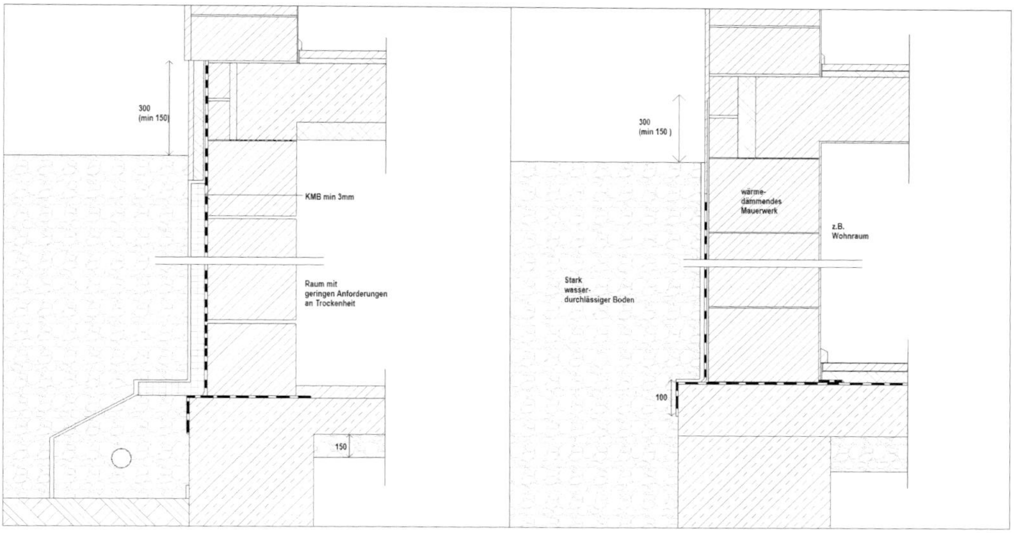

Abbildung 21: Abdichtung von Mauerwerkswänden[43]

Die Abdichtung ist über die gesamte Mauerwerkswand bis mindestens 10 cm unter die Oberkante der Bodenplatte oder das Fundament weiterzuführen. Dadurch soll verhindert werden, dass durch aufsteigende Feuchtigkeit Wasser unter die Abdichtung und in das Bauwerk gelangt. Die Aufnahme von Bauteilkanten ist mit besonderer Sorgfalt auszufüh-

43 Darstellung des Autors in Anlehnung an Deutsche Gesellschaft für Mauerwerk- und Wohnungsbau, Merkblatt zur Abdichtung von Mauerwerk, Berlin 2016.

ren, was durch sauber ausgeführte Kehlen, wie beispielsweise in Abbildung 22 mithilfe dreieckiger Dämmkeile dargestellt, erreicht werden kann. Alternativ kann anstatt der Verwendung von Dämmkeilen auch eine Ausrundung ausgeführt werden.

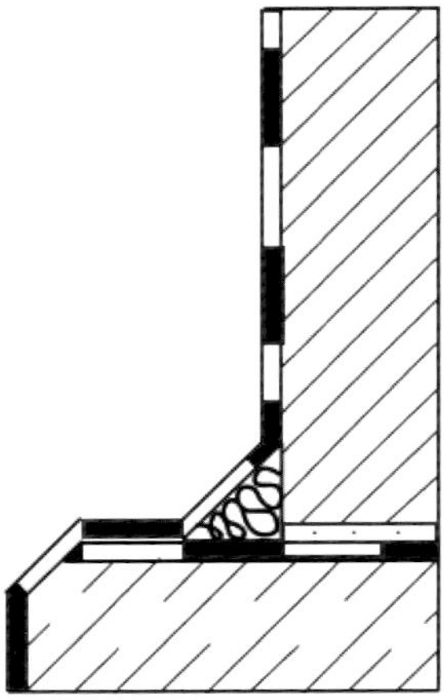

Abbildung 22: Horizontale Abdichtung mit Kehlanschluss an Bodenplatte; Quelle: Eric Brehm

Eine horizontale Abdichtung von Mauerwerkswänden wird von der DIN 18533-1 verlangt, wenn die Gefahr besteht, dass Wasser durch Baugrund oder Baustoffe kapillar transportiert wird. In diesem Fall wird das Verlegen von mindestens einer Abdichtungsschicht, wie es beispielsweise in Abbildung 22 gezeigt wird, gefordert. Querschnittsabdichtungen müssen je nach horizontaler Belastung der Mauerwerkswand einen bestimmten Reibungswiderstand aufweisen, um ein Tragfähigkeitsdefizit durch Gleiten der Wand zu vermeiden.

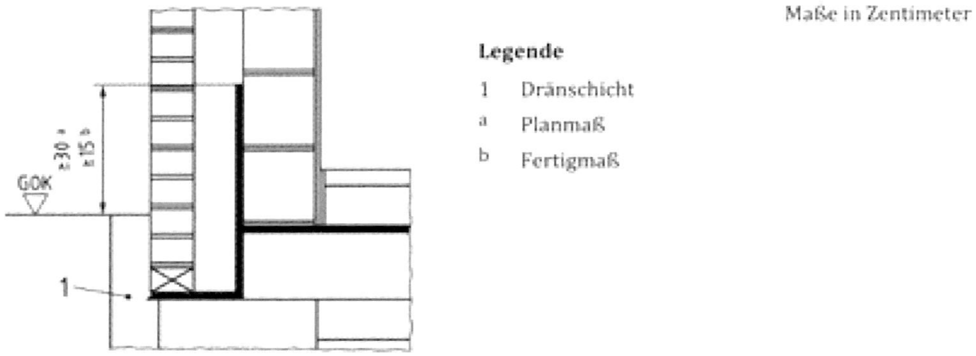

Abbildung 23: Beispiel horizontale Abdichtung eines Sockels[44]

Bei der Abdichtung von zweischaligem Außenmauerwerk am Wandfuß ist auf eine sorgfältige Ausführung in der Bauphase zu achten. Direkte Beregnung kann zur Durchfeuchtung der Außenschale führen, welche in gewissem Maße wasserdurchlässig ist. Auf diesem Weg

44 Entnommen aus: DIN 18533-1 Abdichtung von erdberührten Bauteilen – Teil 1: Anforderungen, Planungs- und Ausführungsgrundsätze, 2017.

kann Wasser in den Schalenzwischenraum gelangen, welches auch wieder abgeführt werden muss. Aus diesem Grund wird auf die Notwendigkeit entsprechender konstruktiver Maßnahmen hingewiesen. Dazu gehören Fußpunktabdichtungen, die an der Innenschale ausreichend hoch (gemäß DIN 18533-1 mind. 15 cm) aufgekantet sind, und die Platzierung von Entwässerungsöffnungen, z.B. in Form von planmäßig nicht vermörtelten Stoßfugen. Zusätzlich wird ein zur Außenschale geneigter Untergrund im Schalenzwischenraum empfohlen, damit das Wasser von innen nach außen abgeführt wird.

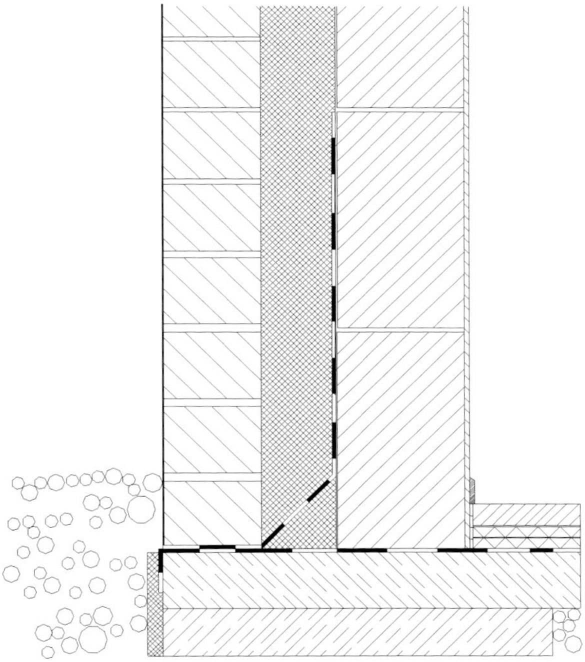

Abbildung 24: Abdichtung am Wandfuß einer zweischaligen Mauerwerkswand[45]

4.4.6.3 Witterungsschutz

Mauerwerk ist generell vor eindringender Feuchtigkeit zu schützen. Dabei darf die Feuchtbelastung durch direkte Beregnung nicht vernachlässigt werden. Die DIN EN 1996-2 fordert aus diesem Grund den konstruktiven Schutz von Außenwandflächen aus Mauerwerk, wie es in Abbildung 25 beispielhaft dargestellt ist. Freistehende Mauern sind dementsprechend mit einer überstehenden Abdeckung vor direkter Beregnung der Mauerkrone zu schützen. Ohne diese Abdeckplatte kann Regen ungehindert in Mauerstein und Mauermörtel eindringen und wasserlösliche Bestandteile freisetzen. Das Wasser transportiert diese Stoffe, wie z.B. Salze, an die Oberfläche. Bei Austrocknung kristallisieren diese aus, was zu einem optischen Mangel aber auch zur Beeinträchtigung der Tragfähigkeit führen kann. Bei freistehendem Mauerwerk, welches i.d.R. nicht gedämmt wird, sind des Weite-

45 Darstellung des Autors in Anlehnung an Deutsche Gesellschaft für Mauerwerk- und Wohnungsbau, Merkblatt zur Abdichtung von Mauerwerk, Berlin 2016.

ren häufig Abplatzungen aus Frost anzutreffen. Gefriert das eingedrungene Wasser und vergrößert infolgedessen sein Volumen, entstehen enorme Kräfte, die letztendlich zu Abplatzungen führen.

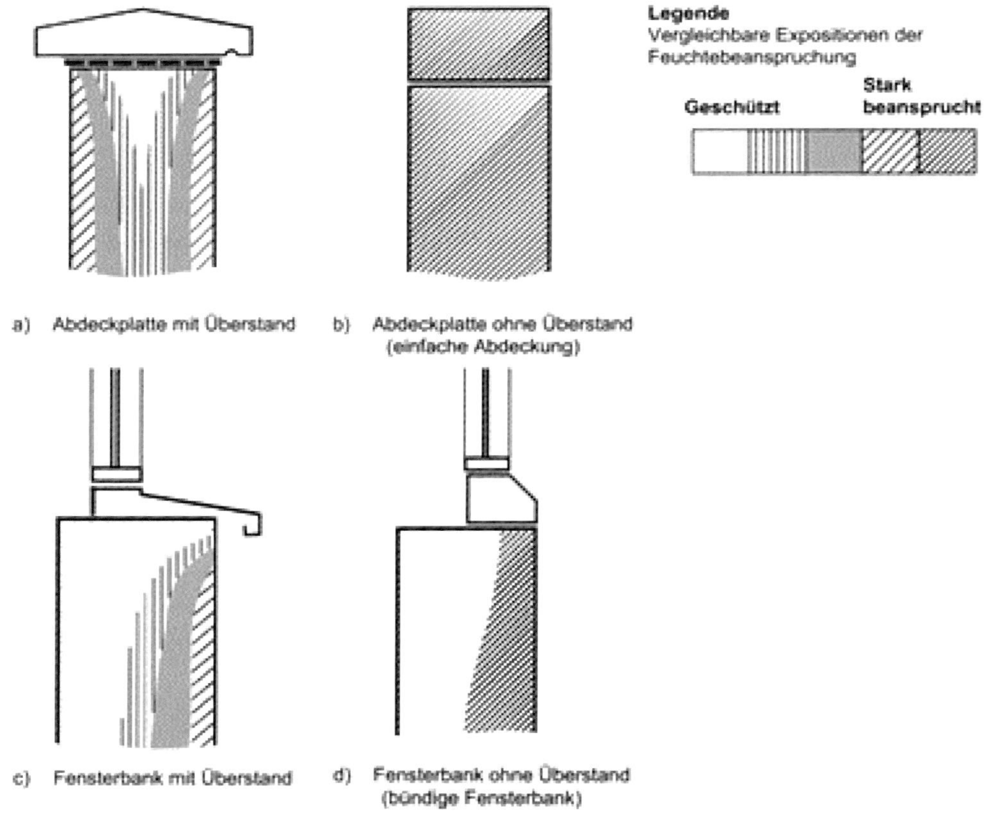

Bild A.1 — Beispiele für die Auswirkungen von Konstruktionsdetails auf die vergleichbaren Expositionen des Mauerwerks bezüglich der Feuchtebeanspruchung

Abbildung 25: Feuchtebeanspruchung in Abhängigkeit von den Konstruktionsdetails[46]

4.4.6.4 Schutzmaßnahmen während der Bauausführung

Auch während Lagerung und Bauausführung ist Mauerwerk vor verschiedenen Umwelteinflüssen zu schützen, um unmittelbar auftretende oder erst später daraus resultierende Schäden zu vermeiden. Die DIN EN 1996-2 geht diesbezüglich auf den Schutz vor Regen, Frost-Tau-Wechsel, Austrocknung und mechanischer Beanspruchung ein. Während langanhaltendem, starkem Regen ist demnach das Erstellen von Mauerwerk untersagt. In diesem Fall sind Mauerwerkswände durch Abdeckung zu schützen. Wasserableitende Konstruktionen, wie Fensterbänke und Regenrinnen, sind frühestmöglich anzubringen.

46 Entnommen aus: DIN EN 1996-2 Eurocode 6: Bemessung Konstruktion von Mauerwerk – Teil 2: Planung, Auswahl der Baustoffe und Ausführung von Mauerwerk.

Andernfalls droht ein Auswaschen des Mörtels aus den Mauerfugen und eine unverhältnismäßig große Feuchteaufnahme der Mauersteine.

Auch der Zeitpunkt des Mörtelauftrags ist von großer Bedeutung, so kann ein verfrühter Putzauftrag zu einer Unterbindung des Austrocknens des Mauerwerks führen. War die Mauerwerkswand in der Bauphase zusätzlich noch einer starken Beregnung ausgesetzt, kann die andauernde Durchfeuchtung zu einem Schimmelbefall führen. Andererseits können bei zu schneller Austrocknung des durchfeuchteten Mauerwerks Risse entstehen. Beim Entweichen der Feuchtigkeit schwindet das Mauerwerk, was zu Zugspannungen und daraus folgend zu Rissen führen kann.

Nicht nur übermäßige Feuchte stellt für Mauerwerk ein Problem dar. Gemäß DIN EN 1996-2 ist auch ein Schutz vor Austrocknung nötig, bis der Mauermörtel vollständig abgebunden hat. Hierauf ist besonders sowohl bei hohen Temperaturen als auch bei starkem Wind zu achten. Diese Umwelteinflüsse entziehen dem Mörtel Wasser, welches für die Hydratisierung, die Erhärtung des Mörtels, benötigt wird. Dies kann den Verbund zum Mauerstein negativ beeinflussen, was u.a. in Mörtelablösungen resultieren kann. Außerdem kann das Entweichen der Feuchtigkeit auch in diesem Fall zu Schwinden im Mörtel sowie im Mauerstein führen, was Spannungen hervorruft und Risse verursachen kann.

Bei niedrigen Temperaturen wird in der DIN EN 1996-2 vom Verarbeiten gefrorener Baustoffe sowie vom Mauern auf gefrorenem Untergrund abgeraten. Sind Temperaturen unter + 5°C zu erwarten, müssen Schutzmaßnahmen ergriffen werden.

Neben Witterungsbedingungen kann auch der weitere Betrieb auf der Baustelle Schäden an Mauerwerkswänden verursachen. Die DIN EN 1996-2 weist insbesondere auf den Schutz empfindlicher Stellen hin, wie z.B. Mauersockel, Ecken oder andere herausragende Kanten. Diese können durch Arbeiten anderer Gewerke beschädigt oder verschmutzt werden, beispielsweise bei Betonierarbeiten. Eine verschmutzte Oberfläche des Mauerwerks kann zu einem reduzierten Haftverbund und einem späteren Ablösen des Putzes führen.

In der DIN EN 1996-2 wird auf eine Begrenzung der Mauerwerkshöhe, die an einem Tag aufgemauert wird, hingewiesen. Demnach soll in Abhängigkeit von Mauerwerksdicke sowie Mörtel- und Mauersteinart je nach Windbeanspruchung eine geeignete Höhe festgelegt werden. Bei Einhaltung dieser Höhe ist die Stabilität des Mauerwerks sichergestellt und eine zu hohe Belastung des Mörtels wird umgangen.

4.5 Besonderheiten des Holzbaus

Martin Mohrmann

Übersicht

Im Hochbau nimmt der Anteil der Holzbauweise kontinuierlich zu. Technologische Entwicklungen haben den Holz- und Holz-Hybridbau in den letzten zwei Jahrzehnten zu großen Fortschritten in Bezug auf technische Machbarkeit, Leistungsfähigkeit und potenzielle Einsatzgebiete geführt. Konstruktive und technische Lösungen mit teils neuen Werkstoffen sowie veränderte Produktionsweisen mit hohem Vorfertigungsgrad ermöglichen die Realisierung von Bauaufgaben in Holzbauweise, die hinsichtlich Bauwerksgröße, Gebäudehöhe und Komplexität jedes bisher übliche Maß sprengen. Neben den bisher bekannten, also klassischen Baufehlern im Holzbau entstehen nun strukturbedingt neue Fehler.

4.5.1 Baufehler durch Planungsdefizite

Der klassische Planungsprozess im Bauwesen ist geprägt durch die mineralische Massivbauweise als die tradierte Bauweise in Deutschland. Der Holzbau spielte dabei in der Vergangenheit nur eine untergeordnete Rolle. In der Architekturlehre und in der Bauingenieursausbildung wurde Holzbau mit wenigen Ausnahmen nur rudimentär mit Schwerpunkt Ingenieurholzbau betrachtet. Auch heute noch findet der moderne Holzbau nur an sehr wenigen Hochschulen seinen Niederschlag. In Deutschland ist daher die Holzbaukompetenz bei Planern, bei Architekten und Ingenieuren, nicht ausgeprägt. Auch Normen und Bauvorschriften haben sich lange Zeit am mineralischen Massivbau orientiert und öffnen sich erst langsam bzw. berücksichtigen Holzbauweisen. Dies führt in Regelwerken, z.B. zum Brand- und Schallschutz, immer noch zu Regelungslücken bzw. fehlenden Bemessungsverfahren. Die tradierte Abfolge der Leistungsphasen trägt für Architekten und Ingenieure, so wie sie in der HOAI definiert wird, den erforderlichen Planungsabläufen im Holzbau nur unzureichend Rechnung.Der klassische Planungs- und Bauprozess stellt einen mehr oder weniger hierarchisch gegliederten und linearen Entwurfsprozess dar. Rohbau, Fassade und Ausbau beinhalten eine sukzessive Entwicklung von Bauteilen. Sogenannte baubegleitende Planungen sind hier leider typisch. Häufig werden Entscheidungsfreiräume lange offengehalten und Detailentscheidungen erst vor Ort an der Baustelle getroffen.

Für Bauvorhaben in Holzbauweise mit hohem Vorfertigungsgrad sind solche Abläufe jedoch nicht geeignet bzw. sogar kritisch und führen nicht selten zu systembedingten Fehlern. Die Anforderungen an moderne Holzbaukonstruktionen sind erheblich komplexer als viele Massivbauweisen. Sie bedürfen einer intensiven, ingenieurmäßigen Betrachtung im Planungsablauf. Holzbauteile sind mehrschichtig und lassen, anders als im mineralischen

Massivbau, eine Trennung zwischen Rohbau und Ausbau nicht zu. So sind Beplankungen nicht nur statisch relevant, sondern beeinflussen z.B. den Brand- sowie den Schallschutz und spielen bei Außenbauteilen hinsichtlich des Feuchteschutzes eine große Rolle.

Die Gestaltung von mehrschichtigen Holzbauteilen hinsichtlich ihrer Schichtenanordnung und deren Dimensionierung bestimmt alle technologischen Eigenschaften hinsichtlich Tragverhalten, Feuchtigkeitsschutz, Schalldämmung sowie Brandschutz und muss daher gemeinsam entwickelt werden. Und das frühzeitig: Im Holzbau mit einem hohen Vorfertigungsgrad müssen die unterschiedlichen Planungsdisziplinen bereits zu Beginn der Planung in der Leistungsphase 2 nach HOAI verknüpft werden. Ingenieurleistungen zum Tragwerk, Brand-, Schall- und Feuchteschutz, aber auch die Planung der haustechnischen Installationen, der Elementierung und der Montageablauf nehmen nicht nur erheblichen Einfluss auf die Konstruktion, sondern auch auf die architektonische Gestaltung. Das erfordert bereits in den frühen Planungsphasen eine konstruktive Bearbeitung und Klärung grundsätzlicher Detailpunkte, z.B. Elementfügungen, Ausbildung von Knotenpunkten, Dimensionierungen von Leitungstrassen oder Bauteildurchdringungen.

Nach HOAI ist eine solche konstruktive Bearbeitung in der Planung erst später in Leistungsphase 5 vorgesehen. Bei Bauweisen mit sehr hohem Vorfertigungsgrad, z.B. dem vorelementierten Holzbau, verursachen eine unvollständige Abstimmung der unterschiedlichen Fachdisziplinen sowie fehlende Detailinformationen bzw. eine geringe Detailtiefe in der Entwurfsplanung Kollisionen und Missverständnisse an den fachbezogenen Schnittstellen und Fehler in der anschließenden Elementplanung und Herstellung . Nachträgliche Ergänzungen und Anpassungen in der Montage- und Ausbauphase führen zu negativen Auswirkungen, oft genug lassen sich Defizite nicht mehr fachgerecht beheben.

Fehler infolge unzureichender Planung sind u.a. an ihren geometrischen Zwängen zu erkennen, die häufig eine fachgerechte Ausführung im Nachhinein nicht zulassen. Typisch sind z.B.:

- Fehlerhafte Ausführungen an Fußpunkten und Sockeln mit zu geringem Abstand zur wasserführenden Ebene bzw. Geländeoberkante.
- Zu gering dimensionierte Wand-, Decken- oder Dachbauteile, deren Abmessungen ausreichende Brand- oder Schallschutzwerte nicht erreichen. Insbesondere Bauteile mit Anforderungen hinsichtlich tieffrequenter Schallübertragung benötigen in der Regel größere Bauteilabmessungen.
- Zu gering dimensionierte Trassen und Bauteildurchführungen für die Haustechnik, wo in der Regel dann auch brandschutztechnische Maßnahmen nicht mehr nachträglich hergestellt werden können.
- Entwurf von Dachterrassen als „einschaliges" Bauteil mit Dämmebene ausschließlich in der Dachbalkenebene. Solche Bauteile sind als schadensträchtig zu bewerten.
- Fehlstellen in der Luftdichtheitsebene infolge ungeplanter Bauteilfügung, besonders bei Bauteilen mit sichtbarer Holzoberfläche. Alle Schichten der Bauteile sind funktionsgerecht miteinander zu verbinden – auch an den Elementverbindungen.

4.5.2 Witterungsschutz – Schäden während der Bauphase

Die Bauweise bzw. die Montageabfolge hat sich mit dem höheren Grad der Vorfertigung und Elementierung grundlegend verändert. Auf den Baustellen werden komplexe, beidseitig geschlossene Bauteile gestellt und montiert, die mit ihrem hohen Grad der Vorfertigung dementsprechend auch feuchteempfindliche Bauprodukte beinhalten, u.a. Bauteile aus Buche, fertige Oberflächen und Fassaden. Bauteile in den mehrgeschossigen Bauwerken weisen oft mehrlagige Beplankungen aus Gipsbauplatten zur brandschutztechnischen Kapselung auf. Der Schutzbedarf dieser hochgradig vorgefertigten Holzelemente ist sehr viel größer als für Elemente von bisherigen etablierten Rohbaukonstruktionen.

Auch der Schutzbedarf moderner Massivholzkonstruktionen ist hoch. Robust in der Fläche, jedoch feuchteempfindlich an den Kanten, kommen die Bauteile in der Regel direkt aus dem Werk des Herstellers auf die Baustelle und weisen häufig einen nur geringen Vorfertigungsgrad auf. Das bedeutet in der Regel längere Standzeiten, ohne schützende Bekleidungen oder dergleichen.

Abbildung 1: Montage eines Holzhochhauses über die Winterzeit: links ungeschützte Trockenbauoberfläche, rechts Massivholzbauteile mit Kantenschutz; Quelle: R. Heinicke, Hamburg

Die Montagephase von Holzbauwerken ist wegen der unmittelbaren Witterungseinflüsse eine kritische Phase. Bei den heutigen, großvolumigen bzw. mehrgeschossigen Bauvorhaben lassen sich durch die industrielle Vorfertigung die Montagezeiten auf der Baustelle verkürzen, jedoch wird der Montageprozess mit seinem industriellen Charakter erfahrungsgemäß nur in seltenen Fällen wegen ungünstiger Wetterlagen unterbrochen. Ein kontinuierlicher Montagefortschritt im Taktverfahren für Elementanlieferung, Montage und, bei Hybridkonstruktionen, in Abstimmung mit anderen Rohbaugewerken, ist die Regel. Unabdingbar dann auch ein permanenter Wetter- und Holzschutz. Dies auch vor dem Hintergrund, dass die Klimaveränderung bereits heute zu verstärkten Unwettern und Starkregenereignissen führt.

Mit der Zunahme großvolumiger Holzbauwerke steigt leider auch die Anzahl der Schadensfälle infolge von Durchfeuchtungen während der Bauphase. Feuchteschäden dieser Art gab es früher auch, aber nur vereinzelt und in geringerem Umfang. Die früheren Bauvorhaben – typischerweise Einfamilienhäuser o.Ä. in ein- oder zweigeschossiger Bauweise – waren in den Abmessungen klein und konnten bei Berücksichtigung eines günstigen Wetterfensters durch ein regensicheres Unterdach kurzfristig innerhalb weniger Tage regendicht hergestellt werden. Auch kamen diese Bauteile meistens nicht beidseits beplankt und oberflächenfertig aus dem Werk. Solche Bauvorhaben weisen in der Regel örtlich begrenzte Durchfeuchtungen wegen einzelner lokaler Undichtheiten auf, z.B. Zerstörung einer temporären Schutzfolie vor Bauöffnungen im Zuge eines Unwetters oder dergleichen.

Heutige Baustellen mit großvolumigen Bauwerken dauern Wochen bis Monate. Fehlende oder unwirksame Schutzmaßnahmen verursachen Durchfeuchtungen in sehr viel größeren Ausmaßen, die oft den Rückbau von Beplankungen und Dämmschichten oder, bei fortgeschrittener Bauzeit, auch den Rückbau bereits hergestellter Ausbauleistungen wie Estriche, Unterdecken und haustechnischer Installationen nach sich ziehen. Zusätzlich ist ein hoher Aufwand für technische Trocknungsmaßnahmen erforderlich, insbesondere bei großvolumigen Massivholzbauteilen, deren Kanten in den Auflagerbereichen Wasser ziehen können und ein ungünstiges Austrocknungsverhalten zeigen.

Die Wiederherstellung von Bekleidungen und Beplankungen an bereits montierten Elementen ist häufig nur mit hohem Aufwand und in der Regel nur in mäßiger Qualität zu bewerkstelligen. So sind z.B. brandschutztechnisch oder akustisch wirksame Bekleidungen von zweischaligen Trennwänden nur schwer wieder herzustellen bzw. erfordern ggf. Sonderkonstruktionen, die von Prüfzeugnissen als ursprüngliche Grundlage der Konstruktion abweichen.

Alle nachträglich erforderlichen, im Planungsprozess nicht vorgesehenen Maßnahmen führen zur erheblichen Bauzeitverzögerung mit in der Regel erheblichen juristischen und wirtschaftlichen Konsequenzen.

Der Klassiker in der „Sachverständigenhitliste" ist die Durchfeuchtung der obersten Dachdecke. Bei Massivholzdecken führt die Schnittstelle zwischen den Gewerken Holzbau- und Dachdeckerarbeiten nicht selten zu Verzögerungen. Nasse Oberseiten der Deckenelemente, abgedeckt durch eine Dampfsperrbahn und den weiteren Dachaufbau, trocknen auch in der nachfolgenden Zeit aufgrund des sehr geringen Diffusionsstroms über die Massivholzdecke nicht aus. Die entstehenden Fäulnisschäden zerstören durch optimale Bedingungen (nass und warm) zügig die obersten Holzschichten.

Kritisch sind die Längsstöße der Massivholzelemente mit den in Falzen eingelegten Koppelbrettern zum schubfesten Verbund der Deckenelemente. Eingedrungenes Wasser unterwandert die Koppelbretter kapillar und kann den Falz unzulässig hoch auffeuchten. Häufig werden diese Bereiche selbst bei den Trocknungsmaßnahmen übersehen und sind nach diffusionsdichtem Verschluss Ausgangspunkt für Fäulnisbildung.

Abbildung 2: Längsstöße der Massivholzdeckenelemente mittels Koppelbrettern, hier bereits demontiert, sind Feuchtefallen; Quelle: Martin Mohrmann

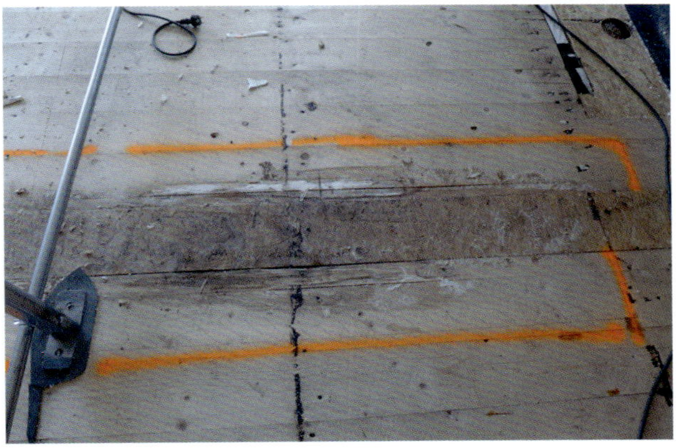

Abbildung 3: Eingeschlossene Feuchte im Längsstoß führen unterhalb der Dampfsperrbahn zu Fäulnisschäden; Quelle: Martin Mohrmann

Abbildung 4: Gesamte Dachfläche durch eingeschlossene Feuchte im Bereich der Längsstöße und Auflagerkanten der Massivholzelemente massiv geschädigt; Quelle: Martin Mohrmann

Lange Bauzeiten erfordern einen wirksamen Witterungsschutz – geeignet für jede Wetterlage und für jede Jahreszeit. Gemäß der bauaufsichtlich eingeführten Holzschutznorm DIN 68800-2[1] sind Schutzmaßnahmen gegenüber Feuchte während Transport, Lagerung, Montage und Einbau als sog. grundsätzliche bauliche Maßnahmen bereits bei der Planung und Ausschreibung zu berücksichtigen. Eine Leistung, die demnach die Planer zu erfüllen haben und nicht allein der Ausführende, der häufig mit dem Hinweis auf die Verpflichtung zum „Schutz der eigenen Leistung" die alleinige Verantwortung bzw. Lasten tragen soll.

Der Witterungsschutz von Holzbauwerken, deren Montagezeit bis hin zum regensicheren Bauwerksverschluss sich nicht auf wenige Tage begrenzen lässt und deren Bauteile auch nicht temporär mit Schutzplanen oder vergleichbaren Maßnahmen zu schützen sind, ist keine Nebenleistung mehr, sondern ist mit dem Konstruktionsprinzip abzustimmen und eine Planungsleistung, ohne die eine fehlerfreie Umsetzung nicht möglich ist.

Diese Aspekte werden von Planenden und Ingenieuren häufig weder organisatorisch noch konstruktiv beachtet. Bewährt und für einen Witterungsschutz unabdingbar ist die Vergabe von Bauleistungen, die unmittelbar im Zuge der Montage zu einer „dichten" Gebäudehülle durch einen verantwortlichen Auftragnehmer führen. Holzbau, Fenster und Türen und Teile des Dachs bzw. Außenwandbekleidung gehören in „eine Hand".

Dieses Vorgehen widerspricht auch bei öffentlichen Vergabeverfahren nicht dem aktuellen Wettbewerbsrecht (GWB – Gesetz gegen Wettbewerbsbeschränkungen), da elementiertes Bauen regelmäßig mehrere Teil- oder Fachlose umfasst. Eine Abweichung vom GWB aus wirtschaftlichen oder technischen Gründen ist dergestalt zu begründen, dass im Rahmen der Vorfertigung die Tragstruktur nicht von der Gebäudehüllstruktur getrennt werden kann. Leistungsbeschreibungen, die in der traditionellen Weise Rohbau und Ausbau trennen, führen im Holzbau bereits während der Bauphase zu einem deutlich erhöhten Schadenspotenzial.

1 DIN 68800-2:2022-02 – Holzschutz Teil 2: Vorbeugende bauliche Maßnahmen im Hochbau.

Abbildung 5: Dichte Gebäudehülle – Außenwandelemente werden komplett mit Fensterelement montiert. Die Außenseite der Außenwand ist bereits witterungsfest; Quelle: Martin Mohrmann

Bauvorhaben, bei denen z.B. der Tragwerksplaner Deckenkonstruktionen für großflächige Bauabschnitte als Holzbetonverbunddecken (HBV-Decken) mit Durchlaufwirkung plant und deren Aufbeton wegen der erforderlichen Bewehrung nur vor Ort aufgebracht werden kann, stellen Holzbauer vor eine mehr oder weniger unlösbare Aufgabe. Für den Zeitraum der Bewehrungs- und Betonierarbeiten ist ein funktionstauglicher Witterungsschutz der Massivholzbauteile schwierig, bei sehr großen Flächen unmöglich. Eine Alternative mit vorgefertigten HBV-Deckenelementen, deren Feuchteunempfindlichkeit bei zügigem Verschluss der Montagefugen sehr viel günstiger wäre, verlangt ein anderes Tragwerkskonzept – ein Aspekt, den der Tragwerkplaner im Entwurf berücksichtigen sollte und als möglicher Alternativvorschlag des Holzbauers nach Auftragsvergabe immer zu spät kommt.

In Deutschland wird bei mehrgeschossigen und großvolumigen Holzbauten, aber auch bei Gebäuden in Modulbauweise überwiegend das Konzept „Bauteilschutz" verfolgt und umgesetzt. Im Prinzip wird Geschoss für Geschoss jeweils eine Art Schutzdach für die darunter errichteten Bauteile mittels temporär abgedichteter Deckenelemente ausgebildet. Die einzelnen Wandelemente werden mit vorgehängten oder selbstklebenden Witterungsschutzbahnen versehen bzw. Außenwandelemente bereits mit regensicheren Unterkonstruktionen der Außenwandbekleidungen angeliefert. Deckenelemente werden üblicherweise bereits im Werk mit selbstklebenden Witterungsschutzbahnen vorbereitet. Bei feuchteunempfindlichen Bauteilen, wie z.B. HBV-Deckenelementen, werden lediglich die Montagefugen wasserdicht verschlossen. Die Schwierigkeiten liegen hier nicht in der Fläche, sondern in den Anschlusspunkten an andere Bauteile sowie in der Ableitung des Tagwassers. Letzteres ist ein zentraler Schlüssel für ein funktionstaugliches Witterungsschutzkonzept. Auch stellt eine regennasse Baustellensituation beim Abdichten der Fugen und Anschlüsse die Ausführenden vor fast unlösbare Probleme. Die üblichen Produkte zum Abkleben der Fugen/Anschlüsse haften nicht auf feuchten Untergründen.

Abbildung 6: Bauteilschutz: Deckenflächen mit Witterungsschutzbahn abgeklebt, Wandköpfe abgedeckt, Außenwandelemente sind gegenüber Witterungseinflüsse verschlossen; Quelle: R. Heinicke, Hamburg

Ein anderes Schutzkonzept kann als „Bauwerksschutz" verstanden werden. Hier wird der Bauabschnitt mit temporären Schutzdächern überdacht oder abgedeckt. Dies können Wetterhauben sein, die Arbeitsabschnitte abdecken und für den Baufortschritt heruntergehoben werden. Für Aufstockungen oder Instandsetzungen bzw. Modernisierungen werden Schutzdächer auf Gerüsten eingesetzt.

Abbildung 7: Temporäre Schutzdächer zum Schutz einzelner Bauabschnitte; Quelle: Martin Mohrmann

In Skandinavien ausgeprägt sind Schutzdächer und -zelte, unter denen umfassend witterungsgeschützt gearbeitet wird. Für größere Holzbauten werden Zelte mit integrierten Kranbahnen eingesetzt. Leider hat sich in Deutschland diese beispielhafte Schutzart noch nicht etabliert.

Ist es zum Wassereintritt und zur Durchfeuchtung der Holzkonstruktion gekommen, ist sehr schnelles Handeln erforderlich. Wasseransammlungen sind sofort zu entfernen, betroffene Holzrahmenelemente oder Hohlkastenelemente sind hinsichtlich Wassereintritt ins Elementinnere zu kontrollieren. Im Fall einer kompletten Durchfeuchtung reicht es nicht, lediglich die Dämmung und Bekleidungen auszutauschen. Es ist sicherzustellen, dass auch die Holzbauteile wieder Holzfeuchten unterhalb 20M-% aufweisen.

Eine sofortige Trocknung ist insbesondere bei Beplankungen mit Gipsbauplatten erforderlich, da ansonsten eine Schimmelpilzentwicklung den Sanierungsumfang erheblich vergrößert.

Schwierig sind akustisch wirksame Schüttungen auf Geschossdecken in Massivholzbauweise zu handhaben, bei Wassereintritt sind diese erfahrungsgemäß nicht zu trocknen und müssen ausgebaut werden.

Bei Massivholzkonstruktionen sind die Stirnkanten der Platten in Auflagersituationen kritisch. Über das Hirnholz feuchten die einzelnen Lamellenlagen extrem auf und sind oft schwer zu trocknen.

Gemäß DIN 68800-2 ist nach einem Feuchteschaden innerhalb einer Zeitspanne von höchstens drei Monaten nachzuweisen, dass die Holzfeuchte wieder im zulässigen Bereich mit $u \leq 20$M-% ohne Beeinträchtigung der gesamten Konstruktion liegt. Die Feststellung des Schadensumfangs, die Festlegung der Maßnahmen und die Dokumentation der erfolgreichen Instandsetzung während der Bauphase werden immer häufiger Aufgabe der Sachverständigen im Sachgebiet Holzbau.

4.5.3 Sockel und Fußpunkte im Holzbau

Sockel sind traditionell Schadensschwerpunkte im Holzbau. Im ungünstigsten Fall erfährt hier die feuchteempfindliche Konstruktion direkten Kontakt mit Wasser oder eine übermäßige Spritzwasserbeanspruchung.

Die Holzschutznorm DIN 68800-2 bietet drei verschiedene Lösungen an:

- ≥ 30 cm Abstand zwischen Unterkante Holz und Oberkante Terrain ohne weitere Maßnahme;
- ≥ 15 cm Abstand zwischen Unterkante Holz und Oberkante Terrain mit spritzwasserbrechendem Kiestraufstreifen entlang des Sockels;
- ≥ 5 cm Abstand zwischen Unterkante Holz und Oberkante Terrain mit Maßnahmen gemäß DIN 18533 zur Herstellung eines Spritzwasserschutzes.

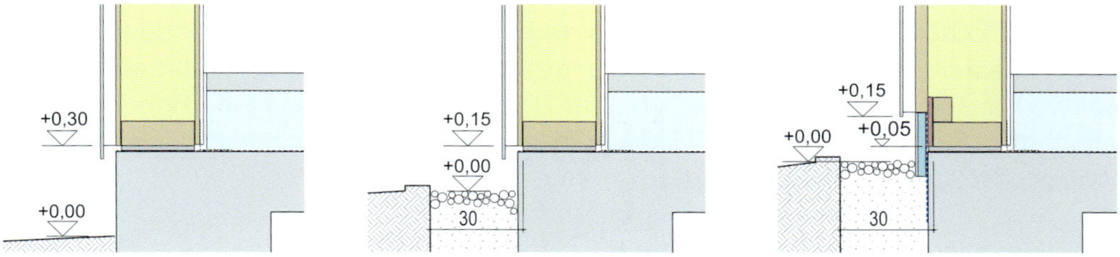

Abbildung 8: Sockelvarianten gemäß DIN 68800-2; Quelle: Martin Mohrmann

Unverständlicherweise wird im Normenkommentar[2] zur DIN 68800-2 in den Erläuterungen zum Anhang A, wo die Sockellösungen in den Bildern A.10 bis A.13 prinzipiell dargestellt werden, die letzte Variante mit 5 cm Abstand zwischen Unterkante der Schwelle und Oberkante des Geländes nur für Wandkonstruktionen mit Wärmedämm-Verbundsystemen als zulässig erklärt. Diese Einschränkung ist dem Normentext so nicht zu entnehmen und auch in technischer Hinsicht in keiner Weise begründet bzw. nachvollziehbar. Alle drei Lösungen sind für Holzbauwände mit jeglicher Fassadenausbildung technisch möglich und normenkonform.

In der Holzschutznorm gilt das Abstandsmaß vom Fertigmaß des Geländes. Anders als in der Normenreihe DIN 18533 wird nicht zwischen Bauzustand und Endzustand unterschieden. Es gilt der tatsächlich zu realisierende Endzustand, der letztlich auch für die tatsächliche Spritzwasserbeanspruchung entscheidend ist.

Diese drei Sockellösungen stehen jedoch den heutigen Wünschen nach niveaugleichen Hauseingängen bzw. Anforderungen des barrierefreien Bauens entgegen. Aus dem mineralischen Massivbau kritiklos übernommene Detaillösungen (Außenwand steht auf Betonsohle) führen hier immer zu Planungsfehlern, da die Schwellenhölzer dann mindestens um Höhe des Fußbodenaufbaus unterhalb Geländeoberkante liegen.

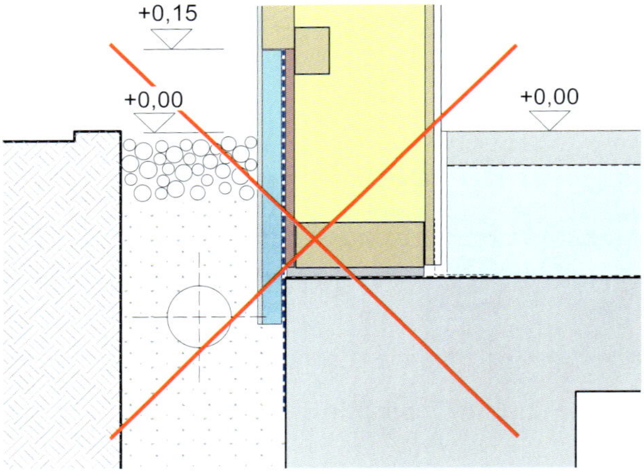

Abbildung 9: Unzulässige Planung – die Schwelle liegt unterhalb Geländeniveau. Auch ein gedräntes Kiesbett schützt nicht vor Wassereinwirkung (siehe Abbildung 10); Quelle: Martin Mohrmann

Der Arbeitsausschuss der Holzschutznorm DIN 68800-2 verlässt sich explizit nicht allein auf eine Abdichtungsmaßnahme gemäß DIN 18533 zum Schutz der Elementfüße. Der geringste Wassereintrag verursacht infolge der fehlenden Austrocknungsfähigkeit unmittelbar Fäulnisschäden an Schwellen und Korrosionserscheinungen an Verbindungsmitteln. Gegebenenfalls erforderliche Instandsetzungen sind insbesondere bei mehrgeschossigen Bauwerken sehr aufwendig. Daher wird für Holzbauteile zwingend eine Höhenlage von mindestens 5 cm oberhalb des Geländes zum Schutz gegenüber kurzfristig aufstauendem Wasser und Spritzwasser gefordert.

2 Holzschutz – Praxiskommentar zu DIN 68800 Teile 1-4, 3. Aufl. 2022.

Abbildung 10: Vollständige Flutung des Kiesstreifens bei Starkregenereignis; Quelle: D. Warmbrunn, Oldenburg

Eine fachgerechte Lösung erfordert bei Gebäuden z.B. mit vielen niveaugleichen Außentüren, u.a. typisch bei Kindergärten, in der Regel Betonaufkantungen als Sockel für die Außenwände. Bewährt hat sich die Ausführung mit Betonfertigteilen, die in der Herstellung und beim Versetzen eine hohe Maßgenauigkeit bieten und so dem Holzbau mit seinen geringen Maßtoleranzen entsprechen.

Aus bauphysikalischen Gründen wird dabei eine äußere Perimeterdämmung zur Reduzierung des Wärmedurchgangs erforderlich, eine alleinige Innendämmung des Betonsockels kann feuchtetechnisch ungünstig sein. Fehlerhaft ist die einfache Weiterführung einer fasergedämmten Installationsebene ohne Einbau eines raumseitigen Diffusionsschutzes, wenn nicht die Oberflächentemperatur der Betonaufkantung feuchtetechnisch geprüft wurde. Günstiger sind hohlraumfrei aufgeklebte Hartschaumplatten, jedoch bedarf es der Abstimmung bei Hochführung von Installationen. Diese Schlitze sind so luftdicht abzuschließen, dass keine Raumluft an die Sockelinnenseite gelangt oder gar die Dämmplatten hinterströmt.

Leider ist bei der Lösung Betonsockel der werksmäße Einbau von bodentiefen Fensterelementen und Türen im Zuge der Vorfertigung nicht möglich. Die Fensterelemente ragen unten aus dem Wandelement heraus und sind beim Transport und Montieren extrem schadensanfällig.

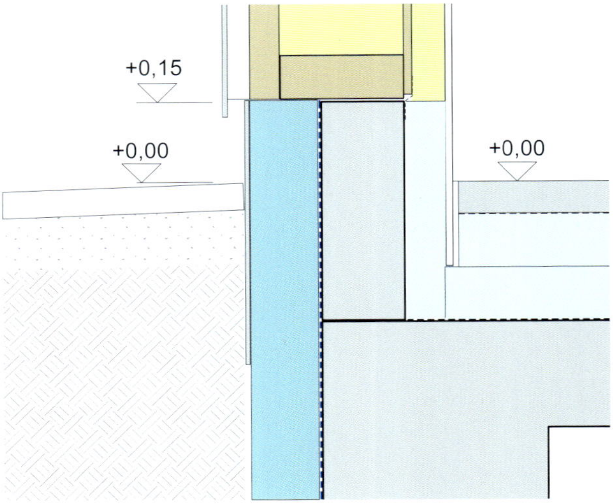

Abbildung 11: Sockelausführung mit Betonaufkantung und innerer wie äußerer Dämmung; Quelle: Martin Mohrmann

Häufig festzustellen sind Feuchteschäden trotz ursprünglich fachgerechter Ausführung infolge nachträglicher Bodenanfüllung, z.B. im Zuge der Herstellung von Außenanlagen, die von der Planung abweichen – wenn denn überhaupt eine Planung vorlag. Ohne Kenntnis über die Konstruktion wird durch die spätere Gartengestaltung die für diesen Lastfall ungeschützte Sockelkonstruktion dem unmittelbaren Erdkontakt und dessen permanenter Bodenfeuchtigkeit ausgesetzt. Einer solchen Beanspruchung ist die feuchteempfindliche Holzkonstruktion nicht gewachsen. Sockelausbildungen, die optisch keine Sockelzone anzeigen, sind besonders häufig betroffen.

Eine besondere Beanspruchung entsteht, wenn das höher liegende Gelände über Bordsteine vom Sockel abgegrenzt wird. Entsteht so ein abgeschlossener Graben, ohne dass das Regenwasser mindestens an einer Seite frei abfließen kann, führt das unvermeidliche Stauwasser häufig zu Schäden an Holzbauwänden. Die Versickerungsleistung im Kiesgraben ist insbesondere bei Starkregenereignissen nicht ausreichend. Zudem ist der Kiesstreifen oft durch die Betonrückenstütze der Bordsteine räumlich stark eingegrenzt, sodass eher eine Wanne entsteht als eine Sickerfläche (siehe Abbildung 12).

Eine weitere typische Schadensquelle ist im Anschlussbereich von bodentiefen Fensterelementen und Außentüren zu finden. Teilweise fehlende bzw. fehlerhafte Abdichtungsmaßnahmen, wie z.B. hinterläufige Abdichtungen oder auch ein Wassereintritt infolge Schlagregen in Anschlussfugen oberhalb der Sockelabdichtung, führen zu Wasseransammlungen im Schwellenbereich, die bereits bei kleinen Mengen zur vollständigen Zerstörung der Holzschwellen führen. Grundsätzlich sollte nach Auffassung des Autors unter bodentiefen Fensterelementen kein Holz verbaut werden. Hierfür sind verrottungsfeste Produkte, z.B. aus recycelten PUR bzw. PIR-Dämmstoffen, erhältlich. Nur ist im Holzbau im Zuge der Vorfertigung der Außenwände eine durchlaufende Schwelle zur Stabilisierung bei Transport und der Montage notwendig. Eine in Fensterebene ausgeklickte Schwelle ermöglicht jedoch den Elementeinbau einschließlich Unterbauprofil, anschließend wird nach Montage die Holzschwelle im Öffnungsbereich herausgetrennt.

Abbildung 12: Eine Grabenbildung durch umlaufende Bordsteine führt unmittelbar zu Stauwasser und nachfolgend zu Sockelschäden; Quelle: Martin Mohrmann

Bei Fußpunkten, bei denen der Hochzug der äußeren Abdichtungsebene höher als die Oberkante des inneren Fußbodenaufbaus geführt werden muss, ist aus bauphysikalischen Gründen eine äußere Überdämmung erforderlich. Diese geometrische Situation wird in aller Regel bei Staffelgeschossen, Dachterrassen oder Gründungen auf sog. Thermobodenplatten zutreffen.

Das Grundprinzip des Holzbaus, nämlich auf der Außenseite so wasserdampfdiffusionsoffen zu bauen wie möglich, wird durch den Hochzug der diffusionshemmenden oder -dichten Abdichtungen außer Kraft gesetzt. Es besteht die Gefahr, dass in das Bauteil eindringender Wasserdampf – sei es über Diffusions- oder Konvektionsvorgänge – hinter der diffusionshemmenden Schicht infolge Abkühlung zu unzulässig hohen Luftfeuchten oder gar zu Kondensaterscheinungen führen kann. Ist das sommerliche Austrocknungsverhalten, wie an Sockelkonstruktionen häufig der Fall, eher begrenzt, kann die sukzessive Auffeuchtung Feuchte- bzw. Fäulnisschäden direkt hinter der Abdichtungsebene verursachen.

Abbildung 13: Beginnende Fäulnisbildung an der Außenseite eines Wandstiels hinter einer hochgeführten Abdichtung; Quelle: Martin Mohrmann

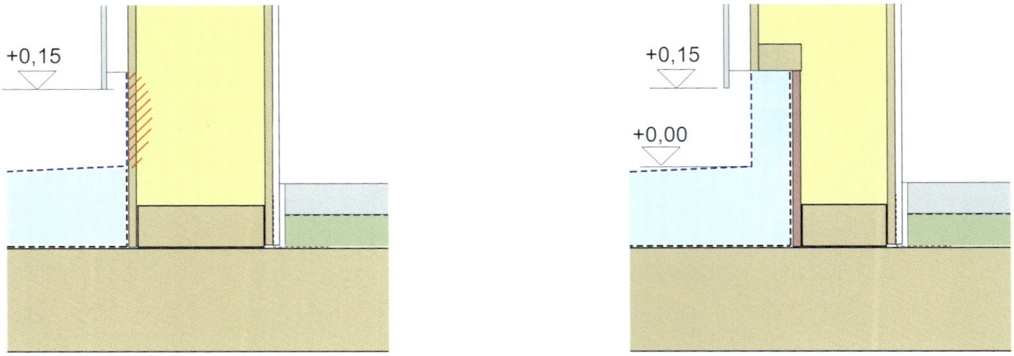

Abbildung 14: Fußpunkte Staffelgeschoss – Links: Hochzug der äußeren Abdichtungsbahn weist keine Überdämmung auf. Kritischer Bereich rot schraffiert. Rechts: mögliche Ausführung mit äußerer Überdämmung; Quelle: Martin Mohrmann

Die Holzschutznorm fordert hier eine äußere Überdämmung des Hochzugs mit mindestens einem Drittel des Wärmedurchlasswiderstandes R [m^2K/W] der gesamten Wand bzw. mindestens R ≥ 1,2 m^2K/W (s. DIN 68800-2:2022 Anhang A Bild A.12 bzw. A.13). Die Überdämmung führt zu höheren Temperaturen im Bereich der hochgeführten Abdichtung und verhindert so eine schadensträchtige Kondensatbildung bzw. unzulässig hohe Luftfeuchtigkeiten. Sockelkonstruktionen mit geringerer äußerer Dämmstärke sind nicht mehr nachweisfrei, sondern über hygrothermische Simulationsberechnungen auf ihr Feuchteverhalten zu überprüfen. Die Regelungen zur Überdämmung orientieren sich an den Erkenntnissen der Holzforschung Austria, die mit der „Richtlinie für Sockelanschluss im Holzbau" eine fundierte Informationsschrift veröffentlicht hat.

4.5.4 Außenwandbekleidungen aus Holz

Außenwandbekleidungen aus Holz und Holzwerkstoffen werden bis zu einer Fassadenhöhe von 10 m in handwerklich bewährter Konstruktionsweise über die Fachregel 01 des Zimmererhandwerks[3] beschrieben und ihre Ausführung empfohlen.

Außenwandbekleidungen, die nach diesen handwerklichen Regeln ausgeführt sind, gelten als ausreichend standsicher, jedoch unter der Voraussetzung, dass die Fassadenelemente entsprechend ihrer Abmessungen und Gewichte in den Teil D der VVTB (Verwaltungsvorschrift Technische Baubestimmungen) als Bauprodukte ohne Verwendbarkeitsnachweis einzustufen sind. Für Außenwandbekleidungen aus Holzwerkstoffplatten mit einer Fläche > 0,4 m^2 oder einem Eigengewicht > 5 kg und für Brettbekleidungen mit einer Brettbreite > 0,3 m oder Unterstützungsabständen durch die Unterkonstruktion > 0,85 m ist nach DIN 18516-1 ein prüffähiger Standsicherheitsnachweis zu erstellen.

3 Fachregel 01 des Zimmererhandwerks „Außenwandbekleidungen aus Holz", Fördergesellschaft Holzbau und Ausbau mbH, Berlin, Ausgabe Januar 2023, 3. korrigierte Auflage.

Zur Befestigung der Fassadenbretter sind gemäß Fachregel Nägel, Schrauben und Klammern möglich. Die stiftförmigen Verbindungsmittel müssen der DIN EN 14592 oder allgemeinen bauaufsichtlichen Zulassungen (abZ) bzw. Europäisch Technischen Bewertungen (ETA) entsprechen. Einige Hersteller von Profilbrettern bieten Befestigungssysteme an, die aus Kunststoffexzentern oder ähnlichen Produkten bestehen. Diese Art der Befestigung ist über die Fachregel nicht abgedeckt und bedarf daher eines gesonderten statischen Nachweises.

Die Fachregel definiert Verlegearten und erlaubt bei waagerechter Anordnung der Fassadenbretter Längsstöße mit geschlossener vertikaler Fuge. Auch mit beschichteten Brettern ist dies zulässig, wenn die Hirnholzfläche mindestens einmal beschichtet wird. Dieser Brettstoß ist erfahrungsgemäß bei starker Witterungsbeanspruchung mit starker Schlagregenbeanspruchung trotzdem nicht frei von Schäden, sodass diese Ausführungsart vom Autor nicht empfohlen wird. In Anlehnung an die Publikationen und Untersuchungen der Holzforschung Austria (Fassaden aus Holz, proholz Austria 2018) sollten diese Fugen mit mindestens 10 mm Breite ausgeführt werden. Die veränderte Optik ist dann in der Fassadenplanung zu berücksichtigen.

Sogenannte offene Bekleidungen als Brettfassaden mit offenen Fugen finden derzeit in der aktuellen Architektursprache häufig Anwendung, gerne mit unterschiedlichen Profilabmessungen als plastisch wirkende Fassade. In Deutschland wird in der Fachregel 01 nur die waagerechte Anordnung mit Rhombusschalung geregelt; eine offene Brettfassade in vertikaler Anordnung wird explizit ausgenommen.

Offene Brettfassaden erfüllen den gewünschten Schlagregenschutz nicht. Daher ist die Feuchtebeanspruchung der Bretter höher, insbesondere die der Unterkonstruktion bei Fassaden mit senkrechter Brettanordnung. Dies mag der Grund sein, warum letztere Variante nicht in die Fachregel aufgenommen wurde. Die Holzforschung Austria erlaubt diese Variante uneingeschränkt, auch der Autor hat noch keinen Schaden an solchen Fassaden feststellen können. Entscheidend wird sein, wie weit die Fassade aufgelöst wird, also welcher Brett- oder Profilabstand vorhanden ist. Fugen, die geringer als die Brettdicke sind, gewährleisten erfahrungsgemäß bei horizontaler wie auch bei vertikaler Anordnung einen ausreichenden Regenschutz. Bei temporärer ungünstiger Bewitterungslage der vertikal angeordneten Brettbekleidung (orthogonale Schlagregenrichtung) stellt die bessere Belüftung ein anschließendes Austrocknen sicher.

Den Schlagregenschutz für die Kernwand übernimmt bei offenen Außenwandbekleidungen eine diffusionsoffene Fassadenbahn. Dabei wird an diese Bahn die Anforderung nach ausreichender UV-Beständigkeit gemäß DIN EN 13859-2 gestellt. Aber auch hinsichtlich Verarbeitung insbesondere an den Anschlüssen und Durchdringungen ist eine hohe Ausführungsqualität erforderlich; eine Leistung, die erfahrungsgemäß von den Ausführenden oft weniger sorgfältig erfüllt wird. Die besondere Bedeutung der Bahn, nämlich als alleiniger Schlagregenschutz, wird nicht ausreichend berücksichtigt.Kritisch sind offene Fassaden zu bewerten, die aus gestalterischen Gründen so weit aufgelöst werden, dass sie letztlich nur noch eine Funktion als optisches Gitter erfüllen. Die ursprünglichen Aufgaben einer Holzfassade wie Schlagregenschutz, mechanischer Schutz und UV-Schutz der dahinterliegenden Schichten und Optik reduzieren sich ausschließlich auf den optischen Aspekt. Das heißt, die Optik bekommt eine extrem hohe Gewichtung bei der Beurteilung. Und hier werden von Planern und Bauherren oft Ansprüche an Maßhaltigkeit und optische Makellosigkeit gestellt, die der Naturstoff Holz schlichtweg nicht leisten kann. Insbesondere bei Bauwerken, deren Bauherrenschaft eine hohe architektonische Qualität fordern, führt dies häufiger zu Streitigkeiten.

Abbildung 15: Fassaden aus Holzlamellen sind intensiver Bewitterung ausgesetzt und zeigen ein für Holz übliches Verformungsverhalten. Die Erwartungshaltung der meisten Bauherren ist eine andere; Quelle: Martin Mohrmann

Abbildung 16: Fassaden aus Holzlamellen sind intensiver Bewitterung ausgesetzt und zeigen ein für Holz übliches Verformungsverhalten. Die Erwartungshaltung der meisten Bauherren ist eine andere; Quelle: I. Gabriel, Oldenburg

In der Fachregel 01 wird bereits auf die unvermeidliche Veränderung infolge von Witterungseinflüssen hingewiesen, die ohne besondere Vereinbarung oder vertragliche Auslegung fehlerfrei und dann zu akzeptieren sind. So stellen Rissbildungen, Verformungen wie Verdrehungen, Krümmungen und Schüsselungen oder Faserablösungen und Schilferrissbildungen, die im Zuge der direkten Bewitterung entstehen, keine Fehler dar. Genauso sind der Ausfall von Kantenästen, Verfärbungen und Farbveränderungen zu akzeptieren.

Zur Bewertung des Aussehens und der Oberflächenqualitäten verweist die Fachregel 01 und auch die VOB Teil C DIN 18334 auf die DIN 18365[4]. Standard bildet die Güteklasse 2 ab, etwas besser ist die Güteklasse 1. Jedoch kann der Kunde ohne Vereinbarung oder vertragliche Auslegung keine Auslesequalität erwarten. So sind z.B. in der Güteklasse 2 Äste mit einem kleinsten Durchmesser bis 50 mm und einem größten bis 70 mm nach dieser Sortierung zulässig. Das ist bei schmalen Brettern nicht wenig. Auch Endrisse in der Länge der Brettbreite, Harzgallen in bestimmten Abmessungen oder Verfärbungen sind danach zulässig. Vertraglich höhere Qualitäten festlegen zu wollen, wie z.B. Astgrößen, Harzgallen, scheitert in der Regel an der Verfügbarkeit im Handel. Andere Holzeigenarten, wie Neigung zur Rissbildung oder Verformung, lassen sich durch den Stammeinschnitt etwas reduzieren, aber nicht gänzlich verhindern.

Eine präzise Bemusterung und zusätzliche Vereinbarungen, wie z.B. ob Markröhren oder Baumkanten ausgeschlossen werden, kann Streit vermeiden helfen.

Nur kann diese Norm lediglich für die Bewertung bei Lieferung oder höchstens bei Abnahme der Bauleistung herangezogen werden. Veränderungen infolge von Witterungseinflüssen können damit nicht bewertet werden. Es können sinnvollerweise die einzelnen Sortierkriterien herangezogen und damit ausgehend vom Vertragssoll das Erscheinungsbild nach Erfahrung oder vergleichbaren Objekten bewertet werden. Das ist keine Arbeit mit dem Millimetermaßstab, sondern eine vorsichtige Abwägung unter Berücksichtigung, was der Naturbaustoff Holz leisten kann und was nicht. Die oben angesprochenen, weit aufgelösten offenen Holzfassaden in horizontaler Anordnung mit breiten Lamellen widersprechen in aller Regel den Fachregeln bzw. auch den Prinzipien der Holzschutznorm. Der Grundsatz, dass Wasser schnell abgeleitet und die Hölzer rasch abtrocknen sollen, lässt sich selten umsetzen. Die intensive Bewitterung verursacht in der Regel Verformungen und Krümmungen, die das gewünschte Erscheinungsbild einer präzisen, fast grafisch wirkenden Fassade nicht erfüllen kann. Derartige Holz-„Fassaden" sind mit den vorliegenden Regelwerken nicht zu beurteilen. Planer und Ausführende sollten hier den Hinweis- und Beratungspflichten gegenüber dem Auftraggeber im besonderen Maße nachkommen.

4.5.5 Schäden durch wasserführende Installationen

In der Sachverständigentätigkeit fällt in den letzten Jahren eine Häufung von Schadensfällen auf, die auf Leitungswasserschäden und Leckagen an den inneren Abdichtungsmaßnahmen in Gebäuden zurückgehen. Dies wird bestätigt durch die Erhebung der Versicherungswirtschaft (GDV Gesamtverband der Versicherer[5]), die bei der Gebäudeversicherung bis 2020 Schäden durch Leitungswasser als absoluten Spitzenreiter aufführt. 2021 steigt nochmals die Schadenssumme und wird nur noch übertroffen von den explosionsartig steigenden Elementarschäden. Dabei differenziert der GDV nicht nach Bauart der Gebäude.

4 DIN 18365:2008-12 – Schnittholz für Zimmererarbeiten – Sortierung nach dem Aussehen – Nadelholz.

5 Wohngebäudeversicherung: Schäden je Gefahr, www.gdv.de/gdv/medien/zahlen-und-daten/wohngebaeude-und-hausratversicherung (Stand September 2023).

Zurückzuführen sind die steigenden Versicherungssummen u.a. auf:

- höhere Komfortansprüche mit aufwendigeren und ausgedehnteren Installationen;
- verdeckte Installationsführungen mit verzögerter Schadensfeststellung;
- fehlerhafte Ausführungen durch Geringqualifizierte, auch „Do-it-Yourself"-Leistungen, gepaart mit preiswerten Produkten in schwankender bzw. zu geringer Qualität;
- Verwendung von Leichtbauweisen, auch mit organischen Baustoffen (bis hin zum Totalverlust).

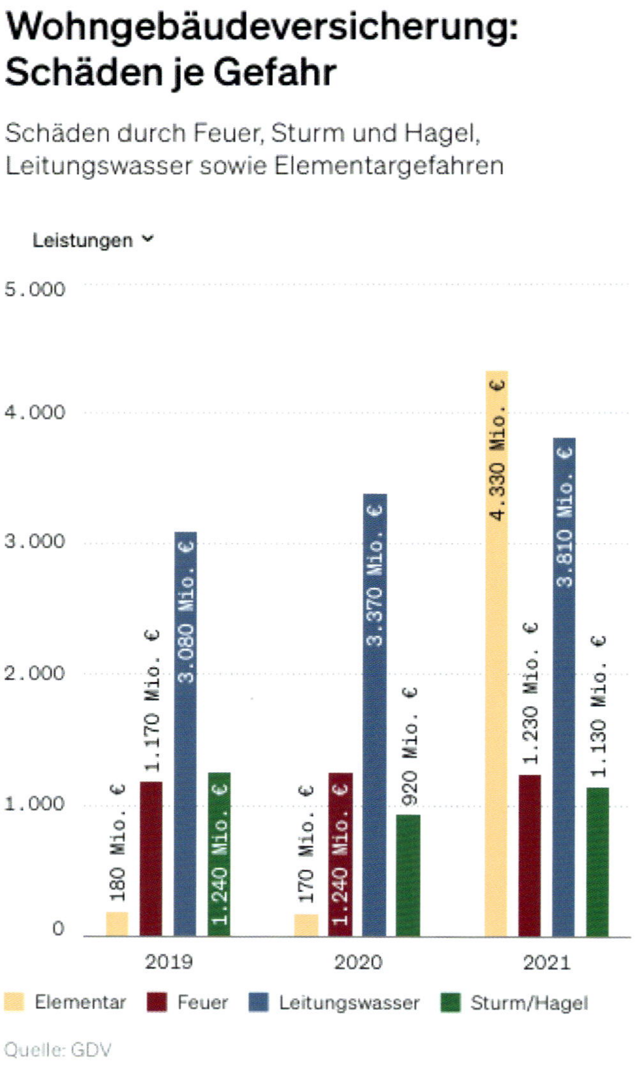

Abbildung 17: Angaben zu Schadenssummen der Wohngebäudeversicherungen über die Schadensrisiken Feuer, Sturm und Hagel sowie Leitungswasser und Elementargefahren; Quelle: Gesamtverband der Deutschen Versicherungswirtschaft (GDV) 2022

In allen Fällen ist nicht die Holzbauweise ursächlich für die Feuchteschäden, sondern Fehler an den Abdichtungsmaßnahmen oder an haustechnischen Installationen. Auch wenn die Verantwortung im Falle eines Schadens nicht beim Holzbauunternehmen liegt, so ist doch sein Gewerk erheblich betroffen. Die Regelwerke zur Innenraumabdichtung legen die Anforderungen für den bestimmungsgemäßen Gebrauch von Wasser in Gebäuden fest und nicht für den Fall möglicher Ausführungsfehler. Auch die Rechtsprechung geht grundsätzlich vom Verursacherprinzip aus und verlangt keine Schutzmaßnahmen gegen nicht bestimmungsgemäßen Gebrauch.

Es ist jedoch zu berücksichtigen, dass die Holzbauweise feuchteempfindlicher als die mineralische Massivbauweise ist, demnach ein höheres Schadenspotenzial aufweist und Feuchteschäden erfahrungsgemäß zu höheren Instandsetzungsaufwendungen führen. Erschwerend kommt hinzu, dass wenn ein lang andauernder Feuchteschaden zu Fäulnis führt, die meisten Versicherer in ihren Tarifwerken Schäden durch Schwammbefall ausdrücklich ausschließen. Dieses Vorgehen ist laut höchstrichterlichem Urteil statthaft, ebenso wie der Punkt, dass mit dem umgangssprachlichen Begriff „Schwammbefall" jede Art von holzzerstörenden Pilzen gemeint ist (BGH-Urteil vom 27.6.2012, Az. IV ZR 212/10).

Der Anhang B der DIN 18534-1[6] beschreibt die Kriterien für die Wahl von Abdichtungsbauarten – informativ und mit empfehlendem Charakter für die Planer. Unter anderen werden Kriterien aufgelistet, die sich auf den Grad der Zuverlässigkeit einer Abdichtungsmaßnahme bei lokalen Undichtheiten auswirken können wie z.B.:

- Unterläufigkeit, Verteilung/Begrenzung von eingedrungenem Wasser,
- Erkennbarkeit der Leckage.

Ein wichtiges Kriterium ist ebenso die Frage nach der Redundanz, z.B. das Vorhandensein zweier unabhängig voneinander wirksamen Abdichtungsmaßnahmen.

Auch bauliche Faktoren beeinflussen demnach die Zuverlässigkeit einer Abdichtung bzw. deren Schutzumfang:

- Zugänglichkeit der Bauteile, z.B. für Reparaturmaßnahmen;
- Folgen einer Undichtheit für das Bauwerk und für dessen Nutzung (Schutzniveau);
- Kosten für die Beseitigung eines Schadens.

Für Planer ist der informative Anhang B daher eine hilfreiche Auflistung, um zusammen mit dem Auftraggeber den tatsächlichen Schutzbedarf zu definieren. Dies gilt auch für Sachverständige im Zuge ihrer Tätigkeiten hinsichtlich Qualitätssicherung oder bei der beratenden Tätigkeit bei Planungen. Größere Schäden im Holzbau haben in der Regel zwei Merkmale:

- Auslaufendes Wasser verteilt sich ungehindert, z.B. über den ganzen Grundriss – es bleibt nicht bei einer örtlich begrenzten Durchfeuchtung;
- Leckagen werden nicht sofort erkannt – die Einwirkungsdauer auf die Konstruktion reicht aus zur Entwicklung von Holzzerstörungen durch holzzerstörende Pilze und weitere Folgeschäden.

6 DIN 18534-1:2017-07 – Abdichtung von Innenräumen – Teil 1: Anforderungen, Planungs- und Ausführungsgrundsätze.

Ist ein Schaden, z.B. im Falle eines offen liegenden Rohrbruchs oder über ein installiertes Monitoringsystem, sofort erkennbar und es wird sofort gehandelt, führt die Wassereinwirkung nicht zur Fäulnisbildung. Trotzdem können bei ungehinderter Ausbreitung über die Geschossfläche oder auch bei Ablauf über Deckendurchlässe in die darunterliegenden Nutzungseinheiten große Schäden entstehen. Zur Instandsetzung sind alle betroffenen Hölzer mindestens auf Durchfeuchtung zu kontrollieren und bei Bedarf zu trocken. Schwellenhölzer, die sich im Fußbodenaufbau befinden, lassen sich bei geringer Durchfeuchtung über die geöffneten Estrichrandfugen oder die geöffneten Gefache der Innenwände ggf. trocknen, im ungünstigsten Fall sind die Fußbodenaufbauten zurückzubauen. Die im mehrgeschossigen Holzbau bei Massivholzdecken aus schallschutztechnischen Gründen notwendigen Fußbodenschüttungen sind erfahrungsgemäß im eingebauten Zustand nicht zu trocknen. Auch hier ist der Rückbau unvermeidlich. Brettstapeldecken in geklebter Ausführung (BS-Holz-Elemente) sind, wenn sie nicht schon während der Montage mit einer Witterungsschutzbahn abgedichtet wurden, gegenüber Feuchte sehr empfindlich. Die Quellung der trocken eingebauten Bauteile rechtwinkelig zur Faser kann rasch zur Ausdehnung und zum Auseinanderdrücken von angeschlossenen Bauteilen führen. Je länger die Feuchteeinwirkung dauert, je größer der Effekt. Daher ist auch hier ein Rückbau der Fußbodenaufbauten in der Regel erforderlich, um eine zügige Trocknung sicherzustellen.

Zweischalige Bauteile wie Wohnungs- oder Gebäudetrennwände sind in der Regel durch ihre mehrlagige Beplankung mit Gipsbaustoffen feuchteempfindlich; auch ist zu prüfen, ob Wasser die Trennfuge erreicht hat. Dauert die Feuchteeinwirkung bereits mehrere Tage an, kann eine mögliche Schimmelpilzbildung auf den Platten die Maßnahmen deutlich erweitern – siehe auch obige Ausführungen zu fehlenden Witterungsschutzmaßnahmen.

Eine räumliche Eingrenzung eines Wasserschadens reduziert daher erheblich den möglichen Beseitigungsaufwand. Insbesondere im mehrgeschossigen Holzbau sollten bauliche Lösungen zur Schadenseingrenzung auf die betroffene Nutzungseinheit angestrebt werden. Dies ist auch im Hinblick auf Wasserschäden wichtig, bei denen geringste und daher unerkannte Leckagen über einen langen Zeitraum die Holzkonstruktion auffeuchten lassen und ausreichend Zeit für die Entwicklung von holzzerstörenden Pilzen bis hin zur Zerstörung von tragenden Teilen besteht. Ziel sollte auch deshalb die räumliche Eingrenzung sein.

Es ist noch einmal zu betonen: DIN 18534 enthält nur Schutzmaßnahmen zur Vermeidung von Feuchtigkeitsschäden durch bestimmungsgemäßen Gebrauch von Wasser. Es ist jedoch nach Auffassung des Autors unter Berücksichtigung der Erkenntnisse der Versicherungswirtschaft eine Frage der Sorgfaltsobliegenheit, in der Planung, zusammen mit dem Auftraggeber, ein Schutzniveau zu definieren. Daher scheint es sinnvoll, im Holzbau vorsorgliche Schutzmaßnahmen gegenüber Havariefällen zu planen und umzusetzen.

In Räumen oder Bereichen mit hoher Installationsdichte wasserführender Leitungen bietet sich eine zusätzliche Abdichtungsebene auf der feuchteempfindlichen Rohbaukonstruktion an. Eine vergleichbare Regelung gilt bereits seit 2014 in Österreich für bestimmte Wasserbeanspruchungen in Feuchträumen für feuchtigkeitsempfindliche tragende Teile des Rohbaus. Ein immer wieder angeführtes Gegenargument, dass man bei Einbau einer solchen Abdichtungsebene eine mögliche Leckage nicht mehr auf der Unterseite der Decke, z.B. durch Wasseraustritt oder Verfärbungen, feststellen kann, läuft ins Leere, da bei der heutigen Bauweise mit Massivholzdecken oder Deckenscheiben aus Holzwerkstoffen ein Wasserdurchtritt auch ohne Abdichtung nur schwer möglich ist. Zudem sind Deckenelemente heute in aller Regel mit wasserdichten Witterungsschutzbahnen abgedeckt. Statt einer Abdichtung der gesamten Raumfläche führt bei intelligenter Installationsführung eine Wannenausbildung im Fußbereich der Vorwandinstallation ebenso zum Ziel. Einfache Monitoringsysteme, eine sichtbare Ableitung des Havariewassers über den Installationsschacht in den Keller/Technikraum oder ähnliche Lösungen zeigen dann die mögliche Wasseransammlung an.

Es wird oft in Sachverständigenkreisen argumentiert, dass die diskutierte Schutzmaßnahme nicht jede wasserführende Leitung erreicht, so z.B. Fußbodenheizungen oder einzelne Leitungen zu einem Gerät (z.B. Spülmaschine in der Küche). Es geht im Grundsatz darum, das Risiko zu minimieren. Hierfür ist eine fachgerechte Planung der haustechnischen Installationen erforderlich, die allerdings auch ihren Preis hat und sich nicht mit den aus Kostengründen häufig vorgelegten Minimalplanungen erledigen lässt. Bei der Installation der Heizkreise ist die Anzahl der erfahrungsgemäß kritischen Rohrverbindungen/Anschlüsse reduziert, zudem führt das System nur eine geringe Wassermenge mit sich. Auszuschließen im Holzbau ist in jedem Fall eine automatische Heizungsbefüllung, da hier jegliche Leckagekontrolle entfällt.

Zusätzlich sind technische Lösungen zur Leckagedetektion in der Trinkwasserinstallation im Handel, die im Falle eines Leitungswasserschadens einen schnellen Verschluss der Leitung zur Minimierung der Austrittsmenge sicherstellen sollen. Einen Schutz gegenüber Leckagen in den Abdichtungen können diese Systeme jedoch nicht leisten. Das betrifft auch flächige Monitorsysteme, die horizontale Deckenbauteile überwachen und den Havariefall anzeigen. Nur ist es für manche Holzbaukonstruktionen dann zu spät – siehe oben. Für diese Konstruktionen hilft nur die Redundanz im Abdichtungssystem. Eine Kombination von baulichen Lösungen zur Eingrenzung des Wassereintritts in die Konstruktion mit technischen Lösungen wie Leitungs- oder Feuchtemonitoring ist jedoch in jeden Fall sinnvoll. Je abgestimmter die Komponenten sind, umso geringer ist der wirtschaftliche Aufwand jeder einzelnen Maßnahme. Grundsätzlich ist anzunehmen, dass die diskutierten Maßnahmen im Hinblick auf das von der Versicherungswirtschaft dargestellte Schadenspotenzial im Holzbau zur deutlichen Schadensminimierung im Fall eines Leitungswasserschadens führen können.

4.6 Stahlbetonbau, Beton, Korrosionsarten und -schutz, wasserundurchlässige Bauweisen unten, seitlich und oben

Jürgen Warkus

Übersicht

4.6.1 Grundlagen

Stahlbeton als Verbundwerkstoff, der die große Druckfestigkeit des Betons mit der hohen Zugfestigkeit des Stahls verbindet, stellt einen maßgeblichen Anteil an der im vergangenen Jahrhundert erstellten Bausubstanz dar. Ohne ihn sind viele Zielsetzungen im Bereich des Wohnungs- und Industriebaus sowie der Infrastruktur nicht umsetzbar. Er ist leicht formbar, dauerhaft und geeignet, sowohl erhebliche Tragfunktionen als auch abschließende bzw. abdichtende Funktionen, beispielsweise im Bereich von WU-Konstruktionen[1] oder als flüssigkeitsdichter Beton[2], zu übernehmen.

Von dem ersten Einsatz mit mineralischen Bindemitteln im historischen Rom bis zur Erstellung der vorgespannten Brücken mit hochfesten Spannstählen sind mehrere Jahrhunderte vergangen. Der durch die Industrialisierung im letzten Jahrhundert getragene Bauumfang hat einen erheblichen Bestand entstehen lassen, sodass der Planer heute vermehrt vor der Aufgabe steht, den vorhandenen Bestand zu erhalten und ggf. für eine andere Nutzung umzuplanen. Der wirtschaftliche Aufwand für Umbau- und Erhaltungsmaßnahmen hat demzufolge in den vergangenen Jahren den Aufwand für Neubauten erreicht und teil-

1 Deutscher Ausschuss für Stahlbeton: WU-Richtlinie, Richtlinie Wasserundurchlässige Bauwerke aus Beton, Berlin, 2006.

2 DAfStb-Richtlinie – Betonbau beim Umgang mit wassergefährdenden Stoffen (BUmwS) –Teil 1: Grundlagen, Bemessung und Konstruktion unbeschichteter Betonbauten – Teil 2: Baustoffe und Einwirken von wassergefährdenden Stoffen – Teil 3: Instandsetzung – Anhang A: Prüfverfahren (normativ) – Anhang B: Erläuterungen (informativ), Ausgabe 01/2012 mit Ausgabedatum 03/2011, Deutscher Ausschuss für Stahlbeton, Berlin 2012.

weise überschritten. Diesen Trend berücksichtigend wurden nicht nur im Zuge der europäischen Harmonisierung die Bemessungsnormen[3] erneuert, sondern auch notwendige Regelwerke für Instandhaltungsmaßnahmen verbessert und erweitert.[4] Ferner wurden Ausbildungsstandards für Planer und Ausführende geschaffen.

4.6.2 Schäden

4.6.2.1 Allgemeines

Schäden an Stahlbetonbauwerken können im Wesentlichen auf drei Ursachen zurückgeführt werden:

- Fehler oder Unterlassungen bei der Planung
- Fehler bei der Bauausführung
- Einwirkungen oder Angriffe auf den Beton

In allen Fällen können die Schäden sofort, d.h. unmittelbar nach der Erstellung des Bauwerks, oder erst nach Jahren und Jahrzehnten auftreten. Die Auswirkungen und Folgen reichen von Rissen im Beton, die je nach Umfang und Erscheinungsform unterschiedlich bewertet werden müssen, bis zu statisch relevanten, d.h. die Tragsicherheit einschränkenden, Verlusten an tragfähigem Beton- oder Bewehrungsquerschnitt. Die Klärung der Schadensursache und damit häufig der Verantwortlichkeit sowie die Planung einer nachhaltigen Instandsetzung, die nicht ausschließlich das Ziel hat, kurzfristigen ästhetischen Ansprüchen zu genügen, setzt immer eine umfangreiche Analyse durch Erhebung der Bauwerkshistorie und Anwendung der Bauwerksdiagnostik voraus.

4.6.2.2 Schadensarten

4.6.2.2.1 Risse

Eines der häufigsten Schadensbilder ist das Auftreten von Rissen, die unterschiedliche Bedeutung für die Nutzbarkeit von Bauwerken haben. Grundsätzlich ist der Bewehrungsstahl deutlich elastischer als der umgebende Beton, d.h., er benötigt auch größere Dehnungen, um seine volle Festigkeit zur Abtragung der Lasten zu aktivieren, als der umgebende Beton. Insofern setzt die volle und damit wirtschaftliche Ausnutzung der Bewehrung immer die Entstehung von Rissen voraus, sodass ihr Vorhandensein nicht grundsätzlich als Fehler zu bewerten ist. Maßgeblich ist vielmehr der geplante Verwendungszweck der Konstruktion. Im Falle des Geschosswohnungsbaus ohne besondere Anforderungen oder Beaufschlagungen ist es ausreichend, durch eine geeignete Wahl der Bewehrung die Risse so

---

3 DIN EN 1992-1-1:2011-01: Eurocode 2: Bemessung und Konstruktion von Stahlbeton- und Spannbetontragwerken – Teil 1-1: Allgemeine Bemessungsregeln und Regeln für den Hochbau; deutsche Fassung.

4 DAfStb-Richtlinie Schutz und Instandsetzung von Betonbauteilen (Instandsetzungs-Richtlinie – Richtlinie RL SIB), Berlin 2001; Deutsches Institut für Bautechnik (DIBt): Technische Regel „Instandhaltung von Betonbauwerken" (TR Instandhaltung), Teil 1 und Teil 2; DIN EN 1504:2005-10 Produkte und Systeme für den Schutz und die Instandsetzung von Betontragwerken – Definitionen, Anforderungen, Güteüberwachung und Beurteilung der Konformität – Teil 1 bis 10.

zu verteilen, dass keine großen, rechnerischen Rissbreiten über 0,3 bzw. 0,4 mm je nach Expositionsklasse entstehen. Stärkere Anforderungen an die Rissbreite oder auch an die Risstiefe können maßgebend werden, wenn beispielsweise wasserundurchlässige Bauteile[5] oder flüssigkeitsdichter Beton[6] gewünscht werden.

Das Auftreten von unplanmäßigen Rissen jenseits der in den Regelwerken festgelegten Grenzen kann mehrere Ursachen haben: Planungsfehler durch nicht berücksichtigte Zwangs- oder sonstige Einwirkungen, beispielsweise durch Setzungen des Baugrundes, Ausführungsfehler beim Verlegen der Bewehrung oder Überbeanspruchungen infolge von Überschreitungen der Nutzlast oder auch Anprallereignisse.

4.6.2.2.2 Treibende und lösende Angriffe

Bei den Angriffen auf den Beton wird zwischen treibenden und lösenden Angriffen differenziert. Lösende Angriffe zeichnen sich dadurch aus, dass zumeist nur der Zementstein beginnend an der Bauteiloberfläche aufgelöst wird. Der Zuschlag selbst ist nur selten betroffen, sodass die Bauteiloberfläche häufig das Erscheinungsbild einer Waschbetonoberfläche annimmt. Im weiteren Fortgang kann es auch zu erheblichen Querschnittsverlusten kommen. Lösende Angriffe werden zumeist von Säuren hervorgerufen. Weiterhin können Fette und Öle sowie bestimmte Kohlenwasserstoffe zu Auflösungen des Zementsteines führen.

Treibende Angriffe entstehen durch Reaktionen im Beton, die mit einer deutlichen Volumenvergrößerung einhergehen. Häufig handelt es sich dabei um die Alkali-Kieselsäure-Reaktion (AKR) oder Sulfattreiben. Bei AKR reagieren alkaliempfindliche Zuschläge bei der Anwesenheit von Wasser mit den Hydroxidionen, die bei der Reaktion des Zementes entstehen, zu quellfähigem Alkalikieselgel. Der Quelldruck im Inneren schädigt das Betongefüge, sodass es in der Folge zu netzförmigen Rissen an der Bauteiloberfläche und Entfestigungen kommt (vgl. Abbildungen 1 und 2). Der Schadensfortschritt hängt dabei von dem verwendeten Zuschlag und dem Wasserangebot ab. Sein Verlauf ist a priori nur schwer vorherzusagen. Grundsätzlich kann es Jahre oder Jahrzehnte dauern, bis der Schaden sichtbar wird, der in Populärveröffentlichungen auch als „Betonkrebs" bezeichnet wird. Bei Einhaltung der geltenden Regelwerke[7] sollte dieser Schaden grundsätzlich nicht mehr auftreten, da ein standardisierter Test vorliegt, mit dem die Empfindlichkeit der Zuschläge vor Betonherstellung bewertet werden kann.

---

5 Deutscher Ausschuss für Stahlbeton: WU-Richtlinie, Richtlinie Wasserundurchlässige Bauwerke aus Beton, Berlin 2006.

6 DAfStb-Richtlinie – Betonbau beim Umgang mit wassergefährdenden Stoffen (BUmwS) –Teil 1: Grundlagen, Bemessung und Konstruktion unbeschichteter Betonbauten – Teil 2: Baustoffe und Einwirken von wassergefährdenden Stoffen – Teil 3: Instandsetzung – Anhang A: Prüfverfahren (normativ) – Anhang B: Erläuterungen (informativ), Ausgabe 01/2012 mit Ausgabedatum 03/2011, Deutscher Ausschuss für Stahlbeton, Berlin 2012.

7 DIN EN 206:2014-07: Beton – Festlegung, Eigenschaften, Herstellung und Konformität; DAfStb-Richtlinie – Vorbeugende Maßnahmen gegen schädigende Alkalireaktion im Beton (Alkali-Richtlinie).

Abbildung 1: Alkali-Kieselsäure-Reaktion, Beispiel 1; Quelle: Jürgen Warkus

Abbildung 2: Alkali-Kieselsäure-Reaktion, Beispiel 2; Quelle: Jürgen Warkus

Im Falle von Sulfattreiben reagieren die im Zement enthaltenen Calciumaluminate mit eingedrungenem Sulfat und Wasser zu Ettringit, einem Mineral, das einen circa achtfach vergrößerten Volumenanspruch aufweist. Der dabei entstehende innere Druck verursacht ebenfalls netzartige Risse an der Bauteiloberfläche. Unterscheiden lassen sich beide Treiberscheinungen in situ durch die feucht erscheinenden Rissufer im Falle der AKR, wobei es sich hierbei um Ablagerungen des Kieselgels handelt. Die erforderliche Sicherheit zur Bewertung der Schadensursache kann jedoch nur durch Laborversuche erreicht werden. Das Sulfattreiben kann durch die Verwendung von Zementen mit hohem Sulfatwiderstand ebenfalls sicher unterbunden werden.

4.6.2.2.3 Bewehrungskorrosion

Schäden durch Bewehrungskorrosion gehören zu den am häufigsten auftretenden Herausforderungen im Zusammenhang mit alten Bestandskonstruktionen. Grundsätzlich ist der Stahl im Beton zunächst vor Korrosion geschützt. Ursächlich hierfür ist eine besondere Eigenschaft des Eisens, das bei großen pH-Werten, also im alkalischen Milieu, in der Lage ist, eine schützende, fest anhaftende Passivschicht aus Eisenoxiden zu bilden. Diese Passivschicht ist der Grund dafür, dass bewitterte Stahlbetonkonstruktionen überhaupt dauerhaft sein können, da der Beton grundsätzlich Poren aufweist, die es Wasser und Sauerstoff ermöglichen, in für Korrosionsprozesse ausreichender Menge zum Stahl zu diffundieren. Die Alkalität im Beton entsteht bei der Hydratisierung des Zementes, d.h. neben den für die Festigkeit relevanten CSH-Phasen entstehen große Mengen Calciumhydroxid im Porenwasser, sodass sein pH-Wert auf 12,8 steigt.

Dieser eminent wichtige Schutz des Stahles kann jedoch durch zwei Mechanismen aufgehoben werden. Einerseits dringt Kohlendioxid aus der Luft in den Beton und reagiert mit den Hydroxidionen zu Karbonat.

$$Ca(OH)_2 + CO_2 \rightarrow CaCO_3 + H_2O$$

Bei diesem Prozess werden die für die hohe Alkalität relevanten Hydroxidionen verbraucht, sodass der pH-Wert stark absinkt. Im Beton liegt als Folge des Kohlendioxideindringens dann eine scharfe Grenze („Karbonatisierungsfront") vor, welche alkalische und nicht alkalische Bereiche voneinander trennt. Diese Grenze dringt im weiteren zeitlichen Verlauf immer tiefer in den Beton ein. Wenn sie die Bewehrung erreicht hat, verschwindet die Passivschicht und der Stahl verhält sich wie unter atmosphärischen Bedingungen, d.h., bei einer ausreichenden Feuchte kann er korrodieren. Das Vordringen der Karbonatisierungsfront kann mit einem Wurzel-Zeit-Zusammenhang modelliert werde (vgl. Abbildung 3).

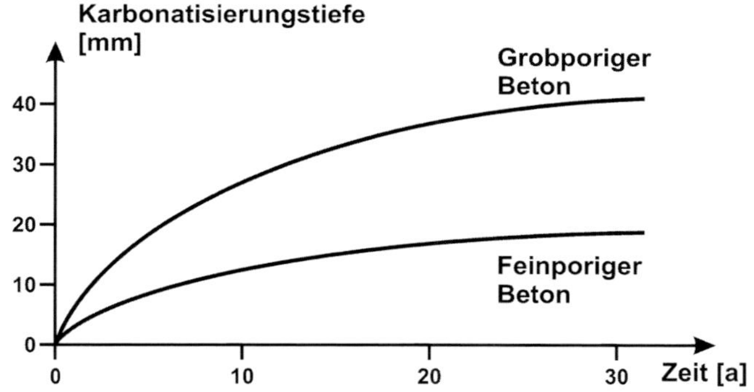

Abbildung 3: Zeitabhängige Karbonatisierungstiefe; Quelle: Jürgen Warkus

Bei dem zweiten Mechanismus handelt es sich um das Eindringen von Chloridionen in den Beton. Zumeist rühren diese aus dem Einsatz von Tausalzen her, d.h., Infrastrukturbauwerke wie Brücken und Tiefgaragen sind besonders betroffen. Dabei dringen die Chloridionen zumeist gelöst in Wasser oder Schnee in den Beton ein. Das Wasser verdunstet, die Chloridionen verbleiben in den Poren und bei erneuter Beaufschlagung wiederholt sich der Prozess, sodass sich die Konzentration immer weiter erhöht (vgl. Abbildung 4).

Eine weitere Möglichkeit für Chloridionen im Beton entsteht dadurch, dass es bis zum Ende der 1960er-Jahre auch erlaubt war, Natriumchlorid zur Beschleunigung der Hydratisierung in den Frischbeton einzumischen. Hintergrund ist die Tatsache, dass eine schnellere Hydratisierung zu einer größeren Wärmeentwicklung führt und so bei niedrigeren Temperaturen betoniert werden konnte. Auch PVC-Brände können zu Chloridkontaminationen von Beton führen.

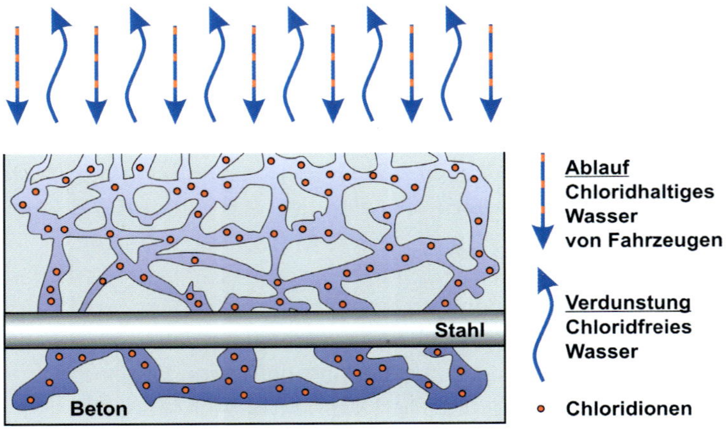

Abbildung 4: Chlorideindringen; Quelle: Jürgen Warkus

Nach Überschreiten einer kritischen Konzentration sind die Chloridionen in der Lage, die Passivschicht lokal anzugreifen und aufzulösen, d.h., der Stahl wird korrosionsaktiv. Als maßgeblicher Grenzwert wird in den Richtlinien eine Konzentration von 0,5 M.-%$_{Zem}$ genannt,[8] welche auf die im Beton verwendete Zementmenge und nicht auf die Gesamtmasse zu beziehen ist. Es handelt sich dabei nicht um einen Grenzwert, bei dessen Überschreiten es sicher zu Korrosionsprozessen kommen wird, sondern ab dem eine Korrosion möglich wird. Die Regelwerke tragen diesem Umstand Rechnung und fordern, dass ein sachkundiger Planer den Fall individuell bewertet. Im Gegensatz zur Karbonatisierung liegt bei chloridkontaminierten Bauteilen keine scharfe Grenze vor, sondern immer eine Konzentrationsverteilung. Maßgeblich bei der Bewertung der Korrosionsgefährdung ist dabei immer die Konzentration auf Höhe der Bewehrungslage (vgl. Abbildung 5).

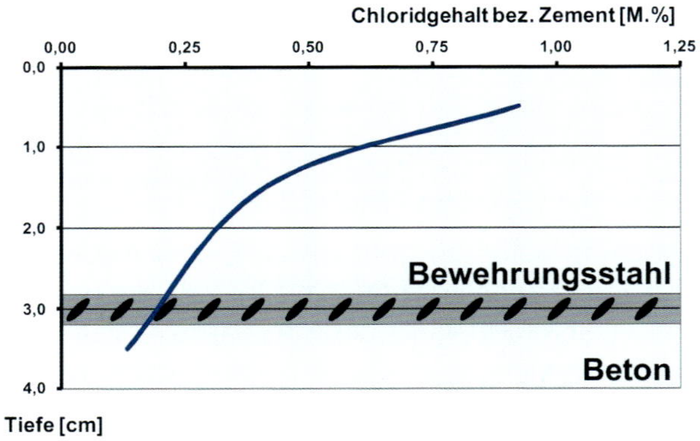

Abbildung 5: Tiefenabhängige Chloridkonzentration; Quelle: Jürgen Warkus

8 DAfStb-Richtlinie Schutz und Instandsetzung von Betonbauteilen (Instandsetzungs-Richtlinie – Richtlinie RL SIB), Berlin, 2001; Deutsches Institut für Bautechnik (DIBt): Technische Regel „Instandhaltung von Betonbauwerken" (TR Instandhaltung), Teil 1 und Teil 2.

Wenn der Stahl depassiviert ist, löst sich das Eisen aus dem Metallgitter und geht als Eisenion Fe^{2+} in Lösung. Die freiwerdenden Elektronen fließen durch den Beton und reagieren an der Oberfläche mit Sauerstoff und Wasser zu Hydroxidionen. Diese fließen als elektrolytischer Stromfluss durch den Beton und reagieren mit den Eisenionen zu Eisenhydroxid, das in nachfolgenden Reaktionen weiter zu Fe_3O_4 und Fe_2O_3 oxidiert wird.

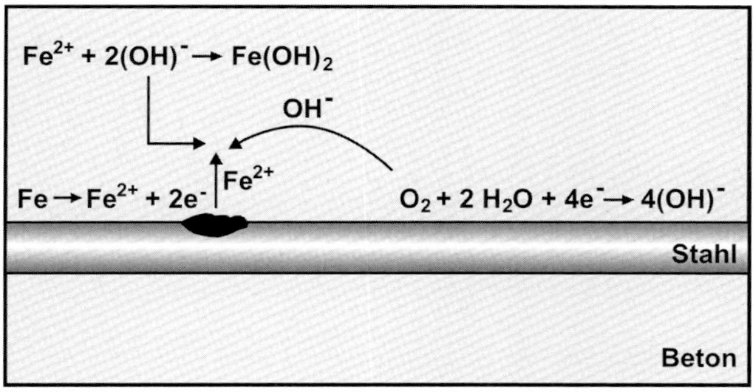

Abbildung 6: Bewehrungskorrosion und Teilreaktionen; Quelle: Jürgen Warkus

An der Bauteiloberfläche kommt es zu den bekannten Erscheinungsformen. Die Korrosionsprodukte haben einen drei- bis viermal größeren Volumenanspruch, sodass im Bauteilinneren ein Sprengdruck entsteht, der zum Abplatzen der Betondeckung führt (vgl. Abbildung 7). Die Abplatzungen stellen nicht nur eine ästhetische Einschränkung dar, sondern können je nach Fallhöhe eine Gefährdung der Verkehrssicherungspflicht verursachen (vgl. Abbildung 8).

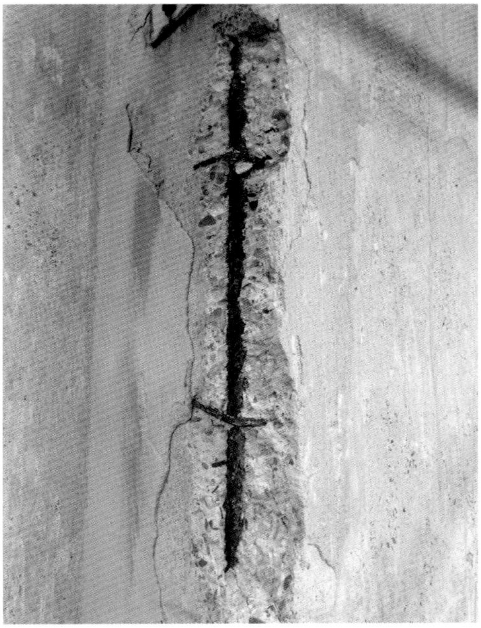

Abbildung 7: Abplatzung 1; Quelle: Jürgen Warkus

Abbildung 8: Abplatzung 2; Quelle: Jürgen Warkus

Im weiteren Verlauf kommt es zu größeren Querschnittsverlusten und damit vermehrt zu Einschränkungen der Gebrauchstauglichkeit und der Tragsicherheit, die bis zum Versagen des Bauteils reichen können.

Abbildung 9: Querschnittsverlust; Quelle: Jürgen Warkus

Der zeitliche Fortgang der Korrosionsprozesse ist dabei erheblich von der Bauteilfeuchte abhängig, da sie einen großen Einfluss auf den Betonwiderstand und damit auf den elektrolytischen Stromfluss im Beton hat. Untersuchungen haben ergeben, dass ab einem spezifischen Elektrolytwiderstand von ca. 10.000 Ωm die Korrosionsraten stark abnehmen, wohingegen bei Widerständen von 100 Ωm, die einem durchfeuchteten Bauteil entsprechen, durchaus Abtragsraten von über 100 µm/Jahr möglich sind.[9]

Unabhängig von der Korrosionsursache kann aber zwischen zwei Phasen der Schadensentwicklung unterschieden werden. In der Initiierungsphase finden Prozesse im Beton statt, die selbst noch keine sichtbaren Schadensfolgen verursachen, sodass häufig auch noch keine Maßnahmen ergriffen werden. Erst nach erfolgter Depassivierung werden Schäden sichtbar („Schädigungsphase"), die dann zumeist Handlungsdruck erzeugen. Es ist jedoch offensichtlich, dass der Aufwand und damit die Kosten für die Instandhaltung geringer sind, wenn bereits in der Initiierungsphase Maßnahmen ergriffen werden.

4.6.3 Instandhaltung

4.6.3.1 Regelwerke und Ziele

Maßgebend für die Instandsetzung von Massivbauteilen war in der Vergangenheit die Instandsetzungsrichtlinie des DAfStb.[10] Im Jahr 2022 wurde die Instandhaltungsrichtlinie[11]

9 *Warkus*, Einfluss der Bauteilgeometrie auf die Korrosionsgeschwindigkeit von Stahl und Beton bei Makroelementbildung. Deutscher Ausschuss für Stahlbeton, Heft 610, 2014.

10 DAfStb-Richtlinie Schutz und Instandsetzung von Betonbauteilen (Instandsetzungs-Richtlinie – Richtlinie RL SIB), Berlin 2001.

11 Deutsches Institut für Bautechnik (DIBt): Technische Regel „Instandhaltung von Betonbauwerken" (TR Instandhaltung), Teil 1 und Teil 2.

des DIBt eingeführt, die den aktuellen Stand der Regelwerke darstellt. Für Sonderbauwerke wie Industriebauten oder Parkdecks existieren ergänzende Regelwerke.[12] Das in den meisten Regelwerken genannte Ziel von Instandhaltungsmaßnahmen ist grundsätzlich nicht die Wiederherstellung des Neuzustandes, sondern die Herstellung eines Zustandes, der dazu geeignet ist, die vorgesehene Restlebensdauer zu erreichen.

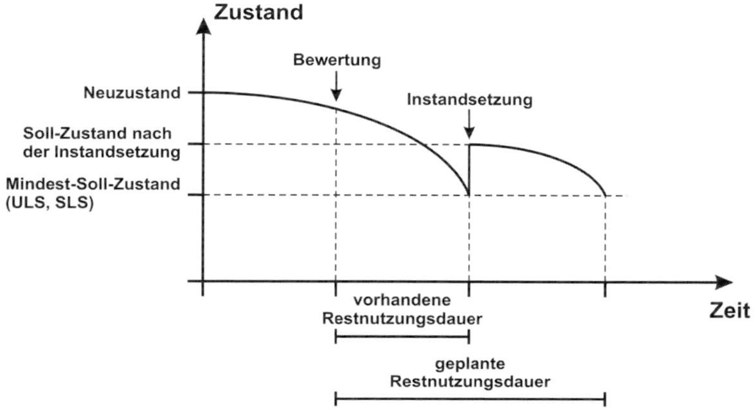

Abbildung 10: Ziel von Instandsetzungsmaßnahmen; Quelle: Jürgen Warkus

4.6.3.2 Planung

Bei der Planung von Instandsetzungsmaßnahmen ist der Bauwerkszustand vollständig zu erheben und der Schadensumfang sowie vor allem die Schadensursache zu klären. Die häufig festzustellende Vorgehensweise, auf diesen Schritt zu verzichten, hat oft eine unsachgemäße, nicht nachhaltige und damit fehlerhafte Instandsetzung zur Folge. Dazu gehört die Sichtung der ursprünglichen Planungsunterlagen und der Dokumentation bereits erfolgter Maßnahmen. Danach erfolgt eine Bestandsanalyse mit den Methoden der modernen Bauwerksdiagnostik.

Im Falle von Rissen ist dazu die Dokumentation der Rissbilder, d.h. des Rissverlaufes, der Risstiefe und der Rissbreite, erforderlich. Geklärt werden muss auch, ob die Rissbildung abgeschlossen ist oder noch Rissbewegungen stattfinden. Die Rissbewegungen können periodisch sein, wenn sie beispielsweise eine Folge von Temperatureinflüssen sind, oder auch in einem permanenten Risswachstum wie bei unkontrollierten Setzungen des Baugrundes bestehen. Zum Zwecke des Rissmonitorings stehen verschiedene Hilfsmittel, von Gipsmarken bis zu elektronischen Wegaufnehmern, zur Verfügung.

Wenn ein lösender oder treibender Angriff vorliegt, sollte zunächst geklärt werden, womit das Bauteil beaufschlagt worden ist. Darauf aufbauend sollten Materialproben entnommen werden und mit den entsprechenden Untersuchungen in Prüflaboren der Umfang und die Ursache der Schädigung geklärt werden. Hierbei sollten nicht nur chemische, son-

12 VDI 6200:2010-02 – Standsicherheit von Bauwerken – Regelmäßige Überprüfung; Deutscher Beton- und Bautechnikverein – DBV; DBV Merkblattsammlung: Merkblatt Parkhäuser und Tiefgaragen (Fassung 2018), Berlin 2022.

dern auch mechanische Untersuchungen, wie die Bestimmung der Betondruckfestigkeit und Haftzugfestigkeit an der Oberfläche, erfolgen.

Bei einer akuten oder zu vermutenden Gefährdung durch Bewehrungskorrosion sind durch Materialproben beide möglichen Ursachen, also die Tiefe der Karbonatisierung und die tiefengestaffelte Chloridkonzentration, zu bestimmen. Beide Ergebnisse müssen immer im Vergleich zu der am Bauwerk bestimmten Betondeckung bewertet werden. Eine Bewertung anhand von in Bewehrungsplänen vorgefundenen Ausführungsanweisungen im Hinblick auf die Betondeckung ist nicht ausreichend, da sich in der Praxis oft Abweichungen von den Vorgaben gezeigt haben.

Wenn Depassivierungen stattgefunden haben, kann der Umfang der betroffenen Bereiche durch eine Potenzialfeldmessung festgestellt werden. Bei diesem zerstörungsarmen Prüfverfahren wird das elektrochemische Potenzial an der Bauteiloberfläche mithilfe einer Referenzelektrode abgetastet. Niedrige Potenziale deuten dabei auf aktiv korrodierende Stellen und höhere Potenziale auf passive Bereiche hin. Abbildung 11 zeigt das Prinzip der Messung und Abbildung 12 das Ergebnis für eine Stahlbetonstütze mit korrodierender Bewehrung am Stützenfuß. Ergänzend hierzu sollten vereinzelte Öffnungen der Bauteile erfolgen, an denen der Korrosionszustand der Bewehrung durch Inaugenscheinnahme überprüft und bewertet wird.

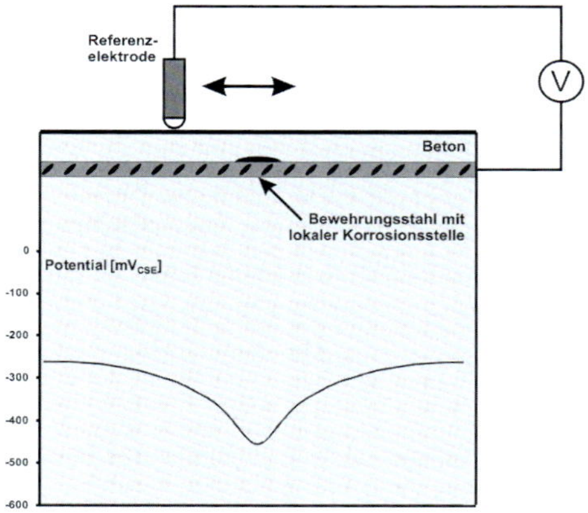

Abbildung 11: Potenzialfeldmessung; Quelle: Jürgen Warkus

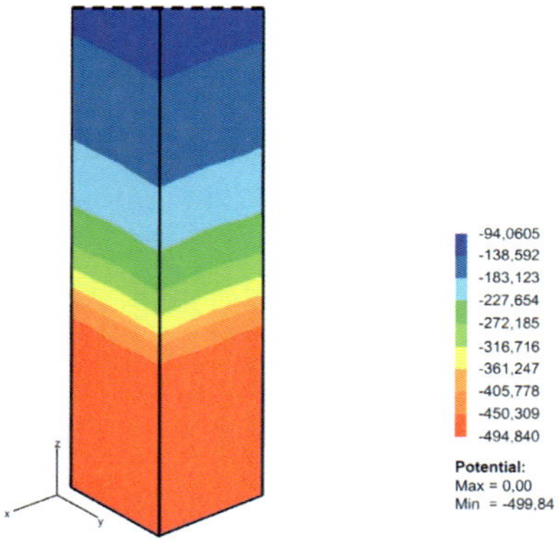

Abbildung 12: Potenzialverteilung; Quelle: Jürgen Warkus

Wenn die Bauwerkserhebung eine mögliche Gefährdung der Tragsicherheit zum Ergebnis hatte, ist bei der Planung ggf. ein Tragwerksplaner hinzuzuziehen, der in der Lage ist, Resttragfähigkeiten oder die Berücksichtigung von Bauzuständen durch Abfangmaßnahmen zu bewerten.

Mit Einführung der Instandhaltungsrichtlinie des DIBt[13] wurden Altbetonklassen eingeführt, welche eine Grundlage für die Auswahl von Prinzipien und Produkten darstellen. Die Einteilung in die verschiedenen Klassen erfolgt nach den mechanischen Eigenschaften

13 Deutsches Institut für Bautechnik (DIBt): Technische Regel „Instandhaltung von Betonbauwerken" (TR Instandhaltung), Teil 1 und Teil 2.

Druckfestigkeit und Haftzugfestigkeit gemäß der Tabelle 1. Insofern sollten diese Eigenschaften im Vorfeld abgeprüft werden, wenn beispielsweise ein Betonersatz zum Tragen kommen könnte.

Tabelle 1: Altbetonklassen nach Instandhaltungsrichtlinie[14]

Altbetonklasse	**Druckfestigkeit**	**Haftzugfestigkeit**	
		Mittelwert	**kleinster Einzelwert**
	[N/mm²]		
A1	≤ 10,0	< 0,8	< 0,5
A2	> 10,0	≥ 0,8	≥ 0,5
A3	> 20,0	≥ 1,2	≥ 0,8
A4	> 30,0	≥ 1,5	≥ 1,0
A5	> 75,0	≥ 0,5	≥ 2,0

4.6.3.3 Produkte

Die Entwicklung der vergangenen Jahre hat ein weites Feld an Instandsetzungsmöglichkeiten und -prinzipien sowie zugehörige Bauprodukte hervorgebracht, sodass für einen vollständigen Überblick auf die entsprechende Fachliteratur verwiesen wird. Sie reichen vom Verschließen von Rissen mit verschiedenen Stoffen, über den Betonersatz und Reprofilierungen mit Oberflächenschutzsystemen bis zum kathodischen Korrosionsschutz.

Als Konsequenz aus der europäischen Harmonisierung war es erforderlich geworden, eine einheitliche Norm zu erstellen, welche den freien Transfer von Waren ermöglicht. Die auf dieser Grundlage entstandene Norm DIN EN 1504[15] wird in Fachkreisen als in Teilen unzureichend angesehen, sodass es fraglich ist, inwiefern sie die allgemein anerkannten Regeln der Technik darstellt. Nationale normative Anforderungen, welche die Produktanforderungen der europäischen Normierung ergänzen oder übertreffen, sind jedoch entsprechend dem Grundgedanken der europäischen Union nicht zulässig. Insofern wird hier dem Planer und Ausführenden eine größere Verantwortung bei der Auswahl der Produkte übertragen, die letztendlich auf Basis der Leistungserklärung der Hersteller (CE-Zeichen) zu erfolgen hat, als es in der Vergangenheit bei der Anwendung der Instandsetzungsrichtlinie[16] mit den zugehörigen Produktnormen der Fall war.

14 Deutsches Institut für Bautechnik (DIBt): Technische Regel „Instandhaltung von Betonbauwerken" (TR Instandhaltung), Teil 1 und Teil 2.

15 DIN EN 1504:2005-10 Produkte und Systeme für den Schutz und die Instandsetzung von Betontragwerken – Definitionen, Anforderungen, Güteüberwachung und Beurteilung der Konformität – Teil 1 bis 10.

16 DAfStb-Richtlinie Schutz und Instandsetzung von Betonbauteilen (Instandsetzungs-Richtlinie – Richtlinie RL SIB), Berlin 2001.

4.6.3.4 Qualifikationen

Die Bewertung von Schäden und Planung von Instandhaltungsmaßnahmen soll durch einen sachkundigen Planer erfolgen. Der Nachweis der Sachkunde kann durch Absolvierung der entsprechenden Lehrgänge erbracht werden, im Zuge derer die Grundlagen sowie Instandsetzungsprinzipien vermittelt werden. In Ausnahmefällen kann die Sachkunde auch anders, beispielsweise durch Referenzprojekte, nachgewiesen werden.

Das ausführende Personal sollte seine Qualifikation durch den SIVV-Schein nachweisen, dessen Erwerb mit einer praxisorientierten Ausbildung einhergeht.

4.7 Behutsame Betoninstandsetzung – eine nachhaltige und wirtschaftliche Alternative zur Standardvorgehensweise

Werner Hörenbaum

Übersicht

4.7.1 Einführung

Rissbildungen und Absprengungen der Oberfläche als Folge korrodierender Bewehrung sind die häufigste, an bewitterten Stahlbetonbauteilen auftretende Schadensform. In den derzeitigen Empfehlungen in Normen und Richtlinien, die zu einem größeren Teil bauordnungsrechtlich relevant sind, sind Prinzipien und Verfahren beschrieben, die anzuwenden sind, wenn Stahlbetonbauteilen vor Bewehrungskorrosion geschützt werden sollen oder wenn eine Instandsetzung ansteht (Abschnitt 4.7.3). Die Schutz- und Instandsetzungsprinzipien berücksichtigen die Teilreaktionen und Teilprozesse, die bei der Korrosion der Bewehrung ablaufen (Abschnitt 4.7.2). Die direkte praktische Umsetzung der Prinzipien und Verfahren führt im Regelfall zu einem großflächigen Austausch des querschnittsrandnahen Betons oder zu einer ganzflächigen, mehr oder weniger dicken Beschichtung der Bauteiloberflächen mit zementgebundenen Werkstoffen und/oder polymergebundenen Oberflächenschutzsystemen.

Die Herstellung zementgebundener und polymerer Schutz- und Instandsetzungsmaterialien ist mit einem Verbrauch natürlicher Ressourcen und mit einem hohen Energieverbrauch verbunden. Zudem weisen insbesondere polymere Beschichtungen bekannterweise eine begrenzte Wirkungsdauer auf. Dies bedeutet, dass Oberflächenschutzsysteme im Verlauf der Standzeit eines Bauwerks i.d.R. mehrfach ganzflächig überarbeitet oder ausgetauscht werden müssen. Jeder Rückbau nicht mehr funktionstüchtiger Materialien im Zuge wiederkehrender Instandsetzungen verursacht ein entsprechendes Abfallaufkommen.

Nicht zuletzt geht durch ganzflächige Schutz- und Instandsetzungsmaßnahmen die vom Architekten konzipierte und vom Bauherrn gewünschte Oberfläche verloren. Das Bauwerk verliert seine ursprüngliche Fassade. In Anbetracht dieser Gegebenheiten stellen sich folgende Fragen:

- Sind Instandsetzungen ohne ergänzenden Oberflächenschutz dauerhaft und ästhetisch?
- Entstehen langfristig zwangsläufig vermehrt Schäden, wenn auf einen ganzflächigen Oberflächenschutz verzichtet wird?
- Entstehen langfristig zwangsläufig höhere Kosten, wenn auf einen ganzflächigen Oberflächenschutz verzichtet wird?
- Kann auf einen ganzflächigen Oberflächenschutz verzichtet werden?

Der vorliegende Beitrag geht diesen Fragen nach.

4.7.2 Grundlagen der Korrosion von Stahl in Beton

Elektrochemische Prozesse

Die bei der Korrosion von Stahl in Beton ablaufenden Prozesse werden seit Längerem erforscht und sind in verschiedenen Quellen beschrieben.[1]

1 Siehe z.B. *Nürnberger*, Korrosion und Korrosionsschutz im Bauwesen, Band 1: Grundlagen, Betonbau, 1995; *Schießl*, Corrosion of steel in concrete. Report of the technical committee 60CSC, RILEM, Schießl (Hrsg.), 1998; *Raupach/Orlowski*, Schutz und Instandsetzung von Betontragwerken, 2008.

Signifikante Korrosion von in Beton eigebettetem Stahl findet nur statt, wenn die folgenden Voraussetzungen gleichzeitig gegeben sind:

- Verlust des Korrosionsschutzes des Bewehrungsstahls,
- ausreichendes Sauerstoffangebot am Stahl,
- ausreichender Feuchtegehalt des mit dem Stahl in Kontakt stehenden Betons.

Aufgrund des hohen pH-Wertes der Porenlösung im noch nicht gealterten Zementstein bildet sich auf dem im Beton eingebetteten Bewehrungsstahl eine dünne unsichtbare „Passivschicht", die den Stahl optimal vor Korrosion schützt. Mit Chloriden, die u.U. zu einem Verlust des Korrosionsschutzes führen können, muss im Hochbau i.d.R. nicht gerechnet werden. Ein Verlust des Korrosionsschutzes der Bewehrung stellt sich aber auch im Hochbau ein, wenn die sog. Karbonatisierung des Betons die Bewehrung erreicht hat. Bei der Karbonatisierung handelt es sich um die chemische Reaktion des Kohlendioxids der Luft mit dem Calciumhydroxid des Zementsteins. Sie ist mit einer Reduktion des pH-Wertes der Porenlösung auf Werte verbunden, bei denen die ursprüngliche Passivschicht auf dem Bewehrungsstahl verloren geht. Der Bewehrungsstahl wird depassiviert und ist sodann korrosionsbereit. Zu einer Korrosion kommt es allerdings nur, wenn zusätzlich auch die zwei weiteren, oben genannten Voraussetzungen gegeben sind.

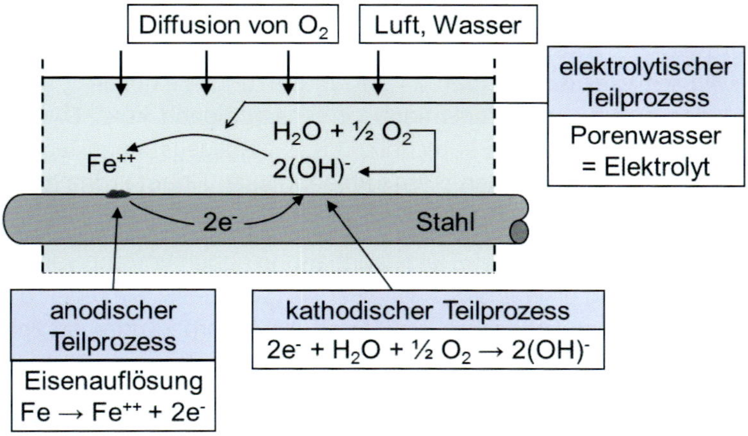

Abbildung 1: Schematische Darstellung der Korrosion von Bewehrung in Beton bei Depassivierung durch Karbonatisierung[2]

Die dann ablaufende Bewehrungskorrosion beruht auf folgenden drei Teilprozessen:[3]

- Anodischer Teilprozess
- Kathodischer Teilprozess
- Elektrolytischer Teilprozess

2 Darstellung des Autors in Anlehnung an *Schießl*, Corrosion of steel in concrete. Report of the technical committee 60CSC, RILEM, Schießl (Hrsg.), 1998.

3 Siehe z.B. *Schießl*, Einfluss von Rissen auf die Dauerhaftigkeit von Stahlbeton- und Spannbetonbauteilen, Deutscher Ausschuss für Stahlbeton, Heft 370, 1986, und Abbildung 1.

Wenn es gelingt, einen oder mehrere dieser Teilprozesse zu unterbinden oder signifikant zu verzögern, kommt die Korrosion im Ganzen zum Stillstand bzw. wird auf ein praktisch vernachlässigbares Maß reduziert.

Mechanische Prozesse

Die an der Anode entstehenden Korrosionsprodukte („Rost") füllen den örtlich zur Verfügung stehenden Raum im Betongefüge schnell aus, verdichten sich und bauen Expansionsdrücke im Betongefüge auf, deren Höhe von zahlreichen Parametern abhängt. Dazu gehören u.a. Poren und Mikrorisse im Betongefüge, in denen die Korrosionsprodukte expandieren können.

Führt der Expansionsdruck zu Spannungen im Betongefüge der Bauteilrandschicht, die die Festigkeit des Betons überschreiten, so kommt es zunächst zu Rissbildungen und im Weiteren zu einem Ablösen der Betondeckungsschicht der Bewehrung. Es bilden sich sog. Hohllagen an der Bauteiloberfläche. Im Weiteren können die gelösten Randschichten abfallen. Eine Analyse der Schädigungsprozesse wurde von *Bohner*[4] vorgenommen.

4.7.3 Übliche Betoninstandsetzung

4.7.3.1 Regelwerke

Der für Standardfälle der Betoninstandsetzung aufbereitete Stand der Technik ist in der Richtlinie des Deutschen Ausschusses für Stahlbeton („Instandsetzungs-Richtlinie"), Ausgabe Oktober 2001, mit den zugehörigen Berichtigungen[5] (nachfolgend kurz: DAfStb RL-SIB) und in der vom Deutschen Institut für Bautechnik (DIBt) herausgegebenen Technischen Regel „Instandhaltung von Betonbauteilen"[6] (nachfolgend kurz: TR Instandhaltung) dokumentiert.

Die Regelungen der aus zwei Teilen bestehenden TR Instandhaltung haben Vorrang vor der DAfStb RL-SIB. Die TR Instandhaltung ersetzt große Teile der DAfStb RL-SIB. Sie regelt die Planung der Instandhaltung von Betonbauwerken (Teil 1) und die Anforderungen an Produkte und Systeme für die Instandsetzung (Teil 2). Derzeit ist die DIBt TR Instandhaltung nicht in allen Bundesländern bauaufsichtlich eingeführt.

Von besonderer Bedeutung ist, dass in der TR Instandhaltung – ergänzend zum Schutz und zur Instandsetzung – den Aspekten Wartung, Inspektion und Verbesserung, in Anlehnung an DIN 31051:2012-06 „Grundlagen der Instandhaltung", besondere Beachtung geschenkt wird.

---

4 *Bohner*, Rissbildung in Beton infolge Bewehrungskorrosion, Dissertation am Karlsruher Institut für Technologie (KIT), Fakultät für Bauingenieur-, Geo- und Umweltwissenschaften, 2013, Schriftenreihe des Instituts.

5 Deutscher Ausschuss für Stahlbeton, DAfStb-Richtlinie Schutz und Instandsetzung von Betonbauteilen (Instandsetzungs-Richtlinie), Teile 1 bis 4, Oktober 2001, inklusive nachfolgender Berichtigungen.

6 Deutsches Institut für Bautechnik, Technische Regel Instandhaltung von Betonbauteilen (TR Instandhaltung), Teile 1 und 2, Mai 2020.

4.7.3.2 Prinzipien und Verfahren für Schutz- und Instandsetzungsmaßnahmen

Die vorstehend genannten Richtlinien ordnen den drei für den Ablauf einer Korrosion notwendigen Teilreaktionen/Teilprozessen, siehe Abschnitt 4.7.2, Prinzipien und nachgeschaltete Verfahren zu, mit denen diese Reaktionen bzw. Prozesse „abgestellt" werden können.

4.7.3.2.1 Unterbinden der anodischen Teilreaktion

Prinzip R bzw. 7

Wird an der Anode die Alkalität wieder hergestellt, bildet sich erneut eine Passivschicht aus und die Auflösung von Eisen wird unterbunden. Praktisch kann dies dadurch geschehen, dass die Bewehrung in neuen alkalischen Beton eingebettet wird (R2 bzw. 7.2) oder auf die Oberfläche alkalischer Beton aufgebracht wird, aus dem Hydroxidionen in den karbonatisierten Beton diffundieren (R1 bzw. 7.4). Zum Erhalt der Passivität werden in der Praxis zudem Beschichtungen und/oder Rissfüllmaßnahmen ausgeführt (7.1, 7.6, 7.7, 7.8).

Prinzip K bzw. 10

Die Eisenauflösung wird durch Zuführung von Elektronen (Beaufschlagung der Bewehrung mit Fremdstrom über Inertanoden oder durch Anordnung von galvanischen Anoden) unterbunden, sodass die gesamte Bewehrung kathodisch wirkt.

Prinzip C

Die Eisenauflösung wird durch die Trennung des Stahls von Elektrolyten durch Beschichten des Stahls bewirkt. Dass dies zielführend möglich ist, wird mittlerweile bezweifelt.

4.7.3.2.2 Unterbinden der kathodischen Teilreaktion

Die kathodische Teilreaktion könnte dadurch unterbunden werden, dass ein Zutritt von Sauerstoff zum Bewehrungsstahl verhindert wird. Dies ist im Allgemeinen nicht sicher zu erzielen, weshalb entsprechende Maßnahmen nicht in die Richtlinien aufgenommen wurden.

4.7.3.2.3 Unterbinden der elektrolytischen Teilreaktion

Prinzip W bzw. 8

Der elektrolytische Teilprozess wird unterbunden, wenn der Wassergehalt des Betons im Bereich der Bewehrung ausreichend gering ist. Soweit erforderlich, gelingt dies durch Verhindern eines Wasserzutritts und das Ermöglichen einer ausreichenden Trocknung des Betons. In diesem Fall steigt der elektrische Widerstand des Betons an und sämtliche Transportvorgänge im Beton werden gehemmt.

Das in der Praxis übliche Verfahren ist das Beschichten der Bauteiloberflächen (W bzw. 8.3). In der zukünftigen Instandhaltungs-Richtlinie wird auch das Hydrophobieren der Betonoberfläche (8.1) als geeignetes Verfahren zum Schutz vor Bewehrungskorrosion genannt.

4.7.3.2.4 Übliche Vorgehensweise an Sichtbetonfassaden

Die übliche Vorgehensweise an Sichtbetonfassaden besteht im Regelfall in einem großflächig vorgenommenen Austausch des querschnittsrandnahen Bestandsbetons oder in einer ganzflächigen, mehr oder weniger dicken Beschichtung der Bauteiloberflächen mit mineralisch- oder polymergebundenen Werkstoffen. Die durch Gießen von Beton in eine Schalung entstandene Oberfläche wird durch eine Oberfläche ersetzt, die putz- oder malertechnisch hergestellt wurde.

Neben den technisch positiven Ergebnissen der direkten Umsetzung der in den Richtlinien genannten Verfahren und ihren negativen Auswirkungen auf die Authentizität der Bauteiloberflächen sind bei der Entscheidung über die Art einer Instandsetzung folgende weitere Aspekte zu beachten:

- Die in den Richtlinien beschriebenen Standardverfahren führen zu Verbundsystemen. Verbundsysteme bewirken zusätzliche Beanspruchungen mit den damit verbundenen Schadenspotenzialen.
- Mechanische Schädigungen des Oberflächenschutzsystems können sich kontraproduktiv auf die Dauerhaftigkeit des Bauteils auswirken, da es in diesem Fall im Bereich der Schädigungen unter der Beschichtung zu Feuchteanreicherungen im Beton kommt, die wiederum eine Beschleunigung der Korrosion bewirken können (anthropogene Beanspruchung). Gleiches gilt auch bei einem eher flächigen Verlust der Schutzwirkung der Beschichtung. Dieser kann sich, insbesondere bei polymeren Oberflächenschutzsystemen, nach längerer Zeit der Nutzung als Folge der üblichen Witterungsbeanspruchung einstellen. Dass mögliche chemische und physikalische Vorgänge berücksichtigt werden müssen und im zu schützenden bzw. instand zu setzenden Bauteil keine bauphysikalisch und chemisch ungünstigen Verhältnisse geschaffen werden dürfen, die Folgeschäden verursachen können, ist in den vorstehend genannten Richtlinien ausdrücklich vermerkt.
- Polymere Oberflächenschutzsysteme weisen gegenüber zementgebundenen Systemen i.d.R. eine geringe Wirkungsdauer auf. Hierauf wird in den Richtlinien ausdrücklich hingewiesen. Sie müssen im Verlauf der Standzeit eines Bauwerks i.d.R. mehrfach ganzflächig überarbeitet oder ausgetauscht werden.
- Der Rückbau nicht mehr funktionstüchtiger Materialien im Zuge der Instandhaltung ist mit einem entsprechenden Abfallaufkommen verbunden.

Vor diesem Hintergrund muss die Frage gestellt und beantwortet werden, ob im Einzelfall eine Beschichtung technisch notwendig ist.

4.7.4 Ansatz der behutsamen Betoninstandsetzung

Die behutsame Betoninstandsetzung setzt sich zum Ziel, den folgenden Anforderungen zu genügen:

1. Sicherstellen der Standsicherheit, Gebrauchstauglichkeit, Dauerhaftigkeit und Verkehrssicherheit;
2. Berücksichtigen architektonischer, gestalterischer und ggf. denkmalpflegerischer Aspekte;
3. Berücksichtigen ökologischer Aspekte;
4. Ermöglichen einer einfachen und wirtschaftlichen Instandhaltung.

Voraussetzung zur Erfüllung der Anforderungen unter 2 bis 4 ist die Minimierung des Eingriffs in den Bestand. Der Ansatz der behutsamen Betoninstandsetzung besteht daher darin, unter Berücksichtigung der Anforderungen 1 nur dort in den Bestand einzugreifen, wo Schäden vorhanden sind und wo Schäden in absehbarer Zeit zu erwarten sind. Standardmäßige Betoninstandsetzungen genügen häufig nur der Anforderung 1.

Ob der Ansatz der behutsamen Betoninstandsetzung umsetzbar ist, hängt letztendlich davon ab, ob die Anforderungen an die Standsicherheit, Gebrauchstauglichkeit, Dauerhaftigkeit und Verkehrssicherheit des Bauteils erfüllt werden können und ob die behutsame Vorgehensweise zudem langfristig wirtschaftlich ist. Dies muss in Voruntersuchungen überprüft und nachgewiesen werden.

Der Weg der behutsamen Betoninstandsetzung besteht darin, jenen Anteil der oberflächennahen Bewehrung zu ermitteln, an dem während der weiteren Nutzungsdauer des Bauwerks Voraussetzungen zu erwarten sind, die zu einer nennenswerten Korrosion der Bewehrung und damit zu Abplatzungen der Betondeckungsschicht führen können. Ist die Anzahl der potenziellen Schadstellen gering, so ist es technisch gerechtfertigt und wirtschaftlich, zusätzlich zu den bereits vorhandenen Schadstellen ausschließlich diese Schadstellen zu reparieren und auf ganzflächige Maßnahmen zu verzichten.

Um die potenziellen Schadstellen am Bauwerk zu lokalisieren und hinsichtlich Anzahl und Abmessungen zu quantifizieren sind

- detaillierte Voruntersuchungen,
- Prognosen zukünftiger Bewehrungskorrosion auf Basis der vorgenommenen Bauwerksuntersuchungen und
- baubegleitende Prüfungen

erforderlich.

Der Weg einer behutsamen Betoninstandsetzung wird in den Abschnitten 4.7.5 bis 4.7.10 dieses Beitrags beschrieben. In Abschnitt 4.7.11 werden Beispiele aus der Praxis vorgestellt und in Abschnitt 4.7.12 wird ein diesbezügliches Fazit gezogen.

4.7.5 Voruntersuchungen und Bewertungen

Voruntersuchungen dienen dazu, den Ist-Zustand des Bauwerks oder Bauteils festzustellen. Sie sind im Rahmen einer Instandsetzung von Betonbauteilen immer erforderlich und stellen daher kein Alleinstellungsmerkmal der behutsamen Instandsetzung dar. Die einschlägigen Regeln der Technik fordern Voruntersuchungen.

Die Untersuchungen haben zum Ziel, die bauwerksspezifischen korrosionstechnischen Gegebenheiten des Gebäudes detailliert zu erkunden. Allen diesbezüglichen Bauwerksdaten ist gemein, dass sie mehr oder weniger großen Streuungen unterworfen sind. Eine hohe Stichprobenanzahl der Messwerte bzw. Daten und die Anwendung statistischer Auswerteverfahren sind daher unumgänglich.

4.7.5.1 Schadensumfang

Anhand einer detaillierten Inaugenscheinnahme und qualitativer Prüfungen wie Klopfen und Ritzen werden die Fassadenbereiche ganzflächig hinsichtlich des Vorliegens von Schadstellen untersucht. Die georteten Schadstellen werden vermessen und dokumentiert. Es werden bauteilbezogen Schadensquoten ermittelt.

4.7.5.2 Bauteileigenschaften an Schadstellen

Die Erfassung bestimmter Gegebenheiten und Details an Schadstellen und ihres unmittelbaren Umfelds dienen dazu, einen bauwerks- bzw. bauteilspezifischen Überblick über die bisher maßgebenden korrosionstechnischen Parameter zu gewinnen. Zu diesem Zweck wird eine möglichst umfassende und repräsentative Zusammenstellung der Parameter

- Exposition,
- Festigkeits- und Verformungseigenschaften des Betons,
- Wasserhaushalt des Betons,
- ursprüngliche Betondeckung,
- Tiefe der abgeplatzten Betondeckung,
- Korrosionsgrad der Bewehrung und
- Karbonatisierungstiefe des Betons innerhalb der Schadstelle und in ihrer unmittelbaren Umgebung

erstellt.

Aus dieser Zusammenstellung lassen sich bauteilbezogen Grenzwerte ablesen, die Aufschluss darüber liefern, bis in welche Tiefe hinter der Bauteiloberfläche die notwendigen Voraussetzungen für Bewehrungskorrosion vorlagen.

4.7.5.3 Bauteileigenschaften in nicht geschädigten Bereichen

Das Erkunden der Gegebenheiten in derzeit nicht geschädigten Bereichen dient dazu, das Risiko zukünftiger korrosionsbedingter Schäden zu untersuchen. Folgende Erkundungen und Messungen erfolgen in für den Gesamtzustand repräsentativen Bereichen:

- Erfassen der Exposition;
- Ermitteln der Festigkeits- und Verformungseigenschaften sowie des Wasserhaushalts des Betons;
- Ermitteln der Karbonatisierungstiefen des Betons;
- Ermitteln der Betondeckung der Bewehrung (zerstörungsfrei) in einzelnen Bereichen der Bauwerksoberflächen sowie durch lokales Freilegen der Bewehrung;
- Erkunden des Korrosionszustandes der Bewehrung durch lokales Anlegen von Erkundungsöffnungen an den Bauteiloberflächen.

4.7.5.4 Schadensprognose

4.7.5.4.1 Grundsätzliche Überlegungen

Zunächst wird davon ausgegangen, dass der Beton des betrachteten Stahlbetonquerschnitts vollständig karbonatisiert ist, d.h., dass die Bewehrung unabhängig von ihrer Tiefenlage unter der Oberfläche nicht mehr vor Korrosion geschützt ist. Als Folge der Bewitterung werden sich im Jahreslauf unterschiedliche Feuchtegehaltsverteilungen im Querschnitt einstellen, die an der Bauteiloberfläche zwischen sehr hohen und relativ geringen Feuchtegehalten wechseln. Demgegenüber wird im Kernbereich der Bauteile ein sich über den Jahreslauf nur wenig verändernder Feuchtegehalt vorliegen. Hervorgerufen durch Verlegeungenauigkeiten weist die Betondeckung der Bewehrung mehr oder weniger große Schwankungen auf. Lediglich Bewehrungsstäbe in einem bestimmten oberflächennahen Bereich werden im Lauf der Zeit mehr oder weniger oft korrosionskritischen Feuchtegehalten des Betons ausgesetzt sein. Nur diese, im feuchtebezogen korrosionskritischen Tiefenbereich unter der Bauteiloberfläche liegenden Stäbe werden nennenswert korrodieren und im Laufe der Zeit einen mehr oder weniger hohen Sprengdruck auf die Betondeckungsschicht erzeugen können. Es gibt somit eine Grenztiefe, ab der aufgrund zu trockenen Betons keine nennenswerte Bewehrungskorrosion mehr stattfinden kann („feuchtebezogene Grenztiefe").

Anders als vorstehend zunächst angenommen, ist der Beton des Bauteilquerschnitts in vielen Fällen auch nach Jahrzehnten noch nicht vollständig karbonatisiert. Jene Bewehrung, die tiefer als die Karbonatisierungstiefe liegt, ist vor Korrosion geschützt. Auf der Grundlage geeigneter Stoffgesetze ist es möglich, die bis zum Ende der vorgesehenen Nutzung zu erwartende Karbonatisierungstiefe des Betons vorherzusagen. Dies ist die Grenztiefe, ab der aufgrund fehlender Depassivierung keine Bewehrungskorrosion stattfinden kann („karbonatisierungsbezogene Grenztiefe").

Da Bewehrungskorrosion nur dort möglich ist, wo sowohl ein ausreichendes Feuchteangebot als auch eine Depassivierung der Bewehrung gleichzeitig vorliegen, ergibt sich ein Korrosionsrisiko nur für jenen Tiefenlagenbereich der Bewehrung unter der Bauteiloberfläche, der durch die jeweils kleinere der beiden Grenztiefen („feuchtebezogene Grenztiefe" bzw. „karbonatisierungsbezogene Grenztiefe") begrenzt wird. Die Korrosion der Bewehrung ist also entweder feuchte- oder karbonatisierungskontrolliert. Die kleinere der beiden Grenztiefen bezeichnen wir als maßgebende korrosionskritische Grenztiefe.

Nur in Bezug auf Bewehrung, die weniger tief als die maßgebende korrosionskritische Grenztiefe liegt, sind Schutz- bzw. Instandsetzungsmaßnahmen notwendig. Bewehrung, die tiefer liegt, ist vor Korrosion geschützt. Maßnahmen des Feuchteschutzes bzw. Maßnahmen zur Wiederherstellung der Passivität der Bewehrung sind für diese tiefer liegende Bewehrung nicht notwendig.

Die tatsächlichen an den Bauteilen zum Zeitpunkt der Untersuchungen und später vorliegenden Grenztiefen des Feuchteangebots und der Karbonatisierung müssen anhand von spezifischen Bauteilerkundungen und -messungen ermittelt werden.

4.7.5.4.2 Vorgehensweise

Bei der Auswertung der Messwerte werden u.a. die zeitlich veränderlichen Verläufe der Einwirkungen und Widerstände eines Bauteils mathematisch beschrieben und miteinander verglichen. Da sowohl die Einwirkungen als auch die Widerstände lokalen Streuungen unterliegen, müssen diese Parameter mithilfe von Verteilungsfunktionen quantifiziert werden. Die Größe des mit der Zeit zunehmenden Überschneidungsbereiches der Verteilungsfunktionen für den Widerstand und die Einwirkung bilden ein Maß für die Schädigungswahrscheinlichkeit. Wird z.B. unter „Einwirkung" die zeitliche Entwicklung der Karbonatisierungstiefe des Betons und unter „Widerstand" die Betondeckung der Bewehrung verstanden, so ergibt sich aus den vorstehend beschriebenen Betrachtungen die sog. Depassivierungswahrscheinlichkeit der Bewehrung.

Die Vorgehensweise bei der Schadensprognose besteht darin, zu untersuchen und zu bewerten, welche Anteile der oberflächennahen Bewehrung während der Restnutzungsdauer des Bauwerks mit Beton in Berührung stehen, der karbonatisiert ist bzw. sein wird und ausreichend lange ausreichend hohe Feuchtegehalte aufweist, sodass es zu einer nennenswerten Korrosion der Bewehrung und damit zu Abplatzungen der Betondeckungsschicht kommen kann.

Hieraus wird jene Tiefenlage der Bewehrung ermittelt, bis zu der innerhalb der vorgesehenen weiteren Nutzungsdauer des Bauwerks in nennenswertem Umfang Bewehrungskorrosion und daraus resultierende Schäden zu erwarten sind.

Diese differenzierte Ausführung der Prognose liefert die entscheidenden Informationen, die es erlauben, Eingriffe in die Fassade auf bestimmte Stellen zu beschränken und die übrigen Bauteilbereiche unbearbeitet, insbesondere unbeschichtet, zu belassen.

4.7.5.5 Kostenschätzung und Wirtschaftlichkeitsbetrachtungen

Auf der Basis des Schadensaufmaßes und der Schadensprognose wird ermittelt, mit welchem technischen und finanziellen Aufwand eine lokale Betoninstandsetzung über die kommenden Jahre verbunden wäre. Dem gegenübergestellt werden die Aufwendungen einer standardmäßigen Betoninstandsetzung. Das Ergebnis dieser Betrachtungen dient in

Verbindung mit den weiteren Aspekten einer behutsamen Betoninstandsetzung der Entscheidungsfindung des Bauherrn über den weiteren Umgang mit den Bauteilen.

4.7.6 Nachweis der Machbarkeit einer behutsamen Betoninstandsetzung

Unter Berücksichtigung der Ergebnisse der Voruntersuchungen, der Schadensprognose und der Wirtschaftlichkeitsbetrachtungen wird dargelegt, ob der Weg einer behutsamen Betoninstandsetzung unter Erfüllung aller Anforderungen (Abschnitt 4.7.4) beschritten werden kann und unter welchen Voraussetzungen und Randbedingungen dies ggf. zu erfolgen hat. Der Nachweis erfolgt im Rahmen einer detaillierten Berichterstattung, die folgende Bestandteile enthält:

- Sichten und Auswerten vorliegender Unterlagen;
- Definition des Soll-Zustandes;
- Erkunden der im Hinblick auf die Aufgabenstellung wesentlichen Bauteileigenschaften;
- statisch-konstruktive Betrachtungen;
- Auswerten der Ergebnisse;
- Prognose der Schadensentwicklung an den betrachteten Bauteilen unter Berücksichtigung der örtlichen Gegebenheiten und unter Einsatz probabilistischer Methoden;
- Darlegen eines oder mehrerer technisch möglicher Instandhaltungskonzepte;
- Prüfen, welches dieser Konzepte auch den vorgenannten Zielen einer behutsamen Betoninstandsetzung entspricht;
- Nachweis der Machbarkeit und Wirtschaftlichkeit einer behutsamen Instandsetzung und einer diesbezüglichen Instandhaltung;
- Kostenschätzungen;
- Abschlussdokumentation (Gutachtenerstellung).

Der Informationsgehalt des erarbeiteten Instandhaltungsplans genügt den Anforderungen der Richtlinie Schutz und Instandsetzung von Betonbauteilen (sog. Instandsetzungs-Richtlinie) und der Technischen Regel Instandhaltung von Betonbauwerken (TR Instandhaltung) und enthält damit Angaben zu Art und Zeitpunkt der Bestandteile einer sachgerechten und richtliniengemäßen Instandhaltung von Bauwerken, die folgende Bestandteile umfasst:

- ggf. wiederkehrende Instandsetzungen,
- Wartung,
- Inspektion,
- grundlegende Instandsetzung (evtl. mit Verbesserungsmaßnahmen).

4.7.7 Entwickeln von auf den Bestand abgestimmten Instandsetzungsbetonen

Bei Betoninstandsetzungen muss sichergestellt sein, dass die technischen Eigenschaften des Reparaturbetons auf den Bestand abgestimmt sind. Dies ist seit Langem bekannt[7] und hat mittlerweile auch Eingang in die technischen Regelwerke gefunden.[8] In den Regelwerken erfolgt die Berücksichtigung anhand sog. Altbetonklassen, die über die Druckfestigkeit und die Oberflächenzugfestigkeit des Bestandsbetons zu ermitteln sind. Selbstverständlich werden auch bei der behutsamen Betoninstandsetzung die Festigkeiten des Bestandsbetons (Altbetons) berücksichtigt, darüber hinaus aber auch die folgenden, nicht unbedeutenden Eigenschaften der vor Ort am Bauwerk vorzufindenden Bestandsbetone:

- das Verformungsverhalten (E-Modul, Wärmedehnzahl),
- die Dauerhaftigkeitseigenschaften,
- das Wasseraufnahme- und Abgabeverhalten,
- die Zusammensetzung,
- das Erscheinungsbild.

Es erfolgt somit eine auf den Bestandsbeton detailliert abgestimmte „Bemessung" des Reparaturbetons. Dies gelingt mithilfe folgender betontechnologischer Maßnahmen:

- Wahl von Art, Menge und Herkunft der Gesteinskörnungen;
- Wahl der Zementart, der Zementmenge und des Wasserzementwertes des Zementleims;
- Verzicht auf polymere Zusatzstoffe.

Da für die Herstellung des Betons zudem ausschließlich Materialien eingesetzt werden, die für Beton nach DIN EN 206 zugelassen sind, auf den Einsatz polymerer Zusatzstoffe verzichtet wird, das Größtkorn der Gesteinskörnungen mindestens 8 mm beträgt und die Ermittlung der Betonzusammensetzung anhand der allgemein bekannten betontechnologischen Gesetzmäßigkeiten erfolgt, handelt es sich beim Reparaturbeton um einen Beton gemäß DIN EN 206. Er kann in verschiedenen Konsistenzen hergestellt und damit auf unterschiedliche Art und Weise eingebaut und verdichtet werden.

4.7.8 Fachplanung

Die Fachplanung besteht in der handwerklichen Präzisierung der im Instandsetzungsplan beschriebenen Maßnahmen, in der Erstellung eines Qualitätssicherungsplans und in der administrativen Abstimmung der Maßnahmen auf die Details am Bauwerk.

7 Vgl. *Haardt*, Zementgebundene und kunststoffvergütete Beschichtungen auf Beton, Schriftenreihe des Instituts für Massivbau und Baustofftechnologie, Heft 13, Universität Karlsruhe, 1991.

8 Siehe z.B. TR Instandhaltung.

Wesentliches Ergebnis der Fachplanung ist ein Leistungsverzeichnis inklusive der erforderlichen technischen Vorbemerkungen, in dem die Ziele der behutsamen Betoninstandsetzung berücksichtigt und die dahin führenden Schritte beschrieben sind.

4.7.9 Fachbauleitung

Neben einer sachgerechten Ausschreibung der handwerklichen Leistungen ist es für den technischen und wirtschaftlichen Erfolg der Instandsetzung erforderlich, dass die Arbeiten technisch fach- und sachgerecht sowie unter Beachtung konservatorischer Aspekte ausgeführt werden. Dies wiederum erfordert eine intensive fachspezifische Betreuung und Überwachung der Arbeiten. Die Fachbauleitung übernimmt zudem die Kostenkontrolle der Instandsetzungsarbeiten.

Die auf der Basis einer öffentlichen oder beschränkten Ausschreibung ausgewählte Firma wird von der Fachbauleitung vor Beginn der Arbeiten in die Besonderheiten der behutsamen Instandsetzung eingewiesen. Steinmetztechnische Fähigkeiten sind von großem Vorteil. Kenntnisse in der konventionellen Instandsetzung sind hilfreich.

Im Zuge der Arbeiten werden die potenziellen Schadstellen unter Beachtung der Vorgaben im Instandsetzungsplan am Bauteil gekennzeichnet, damit sie zusammen mit den augenscheinlich und anhand qualitativer Prüfungen lokalisierten Schadstellen bearbeitet werden können.

4.7.10 Umsetzung der behutsamen Betoninstandsetzung

4.7.10.1 Grundsätzliches

In einem ersten Schritt erfolgt die Festlegung der Eingriffe in die Bausubstanz. Zu bearbeiten sind offensichtliche Schadstellen sowie potenzielle Schadstellen, an denen in absehbarer Zeit Schäden entstehen werden. Die Lage der potenziellen Schadstellen ergibt sich aus dem Ergebnis der detaillierten Bauwerksvoruntersuchungen und dem Ergebnis ergänzender, instandsetzungsbegleitender Prüfungen.

An vorhandenen oder potenziellen Schadstellen wird die Passivität der Bewehrung durch einen fachgerecht vorgenommenen Betonaustausch wiederhergestellt, sodass zukünftig die anodische Teilreaktion unterbunden ist. Der Instandsetzungsbeton wird in seinen technischen und in seinen das Erscheinungsbild prägenden Eigenschaften auf den Sichtbeton abgestimmt. Eine Beschichtung des Instandsetzungsbetons ist nicht erforderlich.

Außerhalb vorhandener oder potenzieller Schadstellen kann davon ausgegangen werden, dass an der Bewehrung ausreichend trockener Beton vorliegt, sodass der elektrolytische Teilprozess unterbunden ist. Zusätzliche Schutzmaßnahmen sind nicht erforderlich. Die bauteileigene Schutzwirkung reicht aus.

4.7.10.2 Handwerkliche Ausführung

Die handwerkliche Ausführung der behutsamen Betoninstandsetzung unterscheidet sich in technischer Hinsicht nur in Details von einer standardmäßigen Betoninstandsetzung. Grundlage der handwerklichen Ausführung ist eine spezifische Leistungsbeschreibung.[9] Die Ausführung der Arbeiten wird durch die Fachbauleitung angeleitet und überwacht. Bei der Ausführung wird wie folgt vorgegangen:

- Festlegen der zu bearbeitenden Stellen in Absprache mit der Fachbauleitung;
- reprofilierungsgerechtes Ausarbeiten;
- Einsatz eines zementgebundenen Korrosionsschutzes der Bewehrung (bei geringer Betondeckung in der Ausbruchstelle in Ergänzung zur realkalisierenden Wirkung des Instandsetzungsbetons);
- Vornässen des Bestandsbetons;
- Einsatz einer auf die bauwerksspezifischen Gegebenheiten abgestimmten zementgebundenen Haftbrücke;
- Einsatz eines auf die bauwerksspezifischen Gegebenheiten abgestimmten zementgebundenen Instandsetzungsbetons (frisch in frisch mit der Haftbrücke);
- Angleichen der frischen Oberfläche an die Umgebung;
- betontechnisches Nachbehandeln.

4.7.11 Instandsetzungsbeispiele

4.7.11.1 Wohnhochhaus mit Sichtbetonfertigteilfassaden

Das Bauwerk

Die Fassaden des in den Jahren 1971 bis 1975 errichteten Wohnhochhauses bestehen aus Sichtbetonfertigteilen, die Schäden in Form von Abplatzung der Betonrandzone über korrodierender Bewehrung aufwiesen. Das Gebäude unterliegt nicht dem Denkmalschutz, dennoch sollten die ursprünglichen Bauteiloberflächen in ihrer Materialsichtigkeit erhalten bleiben.

Die Fassadeninstandsetzung erfolgte in mehreren Bauabschnitten. Die Untersuchungen an den Sichtbetonfertigteilen im Bauabschnitt 2, über die hier berichtet wird, fanden im Winter 2018/2019 statt. Die Instandsetzungsmaßnahmen erfolgten im Sommer 2020.

9 Siehe hierzu auch *Günter*, Die „behutsame" Betoninstandsetzung – Durchführung, Kosten, Dauerhaftigkeit, ag in: Was der Architekt vom Stahlbeton wissen sollte, Institut für Denkmalpflege und Bauforschung IDB, Hassler (Hrsg.), Institut für Denkmalpflege und Bauforschung IDB, 2010.

Untersuchungsergebnisse

Die untersuchte Oberfläche der Sichtbetonfertigteile im Bauabschnitt 2 betrug 1.900 m^2. Es wurden 261 Schadstellen geortet. Zusammengezählt ergab sich daraus eine Gesamtschadfläche von 11,2 m^2. Dies entspricht einem Schadflächenanteil von 0,6 % (bezogen auf die Sichtbetonoberfläche).

Auf der Grundlage einer statistischen Auswertung der Messwerte zur Karbonatisierungstiefe des Betons und zur Betondeckung der Bewehrung ergab sich eine Depassivierungswahrscheinlichkeit der Bewehrung von derzeit 1,8 %. Dies zeigt, dass derzeit nur ein sehr kleiner Anteil der oberflächennahen Bewehrung nicht mehr vor Korrosion geschützt ist.

Die Prognose der zukünftigen Depassivierungswahrscheinlichkeit führte zu der Erkenntnis, dass in den kommenden 30 Jahren weitere 1,5 % der Bewehrung nicht mehr vor Korrosion geschützt sein werden.

Folgerungen

Die Karbonatisierungstiefe ist an den 50 Jahre alten Sichtbetonfassaden sehr gering. Dieser Sachverhalt ist für Stahlbetonfertigteile nicht ungewöhnlich und auf die vergleichsweise hohe Fertigungsqualität von Fertigteilen im Werk zurückzuführen.

Zukünftig war bzw. ist nur dort mit zusätzlichen Schäden zu rechnen, in denen der Korrosionsschutz infolge des Karbonatisierungsfortschritts verloren geht. Da der zu erwartende weitere Fortschritt der Karbonatisierung hier nur gering sein wird, ist auch der Anteil der Bewehrung, der zukünftig möglicherweise schadhaft werden kann (potenzielle Schadstellen), gering. Potenzielle Schadstellen sind alle Stellen der Bewehrungsstäbe, deren Betondeckung unter der ermittelten und mit einem Sicherheitsaufschlag versehenen karbonatisierungsbezogenen Grenztiefe liegen. Sie wurden im Rahmen der Untersuchungen identifiziert.

Somit konnte die Betoninstandsetzung auf die vorhandenen Schadstellen sowie die potenziellen Schadstellen begrenzt werden. Eine Beschichtung der Sichtbetonfertigteile war nicht erforderlich.

Kosten

Die behutsame Instandsetzung wurde in diesem Projekt mit ca. 32 Euro/m^2 (brutto) abgerechnet.

4.7.11.2 Denkmalgeschützter Kirchenneubau mit in Ortbetonbauweise hergestellten Sichtbetonfassaden

Das Bauwerk

Das in den Jahren 1956 bis 1958 errichtete Gebäude ersetzte den im Zweiten Weltkrieg zerstörten Teil einer Kirche und steht unter Denkmalschutz. Die Außenwände des im Grundriss rechteckigen Kirchenschiffes bestehen aus ca. 50 cm dickem Stahlbeton, der in Ortbetonbauweise unter Verwendung von Ziegelmehl und -splitt ausgeführt wurde. Ein wesentliches Gestaltungselement der Fassaden ist eine regelmäßige Reliefstruktur, die es zu erhalten galt.

Als Folge der Bewitterung entstanden lokale Absprengungen der Betondeckungsschicht über korrodierender Bewehrung des Stahlbetons, die denkmagerecht instand gesetzt werden sollten.

Die Fassaden des Kirchenschiffes wurden im Jahr 2016 untersucht.

Untersuchungsergebnisse

Die untersuchte Fassadenfläche umfasste einen Oberflächenbereich der Sichtbetonbauteile von 704 m^2, in der 339 Schadstellen mit einer Gesamtschadfläche von 8,61 m^2 lokalisiert wurden. Daraus ergibt sich ein Schadflächenanteil von 1,2 % (bezogen auf die Sichtbetonoberfläche).

Die Auswertungen in Bezug auf den derzeitigen Korrosionsschutz der Bewehrung (Depassivierungswahrscheinlichkeit) führten zu dem Ergebnis, das aktuell bereits etwa 30 % der Bewehrung nicht mehr vor Korrosion geschützt sind und in den kommenden 30 Jahren weitere 13,1 % der Bewehrung ihren Korrosionsschutz verlieren werden. Die an den Schadstellen vorgenommenen Erkundungen der Gegebenheiten zeigten jedoch, dass Korrosionsschäden nur bei Betondeckungen von weniger als ca. 20 mm auftreten, obwohl die Karbonatisierung seit langer Zeit bis weit hinter die Bewehrung vorgedrungen ist. Dieser Wert stellt die („feuchtebezogene korrosionskritische Grenztiefe") dar. Mit einem Sicherheitszuschlag versehen, diente sie der Lokalisierung potenzieller Schadstellen.

Folgerungen

Obwohl die Karbonatisierung bis weit hinter die Bewehrung vorgedrungen ist, treten nach Jahrzehnten der Depassivierung Korrosionsschäden nur an sehr randnaher Bewehrung auf. Die Korrosion ist feuchtekontrolliert. Der weitere Fortschritt der Karbonatisierung ist für zukünftige Schäden praktisch nicht relevant.

Es konnte nachgewiesen werden, dass eine Betoninstandsetzung auf die vorhandenen Schäden und auf potenzielle Schadstellen begrenzt werden kann. Ganzflächige Oberflächenschutzmaßnahmen auf den Sichtbetonbauteilen waren verzichtbar.

Kosten

Die Gesamtmaßnahme wurden für insgesamt ca. 50 Euro/m^2 (brutto) abgerechnet.

4.7.11.3 Gemeindezentrum mit beschichteten Sichtbetonfassaden

Das Bauwerk

Das im Jahre 1965 fertiggestellte Gemeindezentrum besteht aus einem Kirchengebäude, einem Gemeindehaus mit Wohnungen für Kirchenbedienstete und einem abseits stehenden Kirchturm. Das Gebäudeensemble wurde in Stahlbeton – Ortbeton – unter Verwendung von Stahlbetonfertigteilen mit sowohl außen als auch innen betonsichtiger Oberfläche konzipiert und errichtet. Das Gemeindezentrum ist in die Liste der Kulturdenkmale eingetragen.

Außenseitig erhielten die Stahlbetonbauteile eine Beschichtung. In größeren Bereichen zeigte diese die üblichen Spuren der Alterung. In anderen Bereichen schien die Beschichtung erst vor wenigen Jahren vorgenommen oder überarbeitet worden zu sein. An einzelnen Stellen der Fassaden lagen – trotz Beschichtung – Betonabsprengungen und korrodierende Bewehrung vor.

Die Untersuchung der Bauteile fand im Jahre 2017 statt. Die Instandsetzung wurde im Jahr 2020 abgeschlossen.

Untersuchungsergebnisse

Mit einer untersuchten Fläche von 1.532 m^2 wurde nahezu die gesamte Stahlbetonfassade des Gemeindezentrums untersucht. Die Gesamtschadfläche der 377 georteten Schadstellen betrug 10,1 m^2, woraus sich ein Schadflächenanteil von 0,7 % (bezogen auf die Stahlbetonfassadenfläche) ergibt.

Auf der Grundlage der Messergebnisse wurde eine Depassivierungswahrscheinlichkeit von derzeit 0,7 % und von 1,5 % in 30 Jahren ermittelt. Die weitere Schadensprognose war im vorliegenden Fall aufgrund einer Beschichtung, deren Schutzwirkung nicht bekannt war, erschwert.

Folgerungen

An einigen Bauteilen, u.a. am Kirchturm, war das Risiko für neu hinzukommende Schäden gering (siehe Depassivierungswahrscheinlichkeit).

Demgegenüber konnte ein nennenswertes Risiko neu entstehender Schäden für Teilbereiche der einstöckigen Gebäude (Flachbau) nicht ausgeschlossen werden. Da die risikobehafteten Teilflächen in der Summe klein waren, wurde mit dem Bauherrn ein Instandhaltungskonzept vereinbart, dass die Instandsetzung der vorhandenen Schäden gemäß den Regeln der Technik, aber einen Verzicht auf eine Beschichtung und die Wiederherstellung des ursprünglichen Sichtbetoncharakters vorsah. Eine Instandsetzung der nicht auszuschließenden, aber in eher geringem Umfang zu erwartenden zukünftigen Schäden sollte im Rahmen der Instandhaltung (wiederkehrende Instandsetzung) erfolgen, was aufgrund der geringen Gebäudehöhe mit wirtschaftlich vertretbarem Umfang geschehen kann.

Kosten

Die Kosten für die aufwendige Entschichtung und für die behutsame Instandsetzung der Sichtbetonfassaden des Gemeindezentrums beliefen sich zusammen auf ca. 70 Euro/m^2 (brutto).

4.7.12 Schlussbetrachtungen

Die vorgestellte behutsame Betoninstandsetzung, bei der auf Oberflächenschutzmaßnahmen in Form von Beschichtungen oder Hydrophobierungen verzichtet wird und die damit sichtbetonerhaltend, ökonomisch und ökologisch ist, kann unter bestimmten Voraussetzungen eine Alternative zur standardmäßigen Betoninstandsetzung darstellen.

Zu den Voraussetzungen gehört, dass nachgewiesen werden kann, dass auch bei einem Verzicht auf Oberflächenschutzmaßnahmen zukünftig nur ein sehr geringes Risiko für weitere Schäden besteht. Eingriffe in die Bausubstanz erfolgen in diesem Fall nur an bereits vorhandenen Schadstellen und an potenziellen Schadstellen. Die Lage potenzieller Schadstellen wird auf der Basis sorgfältiger Bauwerksvoruntersuchungen anhand instandsetzungsbegleitender Bauwerksprüfungen ermittelt.

Eine sogfältige Schadensprognose ist damit von zentraler Bedeutung für die Zulässigkeit einer behutsamen Betoninstandsetzung.

Voruntersuchungen zur Ermittlung des Ist-Zustandes mit darauf aufbauenden Prognosen der Restnutzungsdauer sind gemäß den einschlägigen Richtlinien bei jeder Art der Instandsetzung erforderlich und auch vorgeschrieben. Sie stellen damit keinen besonderen, nur bei dieser alternativen Art der Instandsetzung zu betreibenden Aufwand dar.

4.8 Wärmedämmverbundsysteme (WDVS) mit Putz und Bekleidungen

Heribert Oberhaus

Übersicht

4.8.1 Einführung

Wärmedämmverbundsysteme (WDVS) sind durch allgemeine bauaufsichtliche Zulassungen (abZ) bzw. allgemeine Bauartgenehmigungen (aBg) geregelt, es gibt eine Vielzahl von „Merkblättern", des Weiteren zahlreiche europäische Normen für Komponenten sowie Prüfnormen. Die europäische Systemnorm ist in einem sehr komplexen Bearbeitungsstand angekommen.

Es fällt bereits schwer, den Stand der Technik oder gar die anerkannten Regeln der Technik zu definieren. Die abZ/aBg der Systeme stellen momentan neben den grundlegenden Anforderungen zur Standsicherheit, zum Brandschutz und zur bauphysikalischen Funktionstüchtigkeit die Basis zur Planung und Ausführung dar.

Im Rahmen dieses Beitrags werden Grundlagen zur Beurteilung der geplanten/ausgeführten WDVS erarbeitet, hierbei spielen folgende Aspekte eine besondere Rolle:

- Basis des Handelns ist § 3 der LBO, Allgemeine Anforderungen:

  „(1) Anlagen (...) sind so (...) zu errichten, zu ändern und instand zu halten, dass die öffentliche Sicherheit und Ordnung, insbesondere Leben, Gesundheit oder die natürlichen Lebensgrundlagen, nicht gefährdet werden. (...)

  Die (...) allgemein anerkannten Regeln der Technik sind zu beachten.

  Von diesen Regeln kann abgewichen werden, wenn eine andere Lösung in gleicher Weise die Anforderungen des Satzes 1 erfüllt."

- Die abZ/aBg beinhalten im Abschnitt „Hinweise“ am Ende des Textteils den folgenden Text:

  „Abweichende Ausführungen des WDVS von den Vorgaben dieses Bescheides sind im Einzelfall zu beurteilen und bedürfen ggf. zusätzlicher Nachweise.“

- Anstöße von *Matthias Zöller* (Aachener Bausachverständigentage 2020):

  „Regelwerke spielen bei der Bewertung keine so bedeutende Rolle wie ihnen allgemein zugemessen wird.

  Werden bei einer Beurteilung des Gebauten, also im Nachhinein, die Maßstäbe der Regelwerke angelegt, die für die Planungsphase ausgelegt sind, wird übersehen, dass dabei einbezogene Sicherheitsfaktoren nicht mehr erforderlich sind, wenn sich die befürchteten Unwägbarkeiten nicht realisierten oder einmalige Einwirkungen bereits abgeklungen sind.

  Normen (und weitere Regelwerke?!) können nur Standards regeln, aber die Diversität des Bauens nicht umfassend berücksichtigen. Es ist ein Grundsatz, bei der Anwendung naturgemäß allgemein gehaltener Regeln zu prüfen, ob sie bei der Übertragung vom Allgemeinen ins Konkrete jeweils richtig und anwendbar sind.“

Im Rahmen dieses Beitrags wird im vorgenannten Sinne auf die Planung, Ausführung, Instandsetzung und Beurteilung der WDVS eingegangen:

- Erzielter Klebeflächenanteil bei der Dämmstoffverklebung,
- Dicke der Putzsysteme bei geputzten WDVS,
- Anschlüsse an Fenster und Fensterbank sowie deren Reparatur,
- Aufbau im Sockelbereich von Dachterrassen,
- Instandsetzung durch Putzsystemaufdoppelung,
- Ausführung von Feldbegrenzungsfugen im WDVS mit „Hartbekleidung“.

4.8.2 Der Aufbau der WDVS mit Putz und Hartbekleidung

4.8.2.1 Gängige Systemvarianten mit Putz

Bei einem **ausschließlich verklebten WDVS** (Schichtenfolge: Kleber-Dämmstoff-Unterputz mit Bewehrungsgewebe-Oberputz) ist es erforderlich, dass der Untergrund diese ausschließliche Verklebung ermöglicht. Dazu wird in den abZ bzw. aBg nicht nur eine qualitativ definierte Oberflächenqualität (fest, tragfähig, trocken, staubfrei) gefordert, sondern auch deren Oberflächenfestigkeit zu 0,08 N/mm^2 definiert. Es werden Dämmstoffe verwendet, die eine hohe Zugfestigkeit senkrecht zur Wand aufweisen und eine entsprechend hohe Haftzugfestigkeit des Klebemörtels ermöglichen. Standardmäßig beträgt die diesbezügliche Festigkeitsanforderung ebenfalls 0,08 N/mm^2 = 80 kN/m^2.

Das DIBt definiert in den abZ/aBg eine zulässige Abweichung von der Ebenheit und zwar in der Weise, dass ein Stichmaß für eine Bezugslänge 1 m angegeben wird. Genau genommen wäre dies eine Winkelabweichung, in der Form ist dies jedoch nicht gemeint. Ursprünglich hat man sich vorgestellt, dass die Abweichung von der Ebenheit über 1 m Länge vorliegt, und man hat eine maximale Tiefe dieser Delle definiert. Bei einem ausschließlich geklebten System wird definiert, dass die Abweichung 1,0 cm/m betragen darf. Da der Klebemörtel bzw. Kleber eine eigene Mindestdicke aufweist (ca. 5 mm) kann diese Anforderung so verstanden werden, dass die Kleberdicke maximal 1,5 cm beträgt. Mit dieser Anforderung möchte man sicherstellen, dass der Kleber nicht zu steif angerührt wird und es deswegen zu Haftungsproblemen kommen kann.

Die gängigen Produkte sind Polystyrol-Hartschaum-Dämmplatten (EPS) und Mineralwolle-Lamellendämmplatten (MW-L). Die Mineralwolle-Dämmstoffe werden meist werksseitig mit einer Haftbrücke versehen, sodass man den Klebemörtel nicht mehr „einmassieren" muss. MW-L lassen sich gut gekrümmten Baukörpern anpassen, dazu kann man auch einfach die Lamellen senkrecht verlegen.

Bei den Systemvarianten mit Klebung und Dübelung wird zunächst zwischen Tellerlage unter- und oberhalb des Gewebes differenziert. Bei der Dübelung unter dem Gewebe wiederum gibt es die oberflächenbündige Dübelung – hierbei wird der Dübel so gesetzt, dass dessen Oberfläche mit der Dämmstoffoberfläche bündig sitzt – und versenkten Dübelungen, hierbei wird typischerweise der Dübelteller um ca. 1,5 cm versenkt.

Bei geklebten und gedübelten Systemen darf die Ebenheitsabweichung 2 cm/m betragen, d.h., die maximale Kleberdicke darf 2,5 cm betragen.

Es gibt die tief versenkten Dübel, der Teller ist schraubwendelartig geformt und wird drehend in den Dämmstoff hinein versenkt. Diese Dübel weisen bereits eine bauaufsichtliche Zulassung auf, sie können bei Verwendung mit Hartschaumdämmstoffen zu brauchbaren Tragfähigkeiten kommen, jedoch bei heute verwendeten Mineralwolle-Platten der WLG/WLS 035 und den damit verbundenen eher kleineren Querzugfestigkeiten der MW-Platten erhält man mit dieser Dübelung recht kleine Tragfähigkeiten. Im Ergebnis braucht man viel mehr Dübel als bei o.g. Varianten. Es ist darauf hinzuweisen, dass diese Dübelung nur dann zur Anwendung kommen darf, wenn das System mit dieser Dübelung explizit bauaufsichtlich zugelassen ist.

Die Dübelung durch das Bewehrungsgewebe wird heute typischerweise nur dann verwendet, wenn besonders hohe Windlasten abzutragen sind (hohe Gebäude in Küstenregionen, möglicherweise auch Gebäude am Bodensee, die bzgl. Windsoglasten als „küstennah" zu behandeln sind). Mit dieser Dübelung können vergleichsweise hohe Tragfähigkeiten erreicht werden.

Verbesserte Tragfähigkeiten insbesondere bei Verwendung von Mineralwolle-Platten erhält man, wenn man zusätzlich zum Standarddübel mit Tellerdurchmesser 60 mm einen vergrößerten Dämmstoffhalteteller verwendet, der typischerweise 90 mm Durchmesser aufweist, für Mineralwolle-Lamellen jedoch auch mit Durchmesser 140 mm produziert wird. Damit ist ein System mit Mineralwolle-Lamellen, das ursprünglich für die ausschließliche Verklebung konzipiert wurde, auch als geklebtes und gedübeltes System verwendbar, beispielsweise für den Fall eines nicht sicher für die Verklebung geeigneten Untergrunds.

Einen vergrößerten Dübelteller gibt es auch in der Weise, dass der am Dübelschaft angeformte Teller, Durchmesser 60 mm, vertieft gesetzt wird, trotzdem aber der Dämmstoffhalteteller aufgrund seiner hutförmigen Querschnittsgestaltung auf der Dämmstoffoberfläche aufliegt. Mit dieser Dübelvariante wird eine gute Tragfähigkeit (wie mit Teller Durchmesser 90 mm) mit halbierter Wärmebrückenwirkung kombiniert, diese Variante ist für Mineralwolle-Dämmplatten die optimale.

Typischerweise werden die Dämmplatten eines WDVS mit Putzsystem teilflächig geklebt (Randwulst-Punkt-Methode, Klebeflächenanteil mindestens 40 %). Die Kammbettverklebung ist ebenfalls möglich, empfiehlt sich aber nur bei sehr ebenmäßigen Untergründen. Mineralwolle-Lamellendämmplatten sind typischerweise zu mindestens 50 % zu verkleben.

Die abZ/aBg definieren händisches/manuelles Verarbeiten des Klebers, aber auch das maschinelle. Hinweise gibt auch die „Verarbeitungsnorm" DIN 55699.

4.8.2.2 Der Systemaufbau mit Keramik, Naturwerkstein, Glas und Glasmosaik

Bei Systemvarianten mit keramischer bzw. Naturwerkstein-Bekleidung wird ein System grundsätzlich durch das Bewehrungsgewebe gedübelt. Ausnahmen werden in den allgemeinen bauaufsichtlichen Zulassungen für die Verwendung von Polystyrol-Dämmplatten bei begrenzt hoher Anwendung und begrenzt hohen Windsogeinwirkungen definiert, der jeweilige Zulassungsbescheid ist diesbezüglich zu beachten.

Im norddeutschen Raum werden häufig ganze Fassaden in diesem Systemaufbau umgesetzt, vielfach werden jedoch mit diesem Fassadentyp lediglich Akzente gesetzt und/oder das EG hiermit ausgeführt, weil in diesem Systemaufbau eine höhere mechanische Belastbarkeit der Oberfläche gesehen wird.

Im Rahmen des Zulassungsverfahrens für Naturwerkstein-Bekleidungen haben wir vor einigen Jahren Grundanforderungen an die Natursteine definiert (Festigkeiten, thermisch-hygrische Eigenschaften und Dauerhaftigkeit des Steins, Haftverbund zum Verlegemörtel).

Es wurden in den Zulassungsbescheiden des DIBt (Berlin) nicht nur Kleinformate, sondern auch „Mittel-" und Großformate mit Plattenkantenlängen bis 1,20 m bzw. 0,72 m^2 Größe mit der typischen Verarbeitung des Verklebens mit beidseitigem Kleber- bzw. Verlegemörtelauftrag zugelassen. Hierbei wurde bislang die Einschränkung auf die Verwendung von Schlämmfugenmörtel vorgenommen. An dieser Stelle sei darauf hingewiesen, dass derartige Fassadensysteme nur dann funktionstüchtig sind, wenn eine besonders sorgfältige Planung und Ausführung erfolgen. Mit diesen muss die Regendichtigkeit der Fassade sichergestellt sein, es darf nicht vorkommen, dass eine derartige Bekleidung Hohlräume in der Verlegemörtelebene aufweist, welche bei jeder Regenbelastung mit Wasser gefüllt werden. Baupraktisch sind derartige Anforderungen eigentlich nur bis zu Plattengrößen von ca. 80 cm x 40 cm umsetzbar.

In einzelnen Fällen kommen Glasbekleidungen zur Anwendung, einerseits Glasmosaik, andererseits mit großen Glasplatten, dies bedarf besonders präziser Planung und Ausführung.

Das wesentliche Entscheidungskriterium für diese Fassadentypen ist die Gebäudegestaltung. Bereits mit Verwendung des (teureren) Systems in Teilflächen – eingebunden in geputzte Fassaden – erzielt man mit vergleichsweise geringen Mehrkosten eine „Aufwertung" des Gesamtgebäudes. Für Norddeutschland gilt allerdings: Dort hat das Bauen mit sog. Backstein Tradition.

Ein weiterer Sonderaufbau des **Systems mit keramischer Bekleidung** ist das „Fugenleitsystem", ein System ohne Unterputz und ohne Bewehrungsgewebe.[1]

4.8.2.3 Dämmstoff- und Systemaufdoppelung

Mit dem „Verschärfen" der Wärmeschutz- bzw. Energieeinsparverordnungen wurden die Dämmdicken immer größer. Dämmdicken von 12 bis 20 cm sind wirtschaftlich (d.h. im Sinne kostenoptimierten Bauens und Betreibens der Gebäude) sinnvoll. Betrachtet man dies ausschließlich ökologisch, sind Dämmdicken bis 30 cm immer noch sinnvoll. Der für Herstellung und Montage des Dämmsystems notwendige Energieeinsatz wird immer beim Betrieb des Gebäudes wieder herausgeholt.

Die Betrachtung der Minimierung des Energiebedarfs für Bau und für den Betrieb des Gebäudes („graue Energie") führt zu großen Dämmdicken (um 20 cm), aber nicht zu sehr großen Dicken deutlich darüber. Dämmdicken über 20 cm bringen nur noch kleine Einsparungen, das dazu aufzuwendende Geld ist deswegen besser in die optimierte Haustechnik mit Nutzung regenerativer Energien investiert.

Bei der Systemaufdoppelung wird für das Neusystem vorgegangen, wie es in Zulassungen des Typs Z-33.43 usw. beschrieben wird; das „Altsystem" muss in der Lage sein, die „Lasten" des Alt- und Neusystems abzutragen, dazu bedarf es einer ausreichend genauen Überprüfung des Ist-Zustandes (Fassade öffnen, Dämmstoffqualität und -befestigung prüfen).

Bei der Dämmstoffaufdoppelung müssen die einzelnen Plattenlagen mindestens 60 mm dick sein. Die obere Platte ist auf die untere so zu verkleben wie die untere auf der Wand, d.h. auch die Plattenverklebungen miteinander sind teilflächig möglich. Diese Vorgehensweise ist nicht nach allen Zulassungsbescheiden allgemein bauaufsichtlich zugelassen. Eine solche Verwendung ist daher im Einzelfall baurechtlich zu klären. PUR-Klebeschaum ist als Kleber zwischen den EPS-Plattenlagen brandschutztechnisch kritisch.

4.8.2.4 Zur Planung eines Systems mit Keramik oder anderen „Hartbekleidungen"

Abgesehen von der stets nötigen Detailplanung und von dem zu führenden Standsicherheitsnachweis muss man sich mit der Anordnung und Ausführung von Feldbegrenzungsfugen (FBF) befassen. Bei Verwendung von Mineralwolle-Dämmplatten der WLG/WLS 035 o.Ä. wird aus statischen Gründen der Abstand der FBF auf max. 6 m definiert. Bei anderen Dämmstoffen sind größere Abstände möglich. Die Formulierung in Zulassungsbescheiden: „Bei heterogener Fassadengestaltung ist eine ingenieurmäßige Planung (…) erforderlich" bedeutet: FBF sollen so angeordnet werden, das Zwängungen minimiert und klaffende Risse ausgeschlossen werden. Unregelmäßige Teilflächen können diesbezüglich kritisch sein.

1 In Heft 3 „Wärmedämmverbundsysteme (WDVS)" der baurechtlichen und -technischen Themensammlung, 2. Aufl. 2024, wird auf den Systemaufbau vertiefend eingegangen und dieser wird in Abbildungen dargestellt.

In der Planung der Detaillösungen ist nach Auffassung des Verfassers zu berücksichtigen, dass man bei derartigen Systemen annehmen muss, dass Regenwasser bis in den Unterputz hinein gelangt. Der Unterputz muss stets regendicht angeschlossen werden. Feldbegrenzungsfugen müssen auch in der Ebene des Unterputzes regendicht verschlossen werden. Dies ist eine auf Erfahrungswerte basierende Grundüberlegung des Verfassers zu derartigen Systemen. Dies ist nicht durch die Systemzulassungen oder durch die Verarbeitungsregeln des Herstellers festgelegt. Hierzu werden nachstehend konkrete Vorschläge unterbreitet.

Begründet wurde dies mit dem Rissbild in diesen Systemen, man muss mit regelmäßigen Fugenflankenabrissen rechnen, solche zeigen sich in den Zulassungsversuchen durch Kalkablagerungen in den Flankenabrissen (vgl. Abbildung 1).

Abbildung 1: Fugenflankenabrisse im System mit Keramik, in die sich durch die Konditionierung (hohe Wasserbelastung auf das junge System) Kalk angelagert hat; Quelle: Heribert Oberhaus

4.8.3 Standsicherheit – geklebtes/geklebtes und gedübeltes WDVS

4.8.3.1 Ausschließlich geklebtes System

Nach europäischer Leitlinie für die Beurteilung der **nur geklebten Systeme** (ETAG 004, EAD 040083-00-0404[2]) wird definiert, dass die Gesamtfestigkeit des Systems 30 kN/m² betragen soll, dies wird erreicht, wenn die Dämmstofffestigkeit mindestens 80 kN/m² beträgt und der Dämmstoff zu mindestens 40 % am Untergrund verklebt wird (Abbildung 2).

2 *EOTA*, European Organisation for Technical Approvals, Kunstlaan 40 Avenue des Arts, B-1040 Brussels: ETAG Nr. 004 – Guideline for European Technical Approval of External Thermal Insulation Composite Systems with Rendering. (Leitlinie für europäische technische Zulassungen für außenseitige Wärmedämmverbundsysteme mit Putzschicht); Ausgabe März 2000, Bekanntmachung am 20.2.2001; Ausgabe März 2000, Überarbeitung August 2011, Bekanntmachung am 13.10.2011; Ausgabe März 2000, Überarbeitung August 2011, Überarbeitung Februar 2013. Das Dokument wurde weiterentwickelt zum European Assessment Document EAD 040083-00-0404 External Thermal Insulation Composite Systems (ETICS) with Renderings, Ausgabe Januar 2019, © EOTA 2020 (Decision (EU) 2020/1574).

Bei kleinerer Dämmstoff- bzw. Verbundfestigkeit zum Kleber würde man einen größeren Klebeflächenanteil benötigen.

Als die ab ca. 1995 erlassenen allgemeinen bauaufsichtlichen Zulassungen erarbeitet wurden, hat man im DIBt die positiven baupraktischen Erfahrungen mit der Verklebung nach der Randwulst-Punkt-Methode zu ca. 40 % Klebeflächenanteil dann schlicht als Mindestanforderung definiert. Diese Festlegung ist also kein Ergebnis einer typischen statischen Berechnung, sondern ein „empirisches" Ergebnis, also Erfahrungswissen.

Da man natürlich mit einem nur geklebten System alle Lasten bzw. Einwirkungen über den Dämmstoff und die Verklebung aufnehmen und in den Untergrund weiterleiten muss, hat man nicht nur die Festigkeit senkrecht zur Dämmebene (Abbildung 3a), sondern auch parallel zur Dämmebene (Abbildung 3b) definiert, denn das System muss die Schubkräfte aus Eigenlasten und hygrothermischen Einwirkungen abtragen. Demzufolge waren und sind auch die Schubsteifigkeit und Scherfestigkeit bzw. die Verschiebbarkeit zu definieren.

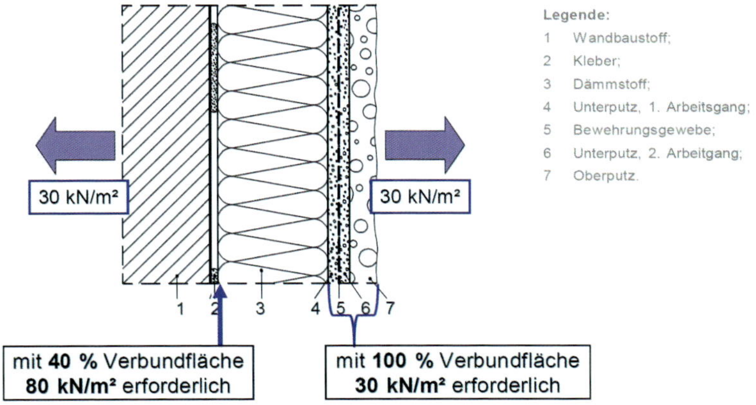

Abbildung 2: Haftzugfestigkeit des geklebten Systems im Verbund (nach ETAG 004); Quelle: Heribert Oberhaus

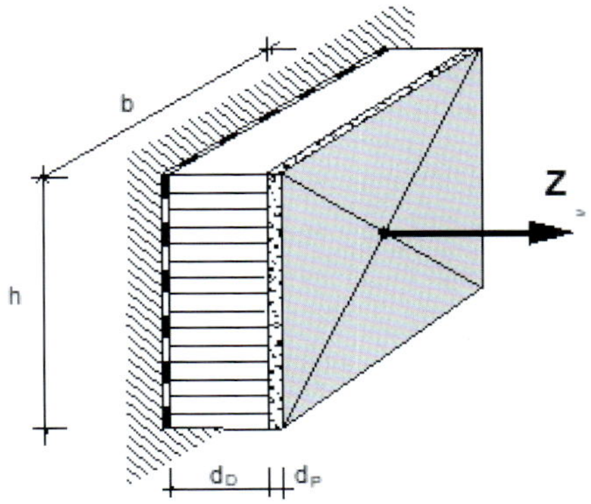

Betrachtete Teilfläche des WDVS:

$A = b \cdot h$ *[mm²]*

Haftzugfestigkeit:

$\sigma_{HZ} = Z_u / A$

Abbildung 3a: Mechanische Systemkenngrößen des geklebten WDVS – Haftzugfestigkeit σHZ des WDVS im Verbund; Quelle: Heribert Oberhaus

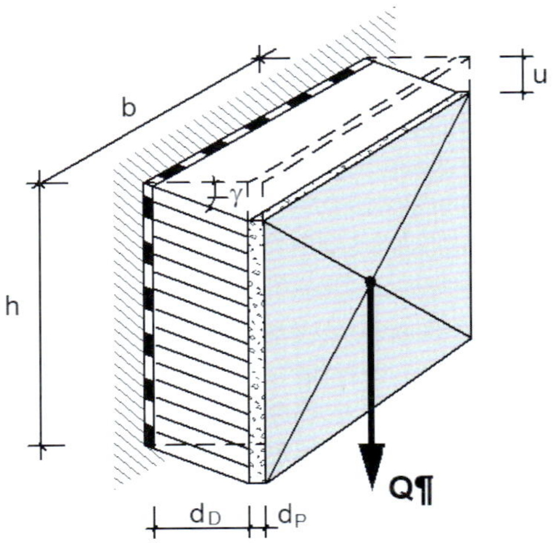

Die Bettungszahl (c) errechnet sich aus der anfänglichen Kraft-Verschiebungs-Beziehung zu

$c = \Delta\tau / \Delta u = \Delta Q / (A \cdot \Delta u)$

Darin sind ΔQ eine Differenzschubkraft und Δu die zugehörige Differenzverschiebung.

Die Schubtragfähigkeit des WDVS bzw. – bei der Untersuchung des Dämmstoffes – die Scherfestigkeit (τ_u) errechnet sich aus der größten Schubkraft (Q_u) bei Versagen der Probe zu

$\tau_u = Q_u / A.$

Statt der Festigkeit (Tragfähigkeit) könnte die Bruchverzerrung (γ_u) oder die Bruchverschiebung (u_u) angegeben werden.

Abbildung 3b: Mechanische Systemkenngrößen des geklebten WDVS – Bettungssteifigkeit c, Bruchscherspannung τ_u und Bruchverschiebung u_u des WDVS; Quelle: Heribert Oberhaus

4.8.3.2 Geklebtes und gedübeltes System

Beim **geklebten und gedübelten WDVS** liegen die Verhältnisse anders: Man setzt voraus, dass der Dämmstoff zunächst ebenfalls lastabtragend ist und schubfest am Untergrund geklebt wird. Da der Untergrund nicht ganz so präzise hinsichtlich seiner Tragfähigkeiten definiert wird (es wird allerdings ein trockener, tragfähiger, sauberer/staubfreier – somit tragfähiger – Untergrund verlangt), wird vorausgesetzt, dass es lokal begrenzt zu Ablösungen des Klebemörtels vom Untergrund kommen kann. In diesem Fall bzw. an dieser Stelle müssen die Dübel das WDVS festhalten, die Dübel werden daher für die Aufnahme der Windsoglasten dimensioniert. Hierbei wird ein geeigneter („globaler") Sicherheitsfaktor zugrunde gelegt, der in der Größenordnung 3 bis 4 liegt (Abbildung 4).

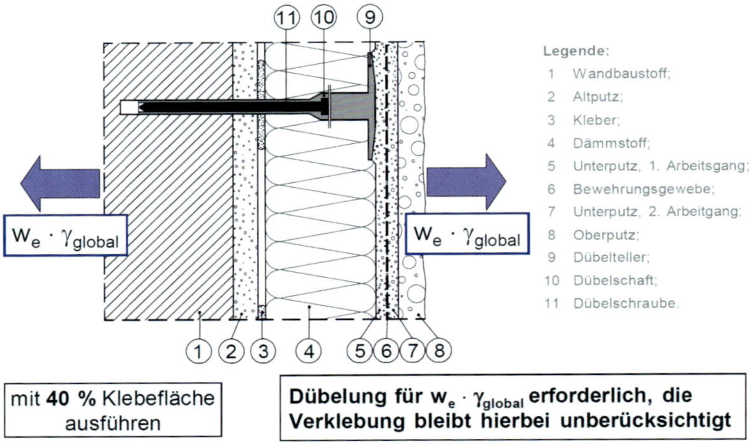

Abbildung 4: Windsogtragfähigkeit des gedübelten WDVS ohne Ansatz der Verklebung; Quelle: Heribert Oberhaus

Die Dübel werden nicht für die Aufnahme von Eigenlasten dimensioniert, für diese Belastung werden sie auch nicht mehr bauaufsichtlich zugelassen. Die Zulassungen der Dübel definieren lediglich zugelassene Zugkräfte in Dübelachse, d.h. senkrecht zur Wand entsprechend der Windsogbeanspruchung.

Neuere Untersuchungen im Rahmen von nationalen Zulassungsverfahren betrachten diese Fragestellung genauer. Zukünftig werden vermehrt auch Systeme mit Mineralwolle- und anderen Dämmplatten (möglicherweise mit noch neu zu definierender Festigkeit) als nur geklebte Systeme anwendbar sein. Untersuchungen und Zulassungsverfahren sind im Gange.

In Heft 3 „Wärmedämmverbundsysteme (WDVS)" der baurechtlichen und -technischen Themensammlung[3] wird auf die Einwirkungen sowie die Tragmechanismen vertiefend eingegangen. Dort erfolgt eine Berechnung zur Standsicherheit und darauf basierend eine rechnerische Beurteilung der Funktionstüchtigkeit eines geklebten WDVS mit EPS-Dämmplatten. Es werden die zugrunde gelegten Ansätze der Eigenschaften der Dämmplatten, Putze und Bekleidungen, das Formelwerk zur Verformungsberechnung und die Grundlagen der Statik behandelt. Um die Rechenansätze zu untermauern, wurden Kombinationsversuche durchgeführt.

Zusammenfassung des Ergebnisses

Es erfolgte eine Standsicherheitsbetrachtung für das System mit sehr steifem Putzsystem (15 mm, 22 kg/m^2), wodurch auch ein Standardsystem mit Edelkratzputz (20 mm, 30 kg/m^2) erfasst bzw. abgedeckt ist.

Mit ganzflächig zugrunde gelegten Klebeflächenanteil (KFA) 30 % und auch mittels PUR/PIR-Klebeschaum ergänzter Verklebung (KFA 30 + 30) % wäre das System sehr standsicher, natürlich insbesondere mit KFA 40 % und mehr. Ein Standardsystem oder ein System, das geringer windsogbelastet ist, weist noch erhebliche Reserven auf, selbst wenn der Klebeflächenanteil durchgehend nur 30 % beträgt.

4.8.4 Hinweise zur Planung, Beurteilung, Instandsetzung der WDVS

4.8.4.1 Dicke der Putzschichten – insbesondere des Unterputzes

Die Funktion des Unterputzes ist vielfältig: Seine wesentliche Funktion ist, den Dämmstoff dauerhaft vor Regeneinwirkung zu schützen (Systemfeuchteschutz). Eine Rissbildung darf daher nur im geringen Umfang auftreten, die Rissbreiten müssen unschädlich bleiben. Quantitative Aussagen hierzu sind durchaus komplex.

Im Zulassungsverfahren wird untersucht, wie das Systemgewebe und die „Putzmatrix" zusammenarbeiten, ob es also zur gewünschten Rissverteilung kommt und die Rissbreiten ausreichend klein bleiben. Für ein mineralisches Putzsystem (bzw. Unterputz) wird im Putz-

3 Baurechtliche und -technische Themensammlung, Heft 3 – Wärmedämm-Verbundsysteme (WDVS), 2. Aufl. 2024.

streifenzugversuch gemäß Abbildung 5 gewünscht, dass die Rissbreite 0,15 mm nicht überschritten wird.

Basis der Beurteilung ist zunächst die Dickendefinition in den abZ/aBg. Vielfach werden die Dicken der Unterputze in recht kleinen Bandbreiten angegeben – z.B. 3,0 bis 5,0 mm. Baupraktisch ist dies regelmäßig nicht exakt einzuhalten.

Es wird bei der Systemausführung typischerweise so vorgegangen, dass zunächst die Anschluss-Gewebefahnen der Fensteranschlussleisten und anderer Leisten, die Gewebeeckwinkel und die Diagonalgewebe eingespachtelt werden und dann der Unterputz auf ganzer Fassadenfläche aufgetragen und das Gewebe eingebettet wird. Dadurch sind an den Kantenbereichen bereits zwei Arbeitsgänge erfolgt, hier ist dann die Gesamtdicke des Unterputzes etwas dicker. In den Flächenbereichen zwischen den Fenstern ist sie meist dünner, hier kann es passieren, dass die Mindestdicke unterschritten wird. Auch kann es passieren, dass die oberen Grenzwerte überschritten werden, da ja teilweise doppelt aufgetragen wird.

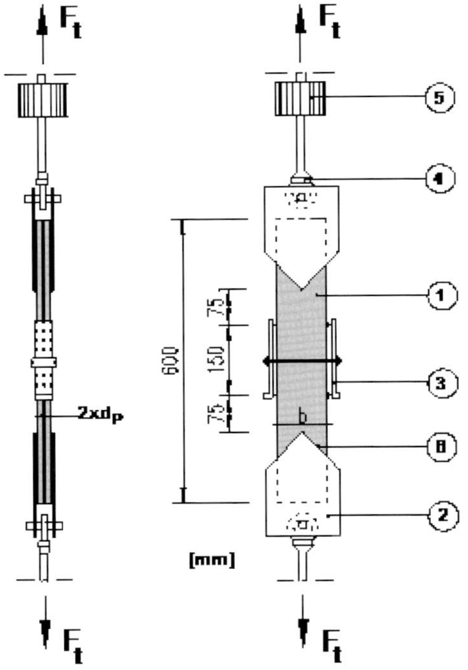

1 Probe symmetrisch aufgebaut
2 Stahlplatten zur Lasteinleitung
3 Elektronische Anklemm-Dehnungsaufnehmer DD1
4 Gelenköse zur Lasteinleitung
5 Präzisionskraftaufnehmer für 10 kN
6 Punktverklebung mit Epoxidharz zwischen den Putzstreifen und den Lasteinleitungsplatten

Abbildung 5: Versuchsaufbau Putzstreifen-Zugversuch; Quelle: Theo Gahlen

Im Folgenden wird auf das sehr gängige mineralische Putzsystem mit Strukturputz als Oberputz eingegangen: In der praktischen Arbeit der Bewertung des ausgeführten WDVS hat der Verfasser daher eine zulässige Toleranz eingeführt, die man bei 20 % bis maximal 30 % der Putzdickendefinition ansiedeln könnte. Bei der Definition 3,0 bis 5,0 mm käme man auf einen tolerablen Dickenbereich 2,1 bis 6,5 mm. Bei mehrlagigem Auftrag des Unterputzes könnten natürlich auch größere Dicken erreicht werden. Bei Verwendung eines Edelkratzputzes als Oberputz wird der Unterputz auf seiner Oberfläche aufgeraut bzw.

aufgekämmt, damit der Kratzputz besser „verkrallen" kann, dazu wird ausreichend (4 bis 8 mm?) Unterputzdicke benötigt.

Ist der Hersteller des Putzsystems in die fachliche Diskussion über die Beurteilung des Putzsystems eingebunden, stimmt der Verfasser sich bzgl. der definierten Toleranz mit ihm ab. Gegen die Herstellerbeurteilung sollte man nicht argumentieren, weil Wert darauf zu legen ist, dass die Produktgewährleistung durch den Hersteller erhalten bleibt.

Ziel ist sicherzustellen, dass die abweichende Putzdicke nicht zur erhöhten Rissbildung/vergrößerten Rissbreiten führt. Dass dies entstehen kann, zeigt Abbildung 6. Mit baupraktischen Putzdickenbestimmungen (z.B. gemäß Abbildung 7) kann geeignet/ungeeignet unterschieden werden. Mit WDVS des hier behandelten Typs hat der Verfasser über drei Jahrzehnte die Erfahrung gemacht, dass ein Unterputz, dessen Dicke zu 3,0 bis ... geregelt ist, bei Putzdicken über 2,1 mm – Gewebe mittig also ordentlich eingebettet – diesbezüglich funktionstüchtig ist.

4.8.4.2 Fenster und Fensterbänke, Anschlüsse

Die Ausführungsvarianten bzgl. der Fensteranschlüsse sind vielfältig. Angefangen bei dem „simplen" Anschluss mittels expandierendem Fugendichtband (Kellenschnitt bei Unter- und Oberputzausführung) nach Abbildung 8, wobei man statt Kellenschnitt ein Anputzband neben das Dichtband (also in Putzebene) aufkleben kann. Ist der Querschnitt des Dichtbands sehr klein (z.B. 10/2-6) besteht die Gefahr, dass der Anschluss schnell undicht wird, geeigneter wäre also eher ein Querschnitt 15/5-12 mm. Im Anschlussbereich Fensterbankende kommt sehr viel Wasser an diesen Anschluss.

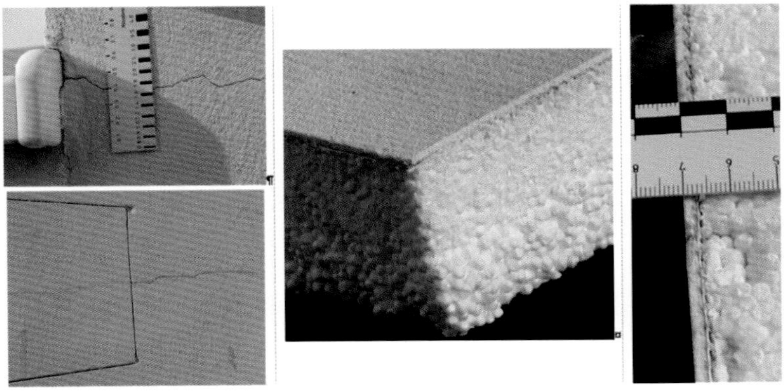

Abbildung 6: Fallbeispiel Rissbildung im Putzsystem, keine funktionierende „Rissverteilung" – Putzsystem besteht aus einem „Hauch" von Unterputz und dem Oberputz; Quelle: Heribert Oberhaus

Lange Zeit war es gängige Praxis, diesen Anschluss auch an den Fensterrahmen zu verwenden, hierfür werden allerdings alternativ Anschlussleisten angeboten. Einteilige Anschlussleisten, welche Verformungen nur im selbstklebenden Weichschaumband aufnehmen können, sind bei heutiger Bauweise der WDVS/Fensteranlagen ungeeignet. Man muss mehrteilige Leisten, Teleskop- oder Leisten mit integriertem Kompriband verwenden. Selbst Leisten mit derartiger Verformungsaufnahme werden undicht, wenn sich das Klebeband ablöst, daher sind solche Leisten, die ein gegen den Fensterrahmen expandierendes

Dichtband haben, aktueller Stand der Technik. Am Ende der Arbeiten wird eine Lasche herausgezogen, welche das Dichtband frei gibt. Diese Leiste ist weniger fehlerempfindlich, die Klebung zum Fensterrahmen ist nämlich nicht mehr für die Dichtheit von Bedeutung, sondern nur noch Montagehilfe.

Abbildung 7: Typische Messung zur Unterputzdicke – sauberer Sägeschnitt und Anhalten des Vergleichsmaßstabes; Quelle: Heribert Oberhaus

Abbildung 9 zeigt das Einbringen von Dichtstoff in den Anschlussbereich der Teleskopleiste, die sich abgelöst hatte. Der Dichtstoff ist hier eine Nachverklebung der Anschlussleiste. Eine Weich-PVC-Lippe, welches das Weichschaumklebeband optisch abdeckt, wurde zunächst entfernt.

Als Alternative ist der Einbau von Aluleisten denkbar (vgl. Abbildung 10). Bei der linken Variante in Abbildung 10 wurde eine Winkelleiste verwendet. Zwischen Leiste und Fensterrahmen wurde ein Selbstklebeband eingebaut, zusätzlich eine Verschraubung. Zwischen Leiste und Putzlaibung wurde ein Fugendichtband eingebaut.

Bei der rechten Variante in Abbildung 10 wurde eine U-fömige Leiste verwendet, sodass der Sonnenschutz für die Putzarbeiten nicht demontiert werden musste. Zwischen – mit Montagekleber auf die Laibung geklebter – Leiste und Fensterrahmen wurde ein Fugendichtband eingebaut, das neue Putzsystem mit Rillenband als Trennband an diese Leiste herangeführt.

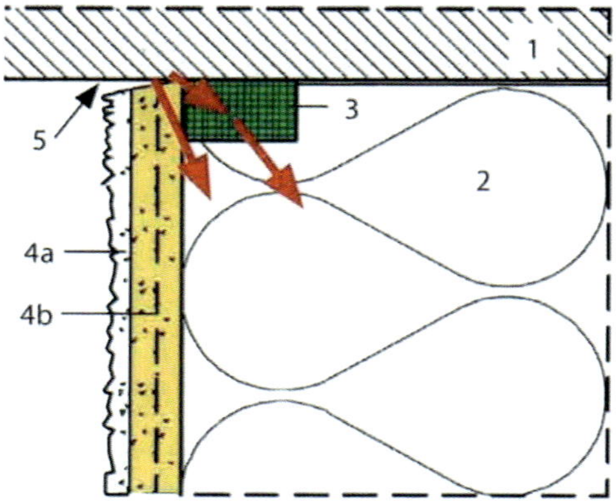

Legende:

1 anzuschließendes Bauteil
2 Dämmstoff
3 Dichtband
4 Putzsystem, (a) Oberputz, (b) Unterputz
5 Eindringen des Wassers

Rote Pfeile = Weg des Wassers. Ein kleiner Dichtbandquerschnitt, z.B. 10/3-6, wird schnell undicht, weil das Wasser nur wenige Millimeter Weg durch das Dichtband durchdringen muss.

Abbildung 8: Standardanschluss; Dichtband zwischen Anschlussbauteil und Dämmplatte. Fensterbank: Der Anschluss erfolgt oben auf sowie seitlich an dem Fensterbankbordprofil und unterseitig an die Fensterbank; Quelle: Heribert Oberhaus

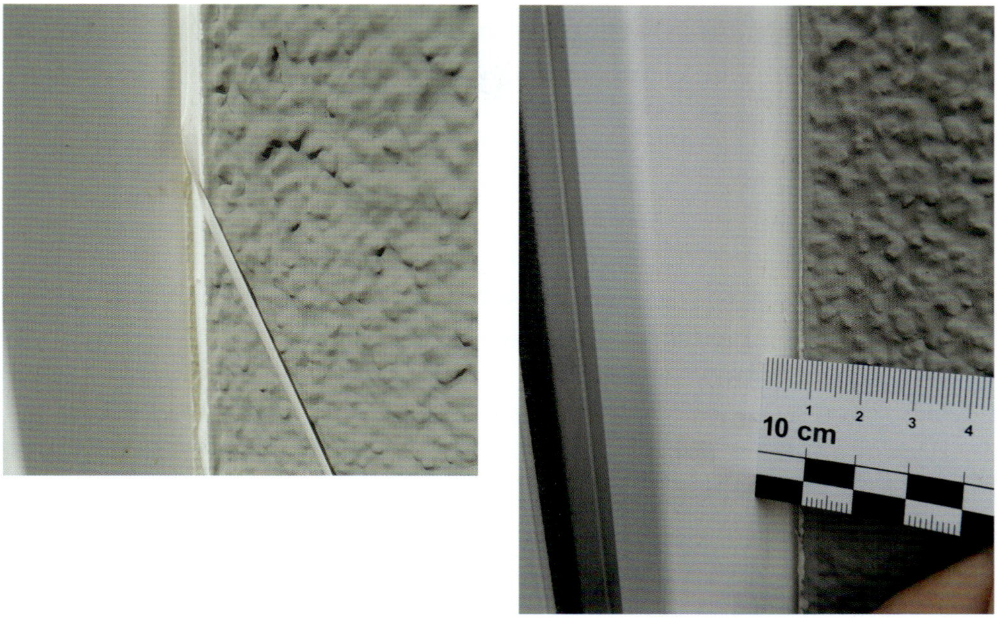

Abbildung 9: Reparatur eines Teleskopleisten-Fensteranschlusses mit Dichtstoff; Quelle: Heribert Oberhaus

Abbildung 10: Reparatur Fensteranschluss mit aufgeklebten Aluminiumleisten; links: Alu-Winkelleiste (auch geschraubt); rechts: U-förmige Alu-Leiste; Quelle: Heribert Oberhaus

Fallbeispiel für Fehler bei Fensterbankkonstruktion und -einbau:

Erst zum Ende der Arbeiten wurde durch die Bauleitung festgestellt, dass die verbauten Fensterbank-Bordprofile nicht regendicht an die Fensterbänke angeschlossen waren. Ferner waren derartige Hohlräume unter den Fensterbänken, dass die dortige kalte Luft bis an die Brüstungswand gelangen konnte.

Mangelbeseitigung (vgl. Abbildung 11):

- Kürzen der Rollladenführungsschienen exakt in Flucht Fensterrahmenunterkante;
- geradliniges Zurückschneiden des Putzsystems rund um die Fensterbank-Bordprofile;
- Ausbau der Fensterbank, Entfernen des nicht regendichten Bordprofils, Aufstecken des zugehörigen regendichten Bordprofils;
- geradliniges Zurückschneiden des Putzsystems an der Unterseite der Fensterbank;
- passgenaues Aufkleben (ggf. keilförmiger) Dämmung auf die Dämmschicht des WDVS;
- Primern der Putzschnittkanten für die spätere „Versiegelung" der Anschlüsse;
- passendes Ankleben von Kompribändern an die Fensterbank-Bordprofile und auf die Fensterbank-Unterseite; anschließend unmittelbar
- Einbau der Fensterbank;
- nach Expandieren der Fugendichtbänder an den Fensterbank-Bordprofilen und an der Fensterbank-Unterseite (gegen die Dämmung in Fassade und Laibung) Einbringen und Abziehen von Fugendichtstoff;
- nach Aushärtung des Fugendichtstoffes Anstrich auf diesem ergänzen.

4.8.4.3 Sockel bei Dachterrassen u.Ä.

In der Richtlinie für die fachgerechte Planung und Ausführung des Fassadensockelputzes sowie des Anschlusses der Außenanlagen[4] und darauf basierend in den Herstellerrichtlinien bzw. Standard-Detailzeichnungen wird in verschiedenen Varianten die Sockelausbildung beschrieben. Kern der Richtlinie ist neben der Verwendung der systemzugehörigen Sockeldämmplatten der Feuchteschutz des Putzsystems im erdberührten Bereich bzw. bis 5 cm über Gelände mit systemzugehöriger zementhaltiger Dichtungsschlämme.

Das Maß 5 cm ist aus der Sicht des Verfassers ein „Vorhaltemaß": Für den Fall, dass etwas (bis 5 cm) höher angefüllt wird als zuvor geplant, reicht der Feuchteschutz immer noch.

Das „Wunschdetail" des Verfassers zeigt Abbildung 12: Das WDVS beginnt erst oberhalb des gedämmten Wandanschlusses der Abdichtung. Hier liegt eine klare Gewerketrennung vor, das WDVS bleibt vom mit Wasser hochbelasteten Bereich entfernt. Der Dachdecker montiert auch den Trittschutz für die Abdichtung.

Unnötigerweise wurden jedoch auch Lösungen entwickelt, das WDVS bis unter die Belagsebene zu führen. Das sind stets hochgradig fehlerempfindliche Varianten.

4 Richtlinie Fassadensockelputz/Außenanlage – Richtlinie für die fachgerechte Planung und Ausführung des Fassadensockelputzes sowie des Anschlusses der Außenanlagen, Hrsg.: Fachverband der Stuckateure für Ausbau und Fassade Baden-Württemberg (SAF) und Verband Garten-, Landschafts- und Sportplatzbau Baden-Württemberg e.V., Ausgaben 2002, 2004, und 2013.

Abbildung 11: Beseitigung der Fehler bei Fensterbankkonstruktion und -einbau; Quelle: Heribert Oberhaus

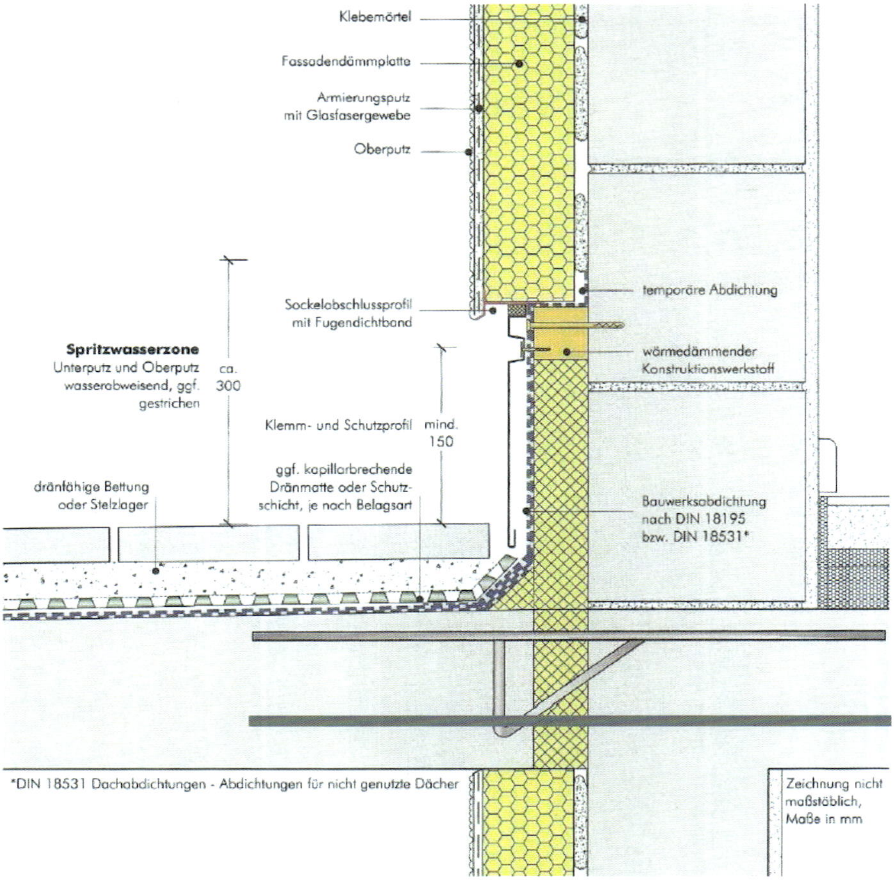

Abbildung 12: Auszug aus der Richtlinie Fassadensockelputz/Außenanlage[5], hier Ausschnitt aus der Abbildung 2.9 Sockelausbildung mit Sockelblech – Anschluss: Balkone und Terrassen – solide Bauweise

Abbildung 13 zeigt die Ausbildung eines WDVS mit flächenbündiger Sockelausbildung in die Belagebene einbindend, zitiert aus der Richtlinie. Diese Lösung ist nicht empfehlenswert, weil sie sehr fehlerempfindlich ist. Geringste Undichtigkeiten an der Fußpunktabdichtung und/oder im System überhaupt (oberhalb des Sockels) lassen den Fußpunkt durchfeuchten. Nicht baustellengerecht ist, dass der Dachdecker Flüssigkunststoff auf der Putzoberfläche zu verarbeiten hat. Putz ist im Übrigen kein geeigneter Untergrund für Flüssigkunststoffabdichtung, das Lösemittel könnte sogar den Hartschaum anlösen.

Abbildung 14 zeigt die vom Verfasser empfohlene abgewandelte Ausbildung: Im Bereich des Bodenaufbaus oberhalb der Abdichtung wird mit geeignetem Kleber eine XPS-Perimeterplatte auf die Abdichtung geklebt. Auf deren stirnseitige Oberseite wird eine Spachtel-

5 Richtlinie Fassadensockelputz/Außenanlage – Richtlinie für die fachgerechte Planung und Ausführung des Fassadensockelputzes sowie des Anschlusses der Außenanlagen, Hrsg.: Fachverband der Stuckateure für Ausbau und Fassade Baden-Württemberg (SAF) und Verband Garten-, Landschafts- und Sportplatzbau Baden-Württemberg e.V., Ausgaben 2002, 2004, und 2013.

schicht z.B. aus zementhaltiger Dichtungsschlämme erstellt, um ein Aufsteigen von Wasser und/oder Wasserdampf in das aufgehende WDVS zu verhindern bzw. zu minimieren. Die Sockeldämmplatte wird auf diese Spachtelschicht und gegen die Wandfläche geklebt. Hierzu ist der systemzugehörige Kleber abgestimmt auf die Art der vorhandenen Abdichtung zu wählen. Der Fußpunkt des Putzsystems bzw. der Unterputzschicht wird mit der systemzugehörigen Dichtungsschlämme geschützt. Diese Schutzschicht muss bis an die waagerechte Spachtelschicht herangeführt werden.

Abbildung 15 zeigt eine vom Verfasser empfohlene weitergehend abgewandelte Ausbildung: Im Bereich des Bodenaufbaus oberhalb der Abdichtung wird mit geeignetem Kleber eine XPS-R-Perimeterplatte auf die Abdichtung geklebt, siehe vorstehende Beschreibung. Diese Platte wird aber so hoch geführt, dass das WDVS direkt mit der Fassadendämmplatte beginnt. Auf die XPS-Platte (hier als XPS-R mit entfernter Schäumhaut) wird eine Keramik- oder hierzu geeignete Naturwerksteinplatte geklebt, das Putzsystem bekommt einen geeigneten Abschluss mit Putzabschlussprofil oder Tropfkantenprofil.

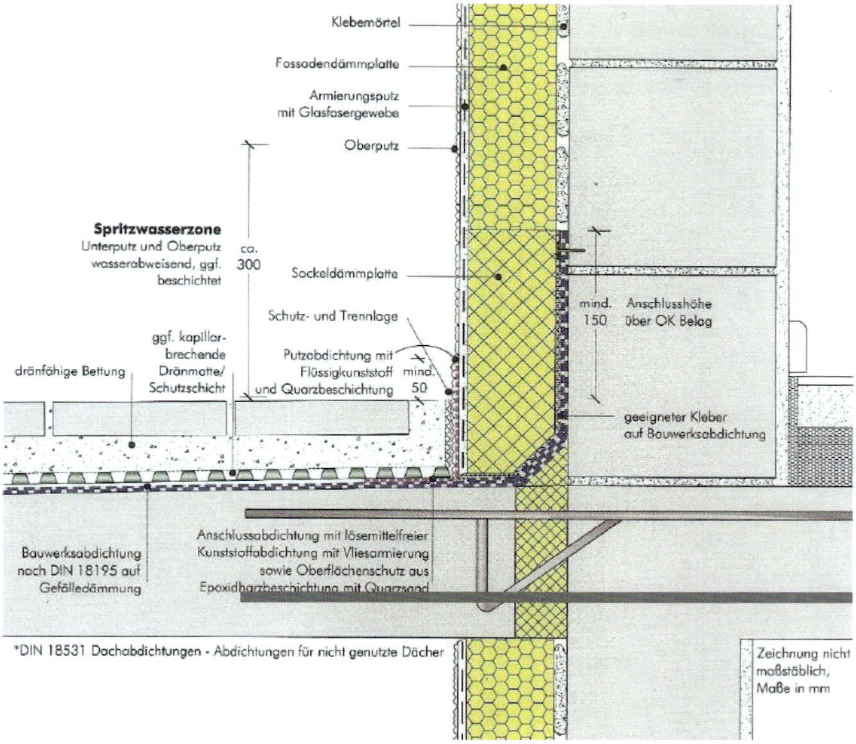

Abbildung 13: Auszug aus der Richtlinie Fassadensockelputz/Außenanlage[6]; hier Ausschnitt aus der Abbildung 2.10 Sockelausbildung flächenbündig, in Belagebene einbindend – Anschluss: Balkone und Terrassen mit lose verlegten Platten – sehr kritische, fehlerempfindliche Bauweise

6 Richtlinie Fassadensockelputz/Außenanlage – Richtlinie für die fachgerechte Planung und Ausführung des Fassadensockelputzes sowie des Anschlusses der Außenanlagen, Hrsg.: Fachverband der Stuckateure für Ausbau und Fassade Baden-Württemberg (SAF) und Verband Garten-, Landschafts- und Sportplatzbau Baden-Württemberg e.V., Ausgaben 2002, 2004, und 2013.

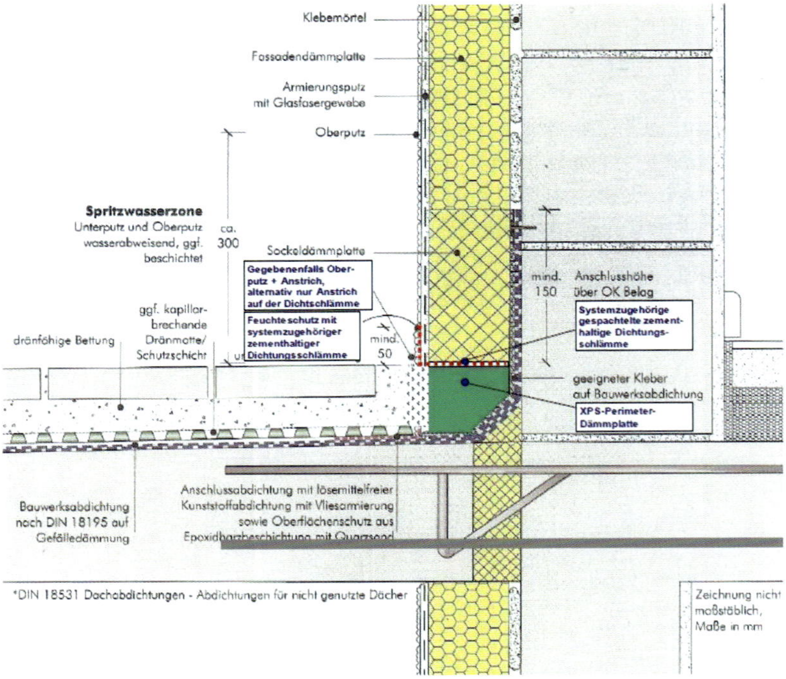

Abbildung 14: Abbildung 13 abgewandelt; im Bereich des Bodenaufbaus XPS-Platten

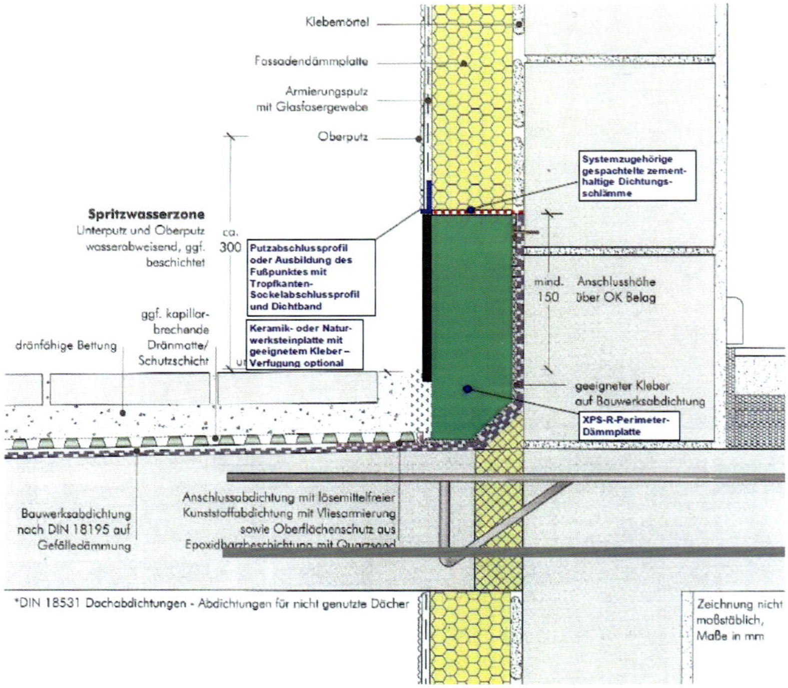

Abbildung 15: Abbildung 13 abgewandelt; im Bereich des Bodenaufbaus und des Spritzwasserbereichs XPS-R-Platten mit Keramik bekleidet – der Sockelaufbau kann auch zurückversetzt ausgeführt werden; vgl. Abbildung 16

Abbildung 16 zeigt ein so ausgeführtes System, hier bei einem Staffelgeschoss. Bei dieser Ausbildung kann so vorgegangen werden, dass die aufgehende Fassade und das Dach fertiggestellt werden, dann das Gerüst abgebaut wird, dann der Dachdecker die Abdichtung auf dem Boden mit Wandanschluss unter dem WDVS erstellt und dann der Sockel fertiggestellt wird. Der Sockel beinhaltet nur zwei Arbeitsgänge: XPS-R einkleben, Keramikplatte aufkleben – fertig. Beim Bauwerk nach Abbildung 16 wurden die Keramikplatten der Abmessungen 60 cm x 60 cm, welche als Bodenplatten auf Stelzlagern verwendet wurden, auch hierfür herangezogen, es wurden dazu halbierte Platten verwendet. So entsteht ein höchst solider, ordentlich aussehender und einfach herzustellender Sockel.

Abbildung 16: Sockelaufbau gemäß Abbildung 15 – die Sockelherstellung erfolgte nach vorangegangener Fassadenherstellung; Quelle: Heribert Oberhaus

4.8.5 Fassadeninstandsetzung mit Putzaufdoppelung

Es gibt verschiedene Gründe, eine Fassade vollflächig überarbeiten zu müssen. Diese können z.B. sein:

- zu große Unebenheiten der Oberfläche;
- unzureichende Dämmstoffverklebung;
- unzureichende Dübelbefestigung;
- zu kleine Putzdicken;
- fehlerhafte Anschlüsse;
- örtliche oder großflächige Beschädigung, z.B. durch Hagelunwetter.

Wenn die bautechnischen Fragestellungen gelöst werden, ergibt sich auch die baurechtliche Einschätzung. Wenn der Systemaufbau hinsichtlich der Gesamtputzdicke und des Gesamtputzgewichtes innerhalb der Bandbreiten der vorhandenen Zulassungen liegt, wird eine „Zustimmung im Einzelfall" (ZiE) bzw. „vorhabenbezogene Bauartgenehmigung" (vBg) nicht benötigt. Dies ist jedoch stets eine Einzelfallentscheidung der „am Bau Beteiligten".

Es ist selbstverständlich erforderlich, die Kombination der Putzsysteme hinsichtlich der Funktionstauglichkeit zu beurteilen. Dies betrifft die Haftzugfestigkeit, den Feuchtehaushalt des Systems und die Statik. Mit dem Begriff Statik ist hier zum einen die Schubkraft, die durch das Gesamtputzsystem auf die Dämmschicht einwirkt, gemeint. Zum anderen ist natürlich die Aufnahme der Windsogeinwirkung nachzuweisen.

Das vorhandene WDVS ist zu untersuchen, die Maßnahme zu planen:

- Befestigung des Systems (Klebung und ggf. Dübelung) prüfen;
- Tragfähigkeit des Dämmstoffes (insbesondere bei MW-Dämmplatten) prüfen;
- Gewicht und Verträglichkeit der Putzsysteme beachten;
- Haftzugfestigkeit des neuen Putzsystem auf dem alten beurteilen;
- Funktionstüchtigkeit der Anschlüsse prüfen/entwickeln;
- ggf. Einbau/Ergänzung der Brandbarrieren bei Systemen mit EPS vorsehen.[7]

Bei wesentlichen Abweichungen von den geltenden Zulassungen ist eine ZiE/vBg zu beantragen. Bei nicht wesentlichen Abweichungen kann seitens der Baubeteiligten entschieden werden, darauf zu verzichten. Zu den vorgenannten Fragestellungen sind Hinweise im WTA-Merkblatt 2-13 zu finden (Ausgabe 09:2015[8]). Dort eingeflossen sind Überlegungen, die im Sachverständigenausschuss „Wärmedämm-Verbundsysteme" im DIBt diskutiert wurden. Im Sinne einer Vorgehensweise, die durch die abZ/aBg des (bei der Instandsetzung) zugrunde gelegten WDVS baurechtlich als abgedeckt angesehen werden kann, wurden folgende Empfehlungen erarbeitet:

- Das Gesamtgewicht des Putzsystems soll 30 kg/m^2 nicht überschreiten, diese Grenze hat man gezogen, weil Systeme der hier vorliegenden Art hierfür ausgelegt sind.
- Das vorhandene Putzsystem und das neue Putzsystem müssen in ihrer Art und hinsichtlich des Feuchtehaushalts funktionieren, Diesen Sachverhalt kann man als Verträglichkeit der Putzsysteme bezeichnen.
- Des Weiteren ist dafür zu sorgen, dass die Haftzugfestigkeit des neuen Putzsystems auf dem alten sichergestellt ist; selbstverständlich sind lose Putzbereiche zu entfernen, jedoch kann das neue Putzsystem auf das alte aufgetragen werden in den Bereichen, wo das vorhandene Fassadensystem bzw. Putzsystem ausreichend Festigkeit aufweist.

7 In Heft 3 „Wärmedämmverbundsysteme (WDVS)" der baurechtlichen und -technischen Themensammlung, 2. Aufl. 2024, wird auf diese Fragestellungen vertiefend eingegangen und sie werden in Abbildungen dargestellt.

8 Wissenschaftlich-Technische Arbeitsgemeinschaft (WTA) für Bauwerkserhaltung und Denkmalpflege e.V., Ref. 2 Oberflächentechnik: WTA-Merkblatt 2-13 Ausgabe: 09.2015/D Wärmedämm-Verbundsysteme (WDVS) Wartung, Instandsetzung, Verbesserung.

4.8.6 Das WDVS mit „Hartbekleidung"

In Heft 3 „Wärmedämmverbundsysteme (WDVS)" der baurechtlichen und -technischen Themensammlung[9] wird auf Detailausbildungen eingegangen und in Abbildungen dargestellt.

Die grundsätzliche Vorstellung zum Funktionieren eines WDVS besteht in der Annahme, dass das Bekleidungssystem den Dämmstoff (und die Wand) vor Feuchte schützt. Bei Verwendung von Mineralwolle als Dämmstoff ist dies unbedingt erforderlich. Es muss angenommen werden, dass aufgrund von Fugenflankenabrissen und – in Grenzen – Hohlräumen in der Verlegemörtelebene Wasser bis zur Unterputzschicht vordringt. Dies bedeutet: Bei einem WVDS mit keramischer Bekleidung ist in der gesamten Verbundbekleidung Unterputz-Verlegemörtel-Bekleidung als „wasserführende Ebene" zu sehen.

Dies bedeutet wiederum: Stets ist die Unterputzschicht selbst regendicht anzuschließen (z.B. durch Fugendichtbänder oder geeignete Anschlussleisten); Bauwerks- und Feldbegrenzungsfugen (FBF) lediglich mittels Dichtstofffugen auszubilden, wird diesem Anspruch nicht mit angemessener Fehlerunempfindlichkeit gerecht.

Im vorgenannten Heft 3 „Wärmedämmverbundsysteme (WDVS)" der baurechtlichen und -technischen Themensammlung[10] werden Lösungen für Anschlüsse und FBF gezeigt, die dem vorgenannten Grundsatz genügen. Die aus Verfassersicht wichtigste Ausbildung der FBF zeigt Abbildung 17:

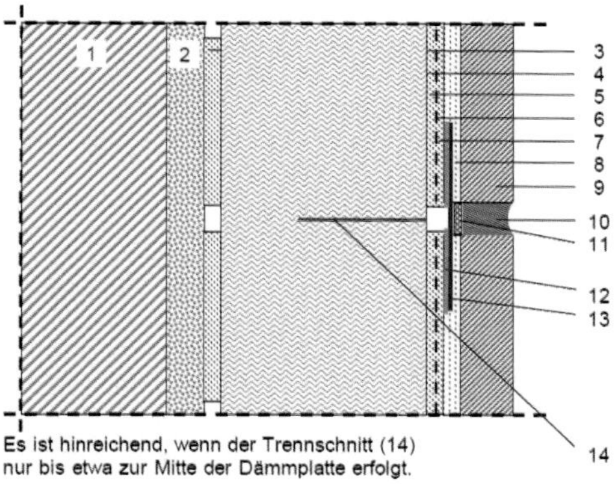

Abbildung 17: FBF in der Fassadenfläche (Vertikal- oder Horizontalschnitt); mögliche Fugenausbildung der horizontalen und vertikalen FBF mit händisch aufgeklebten Dichtband bei Anlegen der Fugen nach dem vorherigen fugenlosen Verarbeiten der Unterputzschicht; Quelle: Heribert Oberhaus

Legende:

1 Wandbaustoff;
2 ggf. Ausgleichsputz;
3 Klebemörtel, ≥ 60 % Flächenanteil;
4 Dämmstoff;
5 Unterputz, 1. Arbeitsgang;
6 Bewehrungsgewebe;
7 Unterputz, 2. Arbeitsgang;
8 Verlegemörtel;
9 Bekleidung.
10 Fugendichtstoff, Fugenbreite z.B. 20 mm;
11 Vorlegeband, z.B. 2/20 mm
12 Dicht-/Klebemasse;
13 Dichtband, z.B. 50 mm breit
14 Trennschnitt.

9 Baurechtliche und -technische Themensammlung, Heft 3 – Wärmedämm-Verbundsysteme (WDVS), 2. Aufl. 2024.

10 Baurechtliche und -technische Themensammlung, Heft 3 – Wärmedämm-Verbundsysteme (WDVS), 2. Aufl. 2024.

Im vorgenannten Heft 3 wird detailliert auf baubegleitende Kontrollen sowie nachträgliche Überprüfungen der Ausführungsqualität (Wasseraufnahme, Verbundfestigkeit Unterputz-Verlegemörtel-Bekleidung und Fugenmörtelfestigkeit) eingegangen.

4.9 Innen- und Außenputze

Sylvia Stürmer

Übersicht

4.9.1 Begriff, Funktionen und Zusammensetzung

Putze sind ein- oder mehrlagige Beschichtungen an Wänden und Decken aus Putzmörtel für den Innen- und Außenbereich.

Die mineralischen Putzmörtel werden aus:

- Bindemittel(n)
- Gesteinskörnungen (i.d.R. Sanden/Brechsanden) und
- Wasser

zusammengemischt.

Die Hauptaufgabe von Außenputzen ist der Witterungsschutz der Fassade, d.h. der Schutz der tragenden Bausubstanz vor Schlagregen, Hagel, Schnee und unmittelbarer Frostbeanspruchung. Innenputze dienen zur Egalisierung der Rohbau-Untergründe, ggf. zur Aufnahme weiterer Beschichtungen (z.B. Wandfarben) oder Beläge (z.B. Fliesen) und der Luftdichtheit, was bei dämmenden Mauerwerken mit unvermörtelten Stoßfugen (bis max. 5 mm Breite) besonders wichtig ist.

Als mineralische Bindemittel werden Kalke, Gipse, Zemente und für bestimmte Anwendungen im Innen- und geschützten Außenbereich auch Lehm eingesetzt. Die häufigsten Außenputze werden mit mineralischen Bindemittel-Gemischen aus Kalken und Zementen, die Innenputze überwiegend mit Kalken und/oder Gipsen hergestellt. Als organische bzw. pastöse Bindemittel für Oberputze kommen Kunststoffdispersionen sowie Silikat- und Silikonharz-Gemische zum Einsatz. Unterputze hingegen werden immer mit mineralischen

Bindemitteln wie Kalk und Zement bzw. auch Kalken und/oder Gips im Innenbereich hergestellt.

Die Tabellen 1 und 2[1] zeigen die Hauptbindemittel und Anwendungsbeispiele für mineralische Bindemittel (Tabelle 1) und organische Bindemittel (Tabelle 2).

Tabelle 1: Putzarten mit mineralischen Bindemitteln

Bezeichnung	**Beschreibung**	**Typische Kategorie der Druckfestigkeit nach EN 998-1**	**Anwendungsbeispiele**
Mörtel mit Luftkalk	Putzmörtel mit Luftkalk (lufttrocknender Kalk) als Hauptbindemittel	CS I oder geringer	labile Untergründe, Erhaltung historischer Bauwerke
Hydraulischer Kalkmörtel (NHL, HL)	Putzmörtel mit hydraulischem Kalk als Hauptbindemittel	CS I/CS II	Außenbereich, Erhaltung historischer Bauwerke
Kalk- und Zementmörtel	Putzmörtel, der Kalk und Zement enthält	CS II/CS III	Außenbereich, Sockel
Zementmörtel	Putzmörtel mit Zement als hauptsächlichem Bindemittel	CS III/CS IV	Außenbereich (Sockel, Keller, Außenwände)

Tabelle 2: Putzarten mit organischen Bindemitteln

Bezeichnung	**Beschreibung**	**Typische Kategorie der Wasseraufnahme nach EN 15824**	**Typische Kategorie der Wasserdampfübertragung nach EN 15824**	**Anwendungsgebiet**
Organisch gebundener Silikatputz (Silikatputz)	Putz mit Silikat- und Kunststoffdispersion als Hauptbindemittel	W_2	V_1	außen
Dispersionsputz (Kunstharzputz)	Putz mit Kunststoffdispersion als Hauptbindemittel	W_3	V_1 bis V_2	außen
Silikonharzputz	Putz mit Silikonharz- und Kunststoffdispersion als Hauptbindemittel	W_3	V_1	außen

Zum Erzielen bzw. der Verbesserung bestimmter Frisch- und Festmörteleigenschaften können **Zusatzmittel**, z.B. Luftporenbildner und Wasserrückhaltemittel, bei Gipsen auch Verzögerer und **Zusatzstoffe**, z.B. Fasern, dazugegeben werden. Dies erfolgt i.d.R. werkseitig mit optimierten Gehalten bei der Herstellung von Werktrockenmörteln.

1 Entnommen aus DIN EN 13914-1: Planung, Zubereitung und Ausführung von Außen- und Innenputzen – Teil 1: Außenputze, 2016.

4.9.2 Frisch- und Festmörteleigenschaften

Putze entwickeln ihre endgültigen Eigenschaften durch allmähliche Verfestigung und Trocknung auf dem jeweiligen Untergrund am Baukörper.

Die Wasserzugabe (Anmachwasser) beim Mischen des Putzmörtels spielt dabei eine große Rolle. Bei Gips-, Kalk-Zement- und Zementputzen wird Wasser für die chemischen Reaktionen benötigt, ein Teil des Zugabewassers dient zur Einstellung einer günstigen Verarbeitungskonsistenz. Bei Luftkalk- und Lehmputzen wird das Wasser ausschließlich zur Verarbeitung zugegeben. Das heißt, bei allen Putzmörteln gibt der Frischmörtel nach der Verarbeitung bis zur vollständigen Erhärtung während der allmählichen Trocknung Überschusswasser ab. Dabei entstehen Kapillarporen, die alle wesentlichen Festmörteleigenschaften und damit die Leistungsfähigkeit und Dauerhaftigkeit der Putze beeinflussen (siehe Tabelle 3). Gleichmäßiges Mischen und eine optimale Einstellung der Konsistenz der Frischmörtel, je nach Verarbeitung per Hand oder mit Putzmaschine, gewährleisten gute und gleichmäßige Festmörteleigenschaften.

Abhängig von der Putzzusammensetzung, vor allem der Bindemittelart, ist eine **vollständige Verfestigung** nach einigen Tagen, in den meisten Fällen **nach 28 Tagen**, gegeben. Bei Luftkalkmörteln können wegen ihrer Verfestigung von der Oberfläche ausgehend (und nicht gleichmäßig im Putzquerschnitt wie bei Kalk-Zement- und Gipsputzen) putzdickenabhängig i.d.R. erst nach ca. 90 Tagen oder länger ausreichende Festigkeiten erzielt werden. Je nach Klimabedingungen, Putzart (vor allem bei Putzen mit speziellen Funktionen, siehe Abschnitt 4.9.8) und Putzdicke kann die **Trocknungszeit**, d.h. die Zeit bis zum Erreichen der Ausgleichsfeuchte in der jeweiligen Umgebung, **auch länger dauern**.

Tabelle 3: Auswirkung der Erhöhung des Kapillarporenanteils durch erhöhte Wasserzugabe zum Frischmörtel auf wesentliche Festmörteleigenschaften

Festmörteleigenschaft	Auswirkung
Rohdichte	sinkt
Gesamtporosität	steigt
Druckfestigkeit	sinkt
Schwindmaß	steigt
Kapillare Wasseraufnahme	steigt
Gesamtwasseraufnahme	steigt
Wasserdampfdiffusionswiderstand	sinkt
Frostwiderstandsfähigkeit	sinkt
Rissgefahr	steigt
Technische Lebensdauer/Dauerhaftigkeit	sinkt

Für ihre dauerhafte Funktionssicherheit ist es entscheidend, dass die Putzmörtel optimal auf den jeweiligen Untergrund abgestimmt sind. Die Putzauswahl, vor allem für den witterungsbeanspruchten Außenbereich, ist sorgfältig zu planen, weil im Alt- und Neubau eine Vielzahl von Untergründen mit z.T. sehr unterschiedlichen Auswirkungen auf den Haftverbund und die Entwicklung der Putzeigenschaften gegeben ist (siehe Abschnitt 4.10.3).

Die bei den mineralischen Mörteln in Gegenwart von Wasser ablaufenden chemischen Reaktionen und/oder physikalischen Vorgänge werden nicht nur durch die Putzmörtelzusammensetzung und das Mischen und Verarbeiten (per Hand, maschinell) beeinflusst, sondern auch maßgeblich durch die Wechselwirkungen mit den Putzuntergründen und die Klimabedingungen während der Ausführung und danach.

Da die Leistungen der Handwerker erst mit dem fertigen, d.h. erhärteten Putz in der notwendigen Putzdicke abschließen, sind die Exposition des Gebäudes (Höhe, Lage etc.) und die Klimabedingungen vor Ort zu berücksichtigen oder im Innenbereich einzustellen. Das heißt, im Außenbereich kann es notwendig sein, ggf. Schutzmaßnahmen vorzusehen (Gerüstplanen, Nachbehandlung etc.) und die Trocknung im Innenbereich u.U. mit Bautrocknern zu unterstützen.

Während sich die Einteilung der ursprünglichen Putzmörtelgruppen nach deutscher Norm DIN 18550 von Putzmörtelgruppe I bis V auf die Bindemittel bezieht (z.B. P I = Kalkmörtel, PII = hydraulische Kalke- bzw. Kalk-Zement-Mörtel), orientiert sich die Europäische Putzmörtelnormung EN 998-1 nicht an den Bindemittelarten und deren Druckfestigkeiten, sondern an den Anwendungen der Putze, die mit bestimmten Produkteigenschaften gekoppelt sind.

Entsprechend der Anwendung und der dafür technisch notwendigen Druckfestigkeiten werden die Putze nach europäischer Norm wie folgt eingeteilt:

Anwendung, englische Kurzbezeichnung und Druckfestigkeitsklassen

Putzmörtel für allgemeinen (general) Gebrauch	GP CS I-IV
Leichtputz	LW CS I-III
Edelputzmörtel	CR CS I-IV
Einlagenputzmörtel für außen	OC CS I-IV
Sanierputzmörtel	R CS II
Wärmedämmputzmörtel	T CS I-II

GP = General purpose
LW = Light weight
CR = Coloured render
R = Renovation mortar
T = Thermal insulation mortar

Tabelle 4: Überblick über technische Kennwerte verschiedener Putze[2]

Putzarten	Festmörtelrohdichte[1)]	Biegezugfestigkeit[1)]	Druckfestigkeit[1)]	Haftzugfestigkeit[1)]	E-Modul[1)]	Schwinden[2)]	Wasserdampfdiffusionskoeffizient μH_2O	Luftporengehalt	Wärmeleitfähigkeit	Wasseraufnahmekoeffizient	Kapillare Wasseraufnahme[3)]
	in kg/dm³	in N/mm²	in N/mm²	in N/mm²	in N/mm²	in mm/m		in Vol.-%	in W/mK	in kg/m²h½	in kg/m²
Zementputze	1,7 bis 2,2	2 bis 7	6 bis 30	1,0 bis 2,0	10.000 bis 50.000	0,5 bis 1,5	50 bis 100	10 bis 15	1,2 bis 1,4	0,1 bis 0,3	0,5 bis 1,5
Mineralische („starre") Dichtungsschlämmen	1,8 bis 2,2	5 bis 8	20 bis 35	0,5 bis 1,5	20.000 bis 50.000	0,5 bis 2,5	100 bis 200	10 bis 15	1,2 bis 1,4	0,05 bis 0,1	0,2 bis 0,5
Grundputze-WTA	1,2 bis 1,5	1,0 bis 3,0	3,5 bis 7,5	0,3 bis 0,5	5000 bis 15.000	0,5 bis 2,5	10 bis 18	35 bis 45[4)] 45 bis 55[5)]	0,4 bis 0,8	0,2 bis 0,4	1,0 bis 2,0
Sanierputze-WTA	0,9 bis 1,4	1,0 bis 2,0	1,5 bis 5,0	0,2 bis 0,4	5000 bis 15.000	0,5 bis 2,0	6 bis 12	40 bis 55	0,3 bis 0,6	0,06 bis 0,4	0,3 bis 1,8
Kalkzementputze	1,3 bis 1,8	1,0 bis 2,0	1,5 bis 5,0	0,2 bis 0,4	6000 bis 40.000	0,5 bis 2,0	10 bis 20	10 bis 20	0,9 bis 1,2	0,2 bis 0,4	1,0 bis 2,0
Kalkputze	1,2 bis 1,6	0,5 bis 1,0	0,4 bis 3,0	0,1 bis 0,2	2000 bis 12.000	0,4 bis 0,8	9 bis 15	20 bis 30	0,8 bis 1,2	5 bis 20	25 bis 50
Gipsputze	1,2 bis 1,4	1,0 bis 3,0	2,0 bis 5,0	0,4 bis 0,9	5000 bis 15.000	0,1 bis 0,2	8 bis 12	15 bis 25	0,3 bis 0,9	3 bis 15	20 bis 40
Lehmputze	1,4 bis 1,8	1,0 bis 2,0	0,5 bis 3.0	0,1 bis 0,2	1000 bis 3000	0,3 bis 0,5	6 bis 10	20 bis 30	0,4 bis 0,8	10 bis 20	50 bis 80
Gefachmörtel	0,7 bis 1,0	0,2 bis 0,3	4,0 bis 8,0	0,1 bis 0,3	1000 bis 3000	0,5 bis 1,0	6 bis 12	20 bis 30	0,2 bis 0,3	2 bis 4	10 bis 20
Leichtputze	0,6 bis 1,3	0,3 bis 0,4	1,0 bis 5,0	0,1 bis 0,2	1000 bis 5000	0,5 bis 1,0	5 bis 10	30 bis 40	0,1 bis 0,2	0,1 bis 0,2	0,5 bis 1,0
Wärmedämmputze	0,2 bis 0,5	0,2 bis 0,4	0,4 bis 2,5	0,1 bis 0,2	< 1000	0,5 bis 1,0	5 bis 10	60 bis 70	0,06 bis 0,20	2 bis 5	5 bis 10

1) gemessen nach 28 Tagen; 2) gemessen nach 90 Tagen; 3) gemessen nach 24 Stunden; 4) Ausgleichsputz-WTA; 5) Porengrundputz-WTA

2 Zusammengestellt aus verschiedenen Literaturangaben und Herstellerbeschreibungen; in: *Dettmering/Kollmann*, Putze in Bauwerksanierung und Denkmalpflege.

CS (= Compressive strength) bezeichnet die Druckfestigkeitsklasse nach 28 Tagen Erhärtung, wobei mit zunehmender römischen Ziffer der CS-Klassen die Druckfestigkeiten zunehmen. Die oberen Werte der Bereiche stellen Empfehlungen dar:

Kategorien	**Werte**
CS I	0,4–2,5 N/mm^2
CS II	1,5–5,0 N/mm^2
CS III	3,5–7,5 N/mm^2
CS IV	≥ 6 N/mm^2

Tabelle 4 gibt einen Überblick über technische Kennwerte von Putzen mit verschiedenen mineralischen Bindemitteln (Zement, Kalk-Zement, Kalk, Gips, Lehm), von Normal- und Leichtputzen sowie von Putzen mit bestimmten Funktionen (Dämmputze, Gefachmörtel, Sanierputze).

4.9.3 Putzauswahl: Für jeden Untergrund das richtige Putzsystem und die „Putzregel"

Eine der wichtigsten Vorrausetzungen für die dauerhafte Funktion von Putzen ist deren fester und möglichst vollflächiger Haftverbund mit dem jeweiligen Putzgrund. Aufgrund des Untergrundeinflusses auf alle wesentlichen Putzmörteleigenschaften ist das auszuwählende Putzsystem gezielt anzupassen. Einflüsse des Putzgrundes ergeben sich u.a. aus dessen Rauigkeit, Festigkeiten, Porenverteilung, Benetzungs- und Saugverhalten.

Während im Innenbereich überwiegend einlagig verputzt wird, stellen Außenputze mehrlagige Putzsysteme dar. Diese bestehen aus i.d.R. aus zwei Putzlagen, die als Unterputz (direkt auf dem Putzgrund) und Oberputz (auf dem Unterputz) bezeichnet werden. Für bestimmte Einsatzgebiete kann eine „Zwischenlage" aus Armierungsputz mit Gewebeeinlage mit einem geeigneten Glasfasergewebe notwendig sein. Alle Putzlagen müssen aufeinander abgestimmt, an den Putzgrund angepasst sein und fest aneinanderhaften.

Anhand der Tabelle 5 ist eine Auswahl geeigneter Außenputze für die wichtigsten Untergründe im modernen Mauerwerks- und Betonbau möglich. Bei Bestandsbauten z.T. mit Putzuntergründen aus Natursteinmauerwerk oder heute nicht mehr verwendeten Baustoffen kann es notwendig sein, die Festigkeiten und das Saugverhalten vorab zu erfassen.

Der Putzgrund muss für die Aufnahme des gewählten Putzmörtels geeignet sein, um einen guten, dauerhaften Haftverbund und die gleichmäßige Entwicklung aller Putzmörteleigenschaften zu gewährleisten. Putzgründe aus Mauerwerk einschließlich der Mörtelfugen sollten nicht weicher und vorzugsweise etwas fester als der Putz sein. Auf weicheren Putzgründen sollten nur Putzmörtel mit geringerer Festigkeit oder gleicher Festigkeit verwendet werden. Das heißt, entsprechend der sog. Putzregel sollen die Festigkeiten der Putzschichten vom Untergrund zum Oberputz hin – von innen nach außen – abnehmen, ggf. auch etwa gleiche Festigkeiten aufweisen. Diese Regel trifft nicht auf entkoppelten Untergründen zu, wie Putzen auf Putzträgern, dickschichtigen Dämmputzen oder Dämmplatten, z.B. bei WDVS.

Tabelle 5: Eignung mineralischer Außenputze auf verschiedenen Untergründen[3]

Eignung mineralischer Außenputze (Unterputze) auf verschiedenen Untergründen [a)]

Die Tabelle gilt für übliche Putzflächen, z.B. auf regelgerecht ausgeführtem Mauerwerk nach DIN EN 196/NA bzw. DIN 1053-1 oder Beton nach DIN EN 206-1/DIN 1045-2

Untergrund			**Normalputz**	**Leichtputz mit Armierungsputz**		**Dämmputz**
				Typ I	**Typ II**	
Hochlochziegel	Rohdichteklasse ≥ 1,2		√	√	√	√
	Rohdichteklasse ≥ 0,8		o	√	√	√
	Rohdichteklasse < 0,8		x	√	√	√
Porenbetonsteine	Wärmeleitfähigkeit λ_R > 0,11		x	√	√	√
	Wärmeleitfähigkeit λ_R ≤ 0,11		x	√	√	√
	Wärmeleitfähigkeit λ_R ≤ 0,08		x	o	√	√
Leichtbeton	Mauerwerk aus Leichtbetonsteinen	Wärmeleitfähigkeit λ_R				
	Monolithisch ungefüllt	> 0,18	o	√	√	√
		0,14 …0,18	x	√	√	√
		< 0,14	x	√	√	√
	Mit Dämmstofffüllung	i.d.R. < 0,10	x	√	√	√
	Haufwerksporige Wandelemente		o	√	√	√
	Gefügedichte Wandelemente mit Rohdichteklasse < 1,6		x	√	√	√

a) Zur Minimierung des Risikos von Putzrissen hat es sich bewährt, einen Armierungsputz mit vollflächiger Gewebeeinlage auf einen Leichtputz aufzubringen.
Andere Ausführungen sind möglich, wenn das Putzsystem dafür gemäß Herstellerangaben geeignet ist; dies ist objektbezogen zwischen Auftragnehmer und Auftraggeber zu vereinbaren.
x = nicht geeignet o = bedingt geeignet √ = geeignet

Untergrund	**Normalputz**	**Leichtputz**		**Dämmputz**
		Typ I	**Typ II**	
Kalksandstein	√	√	√	√
Normalbeton	√	√	√	√
Gefügedichte Wandelemente mit Rohdichteklasse > 1,6	√	√	√	√

x = nicht geeignet o = bedingt geeignet √ = geeignet

Der zu verputzende Untergrund ist vor der Ausführung gemäß DIN 18350 VOB/C[4] sorgfältig zu prüfen. Bei Abweichungen, wie z.B. bei ungeeigneter Beschaffenheit des Untergrundes wie zu großen Unebenheiten, Ausblühungen, zu glatten, ungleich saugenden oder gefrorenen Flächen und ungeeigneten Bauteil- oder Lufttemperaturen, sind Bedenken an-

3 Tabelle 10 aus den Leitlinien für das Verputzen von Mauerwerk und Beton, Verband für Dämmsysteme, Putz und Mörtel e.V. und weitere; 11/2022.

4 DIN 18350 VOB/C: VOB Vergabe- und Vertragsordnung für Bauleistungen – Teil C: Allgemeine Technische Vertragsbedingungen für Bauleistungen (ATV) – Putz- und Stuckarbeiten, 09/2019.

zumelden. Hier können vorab zusätzliche untergrundvorbereitende Maßnahmen notwendig werden.

4.9.4 Mischen und Verarbeiten von Putzmörteln und Putzdicken

Putzmörtel können durch Mischen von Werktrockenmörteln mit Wasser oder durch das Zusammenmischen aller einzelnen Komponenten (Bindemittel, Gesteinskörnungen, ggf. Zusatzmittel/Zusatzstoffe) vor Ort mit Wasser hergestellt werden (= Baustellenmischungen).

Bei Werktrockenmörteln handelt es sich i.d.R. um „Putzmörtel nach Eignungsprüfung" (EN 998-1[5]), d.h., die Zusammensetzung wird vom Hersteller so ausgewählt, dass bestimmte Eigenschaften erreicht werden.

Baustellenputzmörtel werden i.d.R. als „Putzmörtel nach Rezept"[6] mit vorbestimmten Mischungsverhältnissen hergestellt, deren Eigenschaften aus den vorgegebenen Anteilen der Bestandteile abgeleitet werden und bei denen man aus Erfahrung ableitet, welche Eigenschaften sich entwickeln werden.

Tabelle 6 vergleicht Putze aus Baustellenmörtel und Werktrockenmörtel nach Kriterien, die für die Gleichmäßigkeit der sich ausbildenden technischen und ästhetischen Eigenschaften der Putze und deren Dauerhaftigkeit wesentlich sind.

Tabelle 6: Baustellenmörtel und Werktrockenmörtel

	Baustellenmörtel	**Werktrockenmörtel**
Lagerung	Bindemittel in Säcken Gesteinskörnungen i.d.R. im Freien (Feuchte, Verschmutzung?)	Säcke, auf Paletten foliert, Minitainer, Silos
Dosierung der Mörtelkomponenten	Schaufelweise, ungenau	gravimetrisch, genau
Chargengröße	variabel	variabel (Mindestabgabemenge des Herstellers beachten)
Wasserzugabe	mit Gefäßen, i.d.R. „nach Gefühl"	definiert nach Herstellervorgabe
Mischzeit	variabel	kurz, da vorhomogenisiert
Einfluss des Verarbeiters beim Mischen und auf die Gleichmäßigkeit der Putzmörteleigenschaften	hoch	gering

5 DIN 4108-3 Wärmeschutz und Energie-Einsparung in Gebäuden – Teil 3: Klimabedingter Feuchteschutz – Anforderungen, Berechnungsverfahren und Hinweise für Planung und Ausführung.

6 Ebenda.

Die notwendigen Putzdicken ergeben sich aus den Funktionen (Egalisierung, Witterungsschutz, Aufnahme von Salzen etc.) und der Notwendigkeit, möglichst rissfreie und dauerhafte Putze auszuführen, insbesondere bei nicht vermeidbaren Fehlstellen im Untergrund (z.B. nicht voll vermörtelten Fugen bei historischen Mauerwerken oder zulässigen, offenen Stoßfugen bis 5 mm Breite im modernen Mauerwerksbau). Über Fehl- oder anderen Kerbstellen wirken erhöhte Spannungen auf den Unterputz, die mit größerer „Entfernung" von der „Kerbstelle" abnehmen (Abbildung 1) und mit zunehmender Putzdicke vom Putz besser aufgenommen werden können, ohne zu reißen. Das heißt, die Spannungen an dieser Stelle dürfen die vergleichsweise geringe Zugfestigkeit des Putzes nicht überschreiten. Die Gesamtdicke sollte dementsprechend den Bereich der „Kerbspannungswirkung" (= roter Keil in Abbildung 1) übersteigen.

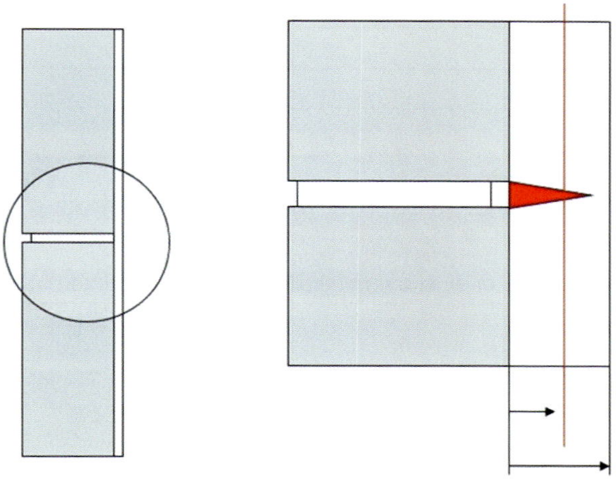

Abbildung 1: Schematische Darstellung des Spannungsverlaufs im Putz über offenen Stoßfugen; die Gesamtdicke sollte den Bereich mit den Auswirkungen der „Kerbspannungen" übersteigen; © Sylvia Stürmer

Die anteilig größere Putzdicke des Putzsystems wird durch den Unterputz erzielt, insbesondere wenn die Oberputze nur „in Kornstärke", z.B. mit 2 mm Größtkorn, aufgetragen werden. Der Unterputz wird deshalb z.T. in zwei Schichten nass-in-feucht ausgebracht. Die Schichten sind nicht zu vergleichen mit den Putzlagen, weil dazwischen keine Wartezeit zur Trocknung erfolgt wie bei separaten Putzlagen aus Unter- und Oberputz.

Besonders wichtig ist der Hinweis in der Fußnote d) der Tabelle 7 zur maximalen Putzdicke. Die durchschnittlichen Putzdicken gemäß Regelwerken und die maximalen Putzdicken gemäß Herstellerangaben sollen nicht überschritten werden, weil dies Auswirkungen auf die Frisch- und Festmörteleigenschaften des Putzes hat. Unter anderem können zu große Unterputzdicken zum „Absacken" des frischen Putzes, u.U. mit Sackrissen führen. Zu hohe Gesamtputzdicken verlängern die Erhärtungs- und Trocknungszeiten, ggf. mit der Gefahr des Auffrierens, wenn bei den ersten Frost-Tau-Wechseln noch zu viel Feuchtigkeit in den Kapillarporen des Putzes vorhanden ist.

Tabelle 7: Empfohlene Putzdicken von Putzen unterschiedlicher Bindemittelbasis für mehrlagige Putzsysteme auf massiven Wänden[7]

Bindemittel des Unterputzes	**Empfohlener Dickenbereich für das Auftragen von Putz (mm) Die Unterputzart legt die Dicke des Systems fest**[b,c]			
	Putzarten			
	Normalputzmörtel (GP)		**Leichtputz (LW)**	
	Durchschnittliche Dicke	**Minimum**	**Durchschnittliche Dicke**	**Minimum**[a]
Kalk	20	15	–	–
Kalk/Zement	20	15	20	15
Zement	20	15	20	15
Polymermodifizierter Zement, Zementkalk und Kalk	8	5	10	7
Organischer Putz[d,e]	1–5 (Bereich)			

[a] Die Werte sind auf einzelne Punkte beschränkt. Für Baustellenmörtel kann es erforderlich sein, diese Werte zu erhöhen.
[b] Die Werte sind von der Fläche des Putzgrundes vorgegeben (Rauigkeit ausgeschlossen).
[c] Die Werte in dieser Tabelle geben die typische praktische Anwendung des Putzes wieder, jedoch sind Abweichungen stets möglich.
[d] Die vom Hersteller empfohlene maximale Putzdicke sollte nicht überschritten werden.
[e] Für das Auftragen als Oberputz, auf Altputz, auf Beton oder auf mineralisch gebundener Unterputz.

4.9.5 Putzträger und Putzarmierung

Putzträger sind Bauzubehör, das auf dem Putzgrund eingesetzt wird, wenn dieser z.B. aufgrund starker Verformungen oder unzureichender Festigkeit für den direkten Verbund ungeeignet ist und Risse und Ablösungen des Putzes nicht ausgeschlossen werden können. Die Putze haften auf dem Putzträger, der den ungeeigneten Putzgrund überspannt und fachgerecht im tragfähigen Untergrund befestigt wird, und können sich entkoppelt vom Untergrund verformen.

Als Putzträger werden u.a. Holzwolle-Mehrschicht-Platten, Metallgitter, Ziegeldrahtgewebe und Rohrmatten verwendet.

Putzarmierungen (= Putzbewehrungen) sind Einlagen im Putzmörtel, die zur Erhöhung der Zugfestigkeit und damit zur Verminderung der Gefahr von Rissbildungen im Putz eingesetzt werden. Dabei kann es sich um Fasern in der Putzmörtelmischung oder um separat eingelegte Armierungsgewebe aus Glasfasern handeln.

Putzbewehrungen/-armierungen können je nach Funktion teilflächig (z.B. an Materialwechseln im Putzgrund oder als Diagonalarmierung an Öffnungen) oder vollflächig eingesetzt werden. Das Glasfasergewebe (als „Gewebeeinlage" oder „Armierungsgewebe" bezeichnet) ist in die am stärksten zugbelasteten Zone des Putzes straff und faltenfrei einzulegen und vollständig mit Armierungsmörtel zu bedecken. Die Überlappung des Gewebes muss mindestens 100 mm, auf benachbarte Bauteile mindestens 200 mm betragen.

7 Entnommen aus DIN EN 13914-1: Planung, Zubereitung und Ausführung von Außen- und Innenputzen – Teil 1: Außenputze, 2016.

Eine separate Lage Armierungsputz mit Gewebeeinlage ist deutlich besser geeignet, Risse zu vermeiden als das Einbetten eines Gewebes in einen Unterputz, insbesondere da im modernen Hochbau überwiegend Leichtunterputze eingesetzt werden. In Leichtputzen des Typs I und des Typs II kann das Gewebe aufgrund des erhöhten Porengehalts nicht ausreichend zugfest eingebettet werden.

Konstruktionsbedingte Risse (z.B. bei Deckendurchbiegungen von Holzbalkendecken) können mit Putzbewehrungen nicht vermieden werden. Dafür ist eine Entkopplung mit einem Putzträger notwendig, wie oben beschrieben.

An Ecken von Öffnungen (Fenster, Türen etc.) bei gedämmten Untergründen an Fassaden (WDVS) ist das Einlegen von Diagonalarmierungen über bzw. unter allen Ecken zur Aufnahme der „Kerbspannungen" und damit zur Reduzierung der Rissgefahr erforderlich. Auf dämmenden Untergründen (z.B. Porenbeton- und Leichthochlochziegelmauerwerk) ist diese Maßnahme empfohlen, insbesondere wenn der Oberputz oder das Anstrichsystem einen dunklen Farbton und damit einen geringen Hellbezugswert bzw. einen hohen TSR-Wert (TSR steht für Total Solar Reflectance) aufweisen (siehe auch Punkt 4.10.7.1.2 Thermische Beanspruchung).

4.9.6 Oberflächenstrukturen – Ästhetik und Funktionsbeeinflussung

Putzweise (in DIN EN 13914-1 auch als „Oberflächenart" bezeichnet) beschreibt die Gestaltung der Oberfläche des Oberputzes. Diese hat gemeinsam mit dem Farbton des Oberputzes nicht nur Auswirkungen auf die ästhetische Nah- und Fernwirkung des Putzes, sondern auch auf dessen Beanspruchung, Rissgefahr, Verschmutzungsneigung und Robustheit. Neben der Zusammensetzung des Putzmörtels, vor allem dessen Gesteinskörnungen (Art der Körnung, Größtkorn, Sieblinie gebrochen oder rundkörnige Anteile etc.) wird die Oberflächenstruktur maßgeblich handwerklich (u.a. durch verschiedene Werkzeuge für die Strukturierung) und gestalterisch (z.B. durch Putznuten oder Wechsel von rauen und glatten Strukturen in einer Fläche) beeinflusst.

Geglättete Oberflächenstrukturen können rissgefährdeter sein, weil mit dem Glätten ggf. auch eine verdichtende Wirkung erzielt wird und „Bindemittelleim" an die Oberflächen „gezogen" wird. Rauere Oberflächenstrukturen können durch die Rautiefe u.U. schneller und stärker verschmutzen.

Um bezüglich der Oberflächenstruktur eine geeignete Lösung für die Art des Gebäudes, dessen Exposition, den planerischen Entwurf und die Wünsche des Bauherrn zu finden, sind Musterflächen auf dem realen Putzgrund vor Ort zu empfehlen.

4.9.7 Beanspruchung von Außenputzen und Innenputzen

4.9.7.1 Außenputze

Keine andere Schicht ist in vergleichsweise so geringer Schichtdicke als Fassadenoberfläche allen temperaturbedingten, feuchtebedingten und erosiven Einflüssen sowie Frostangriffen ausgesetzt wie das Außenputzsystem – und das i.d.R. ohne Fugen oder sonstige

Soll-Bruchstellen. Trotzdem ist gemäß BTE-Lebensdauerkatalog[8] eine mittlere technische Lebensdauer von Außenputzsystemen von 50 Jahren zu erwarten. Bekannt ist, dass diese bei Putzen auf massiven Untergründen deutlich länger sein kann, wie z.B. bei zahlreichen Gründerzeitbauten in Deutschland.

4.9.7.1.1 Witterungsschutz – Beständigkeit gegen das Eindringen von Regenwasser und Spritzwasser

„Das Bauwerk sollte so geplant und gebaut sein, dass der Putzgrund während des Arbeitens so trocken wie möglich bleibt."[9] D.h., der Rohbau darf keine übermäßigen Materialfeuchten aufweisen, die sich zum einen auf die Eigenschaften des aufzubringenden Putzsystems auswirken und andererseits mit unnötigem Energieverbrauch herausgeheizt werden müssten. Das kann außerdem zu verstärkter Schwindung der Bauteile und erhöhter Beanspruchung der Putze führen.

Die wesentliche Funktion des fertigen Außenputzsystems ist der Witterungsschutz, maßgeblich das Eindringen von Regenwasser in den Putzgrund aus den tragenden Bauteilen, häufig in Kombination mit Dämmstoffen, zu verhindern. Deshalb müssen die Putzmörtel einem der Schlagregenbeanspruchung der Fassade angemessenen Regenschutz aufweisen und frei von Rissen sein.

Anhand langjähriger Messungen wurden für Deutschland drei Schlagregengruppen erstellt, die anhand einer Karte mit den Zonen I von geringer Schlagregenbeanspruchung bis Zone III mit starker Schlagregenbeanspruchung in der „Wärmeschutznorm" DIN 4108 dargestellt sind. Hochhäuser und besonders exponierte Gebäude sind für die Gestaltung des Regenschutzes jeweils der höheren Schlagregenzone zuzuordnen als es den regionalen Regen- und Windverhältnissen entspricht.

Bekannt ist, dass die Schlagregenbeanspruchung an der Westseite, auch als Wetterseite bezeichnet, deutlich höher ist. Die Exposition beträgt dort bis zu 50 % des gesamten Schlagregens, wobei lokale Standortfaktoren wie die Beeinflussung durch Nachbarbebauungen ebenfalls eine große Rolle spielen.

Die Tabelle 7 in DIN 4108 zeigt die Wandbauarten in Abhängigkeit von der Schlagregenbeanspruchung. Während für die Außenputze in Schlagregenzone I keine Anforderungen gestellt werden, sind gemäß Tabelle 1 in den Zonen II und III wasserabweisende Außenputze einzusetzen. Für die Prüfung der kapillaren Wasseraufnahme wird hier auf das Verfahren nach DIN EN ISO 15148 verwiesen, welches die „vertrauten" w-Werte in $kg/m^2\sqrt{m}$ liefert. Die Messwerte werden den in der Praxis bekannten Kategorien zugeordnet:

- Saugend > 2 $kg/m^2\sqrt{h}$ (d.h. 2 l Wasser auf 1 m^2 Fassade bei 1 Stunde (h) Regen)
- Wasserabweisend < 0,5 $kg/m^2\sqrt{h}$

Für Außenwände mit Wärmedämmverbundsystemen (WDVS) wird bezüglich der Anforderungen nicht zwischen den Schlagregenbeanspruchungsgruppen unterschieden, weil

8 Bund technischer Experten e.V. (Hrsg.), Stand: 14.3.2008.
9 DIN EN 13914-1: Planung, Zubereitung und Ausführung von Außen- und Innenputzen – Teil 1: Außenputze, 2016, Punkt 6.7.

beide Putzschichten (Armierungsputz und Oberputz) auf den Dämmstoffen wasserabweisend auszurüsten sind, um die Dämmstoffe dahinter vor Feuchte und Frost zu schützen.

Sockelputze

Der Sockel- bzw. Spritzwasserbereich ist stärker beansprucht als die Fassade. Dementsprechend unterscheiden sich Fassadenputze und Sockelputze in Zusammensetzung, technischen Eigenschaften und Dauerhaftigkeit. Um den Beanspruchungen durch Frost, Tausalze, Spritzwasser und mechanische Einwirkungen zu widerstehen, müssen Außensockelputze ausreichend fest und wasserabweisend ausgerüstet sein.

Auf festen Untergründen haben sich Putze der Festigkeitsklasse CS IV nach DIN EN 998-1 bewährt. Auf weicheren, dämmenden Untergründen sollen weniger feste Außensockelputze (CS III mit Druckfestigkeiten 3,5 bis 7,5 N/mm^2) oder Leichtsockelputze eingesetzt werden. Putze im sockel- und erdberührten Bereich sind immer zusätzlich mit einer Abdichtung zu versehen, die bis mindestens 5 cm über das Gelände geführt werden. Da bituminöse Abdichtungen über Gelände ästhetisch kaum vertretbar sind und nicht direkt überstrichen werden können, haben sich hierfür mineralische Dichtschlämmen bewährt. Details zur Auswahl und Ausführung von Sockelputzen sind der Richtlinie „Fassadensockelputz/Außenanlage"[10] zu entnehmen.

Entsprechend der im Rahmen der Aktualisierung der Abdichtungsnormen neu eingeführten **Wassereinwirkungsklasse 4-E** „Spritzwasser und Bodenfeuchte am Wandsockel sowie Kapillarwasser in und unter Wänden" nach 18533[11] trifft das nicht nur für den Sockel über Gelände, sondern auch für Spritzwasserbeanspruchungen auf Terrassen, seitlich von Treppen, bei Loggien etc. zu.

4.9.7.1.2 Thermische Beanspruchung

Nicht nur bei Putzen auf Dämmplatten (WDVS) oder Dämmputzen, sondern auch bei Putzen auf Mauerwerken aus dämmenden Mauersteinen oder Leichtbetonen spielt der Farbton des Putzes und/oder seines Anstrichs eine große Rolle. Während bei Putzen auf nicht dämmenden Untergründen die Wärmenergie durch Sonneneinstrahlung durch den Putz hindurch z.T. in den Untergrund abgeleitet werden kann, würde dies bei dämmenden Untergründen zu einer deutlichen Erhöhung der Temperaturen im Putz führen. Dementsprechend werden dunklere Putz-Oberflächen bei Sonneneinstrahlung größeren Temperaturen und Temperaturschwankungen und Spannungen beim Ausdehnen und Zusammenziehen ausgesetzt als hellere Putz-Oberflächen.

Der Hellbezugswert drückt aus, welche Helligkeit ein Farbton für das menschliche Auge im Vergleich zu reinem Weiß (HBW = 100), bzw. tiefem Schwarz (HBW = 0) hat. Damit trifft er noch keine sichere Aussage über das Aufheizverhalten seiner Oberfläche. Deshalb wurde zusätzlich der TSR-Wert eingeführt. TSR steht für „Total Solar Reflectance". Je größer der TSR-Wert ist, desto mehr wird von der auftreffenden Sonnenenergie reflektiert und die Oberfläche heizt sich weniger auf.

---

10 Richtlinie „Fassadensockelputz/Außenanlage"; Fachverband der Stuckateure für Ausbau und Fassade Baden-Württemberg, et al., 2013.

11 DIN 18533 „Abdichtung von erdberührten Bauteilen".

Ein geringer TSR-Wert, also eine hohe Oberflächentemperatur, kann kritisch sein, weil es auf Dämmputzen oder WDVS-Putzfassaden, vor allem bei hohen Temperaturen im Sommer und hohen Temperaturschwankungen innerhalb von wenigen Stunden wie im März/April, zu Schäden wie Rissbildungen, Verformungen oder Abrissen kommen kann.

4.9.7.2 Innenputze bei Feuchtigkeitsbeanspruchung

Innenputze werden teilweise auch als Untergründe an feuchtigkeitsbeanspruchten Flächen wie Bädern oder gewerblichen Küchen eingesetzt. Dort sind die Innenputze entsprechend der zu erwartenden Wassereinwirkungsklasse (Normenreihe DIN 18534) gemäß Regelwerken zu planen und auszuführen. Es ist nicht in jedem Fall eine Abdichtung notwendig. Einen guten Überblick dazu gibt die Tabelle 8.

Tabelle 8: Unterputzarten, deren Druckfestigkeitsklassen und mögliche Abdichtungen in Abhängigkeit von verschiedenen Wassereinwirkungsklassen[12]

			Wassereinwirkungsklasse			
			W0-I/gering	W1-I/mäßig	W2-I/hoch	W3-I/sehr hoch
Untergrund	**Festigkeitskategorie EN 998-1**	**Druckfestigkeit**[a]	**Wand**	**Wand**	**Wand**	**Wand**
Kalkzementputz/Zementputz	CS IV	≥ 6 N/mm²	DM, CM, RM, AIV-B, AIV-P	DM, CM, RM, AIV-B, AIV-P	DM, CM, RM, AIV-B, AIV-P	CM, RM
Kalkzementputze	CS III CS II	≥ 3,5 N/mm² ≥ 2,5 N/mm²	DM, CM, AIV-B, AIV-P	DM, CM, AIV-B, AIV-P	DM, CM, AIV-B, AIV-P	CM
Kalkzementputz	CS II	≥ 2 N/mm²	DM, CM, AIV-B, AIV-P	DM, CM, AIV-B, AIV-P	x	x
Kalkzement-Leichtputz Typ I[b]	CS II	≥ 6 N/mm²	DM, CM, AIV-B, AIV-P	DM, CM, AIV-B, AIV-P	x	x
Untergrund	**Bezeichnung nach EN 13279-1**	**Druckfestigkeit**	**Wand**	**Wand**	**Wand**	**Wand**
Gipsputz/Gips-Leichtputz	B1-B6	≥ 2 N/mm²	DM, CM, AIV-B, AIV-P	DM, CM, AIV-B, AIV-P	x	x
Gipsputz mit erhöhter Oberflächenhärte	B7	≥ 6 N/mm²	DM, CM, AIV-B, AIV-P	DM, CM, AIV-B, AIV-P	x	x

[a] Abweichungen der Mindestdruckfestigkeiten sind nach Herstellerangaben möglich.
[b] Leichtputze vom Typ II sind nur geeignet, wenn sie vom Hersteller dafür ausdrücklich freigegeben werden.
x = Anwendung nicht zulässig; DM = Polymerdispersion, CM = Kunststoff-Zementmörtel-Kombination (mineralische Dichtschlämme), RM = Reaktionsharz; AIV-B = Abdichtung im Verbund – Bahnen, AIV-P = Abdichtung im Verbund – Platten

12 Tabelle 18 aus den Leitlinien für das Verputzen von Mauerwerk und Beton, Verband für Dämmsysteme, Putz und Mörtel e.V. und weitere; 11/2022.

4.9.8 Weitere Funktionen von Putzen

Neben den Hauptfunktionen von Putzen wie Witterungsschutz (Außenputze), Erzielen von Luftdichtheit, Egalisierung und Ästhetik können Putze darüber hinausgehende, besondere Eigenschaften für spezielle Funktionen aufweisen. Dazu gehören Schutzfunktionen vor äußeren Einwirkungen und bei Vorhandensein von Salzen, das Erzielen bestimmter Oberflächeneigenschaften und die Beeinflussung bestimmter bauphysikalischer Eigenschaften, u.a. in Bezug auf Sorption, Raumakustik, Wärmedämmung oder Brandschutz.

Das **WTA-Merkblatt 2-14 „Funktionsputze"**[13] klassifiziert und charakterisiert Putze und -systeme mit speziellen Funktionen und erläutert deren Wirkprinzipien, Anwendungsmöglichkeiten und -grenzen.

Salze können, auch wenn sie nicht bei jedem Klima sichtbar sind, starke Auswirkungen haben und z.T. gravierende Schäden an der Bausubstanz verursachen. Während das Zusammenwirken von Feuchte und Salzen an modernen Bauwerken primär wirtschaftliche Schäden und Ärger für die Bauherren hervorruft, kann es an Bestandsbauten und Baudenkmälern durch deren Schadwirkungen zu unwiederbringlichen Verlusten kommen. Hierfür können je nach Untergrund-, Objekt- und Klimabedingungen Sanierputzsysteme eingesetzt werden. Dabei handelt es sich um Werktrockenmörtel mit geringer kapillarer Leitfähigkeit, hoher Wasserdampfdurchlässigkeit und großem Porenvolumen bestimmter Porengeometrie und Porengrößenverteilung. Ihre Wirkung beruht darauf, dass baustoffschädigende Salze im Putz eingelagert werden und so nicht an die Putzoberfläche gelangen. Um günstige Austrocknungsbedingungen für die oberflächennahen Bereiche des Untergrunds zu schaffen, besitzen Sanierputzsysteme eine hohe Wasserdampfdurchlässigkeit.

Das **WTA-Merkblatt 2-9 „Sanierputzsysteme"** befasst sich, weit über die Beschreibung der Anforderungen an Sanierputze nach Norm hinausgehend, mit den notwendigen Voruntersuchungen, der Auswahl des geeigneten objekt- bzw. bauteilangepassten Sanierputzsystems, und dessen Randbedingungen bei der Ausführung.

Um die Sanierputze-WTA mit höheren Anforderungen von den Sanierputzen gemäß DIN EN 998-1[14] abzugrenzen, hat die WTA die Dienstleistungsmarke WTA unter der Nummer 39516 411 bzw. 39516 412 beim Deutschen Patentamt eintragen lassen. Die von der WTA zertifizierten Sanierputzsysteme erfüllen dementsprechend zusätzliche Anforderungen, u.a. im Hinblick auf die Salzresistenz, und bieten damit für die Anwendungen auf salzbelasteten Untergründen mehr Sicherheit. Ausführliche Informationen zur Leistungsfähigkeit bei der Vermeidung von Schäden in Gegenwart von Salzen, aber auch zu Einsatzgrenzen der Sanierputzsysteme mit Fallbeispielen sind im Fachbuch von *Meier/Stürmer*[15] zu finden.

13 WTA-Merkblatt 2-14 (07.2018/D): Funktionsputze, Ausgabe: 07.2019/D.
14 DIN EN 998-1: Festlegungen für Mörtel im Mauerwerksbau – Teil 1: Putzmörtel, 02/2017.
15 *Meier/Stürmer*, Sanierputzsysteme: Planung, Ausführung, Fehlervermeidung, 2021.

4.9.9 Putzausbesserungen

Kleinflächige Mängel oder Beschädigungen entstehen u.a. durch

- Frostbeanspruchung in Verbindung mit lokaler Sättigung der Poren im Putz – häufig in Verbindung mit Rissen;
- Hagel, Stoß und Schlag (z.B. durch angelehnte Fahrräder, Ballwurf oder Spechtbefall bei WDVS);
- falsche „Wasserführung" an der Fassade mit Hinterfeuchtung des Putzes und
- lokale Verbundstörungen des Putzsystems auf dem Putzgrund oder zwischen einzelnen Putzschichten.

Sie sind nicht nur optisch störend, sondern können lokal auch die technischen Funktionen des Außenputzes beeinträchtigen und in gravierenden Fällen zu Mängeln und Schäden an der tragenden Bausubstanz führen.

4.9.9.1 Lokale Putzausbesserungen bei historischen Bestandsputzen

Bei historischen Putzen mit häufig besonderen, baustil- und bauzeittypischen Putzweisen ist der Anreiz, lokal auszubessern und den Bestandsputz insgesamt zu erhalten, besonders hoch. Je nach Mangel- oder Schadensbild gibt es für historische Putze folgende Instandsetzungsmöglichkeiten:

- Erhalt des Bestandsputzes durch Festigung der „mürben" und sandenden Zonen;
- lokale Ausbesserung mit Angleichung an den Bestandsputz.

Vor Ausbesserungen ist es notwendig, den Bestandsputz in Bezug auf dessen Bindemittel- bzw. Bindemittelgemisch, die Art der Gesteinskörnung und deren Sieblinie zu erfassen. Die Ausführung derartiger Arbeiten erfordert zum Teil Wissen und Fähigkeiten, die über die normale Ausbildung eines Stukkateurs hinausgehen. Dafür werden an verschiedenen Standorten in Deutschland für Handwerksmeister Ausbildungen zum Restaurator im Handwerk angeboten – u.a. zum Restaurator im Stukkateur-Handwerk.

Die Altputze sind i.d.R. nicht wasserabweisend und der zu reparierende Putz zeigt nach langer Lebensdauer häufig Zeichen der Alterung und Bewitterung, z.B. unterschiedliche Farbtöne bei durchgefärbten Putzen und leichtes Kreiden oder Absanden an besonders beanspruchten Stellen. Letztgenannte Bereiche kann man mit einer festigenden Grundierung behandeln. Ein gewisses Maß an Ungleichmäßigkeit in der Farbwirkung lässt sich auch nach sorgfältiger Reinigung nicht vermeiden.

Das Thema der Wasserabweisung muss berücksichtigt werden. Das heißt, Ausbesserungen mit modernen, wasserabweisend ausgerüsteten Putzen in saugfähigen Bestandsputzen werden sich nach Regen nicht nur unschön „abzeichnen", sondern können den Altputz bei häufigen Frost-Tau-Wechseln auch lokal überbeanspruchen, weil die an den Ausbesserungsputz angrenzenden Putzbereiche kapillar mehr Wasser aufnehmen. Das kann langfristig zu Abplatzungen entlang der Ausbesserungsstelle führen. Einige Werktrockenmörtelhersteller bieten dafür einige ihrer Putze auch ohne Wasserabweisung an.

Beide o.g. Varianten können ohne oder mit anschließender Beschichtung mit einem technisch und optisch angepassten Anstrichsystem ausgeführt werden. Zur Vergleichmäßigung der Wasseraufnahme der Putzoberflächen ist eine vollflächige Beschichtung des Bauteilabschnitts gleicher Ausrichtung zu empfehlen.

4.9.9.2 Putzausbesserungen bei modernen Putzen

Bei modernen Putzen ist die Auswahl der Putze für die Instandsetzung insofern einfacher, da deren Art und Zusammensetzung weniger schwanken und zum Teil anhand der Bauunterlagen noch bekannt oder recherchierbar ist, welcher Putz verwendet wurde. Demzufolge ist eine Reparatur zum Wiedererlangen der technischen Funktionsfähigkeit einfacher möglich. Schwieriger hingegen ist diese Ausbesserung aus optischen Gesichtspunkten, da die Putzfassaden heute mit gleichmäßigerer Putzdicke, überwiegend feinkörnigeren Oberputzen, größerer Gleichmäßigkeit und meist ohne Unterbrechungen durch Fassadenzier gestaltet werden.

Der Anspruch an die handwerklichen Fähigkeiten beim Anarbeiten und Angleichen von Ausbesserungen moderner Oberputze, die häufig nur in Kornstärke von ca. 2 mm „aufgezogen" werden, ist sehr hoch. Besonders anspruchsvoll ist es, wenn der Oberputz durchgefärbt ist und der betreffende Fassadenabschnitt danach nicht mit einem Anstrichsystem beschichtet wird. Dann muss nicht nur die Struktur des Ausbesserungsputzes optimal an den Bestand angepasst, sondern auch der sich einstellende Farbton angeglichen werden.

Während sich die früheren Normen nur dem Neubau widmeten, gehen die aktuellen Regelwerke auch mehr und mehr auf die Anforderungen an Putze im Bestand ein. Hier ist vor allem die DIN EN 13914-1: „Planung, Zubereitung und Ausführung von Innen- und Außenputzen. Teil 1: Außenputz" zu nennen, bei der unter Punkt 8 Empfehlungen für Instandhaltung und Ausbesserung gegeben werden:

„Wenn die Ursachen des Fehlers behoben sind, sollten die Stellen mit beschädigtem Putz sauber bis zum Putzgrund ausgeschnitten werden. Die freistehenden Kanten des Putzes sollten leicht hinterschnitten werden. Die freiliegende Oberfläche des Putzgrundes sollte nach den Empfehlungen in 7.4 vorbereitet und der Putz nach den Empfehlungen in 7.8 ersetzt werden. Haftmittel sind besonders bei der Ausführung kleinerer Ausbesserungsarbeiten hilfreich. Mischungsverhältnisse, Farbe und Struktur des neuen Putzes sollten so weit wie möglich an den bestehenden Putz angeglichen werden. Bei Baustellenmörteln sollte der Sand für die Mischung sorgfältig ausgesucht werden. Es wird empfohlen, kleine Prüfflächen vorzubereiten und sorgfältig trocknen zu lassen, bevor Vergleiche angestellt und über die Mischung endgültig entschieden wird."[16]

16 DIN EN 13914-1: Planung, Zubereitung und Ausführung von Außen- und Innenputzen – Teil 1: Außenputze, 2016.

4.10 Sanitär-, Heizungs- und Lüftungstechnik

Stefan Wirth

Übersicht

4.10.1 Wandel der technischen Gebäudeausrüstung in den letzten 50 Jahren

Die Gebäudetechnik war in den letzten 50 Jahren mehreren Transformationsprozessen unterworfen. Diese haben zu einer Änderung der wesentlichen Bestandteile der Gebäudetechnik geführt. Die Auslöser der Transformationsprozesse dürfen nicht monokausal auf Verordnungen in der Vergangenheit zur Reduzierung des Heizwärmebedarfs und zu Erhöhung der Effizienz von Heizungsanlagen (Wärmeschutzverordnung, Heizungsanlagenverordnung und Energieeinsparverordnung) und das seit 2020 geltende Gebäudeenergiegesetz[1] begrenzt werden. Legislative Vorgaben stellen lediglich einen Teil der Ursachen für Änderungen in der Gebäudetechnik dar. Vielmehr sind folgende Einzelprozesse seit ca. 1970 beobachtbar:

1 Gebäudeenergiegesetz vom 8.8.2020 (BGBl. I S. 1728), das durch Artikel 18a des Gesetzes vom 20.7.2022 (BGBl. I S. 1237) geändert worden ist.

- Der bisher beobachtbare Trend zu höheren Außentemperaturen führt zu kleineren Baugrößen bei Heizkörpern und Wärmeerzeugern. Allerdings ist derzeit nicht absehbar, ob für Mitteleuropa dieser Trend bestehen bleibt. Seriös ermittelte Szenarien lassen auch temporär wieder sehr niedrige Außenlufttemperaturen zu. Dies darf nicht dahingehend fehlinterpretiert werden, dass zukünftig wieder größere Wärmeerzeuger und Heizkörper benötigt werden. Vielmehr steht zu erwarten, dass für temporär niedrige Außenlufttemperaturen bivalente Wärmeerzeuger eingesetzt werden (Beispiel: monoenergetische Beheizung mit einer Wärmepumpe und einer elektrischen Zusatzheizung).
- Seit 2005 erlebt die Wärmepumpe eine Renaissance. In Neubauten werden Wärmepumpen mit Fußbodenheizungen aus energetischen Gründen kombiniert. Wegen des guten Wärmeschutzes und der damit einhergehenden niedrigen Betriebstemperaturen sind Fehler an Fußbodenheizungen (Unterdimensionierung, Risse) praktisch nicht mehr beobachtbar.
- Die Belastung der Gebäude durch Niederschlag hat sich geändert. Früher traten Starkregenereignisse nur ein bis zweimal im Jahr auf und waren auf den Sommer begrenzt. Heute können sich Starkregenereignisse auf mehrere Tage erstrecken und werden vermehrt auch im Winter nachgewiesen.
- Der persönliche Wasserverbrauch hat sich in den letzten Jahren deutlich reduziert. Hiermit sind zum einen Auswirkungen auf die Trinkwasserhygiene (Dimensionierung von Rohrleitungen) verbunden. Zum anderen wird wegen der geringeren Schmutzwasserabflüsse die Schwemmwirkung und damit die Selbstreinigungsfähigkeit von Entwässerungsanlagen beeinträchtigt.
- Grundsätzliche Prinzipien der Trinkwasser- und Lufthygiene haben seit Anfang 1990 Eingang in das technische Regelwerk erlangt.[2] Seitdem wurde dieses Regelwerk zur Trinkwasser- und Lufthygiene ständig fortgeschrieben. Die Fortschreibungen wurden durch ein bundesweites System zur Weiterbildung begleitet. Maßnahmen in bestehenden Gebäuden und die Errichtung neuer Gebäude sind ohne die Regelwerke zur Trinkwasser- und Lufthygiene nicht mehr vorstellbar. Dabei genießt die Trinkwasserhygiene eine Sonderstellung, weil sie praktisch in jedem Gebäude zu beachten ist. Grundkenntnisse zur Trinkwasserhygiene sollten daher Bausachverständige kennen. Anders verhält es sich bei Lüftungsanlagen. Hier werden Sonderkenntnisse der Lüftungstechnik erforderlich.
- Die Verarbeitung von Rohrleitungen hat sich fundamental mit dem Ziel einer einfacheren und kostengünstigeren Montage geändert. Moderne, wasserführende Leitungssysteme werden nicht mehr geschweißt oder gelötet. Schweiß- und Lötverbindungen sind durch Press- und Steckverbindungen abgelöst worden. Sogar Gasleitungen werden heute gepresst. Lediglich kältemittelführende Rohrleitungen werden noch geschweißt oder gelötet. Die Konstruktion der Verbinder beinhaltet Sicherungsmaßnahmen gegenüber handwerklichen Fehlern. Daher erlaubt die Verwendung moderner Rohrleitungs-

2 VDI 6022-1: 2018-01: Raumlufttechnik, Raumluftqualität – Hygieneanforderungen an raumlufttechnische Anlagen und Geräte, Prüfung von raumlufttechnischen Anlagen (VDI-Lüftungsregeln); VDI 6023-1: 2022-09: Hygiene in Trinkwasser-Installationen, Blatt 1: Anforderungen an Planung, Ausführung, Betrieb und Instandhaltung.

systeme zum einen auch die Verarbeitung durch eingewiesene Laien. Zum anderen erhöhen sich die Anforderungen an die Objektüberwachung, weil Architekten, Fachingenieure und Sachverständige durch eine optische Prüfung die Qualität der Rohrleitungsverbindungen in den meisten Fällen beurteilen können.

- Durch eine Vielzahl von Verordnungen und Gesetzen (Energieeinspargesetz, Wärmeschutzverordnung, Heizungsanlagenverordnung, Energieeinsparverordnung, Gebäudenergiegesetz) wurde der Energieverbrauch der Gebäude gesenkt. Hiermit war zum einen eine Reduzierung der Wärmeleistung von Heizkörpern und der Wärmeerzeuger verbunden. Zum anderen wird der Einsatz bestimmter Technologien (z.B. Heizkessel zur Verfeuerung von Öl und Erdgas) erschwert.

Über die bundesweite Regelung zur Nutzung erneuerbarer Energien (Erneuerbare-Energien-Wärme-Gesetz) wurde der Einsatz regenerativer Energien für Neubauten und durch die in Baden-Württemberg geltende Sonderregelung des Erneuerbare-Wärme-Gesetzes die Verwendung regenerativer Energien bei Austausch von Wärmeerzeugern in Altbauten geregelt. Die Novellierung des Gebäudenergiegesetzes wird zukünftig für ganz Deutschland in Neu- und Altbauten beim Einbau eines Wärmeerzeugers einen regenerativen Anteil von 65 % fordern.[3]

- Über die mit dem Ziel einer Reduzierung des Energieverbrauchs verbundene dichtere Bauweise von Gebäuden wird eine Lüftung zum Feuchteschutz im Wohnungsbau praktisch nicht mehr erreicht. Lüftungstechnische Maßnahmen zum Feuchteschutz gehören heute daher zum Standardreportoire im Wohnungsbau. Sie beginnen bei einfachen Außenluft-Durchlässen und enden bei hochkomplexen Lüftungsanlagen in Mehrfamilienhäusern.

Die vorstehenden Transformationsprozesse haben das Bild der Gebäudetechnik vollständig gewandelt. In einem Fachbuch für Bausachverständige ist es nicht möglich, das gesamte Spektrum einer modernen Gebäudetechnik abzubilden. Hierfür gibt es eigene Fachbücher.[4] Fachbücher können aktuelle Trends nicht aufzeigen. Die nachfolgenden Ausführungen sollen diese Lücke schließen und beziehen sich daher auf diejenigen Themenkomplexe einer modernen Gebäudetechnik, die sich als besonders schadensträchtig erwiesen haben und die auch von einem Generalisten wie einem Bausachverständigen beherrscht werden können und müssen. Dabei werden Vorkenntnisse vorausgesetzt, die ein Ingenieur oder Architekt mit einem Hochschulstudium erwirbt.

---

3 Gesetz zur Änderung des Gebäudeenergiegesetzes, zur Änderung des Bürgerlichen Gesetzbuches, zur Änderung der Verordnung über Heizkostenabrechnung, zur Änderung der Betriebskostenverordnung und zur Änderung der Kehr- und Überprüfungsordnung, BGBl. 2023 I Nr. 280 vom 19.10.2023.

4 *Laasch/Laasch*, Haustechnik, 2013; RWE Bau-Handbuch, 15. Aufl. 2015; *Wirth*, Schäden an Installationsanlagen. 2. Aufl. 2014.

4.10.2 Heizungstechnik

4.10.2.1 Wärmeerzeuger

4.10.2.1.1 Zukünftig zulässige Wärmeerzeuger

Die Novellierung des Gebäudenergiegesetzes behält über die Forderung nach 65 % regenerativer Energien nur eine begrenzte Technologieoffenheit. Es erlaubt folgende Wärmeerzeuger:

- Hausübergabestationen zum Anschluss an ein Wärmenetz („Fern- oder Nahwärme"),
- elektrisch angetriebene Wärmepumpen,
- Stromdirektheizungen,
- solarthermische Anlagen,
- Heizungsanlage zur Nutzung von Biomasse oder grünem oder blauem Wasserstoff,
- Pelletheizungen,
- Hybridanlagen (Kombination mehrerer Wärmeerzeuger).

Von den zulässigen Wärmeerzeugern werden die Wärmepumpe (in Neu- und Altbauten) und die Pelletheizung (nur in Bestandsgebäuden zulässig) eine Sonderstellung einnehmen, weil durch eine einzige Maßnahme die Forderung nach der Nutzung regenerativer Energien zu mindestens 65 % unabhängig von der Versorgungslage (z.B. Fernwärmeanschluss oder Gebäudeanschluss für grünen Wasserstoff) gesichert erfüllt wird. Bei Neubauten hat die Wärmepumpe Stand Juli 2023 bereits einen Marktanteil von 54,3 % erreicht; der Gasanteil ist auf 5,3 % gesunken. Mithin ist die Wärmewende bei Neubauten bereits vollständig erreicht; die Wärmepumpe wird hier den maßgeblichen Wärmeerzeuger darstellen.[5]

Für die Stromdirektheizung wird immer noch ein sehr hoher Wärmeschutz in Kombination mit anderen, den Primärenergiebedarf senkenden Maßnahmen benötigt. Solarthermische Anlagen mit einem regenerativen Anteil von 65 % werden als alleinige Maßnahme zur regenerativen Deckung des Primärenergiebedarfs zu 65 % sehr aufwendig sein (z.B. Einbau saisonaler Speicher). Fernwärme wird nicht in jedem Gebäude zur Verfügung stehen. Die gesamte Thematik zur Nutzung von Biomasse oder grünem oder blauen Wasserstoff ist derzeit noch nicht in der für eine Investitionsentscheidung erforderlichen Tiefe bearbeitet. Die bisherigen Veröffentlichungen in Fachzeitschriften thematisieren mehr Probleme als sie Lösungen aufzeigen[6] und lassen den Einsatz fraglich erscheinen. Die kommunale Wärmeplanung für Mannheim (ein Vorreiter in der Wärmeplanung) sieht die Wasserstoffversorgung von Privathaushalten gar nicht vor; lediglich die Industrie soll mit Wasserstoff versorgt werden.[7]

5 TGA-Fachplaner, Meldung vom 17.8.2023,abrufbar unter https://www.tga-fachplaner.de/meldungen/marktdaten-im-neubau-ist-die-heizungs-wende-praktisch-abgeschlossen.

6 Meldung TGA-Fachplaner vom 9.6.2023: Grüner Wasserstoff kurzfristig knapp langfristig unsicher.

7 ZWB: Energiewende konkret: Kommunale Wärmeplanung, ZEBAU-Onlineseminar am 11.10.2023.

Wegen der mit der Novellierung des Gebäudeenergiegesetzes verbundenen Verunsicherung bei Bauherren und Wohnungseigentümern sieht das Gebäudeenergiegesetz die Aufstellung von kommunalen Wärmeplänen vor (bis Mitte 2026 in großen Kommunen mit mehr als 100.000 Einwohnern und bis Mitte 2028 in kleinen Kommunen). Die Wärmepläne sollen für die Bewohner Sicherheit bei der Auswahl eines Wärmeerzeugers schaffen. Sie werden ausgehend von einer Bestandsanalyse über eine Prognose zum Bedarf erarbeitet. Hierbei werden nicht nur ökologische, sondern auch ökonomische Aspekte berücksichtigt.

Zum Zeitpunkt der Herausgabe dieses Fachbuches war noch nicht bekannt, wie auf Grundlage des Wärmeplans in Gebieten mit Fernwärmeversorgung verfahren wird. Die Wirtschaftlichkeit eines Fernwärmenetzes ist nur dann gegeben, wenn möglichst viele Gebäude auch tatsächlich angeschlossen werden. Dies würde faktisch auf einen Anschlusszwang hinauslaufen; der Anschlusszwang ist aber juristisch umstritten. Auch der Einsatz von Wärmepumpen wird Probleme mit der Energieversorgung bereiten können. Mit dem verbreiteten Einsatz von Wärmepumpen und einer zunehmenden Anzahl elektrisch betriebener Kfz können Probleme in der Dimensionierung der Leitungen und der Transformatorenstationen der öffentlichen Versorgung auftreten. Wesentliche Details der öffentlichen Energieversorgung sind also noch nicht abschließend geklärt und können zusätzliche Kosten verursachen.

4.10.2.1.2 Wärmepumpen

Wärmepumpen nutzen einen thermodynamischen Kreislaufprozess (siehe Abbildung 1). Der Umwelt wird Wärme entzogen und auf ein Kältemittel übertragen. Bei niedrigem Druck des Kältemittels wird das Kältemittel verdampfen. In einem Kompressor wird das Kältemittel verdichtet. Gleichzeitig erhöht sich die Temperatur. Das Kältemittel wird in einem Kondensator vom gasförmigen in den flüssigen Aggregatszustand überführt. Die Änderung des Aggregatszustands (von gasförmig auf flüssig) wird dadurch erzwungen, dass im Kondensator die Rücklauftemperatur des Heizwassers niedriger als die Kondensationstemperatur des Kältemittels ist. Das flüssige Kältemittel wird danach in einem Expansionsventil entspannt und dem Verdampfer wieder zugeführt.

Die aus der Wärmepumpe ausgekoppelte und nutzbare Wärme berechnet sich als Summe der aus der Umgebung entzogenen Wärme und der im Kompressor durch Verdichtung auf das Kältemittel übertragenen Energie. Insoweit wird mehr Wärme dem Kreislaufprozess entzogen, als Energie in Gestalt von elektrischem Strom zum Betrieb des Kompressors und der Antriebe im Verdampfer (z.B. Ventilatoren oder Brunnenpumpe) benötigt wird. Das Verhältnis aus der nutzbaren Wärme zur zugeführten Energie über den Bilanzzeitraum eines Jahres wird als Jahresarbeitszahl bezeichnet. Sie ist eine wichtige Größe zur Beurteilung der Effizienz einer Wärmepumpe.

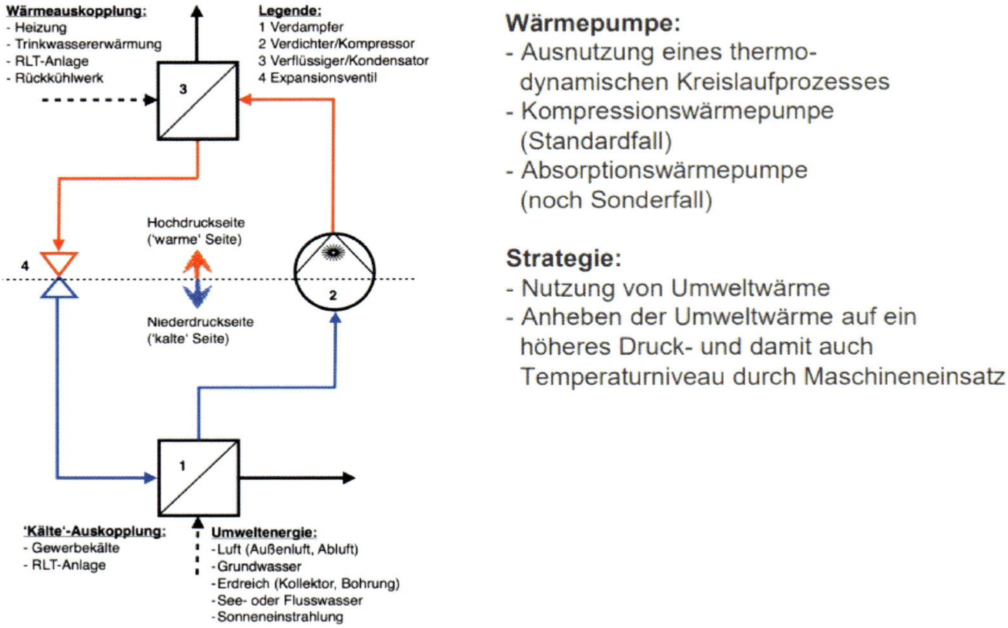

Abbildung 1: Thermodynamischer Kreislaufprozess einer Wärmepumpe; Quelle: Stefan Wirth

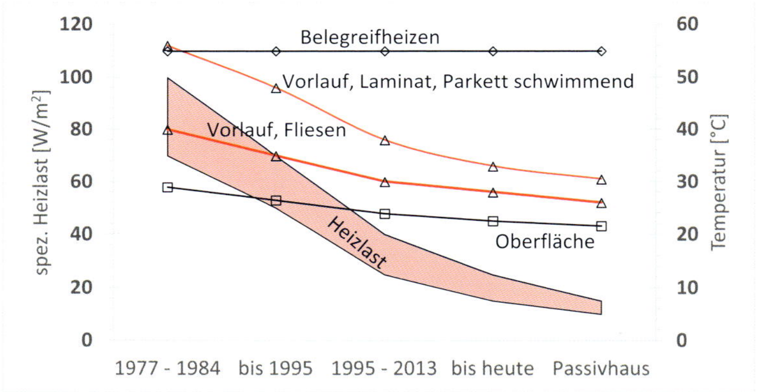

Abbildung 2: Spezifische Heizlasten und notwendige Vorlauftemperaturen einer Fußbodenheizung; Quelle: Stefan Wirth

In Abbildung 2 sind die spezifischen Heizlasten und die zum Betrieb einer Fußbodenheizung notwendigen Vorlauftemperaturen dargestellt. Mit sinkender Heizlast wird auch die Vorlauftemperatur abnehmen. Die Höhe der Vorlauftemperatur wird auch vom Oberbelag bzw. der zur Nutzung zur Verfügung stehenden Heizfläche beeinflusst; Letztere kann z.B. durch die Möblierung deutlich kleiner als die Bodenfläche sein. Oberbeläge mit hohem Wärmeleitwiderstand und Räume mit z.B. durch die Möblierung reduzierter Heizfläche benötigen auch höhere Vorlauftemperaturen. Die Jahresarbeitszahl für eine Wärmepumpe kann aus Prüfstandmessungen berechnet werden. In Deutschland wurde hierfür VDI 4650 eingeführt[8]. Die Abbildungen 3 und 4 zeigen die Berechnungsergebnisse zu Jahresarbeitszahlen für eine Sole/Wasser-Wärmepumpe und eine Luft/Wasser-Wärmepumpe für die Gebäudeheizung (Abbildung 3) und die kombinierte Gebäudeheizung/Trinkwassererwärmung (Abbildung 4). Die Ausgangswerte der Berechnung (Prüfstandmessungen) wurden den Angaben von Marktführern entnommen.

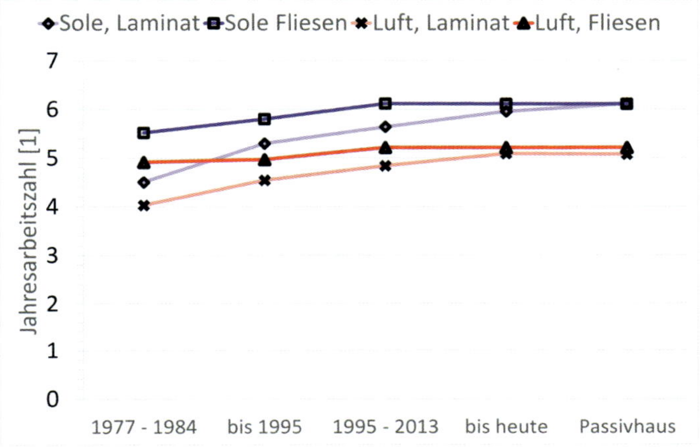

Abbildung 3: Berechnungsergebnisse zu Jahresarbeitszahlen für eine Sole/Wasser-Wärmepumpe; Quelle: Stefan Wirth

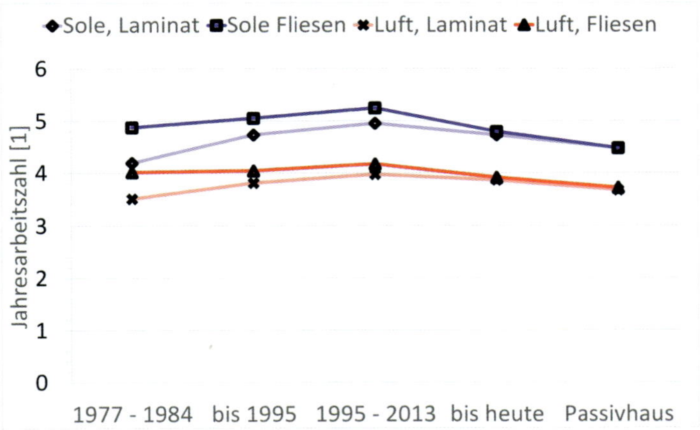

Abbildung 4: Berechnungsergebnisse zu Jahresarbeitszahlen für eine kombinierte Gebäudeheizung/ Trinkwassererwärmung; Quelle: Stefan Wirth

8 VDI 4650-1:2019-03: Berechnung der Jahresarbeitszahl von Wärmepumpenanlagen, Elektro-Wärmepumpen zur Raumheizung und Warmwasserbereitung.

Der Einfluss des Oberbelags und der Größe der Heizfläche wird sich hauptsächlich in nicht sanierten Altbauten auswirken. In wärmetechnisch vollständig sanierten Altbauten und Neubauten (Stand 2023) wird meistens kein bemerkbarer Mehrverbrauch durch die Wahl des Oberbelags bzw. durch die Größe der Heizfläche bestehen. Ausnahmen stellen Daueraufenthaltsräume in Dachgeschossen mit großem Außenwand-/Dachflächenanteil und Gebäude in klimatisch raueren Regionen dar. In nicht sanierten oder wärmetechnisch nicht vollständig sanierten Altbauten müssen in Räumen mit kleiner Heizfläche und erhöhten Raumtemperaturen (außenliegende Bäder und Wohnzimmer mit Galerie) zusätzliche Maßnahmen getroffen werden:

- Durch zusätzliche Heizkörper (z.B. einen Handtuchwärmekörper mit elektrischer Zusatzheizung) oder mit einer Wandheizung (z.B. im Wohnzimmer) kann die zur Raumbeheizung notwendige Vorlauftemperatur abgesenkt werden. Ohne diese Maßnahmen müsste man die Vorlauftemperatur zur Herstellung einer ausreichenden Beheizbarkeit erhöhen. Niedrigere Jahresarbeitszahlen wären die Folge.
- Für Bäder wird empfohlen, die Bodenfläche vollflächig mit einer Fußbodenheizung auch unterhalb einer Dusch- und Badewanne zu belegen. Durch die Überbauung mit einer Dusch- oder Badewanne reduziert sich die Heizleistung nur um 55 %. Gleichzeitig wird die thermische Behaglichkeit gerade bei frei begehbaren Duschplätzen erhöht. Letztendlich ist man auch bei einer Badsanierung in Bezug auf die Planung der Einrichtung frei. Bei Wannen an Außenwänden stellt die vollflächig verlegte Fußbodenheizung zudem eine Sicherheit gegen eine Taupunktunterschreitung unterhalb der Wanne dar und trägt zur Vermeidung von Bauschäden bei.

Die Diagramme in den Abbildungen 3 und 4 beziehen sich auf Gebäude mit einer Fußbodenheizung. Bei Heizkörpern in modernen Gebäuden wird man Jahresarbeitszahlen wie für Fußbodenheizungen in wärmetechnisch nicht sanierten Altbauten ansetzen dürfen, weil vergleichbare Vorlauftemperaturen benötigt werden. Wenn einmal von Sonderkonstruktionen (Ventilatorkonvektoren für eine Vorlauftemperatur von 35 °C) abgesehen wird, werden heute (in Anlehnung an die Definition des Referenzgebäudes in der Energieeinsparverordnung und dem Gebäudeenergiegesetz) Vorlauftemperaturen von 55 °C projektiert bzw. können diese Vorlauftemperaturen als technischer Standard angenommen werden. Für Altbauten muss teilweise von deutlich höheren Vorlauftemperaturen ausgegangen werden.

Bis 1983 wurden Heizkörper nach DIN 4701:1959[9] dimensioniert. Diese Norm sah deutliche Reserven vor, sodass von einer Überdimensionierung ausgegangen werden muss. Wenn seinerzeit die Heizkörper auf eine Vorlauftemperatur von 90 °C ausgelegt wurden, ist wegen der Reserven durchaus eine Vorlauftemperatur von 75 °C ausreichend. In diesen Gebäuden werden auch in vielen Fällen wärmetechnische Sanierungen der Gebäudehülle eingeleitet worden sein, wodurch die Vorlauftemperatur weiter abgesenkt werden kann. Der Einsatz einer Wärmepumpe wird daher mit geringen Kosten im Regelfall möglich sein.

9 DIN 4701:1959-01: Regeln für die Berechnung des Wärmebedarfs von Gebäuden.

Mit der Heizungsanlagenverordnung von 1982[10] wurde die Niedertemperaturheizung eingeführt (Begrenzung der Vorlauftemperatur auf 75 °C). 1983 wurde die technische Regelung zur Heizlastberechnung novelliert[11]. Die Berechnung endete mit einem zu knappen Ergebnis. Aus diesem Grund wurde mit DIN 4701:1989-03[12] ein Auslegungszuschlag erlaubt. Der Auslegungszuschlag durfte entfallen, wenn die Vorlauftemperatur kurzzeitig angehoben werden kann. In der Praxis wurde auf den Auslegungszuschlag verzichtet, weil eine Erhöhung der Vorlauftemperatur auf 90 °C möglich war; d.h., gerade in jüngeren Altbauten besteht das Risiko einer knappen Dimensionierung von Heizkörpern auf eine Vorlauftemperatur von 90 °C. In diesen Gebäuden können durchaus die Heizkörper für den Einsatz von Wärmepumpen ungeeignet sein (z.B. Einrohrheizung mit einer Vorlauftemperatur von 90 °C und einer Rücklauftemperatur von 80 °C). Insoweit ist für Gebäude dieses Alters eine Individualprüfung der weiteren Verwendbarkeit der Heizkörper vor Einbau einer Wärmepumpe erforderlich. Erst ab ca. 2000 mit der Zusammenführung der Heizungsanlagenverordnung und der Wärmeschutzverordnung zur Energieeinsparverordnung[13] wurden Heizkörper gesichert auf 75 °C dimensioniert. In diesen Gebäuden wird eine Beheizung mit einer Hochtemperaturwärmepumpe möglich sein. Die von der Heizungsindustrie seit 2000 propagierte Vorlauftemperatur von 55 °C hat sich anfangs nicht durchgesetzt. Insoweit muss grundsätzlich auch für diese Gebäude eine Prüfung dahingehend durchgeführt werden, ob eine herkömmliche Wärmepumpe ausreichend ist oder ob eine Hochtemperatur-Wärmepumpe notwendig wird.

Der Einbau einer Wärmepumpe ist nicht in jedem Fall möglich bzw. wird den in einem wärmetechnischen Sanierungsfahrplan prognostizierten Stromverbrauch nicht immer erschließen. Einem Bausachverständigen sind daher die folgenden Prüftätigkeiten für seine Tätigkeit (z.B. baubegleitende Qualitätssicherung und Begleitung der Abnahme) zu empfehlen:

- Wie weit wurde ein Altbau saniert? Wird der 2023 geforderte, bauliche Wärmeschutz erreicht?
- Wie werden bei Altbauten bei einer Fußbodenheizung Räume mit kleinen Flächen und hohen Raumtemperaturen beheizt? Sind zusätzliche Heizkörper und Heizflächen vorhanden?
- Besteht das Risiko einer Dimensionierung der Heizungsanlage auf eine Vorlauftemperatur von 90 °C ohne Reserven in der Heizlastberechnung (Baujahre 1982 bis ca. 2000)? Bejahendenfalls ist ein Sachverständiger für Heizungstechnik beizuziehen.
- Wurde die Jahresarbeitszahl nur angenommen (fehlerhafte Vorgehensweise) oder kann ein Berechnungsprotokoll nach VDI 4650 vorgelegt werden?
- Sind in außenliegenden Bädern und Räumen mit kleiner Heizfläche weitere elektrisch direkt beheizte Heizkörper vorhanden?

---

10 Verordnung über energiesparende Anforderungen an heizungstechnische Anlagen und Brauchwasseranlagen (Heizungsanlagen-Verordnung – HeizAnlV) vom 24.2.1982, BGBl. I 1982 Nr. 7 Blatt 205 ff.

11 DIN 4701:1983-03: Regeln für die Berechnung des Wärmebedarfs von Gebäuden.

12 DIN 4701-3:1989-08: Regeln für die Berechnung des Wärmebedarfs von Gebäuden, Teil 3: Auslegung der Raumheizeinrichtungen.

13 Verordnung über energiesparenden Wärmeschutz und energiesparende Anlagentechnik bei Gebäuden (Energieeinsparverordnung – EnEV) vom 16.11.2001, BGBl. I S.3085.

Der Stromverbrauch einer Wärmepumpe wird in nicht unerheblicher Weise durch die Trinkwassererwärmung beeinflusst. Für Altbauten kann man den Anteil der Trinkwassererwärmung am Wärmeverbrauch in Anlehnung an die Heizkostenverordnung mit 18 % annehmen.[14] In modernen, gut gedämmten Gebäuden wird der Anteil der Trinkwassererwärmung an der Jahresheizarbeit 30 bis 40 % ausmachen.[15] Dies ist auch der Grund für die in modernen Gebäuden rechnerisch niedrigere Jahresarbeitszahl (siehe Diagramm in Abbildung 4).

Von besonderer Bedeutung sind die unterschiedlichen Zielvorgaben der technischen Trinkwasserhygiene einerseits und der Energieeinsparung andererseits. Aus hygienischer Sicht sind Trinkwassertemperaturen von 62 °C im Trinkwassererwärmer mindestens anzustreben,[16] weil dann gesichert auch bei Fehlfunktionen im Zirkulationskreislauf keine derart niedrigen Temperaturen erreicht werden, dass ein Ansteigen der Keimkonzentrationen (Stichwort: Legionellen) möglich ist. Für Ein- und Zweifamilienhäuser sowie grundsätzlich für Durchflusssysteme („Frischwasserstationen") erlaubt DIN 1988-200 in Abschnitt 9.7.2.3 ein Absenken der Temperatur des Trinkwassers auf 50 °C.[17] Durchflusssysteme sind wegen der kurzen Stagnationszeiten grundsätzlich stabil gegenüber einer Erhöhung der Keimkonzentration. Allerdings muss der Wärmeerzeuger in der Lage sein, auch 55 bis 60 °C bereitzustellen, damit überhaupt eine Temperatur des Trinkwassers warm von 50 °C erreicht wird. Bei stringenter Anwendung dieser Forderung wird in Mehrfamilienhäusern der Einbau einer Hochtemperatur-Wärmepumpe mit einer Vorlauftemperatur von 60 °C und höher notwendig. Die Bereitstellung über eine Stromdirektheizung ist nicht zu empfehlen, weil zum einen sehr hohe Anschlussleistungen erforderlich werden. Zum anderen würde die Stromdirektheizung und nicht die Wärmepumpe bei einer Anhebung der Temperatur auf 60 °C praktisch den gesamten Energieverbrauch der Trinkwassererwärmung einschl. der Zirkulationsverluste decken.

Für einen Bausachverständigen empfehlen sich folgende Prüfungen:

- Welche Temperatur ist für die Trinkwassererwärmung eingestellt? Die für Wärmepumpen häufig vorzufindende Einstellung von 45 °C ist unzulässig zu niedrig.
- Besteht die Möglichkeit einer energetisch sinnvollen Erhöhung der Temperatur in Ein- und Zweifamilienhäusern sowie bei Durchflusssystemen auf 60 °C?
- Die Unterlagen zur Dimensionierung der Wärmepumpe sind zu prüfen. Wenn keine Zuschläge für die Trinkwassererwärmung (z.B. nach VDI 4645[18]) vorgesehen werden, wird die Wärmepumpe unzulässig lange die Trinkwassererwärmung mit der Folge einer zu niedrigen Jahresarbeitszahl bedienen.

---

14 Verordnung über Heizkostenabrechnung in der Fassung der Bekanntmachung vom 5.10.2009 (BGBl. I S.3250), die durch Artikel 1 der Verordnung vom 24.11.2021 (BGBl. I S. 4964) geändert worden ist.

15 *Zeisenberger*, Beitrag zur energieeffizienten Trinkwassererwärmung. Messtechnische Untersuchungen zur Bewertung und Optimierung von Trinkwassererwärmungssystemen, Diss. 2017.

16 DIN 1988-200: 2012-05: Technische Regeln für Trinkwasser-Installationen – Teil 200: Installation Typ A (geschlossenes System) – Planung, Bauteile, Apparate, Werkstoffe, Technische Regel des DVGW.

17 DIN 1988-200:2012-05, Abschnitt 9.7.2.3.

18 VDI 4645:2018-03: Heizungsanlagen mit Wärmepumpen in Ein- und Mehrfamilienhäusern. Planung, Errichtung, Betrieb.

Abbildung 5: Schalldämpfende Haube; Quelle: Stefan Wirth

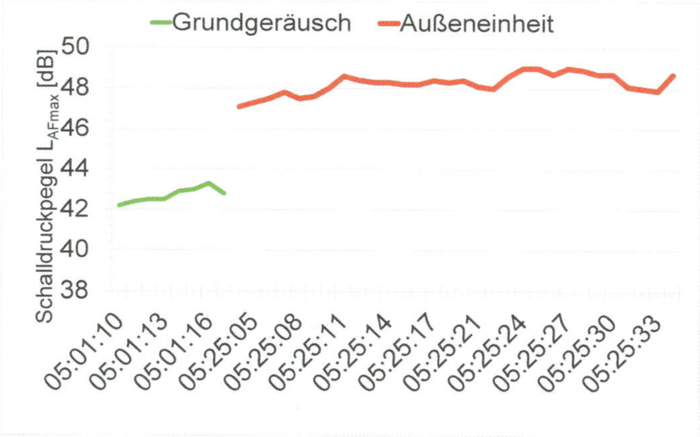

Abbildung 6: Messergebnis zu einer einstufigen Wärmepumpe; Quelle: Stefan Wirth

Früher waren wegen des einstufigen Betriebs einer Wärmepumpe auch Messungen zur TA Lärm auf einfache Weise durchaus möglich. Das Diagramm in Abbildung 6 zeigt das Messergebnis zu einer einstufigen Wärmepumpe. Die Messung erfolgte 50 cm vor dem geöffneten Fenster des nächstgelegenen Gebäudes. Die Wärmepumpe wird unter Grenzbedingungen (z.B. morgens zum Aufheizen nach der Nachtabsenkung und/oder zur Trinkwassererwärmung) im Dauerbetrieb arbeiten. Das unter Bedingungen gemessene Geräusch konnte dann unmittelbar mit dem Grenzwert nach TA Lärm verglichen werden. Heute sind derart vereinfachende Messungen nicht mehr möglich, da die Wärmepumpen in den für die TA Lärm relevanten Zeiten in einem Absenkbetrieb mit geringerer Schallleistung arbeiten. Die Überprüfung einer modernen Wärmepumpe wird z.B. bei Gerichtsgutachten einen hohen Aufwand erfordern. Ein Akusiker mit idealerweise einer Zulassung nach TA Lärm zusätzlich zur öffentlichen Bestellung und Vereidigung muss die Messungen durchführen. Ein Heizungssachverständiger muss prüfen, ob die Betriebsbedingungen

(Absenkbetrieb) in Bezug auf die Gebäudeheizlast überhaupt zulässig sind. Darüber hinaus muss auch noch die Wärmepumpe durch einen Kundendienstmonteur auf einen sachgerechten Betriebszustand kontrolliert werden. Der Kostenaufwand einer Begutachtung wird regelmäßig die Kosten einer Beseitigung eines möglichen Mangels übersteigen. Die Beseitigung eines Mangels erfordert Stand 2023 den Einbau einer schalldämpfenden Haube (siehe Abbildung 5). Bei der Auswahl der Haube ist auf eine Zulassungsprüfung durch ein Labor zu achten. Zum einen wird nur dann gesichert auch der Schalldruckpegel entsprechend reduziert, wenn ein geprüftes Produkt eingesetzt wird. Zum anderen kann die Haube durch die Reduzierung des Luftvolumenstroms in den thermodynamischen Kreislaufprozess eingreifen und die progonstizierte Jahresarbeitszahl absenken.

Über industriell hergestellte Schalldämmhauben ist eine Pegelsenkung unterhalb der Grenzwerte möglich. Allerdings bauen die Schalldämmhauben voluminös, sodass eine Akzeptanz beim Bauherrn/Eigentümer nicht immer gegeben ist. Die Investition in eine Schalldämmhaube wird aber immer kleiner als die gutachterliche Prüfung der Zulässigkeit des Betriebsgeräusches sein.

Die Einwirkung einer Sole-/Wasser-Wärmepumpe auf ihre Umgebung erfordert teilweise Sonderwissen (Geologie, Hydrogeologie). Ein Sachverständiger für Schäden an Gebäuden oder Heizungstechnik wird daher nicht alle möglichen Fehler erkennen können. Dies gilt insbesondere für das Qualitätsmanagment bei der Durchführung von Bohrungen zum Einbringen von Sonden. Eine Reihe von Fehlern kann jedoch bereits beim baubegleitenden Qualitätsmanagement und der Abnahme durch einen Sachverständigen für Schäden an Gebäuden oder Heizungstechnik erkannt werden:

- Bei der Verlegung von Körben ist das Verdichten des Erdreichs erschwert. Häufig wird dann nach ca. einem Jahr die Ausbildung von Gruben oder Vertiefungen oberhalb der Körbe beobachtet. Es bedarf der Verwendung von selbstverdichtendem Verfüllmaterial.
- Die Inbetriebnahme einer Fußbodenheizung (Funktionsheizen und Belegreifheizen) darf nicht über die Wärmepumpe erfolgen, weil Sonden, Körbe oder Flächenabsorber hierfür nicht ausgelegt sind. Die Folge besteht in einem allmählichem Einfrieren des Erdreichs ohne ausreichende Regeneration im Sommer bis hin zur vollständigen und irreparablen Funktionsuntüchtigkeit.
- Flächenabsorber und Körbe dürfen nicht überbaut werden, bzw. das Erdreich darf nicht versiegelt werden, weil die Regeneration nicht unwesentlich über das Regenwasser erfolgt.

4.10.2.1.3 Pelletkessel

Holz als Brennstoff wird im Vergleich zu Erdgas und Heizöl zeitnah zum Anwachsen des Brennstoffes verbrannt. Das beim Verbrennen freiwerdende CO_2 ist nur kurz vorher beim Anwachsen gebunden gewesen. Gleichzeitig kann durch Nachforsten wieder CO_2 zeitgleich zur Verbrennung gebunden werden. Die Verfeuerung von Holz wird daher im Nachweisverfahren zum Gebäudeenergiegesetz mit einem niedrigen Primärenergiefaktor belegt.

Pelletkessel werden für die Sanierung von Mehrfamilienhäusern mit Gas- und Ölkesseln insbesondere in Innenstadtlagen ohne Fernwärmeanschluss benötigt. Hier steht kein Platz für die Sondenanlage einer Wärmepumpe zur Verfügung, oder es ist nicht in absehbarer Zeit mit einem Fernwärmeanschluss zu rechnen (Stichwort: kommunaler Wärmeplan). Luft/Wasser-Wärmepumpen können aus mehreren Gründen ausscheiden (z.B. Heizkörperdimensionierung und Lärmproblematik). Dann wird der Pelletkessel eine Alternative zu einer Wärmepumpenheizung darstellen. Dabei gilt es Folgendes zur Mangel-/und Schadensvermeidung zu beachten:

- Das Pelletlager muss in räumlicher Nähe zum projektierten Parkplatz des Versorgungswagens angeordnet sein. Der Grenzwert des Abstands beträgt maximal 20 m als Leitungslänge für die pneumatische Förderung der Pellets vom Fahrzeug bis in das Lager.
- Die Konstruktion des Pelletlagers muss hinsichtlich der Ausbildung des Einfüllstutzens und der Prallmatten VDI 3464 entsprechen. Eine gute Darstellung findet sich in der Informationsschrift des DEPV.[19]

Bei zu großer Leitungslänge und fehlerhafter Konstruktion des Pelletlagers werden die Pellets bei der Förderung in den Bunker beschädigt. Die Verbrennung wird gestört. Die Immissionen in der Umgebung steigen. Außerdem nehmen die betriebsgebundenen Kosten wegen des zu großen Verschleißes zu.

Die Lagergröße orientiert sich an der Nennwärmeleistung des Pelletkessels einerseits und der maximal möglichen Zuladung der Fahrzeuge.

Der Sommerbetrieb einer Festbrennstofffeuerung ist mit zusätzlichen Verlusten für den Gluterhalt verbunden. In diesem Zusammenhang eignet sich eine thermische Solaranlage sehr gut, diese Verluste für die Trinkwassererwärmung im Sommer deutlich zu reduzieren und vor allem die besonders hohen Immissionen im Teillastbetrieb im Sommer zu senken.

Auch Pelletheizungen benötigen einen Pufferspeicher. Sie sind theoretisch zwar in der Leistung regelbar. Die Immissionen und auch der Abscheidegrad eines Staubabscheiders zur Abgasreinigung werden jedoch im Teillastbetrieb sinken. Als Richtwert in der Praxis gilt 20 l/kW. Bereits im mittleren Leistungsbereich zwischen 100 und 500 kW werden daher Speichervolumen im Kubikmeterbereich erreicht. Der Verzicht auf einen ausreichend dimensionierten Pufferspeicher wird zum einen den Verschleiß erhöhen; d.h., die betriebsgebundenen Kosten des Kessels steigen an. Zum anderen können Staubimmissionen auch Nachbargebäude beschädigen.

4.10.2.1.4 Kosten

Im Diagramm in Abbildung 7 sind die jährlichen Gesamtkosten für vier unterschiedliche Konzepte zur Wärmeversorgung, unterteilt in investitions-, betriebs- und bedarfsgebundene Kosten, dargestellt:

- Pelletheizung mit Solarthermie,
- Luft/Wasser-Wärmepumpe,
- Fernwärmeversorgung,
- Gaskessel und BHKW.

19 Broschüre des DEPV (Deutscher Energieholz- und Pelletverband), Lagerung von Holzpellets, abrufbar unter https://www.depv.de/de/lagerung.

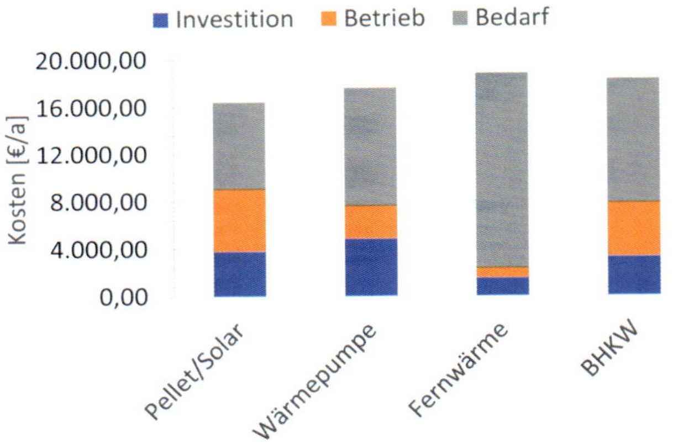

Abbildung 7: Jährliche Gesamtkosten für vier unterschiedliche Konzepte zur Wärmeversorgung; Quelle: Stefan Wirth

Auffällig ist, dass bei den Gesamtkosten die unterschiedlichen Lösungen kaum differieren, auch wenn die Kostenanteile deutlich voneinander abweichen. Eine Wärmeversorgung über einen Pelletkessel oder ein BHKW wird einen hohen Kostenanteil für Wartung und Instandsetzung (betriebsgebundene Kosten) aufweisen. Dieses Ergebnis entspricht auch der bestehenden Erfahrung mit Pelletkesseln und BHKWs. Hierbei wird zukünftig die Bedeutung dieser Kosten mit steigenden Zinsen und steigenden Teuerungsraten weiter anwachsen. Aus diesem Grund ist gerade für den Pelletkessel eine den Verschleiß mindernde Konstruktion wichtig (ausreichend dimensionierter Pufferspeicher und eine fachgerechte Lagerkonstruktion).

Weiter auffällig sind die besonders hohen bedarfsgebundenen Kosten bei den miteinander verglichenen Konzepten zur Wärmeerzeugung. Die ist auf generell gestiegene Energiepreise zurückzuführen. Sie stellen einen Grund dar, warum in einem Gebäude aus der Sonneneinstrahlung erzeugte Wärme und Strom die Gesamtkosten der Wärmeerzeugung deutlich senken können. Für thermische Solaranlagen sind die verbrauchs- und kostenmäßigen Auswirkungen lange bekannt und lassen sich gut einschätzen. Für Photovolatikanlagen mit Batteriespeicher liegen weniger Erfahrungen vor. Außerdem entwickelt sich die Technologie so rasch (z.B. Aufladung eines Pkw über die Photovoltaik und die teilweise Entladung des Pkw in den Nachtstunden), dass derzeit noch keine belastbare Beurteilung der Wirtschaftlichkeit möglich ist. Dagegen spricht auch die hohe Volatilität der Strompreise.

Die Ergebnisse der Wirtschaftlichkeitsuntersuchung beziehen sich auf die monovalente oder moneenergetische Wärmeerzeugung. Das Gebäudeenergiegesetz lässt auch Hybidanlagen zu. Der Vorteil von Hybridanlagen (Pellet/Erdgas, Pellet/Heizöl, Wärmepumpe/Erdgas und Wärmepumpe/Heizöl) besteht darin, dass der teurere regenerative Wärmeerzeuger kleiner dimensioniert werden kann (Kosteneinsparung). Gleichzeitig ist bei der Wärmepumpe eine hygienisch einwandfreie Trinkwassererwärmung ohne Strom als

Direktheizung oder ohne Hochtemperatur-Wärmepumpe möglich. Mit der reduzierten Wärmeleistung wird der regenerative Wärmeerzeuger aber deutlich höhere Laufzeiten aufweisen. Der Nachteil besteht in deutlich ansteigenden betriebsgebundenen Kosten für Wartung und Instandsetzung. Diese Kosten weren sich gegenüber einer monovalenten oder monoenergetischen Anlage praktisch verdoppeln.

4.10.2.2 Raumheizeinrichtungen

4.10.2.2.1 Fußbodenheizung

In Altbauten stellen Heizkörper die beherrschende Konstruktion für Raumheizeinrichtungen dar. Fußbodenheizungen waren früher Gebäuden mit erhöhten Komfortansprüchen vorbehalten. Mit der Verbreitung der Wärmepumpen seit 2005 ist ein gegenläufiger Trend beobachtbar. In Neubauten ist die Energiewende bereits vollzogen. Im Wohnungsneubau werden Stand 2023 54,3 % der Wohneinheiten mit Wärmepumpen beheizt. Der Einsatz der Wärmepumpen wird dabei von der Nutzung der Raumumschließungsflächen als Raumheizeinrichtung begleitet. In Wohnungsbauten bedeutet dies den Einbau einer Fußbodenheizung. Für Bürogebäude werden dagegen massive Decken als Raumheizeinrichtung verwendet („Betonkernaktivierung").

Wirth hat gezeigt,[20] dass in einem modernen Neubau mit der Fußbodenheizung dann keine zusätzliche thermische Belastung der Fußbodenkonstruktion verbunden ist, wenn die Heizungsanlage korrekt eingestellt ist. Dies hat wesentliche Auswirkungen auf Schäden an Gebäuden:

- Früher notwendige Konstruktionen wie Dehnfugen mit Rohrhülsen zur Kompensation der thermisch bedingten Längenausdehnung einer Fußbodenheizung sind in Effizienz- und Passivhäusern nicht mehr erforderlich. Dehnfugen werden nur noch dann erforderlich, wenn dies bautechnische und keine heizungstechnischen Gründe hat.
- Die Vorlauftemperaturen in Effizienz- und Passivhäusern sind so niedrig, dass auch aus hygienischen Gründen nichts mehr gegen die Verlegung von Trinkwasserleitungen kalt unterhalb der Fußbodenheizung besteht. Im Auslegungsfall (-8 bis -10 °C) werden maximale Vorlauftemperaturen von 25 °C (Fliesen) bis 30 °C (Laminat schwimmend verlegt) benötigt. Mit ansteigenden Außentemperaturen wird die Vorlauftemperatur abgesenkt. Theoretisch besteht dann nur noch unter Auslegungsbedingungen bei einem Oberbelag mit niedrigem Wärmeleitwiderstand (Laminat schwimmend verlegt) die Gefahr einer unzulässigen Aufheizung des Trinkwassers kalt auf mehr als 25 °C in der Bodenkonstruktion.

Die Reduzierung der Vorlauftemperaturen als Folge geringerer Wärmeverluste moderner Gebäude bedeutet nicht, dass Fußbodenheizungen keine für Bauschäden besonders empfängliche Konstruktion darstellen. Die Art der Schäden hat sich jedoch gewandelt. Die früher häufig anzutreffenden Risse als Folge einer fehlerhaften Fugenplanung werden heute in Neubauten durch die Frage der Dämmung der Anbindeleitungen und der Anordnung

20 *Wirth*, Fußbodenheizungen, Dämmhülsen und Rohrschiebehülsen an Fugen, Aachener Bausachverständigentage 2022.

des Verteilers bestimmt. Dezentral angeordnete Fußbodenheizungsverteiler erfordern lange Anbindeleitungen durch Transferräume. Damit wird die Einzelraumregelung von Transferräumen beeinträchtigt. Sobald die Zuleitungen durch Transferräume ein Drittel der Heizkreisgröße überschreiten, ist eine Einzelraumregelung des Transferraums nicht mehr gewährleistet.[21] Es wird eine Dämmung der Anbindeleitungen bei dezentraler Anordnung des Verteilers erforderlich. Dies ist insbesondere in Mehrfamilienhäusern bei schlauchartigen Fluren und stirnseitiger Anordnung des Verteilers der Fall. Die Dämmung der Anbindeleitungen ist sehr einfach über Rohrhülsen möglich. Auch eine zentrale Anordnung eines Verteilers wird im Regelfall realisierbar sein (z.B. durch einen beidseitigen und nicht über einen einseitigen Anschluss des in einer Wand angeordneten Verteilers). Die Forderung nach einer Abstimmung der Anordnung des Verteilers/Sammlers findet sich in den „Schnittstellenkoordinationen Fußbodenheizung"[22].

Bei den „Schnittstellenkoordinationen Fußbodenheizung" handelt es sich um zwei technische Regeln, die gemeinsam von allen mit der Planung und Errichtung einer beheizten Fußbodenkonstruktion im Zusammenhang stehenden Interessensverbänden getrennt für Alt- und Neubauten herausgegeben wurden. Die Regeln befassen sich grundsätzlich mit der Ausführung thermisch aktivierter Bauteile, wobei der Fokus allerdings auf der Fußbodenheizung liegt. Der gesamte Planungs- und Bauablauf wird mit Checklisten dokumentiert, die die fachlichen Zuständigkeiten der einzelnen Beteiligten nennen (z.B. Planlauf oder Anzahl von Prüfstellen je Raum für die Messung der Restfeuchte). Damit stellt diese Unterlage für einen Bausachverständigen das Arbeitsmittel zur Beurteilung von Schäden an beheizten Bauteilen dar.

4.10.2.2.2 Heizkörper

Der entscheidende Vorteil der Fußbodenheizung gegenüber herkömmlichen Heizkörpern besteht in der Möglichkeit der Gebäudekühlung. Wegen der großen Oberfläche kann bereits mit einer Oberflächentemperatur geringfügig unter der Raumtemperatur gekühlt werden. Heizkörper weisen deutlich kleinere Oberflächen auf. Aus diesem Grund müssen Heizkörper im Winter mit höheren Oberflächentemperaturen zur Gebäudeheizung betrieben werden. Einer analogen Absenkung im Sommerfall steht die Taupunkttemperatur entgegen. Für die Kombination mit Wärmepumpen eignen sich daher Heizkörper, deren Heizleistung im Winterfall über Ventilatoren erhöht wird. Das Betriebsgeräusch der Ventilatoren ist deutlich kleiner als 30 dB. Damit können diese Heizkörper auch in schalltechnisch schutzbedürftigen Räumen eingesetzt werden. Wegen des Ventilatorbetriebs ist mit diesen Heizkörpern auch eine Kühlung im Sommer möglich.

---

21 Bundesverband Flächenheizung und Flächenkühlung e.V., Anbindeleitungen/durchlaufende Zuleitungen bei Warmwasser – Fußbodenheizungen, Positionspapier, letztmals geändert am 19.10.2022.

22 Bundesverband Flächenheizung und Flächenkühlung e.V., Schnittstellenkoordination bei Flächenheizungs- und Flächenkühlungssystemen in bestehenden Gebäuden, Mai 2018.

4.10.3 Installationstechnik

4.10.3.1 Systeme

Der Einsatz geschweißter Stahlrohrleitungen oder gelöteter Kupferrohrleitungen beschränkt sich auf größere Heizzentralen (Stahlrohrleitungen) und Kälteanlagen (Kupferrohrleitungen). Ansonsten haben sich Steck- und Presssysteme für die Rohrwerkstoffe Stahl, Kupfer, Kunststoff und Mehrschichtverbundmaterial durchgesetzt. Unter Mehrschichtverbundrohrleitungen wird eine Rohrleitung aus mehreren Schichten verstanden (Kunststoff, Haftvermittler, Aluminium, Haftvermittler und Kunststoff). Mehrschichtverbundrohrleitungen verbinden den Vorteil der Metallrohrleitungen (geringe thermische Längenausdehnung) mit Vorteilen der Kunststoffrohrleitungen (weitgehend gegenüber Korrosionen unempfindlich und durch angelernte Laien verarbeitbar). Aus diesem Grund haben sich Mehrschichtverbundrohrleitungen als universal einsetzbare Rohrleitungen durchgesetzt. Der einzige Nachteil dieses Leitungssystems besteht in der begrenzten Lebensdauer der Haftvermittler. Unter üblichen Betriebsbedingungen (10 bar bis zu 60 °C) werden 50 Jahre erreicht. Diese Rohrleitungen dürfen nicht in alten Heizungsanlagen und vor allem nicht für Solaranlagen eingesetzt werden. In Mehrfamilienhäusern mit defekter Druckhaltung (Sicherheitsventil) haben sich dramatische Schäden ereignet, weil die Rohrleitungen vorzeitig durch einen zu hohen Druck beschädigt wurden.

4.10.3.2 Fehler bei Rohrleitungen mit Pressverbindungen

Undichtheiten treten als Folge einer fehlhaften Verarbeitung auf. Abbildung 8 zeigt hierzu eine unzureichende Einschubtiefe einer für Gasinstallationen eingesetzten Kupferrohrleitung in das Fitting. Die Hersteller von Metallrohrleitungen fordern daher, vor dem Herstellen der eigentlichen Pressverbindung die Einschubtiefe durch eine Strichmarkierung zu kennzeichnen. Fehlende Strichmarkierungen weisen auf eine unzureichende Verarbeitungsqualität und das erhöhte Risiko von Schäden hin. Nachträglich angebrachte Strichmarkierungen oder generell zu geringe Einschubtiefen sind daran zu erkennen, dass ein Abstand zwischen dem Fitting und der Strichmarkierung wie im vorliegenden Fall besteht.

Bei Kunststoff- und Mehrschichtverbundrohrleitungen ist die ausreichende Einschubtiefe über die Fittingkonstruktion erkennbar. Die Abbildung 9 zeigt hierzu die Fenster in einem Fitting, über die die Einschubtiefe erkannt werden kann. Die Kontrolle der Einschubtiefe an einer statistisch signifikanten Anzahl von Stichproben ist in der Praxis recht einfach möglich. *Wirth* zeigt, dass unter Bezugnahme auf Normen zum Qualtätsmanagement in einem Mehrfamilienhaus mit zehn Nutzeinheiten die Prüfung von 25 bis 30 Pressverbindungen ausreichend ist.[23] Die Prüfung erfordert keine besonderen Kenntnisse der Gebäudetechnik, sodass die Prüfung auch von einem Bausachverständigen im Rahmen der baubegleitenden Qualitätskontrolle durchgeführt werden kann.

23 *Wirth*, Fehler bei Rohrleitungen mit Pressverbindungen, Stuttgarter Bausachverständigentage 2022.

Abbildung 8: Unzureichende Einschubtiefe einer für Gasinstallationen eingesetzten Kupferrohrleitung; Quelle: Stefan Wirth

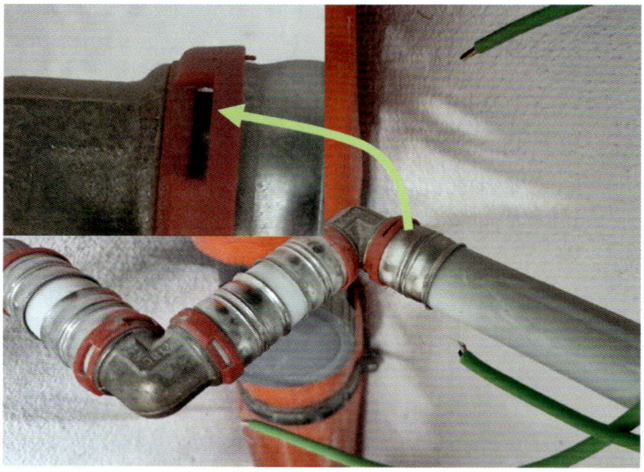

Abbildung 9: Erkennbarkeit der zu geringen Einschubtiefe an dem konstruktiv zur Kontrolle vorgesehenen Fenster; Quelle: Stefan Wirth

Pressverbindungen werden unter Werkzeugeinsatz hergestellt. Hier besteht das Fehlerpotenzial in einer fehlerhaften Verwendung des Presswerkzeugs bzw. in der Verwendung eines nicht mehr geeigneten Presswerkzeugs. Mögliche Fehler werden häufig erst nach der Inbetriebnahme bemerkt, sodass regelmäßig die gesamte Installationsanlage bei fehlenden Kenntnissen um die Verbindungstechnik oder bei der Verwendung fehlerhafter Presswerkzeuge erneuert werden muss. Ein Architekt oder Fachingenieur ist im Rahmen der Objektüberwachung daher gut beraten, wenn er sich vor Beginn der Montage über ausreichende Kenntnisse des Montagepersonals versichert; verneinendenfalls ist das Montagepersonal durch einen Objektbetreuer der Herstellerfirma des Leitungssystems einzuweisen. Außerdem müssen vor Montagebeginn Nachweise zur regelmäßigen Wartung und Kalibrierung der eingesetzten Presswerkzeuge angefordert werden.

Undichtheiten an Rohrleitungen sind eigentlich und grundsätzlich verhinderbar, wenn eine Druckprüfung nach Fertigstellung sachgerecht durchgeführt wird. Rohrleitungen sind im unverdeckten Zustand einer Druckprüfung zu unterziehen. In der Praxis bedeutet dies eine Druckprobe mit Druckluft. Druckproben mit Wasser scheiden wegen der Notwendigkeit einer Erneuerung des Leitungswasserinhalts alle drei Tage aus . Die Durchführung einer Druckprobe mit Druckluft ist in einem ZVSHK-Merkblatt geregelt.[24]

- Dichtheitsprüfung mit 150 mbar (Prüfzeit 120 Minuten bis 100 l Wasserinhalt, je weitere 100 l zusätzliche 20 Minuten Prüfzeit), Manometer Ablesegenauigkeit 1 mbar, Kriterium kein Druckabfall;
- Belastungsprüfung mit 3 bar für Leitungen bis DN 50,darüber bis DN 100 1 bar.

Eine Druckprobe mit Druckluft liefert ein weniger belastbares Ergebnis als eine Druckprobe mit Wasser. Druckproben mit Wasser sind aber seit Langem defacto nicht mehr zulässig. Der Nachteil der Druckprobe mit Wasser besteht in der Trinkwasserhygiene. Für einen hygienesicheren Betrieb einer Trinkwasserinstallationsanlage müsste die Druckprobe mit Wasser unmittelbar vor der Inbetriebnahme durchgeführt werden. Dem steht die Erfahrungstatsache gegenüber, dass eine Druckprobe bei unverdeckten Rohrleitungen (also zu einem Zeitpunkt, an dem das Gebäude noch lange nicht fertiggestellt ist) durchgeführt werden muss. In der Praxis haben sich Vorschläge zu einer regelmäßigen Spülung von geprüften Rohrleitungen als im rauen Baustellenbetrieb nicht durchsetzbar erwiesen.

Bei aller Sorgfalt werden sich Undichtheiten nicht immer vermeiden lassen. Unmittelbar vor der Übergabe empfiehlt der Autor daher eine weitere (nicht genormte) Prüfung durchzuführen. Die Armatur in Strömungsrichtung vor dem Wasserzähler (bei gewerblichen Objekten Wasserzähler der Stadtwerke, ansonsten Wasserzähler in den Nutzeinheiten) sind nach der Befüllung mit Wasser über 24 Stunden geschlossen zu halten. Wenn dann beim Öffnen der Absperrarmatur ein Wasserverbrauch angezeigt wird, ist eine Undichtheit vorhanden. Diese Maßnahme kann selbst geringste Leckagen im Tropfwasserbereich nachweisen. Sie stellt aber nur eine Ergänzung zur Druckprobe dar. Sie ist auch grundsätzlich dann zu empfehlen, wenn in einem Gebäude ein Feuchtigkeitsschaden aufgetreten ist und der Bausachverständige die Ursache suchen soll. Diese einfache Prüfung erlaubt im Sinne des Ausschlussverfahrens schnell und unkompliziert eine Aussage zu den Trinkwasserinstallationen.

Eine Besonderheit bei modernen Rohrleitungswerkstoffen weist das häufig verwendete Mehrschichtverbundrohrmaterial auf. Es ist eigentlich nicht korrosionsbeständig. Der äußere Kunststoffmantel schützt die Aluminiumschicht vor dem Kontakt mit einem aggressiven Medium (z.B. Wasser). Ein Kontakt der Alumiumschicht ist aber an der Stirnfläche im Bereich der Fittinge möglich. Korrosionsschäden an Mehrschichtverbundrohrleitungen sind relativ selten anzutreffen. Für einen Bausachverständigen ist das Wissen um die Möglichkeit einer Korrosion jedoch wichtig. Die Verlegung von Rohrleitungen in der Fußbodenkonstruktion stellt den in Deutschland üblichen Standard dar. Bei einer Durchfeuchtung der Fußbodenkonstruktion ist wegen des möglichen Schadenspotenzials auf eine schnellstmögliche Trocknung der Bodenkonstruktion zu drängen.

24 ZVSHK, Merkblatt Dichtheitsprüfungen von Trinkwasser-Installationen. Druckluft, Inertgas oder Wasser, Januar 2011.

4.10.3.3 Trinkwasserhygiene

Mängel in der Trinkwasserhygiene sind im Regelfall kostenaufwendig zu beseitigen; eine Abgeltung über einen technischen Minderwert o.Ä. ist nicht möglich. Sie können auch den Bauablauf deutlich stören. Aus diesen Gründen benötigt ein Bausachverständiger Grundkenntnisse zur Trinkwasserhygiene bzw. zu einer hygienegerechten Konstruktion der Trinkwasserinstallationsanlage. Hierzu gehören nach Auffassung des Autors folgende Konstruktionsprinzipien:

- Ungenutzte Stichleitungen wie eine nicht entleerbare Außenwasser-Entnahmestelle sind unzulässig. Derartige Leitungen müssen „eingeschleift" werden. Hierunter versteht man die Weiterführung der Stockwerksleitung zu einer häufig genutzten Entnahmestelle. Im Falle der Außenwasserentnahmestellen bietet sich z.B. die Küchenspüle an.
- Während der Montagepausen und bei der Anlieferung müssen offene Rohrenden mit Kappen verschlossen werden. Hierdurch wird der Eintrag von Verschmutzungen verhindert. Die Einhaltung dieser Forderung ist selbst heute noch im rauen Baugeschehen schwer durchsetzbar und erfordert hohe Disziplin bei allen Beteiligten.
- Vor der Inbetriebnahme der Installationsanlage ist diese zu spülen.
- Direkte Verbindungen zwischen Trinkwasser und Nichttrinkwasser (Beispiel: Feuerlöschanlage nass/nass) sind unzulässig und müssen geändert werden.
- Leitungen für Trinkwasser, kalt einerseits und Trinkwasser warm bzw. Heizung andererseits, dürfen bei mehrgeschossigen Wohngebäuden nicht in einem Schacht angeordnet werden. Alternativ kann die Trinkwasserleitung kalt durch Elektro- und Abwasserleitungen thermisch abgeschirmt werden. In den Nachstunden wird bei einer Stagnation eine Temperatur von mehr als 25 °C im Schacht erreicht. Ab dieser Grenztemperatur ist mit einer sprunghaften Erhöhung der Keimkonzentration zu rechnen.[25] Dieses seit Langem bekannte Konstruktionsprinzip wurde in der Vergangenheit in der Baupraxis nicht umgesetzt. Stand 2022 wird dieses Konstruktionsprinzip aber auch von der Industrie beworben, sodass es zukünftig Beachtung finden wird.
- Stockwerks- und Einzelzuleitungen für Trinkwasser warm mit einem Leitungsinhalt größer 3 l sind unzulässig.
- Die Überprüfung eines Leitungssystems auf Dichtheit (Druckprobe) mit Wasser ist nur dann zulässig, wenn unmittelbar danach die Trinkwasserinstallationsanlage in Nutzung geht (spätestens nach 72 Stunden). Da dies im Regelfall nicht möglich ist, muss die Druckprobe mit Druckluft (Standardfall) oder mit einem inerten Gas (erhöhte Anforderungen an die Trinkwasserhygiene wie z.B. in Krankenhäusern und Altenheimen) durchgeführt werden. Die Leitungen müssen während der Dichtheitsprüfung unverdeckt sein und visuell auf Undichtheiten geprüft werden.
- Eine Baumaßnahme muss mit einer Hygieneerstinspektion zur Sicherstellung der Einhaltung der Forderungen in VDI 6023 abgeschlossen werden. Hierüber ist ein Protokoll anzufertigen.

25 *Korth/Petzoldt*, Vermehrung von Legionellen im Kaltwasser, energie wasser-praxis 5/20, S. 34 ff.

- Vor der Abnahme der Trinkwasserinstallationsanlage bzw. vor der Gebäudeabnahme ist eine Beprobung durchzuführen. Das Ergebnis muss zur Abnahme vorliegen.
- Das Bauwasser darf nicht vom Wasseranschluss des Gebäudes entnommen werden. Stagnationszeiten in der Benutzung des Bauwasseranschlusses fördern die Erhöhung der Keimkonzentrationen im Hausanschluss bis hin zur Biofilmentstehung. Der Wasseranschluss ist erst für die Inbetriebnahme zu füllen und danach zu spülen. Vor dem Anschluss an die Gebäudeinstallationen ist eine Wasserprobe zu nehmen und zu analysieren.
- In Vorwandinstallationen im Trockenbau/in Leichtbauweise wird sich ein Wärmestau ausbilden, wenn die Zirkulationsleitung bis an den Objektanschluss verzogen wird (typische Anwendungsfälle: Seniorenheime, Hotels und Krankenhäuser). Messungen zeigen, dass die Stauwärme geschichtet auftritt. Die Temperaturen im oberen Bereich einer Vorwandinstallation können durchaus 30 °C betragen. Aus diesem Grund müssen Objektanschlüsse für Trinkwasser kalt immer von unten und für Trinkwasser warm (bei Zirkulation bis zum Objektanschluss) immer von oben ausgeführt werden. Ansonsten besteht das Problem einer unzulässigen Erwärmung des Trinkwassers kalt.
- Bei einer Verschleifung der Zirkulation für Trinkwasser warm bis zum Objektanschluss müssen die Objektanschlüsse über thermisch getrennte Sonderbauteile ausgeführt werden. Ansonsten besteht die Gefahr einer unzulässigen Erwärmung des Trinkwassers kalt über Wärmeleitung im Objektanschluss.
- Bereits in der Planungsphase muss in einem Raumbuch genau festgehalten werden, welche Anschlüsse in einem Raum ausgeführt werden sollen und wie deren regelmäßige Nutzung sichergestellt ist.

Die vorstehenden Forderungen stellen nur einen Teil der Forderungen dar, die in der VDI-Richtlinienreihe 6023 niedergeschrieben sind. Wegen der grundsätzlichen Bedeutung der Trinkwasserhygiene sollte nicht nur der Fachbauleiter, sondern auch der Bauleiter für ein größeres Bauvorhaben als Fortbildung die Qualifikation über ein Zweitagesseminar zur Kategorie A nach VDI 6023 besitzen. Bei kleineren Bauvorhaben sollte man darauf achten, dass mindestens der Inhaber/Geschäftsführer des Sanitärfachbetriebs über diese Qualifikation verfügt.

4.10.4 Regenentwässerung

4.10.4.1 Starkregenereignisse

Starkregenereignisse werden als Regenereignisse mit einer Niederschlagsmenge von 25 l/(m^2d) definiert. Die Regelentwässerung für Gebäude (nicht Grundstücke) wird auf ein Regenereignis ausgelegt, dass als Fünfminutenregen mindestens einmal alle fünf Jahre auftritt. Der Fünfminutenregen alle fünf Jahre bewegt sich nach DIN 1986-100 in einer Größenordnung von 300 l/(sha).[26] Die Regenwassermenge beträgt für dieses Regenereig-

26 DIN 1986-100:2016-12: Entwässerungsanlagen für Gebäude und Grundstücke – Teil 100: Bestimmungen in Verbindung mit DIN EN 752 und DIN EN 12056.

nis ca. 9 l/m^2. Ein Starkregenereignis ist also mit einer deutlich größeren Regenwassermenge als die Bemessungsregenspende verbunden.

Die Niederschlagsmenge wird nur an den Wetterstationen gemessen. Für alle anderen Orte werden die Niederschlagsmengen unter Einbeziehung modernster Messtechnik (z.B. Regenradar) interpoliert. Der Deutsche Wetterdienst geht daher davon aus, dass tatsächlich Starkregenereignisse bis zu 180 l/(m^{2}d) auftreten können. Die Messungen aus der Vergangenheit zeigen, dass auch früher entsprechende Starkregenereignisse stattgefunden haben. Gegenüber der Vergangenheit haben aber heute die Häufigkeit und die Dauer der Starkregenereignisse zugenommen. Insoweit steigt die Bedeutung der Notentwässerung und der Belastungsrechnung für ein Gebäude.

Für das Baugeschehen ist insbesondere problematisch, dass in der Normung für die Dimensionierung von Notabläufen der Fünfminutenregen angesetzt werden muss, der mindestens einmal alle 100 Jahre eintritt. Hierfür hat sich in der Praxis der technische Jargon „Jahrhundertregenereignis" durchgesetzt. Die in DIN 1986-100 hinterlegten „Jahrundertregenereignisse" bewegen sich in der Größenordnung von ungefähr 600 l/(sha) oder 18 l/m^2 in fünf Minuten. Es handelt sich also noch nicht einmal um Starkregenereignisse. Starkregenereignisse treten heute häufiger als einmal in 100 Jahren auf. Vielmehr muss für einen Ort mehrmals im Jahr mit diesem Regenereigis gerechnet werden. Der Begriff „Jahrhundertregenereignis" trifft also nicht mehr zu. Für die Bauschaffenden wird die Verwendung dieses Begriffs eine zu niedrige Eintrittswahrscheinlichkeit vortäuschen. Dabei ist weiter zu beachten, dass die normativen Angaben des Fünfminutenregens mindestens alle 100 Jahre in DIN 1986-100 nichts dazu aussagen, mit welcher Wahrscheinlichkeit an zwei benachbarten Orten der Fünfminutenregen mindestens alle 100 Jahre eintritt. Wenn an einem Tag an einem Ort ein Starkregenereignis beobachtet wird, so bedeutet dies gerade nicht, dass am Folgetag am Nachbarort kein Starkregenereignis auftreten kann. Vielmehr ist ein Starkregenereignis an einem Nachbarort genauso wahrscheinlich wie an einem anderen Ort.

4.10.4.2 Notüberläufe und Notablaufanlagen

Notüberläufe werden in Deutschland erst seit 1995 zwingend gefordert.[27] Davor bestand keine Verpflichtung zum Einbau von Notüberläufen. Gerade in Altbauten wird man daher häufig Dachflächen ohne einen entsprechenden Schutz gegen die Folgen eines Starkregenereignisses finden. Dieser Schutz war und ist in Altbauten auch nicht erforderlich. Gerade in Altbauten findet man häufig massiv errichtete (in der Regel betonierte) Dachflächen ohne Gefälle und ohne Notüberläufe (siehe Abbildung 10). Das Regenwasser wird sich bei einem Starkregenereignis von 25 l/(m^{2}d) maximal 25 mm anstauen. Die Anstauung ist deutlich kleiner als die statische Tragfähigkeit. Erst bei sehr seltenen Starkregenereignissen mit 80 l/(m^{2}d) könnten Probleme mit der Tragfähigkeit in Altbauten entstehen.

27 DIN 1986-2:1995-03: Entwässerung von Gebäuden und Grundstücken Teil 2: Ermittlung der Nennweiten von Abwasser- und Lüftungsleitungen.

Abbildung 10: Dachfläche ohne Gefälle und ohne Notüberläufe; Quelle: Stefan Wirth

Die Notwendigkeit von Notabläufen stellte sich Anfang der 1990er- Jahre mit der verbreiteten Errichtung von großflächigen Produktionsstätten und Lagerhallen in Leichtbauweise. Hier zeigten sich bei Starkregenereignissen teilweise dramatische Dacheinbrüche. Insbesondere bei einem, dem Starkregenereignis vorausgehenden Hagelschauer wird die Tragfähigkeit eines Daches erreicht. Der Hagel wird zu einem Verschluss der Regenentwässerung führen. Die elektrische Rinnen- oder Abflussbeheizung ist nicht ausreichend leistungsstark, um den Hagel schnell zu schmelzen. Das Regenwasser kann sich dann ohne Möglichkeit der Ableitung auf dem Dach anstauen.

Bei der Dimensionierung von Notabläufen wird heute noch in technisch nicht nachvollziehbarer Weise die Beachtung der Gebäudenutzung gefordert. Für Museen, Krankenhäuser, Einrichtungen der Telekommunikation und Lagerstätten für gesundheitsgefährdende Stoffe ist das Abflussvermögen der Notüberläufe so groß wie das Starkregenereignis anzusetzen. Bei allen anderen Gebäuden ist das Abflussvermögen der Regelentwässerung mit zu beachten, d.h., die Notüberläufe dürfen kleiner dimensioniert werden. Diese Vorgehensweise wird der Bedeutung von Gebäuden mit Flachdächern nicht gerecht. Gerade bei Lagergebäuden und Produktionstätten kann der Folgeschaden (Ausfall der Produktion oder Unterbrechung von Warenlieferungen) deutlich größer als der Gebäudeschaden sein. Insoweit ist diese normative Regelung nicht praxisgerecht. Unter Beachtung der Erkenntnisse des Deutschen Wetterdienstes zu Intensität und Häufigkeit von Starkregenereignissen kann nur empfohlen werden, Notüberläufe mit entsprechendem Ablaufvermögen einzubauen. Hierbei erweisen sich Notüberläufe am Dach z.B. in der Attika gegenüber Notablaufanlagen als deutlich robuster gegenüber Hagelereignissen. Der Nachteil der Notüberläufe besteht dabei in der Vorhaltung von Überflutungsflächen am Gebäude. Hier bedarf es einer Individualbetrachtung. Dies gilt auch für die Größe der angenommenen Niederschlagsmenge. In die Individualbetrachtung sind die Tragfähigkeit des Dachs und die Auswirkungen von Hagel einzubeziehen.

4.10.4.3 Rückstauebene und Überflutungsschutz

Die Rückstauebene wird in der Normung als Straßenoberkante an der Einleitstelle der Gebäudeentwässerung in die öffentliche Entwässerung definiert. DIN 1986-100 erlaubt den zuständigen Behörden in der Abwassersatzung auch andere Höhenkoten für die Rückstauebene anzusetzen. In der Praxis orientieren sich mit wenigen Ausnahmen die Behörden an der normativen Definition. Die Definition der Rückstauebene war durch die Vorstellung geprägt, dass bei einem Starkregenereignis das Regenwasser über die Straßeneinläufe aus der Regenwasserkanalisation oder der Mischkanalisation austritt. Die Straßenoberkante wurde als unendlich große Verteilfläche interpretiert. Nach dem physikalischen Prinzip, dass bei verbundenen Leitungen das Wasser immer gleich hoch ansteigen wird, wurde angenommen, dass bei der Mischkanalisation im Gebäude das Mischwasser (Schmutz- und Regenwasser) maximal bis zur Straßenoberkante anstauen kann. Dieses physikalische Prinzip ist allerdings fehlerhaft auf die Gebäudeentwässerung adaptiert worden. Es wurde nicht beachtet, dass im Rückstaufall Regen- und Schmutzwasser aus einem Gebäude in die öffentliche Kanalisation abgeleitet werden müssen. Bei strömendem Wasser stellen sich Strömungsverluste ein. Das Schmutz- und Regenwasser wird sich in der Gebäudeentwässerung um den Betrag höhenmäßig anstauen, der als eine Art Vordruck erforderlich ist, diese Strömungswiderstände zu überwinden. Bereits vor 40 Jahren hatte *Feurich* hierzu ausgeführt,[28] dass sich die Rückstauebene ca. 20 cm über der Straßenoberkante befindet. VDI 6006 definiert die Rückstauebene mit 15 cm über der Straßenoberkante.[29]

Die fehlerhafte normative Definition hat in der Vergangenheit nur wenig Schadensereignisse verursacht. Die Gebäude wurden früher nicht barrierefrei ebenerdig oder mit Rampe, sondern mit zwei bis drei Stufen über der Straßenoberkante erschlossen. Die niedrigste Entwässerungsstelle in Wohngebäuden waren Dusch- und Badewannen, die selbst noch ca. 5 bis 10 cm über dem Boden errichtet wurden. Damit bestand ein ausreichender Rückstauschutz. Dies gilt nicht mehr für moderne, barrierefrei erschlossene Wohngebäude mit frei begehbarem Duschplatz im Erdgeschoss bei ebenerdiger Erschließung ohne Rampe. Aus diesem Grund muss ein Bausachverständiger bei Schadensfällen, Abnahmen oder der baubegleitenden Qualitätskontrolle eine Indiuvidualbetrachtung zum Rückstauschutz durchführen.

Häufig wird auch dahingehend argumentiert, dass bei einem Trennsystem (getrennte öffentliche Ableitung von Schmutz- und Regenwasser) kein Rückstauschutz in der Gebäudeentwässerung (Schmutzwasser) zu beachten sei. Diese Argumentation ist falsch. Dagegen sprechen vor allem Verstopfungen in der öffentlichen Kanalisation und Ausfälle in Pumpwerken. Gerade im ländlichen Raum wird das Schmutzwasser gepumpt. Selbst bei guter Absicherung der Pumpwerke (Redundanz der Pumpen und Ersatzstromversorgung) sind Ausfälle der Pumpwerke niemals ausschließbar. Die Kosten eines Schadens mit fäkalienhaltigem Schmutzwasser werden die Kosten eines geeigneten Rückstauschutzes um ein Mehrfaches überschreiten.

28 *Feurich*, Sanitärtechnik, 5. Aufl. 1987.

29 VDI 6004-1:2006-07: Schutz der Technischen Gebäudeausrüstung Hochwasser Gebäude, Anlagen, Einrichtungen.

Seit 2008 wird zusätzlich zum Rückstauschutz auch ein Überflutungsschutz in Gestalt einer Überflutungs- und Überlastungsberechnung gefordert.[30] Die Überflutungsberechnung beinhaltet dabei die Berechnung der Anstauung des Regenwassers in den Rohrleitungen innerhalb des Gebäudes unter Beachtung der Strömungsverluste; d.h., DIN 1986-100 hat sehr wohl die Auswirkungen um die Anhebung der Rückstaueebene beachtet. Allerdings ist die Überflutungsrechnung sehr aufwendig (Satz von *Bernoulli* erweitert um die Berechnung der Strömungsverluste). In der Praxis hat man daher in der Regel auf die Überflutungsrechnung verzichtet.

Außerhalb von Gebäuden wird bei einer entwässerungswirksamen Fläche größer 800 m^2 der Überlastungsnachweis gefordert. Hierunter ist die Prüfung zu verstehen, ob die zusätzlichen Regenmengen eines Starkregenereignisses gefahrlos auf das Grundstück abgeleitet werden. Auch der Überlastungsnachweis wird nur selten angefertigt. Abbildung 11 zeigt hierzu die Ableitung einer Notentwässerungsanlage von einem Fabrikationsgebäude auf ein Freigelände. Das Gelände weist Gefälle zu einer Tür des Gebäudes auf. Diese Art der Ableitung des Regenwassers ist unzulässig.

Abbildung 11: Ableitung einer Notentwässerungsanlage von einem Fabrikationsgebäude auf ein Freigelände; Quelle: Stefan Wirth

Neben der Prüfung der Rückstauebene ist ein Bausachverständiger gut beraten, zum einen für seine Begutachtung die Berechnungen zum Überflutungsschutz und zur Überlastung einzuholen. Zum anderen müssen die Ergebnisse der Berechnung auch vor Ort auf eine fachgerechte Ausführung geprüft werden.

30 DIN 1986-100:2008-05: Entwässerungsanlagen für Gebäude und Grundstücke – Teil 100: Bestimmungen in Verbindung mit DIN EN 752 und DIN EN 12056.

4.10.5 Ableitung von Schmutzwasser

4.10.5.1 Interner Rückstau

Die verdichtete Bauweise in deutschen Großstädten erzwingt im Regelfall mehr als ein Untergeschoss (Garage, Kellerräume und Souterrainwohnungen). Im Regelfall werden in beiden Geschossen unterhalb der Rückstauebene Entwässerungsstellen angeordnet sein. Dies betrifft nicht nur Souterrainwohnungen, den Waschmaschinenraum und die Garage. Vielmehr müssen nach VDI 2050[31] auch Technikzentralen mit Bodenabläufen ausgerüstet sein; Letzteres dient auch als Schutz vor Schäden bei undichten Rohrleitungen.

Sobald mehr als ein Geschoss über eine Hebeanlage entwässert wird, besteht die Möglichkeit eines gebäudeinternen Rückstaus bei Ausfall der Hebeanlage. Selbst bei Doppelanlagen ist ein Ausfall nicht ausschließbar. Dies gilt insbesondere bei fäkalienhaltigem Schmutzwasser. Gerade die Verwendung von Toilettenpapier auf Feuchtfliesbasis kann die Funktion einer Pumpe beeinträchtigen. Schäden als Folge eines gebäudeinternen Rückstaus lassen sich nur durch die Installation einer Hebeanlage je Geschoss oder alternativ durch eine entsprechend schnelle Reaktion des Gebäudebetriebs auf eine Störung verhindern. Hierzu ist es nicht ausreichend, eine Hebeanlage mit einer optischen und akustischen Warneinrichtung auszurüsten. Die Erfahrung zeigt, dass derartige Warneinrichtungen häufig in untergeordneten Räumen angeordnet werden oder schlechthin wegen des Störpotenzials außer Betrieb genommen werden. Ein sicherer Gebäudebetrieb ist nur durch Weiterleitung der Störmeldung an eine ständig besetzte Stelle einer Fachfirma o.Ä. möglich.

4.10.5.2 Wohngebäude mit zurückgesetztem Staffelgeschoss

Abbildung 12 zeigt ein Wohngebäude mit zurückgesetztem Staffelgeschoss als Schnittzeichnung. Kleinere Mehrfamilienhäuser werden fast ausschließlich nach diesem Konzept errichtet, weil bei gleicher Anzahl der Vollgeschosse ein zusätzliches, hochwertiges Dachgeschoss errichtet werden kann. Diese Gebäudekonstruktion erweist sich in Bezug auf die Schmutzwasserableitung als schwierig, weil sich die Sanitärräume der Regelgeschosse meistens nicht unterhalb der Sanitärräume des Vollgeschosses befinden. Damit stellen sich folgende Probleme:

- Die Fallleitungen zur Entwässerung der Regelgeschosse können manchmal nicht mehr durch das Dachgeschoss verzogen werden. Im obersten Obergeschoss ist ein Entlüfter anzuordnen.
- Die Sanitärräume des Dachgeschosses werden an eine Fallleitung angeschlossen werden. Hierzu werden Verzüge in der Deckenkonstruktion notwendig werden. Derartige Verzüge erlauben nicht die Ausbildung eines großzügigen Leitungsgefälles. Feststoffe im Schmutzwasser werden den horizontalen Leitungsverzug nicht auf einmal konitinuierlich, sondern diskontinuierlich bei einer Leitungslänge von ca. mehr als einem Meter passieren. Die dabei auf der Rohrsohle zeitweise sedimentierenden Feststoffe werden

31 VDI 2050-1:2013-11: Anforderungen an Technikzentralen. Technische Grundlagen für Planungund Ausführung.

die Leitungsbelüftung stören. Die konstruktive Ideallösung würde in einer Neben- oder Umlüftung bestehen. Hierzu ist aber im Deckenbereich meistens kein Platz. Auch aus diesem Grund wird im obersten Obergeschoss ein Belüfter zu setzen sein.

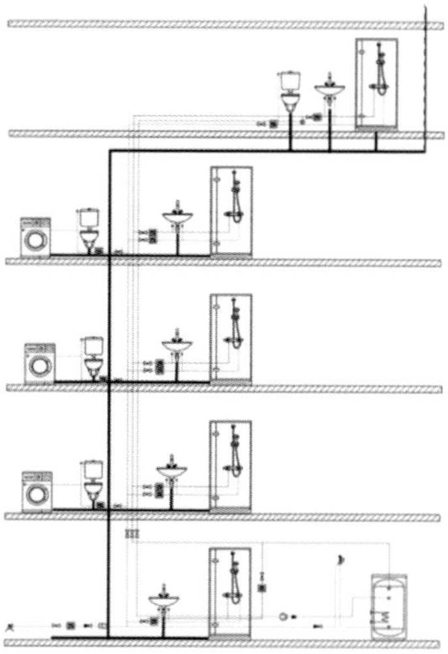

Probleme:

- Dämmung des Verzugs des Zirkulations-Kreislaufs in der Bodenkonstruktion

- Verzug der Fallleitung in der Decke
  + Geräusch
  + Lüftung der Fallleitung bei Ablagerungen (fehlende Lüftung in den Obergeschossen, leergesaugte Geruchsverschlüsse, Fäkalgerüche)
  + Normativ wird keine (!) Lüftung vorgeschrieben

Lösung:

- Nebenlüftung (direkt oder indirekt)

- Belüfter (zugelassen in Ein- und Zweifamilienhäusern **und** vergleichbaren Anwendungen, entscheidend ist der Schmutzwasserabfluss Anordnung, Wartung)

Abbildung 12: Wohngebäude mit zurückgesetztem Staffelgeschoss als Schnittzeichnung; Quelle: Stefan Wirth

Wenn auf den Belüfter im obersten Obergeschoss oder eine Nebenlüftung verzichtet wird, werden sich Lüftungsprobleme einstellen. Durch sedimentierende Feststoffe im Leitungsverzug wird die Lüftung der Fallleitung in den Regelgeschossen behindert. Dort werden Geruchsverschlüsse leer gesaugt.

Die vorstehend aufgezeigten Probleme werden in der ansonsten sehr praxisnahen DIN 1986-100 nicht behandelt. Ein Bausachverständiger kann daher die Fehlerhaftigkeit dieser Konstruktionen nur durch eine technisch basierte Argumentation und nicht durch eine Bezugnahme auf eine Norm auflösen. Gleichzeitig muss sich ein Bausachverständiger davor hüten, hier zu hohe Anforderungen an die Mangelbeseitigung zu stellen. Im Gegensatz zur Hebeanlage, die zwingend an eine Lüftung angeschlossen werden muss, und für die es derzeit keine geeigneten Lüftungsventile gibt, ist der Einbau von Belüftungsventilen in kleineren Mehrfamilienhäusern als Ersatz für eine Fallleitung oder eine Neben- oder Umlüftungsleitung zulässig. Die einzige Voraussetzung besteht darin, dass mindestens eine Fallleitung über Dach verzogen wird. Auf diese Weise wird einer Faulgasbildung in den Schmutzwasserleitungen ausreichend vorgebeugt.

4.10.5.3 Flache Duschwannen und Duschplätze

Das Hygieneverhalten hat sich über die letzten Jahrzehnte vollständig geändert. Anstelle des früher üblichen wöchentlichen Vollbads wird das Hygieneverhalten von dem täglichen Duschbad bestimmt. Duschwannen werden aus optischen Gründen wegen des barrierefreien Einstiegs immer flacher oder vollständig durch den barrierefrei erschlossenen, ebenerdigen Duschplatz ersetzt. Aus Sichtweise der Trinkwasserhygiene stellen die häufig noch neben einer Duschwanne verbauten Badewannen sogar ein Risiko dar, weil sie zu wenig genutzt werden.

Niedrig bauende Duschwannen und frei begehbare Duschplätze werden für die Ableitung des Schmutzwassers nur ein geringes Leitungsgefälle zulassen. Aus diesem Grund sollten diese Einrichtungen in der Nähe der Fallleitung eingeplant werden. Wegen des geringen Leitungsgefälles hat sich für diese Einrichtungen auch der Einbau niedrig bauender Geruchsverschlüsse durchgesetzt. Hierunter sind Geruchsverschlüsse zu verstehen, deren Sperrwasserhöhe kleiner als die normativ geforderten 50 mm ist.[32] Wegen des verbreiteten Einbaus niedrigbauender Geruchsverschlüsse wird die Forderung nach einer Sperrwasserhöhe von 50 mm auch nicht als allgemein anerkannte Regel der Technik bezeichnet werden dürfen. Dabei ist zu beachten, dass besonders niedrig bauende Geruchsverschlüsse Sonderkonstruktionen darstellen. Beim Ablaufen tritt nur ein geringer Sperrwasserverlust auf. Eine Mindesthöhe von 25 mm verbleibt gesichert im Geruchsverschluss.

Bei Geruchsverschlüssen mit 28 bis 35 mm Sperrwasserhöhe wird nicht per se das Sperrwasser grundsätzlich abgesaugt. Die in den Fallleitungen auftretenden Druckschwankungen sind bei fehlerfreier Konstruktion und einem sachgerechten Betrieb der Entwässerungsanlage so gering, dass ein Geruchsverschluss nicht abgesaugt wird.[33] Für die Konstruktion bodengleicher Duschplätze empfiehlt der Autor folgende Maßnahmen, die nicht nur ein Absaugen des Sperrwassers, sondern auch einen Austritt von Wasser über den Duschplatz hinaus verhindern:

- Fallleitungen dürfen nicht mit Kappen versehen werden. Hierdurch wird die Unterdruckbildung forciert. Derartige „Dunsthüte" werden häufig eingesetzt. Bei Flachdächern will man bei zu geringer Distanz zu Außenluftansaugungen von Lüftungsanlagen ein Ansaugen von Kanalgasen als Außenluft verhindern. Es gilt ein Mindestabstand von 8 m. Bei Steildächern ist häufig der Abstand der Lüftungsöffnung kleiner als 1 m über dem Fenstersturz oder 2 m neben dem Fenster. Auf diese Weise können Kanalgase beim Lüften durch das Öffnen der Fenster bis in das Gebäudeinnere einströmen. Gegen Geruchsbeeinträchtigungen durch Lüftungsleitungen hilt nur ein ausreichender Abstand zwischen Fenstern und Außenluftansaugungen einerseits und den Mündungen der Lüftungsleitungen andererseits.
- Die liegende Sammelanschlussleitung muss scheitelgleich hergestellt werden, um die Be- und Entlüftung in der Sammelanschlussleitung sicherzustellen. Gleichzeitig wird hierdurch rückströmendes Schmutzwasser bei einer Änderung der Nennweite (z.B. von DN 50 auf DN 70) am Einströmen in den Geruchsverschluss des Duschplatzes gehindert.
- Das Sperrwasser ist regelmäßig zu erneuern. Die Erneuerung erfolgt bei bestimmungsgemäßem Betrieb von selbst. VDI 6023 gibt die Nutzung alle 72 Stunden zur Erzielung eines hygienisch einwandfreien Betriebs vor.

---

32 DIN 1986-100:2016-12: Entwässerungsanlagen für Gebäude und Grundstücke – Teil 100: Bestimmungen in Verbindung mit DIN EN 752 und DIN EN 12056, Abschnitt 5.7.1, 1. Spiegelstrich.

33 *Heinrichs et al.*, Gebäude- und Grundstücksentwässerung. Planung und Ausführung – DIN EN 1986-100 und DIN EN 12056-4, 6. Aufl. 2016.

- Das Leitungsgefälle muss 1,5 % betragen. DIN EN 1253-1 fordert für die Prüfung von Abläufen ein Leitungsgefälle von 1,5 %. Wenn in der Praxis ein geringeres Gefälle ausgeführt wird, wird der Ablauf auch nur ein geringeres Ablaufvermögen aufweisen. Das Duschwasser wird sich im Duschplatz oder in der Duschwanne anstauen.
- Das Gefälle des Duschplatzes muss in Abhängigkeit des Durchflusses der Duscharmatur individuell bestimmt werden. Mit ansteigendem Durchfluss erhöht sich das erforderliche Gefälle. Bei einer Tiefe von 1,20 m wird in der Regel ein Gefälle von 1 % ausreichend sein, dass kein Wasser über den Duschbereich hinaus ins Bad strömt.
- Die Tiefe des Duschplatzes sollte mindestens 1,2 m, gemessen vom Brausekopf, betragen. Bei dieser Tiefe ist sichergestellt, dass auf den Körper auftreffendes Wasser nicht bis in die Verkehrsfläche des Bads spritzt.

Eine gute Anleitung zur Planung von Duschplätzen ist der Veröffentlichung von *Priller* zu entnehmen.[34]

4.10.6 Lüftungsnachweis und Wohnungslüftung

Die Technologie zur Messung der Luftdichtheit in Wohngebäuden wurde in Deutschland 1991/92 eingeführt („BlowerDoor"). Seinerzeit wurden bei einem Über-/Unterdruck von ± 50 Pa Luftwechsel von 4,5 h^{-1} gemessen. Ursächlich waren nicht vorhandene Luftdichtheitsschichten, Anschlüsse des Leit- und Holzbaus an den Massivbau und Leitungsdurchführungen durch Wände. Heute werden bei Messungen der Luftdichtheit häufig Werte unter 1,0 h^{-1} erreicht. Im Geschosswohnungsbau sind Werte unter 1,0 h^{-1} die Regel. Die Verbesserung der Luftdichtheit ist mit einem erhöhten Risiko von Feuchtigkeitsschäden verbunden. Abbildung 13 zeigt einen Feuchtigkeitsschaden in einem Badezimmer bei einem Reihenhaus mit einem gemessenen Luftwechsel von 0,8 h^{-1}. Die Undichtheiten beschränkten sich auf Leitungsdurchführungen von Steckdosen in Außenwänden. Das Badezimmer war praktisch vollständig dicht, sodass die Vermeidung von Feuchtigkeitsschäden bei Nutzung der Dusche (Vernebelung von Wasser) ein aktives Lüften nach der Duschennutzung fordert. Gerade in Ein- und Zweifamilienhaushalten ist dies jedoch morgens nicht immer möglich. Auch über eine besonders gut gedämmte Gebäudehülle und eine Vermeidung von Wärmebrücken werden derartige Schadensmechanismen nicht verhindert.

DIN 1946-6 definiert vier Lüftungsstufen (Lüftung zum Feuchteschutz, reduzierte Lüftung, Nennlüftung und Intensivlüftung).[35] Diese Einteilung ist vor allem für maschinelle Be- und Entlüftungsanlagen sinnvoll, bei denen über eine Volumenstromregelung der Energieverbrauch der Wohnungslüftungsanlage dem Nutzungsverhalten angepasst werden soll. Bei reinen Entlüftungsanlagen stellt sich mit der Erhöhung des Unterdrucks mit zunehmendem Abluftvolumenstrom das Problem der Geruchsverschleppung (Treppenhaus -> Wohnungs-

34 *Priller*, Bodengleiche Duschplätze.Normative Anforderungen an Entwässerungstechnik und Bauwerksabdichtung, Sanitärsymposium Fachhochschule Münster 2018,abrufbar unter https://www.fh-muenster.de/egu/downloads/seminar_symposium_workshop/2018/01_-_Priller_-_Bodengleiche_Duschplaetze.pdf.

35 DIN 1946-6:2019-12: Raumlufttechnik – Teil 6: Lüftung von Wohnungen – Allgemeine Anforderungen, Anforderungen zur Bemessung, Ausführung und Kennzeichnung, Übergabe/Übernahme (Abnahme) und Instandhaltung.

flur und Installationsschacht -> Badezimmer/Küche). Bei maschinellen Entlüftungsanlagen sind daher häufig Mangelrügen zur Geruchsverschleppung anzutreffen. Abbildung 14 zeigt hierzu eine typische Einbausituation. Die Bewohnerin einer Zwischengeschosswohnung in einem Mehrfamilienhaus bemängelt die Übertragung von Zigarettenrauch. Als Behelfsmaßnahme hatte sie die Absperrventile und die Wasserzähler mit Folie abgeklebt. Der Nachweis dieser Fehler ist für einen Bausachverständigen sehr einfach. Das Badezimmer wird mit einem Messgerät für BlowerDoor-Messungen in einen Unterdruck von ca. 10 bis 12 Pa versetzt (üblicher Unterdruck bei Nutzung der maschinellen Badentlüftung). Undichtheiten in der Schachtkonstruktion können durch Rauchgeneratoren nachgewiesen werden. Die Mangelbeseitigung erfordert zuerst eine Schachtöffnung zur Prüfung des baulichen Brandschutzes. Eine Geruchsübertragung wird häufig von Fehlern im baulichen Brandschutz begleitet. Danach ist eine Sanierungsplanung zu erstellen (Schachtsanierung oder Verfüllen der Schächte mit Mineralwollegranulat mit einem hierfür zugelassenen System).

Abbildung 13: Feuchtigkeitsschaden in einem Badezimmer; Quelle: Stefan Wirth

Abbildung 14: Provisorische Abdichtung der Schachtdurchdringungen (z.B. Wasserzähler) mit darüber geklebter Folie; Quelle: Stefan Wirth

Die Vermeidung von Feuchtigkeitsschäden erfordert eine Mindestundichtheit von Wohngebäuden. Der zur Vermeidung von Feuchtigkeitsschäden notwendige Luftwechsel muss über die Undichtheit des Gebäudes sichergestellt sein. Dieser Soll-/Ist-Vergleich wird in DIN 1946-6 als Lüftungsnachweis bezeichnet. Im Regelfall wird der Soll-/Ist-Vergleich einen zu geringen Istwert des Außenluft-Volumenstroms ausweisen. Zur Erreichung eines ausfreichenden Außenluft-Volumenstroms erlaubt DIN 1946-6 unterschiedliche Maßnahmen. Die Maßnahmen reichen vom Einbau von Außenluft-Durchlässen (definierte Undichtheiten in der Gebäudehülle) über maschinelle Entlüftungsanlagen (dezentral und zentral) bis hin zu Be- und Entlüftungsanlagen (dezentral und zentral). DIN 1946-6 fordert also nicht zwingend eine maschinelle Lüftung. Hierin liegt ein häufig zu beobachtender Fehler bei der Auslegung der DIN 1946-6. Dieser Fehler geht auf die Fassung der DIN 1946-6 aus dem Jahr 2009 zurück. Seinerzeit war gefordert worden, dass bei Einbau einer maschinellen Lüftungsanlage die Lüftungsanlage auf den Volumenstrom der Nennlüftung auszulegen ist. Diese Forderung der DIN 1946-6 in der Fassung 2009 hätte bedeutet, dass das in Deutschland übliche System dezentraler Entlüftungen innenliegender Bäder und Toiletten einen Normenverstoß dargestellt hätte, solange die maschinelle Entlüftung nicht auch die Nennlüftung der gesamten Wohnung sichergestellt hätte. Diese wenig praktikable Forderung hat sich in der Praxis nicht durchsetzen können und wurde mit der Neuauflage der DIN 1946-6 im Jahr 2019 durch die Möglichkeit des Einbaus einer kombinierten Lüftung ersetzt. Die kombinierte Lüftung sieht eine Lüftung zum Feuchteschutz der gesamten Nutzeinheit über den Abluftvolumenstrom innenliegender Bäder und Toiletten und eine reduzierte Lüftung und Nennlüftung über die Fenster vor. Damit war 2019 der Ursprungszustand wiederhergestellt.

4.11 Elektro- und Informationstechnik

Martin Schauer

Übersicht

4.11.1 Einführung

Der Umfang elektro- und informationstechnischer Anlagen in Gebäuden ist in den letzten Jahren stark angewachsen. Elektrische Energie wird zunehmend zur wichtigsten Energieform in vielen Lebensbereichen. Die Gebäudeautomation regelt, überwacht und integriert Heizungs-, Lüftungs-, Klima-, Beleuchtungs- und Verschattungsanlagen sowie weitere Gebäudetechniken. Die Gebäudeinformationstechnik vernetzt Anlagen der Energietechnik und Gebäudeautomation sowie eine kaum überschaubare Anzahl an Betriebsmitteln mit Internetprotokoll-(IP-)Adressen und verbindet diese mit der Außenwelt. Sie ist Grundlage für neue Nutzungs- und Bewirtschaftungskonzepte. Die Elektro- und Informationstechnik hat im Bausachverständigenwesen auch deshalb eine Sonderrolle, da Funktionen und Fehlfunktionen – drahtlos oder auf Draht – sich im Unsichtbaren ereignen (elektrische Spannung, elektrischer Strom, elektrische, magnetische und elektromagnetische Felder). Durch die Verbindung der Gebäudetechnik mit dem Internet entstehen neue Herausforderungen im Hinblick auf die Cybersicherheit.

Die Anzahl rechtlicher und technischer Regelwerke, welche die Elektro- und Informationstechnik flankieren, ist enorm und ständig im Fluss.

Rechtsnormen (Beispiele):

- EU-BauPVO[1], im EU-Amtsblatt veröffentlichte harmonisierte Normen (z.B. für Kabel und Leitungen);
- EnWG[2];
- EMV-Gesetz[3];

1 Verordnung (EU) Nr. 305/2011 des Europäischen Parlaments und des Rates vom 9. März 2011 zur Festlegung harmonisierter Bedingungen für die Vermarktung von Bauprodukten und zur Aufhebung der Richtlinie 89/106/EWG des Rates.

2 EnWG vom 7. Juli 2005 (BGBl. I S. 1970, 3621), das zuletzt durch Artikel 3 des Gesetzes vom 4. Januar 2023 (BGBl. 2023 I Nr. 9) geändert worden ist.

3 Gesetz über die elektromagnetische Verträglichkeit von Betriebsmitteln (Elektromagnetische-Verträglichkeit-Gesetz – EMVG) vom 14.12.2016.

- KrWG[4];
- NAV[5].

„Bauaufsichtliche" Anforderungen an Anlagen und Bauprodukte der Technischen Gebäudeausrüstung gibt es für

- die in den Bauordnungen der Länder aufgeführten Anlagen wie Aufzüge, Leitungsanlagen (u.a. Installationsschächte und -kanäle, Belange des Brandschutzes, z.B. in notwendigen Treppenräumen, Kabelanlagen mit Funktionserhalt usw.),
- Blitzschutzanlagen und
- die in den Technischen Baubestimmungen der Länder aufgeführten technischen Gebäudeausrüstungen.

Blitzschutzanlagen, Elektroinstallationen wie Leitungen, Schalter, Steckdosen u.Ä., Allgemeinstromversorgung unter Normalbedingungen von baulichen Anlagen, Telekommunikation-, Fernseh- und Radioinstallationen benötigen nach den BayTB[6] keinen Verwendbarkeitsnachweis, da es hierfür allgemein anerkannte Regeln der Technik (a.R.d.T.) gibt.

Praxistipp

▶ *Die Anforderungen an a.R.d.T werden in Beitrag 1.6 behandelt. Darstellungen bzw. Forderungen zur Umsetzung solcher Installationen sind insbesondere in EN-, VDE- und DIN-Normen zu finden.*

Als „VDE-Vorschriftenwerk" wird die Sammlung der überwiegend sicherheitstechnischen Festlegungen bezeichnet, die der VDE (Verband der Elektrotechnik Elektronik Informationstechnik e.V.) herausgibt:[7]

- Satzung VDE 0022,
- VDE-Bestimmungen,
- VDE-Leitlinien,
- VDE-Vornormen,
- VDE-Anwendungsregeln,
- Beiblätter des VDE-Vorschriftenwerks.

4 Gesetz zur Förderung der Kreislaufwirtschaft und Sicherung der umweltverträglichen Bewirtschaftung von Abfällen (Kreislaufwirtschaftsgesetz – KrWG) vom 24.2.2012.

5 Verordnung über Allgemeine Bedingungen für den Netzanschluss und dessen Nutzung für die Elektrizitätsversorgung in Niederspannung (Niederspannungsanschlussverordnung – NAV) vom 1. November 2006 (BGBl. I S. 2477), zuletzt geändert durch Artikel 3 des Gesetzes vom 19. Juli 2022 (BGBl. I S. 1214).

6 Bayerische Technische Baubestimmungen (BayTB), Ausgabe Juni 2022, abrufbar unter https://www.stmb.bayern.de/assets/stmi/buw/baurechtundtechnik/28_baytb-juni-2022.pdf.

7 VDE 0022:2008-08 Satzung für das Vorschriftenwerk des VDE Verband der Elektrotechnik Elektronik Informationstechnik e.V.

Sofern VDE-Vorschriften von der DKE (Deutsche Kommission Elektrotechnik Elektronik Informationstechnik) im DIN und VDE erarbeitet werden, werden sie wie folgt eingeordnet:

- DIN-Normen mit und ohne VDE-Klassifikation,
- DIN-Vornormen mit und ohne VDE-Klassifikation,
- Fachberichte,
- Beiblätter zu DIN-Normen mit und ohne VDE-Klassifikation,
- Übersetzungen von Veröffentlichungen internationaler oder regionaler Normungsorganisationen,
- Norm-Entwürfe zu DIN-Normen mit und ohne VDE-Klassifikation.

Für diese Dokumente sind die Gestaltungsregeln der Normenreihe DIN 820 zu beachten.

DIN-Vornormen mit VDE-Klassifikation und Beiblätter zum VDE-Vorschriftenwerk sowie VDE-Leitlinien und VDE-Anwendungsregeln sind nicht Bestandteil des Deutschen Normenwerks.

Durch die Übernahme von EN- bzw. IEC-Normen und Harmonisierungsdokumenten (HD) mit Sicherheitsfestlegungen in das Deutsche Normenwerk bzw. das VDE-Vorschriftenwerk entstehen weitere Kennzeichnungen und Benummerungen; z.B. DIN-EN xxxxx-x (VDE 0yyy-yyy-y), DIN-IEC xxxxx-x (VDE 0yyy-yyy-y), DIN VDE 0xxx-xxx (VDE 0xxx-xxx) Deutsche Übernahme HD yyyyyy usw.

Viele Fachleute sehen die Forderungen aus dem VDE-Vorschriftenwerk im Hinblick auf deren Erwähnung in § 49 EnWG für die Errichtung von Gebäudeinstallation als absolut verbindlich an:

„§ 49 Anforderungen an Energieanlagen

(1) Energieanlagen sind so zu errichten und zu betreiben, dass die technische Sicherheit gewährleistet ist. Dabei sind vorbehaltlich sonstiger Rechtsvorschriften die allgemein anerkannten Regeln der Technik zu beachten.

(2) Die Einhaltung der allgemein anerkannten Regeln der Technik wird vermutet, wenn bei Anlagen zur Erzeugung, Fortleitung und Abgabe von Elektrizität die technischen Regeln des Verbandes der Elektrotechnik Elektronik Informationstechnik e. V.,

(…)

eingehalten worden sind. (…)"

Mit dem Blickwinkel eines ö.b.u.v Sachverständigen ist eine solche Sichtweise aus folgenden Betrachtungen jedoch kritisch zu sehen:

1. VDE-Regelwerke sind keine Rechtsnormen.
2. Es handelt sich beim § 49 EnWG lediglich um eine „widerlegbare" Vermutungswirkung.

3. Nach § 20 der Netzanschlussverordnung (NAV) dürfen sich die Festlegungen der Netzbetreiber nur auf Aspekte der sicheren und störungsfreien Versorgung, insbesondere im Hinblick auf die Erfordernisse des Verteilnetzes beschränken. Nach § 5 NAV verbindet der Netzanschluss das Elektrizitätsversorgungsnetz mit der elektrischen Anlage und endet mit der Hausanschlusssicherung. Die Vermutungswirkung nach § 49 EnWG kann daher nicht auf die gesamte Gebäudeinstallation bzw. entsprechende Regelwerke übertragen werden.

4. Einige Regelwerke des VDE enthalten Festlegungen in Form von besonderen nationalen Bedingungen, welche der CENELEC, Geschäftsordnung Teil 2, widersprechen, da die Auswahlmöglichkeiten entsprechend der europäischen Ursprungstexte (EN-Normen, Harmonisierungsdokumente) für den Normenanwender eingeschränkt sind,[8,9] ohne dass es hierfür technische Gründe gibt.

5. DIN-Normen mit VDE-Klassifikation widersprechen teilweise auch den Normengrundsätzen nach DIN 820-1, Abs. 7.2, da sie u.a. Anforderungen an Bauwerke oder deren Ausstattung beinhalten, die den gesetzgebenden, bauaufsichtlichen oder anderen gesetzlich legitimierten Stellen obliegen.[10]

Mit der Veröffentlichung von VDE-Anwendungsregeln liegen weitere Regelwerke vor, welche die Netzbetreiber in deren Technischen Anschlussbedingungen[11] erwähnen. Sie werden damit zum Inhalt des mit dem Anschlussnehmer geschlossenen Netzanschlussvertrags. Diese Situation ist deshalb von großer Bedeutung, da einige Netzbetreiber bei Verstoß gegen deren Forderungen Strafpunkte bzw. sonstige Sanktionen aussprechen, die ggf. zum Verlust bzw. der zeitweisen Sperrung der Ausübungsberechtigung für Elektroinstallationsunternehmen in den jeweiligen Netzgebieten und die Verweigerung des Netzanschlusses für Anschlussnehmer zur Folge haben können.[12] Folgende Aspekte lassen jedoch die bindende Wirkung solcher Anwendungsregeln mit einem Fragezeichen zurück:

---

8 CENELEC: Europäisches Komitee für elektrotechnische Normung, französisch: Comité Européen de Normalisation Électrotechnique (CENELEC), englisch: European Committee for Electrotechnical Standardization.

9 SNC (besondere Nationale Bedingungen) und die Verweisung auf DIN 18014 in VDE-Normen; Brief, im Rahmen der Schlichtung Teil 1 (7. und 27. Februar 2023) zum Entwurf DIN 18014:2022-07 des DIN-Normenausschuss Bauwesen (NABau) im DIN vom 31.3.2023 an die Elektrotechnik Elektronik Informationstechnik in DIN und VDE (DKE) mit Hinweis auf die Problematik und Aufforderung: „Wir bitten Sie um Kenntnisnahme und bei entsprechender Einschätzung um Beachtung bei der zukünftigen Überarbeitung der VDE-Normen." Im Rahmen der Schlichtung Teil 2 am 29.6.2023 zum Entwurf der DIN 18014:2022-07 wurde interveniert, dass trotz Aufforderung des DIN an die DKE mit Brief vom 31.3.2023 die DKE eine Verlautbarung in 06/2023 mit dem Verweis veröffentlicht hatte: „In Deutschland muss in allen Gebäuden eine Erdungsanlage nach der nationalen Norm DIN 18014 errichtet werden." Am 1.7.2023 war die Verlautbarung unter dem Link https://www.dke.de/22588336 nicht mehr aufrufbar.

10 DIN 820-1 (Ausgabe: 2022-12) Normungsarbeit – Teil 1: Grundsätze. Die Grundlagennorm legt die allgemeinen Grundsätze, die Organisation und Ergebnisse der Normungsarbeit fest, abrufbar unter https://www.din.de/de/ueber-normen-und-standards/din-norm/din-820-1-ausgabe-2022-12--189118.

11 Technische Anschlussbedingungen TAB 2019 für den Anschluss an das Niederspannungsnetz; Stand März 2019, © BDEW Bundesverband der Energie- und Wasserwirtschaft e.V., Reinhardstraße 32, 10117 Berlin.

12 *Schauer/Weinbacher*, Aktuelle Forderungen der Netzbetreiber unter die Lupe genommen, DER ELEKTROPRAKTIKER, Berlin 77, Heft 5/2023.

- Es bestehen Zweifel, ob die Vermutungswirkung des § 49 EnWG auch für Anwendungsregeln gilt, da es die „Unterorganisation" FNN[13] im VDE zum Zeitpunkt der Formulierung des EnWG § 49 noch nicht gab.[14]
- Anwendungsregeln des VDE FNN werden nicht nach den Normengrundsätzen der DIN 820-1 (Normengrundsätze) erarbeitet, sondern nach der VDE-AR-4000.[15]
- Eine VDE-Anwendungsregel ist im Sinne der Satzung des VDE-Verbandes keine VDE-Bestimmung und nicht Bestandteil des Deutschen Normenwerkes.[16]
- Die VDE-Anwendungsregeln sind nicht die einzigen, sondern eine Erkenntnisquelle für technisch richtiges Verhalten im Normalfall. Sie können nicht alle möglichen Sonderfälle wiedergeben.
- Die VDE-Anwendungsregeln sind lediglich das Ergebnis von Standardisierungsarbeiten, die Festlegungen mit Empfehlungen für spezielle Anwendungsgebiete zusammenfassen.
- Die Berechtigung der Netzbetreiber im Hinblick auf die Veröffentlichung von TAB beschränkt sich auf die Erhaltung der Funktionsfähigkeit des Netzes; die Forderungen der VDE-AR-N-4100 gehen weit über diesen Aspekt hinaus.
- Es bestehen erhebliche Zweifel, dass einige Festlegungen das Ziel des EnWG bzw. der NAV, § 5 Abs. 2, das besondere Interesse des Anschlussnehmers an einer kostengünstigen Lösung berücksichtigen.

Weiterhin besteht vielfach auch die Ansicht, dass bei Einhaltung o.a. technischer Regelwerke der Werkerfolg bereits erfüllt ist oder sich automatisch einstellt. Suchmaschinen und künstliche Intelligenz erlauben es heute, mit der Eingabe von Begriffen irgendwelche Aussagen in Regelwerken zu finden, die dann ohne Weiteres zu Papier gegeben werden oder in die Errichtung einer elektrischen Anlage einfließen.

Die BGH-Urteile aus den Jahren 1991[17] und 2013[18], welche zunächst den Sicherheitsnormen und schließlich allen DIN-Normen ganz allgemein die widerlegbare Vermutung, den Stand der aRdT wiederzugeben, attestierten, werden gerne als Argumente herangezogen, um die umfassende Anwendung entsprechender Regelwerke verbindlich einzufordern.

Schließlich kann die Gefahrengeneigtheit beim Umgang mit elektrischer Spannung als Begründung dienen, immer die höchstmöglichsten Anforderungen bei der Errichtung elektrischer Anlagen zu stellen.

Die pflichtbewusste, sachverständige Tätigkeit findet jedoch auf einer anderen Basis statt. Öffentlich bestellte und vereidigte Sachverständige haben sich durch Eid auf die Sachverständigenordnung verpflichtet, die Aufgaben unabhängig, weisungsfrei, persönlich, ge-

13 VDE FNN: Forum Netztechnik/Netzbetrieb im VDE; https://www.vde.com/de/fnn.

14 *Thiele*, VDE-AR-N 4100 und die Vermutungswirkung; Anerkannte Regeln der Technik/Erfahrungen aus der Sachverständigenpraxis; DER ELEKTROPRAKTIKER, Berlin 77, Heft 5/2023.

15 VDE-AR-N 100:2010-01 Erarbeiten von VDE-Anwendungsregeln im FNN.

16 VDE 0022:2008-08 Satzung für das Vorschriftenwerk des VDE Verband der Elektrotechnik Elektronik Informationstechnik e.V.

17 BGH, U. v. 6.6.1991 – I ZR 234/89, NJW-RR 1991, S. 1445.

18 BGH, U. v. 24.5.2013 – V ZR 182/12, NJW 2013, S. 2271, S. 2272.

wissenhaft und unparteiisch zu erfüllen. Dies verbietet geradezu die unreflektierte Anwendung von technischen Regelwerken bzw. einer etwaigen Vermutungswirkung. Grundsätzlich folgt die gewissenhafte Sachverständigenarbeit nachstehenden Aspekten:

1. Jeder Abschnitt einer technischen Regel ist sorgfältig dahingehend zu überprüfen, ob er für den zu bewertenden Fall anwendbar sowie theoretisch/wissenschaftlich richtig ist und inwieweit die Praxisbewährung vorliegt.
2. Sachverständige können sich in deren Sachargumentation nicht auf Vermutungsregeln stützen, da diese juristischer Natur sind.[19]
3. Vermutungen zu widerlegen, zu entkräften bzw. einen Gegenbeweis anzutreten oder zu bestätigen gehört u.a. zu den originären Aufgaben von Sachverständigen.
4. Anwendbar können auch überlieferte und nicht schriftlich fixierte Regeln der Technik sein.

Technische Regelwerke haben das Ziel, eine perspektivische Hilfestellung zu geben, um einen Werkerfolg in der Zukunft zu erzielen. Die Anwendung technischer Regelwerke in der Retrospektive – also rückblickend – ist schwierig, da es mangels umfassender Dokumentation, Jahre nach Errichtung einer Anlage kaum möglich ist, damalige Absprachen, Zusammenhänge, Beweggründe, ggf. Anwendung nicht schriftlich fixierter Regeln der Technik und sonstige Gegebenheiten umfassend aufzuklären, die zum Ist-Zustand einer Planung bzw. einer Errichtung geführt haben.[20] Bei sachverständigen Beurteilungen ist auch zu berücksichtigen, dass in Regelwerken selbst die Möglichkeit von Abweichungen vorgesehen ist:

1. § 67 MBO Musterbauordnung: „Abweichungen (…) der Zulassung einer Abweichung bedarf es auch nicht, wenn bautechnische Nachweise durch einen Prüfsachverständigen bescheinigt werden."[21]
2. VDE 0022:2008-08: „Die verschiedenen Bestandteile des VDE-Vorschriftenwerks können grundsätzlich nicht alle denkbaren Sonderfälle erfassen. In Ausnahmefällen können weitergehende Maßnahmen geboten sein, um die Sicherheit elektrischer Anlagen oder elektrischer Betriebsmittel zu bewirken. Andererseits kann es unter besonderen Umständen vertretbar sein, von bestimmten Anforderungen in Ausführungen des VDE-Vorschriftenwerks abzuweichen, wenn dabei mindestens die gleiche Sicherheit gewahrt bleibt."[22]
3. VDE 0100-100:2009-06: 134.1.8: „In Fällen, in denen eine Anlage errichtet wird unter Verwendung von neuen Materialien, Erfindungen oder Methoden, die eine Abweichung von den Bestimmungen der Reihe DIN VDE 0100 (VDE 0100) darstellen, darf der

19 *Zöller*, Gefälle in Abdichtungsregeln – normativer Stand?, BauSV 1/2022.
20 *Zöller*, Gefälle in Abdichtungsregeln – normativer Stand?, BauSV 1/2022.
21 Musterbauordnung (MBO), Fassung 11/2002, zuletzt geändert am 21.9.2012.
22 VDE 0022:2008-08: Satzung für das Vorschriftenwerk des VDE Verband der Elektrotechnik Elektronik Informationstechnik e.V.

resultierende Sicherheitsgrad der Anlage nicht geringer sein als die bei Erfüllen der Reihe DIN VDE 0100 (VDE 0100) erreichte Sicherheit."[23]

Folgende Aspekte können infrage stellen, dass einem Regelwerk der Status einer anerkannten Regel der Technik zukommt oder bereits abhandengekommen ist:

1. Die physikalische/theoretische Richtigkeit wurde widerlegt.
2. Das Regelwerk hat sich in der Praxis nicht bewährt.
3. Das Regelwerk ist veraltet.
4. Nationale Einfügungen in DIN-VDE-Normen, welche die Auswahlmöglichkeiten der ursprünglichen Harmonisierungsdokumente ohne technische Notwendigkeit einschränken (Verstoß gegen die Geschäftsordnung Teil 2/CENELEC).
5. Während der Normungsarbeit: Verstöße gegen die DIN 820-1.
6. Übersetzungsfehler, z.B. vom Englischen ins Deutsche.[24]
7. Wenn bei Nichteinhaltung der Regel der Werkerfolg g eichermaßen eintritt.[25]
8. Wenn bei Einhaltung der Regel der Misserfolg eintritt (z.B. funktionale Störungen).
9. Wenn es sich bei dem Regelwerk um eine Ausstattungsnorm handelt.[26]
10. Exzessiver Einfluss durch Lobby-Arbeit.[27]
11. Wenn bei Einhaltung des Regelwerks gegen Gesetze verstoßen wird (z.B. KrWG, EMVG, EnWG).

An den anschließenden Beispielen soll die Problematik der Anwendung fragwürdiger Regelwerke dargestellt werden.

4.11.2 Erdungsanlagen an Gebäuden

Im Folgenden soll als Beispiel die generelle Forderung zur Errichtung von Erdungsanlagen an allen neuen Gebäuden analysiert werden, da dies ein groteskes Beispiel ist, bei dem ohne physikalischen Nachweis und mit hohem Kostenaufwand immense Ressourcen aufgewendet werden müssen.

Erdungsanlagen an Gebäuden erfüllen im Wesentlichen folgende physikalische Schutzzwecke:

1. Erfüllung der Schutzmaßnahme in TT-Systemen; Verbindung von metallischen Körpern, Objekten, Schutzleiter mit dem Erdreich.[28]
2. Verbindung der Blitzschutzanlage mit dem Erdreich.[29]

---

23 DIN VDE 0100-100 VDE 0100-100:2009-06: Errichten von Niederspannungsanlagen; Teil 1: Allgemeine Grundsätze, Bestimmungen allgemeiner Merkmale, Begriffe.

24 DIN VDE 0100-100 VDE 0100-100:2009-06; Abs. 134.1.6 wurde mit DIN VDE 0100-100 Berichtigung 1:2022-03 berichtigt bzw. ersetzt.

25 *Boldt/Zöller*, Anerkannte Regeln der Technik – Inhalt eines unbestimmten Rechtsbegriffs; 2017.

26 OLG Düsseldorf; U. v. 9.2.2023 – 5 U 227/21.

27 *Schauer*, Außerparlamentarische« Normenarbeit durch ö.b.u.v. Sachverständige am Beispiel der DIN 18014; BauSV 2/2022.

28 DIN VDE 0100-410:2018-10: Errichten von Niederspannungsanlagen – Teil 4-41: Schutzmaßnahmen – Schutz gegen elektrischen Schlag.

29 DIN EN 62305-3:2011-10: Blitzschutz, Teil 3: Schutz von baulichen Anlagen und Personen.

3. Verbindung von Antennenmaste und Koaxial-Kabelschirmen mit dem Erdreich.[30]
4. Gebäude mit Umspann-/Transformatorstation: Verbindung des Sternpunktes des Transformators und der Mittelspannungsanlage mit dem Erdreich.[31]

In den letzten Jahren hat eine energische Fachdiskussion um das Für und Wider der Errichtung von Erdungsanlagen an Gebäuden stattgefunden, da prinzipiell ein Ausführungszwang für neue Gebäude seitens der Netzbetreiber bzw. Technischen Anschlussbedingungen für den Anschluss an das Niederspannungsnetz (TAB) vorgelegen hatte:[32, 33]

TAB, Abs. 11 (3): „Nach DIN VDE 0100-540 (VDE 0100-540) und VDE-AR-N 4100 ist in neu zu errichtenden Gebäuden ein Fundamenterder gemäß DIN 18014 zu errichten. Er ist Bestandteil der Kundenanlage."

Weitere Forderungen in Form von nationalen Anhängen befinden sich in den DIN VDE 0100-100 VDE 0100-100:2009-06[34] und DIN VDE 0100-540:2012-06.[35]

In der Anwendungsregel VDE-AR-N 4100:2019-4[36], die von den Netzbetreibern auch als Teil der Geschäftsbedingungen herangezogen wird, ist ebenfalls gefordert:

„In neu zu errichtenden Gebäuden ist unabhängig vom Netzsystem ein Fundamenterder nach DIN 18014 zu errichten. Dieser dient den Zwecken

- *des Blitzschutzes;*
- *der Schutzerdung von Antennenanlagen;*
- *der Schutz- und Funktionserdung von Erzeugungsanlagen und Speichern;*
- *der Funktionserdung von Breitbandkabelnetzen und Telekommunikationsnetzen."*

Aus sachverständiger Sicht fällt auf:

1. Die DIN 18014:2023-06 legt Anforderungen an die Planung, Ausführung und Dokumentation von Erdungsanlagen mit oder ohne kombinierter Potenzialausgleichsanlage für Gebäude fest.[37] Im Gegensatz zu allen anderen nationalen und europäischen Normen zu Erdungsanlagen ist feuerverzinkter Stahl zur Verlegung in Erde ausdrücklich nicht zugelassen. Es muss korrosionsfester Stahl verwendet werden.

---

30 DIN EN 60728-11 (VDE 0855-1):2019-02: Kabelnetze für Fernsehsignale, Tonsignale und interaktive Dienste – Teil 11: Sicherheitsanforderungen.

31 DIN EN 50522 (VDE 0101-2):2023-10: Erdung von Starkstromanlagen mit Nennwechselspannungen über 1 kV; Deutsche Fassung EN 50522:2022.

32 BVS-Standpunkt Fundamenterder Erdungsanlagen 05-2019 Bezugsquelle: https://www.bvs-ev.de/downloads/bvs-standpunkte-richtlinien/.

33 Technische Anschlussbedingungen TAB 2019 für den Anschluss an das Niederspannungsnetz, Stand: Februar 2019, BDEW Bundesverband der Energie- und Wasserwirtschaft e.V.

34 DIN VDE 0100-100 VDE 0100-100:2009-06: Errichten von Niederspannungsanlagen; Teil 1: Allgemeine Grundsätze, Bestimmungen allgemeiner Merkmale, Begriffe.

35 DIN VDE 0100-540:2012-06: Errichten von Niederspannungsanlagen – Teil 5-54: Auswahl und Errichtung elektrischer Betriebsmittel – Erdungsanlagen und Schutzleiter.

36 VDE-AR-N 4100:2019-04: Technische Anschlussregeln für die Niederspannung, herausgegeben vom Forum Netztechnik/Netzbetrieb im VDE (FNN).

37 DIN 18014:2023-06: Erdungsanlagen für Gebäude – Planung, Ausführung und Dokumentation.

2. Für Bestandsgebäude wird die Forderung zur Errichtung einer Erdungsanlage nicht erhoben, es liegt auch keine Nachrüstpflicht vor. Offenbar ist in diesen Gebäuden der Schutz gegen den elektrischen Schlag auch ohne Erdungsanlage gegeben.[38]
3. In der DIN VDE 0100-100:2009-06[39] sind grundsätzlich Aussagen u.a. zu den Systemen nach Art der Erdverbindung enthalten. In den Bildern 31A1, 31B1 und 31C1 ist für das TN-System keine Erdung am Gebäude bzw. an den (Metall-)Körpern der Betriebsmittel vorgesehen, sondern lediglich an der Stromquelle und im Verteilnetz.

   Es ist weiterhin definiert: „Im TN-Versorgungssystem ist ein Punkt direkt geerdet; die Körper (von elektrischen Betriebsmitteln) der elektrischen Anlage sind über Schutzleiter mit diesem Punkt verbunden". In Deutschland werden die Normen der Reihe DIN VDE 0100 (VDE 0100) ausdrücklich auch für Verteilungsnetze angewandt.
4. Die DIN VDE 0100-410 ist eine Sicherheitsgrundnorm für die Erarbeitung von Errichtungsnormen und nach dem IEC-Leitfaden 104 eine Gruppensicherheitsnorm für den Schutz gegen den elektrischen Schlag. Hier ist für das TN-System Folgendes beschrieben: „In TN-Systemen hängt die Erdung der elektrischen Anlage von der zuverlässigen und wirksamen Verbindung des PEN-Leiters oder Schutzleiters mit Erde ab. Wo die Erdung durch ein öffentliches oder anderes Versorgungssystem vorgesehen wird, sind die notwendigen Bedingungen außerhalb der elektrischen Anlage in der Verantwortlichkeit des Verteilnetzbetreibers."
5. Im Harmonisierungsdokument HD 60364-5-54:2011 zur DIN VDE 0100-540[40] sind für den Normenanwender mehrere Beispiele für Erder vorgesehen (u.a. vertikal und horizontal in Erde verlegte Rundstäbe, Drähte, Bänder, Rohre oder Platten sowie unterirdische Konstruktionsteile aus Metallen). Feuerverzinkter Stahl zur Verlegung in Erde wird ausdrücklich erlaubt. Durch die grau schattierte nationale Einfügung, „In Deutschland muss in allen neuen Gebäuden ein Fundamenterder nach der nationalen Norm DIN 18014 errichtet werden", wird diese Auswahl auf die in der DIN 18014 angegebenen Erderbeschreibungen für Anwender in Deutschland eingeschränkt. Die gleiche nationale Einfügung wurde erst in 2018 auch in DIN VDE 0100-100 VDE 0100-100:2009-06[41] eingefügt. Begründet werden solche nationalen Bedingungen („Anhang ZA") mit: „Nationale Gegebenheiten oder nationale Praktiken, die auch nicht über einen längeren Zeitraum geändert werden können, z.B. klimatische Bedingungen, elektrische Erdungsbedingungen."
6. Blitzschutz-Erdungsanlagen können gemäß DIN EN 62305-3 z.B. mit einfachen vertikalen Elektroden errichtet werden.[42] Bei Felsböden, z.B. Unterkunftshütten im Hochgebirge, reicht es nach gleicher Norm aus, Strahlenerder auf der Erdoberfläche auszulegen und diese mit Steinen zu bedecken. Für diesen Fall gilt dann die Anforderung

38 *Schauer*, Mythos „Erdung" in Niederspannungsanlagen; BauSV 1/2019 S. 11 ff.
39 DIN VDE 0100-100 (VDE 0100-100):2009-06: Errichten von Niederspannungsanlagen – Teil 1: Allgemeine Grundsätze, Bestimmungen allgemeiner Merkmale, Begriffe.
40 DIN EN 62305-3:2011-10: Blitzschutz, Teil 3: Schutz von baulichen Anlagen und Personen.
41 DIN VDE 0100-100 VDE 0100-100:2009-06: Errichten von Niederspannungsanlagen; Teil 1: Allgemeine Grundsätze, Bestimmungen allgemeiner Merkmale, Begriffe.
42 *Schauer/Brechtken*, Gleichwertigkeit von Erdungsanlagen, DS 06/2020.

an den Erdungswiderstand von 10 Ω nicht. Eine komplexe Erdungsanlage, wie in der DIN 18014 beschrieben, wird für den Blitzschutz normativ nicht gefordert. Feuerverzinkter Stahl zur Verlegung in Erde wird ausdrücklich erlaubt.

7. Erdungsanlagen für Antennenmaste können nach DIN EN 60728-11 (VDE 0855-1) z.B. mit zwei horizontalen Erdern von jeweils 2,5 m Länge bzw. vertikalen oder schrägen Elektroden mit mindestens 2,5 m Länge errichtet werden. Feuerverzinkter Stahl zur Verlegung in Erde wird ausdrücklich erlaubt.

8. Erdungsanlagen an Umspann-/Transformatorstationen können nach DIN EN 50522 (VDE 0101-2) als Oberflächen- oder Tiefenerder ausgeführt werden. Feuerverzinkter Stahl zur Verlegung in Erde wird ausdrücklich erlaubt. Es zeigt sich, dass die normativen Anforderungen z.B. bezüglich der Materialauswahl und der Geometrie der Elektroden der Erdungsanlage für den zentralen Schutz eines gesamten Niederspannungsortsnetzes geringer sind, als ein Fundamenterder nach DIN 18014 für ein einfaches Einfamilienhaus.

9. Zusammenfassung: Werkstoffauswahl für direkt in Erde verlegte Elektroden:

Tabelle 1: Unterschiedliche Forderungen zu Erderwerkstoffen im Erdreich in technischen Regelwerken. Nur in der DIN 18014 ist feuerverzinkter Stahl im Erdreich verlegt nicht vorgesehen.

DIN 18014:2023-06	a) hochlegierter Edelstahl nach DIN EN IEC 62561-2 [VDE 0185-561-2) mit mindestens 2 % Molybdängehalt z.B. Werkstoff Nr. 1.4401, Nr. 1.4404 und Nr. 1.4571 b) Kupfer (blank oder verzinnt) nach DIN EN IEC 62561-2 (VDE 0185-561-2].
DIN VDE 0100-540:2012-06	Feuerverzinkter Stahl zugelassen.
DIN EN 62305-3:2011-10	Feuerverzinkter Stahl zugelassen.
DIN EN 50522:2023-10	Feuerverzinkter Stahl zugelassen.
DIN EN 60728-11:2019-02]	Feuerverzinkter Stahl zugelassen.
DIN VDE 0151:1986-06[43]	Norm für Werkstoffe und Mindestmaße von Erdern bezüglich der Korrosion; Abs. 3.1.1 „Feuerverzinkter Stahl ist in fast allen Bodenarten sehr beständig“.

10. Die DIN 18014:2023-06 sieht bei wasserundurchlässigem Beton (Weiße Wanne) die notwendige Erdfühligkeit der Elektroden im Beton als nicht mehr gegeben an. Die Electrosuisse, Verband für Elektro-, Energie- und Informationstechnik, ist eine Schweizer Fachorganisation auf dem Gebiet der Elektro-, Energie- und Informationstechnik.

43 DIN VDE 0151:1986-06; Werkstoffe und Mindestmaße von Erdern bezüglich Korrosion.

Der Verband hat eigens zu dieser Thematik die Interpretationshilfe SNG 491000 – 2118 DE:2019-08 herausgegeben und sieht eine ausreichende Leitfähigkeit auch bei einer Weißen Wanne als gegeben an.

11. Die Anwendungsregel VDE-AR-N 4100:2019-4, auf die die Netzbetreiber in den TAB hinweisen, listet für den zu errichtenden Fundamenterder die Zwecke „Blitzschutz", „Schutzerdung von Antennenanlagen", „Schutz- und Funktionserdung von Erzeugungsanlagen und Speichern" sowie die „Funktionserdung von Breitbandkabelnetzen und Telekommunikationsnetzen" auf.

    Groteskerweise fordert dieses Regelwerk damit die Errichtung einer Einrichtung für andere Zwecke als für den Anschluss an das Niederspannungsnetz.

12. Erdungsanlagen können in TN-Systemen auch Nachteile im Hinblick auf die Elektromagnetische Verträglichkeit (EMV) bewirken. Die exzessive Errichtung von Erdungsanlagen an Gebäuden verursacht nicht zu unterschätzende Streuströme, da die Erdungsanlagen eine Parallelschaltung zum rückstromführenden PEN-Leiter (kombinierter N- und Schutzleiter) darstellen. Im Umfeld von Erdungs- und Potenzialausgleichsanlagen sowie Gebäudeeinführungs- und Ortsnetzkabel werden dadurch magnetische Wechselfelder verursacht, welche u.a. medizinische Diagnoseverfahren, Anlagen der Informationstechnik und Anwendungen der Tontechnik stören können.

Aus sachverständiger und technischer Sicht ist damit die normative Forderung für alle Neubauten eine Erdungsanlage nach DIN 18014 zu errichten, nicht nachzuvollziehen.

In 2020 hatte der Autor für ein Unternehmen ein Sachverständigengutachten zur Notwendigkeit von Erdungsanlagen erarbeitet. Dieses Gutachten wurde schließlich der Bundesnetzagentur vorgelegt, die dem Unternehmer daraufhin weitgehende Vereinfachungen bei der Errichtung von Erdungsanlagen zusprach.[44]

In diesem Zusammenhang fällt die Veröffentlichung des Positionspapieres der Bundesnetzagentur vom 15.6.2021 auf.[45] Die Bundesnetzagentur ist vorbehaltlich einer Prüfung im Einzelfall der Auffassung, dass sich Verteilernetzbetreiber nicht grundsätzlich missbräuchlich verhalten, wenn sie in ihren technischen Anschlussbedingungen allgemein die Errichtung einer Erdungsanlage in neuen Gebäuden fordern. Dies gilt jedoch nicht vorbehaltlos für die Verpflichtung zur Errichtung eines Fundamenterders. Technisch nicht nachzuvollziehen ist die Darstellung des Szenarios, dass bei einem Bruch des PEN-Leiters und fehlender Erdungsanlage am Gebäude eine Gefahr im Hinblick auf den Schutz gegen den elektrischen Schlag bestünde. Im Beitrag „Wirksamkeit von Erdung und Potenzialausgleich" hat der Autor durch Simulationen nachgewiesen,[46] dass bei einem PEN-Leiterbruch nur der Schutzpotenzialausgleich im Gebäude eine gefährliche Berührungsspannung verhindert. Erdungsanlagen mit den in der Praxis erreichbaren Erdungswiderständen können eine gefährliche Fehler- bzw. Berührungsspannung nicht entscheidend minimieren! Die techni-

44 *Schauer/Thiele*, Forderung nach Fundamenterder unberechtigt; BauSV 1/2021 S. 30 ff.

45 Positionspaper zur Errichtung von Erdungsanlagen in neu zu errichtenden Gebäuden, Beschlusskammer 6 der Bundesnetzagentur, abrufbar unter https://www.bundesnetzagentur.de/DE/Beschlusskammern/BK06/BK6_82_NetzAs/825_erdungsanlagen_papier/erdungsanlagen_papier_node.html.

46 Vgl. *Schauer*, Wirksamkeit von Erdung und Potentialausgleich; ELEKTROPRAKTIKER, Berlin 76, Teil 1 – Heft 6/2022, Teil 2 – Heft 7/2022.

schen Ausführungen der Bundesnetzagentur sind hier nicht nachzuvollziehen. Im Absatz 2 des Positionspapiers wird auf die Forderung zur Errichtung einer Erdungsanlage nach DIN 18014 eingegangen: „Die Beschlusskammer teilt nicht die derzeitige Formulierung in der TAR Niederspannung beziehungsweise den TAB des BDEW, welche in neu zu errichtenden Gebäuden einzig den verpflichtenden Einbau eines Fundamenterders nach DIN 18014 vorsehen. Neben Fundamenterdern gibt es andere, vergleichbare Erdungsanlagen. Ein sachlicher Grund für die Beschränkung auf Fundamenterder als einzig zulässige Erdungsanlagenform ist nicht ersichtlich und ergibt sich auch nicht aus den TAR Niederspannung beziehungsweise den TAB des BDEW selbst."

Der BDEW als Bundesverband der Energie- und Wasserwirtschaft veröffentlichte im gleichen Zeitraum ebenfalls eine Stellungnahme: „Daher empfiehlt der BDEW evtl. Verweise auf die aktuell gültige Fassung der DIN 18014 in den Technischen Anschlussbedingungen (TAB) der Netzbetreiber nicht zu eng auszulegen. Vielmehr sollten neben dem aktuell in der DIN 18014 beschriebenen Fundamenterder auch andere Ausführungsvarianten zugelassen werden, soweit diese zur Erreichung der Schutzziele dauerhaft geeignet sind und die gleichwertige Schutzwirkung dauerhaft gewährleistet ist".[47]

Die Entwicklung zeigt, dass mit einem „Paukenschlag" der Bundesnetzagentur ein physikalisch nicht nachzuvollziehender Ausführungszwang, der die Errichtung einer Erdungsanlage nur nach der DIN 18014 zwangsweise einforderte, beendet wurde. Im Rückblick muss resümiert werden, dass die technische Notwendigkeit nie bestand! Auch Sachverständige haben durch Fehlberatungen und sturem Festhalten an Normen anstelle einer physikalischen Betrachtung immense Kosten bei Anschlussnehmern verursacht. Bereits im Jahr 2015 wurden vom Arbeitskreis des BVS-Standpunktes „Fundamenterder-Erdungsanlagen" insgesamt 13 Fragen zu den physikalischen Begründungen einzelner Abschnitte an den Arbeitskreis AK 005-09-85 AA im DIN gestellt, der die DIN 18014 erarbeitete, gerichtet. Schließlich wurde geantwortet: „Auf Grund der Komplexität der Antworten zu Ihren Fragen sehen wir von einer schriftlichen Beantwortung ab, und erklären weiterhin die Bereitschaft zu einem Gespräch (...)".

Immer wieder wird von Fachleuten – auch Sachverständigen – behauptet, dass eine Erdungsanlage am Gebäude die Gefahren einer PEN-Leiter-Unterbrechung minimiert. Der Autor hat durch Simulationen und Analysen diese und weitere Behauptungen widerlegt:[48]

1. Nur der Potenzialausgleich minimiert die Berührungsspannung entscheidend bei einer PEN-Leiterunterbrechung im TN-System. Hinweis: Dieser Fehler wird regelmäßig nicht automatisch abgeschaltet.

2. Die Auswirkungen einer Sternpunktverschiebung können weder durch eine Erdungsanlage noch durch den Potenzialausgleich beherrscht werden, sondern lediglich durch geeignete Abschaltungen mit Überwachungsrelais.

---

47 BDEW: Erdungsanlagen in neu zu errichtenden Gebäuden, Download unter https://www.bdew.de/energie/bnetza-positioniert-sich-zur-einbaupflicht-von-erdungsanlagen-in-neu-zu-errichtenden-gebaeuden/.

48 *Schauer*, Wirksamkeit von Erdung und Potentialausgleich; ELEKTROPRAKTIKER, Berlin 76, Teil 1 – Heft 6/2022, Teil 2 – Heft 7/2022.

3. Erdungen an Gebäuden sind auch zwecklos im Hinblick auf die Funktion von Fehlerstrom-Schutzeinrichtungen bei einer PEN-Leiterunterbrechung. Die Summe der Ströme im Differenzstromwandler ist Null! Erst bei einem zusätzlichen Körperschluss und gleichzeitigem Berühren des entsprechenden Metallgehäuses kann die Fehlerstrom-Schutzeinrichtung auslösen. Hierbei fließt der Fehlerstrom jedoch über den Betriebserder am Transformator. Die Erdungsanlage am Gebäude ist auch hier wirkungslos.
4. Bei einem Körperschluss im TN-System wird die Berührungsspannung bis zur automatischen Abschaltung nur durch den Potenzialausgleich drastisch minimiert.
5. Bei einem Körperschluss im TT-System wird die hier besonders hohe Berührungsspannung bis zur automatischen Abschaltung nur durch den Potenzialausgleich drastisch minimiert.
6. Da alle öffentlichen Netze im TN-System als TN-C-System ausgebildet sind, wird die elektromagnetische Verträglichkeit (EMV) durch Erdung des PEN-Leiters mit kombinierter Potenzialausgleichsanlage nicht verbessert (wie in der DIN 18014:2023-06 behauptet wird), sondern verschlechtert.
7. Mehrfacheinspeisungen wirken sich bei Gebäuden mit Erdungs- und kombinierter Potenzialausgleichsanlage durch immense Streuströme mit Auswirkungen auf die EMV besonders negativ aus.

Sachverständige sind auch gehalten, „Insiderwissen" über das die Auftraggeber in der Regel nicht verfügen, „auf den Tisch zu legen". So sind beim Anschluss von Gebäuden an das Niederspannungsnetz auch rechtliche Aspekte aufzubereiten, die von Juristen zu bewerten wären:

1. Beim Anschluss von Energieanlagen an das Niederspannungsnetz sind neben den Maßnahmen zum Schutz gegen den elektrischen Schlag auch die Ziele des EnWG zu beachten; d.h. die Forderung einer möglichst preisgünstigen, verbraucherfreundlichen, effizienten leitungsgebundenen Versorgung muss ebenfalls im Blickpunkt stehen. Nach § 20 NAV ist der Netzbetreiber berechtigt, in Form von Technischen Anschlussbedingungen weitere technische Anforderungen an den Netzanschluss und andere Anlagenteile sowie an den Betrieb der Anlage einschließlich der Eigenanlage festzulegen, soweit dies aus Gründen der sicheren und störungsfreien Versorgung, insbesondere im Hinblick auf die Erfordernisse des Verteilernetzes, notwendig ist. Diese Anforderungen müssen den allgemein anerkannten Regeln der Technik entsprechen. Nach der Gruppensicherheitsnorm DIN VDE 0100-410 heißt es für das TN-System (ca. 85 % aller Anschlüsse): „Wo die Erdung durch ein öffentliches oder anderes Versorgungssystem vorgesehen wird, sind die notwendigen Bedingungen außerhalb der elektrischen Anlage in der Verantwortlichkeit des Verteilnetzbetreibers". In TT-Systemen stehen eine Fülle von Auswahlmöglichkeiten zu Erdungsanlagen zur Verfügung. Der Zwang zur Ausführung ausschließlich nach DIN 18014 ist aus technischer Sicht nicht gegeben (vgl. EnVR 45/13[49]).

49 Aktenzeichen EnVR 45/13 – hier ging es um die Installation dezentraler Messeinrichtungen in einer Kraft-Wärme-Kopplungsanlage.

2. Die Anwendungsregel VDE-AR-N 4100:2019-4, die von den Netzbetreibern herangezogen wird, wurde nicht nach der DIN 820-1 (Normengrundsätze) erarbeitet. Es ist damit fragwürdig, ob die Vermutungswirkung im Hinblick auf die a.R.d.T. nach § 49 EnWG auf dieses Regelwerk übertragbar ist.

3. Die Regelwerke DIN VDE 0100-410 und DIN VDE 0100-540 enthalten besondere nationale Bedingungen (Anhang ZA), welche die in den europäischen bzw. harmonisierten Regelwerken vorgesehenen Auswahlmöglichkeiten stark einschränken. Die angegebene Begründung ist aus technischer Sicht nicht nachvollziehbar, da in den Nachbarländern vergleichbare klimatische Bedingungen vorliegen: „Nationale Gegebenheiten oder nationale Praktiken, die auch nicht über einen längeren Zeitraum geändert werden können, z.B. klimatische Bedingungen, elektrische Erdungsbedingungen." Juristisch zu klären wäre, ob solche nationalen Bedingungen der CENELEC-Geschäftsordnung Teil 2 bzw. europäischem Recht widersprechen und ob dies Auswirkungen auf die Einstufung im Hinblick auf die Anerkennung als Regel der Technik hat.

4. Da die Errichtung von Erdungsanlagen im TN-System auch nachteilige Effekte im Hinblick auf die EMV (EMV-Gesetz[50]) bewirken können, steht die Frage im Raum, ob schon dadurch entsprechende Regelwerke, welche die Errichtung einfordern, den Status einer a.R.d.T. überhaupt erreichen können. Der Normenanwender kann nicht darauf vertrauen, dass das Werk frei von Sach- und Rechtsmängeln ist.

5. Die Forderung der Netzbetreiber zur Errichtung einer Erdungsanlage im TN-System widerspricht möglicherweise auch den Zielen des EnWG. Erdungsanlagen nach DIN 18014 sind sehr aufwendig; dies kann den Zielen einer möglichst preisgünstigen, verbraucherfreundlichen, effizienten leitungsgebundenen Versorgung entgegenstehen, zumal aus physikalischer Sicht keine Erdungsanlage erforderlich ist.

6. Da im TN-System nach DIN VDE 0100-410 die notwendigen Bedingungen zur Erdung des PEN-Leiters außerhalb der elektrischen Anlage und in der Verantwortlichkeit des Verteilnetzbetreibers vorgesehen sind – dies ist aus technischer Sicht anders auch nicht möglich – geht die Forderung zur Errichtung einer Erdungsanlage am Gebäude des Anschlussnehmers über die Formulierungen der NAV hinaus: Nach § 20 NAV dürfen Technische Anschlussbedingungen nur Anforderungen enthalten, wie dies aus Gründen der sicheren und störungsfreien Versorgung, insbesondere im Hinblick auf die Erfordernisse des Verteilernetzes, notwendig ist. Erdungsanlagen im TN-System sind aus technischer Sicht hier nicht erforderlich. Nach § 5 NAV endet das Netz bzw. der Netzanschluss an der Hausanschlusssicherung. Für die Einrichtungen hinter der Hausanschlusssicherung ist der Anschlussnehmer verantwortlich.

7. Nach DIN VDE 0100-100 VDE 0100-100:2009-06, Abs. 411.4.2, wird empfohlen, PEN-Leiter an der Eintrittsstelle in Gebäude zu erden, wobei über Erde zurückfließende (vagabundierende) Neutralleiterströme (auch Streuströme genannt) von mehrfach geerdeten PEN-Leitern berücksichtigt werden sollten. Dies würde bedeuten, dass der Anwender zunächst eine aufwendige Erdungsanlage nach DIN 18014 errichtet, diese mit

50 Gesetz über die elektromagnetische Verträglichkeit von Betriebsmitteln (Elektromagnetische-Verträglichkeit-Gesetz – EMVG) vom 14.12.2016.

dem PEN-Leiter verbindet. Nach vollständiger Inbetriebnahme der Elektroanlage wird er dann eine Messung der vagabundierenden Neutralleiterströme durchführen. Liegt ein bedenklich hoher Wert vor – wobei eine entsprechende Größenordnung, die noch zu akzeptieren ist, noch festgelegt werden müsste – müsste der Errichter die Erdungsanlage wieder abklemmen und damit unschädlich machen. Auch hierbei kann der Normenanwender nicht auf die Aussagen in einem Regelwerk vertrauen.

8. Erdungsanlagen gemäß DIN 18014:2023-06 sind mit einem hohen Materialaufwand verbunden, der aus physikalischer Sicht nicht notwendig bzw. sogar völlig überflüssig ist. Es bestehen Bedenken, ob dies im Einklang mit den Zielen des KrWG steht.[51, 52]

Die hier dargestellten Ereignisse und physikalischen Zusammenhänge zeigen, dass die Normenlage nicht „stabil" ist. Weder die Bundesregierung noch die Bundesnetzagentur haben bislang eine Klärung in dieser Sache herbeigeführt, welche für die Immobilien- und Wohnungswirtschaft von hoher Bedeutung ist. Entsprechende Verbände haben es bislang vermieden, ein Missbrauchsverfahren nach § 31 EnWG anzustoßen. Befürworter zur generellen Errichtung von Erdungsanlagen, auch die Bundesnetzagentur, haben bislang keine nachvollziehbaren Begründungen oder wissenschaftlichen Beweise vorgelegt, welche das technische Erfordernis von Erdungsanlagen an Gebäuden im TN-System belegen.

Sachverständigen steht es dabei selbst nicht zu, mit Hinweis auf die Forderungen in den TAB der Netzbetreiber und den o.a. Regelwerken, die Errichtung von Erdungsanlagen zu empfehlen bzw. sogar einzufordern. Damit würden sie eine rechtliche Beurteilung vornehmen, was Haftungsfragen aufwerfen könnte. Sachverständige haben ausschließlich technisch aufzuklären. Dieser Beitrag und die zitierten Publikationen sollen hierzu einen Beitrag leisten.

4.11.3 Forderungen von Netzbetreibern/Anschluss an das Niederspannungsnetz

Seit Jahrzehnten kommt es bei der Inbetriebsetzung von elektrischen Anlagen an das Niederspannungsnetz regelmäßig zu Herausforderungen hinsichtlich der Verantwortlichkeit zwischen Netz- bzw. Messstellenbetreiber und eingetragenem Elektroinstallationsbetrieb (Errichter), die regelmäßig dazu führen, dass der Anschluss bzw. die Zählersetzung verweigert oder über sog. Mängelschreiben Anpassungen der Anlage durch den Netzbetreiber gefordert werden, da oft nicht jedem Beteiligten klar zu sein scheint, welche Rechte, Pflichten und Verantwortlichkeiten bei wem liegen.[53] Die Verantwortlichkeiten sind in der Niederspannungsanschlussverordnung (NAV) klar geregelt:[54]

51 Kreislaufwirtschaftsgesetz – Gesetz zur Förderung der Kreislaufwirtschaft und Sicherung der umweltverträglichen Bewirtschaftung von Abfällen vom 1.6.2012.

52 *Seibel*, Dispositionsfreiheit nach § 634 BGB contra Kreislaufwirtschaftsgesetz zur Schonung von Ressourcen der Umwelt und Minderung von CO_2; Aachener Bausachverständigentage 2022.

53 *Weinbacher/Schauer*, Netzanschluss – Probleme und Verantwortlichkeiten, Teil 1: Einführung und Vorstellung einer Umsetzungshilfe zur NAV, Elektropraktiker 2/2023.

54 Verordnung über Allgemeine Bedingungen für den Netzanschluss und dessen Nutzung für die Elektrizitätsversorgung in Niederspannung (Niederspannungsanschlussverordnung – NAV) vom 1. November 2006 (BGBl. I S. 2477), zuletzt geändert durch Artikel 3 des Gesetzes vom 19. Juli 2022 (BGBl. I S. 1214).

§ 13 NAV Elektrische Anlage

(1) Für die ordnungsgemäße Errichtung, Erweiterung, Änderung und Instandhaltung der elektrischen Anlage hinter der Hausanschlusssicherung (Anlage) ist der Anschlussnehmer gegenüber dem Netzbetreiber verantwortlich. Satz 1 gilt nicht für die Messeinrichtungen, die nicht im Eigentum des Anschlussnehmers stehen. Hat der Anschlussnehmer die Anlage ganz oder teilweise einem Dritten vermietet oder sonst zur Benutzung überlassen, so bleibt er verantwortlich.

§ 15 NAV Überprüfen der elektrischen Anlage

(1) Der Netzbetreiber ist berechtigt, die Anlage vor und, um unzulässige Rückwirkungen auf Einrichtungen des Netzbetreibers oder Dritter auszuschließen, auch nach ihrer Inbetriebsetzung zu überprüfen. Er hat den Anschlussnehmer auf erkannte Sicherheitsmängel aufmerksam zu machen und kann deren Beseitigung verlangen.

(2) Werden Mängel festgestellt, welche die Sicherheit gefährden oder erhebliche Störungen erwarten lassen, so ist der Netzbetreiber berechtigt, den Anschluss zu verweigern oder die Anschlussnutzung zu unterbrechen; bei Gefahr für Leib oder Leben ist er hierzu verpflichtet.

(3) Durch Vornahme oder Unterlassung der Überprüfung der Anlage sowie durch deren Anschluss an das Verteilernetz übernimmt der Netzbetreiber keine Haftung für die Mängelfreiheit der Anlage. Dies gilt nicht, wenn er bei einer Überprüfung Mängel festgestellt hat, die eine Gefahr für Leib oder Leben darstellen.

Es kann zusammengefasst werden, dass der Anschlussnehmer für die ordnungsgemäße Errichtung, Erweiterung, Änderung und Instandhaltung der elektrischen Anlage verantwortlich ist. Weiterhin kann abgeleitet werden, dass der Netzbetreiber hinsichtlich der Errichtung, Erweiterung, Änderung und Instandsetzung der elektrischen Anlage hinter der Hausanschlusssicherung keinen außerhalb der in § 15 aufgeführten Verantwortlichkeiten nachkommen muss. Nach § 15 NAV übernimmt der Netzbetreiber für die elektrische Anlage keine Verantwortung und haftet auch nicht. Lediglich eine festgestellte Sicherheitsgefährdung berechtigt ihn, die Inbetriebnahme zu verweigern und den Anschlussnehmer entsprechend zu informieren. Darüber hinausgehende Forderungen dürfen lediglich die Aspekte der Funktionalität des Netzes (Netzrückwirkungen) sowie ein geeignetes Messstellenkonzept für die korrekte Abrechnung berühren.

Im Hinblick auf ein gewisses Abhängigkeitsverhältnis der Installateure und deren Ausübungsberechtigungen bei den Netzbetreibern kommt den Sachverständigen eine wichtige Rolle zu. Elektroinstallateure, die eine Sanktion durch den Netzbetreiber befürchten, setzen eher eine unberechtigte Forderung gegenüber dem Anschlussnehmer durch, was wiederum zu einem Haftungsrisiko führen kann, wenn der erhöhte Installationsaufwand den Zielen des Energiewirtschaftsgesetzes (EnWG) entgegensteht (kostengünstige Fortleitung der Energie). Unter Umständen haben Sachverständige die Anschlussnehmer und Errichter von Anlagen technisch zu beraten, wenn ein Missbrauchsverfahren nach § 31 EnWG angestoßen werden soll.[55] Netzbetreiber haben das Auswahlrecht des Anschlussnehmers, wenn mehrere technischen Lösungen möglich sind, zu berücksichtigen bzw. anzuerkennen.[56] Anders ausgedrückt dürfen sich Netzbetreiber im Ergebnis nicht willkürlich

---

55 *Thiele*, Netzanschluss – Probleme mit Verantwortlichkeiten, Teil 2: EnWG und Beschwerden-Fallbeispiele. Elektropraktiker 3/2023, S. 185 f.

56 Beschluss des Kartellsenats vom 14.4.2015 – EnVR 45/13. Hier ging es um die Installation dezentraler Messeinrichtungen in einer Kraft-Wärme-Kopplungsanlage.

auf die Anwendung einer bestimmten Technik festlegen und diese in den Allgemeinen Geschäftsbedingungen von den Anschlussnehmern fordern, wenn es auch andere geeignete technische Möglichkeiten gibt, um die technische Sicherheit zu gewährleisten. Dies gilt auch für die Technischen Anschlussbedingungen (TAB), insbesondere, wenn dort vorgesehene Vorgaben kostenintensiv und zur Einhaltung der Anlagensicherheit nachweislich nicht notwendig sind.[57] Nach § 5 der NAV endet der Netzanschluss an der Hausanschlusssicherung. § 6 Abs. 2 sieht vor: „Art, Zahl und Lage der Netzanschlüsse werden nach Beteiligung des Anschlussnehmers und unter Wahrung seiner berechtigten Interessen vom Netzbetreiber nach den anerkannten Regeln der Technik bestimmt. Das Interesse des Anschlussnehmers an einer kostengünstigen Errichtung der Netzanschlüsse ist dabei besonders zu berücksichtigen." Das EnWG hat u.a. auch das Ziel, den Anschlussnehmer dahingehend zu schützen, wenn Netzbetreiber ihre marktbeherrschende Stellung ausnutzen, indem sie überzogene Forderungen beim Anschluss an das Niederspannungsnetz stellen. Maßstab für technisch richtiges Handeln sind die a.R.d.T. Für einen Anwendungsfall kann es sein, dass mehrere technische Lösungen zum Ziel führen. Nicht jeder technische Lösungsansatz ist dabei in einer DIN- oder VDE-Norm zu finden.[58]

Problematisch sind auch die Verweise in den TAB der Netzbetreiber auf die VDE-AR-N 4100 (Technische Anschlussregeln für die Niederspannung). Es bestehen erhebliche Zweifel, dass einige hier aufgeführte Festlegungen den a.R.d.T. entsprechen bzw. das Ziel des EnWG bzw. der NAV, das besondere Interesse des Anschlussnehmers an einer kostengünstigen Lösung, berücksichtigen.[59] Es besteht die Besorgnis, dass mehrere Festlegungen den Zielen der Ressourcenschonung und der Reduzierung des ökologischen Fußabdrucks deutlich entgegenstehen (u.a. das Kreislaufwirtschaftsgesetz). Technische Regeln sollten keine Anforderungen an Bauwerke oder deren Ausstattung beinhalten, sondern sich auf die Darstellung technischer Aspekte zur Umsetzung beschränken. Die Aufstellung von Anforderungen an Bauwerke obliegt den gesetzgebenden, bauaufsichtlichen oder anderen gesetzlich legitimierten Stellen (siehe DIN 820, Abs. 7.2). Es werden folgende Festlegungen aus der VDE-AR-N 4100 hinterfragt:

- Spannungsfall
- Auftrennung PEN-Leiter, Festlegung des Orts der Erdungsmaßnahme
- Ort des Netzanschlusses
- Festlegungen zur Hauseinführung
- Ausführung, Montagehöhe, Arbeits- und Bedienbereich/Zählerschrank
- Strombelastbarkeit von Verteilungsstromkreisen
- Ausführung der Erdungsanlage
- Überspannungsschutz

57 *Schauer/Thiele*, Forderung nach Fundamenterder unberechtigt; BauSV 1/2021, S. 30–36.

58 *Schauer*, Netzanschluss – Probleme und Verantwortlichkeiten, Teil 3: Anerkannte Regeln der Technik/Erfahrungen aus der Sachverständigenpraxis, Elektropraktiker 4/2023.

59 *Weinbacher/Schauer*, Netzanschluss – Probleme und Verantwortlichkeiten, Teil 4: Aktuelle Forderungen der Netzbetreiber unter die Lupe genommen; Elektropraktiker 5/2023.

4.11.4 Gefahrengeneigtheit

Bei der Anwendung elektrischer Energie können Gefahren für die Gesundheit oder das Leben Dritter bei unsachgemäßer Ausübung bei der Errichtung elektrischer Anlagen entstehen. Dieser Aspekt wird regelmäßig als Begründung herangezogen, um die höchstmöglichsten Anforderungen bei der Errichtung von Anlagen einzufordern. Hier muss jedoch gesehen werden, dass eine absolute technische Sicherheit – also die völlige Ungefährlichkeit – einer Elektroanlage nicht möglich ist. Die Nutzung der Technik ist immer mit einem – wenn auch möglicherweise sehr geringen – Restrisiko verbunden.[60] „Die Gewährleistung der technischen Sicherheit verlangt, daß bei der Errichtung und dem Betrieb von Energieanlagen Gefahren für die Allgemeinheit und die Mitarbeiter der Anlagenbetreiber vermieden werden. Dies bedeutet nicht, daß Schäden mit absoluter Sicherheit ausgeschlossen sein müssen. Erforderlich ist vielmehr, daß der Schadenseintritt aufgrund der getroffenen Sicherheitsvorkehrungen hinreichend unwahrscheinlich ist. Entsprechend der „je-desto-Formel" des Polizeirechts (dazu bspw. Gusy, Polizeirecht, 3. Aufl. 1996, Rn. 115) hängt die rechtlich noch akzeptable Eintrittswahrscheinlichkeit vom Umfang des möglichen Schadens ab. Deshalb ist bei Ereignissen mit potentiell großen Schäden eine geringere Eintrittswahrscheinlichkeit zu verlangen, als bei Schäden mit potenziell begrenztem Ausmaß"[61]. Der Umfang gefahrabwehrender Maßnahmen ist demnach mit Sachverstand und Gewissenhaftigkeit festzulegen bzw. zu bewerten.

4.11.5 DIN-Normen

Die im VDE-Vorschriftenwerk vorgesehenen und von der DKE herausgegebenen Festlegungen über die Abwendung von bestimmten elektrotechnisch bedingten Gefahren für Menschen, Tiere, Sachen und die Umwelt müssten vermuten lassen, dass in „reinen" DIN-Normen ohne weitere Klassifikation keine sicherheitstechnischen Festlegungen zur Elektrotechnik enthalten sind. Dem ist nicht so, was regelmäßig kritisiert wird und zu einem noch undurchsichtigeren Regelwerksdickicht führt. In der Praxis führt dies fortwährend zu Diskussionen und Unsicherheiten, wie denn solche DIN-Normen zu berücksichtigen sind. In den Normengrundsätzen nach DIN 820-1 nimmt DIN für seine herausgegebenen Normen nicht in Anspruch, dass diese a.R.d.T. sind und stellt auch keine entsprechende Vermutungswirkung in den Raum; Abs. 8.1: „Die Normen des Deutschen Normenwerkes stehen jedem zur Anwendung frei. Sie sollen sich als anerkannte Regeln der Technik etablieren." Das DIN übernimmt auch keine Haftung für seine Normen und erklärt in Abs. 8.6: „Durch das Anwenden von Normen entzieht sich niemand der Verantwortung für eigenes Handeln. Jeder handelt insoweit auf eigene Gefahr." Weiterhin ist das DIN sehr zurückhaltend, wenn es um die Anwendung seiner Normen geht; „Grundsätze für das Anwenden von DIN-Normen": Jeder deliktsfähige Mensch hat sein Handeln (Tun und Unterlassen) selbst zu verantworten. Der Anwender einer DIN-Norm ist davon nicht ausgenommen. Daher wird er beim Anwenden einer DIN-Norm insbesondere beachten müssen, dass (…) die

60 *Thiele*, Netzanschluss – Probleme mit Verantwortlichkeiten, Teil 2: EnWG und Beschwerden-Fallbeispiele. Elektropraktiker 3/2023, S. 185 f.
61 *Britz/Hellermann/Hermes*, EnWG, § 49 Rn. 5.

Norm nicht einzige, sondern nur eine Erkenntnisquelle für technisch-ordnungsgemäßes Verhalten im Regelfall ist (…)".[62] Die Rechtsprechung ist widersprüchlich und aus technischer Sicht nicht nachzuvollziehen, was das Verhältnis von DIN-Normen zu den a.R.d.T. betrifft. In 2013 erfolgte durch den 5. Zivilsenat des BGH in dieser Hinsicht ein folgenschweres Urteil.[63] Der BGH führt aus: „Da DIN-Normen die Vermutung in sich tragen, dass sie den Stand der allgemein anerkannten Regeln der Technik wiedergeben (vgl. nur Werner/Pastor, Der Bauprozess, 14. Aufl., Rdnr. 1969 m. w. Nachw.), führt dies im rechtlichen Ausgangspunkt dazu, dass solche Sanierungen nur dann ordnungsgemäßer Verwaltung entsprechen, wenn sie DIN-gerecht durchgeführt werden. Diese Vermutung kann jedoch entkräftet werden." Die unterschiedlichen Denkweisen von Technikern und Juristen drücken sich besonders in folgender Formulierung aus: „Damit beruht die Legitimation der DIN-Normen mit ihrer Vermutungswirkung, die a.R.d.T. wiederzugeben, auf zwei Gründen, nämlich der Rechtsprechung und dem Regelwerksetzungsverfahren des DIN, das der Rechtsprechung für die Bejahung der Vermutungswirkung genügt. (…) Die zivilrechtliche Vermutungswirkung, dass DIN-Normen die aRdT wiedergeben, wird legitimiert durch Verfahren und nicht etwa dadurch, dass der Norminhalt – allein – richtig ist."[64]

Bei Gerichtsaufträgen ist diese juristische Festlegung für Sachverständige unerheblich, da sie nur sachlich/technisch aufklären und letztendlich keine Entscheidungen treffen müssen. Bei außergerichtlichen Aufträgen führt der sich in den letzten Jahren zuspitzende „Regelwerkswust" zu folgenschweren Missverständnissen, wenn Nichtjuristen Verträge, Vermutungswirkungen, Gesetzestexte und Gerichturteile auslegen müssen. Wenn nach § 1 VOB/B[65] als Bestandteil des Vertrages auch die Allgemeinen Technischen Vertragsbedingungen für Bauleistungen nach VOB/C[66] gelten, nach § 4 VOB/B der Auftragnehmer auch die anerkannten Regeln der Technik zu beachten hat und nach § 13 VOB/B die Leistung frei von Sachmängeln ist, wenn sie die vereinbarte Beschaffenheit hat und den anerkannten Regeln der Technik entspricht, ist die Verwirrung bereits entstanden. Hinweis: In der DIN ATV 18382:2019-09 wurden gegenüber der Vollausgabe von 2016 ca. 40 zusätzliche Regelwerke aufgenommen.[67] So ist in der DIN ATV 18382[68] u.a. die DIN 18015 (alle Teile) aufgelistet. Die DIN 18015-2[69] legt Art und Umfang der Mindestausstattung für elektrische Anlagen in Wohngebäuden fest. Nach dem Urteil des OLG Düsseldorf vom 9.2.2023 – 5 U 227/21 – hegt der Senat bereits grundsätzliche Bedenken, ob die DIN 18015-2 ihrem Regelungsgehalt nach überhaupt geeignet ist, die Vermutungswirkung, a.a.R.d.T. zu sein,

62 Internet: https://www.beuth.de/resource/blob/82394/83a19d5d513195635ae951c975c709d0/anwenden-von-din-normen-data.pdf.

63 BGH, U. v. 24.05.2013 – V ZR 182/12, NJW 2013, S. 2271, 2272.

64 *Motzke*, Legitimation schriftlicher Regelwerke als anerkannte Regeln der Technik und ihre Anwendung (DS 2022, 175)

65 Vergabe- und Vertragsordnung für Bauleistungen (VOB); Teil B: Allgemeine Vertragsbedingungen für die Ausführung von Bauleistungen, Fassung 2019.

66 Vergabe- und Vertragsordnung für Bauleistungen (VOB); Teil C: Technische Vertragsbedingungen für Bauleistungen, Fassung 2019

67 *Reichel/Carstensen*, Auflistung der durch VOB/C vereinbarten Normen zur Elektrotechnik mit Kommentar, DS 7-8/2022.

68 Allgemeine Technische Vertragsbedingungen für Bauleistungen (ATV); Elektro-, Sicherheits- und Informationstechnische Anlagen, Ausgabe 2019.

69 DIN 18015-2; Elektrische Anlagen in Wohngebäuden – Teil 2: Art und Umfang der Mindestausstattung.

für sich in Anspruch zu nehmen: „Rechtfertigung für eine allgemeine Vermutungswirkung, wonach DIN-Normen allgemein anerkannte Regeln der Technik seien, vermag der Senat den Ausführungen bei den zitierten Stellen jedenfalls insoweit nicht zu entnehmen, als der Inhalt der Normen reine Ausstattungsfragen ohne Bezug zum Sicherheits- oder Qualitätsniveau betrifft. (...) Denn die DIN 18015-2 trifft insoweit zu Regeln der Technik gar keine Aussage, sondern beschreibt ein Ausstattungsniveau, das Komfortansprüchen genügt."

Im Rahmen einer baubegleitenden Qualitätsüberwachung bzw. der technischen Begleitung einer Abnahme bleibt dem Sachverständigen nichts weiter übrig, als auf diese Widersprüchlichkeiten und die Beteiligten auf frühzeitige Klärung hinzuweisen.

Gerade auch bei DIN-Normen gilt für Sachverständige die Maßgabe, nur sachlich und technisch aufzuklären. Abweichungen von DIN-Normen sind nicht als Fehler zu werten, wenn es alternative Methoden gibt, die für die jeweilige Situation auch anwendbar sind.

4.11.6 Cybersicherheit in der Gebäudetechnik

Die Digitalisierung der Gebäudetechnik steht oft im Gleichklang mit den Begriffen Nachhaltigkeit, Automation, Komfort, Energieeffizienz, Integration erneuerbarer Energiequellen usw. Sie erlaubt neben einer bedarfsgerechten Steuerung und Regelung der Heiz-, Kühl- und Lichttechnik auch den Fernzugriff über das Internet für Fehlerdiagnosen, Programmierungen und Übermittlungen von Informationen zum Gebäudestatus. Die Anbindung der Gebäudetechnik an das Internet stellt jedoch auch ein Einfallstor für Cyberangriffe dar; Funktionen in Gebäuden können von außen manipuliert werden, Gebäude können bei zielgerichteten Veränderungen von Heiz- und Kühlparametern sogar beschädigt werden. Die Gebäudetechnik steht heute weitgehend ungeschützt einer komplexen IT-Welt gegenüber. Für Bausachverständige stellt sich im Rahmen baubegleitender Qualitätsüberwachung und Begleitung bei der Abnahme die Frage, wie mit diesem Dilemma umzugehen ist.[70]

Der Unternehmer hat gegenüber dem Besteller vor allem für den mit dem Gewerk bezweckten Werkerfolg einzustehen.[71] Gehen durch einen Cyberangriff die zugesicherten Funktionen verloren, ist das Werk mit Sachmängeln belegt. Folgende beispielhafte Funktionsausfälle und Schäden sind durch Cyberangriffe denkbar:

- Zutritt zum Gebäude wird verwehrt – Manipulation der Zugangskontrolle.
- Veränderung der Parameter der Heizungs-, Lüftungs-, Verschattungs- und Klimaanlage durch Angriff über das Internet.
- Manipulation der KNX-Gebäudesystemtechnik durch Angriff.

---

70 *Vogel/Schauer*, Vortrag: Cyber-Sicherheit in der Gebäudetechnik; Deutscher Sachverständigentag 2022, Berlin.

71 *Seibel*, Mangelhafte Bauleistung und technische Regelwerke (DIN-Normen etc.); Tagungsband: 3. Würzburger Symposium – Sachverständige im Handwerk, 2023.

- Beeinträchtigung des BOS (Funkdienst für Behörden und Organisationen mit Sicherheitsaufgaben); Störung der Funkkommunikation der Feuerwehr bei einem Einsatz im Gebäude. Wird dieser Funkdienst durch Angriff gestört, kann es zu lebensgefährlichen Situationen kommen.
- Diebstahl medizinischer Daten: Findet ein Hacker einen Kommunikationsweg in das Gebäude, können auch sensible medizinische Daten eingesehen, manipuliert und gestohlen werden.
- Absperrorgane Trinkwasser (als Leckage-Schutz), mögliche Folgen: Durch Fernzugriff wird die Wasserzufuhr abgestellt.
- Wasseraufbereitung/Enthärtungsanlagen, mögliche Folgen: Veränderung von Parametern; Zerstörung von Rohren.
- Automatische Spülungen (wegen Trinkwasserhygiene), mögliche Folgen: Zeitparameter verändern; erhöhter Trinkwasserverbrauch.
- Wärmeerzeuger (Wärmpumpe, Gas- und Ölkessel, BHKW), mögliche Folgen: Außerbetriebnahme.
- PV-Anlagen, mögliche Folgen: Außerbetriebnahme, Ertragsverluste.
- Sprinkleranlage, mögliche Folgen: Nicht vorhergesehener Testbetrieb.

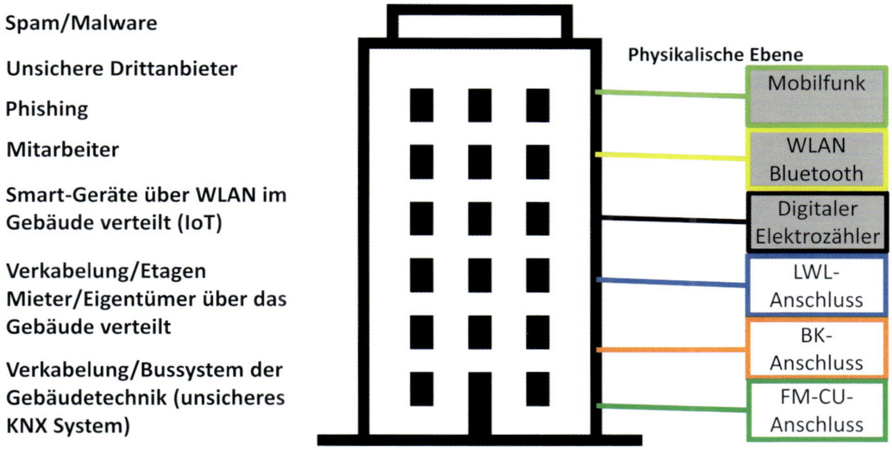

Abbildung 1: Einfallstore in das digitale Gebäude[72]

72 *Vogel/Schauer*, Vortrag: Cyber-Sicherheit in der Gebäudetechnik; Deutscher Sachverständigentag 2022, Berlin.

Für einen Lösungsansatz ist zunächst die Verantwortungshierarchie zu definieren:

1. Bauherr: Forderung von Sicherheit, auch Cybersicherheit.
2. Vom Bauherr bestellte, geeignete Beteiligte: Architekt, Entwurfsverfasser, Sachverständige, IT-Spezialist. Level für Cybersicherheit bestimmen, Verträge formulieren, Abnahmekriterien für Cybersicherheit definieren.
3. Generalübernehmer, Auftragnehmer; Pflichtenheft für Cybersicherheit und alle Gewerke erstellen, Dokumentation Cybersicherheit.
4. Käufer wird eingewiesen/geschult; ggf. Wartungsvertrag Cybersicherheit.
5. Nutzer wird eingewiesen/geschult; ggf. Wartungsvertrag Cybersicherheit.

Beispiele für ein Pflichtenheft:

- Sicherheitslevel bestimmen: Bank, Krankenhaus, Bürohaus, Wohnhaus?
- Erfassen aller Komponenten, auf die zugegriffen werden kann;
- Identifizieren: Wer macht was, wo – muss und darf er das? (Handwerker, Haustechniker, Immobilienmanager, Verwalter usw.);
- Zuordnung der Zugriffsrechte;
- Entscheidung: Dezentralisieren oder Zentralisieren;
- Vermeiden von WLAN-Lösungen, wo es möglich ist.

Beispiele für Abnahmekriterien:

- Liste aller Komponenten;
- Passworte (Ändern der Standardpassworte von verwendeten Geräten);
- Kenntnis verbundener Portale und Cloud-Systeme;
- Kenntnis Verschlüsselungsmethoden;
- Kenntnis Geräte mit Zugriff auf das System;
- Festlegen der Prüfmethode für IT-Spezialisten (z.B. Stresstest).

Beispiele für Inhalte eines Wartungsvertrages; Pflege der Cybersicherheit:

- Regelmäßige und gezielte Software-Updates;
- Support: Nach getaner Arbeit den Zugang wieder sperren;
- Support: Zugriff und Leistungen dokumentieren;
- Passwort-Management;
- Definieren der Störungsursachenbeseitigung; z.B. Warnung „Gerät nicht erreichbar", Ursache klären;
- regelmäßiger Stresstest;
- Zugangskontrolle auf allen Ebenen;
- Vieraugenprinzip.

Im Hinblick auf die Cybersicherheit können einige Regelwerke aufgelistet werden:

- VDE-AR-E 2802-20 – Anwendungsregel:2021-10
  Horizontales Cybersecurity-Konzept für Industrie 4.0
- ISO 27001 – Standard definiert Anforderungen an Informationssicherheitsmanagementsystem (ISMS)
- IEC 62443 „Industrielle Kommunikationsnetze – IT-Sicherheit für Netze und Systeme"
- EmpfBS 1115 – Empfehlung der Bundesanstalt für Arbeitsschutz (BAUA): Umgang mit Risiken durch Angriffe auf die Cyber-Sicherheit von sicherheitsrelevanten MSR-Einrichtungen
- Cybersecurity Act, CSA ist eine 2019 in der EU in Kraft getretene Verordnung zur Cybersicherheit
- ENISA – europäische Cybersicherheitsagentur
- RED – Funkgeräte-Richtlinie – gilt für den Verkauf und Betrieb funkferngesteuerter Produkte und Telekommunikations-Endeinrichtungen in der Europäischen Union
- DSGVO – Datenschutz-Grundverordnung
- EN 303 645 – ist ein europäischer Standard für vernetzte Geräte im Smart Home
- BSI – Grundschutz – definiert notwendige Maßnahmen

4.11.7 Fazit

Es gibt für die baubegleitende Qualitätsüberwachung (BQÜ) bzw. für das Abnahme-Prozedere im Hinblick auf die Cybersicherheit in der Gebäudetechnik kein geeignetes Regelwerk!

Beispiele für Rollen, welche den Sachverständigen zukommen:

- Der Sachverständige für Schäden an Gebäuden ist oft als erster in den Bauprozess eingebunden: Hinweis an Bauherr und Bauleitung.
- Sachverständige der Elektro- und Informationstechnik: Hinweis an Bauherr und Bauleitung, Erfassen von Hinweisen im Rahmen der BQÜ; Identifizieren von physikalischen Schnittstellen an Betriebsmitteln, Empfehlung der Beiziehung von Informatikern.
- Sachverständige für Heizung, Klima: Identifizieren von physikalischen Schnittstellen an Betriebsmitteln entsprechender Gewerke.
- Sachverständige/Sicherheitsanlagen-Prüfverordnung; diese haben eine besondere Rolle im Hinblick auf Sicherheitstechnik. Hier liegen dezidierte Normen vor!

Vorschlag für einen Hinweistext für Sachverständige (ohne Gewähr):

„Bei vorliegendem Gebäude wird im großen Umfang Gebäudetechnik eingesetzt, welche zum Teil auch vernetzt ist. Bei einem Cyberangriff können nicht kalkulierbare Schäden verursacht werden. Dies kann zum Verlust der Verfügbarkeit und Integrität des Gebäudes führen. Es wird daher dringend empfohlen, die Einfallstore für Cyberangriffe sowie Betriebs-

mittel mit Vernetzungsausstattung sowie alle externen Zugänge zu identifizieren und allen am Bau Beteiligten entsprechende Handlungsanweisungen zu erteilen. Im Hinblick auf die Komplexität der Systeme und der exzessiven Folgen bei nicht sachgerechtem Cyberschutz wird zusätzlich empfohlen, einen Sachverständigen für IT-Sicherheit zu beauftragen."

Im Rahmen dieses Fachbuches bzw. Beitrags kann nur an einzelnen Themenfeldern die gewissenhafte Tätigkeit von Sachverständigen beispielhaft angerissen werden. An dieser Stelle muss auf die zitierte sowie weitere Sachverständigenliteratur verwiesen werden. Ob die hier dargestellten Handlungsweisen auf andere Themenfelder übertragen werden können, muss für jeden Einzelfall beurteilt werden.

4.12 Schallschutz

Rainer Pohlenz

Übersicht

Einführung

Die ausgewählten Beispiele aus dem Bereich des Schallschutzes behandeln drei unterschiedlich gelagerte Fälle in Bezug auf die anerkannten Regeln der Technik: Der erste Fall beschreibt einen Luftschallschutzmangel aufgrund des Verstoßes gegen eine seit Jahrzehnten bestehende technische Regel. Der zweite Fall behandelt Ursache, Wirkung und Bewertung von tieffrequenten Trittschallübertragungen. Der dritte Fall enthält eine kritische Betrachtung der Anforderungen der DIN 4109-1 an den Schallschutz der technischen Gebäudeinstallation.

4.12.1 Luftschallschutz – Wohnungstrennbauteile mit Hochlochziegelaußenwänden

Beklagt wurde ein zu geringer Luftschallschutz der Wohnungstrennwände und -decken in einem Mehrfamilienwohnhaus.

4.12.1.1 Gebäudedaten

Bei dem zu untersuchenden Gebäude handelte es sich um einen unterkellerten, zweigeschossigen Massivbau mit ausgebautem Dachgeschoss. Das Gebäude enthielt eine Wohnung im Untergeschoss (Wohnung 1), eine Maisonettewohnung, die sich über das gesamte Erdgeschoss und etwa die Hälfte des Untergeschosses erstreckte (Wohnung 2) sowie zwei Maisonettewohnungen im Ober- und Dachgeschoss (Wohnungen 3 und 4) (siehe Abbildungen 1 bis 3 – Grundrisse). Der Architektenvertrag war datiert auf den 4.4.2019. Das Gebäude wurde im Jahr 2019 geplant und Ende 2021 fertiggestellt. Die Wohnungen wurden zwischen dem 1.1.2022 bis zum 1.3.2022 bezogen.

Die Wohnungstrennwände bestanden aus beidseitig verputztem, 24 cm dickem Leichtbeton-Schwerstein-Mauerwerk.[1] Die Kelleraußenwände bestanden aus beidseitig verputztem, 36,5 cm dickem porosierten Leichthochloch-Planziegelmauerwerk,[2] die Außenwände darüber aus innen verputztem, 17,5 cm porosiertem Leichthochloch-Planziegelmauerwerk mit zusätzlichem Wärmedämm-Verbundsystem. Die Zimmertrennwände der Wohnungen bestanden teilweise aus 11,5 cm dickem Bims-Mauerwerk, teilweise aus 11,5 cm dickem Leichthochlochziegel-Mauerwerk, jeweils beidseitig verputzt. Alle Innenwände und die Treppenhauswände waren stumpf an die Außenwände gestoßen.

Die Geschossdecken bestanden aus 22 cm dicken Stahlbetondeckenplatten mit 6 cm dicken schwimmenden Heizestrichen auf 2 cm dicken EPS-Trittschalldämmplatten. Die Stahlbetondecken lagen unmittelbar auf den Außenwänden auf. Die auf den Decken aufgehenden Außenwände standen ebenfalls unmittelbar auf den Decken auf.

4.12.1.2 Beklagte Störungen

Die Eigentümer des Wohnhauses, die die Wohnung 2 im Erdgeschoss und im Untergeschoss bewohnten, klagten nach Bezug der Wohnung über einen zu geringen Schallschutz zwischen ihrer Wohnung und den darüber und daneben liegenden Wohnungen:

- Aus der OG-Wohnung 4 wurden im Wohnzimmer und im Schlafzimmer der darunter liegenden Wohnung 2 Sprache in angehobener Lautstärke, Niesen und Husten deutlich wahrgenommen.
- Aus der UG-Wohnung 1 waren im Gästezimmer im UG der daneben liegenden Wohnung 2 normale Unterhaltungen störend wahrnehmbar.

1 KLB Klimaleichtblock GmbH, Andernach: Fachinformation KLB-Schallschutz; 2018-01.
2 Unipor Ziegel Marketing GmbH, München: Baulicher Schallschutz; 2016-10.

4.12.1.3 Anforderungen an den Luftschallschutz von Wohnungstrennbauteilen

Gemäß der zum Zeitpunkt der Gebäudeplanung gültigen DIN 4109-1[3], Tabelle 2 waren nachfolgend aufgeführte, bauordnungsrechtlich vorgeschriebene Anforderungen an den Schallschutz einzuhalten. Bei Einhaltung dieser Anforderungen werden laut Einleitung in DIN 4109-1 die Ziele „Gesundheitsschutz", „Wahrung der Vertraulichkeit bei normaler Sprechweise" und „Schutz vor unzumutbaren Belästigungen" erfüllt. Es kann bei Einhaltung dieser Anforderungen aber „nicht erwartet werden, dass Geräusche aus benachbarten Räumen nicht mehr bzw. als nicht belästigend wahrgenommen werden".

- Tabelle 2, Zeile 2 Wohnungstrenndecken erf. $R'_w \geq 54$ dB[1)]
- Tabelle 2, Zeile 13 Wohnungstrennwände erf. $R'_w \geq 53$ dB[1)]

Zwischen den Eigentümern des Gebäudes und der die Planung und Ausführung obliegenden Baufirma war der „erhöhte Schallschutz nach DIN 4109" vereinbart worden. Zum Zeitpunkt des Vertragsabschlusses war damit der Schallschutz nach Beiblatt 2 zu DIN 4109[4] mit folgenden Empfehlungen gemeint:

- Tabelle 2, Zeile 2 Wohnungstrenndecken erf. $R'_w \geq 55$ dB[1)]
- Tabelle 2, Zeile 11 Wohnungstrennwände erf. $R'_w \geq 55$ dB[1)]

4.12.1.4 Messtechnisch ermittelter Luftschallschutz

Die gemäß DIN EN ISO 16283-1[5] durchgeführten Messungen des vorhandenen Luftschallschutzes ergaben folgende Ergebnisse (siehe Abbildungen 4 und 5 – Schalldämmkurven):

Trennbauteil	Senderaum	Empfangsraum	Trennfläche	Ergebnis
• Trenndecke	Wohnung 4 WZ ↓	Wohnung 2 SZ	$S_T = 2{,}5\ m^2$	$R'_w = 46$ dB $D_{n,w} = 52$ dB[1)]
• Trennwand	Wohnung 1 AR →	Wohnung 2 GZ	$S_T = 6{,}5\ m^2$	$R'_w = 49$ dB $D_{n,w} = 51$ dB[1)]

Der Schallschutz erfüllte in beiden Fällen nicht einmal die Mindestanforderung der DIN 4109-1. Der vereinbarte erhöhte Schallschutz wurde jeweils um ≥3 dB verfehlt. Eine solche Unterschreitung ist als spürbar zu bezeichnen. Bei Vorliegen eines derart geringen Luftschallschutzes sind die vorgetragenen Klagen plausibel.

1) Bei Trennflächen mit $S_T < 10\ m^2$ müssen die bewerteten Norm-Schallpegeldifferenzen $D_{n,w}$ anstelle der bewerteten Schalldämm-MaßeR'$_w$ die o.a. Anforderungen erfüllen.

(1) $D_{n,w} = R'_w + 10 \cdot \lg (A_0/S_T)$ mit $A_0 = 10\ m^2$

3 DIN 4109-1 Schallschutz im Hochbau – Mindestanforderungen; 2018-01.

4 Beiblatt 2 zu DIN 4109 Schallschutz im Hochbau, Hinweise für Planung und Ausführung; Vorschläge für einen erhöhten Schallschutz; 1989-11.

5 DIN EN ISO 16283-1 Akustik – Messung der Schalldämmung in Gebäuden und von Bauteilen am Bau – Luftschalldämmung; 2018-04.

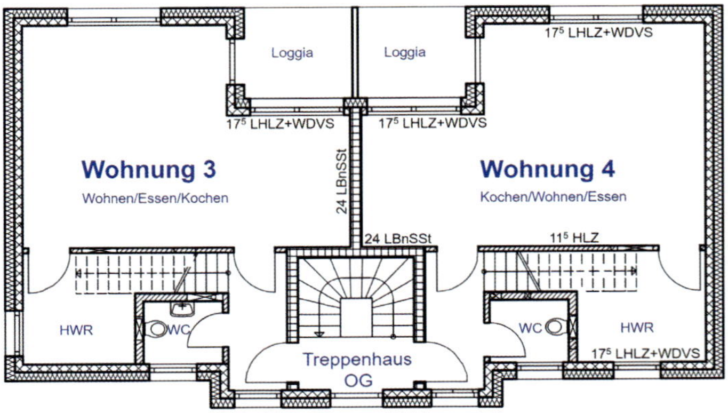

Abbildung 1: Grundriss OG; © Rainer Pohlenz

LHLZ = Porosiertes Leichthochloch-Ziegelmauerwerk
LBnSSt = Leicht-Beton-Schwerstein

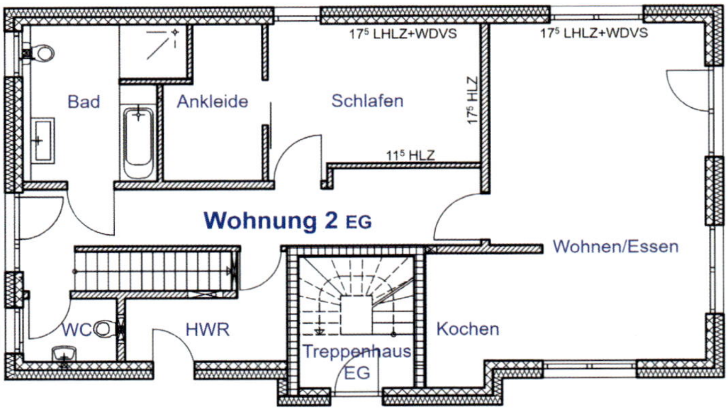

Abbildung 2: Grundriss EG; © Rainer Pohlenz

LHLZ = Porosiertes Leichthochloch-Ziegelmauerwerk
HLZ = Hochlochziegel

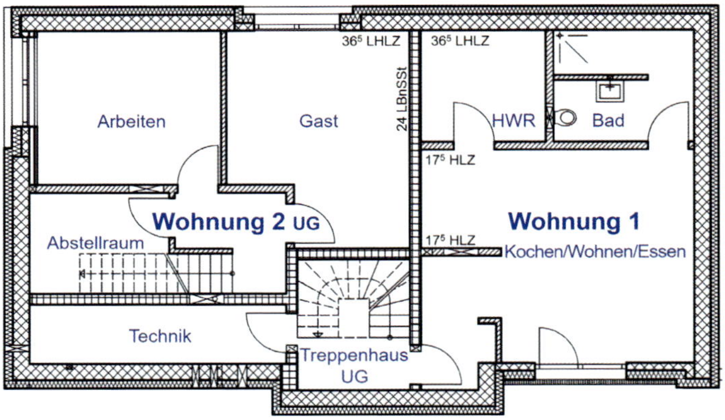

Abbildung 3: Grundriss UG; © Rainer Pohlenz

LHLZ = Porosiertes Leichthochloch-Ziegelmauerwerk
LBnSST = Leicht-Beton-Schwerstein
HLZ = Hochlochziegel

4.12.1.5 Rechnerisch prognostizierter Luftschallschutz

Die rechnerischen Nachweise für den Schallschutz des geplanten Gebäudes wiesen einige Fehler auf. Der Luftschallschutznachweis für die Wohnungstrennwand zwischen dem Gästezimmer der Wohnung 2 und den Räumen der Wohnung 1 im Untergeschoss fehlte sogar ganz.

Die vorhandenen Schallschutzprognosen für die Wohnungstrennwände im OG und im DG sowie für die Wohnungstrenndecken zwischen OG und EG waren unter Bezug auf DIN 4109-2[6] in Verbindung mit DIN 4109-32[7] erstellt worden. Diese Berechnungsgrundlagen ermöglichen eine rechnerische Erfassung der Baustoffe und Schichtenfolge der Trennbauteile und der flankierenden Bauteile und lassen bei fachgerechter Anwendung vergleichsweise genaue Prognosen des zu erwartenden Luft- und Trittschallschutzes zu. In Bezug auf die hier verwendeten Leichthochlochziegelsteine wird in DIN 4109-32, Abschnitt 4.1.4.3, auf die Verwendung von geprüften Rechendaten aus allgemeinen bauaufsichtlichen Zulassungen verwiesen. Eine Bauartzulassung lag zwar vor,[8] die erforderlichen schalltechnischen Rechendaten für das hier eingesetzte Außenwand- und Kelleraußenmauerwerk aus porosierten Planziegeln dagegen nicht.

DIN 4109-2 schreibt im Abschnitt 4.2.1 die Berücksichtigung der Schallübertragung über das Trennbauteil und über die flankierenden Bauteile vor. Letztere wurden im vorliegenden Schallschutznachweis nicht berücksichtigt. In den Luftschallschutznachweisen hieß es dort ausdrücklich: „Flanke 1-4: nicht berücksichtigt". Die Vernachlässigung der Flankenschallübertragung führte zwangsläufig zu falschen, d.h. in diesem Fall zu deutlich zu guten Prognoseergebnissen.

Der Luftschallschutz der Geschossdecken war im Rahmen der Mängelanalyse nachträglich unter Berücksichtigung der Flankenschallübertragung noch einmal berechnet worden. Für den Luftschallschutz der Decke zwischen dem Wohnzimmer der OG-Wohnung 4 und dem Schlafzimmer der EG-Wohnung 2 ergab diese Prognose anstelle des im ursprünglichen Nachweis falsch prognostizierten bewerteten Schalldämm-Maßes von $R'_w = 65(!)$ dB nur ein $R'_w = 47{,}6$ dB, umgerechnet $D_{n,w} = 53{,}6$ dB. Mit diesem rechnerisch richtigen Ergebnis wäre also der zu geringe Luftschallschutz im Vorhinein erkennbar gewesen.

Die Nichtberücksichtigung der Flankenschallübertragung bei der Schallschutzprognose ist als grober Fehler beim rechnerischen Nachweis des Luftschallschutzes einzustufen.

4.12.1.6 Ursachen für den geringen Luftschallschutz

Die Schallübertragung von einem Raum (Senderaum) zum anderen (Empfangsraum) erfolgt über das Trennbauteil auf dem Weg Dd und die das Trennbauteil flankierenden Bauteile jeweils auf den Wegen Ff, Fd und Df. Dabei bezeichnen die Großbuchstaben die durch Schall angeregten Bauteilflächen auf der Senderaumseite und die Kleinbuchstaben die den

6 DIN 4109-2 Schallschutz im Hochbau – Rechnerische Nachweise der Erfüllung der Anforderungen; 2018-01.
7 DIN 4109-3 Schallschutz im Hochbau – Daten für den rechnerischen Nachweis des Schallschutzes (Bauteilkatalog), Teil 32 Massivbau; 2016-07.
8 DIBt, Berlin: Allgemeine Bauartgenehmigung Z-17.1-652 des Deutschen Institutes für Bautechnik: „Mauerwerk aus UNIPOR-ZP-Planziegeln", 2019-02-28.

Schall abstrahlenden Bauteilflächen auf der Empfangsraumseite. Beispiel: Fd bedeutet, dass ein flankierendes Bauteil F im Senderaum angeregt wird, ein Teil des Schalls als Körperschall in das trennende Bauteil d weitergeleitet und dort in den Empfangsraum abgestrahlt wird. Es sind in der Regel vier flankierende Bauteile mit je drei Übertragungswegen (Ff, Fd, Df) und damit zwölf Flankenschallübertragungswege vorhanden. Zusammen mit dem Übertragungsweg Dd über das Trennbauteil ergeben sich insgesamt also 13 Übertragungswege. Das Bau-Schalldämm-Maß R'_w, das alle 13 Übertragungswege berücksichtigt, ist prinzipiell kleiner als das schlechteste der 13 Einzelschalldämm-Maß $R_{ij,w}$. Gemäß DIN 4109-2 besteht folgender rechnerischer Zusammenhang:

(2) $R'_w = -10 \cdot \lg [10^{(-0,1R_{Dd,w})} + \Sigma 10^{(-0,1R_{Ff,w})} + \Sigma 10^{(-0,1R_{Fd,w})} + \Sigma 10^{(-0,1R_{Df,w})}]$

In der nachträglichen rechnerischen Prognose für den **Luftschallschutz der Decke** zwischen Wohnzimmer der OG-Wohnung 4 und dem Schlafzimmer der EG-Wohnung 2 wurde ein bewertetes Schalldämm-Maß von $R'_w = 47,6$ dB ermittelt. Dieser geringe Wert ergab sich, obwohl die Decke als Trennbauteil allein ein gut ausreichendes Direktschalldämm-Maß $R_{Dd,w} = 66,4$ dB aufwies. Als Ursache für das geringe Endergebnis konnten die geringen Flankenschalldämm-Maße $R_{Ff,w}$ und $R_{Fd,w}$ der flankierenden Außenwand mit jeweils weniger als 55 dB ausgemacht werden. Demnach fand über das Außenmauerwerk eine starke Flankenschallübertragung zwischen den übereinanderliegenden Räumen statt, die das Gesamtschalldämm-Maß R'_w stark schwächte. Dass das messtechnisch ermittelte bewertete Schalldämm-Maß R'_w mit 49 dB etwas besser war als das gemäß DIN 4109-2 mit 47,6 dB prognostizierte, ist auf den in der Prognoserechnung enthaltenen Sicherheitsbeiwert von 2 dB zurückzuführen.

Die im Vergleich zu gleich schweren ungelochten Steinen spürbar geringere Schalldämmung von sog. schalltechnisch ungünstig gelochten Mauersteinen, dies sind porosierte Hochlochziegel mit elliptischer Lochung oder mit versetzten Stegen, wie sie im vorliegenden Fall die Außen-Mauersteine darstellen, wurde Anfang der 1990er-Jahre bekannt und war in der Folgezeit in zahlreichen Publikationen öffentlich diskutiert worden[9] Diese Steine unterliegen einer sog. Dickenresonanz, die je nach Steinmaterial und Dicke zwischen etwa 800 und 1250 Hz liegt. Aufgrund dieser Resonanz verringern sich die Direkt-Schalldämm-Maße in diesem Frequenzbereich und damit das bewertete Schalldämm-Maß dieser Mauerwerke um bis zu 6 dB gegenüber gleich schwerem Mauerwerk aus ungelochten Steinen. Schon in dem seinerzeit erschienenen Beiblatt 1 zu DIN 4109[10] findet sich ein entsprechender Hinweis.

9 Siehe z.B. *Gösele*, Zur Längsleitung über leichte Außenwände; Bauphysik 12 (1990), Heft 5; *Gösele*, Verringerung der Luftschalldämmung von Wänden durch Dickenresonanzen; Bauphysik 12 (1990), Heft 6; *Gösele/Kurz*, Schall-Längsdämmung von leichten, massiven Außenwänden bei übereinanderliegenden Räumen; Bauphysik 14 (1992), Heft 2; *Lott/Lutz*, Einfluss der Dickenresonanz leichter Außenwände auf die Schalllängsleitung; Bauphysikertreffen 1991, Tagungsband 12 (1991) der FHT Stuttgart, S. 87 ff.; *Pohlenz*: Schallschutz mit Ziegelmauerwerk; in: Wienerberger Baukalender 1996, S. 309 ff.; *Schneider*, Schalldämmung von hochwärmedämmenden Ziegeln; in: Tagungshandbuch Fachtagung 1995; München; *Scholl/Weber*, Einfluss der Lochung auf die Schalldämmung und Schall-Längsdämmung von Mauersteinen. Ergebnisse einer Literaturauswertung; Bauphysik 20 (1998), Heft 2, S. 49 ff.; *Schumacher*, Zur Transmissions- und Längsschalldämmung leichter Außenwände und Fassaden; HfT Stuttgart, Band 12 (1991); *Weber/Bückle*, Schalldämmung von Lochsteinen – neue Erkenntnisse; Bauphysik 20 (1998), Heft 6, S. 239 ff

10 Beiblatt 1 zu DIN 4109 Schallschutz im Hochbau, Ausführungsbeispiele und Rechenverfahren; 1989-11.

Auch die Flankenschalldämmung dieser Mauerwerke ist davon in gleicher Weise betroffen. Durch die über das Außenwandmauerwerk stattfindende verstärkte Flankenschallübertragung im Bereich der Eigenfrequenz verringert sich folglich der Schallschutz zwischen zwei benachbarten Räumen. Die Schalldämm-Maße der Schalldämm-Kurve sinken in diesem Frequenzbereich. Dies führt zu einer Verringerung des bewerteten Schalldämm-Maßes R'_w zwischen zwei übereinanderliegenden Räumen um bis zu 3 dB, in Einzelfällen auch mehr. *Schumacher* hat gezeigt, dass der negative Einfluss der Flankenübertragung in vertikaler Richtung besonders stark ist.[11] So weist denn auch die hier gemessene Schalldämmkurve der Trenndecke zwischen 400 Hz und 1250 Hz einen deutlicheren Einbruch auf (vgl. Abbildungen 4 und 5). Der Fehler durch die rechnerische Vernachlässigung dieser Flankenübertragung im ursprünglichen Schallschutznachweis ist deshalb als besonders gravierend zu bezeichnen. Als wirksame Abhilfemaßnahme für dieses Problem wurde Anfang der 2000er-Jahre das Anbringen von besandeten Bitumenbahnen zwischen der Rohdeckenplatte und dem Außenmauerwerk erkannt und zwar unterhalb und oberhalb der Deckenplatte.[12] Seit dieser Zeit finden sich bis heute entsprechende Detailzeichnungen in den Produktinformationen der Ziegelindustrie.[13]

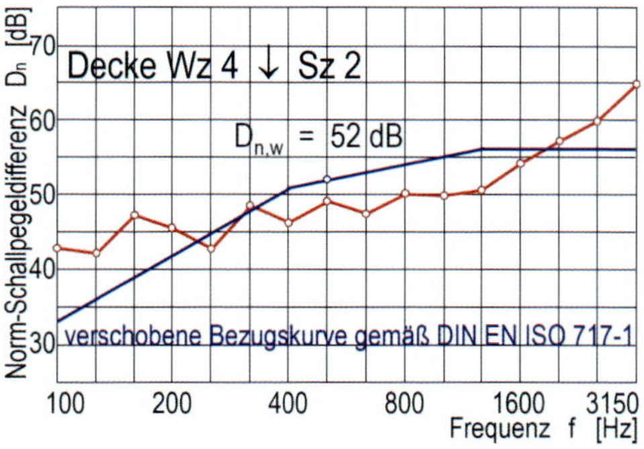

Abbildung 4: Schalldämmkurve der WTr-Decke; © Rainer Pohlenz

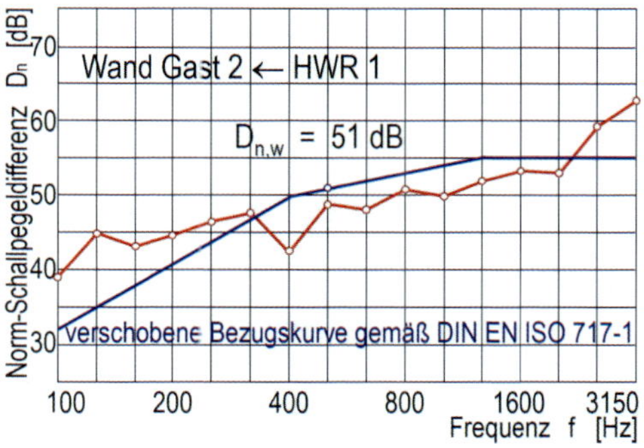

Abbildung 5: Schalldämmkurve der WTr-Wand; © Rainer Pohlenz

Als zusätzliche Ursache für den geringen Luftschallschutz zwischen den beiden übereinander liegenden Räumen ist die das Schlafzimmer begrenzende 11,5 cm dicke Hochlochziegel-Innenwand zu nennen. Grundsätzlich weisen alle Wände aufgrund der Ausbreitung von Biegewellen Schalldämmverringerungen in einem begrenzten Frequenzbereich auf. Bei leichten Wänden von etwa 10 bis 12 cm Dicke liegt der Einbruch je nach Material zwischen 400 Hz bis 800 Hz. Dadurch werden deren Direktschalldämmung und auch Flankenschalldämmung entsprechend verringert. Dieses Schallschutzproblem ist seit den 1980er-Jahren bekannt.[14] Es ist dadurch zu lösen, dass die leichten Zimmertrennwände durch Ent-

11 *Schumacher*, Zur Transmissions- und Längsschalldämmung leichter Außenwände und Fassaden; HfT Stuttgart, Band 12 (1991).

12 Z.B. *Pohlenz*, Schallschutz mit Ziegelmauerwerk; in: Wienerberger Baukalender 2002, S. 341 ff.

13 Unipor Ziegel Marketing GmbH, München, Baulicher Schallschutz; 2016-10; Wienerberger Ziegelindustrie, Hannover: Baulicher Schallschutz mit Ziegeln; 2017.

14 Siehe z.B. *Gösele*, Zur Längsleitung über leichte Außenwände; Bauphysik 12 (1990), Heft 5.

kopplungsstreifen von den sie umgebenden Bauteilen akustisch getrennt werden. Produkte dafür sind seit langer Zeit im Handel.[15]

Auch im Fall der **Wohnungstrennwand** zwischen dem Gästezimmer der Wohnung 2 und dem Hausarbeitsraum der Wohnung 1 im Untergeschoss sind Flankenschallübertragungen über die flankierende LHLZ-Außenwand und über die flankierende HLZ-Wand zwischen Abstellraum und Wohnraum der Wohnung 1 im UG ursächlich für den zu geringen Luftschallschutz. Der Schalldämmeinbruch im mittleren Frequenzbereich ist hier allerdings nicht so stark ausgeprägt wie im Falle der Trenndecke (vgl. Abbildungen 4 und 5). Jedoch auch hier ist der Fehler durch die rechnerische Vernachlässigung dieser Flankenschallübertragung im ursprünglichen Schallschutznachweis als gravierend zu bezeichnen.

Als konstruktive Abhilfemaßnahme für dieses Problem wurde Anfang der 2000er-Jahre z.B. vorgeschlagen,[16] die massive Wohnungstrennwand nicht, wie hier geschehen, stumpf gegen die flankierende Außenwand stoßen zu lassen, sondern in die Außenwand einbinden, besser durchbinden zu lassen. Dadurch erhöhen sich die Flankenschalldämm-Maße $R_{ij,w}$ und damit auch das bewertete Schalldämm-Maß R'_w zwischen den Räumen um bis zu 3 dB. Seit dieser Zeit finden sich bis heute entsprechende Detailzeichnungen in den Produktinformationen der Ziegelindustrie.[17] Die Ausbildung eines Stumpfstoßanschlusses der Wohnungstrennwand an die Leichthochlochziegel-Außenwand ist im Jahre 2019 als Verstoß gegen eine lange bekannte technische Regel zu bezeichnen.

4.12.1.7 Mängelbeseitigung

Weil in vorliegendem Fall nicht einmal die Anforderungen an den öffentlich-rechtlichen Mindestschallschutz erfüllt wurden, konnte der vorhandene zu geringe Schallschutz nicht durch Schadenersatz in Form einer Geldzahlung ausgeglichen werden. Vielmehr mussten **Maßnahmen zur Verbesserung des Schallschutzes** getroffen werden. Durch diese Maßnahmen sollte darüber hinaus das geschuldete Niveau des erhöhten Schallschutzes gemäß Beiblatt 2 zu DIN 4109 erreicht werden.

Die zur Sicherstellung des notwendigen Schallschutzes eigentlich erforderlichen konstruktiven Maßnahmen waren im Nachhinein nicht mehr durchzuführen (Anbringen von Bitumenbahnen auf und unter den Betondecken, Anlegen von Außenwandschlitzen zur Einbindung der Wohnungstrennwände, Einbauen von Entkopplungsprofilen rund um die Zimmertrennwände). Deshalb musste die Luftschallflankenübertragung durch Anbringen von biegeweichen Vorsatzschalen auf den Innenseiten der Außenwände und auf beiden Seiten der leichten HLZ-Innenwände verringert werden. Diese Maßnahmen waren in allen Geschossen erforderlich. Im EG mussten, um Platz zu sparen, zwei gemauerte leichte Innenwände durch Gipskartonständerwände ersetzt werden.

15 Wienerberger Ziegelindustrie, Hannover, Baulicher Schallschutz mit Ziegeln, 2017; Ytong Silka/Xella Deutschland: Produktprogramm Wandbaustoffe; 2016-09.

16 *Pohlenz*, Schallschutz mit Ziegelmauerwerk, in: Wienerberger Baukalender 2002, S. 341 ff.

17 Unipor Ziegel Marketing GmbH, München, Baulicher Schallschutz; 2016-10; Wienerberger Ziegelindustrie, Hannover, Baulicher Schallschutz mit Ziegeln, 2017.

Die auf den Estrichen stehenden biegeweichen Vorsatzschalen hatten folgenden Aufbau:

2x12,5 mm GKFI
75 mm CW-Wandprofile, frei vor der Wand stehend
im Hohlraum 60 mm Mineralwolle

Die auf den Rohdecken stehenden Trockenbauwände hatten folgenden Aufbau:

2x12,5 mm GKB
75 mm CW-Wandprofile
im Hohlraum 40 mm Mineralwolle
2x12,5 mm GKB

Die insgesamt geschätzten **Kosten für Verbesserungsmaßnahmen** beliefen sich auf ca. 85.000 € brutto.

Praxistipp

Die tatsächlichen Kosten können je nach Marktlage sehr unterschiedlich ausfallen. Eine genaue Kostenangabe kann deshalb erst nach entsprechender Ausschreibung der detailliert geplanten Leistungen erfolgen. Im vorliegenden Fall beruhten die geschätzten Kosten auf Angaben von örtlichen Baufirmen. Das anzusetzende Architektenhonorar für die Planung, Ausschreibung und Überwachung wurde auf Grundlage der HOAI 2013 ermittelt.

Ein trotz der vorgeschlagen Maßnahmen verbleibender **Minderwert** begründete sich zum einen durch die Tatsache, dass durch die erforderlichen biegeweichen Vorsatzschalen die nutzbare Wohnfläche vermindert werden würde, zum anderen zusätzlich dadurch, dass der Schallschutz nicht in allen Räumen so verbessert werden würde, dass der erhöhte Schallschutz entstünde. Bei der Ermittlung des Minderwertes wurde der von den Auftraggebern angegebene Kaufpreis für das Gebäude (ohne Grundstückskosten), die Bedeutung und das Ausmaß der durch den geringen Schallschutz verbleibenden Störung berücksichtigt. Der trotz der vorgeschlagen Verbesserungsmaßnahmen verbliebene Minderwert wurde ermittelt mit ca. 30.000 € brutto.

4.12.2 Trittschallschutz – Dämmung und Beurteilung der Schallübertragung bei tiefen Frequenzen

Beklagt wurden in einer Eigentumswohnung gehobenen Standards dumpfe Trittschallgeräusche aus der darüber liegenden Wohnung.

4.12.2.1 Gebäudedaten

Bei dem Gebäude handelte es sich um einen in den Jahren 2013/14 geplanten unterkellerten, dreigeschossigen Massivbau. Es enthielt je Geschoss drei Wohneinheiten.

Die Geschossdecken bestanden aus 20 bis 24 cm dicken Stahlbetonplatten mit schwimmenden Estrichen, die Wohnungstrennwände aus 24 cm dicken Stahlbetonplatten, die Innenwände aus Gipskarton-Trockenbauwänden und die Außenwände aus 20 cm dickem Kalksandstein-Mauerwerk mit Wärmedämm-Verbundsystem.

Die streitgegenständliche Wohnung im Erdgeschoss des Gebäudes wurde im Jahre 2017 durch die Klägerin erworben und bezogen.

4.12.2.2 Beklagte Störungen

Die Erwerberin der Erdgeschosswohnung beklagte nach Bezug der Wohnung einen zu geringen Trittschallschutz zwischen ihrer und der darüber liegenden Wohnung. Im Beweisbeschluss des Gerichtes hieß es:

Sind in der Wohnung der Klägerin aus der darüber liegenden Wohnung Laufgeräusche zu hören, die das übliche Maß überschreiten? Wenn insoweit – aus technischer Sicht – Mängel vorliegen: Was ist ihre Ursache? Welche Maßnahmen müssen zu ihrer Behebung getroffen werden?

4.12.2.3 Anforderungen an den Trittschallschutz und weitere Beurteilungsgrundlagen

Gemäß der zum Zeitpunkt der Gebäudeerstellung gültigen DIN 4109[18], Tabelle 3 war nachfolgend aufgeführte, bauordnungsrechtlich vorgeschriebene Anforderung an den bewerteten Norm-Trittschallpegel einzuhalten. Die Anforderung wurde laut Anwendungsbereich und Zweck der Norm mit dem Ziel festgelegt, „Menschen in Aufenthaltsräumen vor unzumutbaren Belästigungen durch Schallübertragungen zu schützen. Es kann nicht erwartet werden, daß Geräusche aus benachbarten Räumen nicht mehr wahrgenommen werden. ... Die Anforderung setzt voraus, daß in benachbarten Räumen keine ungewöhnlich starken Geräusche verursacht werden."

- Tabelle 3, Zeile 2 Wohnungstrenndecken zul. $L'_{n,w} \leq 53$ dB

Die im Beweisbeschluss erwähnten „Laufgeräusche, die das übliche Maß überschreiten" entstehen durch einen im Eigentumswohnungsbau gehobenen Standards unüblich gerin-

18 DIN 4109 Schallschutz im Hochbau – Anforderungen und Nachweise, 1989-11.

gen Trittschallschutz. Anhaltspunkte für einen in solchen Wohnungen üblichen Trittschallschutz enthält gemäß BGH[19] u.a. das Beiblatt 2 zu DIN 4109[20]

- Tabelle 2, Zeile 2 Wohnungstrenndecken zul. $L'_{n,w} \leq 46$ dB

Wird dieser Wert überschritten, kann in der Regel davon ausgegangen werden, dass mit unüblich starken Laufgeräuschen zu rechnen ist.

Für die Bewertung von tieffrequenten Trittschallübertragungen, die vorzugsweise beim fersenbetonten Gehen ohne Schuhe auf mit Natur- oder Kunststein belegten schwimmenden Estrichen entstehen, enthalten weder DIN 4109 noch das Beiblatt 2 zu DIN 4109 Grenzwerte oder Hinweise. Die dort enthaltenen Anforderungen an die bewerteten Norm-Trittschallpegel $L'_{n,w}$ sind hierzu nicht geeignet, weil diese Kenngröße lediglich den bauakustischen Messbereich von 100 Hz bis 3150 Hz berücksichtigt, die tieffrequenten Trittschallübertragungen jedoch bei Frequenzen unterhalb 100 Hz auftreten. Es existieren jedoch eine Reihe von Vorschlägen zur Beurteilung dieser Trittschallübertragungen.

Kühn und Blickle[21] schlugen auf der Basis von auf Holzbalkendecken durchgeführten Versuchen vor, den Summenpegel aus bewertetem Norm-Trittschallpegel $L'_{n,w}$ und dem Spektrum-Anpassungswert $C_{I,50\text{-}2500}$[22] zur Beurteilung von Gehgeräuschen, die durch **Gehen ohne Schuhe** im Raum unter der Decke verursacht werden, heranzuziehen:

- $L'_{n,w} + C_{I,50\text{-}2500} \geq 52$ dB → Gehgeräusch $L_{AF,Geh} \geq 35$ dB gut hörbar, störend
  $L'_{n,w} + C_{I,50\text{-}2500} \leq 46$ dB → Gehgeräusch $L_{AF,Geh} \leq 30$ dB kaum hörbar, nicht störend

Rabold[23] veröffentlichte für die Beurteilung von Gehgeräuschen, die durch **Gehen mit Schuhen** auf Holzdecken verursacht werden, folgende, sehr ähnliche Einschätzung:

- $L'_{n,w} + C_{I,50\text{-}2500} \geq 50$ dB → Gehgeräusch $L_{AF,Geh} \geq 35$ dB gut hörbar, störend
  $L'_{n,w} + C_{I,50\text{-}2500} \leq 45$ dB → Gehgeräusch $L_{AF,Geh} \leq 30$ dB kaum hörbar, nicht störend

Burkhart[24] schlug folgendes Beurteilungsschema für Gehgeräusche, die durch **Gehen mit Schuhen** auf schwimmenden Estrichen auf Betondecken verursacht werden, vor:

• $L'_{n,w} + C_{I,50\text{-}2500} > 55$ dB		Gehgeräusch gut hörbar, störend
$L'_{n,w} + C_{I,50\text{-}2500} \leq 55$ dB	$f_0 > 50$ Hz	Gehgeräusch hörbar, störend
	$f_0 \leq 50$ Hz	Gehgeräusch kaum hörbar, nicht störend
$L'_{n,w} + C_{I,50\text{-}2500} \leq 50$ dB		Gehgeräusch kaum hörbar, nicht störend

19 BGH v. 4.6.2009 – VII ZR 54/07 (OLG Hamm, LG Essen); abrufbar unter www.bundesgerichtshof.de/entscheidungen.

20 Beiblatt 2 zu DIN 4109 Schallschutz im Hochbau, Hinweise für Planung und Ausführung; Vorschläge für einen erhöhten Schallschutz, 1989-11.

21 *Kühn/Blickle*, Trittschalldämmung und Gehgeräusche-Immissionen von Geschossdecken aus Holz; wksb – Wärme, Kälte, Schall, Brand 50 (2005), Heft 54, S. 1.

22 DIN EN ISO 717-2 Akustik – Bewertung der Schalldämmung in Gebäuden und von Bauteilen; Trittschalldämmung, 2021-05.

23 *Blödt/Rabold/Halstenberg*, Holzbauhandbuch Reihe 3, Teil 3, Folge 1: Schallschutz im Holzbau – Grundlagen und Vorbemessung; 2019-03.

24 *Burkhart*, Das (aktuelle) Problem des Trittschalls: Estrichdröhnen, VMPA-Informationsveranstaltung Braunschweig, 2018-09-12.

Im DEGA-Memorandum BR 106[25] findet sich eine Einstufung, in der insbesondere die Stufe „nicht störend" deutlich strenger beurteilt wird:

- $L'_{n,w} + C_{I,50\text{-}2500} > 50$ dB $\rightarrow$ Gehgeräusch $L_{AF,Geh} > 34$ dB gut hörbar, störend
  $L'_{n,w} + C_{I,50\text{-}2500} \leq 50$ dB $\rightarrow$ Gehgeräusch $L_{AF,Geh} \leq 34$ dB hörbar, kaum störend
  $L'_{n,w} + C_{I,50\text{-}2500} \leq 40$ dB $\rightarrow$ Gehgeräusch $L_{AF,Geh} \leq 25$ dB kaum hörbar, nicht störend

Späh/Liebl/Weber/Leistner[26] schließlich kamen zu folgendem, dreistufigen Ergebnis, das in seiner Einschätzung deutlich von der der meisten übrigen Autoren abweicht und am ehesten mit der Einschätzung von *Burkhart*[27] übereinstimmt:

- $L'_{n,w} + C_{I,50\text{-}2500} \leq 59$ dB $\rightarrow$ 40 % der Befragten fühlten sich gestört
  $L'_{n,w} + C_{I,50\text{-}2500} \leq 55$ dB $\rightarrow$ 20 % der Befragten fühlten sich gestört
  $L'_{n,w} + C_{I,50\text{-}2500} \leq 51$ dB $\rightarrow$ 0 % der Befragten fühlten sich gestört

Eine zusätzliche Beurteilungskenngröße stellt der Norm-Trittschallpegel L'_n im Frequenzbereich zwischen 63 Hz und 125 Hz dar. Wenn dieser mehr als 60 dB beträgt, sind Klagen über die Übertragung von tieffrequenten Gehgeräuschen zu erwarten.

- $L'_{n,63\text{-}125} > 60$ dB $\rightarrow$ Klagen über tieffrequente Gehgeräusche zu erwarten

4.12.2.4 Bestellererwartung als Maßstab für das geschuldete Schallschutzniveau

Bleibt die Frage, ob eine Erwerberin einer Eigentumswohnung Anspruch auf einen Trittschallschutz ohne hörbare tieffrequente Trittschallübertragungen, d.h. auf einen Trittschallschutz mit einem Summenpegel von z.B. $L'_{n,w} + C_{I,50\text{-}2500} < 45$ dB hat. Hier sei zunächst auf ein Urteil des OLG München[28] verwiesen, dass diesen Anspruch verneinte, wenn die tieffrequenten Gehschallpegel nur gering seien. Die Richter nahmen dabei Bezug auf mehrere Sachverständigengutachten, in denen das sog. Estrichdröhnen als ein technisch unvermeidliches Phänomen beschrieben wurde (siehe hierzu auch Abschnitt 4.12.2.8), und auf das Ergebnis von Hörproben, die anlässlich eines Ortstermins von mehreren Richtern der Kammer genommen wurden. „Nur wenn Geräusche über ein gewisses zumutbares Maß hinausgingen, könnten sie als Mangel eingestuft werden. Eine solche Relevanz sei nach dem Ergebnis des ‚Ohrenscheins', bei dem nur ein Teil der Richter das Dröhnen überhaupt wahrgenommen habe, nicht gegeben. Bauliche Maßnahmen zum Verhindern jeglichen Dröhnens würden nur mit erheblichem Aufwand für Sonderbauten ergriffen. Eine solche Schallschutzqualität sei aber nicht vereinbart gewesen".

---

25 Deutsche Gesellschaft für Akustik e.V. (DEGA) – Fachausschuss Bau- und Raumakustik, Memorandum BR 0106 „Tieffrequente Schallübertragung von schwimmenden Estrichen", 2020-11; vgl. unter www.dega-akustik.de.

26 *Späh/Liebl/Weber/Leistner*, AcuWood – Entwicklung verbesserter Mess- und Bewertungsverfahren für den Schallschutz im Holzbau; IBP-Abschlussbericht 033R056, 2014.

27 *Burkhart*, Das (aktuelle) Problem des Trittschalls: Estrichdröhnen, VMPA-Informationsveranstaltung Braunschweig, 2018-09-12.

28 OLG München, U. v. 8.8.2017 – 9 U 3652/16 Bau.

Daraus kann nach Auffassung des Verfassers Folgendes geschlossen werden: Für den Wohnungsbau sind tieffrequente Trittschallübertragungen bis zu einem gewissen Maße hinzunehmen. Erst bei – aus welchen Gründen auch immer – bestehendem Anspruch auf einen besonders guten Schallschutz kann die Begrenzung der tieffrequenten Gehschallpegel durch entsprechende bauliche Maßnahmen erwartet werden. Grundsätzlich scheint es ratsam, das Problem der tieffrequenten Trittschallübertragungen und die erforderlichen Maßnahmen zu deren Minderung im Planungsstadium zu erörtern und ggf. geeignete Grenzwerte (siehe beispielsweise Abschnitt 4.12.2.3) zu vereinbaren.

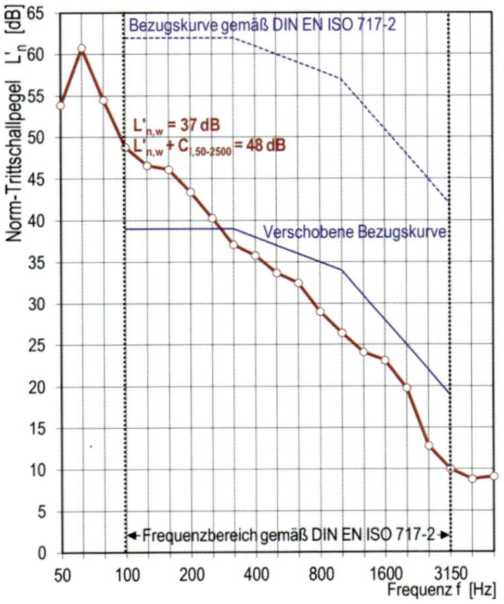

Abbildung 6: Norm-Trittschallpegelkurve der Decke; © Rainer Pohlenz

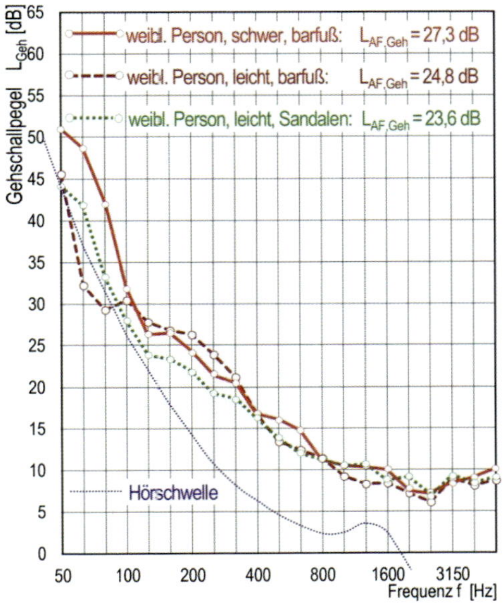

Abbildung 7: Gehschallpegelkurven; © Rainer Pohlenz

4.12.2.5 Messtechnisch ermittelter Trittschallschutz

In vorliegendem Fall wurde nach Abstimmung mit den Parteien exemplarisch der Trittschallschutz der Wohnungstrenndecke über dem großen Wohnzimmer untersucht, weil dort erfahrungsgemäß die höchsten Norm-Trittschallpegel auftreten.

Folgender Aufbau der Wohnungstrenndecke lag dort vor:

15 mm Parkett
60 mm Heizestrich
30 mm Trittschalldämmung
40 mm Ausgleichsschicht
230 mm Stahlbeton
10 mm Putz — Genaue Materialdaten waren nicht bekannt.

Ermittelt wurden gemäß DIN EN ISO 16283-2[29] folgende Kennwerte (vgl. auch Abbildung 6):

Trenndecke	Wohnzimmer OG ↓ Wohnzimmer EG	$S_T = 46\ m^2$	$L'_{n,w} = 37$ dB
	Spektrum-Anpassungswerte	$C_I = 1$ dB	$C_{I,50\text{-}2500} = 11$ dB
	Summenpegel		$L'_{n,w} + C_{I,50\text{-}2500} = 48$ dB
	Höchster Norm-Trittschallpegel (bei 63 Hz)		$L'_{n,63} = 60{,}8$ dB

4.12.2.6 Beurteilung des ermittelten Trittschallschutzes

Der für Wohnungen dieses Standards übliche Trittschallschutz wurde weit übertroffen. Der vorhandene bewertete Norm-Trittschallpegel war um 9 dB geringer als der gemäß Beiblatt 2 zu DIN 4109 zulässige bewertete Norm-Trittschallpegel. Bei einem Summenpegel von $L'_{n,w} + C_{I,50\text{-}2500} = 48$ dB und einem maximalen Norm-Trittschallpegel bei 63 Hz von $L'_{n,63} = 60{,}8$ dB waren gemäß den in Abschnitt 4.12.2.5 beschriebenen Beurteilungskenngrößen Störungen durch Geräusche, die durch beschuhtes und unbeschuhtes Gehen verursacht wurden, allenfalls gering und nach Auffassung des Verfassers wenig störend und hinnehmbar. Demnach war davon auszugehen, dass in der Wohnung der Kläger aus der darüber liegenden Wohnung keine Laufgeräusche zu hören waren, die das „übliche Maß überschritten".

4.12.2.7 Messtechnisch ermittelter Gehschallpegel

Um einen Eindruck von den im vorliegenden Fall auftretenden Gehgeräuschen zu gewinnen, wurden ergänzend zu den gemessenen Norm-Trittschallpegeln (s.o.) im EG-Wohnzimmer Gehschallpegel ermittelt, die durch Begehen der Decke durch zwei unterschiedlich schwere Personen erzeugt wurden. Auch wenn es sich hierbei nur um stichprobenartige Messungen handelte, belegten die Ergebnisse doch gut die o.a. Einschätzung. Folgende Gehschallpegel wurden ermittelt (Pegelverläufe siehe Abbildung 7):

1 Weibliche Person, schwer, barfuß, moderat fersenbetont auftretend	$L_{AF,Geh} \approx 27$ dB
2 Weibliche Person, leicht, barfuß, kräftig fersenbetont auftretend	$L_{AF,Geh} \approx 25$ dB
3 Weibliche Person, leicht, in leichten Sandalen, kräftig auftretend	$L_{AF,Geh} \approx 24$ dB

Die Gehgeräusche 1 und 2 waren schwach, das Gehgeräusch 3 fast nicht zu hören. Dabei waren die auftretenden Gehschallpegel deutlich geringer, als es aufgrund des vorliegenden Summenpegels[30] zu erwarten gewesen wäre. Die Höhe der Gehschallpegel und deren Wahrnehmbarkeit sind außer von dem baulich bedingten Verlauf der Norm-Trittschallpegelkurve auch von der das Gehgeräusch erzeugenden Person (Gewicht, Gehverhalten, Schuhwerk) abhängig.

---

29 DIN EN ISO 16283-2 Akustik – Messung der Schalldämmung in Gebäuden und von Bauteilen am Bau – Trittschalldämmung, 2020-11.

30 Gemäß *Blödt/Rabold/Halstenberg*, Holzbauhandbuch Reihe 3, Teil 3, Folge 1: Schallschutz im Holzbau – Grundlagen und Vorbemessung, 2019-03; Deutsche Gesellschaft für Akustik e.V. (DEGA) – Fachausschuss Bau- und Raumakustik: Memorandum BR 0106 „Tieffrequente Schallübertragung von schwimmenden Estrichen"; 2020-11; abrufbar unter www.dega-akustik.de; *Kühn/Blickle*, Trittschalldämmung und Gehgeräusche-Immissionen von Geschossdecken aus Holz; wksb – Wärme, Kälte, Schall, Brand 50 (2005), Heft 54, S. 1.

4.12.2.8 Ursache für störende, tieffrequente Trittschallübertragungen

Ursache für die bei Decken mit schwimmenden Estrichen typischerweise auftretende Trittschallpegelspitze im Frequenzbereich um 100 Hz und darunter ist die Eigenschwingung oder Resonanz des sog. Masse-Feder-Masse-Systems, das durch die Estrichplatte, die Trittschalldämmschicht und die Rohdeckenplatte gebildet wird. Solche Masse-Feder-Masse-Systeme weisen ein typisches Trittschalldämmverhalten auf, das auch in vorliegendem Fall in Abbildung 6 gut zu erkennen ist. Unterhalb der Eigenfrequenz, die hier bei 63 Hz liegt, stellt sich eine masseabhängige Trittschalldämmung ein, die bei den üblicherweise vorhandenen Flächenmassen eher gering ist. Die Norm-Trittschallpegel sind in diesem Frequenzbereich also vergleichsweise hoch. Im Bereich der Eigenfrequenz wird die Trittschalldämmung theoretisch Null, praktisch steigt der Norm-Trittschallpegel stark an. Oberhalb der Eigenfrequenz werden Estrichplatte und Rohdecke mit wachsender Frequenz zunehmend entkoppelt, die Norm-Trittschallpegel nehmen stark ab. Die (sehr) gute Trittschalldämmung von schwimmenden Estrichen auf Betondecken im bauakustischen Messbereich (100 Hz bis 3150 Hz) beruht auf diesem Dämmprinzip. Im Wohnungsbau übliche Anregungen, wie das Gehen in Schuhen, das Hin- und Herrutschen von Stühlen oder das Herunterfallen von Gegenständen werden gut gedämmt.

Durch das Gehen in Strümpfen oder Barfußgehen wird der Estrich im Bereich der Eigenfrequenz des Masse-Feder-Masse-Systems besonders stark angeregt, dementsprechend hoch sind die unter der Decke entstehenden Gehschallpegel. Durch vor allem in schwach bedämpften, d.h. leeren Räumen auftretenden Raummoden werden diese Gehschallpegel ggf. zusätzlich verstärkt. Große Räume sind davon besonders stark betroffen.

Die Eigenschwingung ist also bei ordnungsgemäß ausgeführten schwimmenden Estrichen unvermeidlich. Sie sollte deshalb möglichst weit unter 100 Hz, besser noch unter 50 Hz auftreten, weil mit sinkender Frequenz die Hörschwelle ansteigt, die Empfindlichkeit des menschlichen Gehörs also sinkt (vgl. Abbildung 7). Die Eigenfrequenz f_0 hängt von den Flächenmassen des Estrichs m'_E [kg/m²] und der Deckenplatte m'_D [kg/m²] und der dynamischen Steifigkeit s' [MN/m³] der Trittschalldämmschicht ab:

$$(3)\ f_0 = 160\sqrt{s'\,(1/m'_E + 1/m'_D)}\ [\mathrm{Hz}]$$

Eine Eigenfrequenz von $f_0 < 50$ Hz ist z.B. erreichbar durch folgenden Deckenaufbau:

≥ 60 mm Zement- oder Calciumsulfatestrich, m' ≥ 120 kg/m²
≥ 35 mm Trittschalldämmplatte mit einer dynamischen Steifigkeit s' ≤ 7 MN/m³
≥ 200 mm Stahlbetondecke, m' ≥ 480 kg/m²

Praxistipp

Durch einen weichen Teppich würde die Anregung beim Barfußgehen deutlich gedämpft, die entstehenden Gehschallpegel auch im tieffrequenten Bereich entsprechend gemindert.

4.12.3 Gebäudetechnik – Problematische Anforderungen der DIN 4109-1

Beklagt wurden in einem Rechtsstreit Geräusche, die von zuschlagenden Kellertüren in einer Eigentumswohnung im Erdgeschoss verursacht wurden.

4.12.3.1 Gebäudedaten

Bei dem Gebäude handelte es sich um einen im Jahr 2016 geplanten unterkellerten, zweigeschossigen Massivbau mit Staffelgeschoss. Es enthielt je Geschoss vier Wohneinheiten.

Die Geschossdecken bestanden aus 20 cm dicken Stahlbetonplatten mit schwimmenden Estrichen, die Wohnungstrennwände aus 24 cm dickem Kalksandsteinmauerwerk, die Innenwände aus Gipskarton-Trockenbauwänden und die Außenwände aus 17,5 cm dickem Kalksandstein-Mauerwerk mit Wärmedämm-Verbundsystem.

Die streitgegenständliche Wohnung im Erdgeschoss des Gebäudes wurde im Jahre 2019 durch die Kläger erworben und bezogen.

4.12.3.2 Beklagte Störungen

Die Erwerber der Erdgeschosswohnung beklagten nach Bezug der Wohnung Störungen durch Geräusche, die durch das Zuschlagen von Kellertüren verursacht wurden. Im Beweisbeschluss des Gerichtes hieß es:

Weist die von den Klägern erworbene Eigentumswohnung im Wohnbereich und im Schlafzimmer Schallbrücken auf mit der Folge, dass in den betroffenen Bereichen verschiedenartige Geräusche zu hören sind? Sind diese Geräusche deutlich wahrnehmbar und stellen eine Beeinträchtigung der Nutzung der Immobilie dar?

Während des Ortstermins wurde der Beweisbeschluss dahingehend erläutert, dass es sich bei den „verschiedenartigen Geräuschen" um Geräusche handele, die durch das Zufallen der mit Obentürschließern versehenen Kellertüren entstanden.

4.12.3.3 Anforderungen an den Schallschutz gebäudetechnischer Anlagen

Gemäß der zum Zeitpunkt der Gebäudeerstellung gültigen DIN 4109-1[31], Tabelle 9 war die nachfolgend aufgeführte, bauordnungsrechtlich vorgeschriebene Anforderung an den maximalen Norm-Schalldruckpegel $L_{AF,max,n}$ solcher Geräusche einzuhalten. Diese Anforderung ist anzuwenden auf alle Geräusche, die durch automatisch schließende Türen verursacht werden. Bei Einhaltung dieser Anforderungen werden laut Einleitung in DIN 4109-1 die Ziele „Sicherstellung des Gesundheitsschutzes" und „Schutz vor unzumutbaren Belästigungen" erfüllt. Es kann bei Einhaltung dieser Anforderungen aber „nicht erwartet werden, dass Geräusche aus benachbarten Räumen nicht mehr bzw. als nicht belästigend wahrgenommen werden."

31 DIN 4109-1 Schallschutz im Hochbau – Mindestanforderungen, 2018-01.

- Tabelle 9, Zeile 2 Sonstige Schallquellen der TGA zul. $L_{AF,max,n} \leq 30$ dB

Ein davon abweichender erhöhter Schallschutz war laut Aussagen beider Parteien nicht geschuldet.

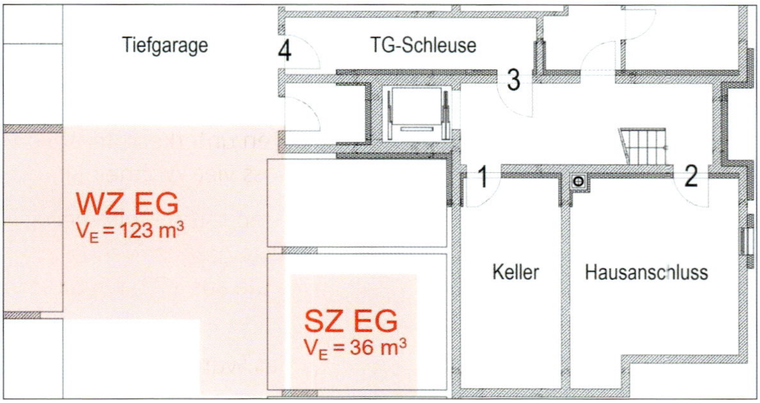

Abbildung 8: Lage der Türen im KG und der im EG liegenden gestörten Räume (rot); © Rainer Pohlenz

4.12.3.4 Messtechnisch ermittelte Norm-Schalldruckpegel der vorgefundenen Kellertüren

Die auf 90° geöffneten Kellertüren wurden durch die Obentürschließer zugeschlagen. Folgende maximale Norm-Schalldruckpegel $L_{AF,max,n}$ wurden gemäß DIN EN ISO 10052[32] dabei ermittelt:

Empfangsraum		1 Keller	2 HAR	3 TG-Schleuse	4 Tiefgarage
Wohnzimmer	$L_{AF,max,n}$ =	46 dB[1)]	48 dB[1)]	41 dB[1)]	39 dB[1)]
Schlafzimmer	$L_{AF,max,n}$ =	38 dB[1)]	37 dB[1)]	28 dB[2)]	24 dB[2)]
[1)] = DIN 4109-1-Anforderung überschritten [2)] = DIN 4109-1-Anforderung eingehalten					

4.12.3.5 Beurteilung der ermittelten Norm-Schalldruckpegel

Die ermittelten maximalen Norm-Schalldruckpegel lagen in sechs von acht Fällen erheblich über dem nach DIN 4109-1 bauordnungsrechtlich zulässigen Wert. Die Schließgeräusche waren als laute Schläge in den Räumen wahrzunehmen. Sie stellten eine im Sinne des Beweisbeschlusses „Beeinträchtigung der Nutzung der Immobilie" dar.

4.12.3.6 Ursachen für die entstandenen Norm-Schalldruckpegel

Die Obentürschließer der Türen waren (wie so oft) falsch eingestellt. Die zufallenden Türen schlugen nahezu ungebremst auf die Stahlzargen auf. Dass die für das Wohnzimmer er-

32 DIN EN ISO 10052 Akustik – Messung der Luftschalldämmung und Trittschalldämmung und des Schalls von haustechnischen Anlagen in Gebäuden, Kurzverfahren, 2021-11.

mittelten Norm-Schalldruckpegel deutlich über den für das Schlafzimmer ermittelten Schalldruckpegeln lagen, war auf zwei Ursachen zurückzuführen.

Ursache 1: Die in den Räumen zu messenden Schallpegel wurden sowohl durch Körperschallübertragung über die massiven Bauteile als auch durch Luftschallübertragung aus dem Keller-Treppenhaus-Flur erzeugt. Dabei wurde die Luftschallübertragung in das Schlafzimmer durch die Wohnungseingangstür und die Schlafzimmertür, die Luftschallübertragung in das Wohnzimmer lediglich durch die Wohnungseingangstür gedämmt.

Ursache 2: Der Beurteilungskennwert „$L_{AF,max,n}$" ist gemäß DIN 4109-4[33] unter Bezug auf DIN EN ISO 10052[34] wie folgt zu ermitteln:

(4) $L_{AF,max,n} = L_{AF,max} + 10 \cdot \lg (A_E/A_0)$ [dB]

$L_{AF,max}$	[dB]	im gestörten Raum gemessener maximaler Schalldruckpegel
A_E	[m²]	äquivalente Schallabsorptionsfläche des gestörten Raumes
A_0	[m²]	Bezugsabsorptionsfläche; $A_0 = 10$ m²

Dabei liegt in großen Räumen (wie dem Wohnzimmer) die äquivalente Schallabsorptionsfläche sehr häufig (zum Teil deutlich) über 10 m², in kleinen Räumen (wie dem Schlafzimmer) dagegen oft unter 10 m². Infolgedessen liegt der zur Beurteilung des Schallereignisses heranzuziehende $L_{AF,max,n}$-Wert in großen Räumen häufig mehr oder weniger deutlich über dem tatsächlich gemessenen Schallpegelwert $L_{AF,max}$ (im vorliegenden Fall um ca. 3 dB), in kleinen Räumen oft darunter (im vorliegenden Fall um ca. 1 dB). Das bedeutet, dass bei gleichem tatsächlichem Schallpegel sich die Norm-Schalldruckpegel in beiden Räumen um mehrere dB unterscheiden können (im vorliegenden Fall um fast 4 dB).

Um dieses Normierungsproblem zu reduzieren, wird u.a. in VDI 4100[35] empfohlen, anstelle des maximalen Norm-Schalldruckpegels $L_{AF,max,n}$ den sog. mittleren Standard-Maximalpegel $\overline{L_{AF,max,nT}}$ zu verwenden. Dieser errechnet sich wie folgt:

(5) $\overline{L_{AF,max,nT}} = L_{AF,max} - 10 \cdot \lg (T_E/T_0)$ [dB]

Der Zusammenhang zwischen $\overline{L_{AF,max,nT}}$ und $L_{AF,max,n}$ stellt sich wie folgt dar:

(6) $\overline{L_{AF,max,nT}} = L_{AF,max,n} + 10 \cdot \lg (31{,}25/V_E)$ [dB]

$L_{AF,max}$	[dB]	im gestörten Raum gemessener maximaler Schalldruckpegel
T_E	[s]	Nachhallzeit im gestörten Raum
T_0	[s]	Bezugsnachhallzeit; $T_0 = 0{,}5$ s
V_E	[m³]	Volumen des gestörten Raumes

Vorliegend sind die mittleren Standard-Maximalpegel im Wohnraum um knapp 6 dB, im Schlafzimmer um knapp 0,6 dB geringer als die maximalen Norm-Schalldruckpegel.

33 DIN 4109-4 Schallschutz im Hochbau – Bauakustische Prüfungen, 2016-07.

34 DIN EN ISO 10052 Akustik – Messung der Luftschalldämmung und Trittschalldämmung und des Schalls von haustechnischen Anlagen in Gebäuden, Kurzverfahren, 2021-11.

35 VDI 4100 Schallschutz im Hochbau – Wohnungen – Beurteilung und Vorschläge für erhöhten Schallschutz, 2012-10.

4.12.3.7 Messtechnisch ermittelte Norm-Schalldruckpegel der sanierten Kellertüren

Nach Justage der Obentürschließer wurden gemäß DIN EN ISO 10052[36] ermittelt:

Empfangsraum		1 Keller	2 HAR	3 TG-Schleuse	4 Tiefgarage
Wohnzimmer	$L_{AF,max,n}$ =	32 dB[1)]	31 dB[1)]	31 dB[1)]	32 dB[1)]
	$\overline{L_{AF,max,nT}}$ =	26 dB	25 dB	25 dB	26 dB
Schlafzimmer	$L_{AF,max,n}$ =	26 dB[2)]	25 dB[2)]	< 20 dB[2)]	< 20 dB[2)]
	$\overline{L_{AF,max,nT}}$ =	25 dB	24 dB	< 20 dB	< 20 dB
[1)] = DIN 4109-1-Anforderung überschritten [2)] = DIN 4109-1-Anforderung eingehalten					

4.12.3.8 Beurteilung der ermittelten Norm-Schalldruckpegel

Die Schallpegel, die beim gebremsten Zufallen der Türen in den Räumen der EG-Wohnung entstanden, konnten nach richtiger Einstellung der Obentürschließer drastisch reduziert werden. Zu hören war nur noch das Geräusch, das dadurch entstand, dass die Fallen der Schlösser nach dem Schließen der Türen aus dem Schloss in das Schließblech schnappten. In den beiden Räumen der Erdgeschosswohnung entstanden dadurch Schallpegel, die nur bei absoluter Stille in der Wohnung messbar und wahrnehmbar waren. Dennoch wurde im (großen) Wohnzimmer auch dann der gemäß DIN 4109 bauaufsichtlich zulässige maximale Norm-Schalldruckpegel bei allen Kellertüren überschritten.

Tatsächlich aber stellten die Geräusche nun keine im Sinne des Beweisbeschlusses „Beeinträchtigung der Nutzung der Immobilie" mehr dar. Diese scheinbar widersprüchliche Einschätzung erklärt sich durch die Anwendung des maximalen Norm-Schalldruckpegels im Zusammenhang mit einem Raum großen Raumvolumens, denn diese Kombination kann dazu führen, dass trotz gering(st)er Störung, die Mindestanforderung der Norm nicht erfüllt wird.

Ein weiterer Aspekt konnte bei der Beurteilung der Störwirkung nach DIN 4109-1 nicht berücksichtigt werden: Das Türenschlagen war nur wenige Male über den Tag verteilt zu hören, wodurch die dadurch verursachte Störwirkung abermals geringer einzuschätzen gewesen wäre. Eine unzumutbare Störung, wie sie scheinbar wegen der Überschreitung der Mindestanforderung der Norm vorlag, war hier mit Sicherheit nicht gegeben.

4.12.3.9 Sind die Anforderungen der DIN 4109-1 zielführend?

Das Beispiel zeigt: Das Beurteilungsverfahren der DIN 4109-1 führt bei Geräuschen dieser Art zu Fehlbeurteilungen und ist deshalb in dieser Form für die Beurteilung der Störwirkung von kurzzeitig einwirkenden Geräuschen nicht geeignet. Es müssen die Geräusche kurzzeitig einwirkender, selten auftretender Ereignisse, wie z.B. Türenschlagen oder das

36 DIN EN ISO 10052 Akustik – Messung der Luftschalldämmung und Trittschalldämmung und des Schalls von haustechnischen Anlagen in Gebäuden, Kurzverfahren, 2021-11.

Betätigen eines Rollladens, anders behandelt werden als Dauergeräusche, wie z.B. das fortwährende Brummen eines Aggregats. Die Mindestanforderung ist bei Anwendung des maximalen Norm-Schalldruckpegels $L_{AF,max,n}$ für Geräusche dieser und ähnlicher Art zu streng. Ein unangemessen hoher baulicher Aufwand ist u.U. zu ihrer Einhaltung erforderlich. Eine Anhebung des Anforderungswertes für selten und kurzzeitig auftretende Geräuscheinwirkungen um beispielsweise 5 dB, wie dies bei im eigenen Wohnbereich installierten raumlufttechnischen Anlagen bereits gehandhabt wird, sollte erwogen werden. Zugleich wäre eine Umstellung auf eine nachhallzeitbezogene Kenngröße sinnvoll, um die Überbewertung der Störwirkung von Geräuschen durch das $L_{AF,max,n}$ in großen Räumen zu umgehen.

Der Fachausschuss Bau- und Raumakustik der Deutschen Gesellschaft für Akustik hat deshalb in seinem DEGA-Memorandum BR 0105[37] für die Beurteilung von Geräuschen von gebäudetechnischen Anlagen vorgeschlagen, dass diese sowohl hinsichtlich ihres Maximalpegels als auch hinsichtlich ihrer Einwirkzeit beurteilt werden sollen. In einem in Vergleich zur derzeitigen Beurteilungsmethodik notwendigerweise verhältnismäßig aufwendigen Verfahren sollen der mittlere Standard-Maximalpegel $\overline{L_{AF,max,nT}}$, der gegenüber der bisherigen Anforderung um etwa 5 dB angehoben werden soll, und ein über eine Beurteilungszeit von 30 Sekunden zu mittelnder Beurteilungspegel $L_{r,TGA}$ ermittelt und beurteilt werden:

$\overline{L_{AF,max,nT}}$	[dB]	mittlerer Standard-Maximalpegel gemäß Gleichung (5)
$L_{r,TGA}$	[dB]	Beurteilungspegel für gebäudetechnische Anlagen gemäß Gleichung (7)

mit

$$(7)\ L_{r,TGA} = 10 \lg \left[(t_e/t_r)\ 10^{\left(0{,}1 L_{A,eq,nT} + 0{,}1 K_T\right)} \right]$$

mit

$$(8)\ L_{A,eq,nT} = L_{A,eq} - 10 \cdot \lg\ (T_E/T_0)$$

Dabei ist:

$L_{A,eq}$	[dB]	A-bewerteter äquivalenter Dauerschallpegel (Mittelungspegel) während der Einwirkdauer t_e des Geräusches, ggf. korrigiert um den Störgeräuscheinfluss
t_e	[s]	Einwirkungsdauer während der Beurteilungszeit
t_r	[s]	Beurteilungszeit; $t_r = 30$ s
K_T	[dB]	Zuschlag für Tonhaltigkeit analog TA Lärm[38]; $K_T = 0$ oder 3 oder 6 dB
T_E	[s]	Nachhallzeit im gestörten Raum
T_0	[s]	Bezugs-Nachhallzeit; $T_0 = 0{,}5$ s

37 Deutsche Gesellschaft für Akustik e.V. (DEGA) – Fachausschuss Bau- und Raumakustik: Memorandum BR 0105 „Beurteilung der Geräusche gebäudetechnischer Anlagen", 2020-12, abrufbar unter www.dega-akustik.de.

38 Verwaltungsvorschrift zum Bundesimmissionsschutzgesetz: Technische Anleitung zum Schutz gegen Lärm (TA Lärm) vom 26.8.1998, Gemeinsames Ministerialblatt – Bundesministerium des Innern, Bonn, 28.8.1998 mit Änderung vom 1.6.2017, BAnz AT 08.06.2017 B5.

Als Richtwerte für den **Mindestschallschutz**, die an die Stelle der derzeitigen Anforderungen aus DIN 4109-1 treten könnten, werden vorgeschlagen:

- Wohn- und Schlafräume $\overline{L_{AF,max,nT}} \leq 35$ dB $L_{r,TGA} \leq 25$ dB
- Unterrichts- und Arbeitsräume $\overline{L_{AF,max,nT}} \leq 40$ dB $L_{r,TGA} \leq 30$ dB

Das DEGA-Memorandum BR 0105 enthält darüber hinausgehende Empfehlungen für den **erhöhten Schallschutz** im Wohnungsbau

- Klasse C Wohn- und Schlafräume $\overline{L_{AF,max,nT}} \leq 30$ dB $L_{r,TGA} \leq 20$ dB
- Klasse B Wohn- und Schlafräume $\overline{L_{AF,max,nT}} \leq 25$ dB $L_{r,TGA} \leq 15$ dB

Die Geräusche der zuschlagenden Kellertüren des zuvor beschriebenen Falles wären mithilfe dieser Einstufung als „erhöhter Schallschutz der Klasse C" und besser zu beurteilen gewesen.

4.12.4 Fazit

Der Fall 1 machte deutlich, dass sich schalltechnisch begründete Ausführungsregeln über mehrere Jahrzehnte hinweg in der Praxis nicht vollständig durchgesetzt haben.

Der Fall 2 hat gezeigt, dass die Beurteilung von Schalleinwirkungen im tieffrequenten Bereich mit den derzeitigen normierten Methoden nicht möglich ist und dass ein abgestimmtes Beurteilungsverfahren hierfür zu entwickeln ist. Vorschläge dazu liegen vor.

Der Fall 3 gab Anlass zu erörtern, warum es mit der in DIN 4109-1 vorgegebenen Beurteilungsmethode zu krassen Fehlbeurteilungen von kurzzeitig einwirkenden Geräuschen der gebäudetechnischen Anlage kommen kann und warum es eines modifizierten Beurteilungsverfahrens bedarf. Ein Vorschlag dazu liegt ebenfalls vor.

4.12.5 Im Beitrag verwendete Abkürzungen

A_0	[m²]	Äquivalente Bezugsschallabsorptionsfläche; in der Regel: $A_0 = 10$ m²
A_E	[m²]	Äquivalente Schallabsorptionsfläche eines Empfangsraumes
AR		Abstellraum
C	[dB]	Spektrum-Anpassungswert für Wohngeräusche gemäß DIN EN ISO 717-1
C_I	[dB]	Spektrum-Anpassungswert für Trittschall gemäß DIN EN ISO 717-2
$C_{I,50-2500}$	[dB]	Spektrum-Anpassungswert für Trittschall für den Frequenzbereich 50-2500 Hz
C_{tr}	[dB]	Spektrum-Anpassungswert für Verkehrsgeräusche gemäß DIN EN ISO 717-1
CW		C-förmig geformtes Wand-Blechprofil
D_n	[dB]	Norm-Schallpegeldifferenz zwischen Senderaum und Empfangsraum
$D_{n,w}$	[dB]	Bewertete Norm-Schallpegeldifferenz zwischen Sende- und Empfangsraum
E_{dyn}	[MN/m²]	Dynamischer E-Modul eines Baustoffs
EG		Erdgeschoss
f_0	[Hz]	Eigenfrequenz (Resonanzfrequenz) eines zweischaligen Bauteils
f_g	[Hz]	Koinzidenzgrenzfrequenz eines einschaligen Bauteils

GKB		Gipskartonbauplatte
GKFI		imprägnierte Gipsfaserplatte (Feuerschutzplatte)
GZ		Gästezimmer
HAR		Hausanschlussraum
HLZ		Hochlochziegel
K_T	[dB]	Zuschlag wegen Tonhaltigkeit gemäß TA Lärm
$L_{A,eq}$	[dB]	A-bewerteter äquivalenter Dauerschallpegel
$L_{A,eq,nT}$	[dB]	A-bewerteter, nachhallzeitkorrigierter äquivalenter Dauerschallpegel
L_{AF}	[dB]	A-bewerteter Schalldruckpegel, Zeitbewertung Fast
$L_{AF,Geh}$	[dB]	A-bewerteter Gehschallpegel im Raum unter einer Decke, Zeitbewertung Fast
$L_{AF,max}$	[dB]	A-bewerteter maximaler Schalldruckpegel während eines Betriebsvorgangs
$L_{AF,max,n}$	[dB]	Maximaler Norm-Schalldruckpegel gemäß DIN EN ISO 10052 (Ersatz für L_{In})
$\overline{L_{AF,max,nT}}$	[dB]	mittlerer A-bewerteter Standard-Maximalpegel gemäß VDI 4100
LBnSSt		Leichtbeton-Schwerstein
LHLZ		Porosierter Leichthochlochziegel
L'_n	[dB]	Norm-Trittschallpegel bei Hammerwerksanregung im Senderaum
$L'_{n,63-125}$	[dB]	Norm-Trittschallpegel bei Frequenzen zwischen 63 Hz und 125 Hz
$L'_{n,w}$	[dB]	Bewerteter Norm-Trittschallpegel eines Bauteils gemäß DIN EN ISO 717-2
L_r	[dB]	A-bewerteter Beurteilungspegel gemäß DIN 45645-1
$L_{r,TGA}$	[dB]	A-bewerteter Beurteilungspegel gemäß DEGA-Memorandum BR 0105
m'_D	[kg/m²]	Flächenbezogene Masse einer Deckenplatte
m'_E	[kg/m²]	Flächenbezogene Masse einer Estrichplatte
OG		Obergeschoss
$R_{Dd,w}$	[dB]	Bewertetes Direkt-Schalldämm-Maß gemäß DIN 4109-2 auf dem Weg Dd
$R_{Df,w}$	[dB]	Bewertetes Flanken-Schalldämm-Maß gemäß DIN 4109-2 auf dem Weg Df
$R_{Fd,w}$	[dB]	Bewertetes Flanken-Schalldämm-Maß gemäß DIN 4109-2 auf dem Weg Fd
$R_{Ff,w}$	[dB]	Bewertetes Flanken-Schalldämm-Maß gemäß DIN 4109-2 auf dem Weg Ff
$R_{ij,w}$	[dB]	Bewertetes Flanken-Schalldämm-Maß gemäß DIN 4109-2 auf dem Weg ij
R_w	[dB]	Bewertetes Schalldämm-Maß eines einzelnen Bauteils gemäß DIN 4109-2
$R_{w,Bau,ref}$	[dB]	Bewertetes Labor-Schalldämm-Maß einschließlich Verlustfaktorkorrektur $\eta_{Bau,ref}$
R'	[dB]	Bau-Schalldämm-Maß eines Bauteils (einschließlich Nebenwegen)
R'_w	[dB]	Bewertetes Bau-Schalldämm-Maß eines Bauteils gemäß DIN EN ISO 717-1
S_T	[m²]	Gemeinsame trennende Bauteilfläche zwischen zwei Räumen
SZ		Schlafzimmer
s'	[MN/m³]	Dynamische Steifigkeit einer Dämmschicht
T_0	[s]	Bezugsnachhallzeit gemäß VDI 4100; $T_0 = 0{,}5$ s
T_E	[s]	Nachhallzeit in einem Empfangsraum
t_e	[s]	Einwirkungsdauer während der Beurteilungszeit
TG		Tiefgarage
t_r	[s]	Beurteilungszeit
u_{prog}	[dB]	Sicherheitsbeiwert für Prognoseunsicherheit gemäß DIN 4109-2
V_E	[m³]	Volumen eines Empfangsraums
WZ		Wohnzimmer

Herausgeber

Prof. Matthias Zöller, Dipl.-Ing. Architekt, Aachen und Neustadt an der Weinstraße, ist Honorarprofessor für Bauschadensfragen am Karlsruher Institut für Technologie KIT (Universität Karlsruhe), Architekt und ö.b.u.v. Sachverständiger für Schäden an Gebäuden. Am Aachener Institut für Bauschadensforschung und angewandte Bauphysik AIBau gGmbH leitet er die Bauschadensforschung und die Aachener Bausachverständigentage. Er ist in DIN-Arbeitsausschüssen zu Abdichtungen von erdberührten Bauteilen, von Dächern sowie zu Wassereinwirkungen im Baugrund und Gebäudedränung tätig und hat außerdem an der DIN-Norm für Innenraumabdichtungen sowie am „UBA Schimmelleitfaden 2017" des Umweltbundesamts mitgearbeitet. Er ist Autor in den Fachpublikationen und jeweils Mitherausgeber der „IBR Immobilien- & Baurecht", der „Bautechnischen und -rechtlichen Themensammlung" und des „Handbuch für Bausachverständige" sowie Autor weiterer Fachveröffentlichungen. Herr Zöller leitet den Fortbildungslehrgang zur Vorbereitung zur öffentlichen Bestellung und Vereidigung zu Sachverständigen für Schäden an Gebäuden, der vom Institut für Sachverständigenwesen IfS e.V. zusammen mit AIBau veranstaltet wird.

Dr. iur. Mark Seibel ist Vizepräsident des Landgerichts Siegen. Nach richterlichen Tätigkeiten beim Landgericht Münster, Amtsgericht Siegen und Landgericht Siegen war er von Dezember 2010 bis Dezember 2013 wissenschaftlicher Mitarbeiter im u.a. für das Bau- und Architektenrecht zuständigen VII. Zivilsenat des Bundesgerichtshofs in Karlsruhe. Danach war er bis August 2015 beim Oberlandesgericht Hamm in einem Bausenat tätig. Sodann wurde er zum Vizepräsidenten des Landgerichts Siegen ernannt. Dort leitet er die Baukammer. Im Technik- sowie (öffentlichen und privaten) Baurecht ist er durch zahlreiche Buchveröffentlichungen, Aufsätze in Zeitschriften (u.a. BauR, Der BauSV, BrBp, DRiZ, IBR, IMR, MDR, NJW, NZBau, Rpfleger, VersR, ZfBR), Vorträge und Seminarveranstaltungen bekannt. Er ist fortlaufend in der Richter-, Rechtsanwalts- sowie Sachverständigenfortbildung tätig; außerdem schiedsgerichtliche Tätigkeiten.

Zudem ist er Autor bzw. (Mit-)Herausgeber folgender Werke:

- *Zöller*, Kommentar zur ZPO
  (Mitautor ab der 32. Aufl. – Verlag Dr. Otto Schmidt)
- *Nicklisch/Weick/Jansen/Seibel*, Kommentar zur VOB/B
  (5. Aufl., München 2019 – Verlag C.H.Beck)
- *Seibel*, Der Stand der Technik im Umweltrecht
  (Dissertation, Hamburg 2003 – Verlag Dr. Kovač)

- *Seibel*, Baumängel und anerkannte Regeln der Technik
(München 2009 – Verlag C.H.Beck)
- *Seibel*, Selbständiges Beweisverfahren – Kommentar zu §§ 485 bis 494a ZPO unter besonderer Berücksichtigung des privaten Baurechts
(München 2013 – Verlag C.H.Beck)
- *Seibel u.a.*, Zwangsvollstreckungsrecht aktuell
(4. Aufl., Baden-Baden 2020 – Nomos Verlag)
- *Siebert/Eichberger*, AnwaltFormulare Bau- und Architektenrecht, dort: § 11 Zwangsvollstreckung
(4. Aufl., Bonn 2024 – Deutscher Anwaltverlag)
- *Zöller/Seibel*, Handbuch für Bausachverständige
(5. Aufl., Köln/Stuttgart 2024 – Bundesanzeiger Verlag/Fraunhofer IRB Verlag)
- *Zöller/Seibel*, Bautechnische und -rechtliche Themensammlung, Arbeitshefte ab 2011, fortlaufend erweitert (ursprüngliche Herausgeber und Begründer: *Staudt/Seibel*, Bundesanzeiger Verlag/Fraunhofer IRB Verlag)

Autorinnen und Autoren

Dipl.-Ing. (FH) **Thorsten Andreas** schloss sein Studium 2001 an der Fachhochschule Karlsruhe im Studiengang Baubetrieb mit dem Abschluss als Bauingenieur ab. Seit 2002 ist er bei der Firma Andreas Wohnungsbau GmbH in Landau/Pfalz tätig, deren Geschäftsführung er seit 2014 übernommen hat. Sein Ingenieurbüro Thorsten Andreas in Landau/Pfalz führt er bis heute erfolgreich. Ebenfalls führt er seit 2015 die Firma Andreas Bau GmbH in Landau/Pfalz als Inhaber. Im Jahr 2018 nahm er als Sachverständiger im Tätigkeitsbereich „Schäden an Gebäuden" mit dem Sachverständigenbüro Thorsten Andreas in Landau/Pfalz seine Aufgaben wahr und wurde 2021 von der IHK Pfalz als Sachverständiger für Schäden an Gebäuden öffentlich bestellt und vereidigt. Seit 2023 ist Herr Andreas Lehrbeauftragter der Europäischen Fernhochschule Hamburg.

Holger Beger ist Vorsitzender Richter am Landgericht Landau. Er trat im Jahr 2000 in die Justiz in Rheinland-Pfalz ein und wurde nach zahlreichen Stationen an verschiedenen Amts- und Landgerichten sowie am Oberlandesgericht Zweibrücken im Jahr 2013 zum Vorsitzenden Richter am Landgericht ernannt. Seit 2015 ist er Vorsitzender einer für Bausachen zuständigen Zivilkammer.

Dr. Peter Bleutge ist Rechtsanwalt und Co-Redakteur der Zeitschrift „IfS-Informationen". Gleichzeitig ist er Verfasser und Mitautor zahlreicher Kommentare, Bücher, Broschüren und Aufsätze zum Sachverständigenrecht. Seit Gründung des Instituts für Sachverständigenwesen (IfS) im Jahre 1974 führt Dr. Bleutge zusammen mit Richtern Seminare für die juristische Aus- und Fortbildung von öffentlich bestellten Sachverständigen durch. Nach dem Studium der Rechtswissenschaften, dem Referendariat und zweijähriger Tätigkeit als wissenschaftlicher Mitarbeiter der IHK in Frankfurt/Main war Dr. Bleutge drei Jahre Assistent an der juristischen Fakultät der Universität Bochum. Anschließend war er bis zu seinem altersbedingten Ausscheiden 31 Jahre Leiter des Referats Zivilrecht, Patentrecht, Handelsvertreterrecht, Produkthaftung, Sachverständigenrecht, Versteigerungsrecht und Strafrecht im Deutschen Industrie- und Handelskammertag (DIHK) in Bonn. Anfang 2001 ist Dr. Bleutge aus Altersgründen aus den Diensten des DIHK ausgeschieden und seitdem weiterhin als Rechtsanwalt, Dozent, Redakteur und Kommentator in allen juristischen Feldern des Sachverständigenrechts tätig.

Dipl.-Ing. **Andreas Borrmann** ist seit 2019 von der IHK mittlerer Niederrhein öffentlich bestellter und vereidigter Sachverständiger für Schäden an Gebäuden. Seit 2022 ist er auch für die IHK Stade tätig. Er studierte von 1985 bis 1991 an der RWTH Aachen mit dem Abschluss Bauingenieur – Schwerpunkt konstruktiver Ingenieurbau. Danach durchlief er nachfolgende berufliche Stationen: 1991 bis 1997 Tragwerksplanung und anschließend Bauleitung im Bereich Schlüsselfertigbau Hochtief AG, NL Duisburg; 1997 bis 1999 Oberbauleiter bei Derichs & Konertz NL Krefeld; 2000 bis 2021 technischer Geschäftsführer in der Langen Immobiliengruppe. Seit 2021 ist er freischaffend mit einem Büro in Krefeld tätig. Im Jahr 2022 kam ein weiteres Niederlassungsbüro in Cuxhaven hinzu. Seine Aufgabenschwerpunkte sind die Gutachtertätigkeit im Bereich Schäden an Gebäuden und Immobilienbewertung. Seit 2023 ist Herr Borrmann Lehrbeauftragter der Europäischen Fernhochschule Hamburg.

Prof. Dr.-Ing. Eric Brehm ist seit 2017 Professor für Betonbau, Mauerwerksbau und Baukonstruktion an der Hochschule Karlsruhe. Zudem ist er als Beratender Ingenieur im Ingenieurbüro Wetzel & von Seht tätig. Er ist Herausgeber des Mauerwerkkalenders und Vorsitzender des Deutschen Ausschusses für Mauerwerk e.V. Darüber hinaus engagiert er sich in der Normung und ist Vorsitzender des Lenkungsausschusses der Initiative für Praxisgerechte Regelwerke im Bauwesen e.V. (PRB). Zudem ist er Autor einer Vielzahl von Fachveröffentlichungen und betätigt sich in der Forschung.

Thomas Bretz ist seit 1995 auf dem Gebiet des Bau- und Architektenrechts tätig und seit dem Jahre 2005 als Fachanwalt für Bau- und Architektenrecht zugelassen. Er ist geschäftsführender Gesellschafter der u.a. auf Bau- und Immobilienrecht spezialisierten Kanzlei Gerlach Hünlein Rechtsanwaltsgesellschaft (Mannheim/Berlin/Eisenach). Tätigkeitsschwerpunkte sind die baubegleitende Beratung von Bauherren, Bauunternehmungen sowie Architekten und Ingenieuren im Zusammenhang mit der Projektierung, Planung und Realisierung von mittleren und großen Bauvorhaben. Vor dem Hintergrund seiner langjährigen Betätigung auf dem Gebiet des Bau- und Immobilienrechts verfügt Herr Bretz über eine große forensische Erfahrung im Zusammenhang mit komplexen Gerichtsverfahren sowohl bei der Geltendmachung als auch bei der Abwehr von Mängel- und Schadensersatzansprüchen, Honorarforderungen, Nachtragsforderungen und Bauzeit-Claims u.a. Neben der Gestaltung verschiedenster Verträge im Bau- und Architekten- sowie im Immobilienbereich generell gehört zu den regelmäßigen Tätigkeiten von Herrn Bretz auch die Durchführung von Vorträgen, Seminaren und Schulungen im Bereich des Bau- und Architektenrechts. Daneben war Herr Bretz mehrere Jahre Lehrbeauftragter für Baurecht am Karlsruher Institut für Technologie (KIT – Universität Karlsruhe) und betätigt sich weiterhin als ständiger Referent beim Institut für Sachverständigenwesen e.V. (IfS). Er ist Co-Autor der Hefte 3 und 4 der „Bautechnischen und -rechtlichen Themensammlung".

Freie Architektin Dipl.-Ing. **Maria Dilanas**, LL.M, öffentlich bestellte und vereidigte Sachverständige für Schäden an Gebäuden, studierte Architektur an der Universität Karlsruhe und der Architectural Association London sowie Baurecht und Baubegleitung an der Universität Marburg. Nach 13 Jahren Tätigkeit in der Planung, Ausschreibung und Bauleitung von Gebäuden hat sie von 2005 bis 2007 an der Qualifizierung zur Sachverständigen für Schäden an Gebäuden beim Institut Fortbildung Bau der Architektenkammer Baden-Württemberg (IFBau) teilgenommen und mit dem Hochschulabschluss der HTWG Konstanz abgeschlossen, 2008 folgte die öffentliche Bestellung. Seit 2012 ist sie Referentin des IFBau. 2013 übernahm sie als Referentin des IFBau das Themengebiet „Wärmeschutz, Feuchteschutz und Schimmelpilzbildung", seit 2022 zudem das Themengebiet „Die Tätigkeit des Sachverständigen – Technik und Recht". Parallel ist sie als Referentin tätig, u.a. zu den Themen „Niveaugleiche Türschwellen" und „Technische Quotelung", und hält Vorträge und Webinare für Verbände und Firmen. Als Sachverständige für Schäden an Gebäuden ist Frau Dilanas bundesweit tätig. Sie ist seit 2014 Mitglied des Deutschen Baugerichtstags e.V., zudem ist sie Mitglied der Deutschen Gesellschaft für Baurecht e.V., des Instituts für Baurecht Freiburg, des BVS sowie mehrerer Berufsverbände. Seit der 5. Auflage ist Frau Dilanas Mitautorin des Praxishandbuchs Sachverständigenrecht zur Tätigkeit der Sachverständigen am Bau.

Dipl.-Ing. (FH) **Ralf Finger** schloss sein Studium 1995 an der Fachhochschule Hildesheim-Holzminden im Studiengang Bauingenieurswesen in der Vertiefungsrichtung -konstruktiv- mit dem Abschluss als Bauingenieur ab. Von 1995 bis 2008 war er als Bauleiter und Projektleiter bei einem deutschen Baukonzern tätig. Sein Tätigkeitsschwerpunkt war hier der schlüsselfertige Bau von innerstädtischen Einkaufcentern. Im Jahr 2008 gründete er das Ingenieurbüro ifib GmbH und beschäftigte sich dort von nun an selbstständig mit der Planung und der Bauleitung von schlüsselfertigen Neu- und Umbauten im Bereich Hochbau. Seit 2019 ist Herr Finger von der IHK Arnsberg Hellweg-Sauerland öffentlich bestellter und vereidigter Sachverständiger für Schäden an Gebäuden. Zudem ist er seit 2022 Zertifizierter Immobiliengutachter (DIAZert LS). Seine Tätigkeitsschwerpunkte sind seitdem die Gutachtertätigkeit im Bereich Schäden an Gebäuden und in der Immobilienbewertung. Herr Finger ist seit 2023 Lehrbeauftragter der Europäischen Fernhochschule Hamburg. Er ist zudem Mitglied im b.v.s.

Dr.-Ing. Werner Hörenbaum studierte Bauingenieurwesen an der Universität Karlsruhe (TH); er war von 1996 bis 2004 wissenschaftlicher Mitarbeiter am Institut für Massivbau und Baustofftechnologie. Seit 2007 ist er im Ingenieurbüro SMP Ingenieure im Bauwesen GmbH, Karlsruhe, tätig, betreut dort Projekte der behutsamen Betoninstandsetzung und tritt bundesweit als Referent auf Fachveranstaltungen zu diesem Thema in Erscheinung.

Dipl.-Ing. (FH) **Ingo Kern** ist planender und bauleitender Architekt und seit 2011 öffentlich bestellter und vereidigter Sachverständiger für Schäden an Gebäuden. Nach einer Ausbildung zum Schreiner/Tischler absolvierte er ein Studium der Architektur. Seit 2002 ist er Büroinhaber eines Architekturbüros. Herr Kern ist Autor zahlreicher Fachveröffentlichungen und Referent für Fachvorträge und Seminare in Bauschadensfragen und Holzbauplanung.

Dipl.-Ing. **Géraldine Liebert** ist Architektin und hat an der RWTH in Aachen studiert. Schon während ihres Architekturstudiums begann sie als wissenschaftliche Mitarbeiterin im Aachener Institut für Bauschadensforschung und angewandte Bauphysik (AIBau gGmbH) sowie im Sachverständigenbüro von Prof. Dr.-Ing. Rainer Oswald zu arbeiten. Seit 2009 ist sie staatlich anerkannte Sachverständige für Schall- und Wärmeschutz; seit 2017 DGNB Consultant. Seit 2021 ist sie Lehrbeauftragte an der HAWK Hochschule für angewandte Wissenschaft und Kunst, Hildesheim/Holzminden/Göttingen. 2021 begann sie zudem ihre Mitarbeit im Verbraucherrat des DIN e.V. im Normenausschuss DIN 18199 Solaranlagen auf/an Gebäuden. Ihre Tätigkeitsschwerpunkte sind u.a. baukonstruktive und bauphysikalische Beratungen im Neubau und beim Bauen im Bestand, praktische Bauschadensforschung u.a. zu den Themen Wärmeschutz, Energieeinsparung, Solaranlagen auf Bestandsdächern, Innendämmungen, Schimmelpilzbildung, Instandsetzung und Instandhaltung von Gebäuden. Frau Liebert trägt zudem bei unterschiedlichen Fachveranstaltungen und Kongressen als Fachreferentin vor.

Dipl.-Ing. **Martin Mohrmann** ist als Sachverständiger im Bereich Holzbau tätig. Er absolvierte ein Studium im Bereich Architektur mit anschließender 10-jähriger Berufstätigkeit als Architekt. Ab 2000 war er für den Informationsdienst Holz als Fachberater tätig und Projektleiter in der Arbeitsgemeinschaft Holz e.V. in Düsseldorf. Seit 2002 ist er selbstständig als Sachverständiger für Schäden an Holzkonstruktionen.

Dr.-Ing. Heribert Oberhaus absolvierte ein Studium des Konstruktiven Ingenieurbaus an der Universität Dortmund. Von 1985 bis 1989 war er im Ingenieurbüro Dr. Pelle in Dortmund tätig und von 1989 bis 2001 als wissenschaftlicher Mitarbeiter am Lehrstuhl für Betonbau an der Universität Dortmund, Prof. Dr.-Ing. H. G. Schäfer. Von 1996 bis 2001 war Herr Dr.-Ing. Oberhaus nebenberuflich tätig, ab 2001 selbstständig als Inhaber und Geschäftsführer des Sachverständigenbüros Bauforschung Oberhaus (seit 2021 Ingenieurgesellschaft Bauforschung Keßler & Oberhaus mbH). Seine Tätigkeitsschwerpunkte liegen im Bereich Materialprüfung, Schadensanalysen, Gutachten und Fassadenplanung. Er promovierte 1993/94 mit dem Thema: „Zur Standsicherheit und Gebrauchstauglichkeit mineralischer WDVS". 1996 wurde er von der IHK zu Dortmund als Sachverständiger für Schäden an Fassaden und Wärmedämm-Verbundsystemen bestellt und vereidigt. Seit 2005 ist Herr Dr.-Ing. Oberhaus Mitglied des Sachverständigenausschusses „Fassadenbau" bzw. „Wärmedämm-Verbundsysteme auf mineralischen Untergründen" im Deutschen Institut für Bautechnik. Er ist Co-Autor des Buches „Wärmedämm-Verbundsysteme – Von der Thermohaut bis zur transparenten Wärmedämmung" von Riedel/Oberhaus/Frössel/Haegele.

Prof. Rainer Pohlenz arbeitet seit 50 Jahren als beratender Ingenieur, als Lehrender und als Fachautor auf dem Gebiet „Bauphysik". Er schloss im Jahr 1972 sein Architekturstudium an der RWTH Aachen ab und arbeitete danach als wissenschaftlicher Mitarbeiter von Prof. Dr.-Ing. Erich Schild am Lehrstuhl Bauphysik und Bauschadensfragen der RWTH Aachen. Sein 1984 in Aachen gegründetes Ingenieurbüro für Bauphysik ifas und die gleichnamige VMPA-anerkannte Schallmessstelle betreibt er bis heute in Partnerschaft. Seine öffentliche Bestellung und Vereidigung als Sachverständiger für Schallschutz erfolgte 1994 von der IHK Aachen. Im gleichen Jahr wurde er an die Hochschule Bochum als Professor für Baukonstruktion und Bauphysik des Fachbereichs Architektur berufen. Er lehrte dort bis zu seiner Emeritierung im Jahre 2011. Rainer Pohlenz ist Autor oder Mitautor mehrerer Fachbücher und zahlreicher Veröffentlichungen. Er ist zudem als Referent auf Fachtagungen und in Seminaren von Berufsverbänden für Ingenieure und Architekten, von Behörden und anderen Institutionen tätig.

Martin Schauer ist seit 2006 ö.b.u.v. Sachverständiger im Elektrotechniker-Handwerk und elektrische, magnetische und elektromagnetische Felder. Er ist Autor verschiedener Fachzeitschriftbeiträge und Verfasser des Fachbuchs „Feldreduzierung in Gebäuden". Herr Schauer leitete die Arbeitskreise zu den BVS-Standpunkten „Fundamenterder-Erdungsanlagen" sowie „Systeme in Niederspannungsnetzen" und ist Initiator des Würzburger Symposiums „Sachverständige im Handwerk". Bei der Berufsgenossenschaft Energie, Textil, Elektro, Medienerzeugnisse (BG ETEM) ist er regelmäßig Referent für das Seminar Elektromagnetische Verträglichkeit (EMV) in Gebäudeanlagen.

Dipl.-Ing. (FH) Architekt **Werner Seifert** ist seit 1998 öffentlich bestellter und vereidigter Sachverständiger für Architekten- und Ingenieurhonorare. Werner Seifert ist Bundesfachbereichsleiter „Architekten- und Ingenieurhonorare" des Bundesverbands öffentlich bestellter und vereidigter sowie qualifizierter Sachverständiger (BVS) und Mitglied des Fachausschusses „Architektenhonorare" der IHK Stuttgart. Herr Seifert ist u.a. Mitautor des HOAI- und Architektenrechts-Kommentars von Fuchs/Berger/Seifert und wirkte bis zur 8. Auflage des HOAI-Kommentars von Korbion/Mantscheff/Vygen mit. Werner Seifert ist außerdem Autor des HOAI-Tabellenbuches und des Werkes „Baukostenplanung". Ferner ist er Mitherausgeber und ständiger Mitarbeiter der Zeitschrift „IBR – Immobilien- und Baurecht", Mitarbeiter der Zeitschrift „Baurecht (BauR)" sowie Autor zahlreicher Fachveröffentlichungen. Herr Seifert ist Lehrbeauftragter an der Hochschule für Technik in Stuttgart und im LL.M.-Weiterbildungsstudiengang Baurecht und Baubegleitung der Philipps-Universität Marburg, Mitglied und Leiter verschiedener Fachgremien und Ausschüsse sowie Referent für verschiedene Architekten- und Ingenieurkammern, Verbände und private Seminaranbieter.

Dipl.-Ing. **Silke Sous** war bereits während ihres Architekturstudiums an der RWTH Aachen als wissenschaftliche Mitarbeiterin im Büro von Prof. Dr.-Ing. Oswald und später beim AIBau – Aachener Institut für Bauschadensforschung und angewandte Bauphysik gGmbH tätig. Seit 2009 ist sie staatlich anerkannte Sachverständige für Schall- und Wärmeschutz. Im Jahr 2018 wurde sie von der Architektenkammer Nordrhein-Westfalen zur Sachverständigen für Schäden an Gebäuden öffentlich bestellt und vereidigt. Ebenfalls seit 2018 ist sie Lehrbeauftragte an der HAWK – Hochschule für angewandte Wissenschaft und Kunst, Hildesheim/Holzminden/Göttingen. Seit 2020 ist sie Mitarbeiterin im Verbraucherrat des DIN e.V. im Normenausschuss zur DIN 18534 Innenraumabdichtung. Neben der Gutachtenerstattung berät Frau Sous private Bauherren zu bauphysikalischen Fragen bei der Erstellung von Neubauten sowie beim Bauen im Bestand. Sie arbeitet zudem in der Aus- und Fortbildung als Referentin, u.a. bei Architekten-und Ingenieurkammern, und ist Autorin von Fachveröffentlichungen.

Dr. Marc Steffen ist Fachanwalt für Bau- und Architektenrecht und Partner bei LEINEMANN PARTNER RECHTSANWÄLTE mbB. Sein Tätigkeitsschwerpunkt liegt in der projektbegleitenden Beratung in den Bereichen Infrastruktur (Bahnhöfe und Flughäfen), Hochbau (Wohn- und Bürohochhäuser und Revitalisierung bzw. Neubau von Shoppingcentern) sowie Ingenieur- und Wasserbau (Offshore-Windparks). Neben der Beratungstätigkeit im Bau- und Architektenrecht vertritt er Mandanten vor staatlichen Gerichten und ist erfahren in der Führung von Schiedsverfahren (DIS und ICC). Herr Dr. Steffen ist ständiger Autor der NJW-Spezial, Verfasser von Beiträgen in baurechtlichen Fachzeitschriften und wirkt zudem auch bei einer Reihe von Buchprojekten mit. Unter anderem ist er Mitautor des Werks Leinemann/Kues, BGB Bauvertragsrecht, 2. Aufl. 2023, §§ 633, 634, 634a und § 639 BGB. Als Referent tritt er regelmäßig bei baurechtlichen Seminaren auf, insbesondere im Rahmen der Fachanwaltsfortbildung, und ist Veranstalter von Inhouse-Seminaren für die Bauwirtschaft.

Prof. Dr.-Ing. Sylvia Stürmer ist Bauingenieurin. Nach dem Studium an der Bauhaus-Universität Weimar folgte die Promotion, die sie 1998 abschloss. Nach einigen Jahren als wissenschaftliche Mitarbeiterin am Finger-Institut der Bauhaus-Universität Weimar wechselte sie 1998 in die baustoffherstellende Industrie, wo sie als Produktmanagerin und später Leiterin der Abteilung Bauberatung tätig war. Seit 2003 ist sie Professorin an der Hochschule für Technik, Wirtschaft und Gestaltung HTWG Konstanz, lehrt in den Gebieten Baustofftechnologie, Bauphysik und Bauwerkserhaltung und beschäftigt sich mit Forschungsthemen zu Nachhaltigkeit (u.a. R-Betonen). Sie ist Mitglied der WTA (Wissenschaftlich-technische Arbeitsgemeinschaft für Bauwerkserhaltung und Denkmalpflege e.V.), der Vereine „Erhalten historischer Bauwerke e.V." und „Aufbereitung von Baustoffen und Wiederverwertung e.V." Weimar sowie in der Leitung des Prüfungsausschusses bei der Sachverständigenausbildung am ifbau Stuttgart (Weiterbildungsinstitut der Architektenkammer Baden-Württemberg) tätig. Neben einer langjährigen Referententätigkeit, u.a. am ifbau Stuttgart, ist sie Autorin zahlreicher Fachveröffentlichungen und Mitautorin des Fachbuchs „Sanierputzsysteme".

Dipl.-Ing. **Helge-Lorenz Ubbelohde** absolvierte bis 1987 ein Studium an der RWTH Aachen, Fachbereich Allgemeiner Ingenieurbau. Danach war er bis 1989 Mitarbeiter in einem namhaften Ingenieurbüro in Berlin (Schwerpunkte: Bauphysikalische Beratungen Fassadentechnik). Es folgte die Qualifikation zum technischen Betriebsleiter für das Beton- und Stahlbetonhandwerk sowie die Gründung einer eigenen Ingenieurgesellschaft. Herr Ubbelohde war von 1995 bis 1998 Lehrbeauftragter an der Fachhochschule Dessau. Seit 2004 ist er Vizepräsident des Bundesverbandes der öffentlich bestellten und vereidigten Sachverständigen (BVS), Fachbereichsleiter Bau. Von 2002 bis 2008 war Herr Ubbelohde Beiratsvorsitzender der Gesellschaft für technische Überwachung für den Bereich baubegleitende Qualitätsüberwachung. Seit 2017 Gründung des Deutschen Bausachverständigentages e.V. (DBST) und Präsident des DBST.

Dr.-Ing. Jürgen Warkus, Mönchengladbach, studierte Physik und Bauingenieurwesen an der Rheinisch-Westfälischen Technischen Hochschule in Aachen (RWTH Aachen). Danach war er sieben Jahre Wissenschaftlicher Mitarbeiter am Institut für Bauforschung der RWTH Aachen in der Arbeitsgruppe Stahl und Korrosion. Der Schwerpunkt seiner Forschungsarbeit bestand in der praktischen und theoretischen Analyse von Schädigungsmechanismen sowie deren Ursachen an Stahl- und Stahlbetonbauwerken, insbesondere der karbonatisierungs- und chloridinduzierten Bewehrungskorrosion. Zur numerisch gestützten Modellierung von Korrosionsvorgängen in Beton bei der Bildung von Makroelementen hat er im Jahr 2012 seine Dissertation an der RWTH Aachen verfasst. Weiterhin war er vertretungsweise Mitarbeiter im Sachverständigenausschuss „Spannstahl" des Deutschen Instituts für Bautechnik (DIBt). Herr Dr.-Ing. Warkus ist Mitarbeiter in einem Ingenieurbüro und dort verantwortlich für die Fachbereiche Massivbau, Inspektion und Schadensanalyse sowie Instandsetzungsplanung.

Rechtsanwalt **Alexander Weber** ist Dipl.-Ing. (DH) für Bauwirtschaft und absolvierte sein juristisches Studium an den Hochschulen in Heidelberg und Mannheim, nachdem er mehrere Jahre als Bauleiter im Hoch- und Schlüsselfertigbau tätig war. Es folgten bau- und vergaberechtliche Berufserfahrungen bei einem der führenden deutschen Bauunternehmen sowie einer Unternehmensberatung mit angeschlossener Kanzlei. Seit 2015 ist Herr Weber als Fachanwalt für Bau- und Architektenrecht zugelassen und Prokurist in der auf diese Rechtsgebiete spezialisierten Kanzlei Gerlach Hünlein Rechtsanwaltsgesellschaft (Mannheim/Berlin/Eisenach). Schwerpunkte seiner Tätigkeit sind die baubegleitende Beratung von Bauherren, Bauunternehmen, Architekten und Ingenieuren inklusive erforderlicher Vertragsgestaltungen sowie die Durchsetzung und Abwehr von Werklohn- und Gewährleistungsansprüchen wie auch das Immobilienrecht. Er tritt zudem regelmäßig als Referent auf Fortbildungsveranstaltungen seiner Mandantschaft zum Thema juristisches Bauprojektmanagement in Erscheinung.

Prof. Dr. Mark von Wietersheim wurde nach dem Studium der Rechtswissenschaften in Freiburg, Edinburgh und München 1996 als Rechtsanwalt zugelassen. Von 1996 bis 2000 war Prof. Dr. von Wietersheim in Berlin als Rechtsanwalt bei Luther & Partner und von 2000 bis 2008 als Inhouse-Jurist bei der Deutsche Bahn AG tätig. Seit 2009 ist Herr von Wietersheim Geschäftsführer des forum vergabe e.V., daneben ist er als freier Rechtsanwalt tätig. Prof. Dr. Mark von Wietersheim hat eine Vielzahl von Bauvorhaben im Bereich des Vergaberechts und des Privaten Baurechts betreut. In zahlreichen Veröffentlichungen und Vorträgen bereitete er diese Themen für die Praxis auf. Er ist Honorarprofessor an der Hochschule Osnabrück.

PD Dr.-Ing. habil. Stefan Wirth promovierte nach einem Studium des Maschinenbaus am KIT 1994 an der Universität Dortmund im Fachbereich Bauwesen zur thermischen Gebäudesimulation von Niedrig- und Passivhäusern. 2002 habilitierte er sich an der Universität Dortmund zur Gebäudetechnik. 2015 erfolgte die Umhabilitation an das KIT. Seit 1997 ist er öffentlich bestellter und vereidigter Sachverständiger (Fachgebiete: Heizungs-, Lüftungs-, Klima- und Sanitärtechnik). 2002 legte er die Prüfung zum amtlich anerkannten Prüfsachverständigen für Lüftungsanlagen vor dem Wirtschaftsministerium BW ab. Herr Dr. Wirth ist seit über 20 Jahren Geschäftsführer eines überregional tätigen Sachverständigenbüros für Gebäudetechnik. Hauptauftraggeber sind Gerichte in Südwest-, West- und Süddeutschland. Die Kernkompetenzen seines Büros bestehen in der belastbaren fachlichen Aufbereitung komplexer Sachverhalte aus der technischen Gebäudeausrüstung. Er veröffentlicht regelmäßig zu aktuellen Themen der technischen Gebäudeausrüstung.

Abkürzungsverzeichnis

a.A.	anderer Ansicht
a.a.O.	am angegebenen Ort
a.a.R.d.T.	allgemein anerkannte Regeln der Technik
a.E.	am Ende
a.F.	alte Fassung
ABl. EG	Amtsblatt der Europäischen Gemeinschaften
ABl. EU	Amtsblatt der Europäischen Union
Abs.	Absatz
abZ	allgemeine bauaufsichtliche Zulassungen
aBg	allgemeine Bauartgenehmigungen
AG	Auftraggeber
AGB	Allgemeine Geschäftsbedingungen
AHO	Ausschuss der Verbände und Kammern der Ingenieure und Architekten für die Honorarordnung e.V., Berlin
AIBau	Aachener Institut für Bauschadensforschung und angewandte Bauphysik
Anm.	Anmerkung
AöR	Anstalt des öffentlichen Rechts; Archiv des öffentlichen Rechts (Zeitschrift)
ArbSchG	Gesetz über die Durchführung von Maßnahmen des Arbeitsschutzes zur Verbesserung der Sicherheit und des Gesundheitsschutzes der Beschäftigten bei der Arbeit (Arbeitsschutzgesetz)
ArchLG	Gesetz zur Regelung von Ingenieur- und Architektenleistungen
ARGE	Arbeitsgemeinschaft
Art.	Artikel
AtomG	Gesetz über die friedliche Verwendung der Kernenergie und den Schutz gegen ihre Gefahren (Atomgesetz)
Aufl.	Auflage
AVB	Allgemeine Versicherungsbedingungen für die Haftpflichtversicherung
B.	Beschluss
BAG	Bundesarbeitsgericht
BauGB	Baugesetzbuch
BauR	Baurecht (Zeitschrift)
BauSV	Der Bausachverständige (Zeitschrift)
BayBO	Bayerische Bauordnung
BB	Betriebs-Berater (Zeitschrift)
BBR	Besondere Bedingungen und Risikobeschreibungen für die Berufshaftpflichtversicherung von Architekten, Bauingenieuren und Beratenden Ingenieuren
BDEW	Bundesverband der Energie- und Wasserwirtschaft
BeckOK	Beck'scher Online-Kommentar
BFH	Bundesfinanzhof
BGB	Bürgerliches Gesetzbuch
BGBl.	Bundesgesetzblatt

BGF	Brutto-Grundfläche
BGH	Bundesgerichtshof
BGHZ	Entscheidungen des Bundesgerichtshofs in Zivilsachen
BHKW	Blockheizkraftwerk
BIS	Der Bau- und Immobiliensachverständige (Zeitschrift)
BMJ	Bundesministerium der Justiz
BQÜ	Baubegleitende Qualitätsüberwachung
BrBp	Baurecht und Baupraxis (Zeitschrift)
BR-Drucks.	Bundesrats-Drucksache
BRKG	Bundesreisekostengesetz
BSG	Bundessozialgericht
BT-Drucks.	Bundestags-Drucksache
Buchst.	Buchstabe
BuW	Betrieb und Wirtschaft (Zeitschrift)
BVerfG	Bundesverfassungsgericht
BVerfGE	Sammlung der Entscheidungen des Bundesverfassungsgerichts
BVerwG	Bundesverwaltungsgericht
BVS	Bundesverband öffentlich bestellter und vereidigter sowie qualifizierter Sachverständiger e.V.
bzw.	beziehungsweise
d.h.	das heißt
DafStb	Deutscher Ausschuss für Stahlbeton e.V.
dB	Dezibel
DB	Der Betrieb (Zeitschrift)
db	deutsche bauzeitung (Zeitschrift)
DIBT	Deutsches Institut für Bautechnik
DIHK	Deutscher Industrie- und Handelskammertag
DIN	Deutsches Institut für Normung e.V.
Dipl.-Ing.	Dipolm-Ingenieur(in)
DKE	Deutsche Kommission Elektrotechnik Elektronik Informationstechnik
Dr.	Doktor
DRiZ	Deutsche Richterzeitung
DS	Die Sachverständigen (Zeitschrift)
DVA	Deutscher Vergabe- und Vertragsausschuss
DVP	Deutscher Verband der Projektsteuerer
e.V.	eingetragener Verein
EG	Erdgeschoss
EGBGB	Einführungsgesetz zum Bürgerlichen Gesetzbuch
EnEV	Verordnung über energiesparenden Wärmeschutz und energiesparende Anlagentechnik bei Gebäuden (Energieeinsparverordnung)
etc.	et cetera
EU	Europäische Union
evtl.	eventuell

f.; ff.	folgende; fortfolgende
FamFG	Gesetz über das Verfahren in Familiensachen und in den Angelegenheiten der freiwilligen Gerichtsbarkeit
FH	Fachhochschule
FHZivR	Fundheft für Zivilrecht (Zeitschrift)
GDV	Gesamtverband der Deutschen Versicherungswirtschaft e.V.
gem.	gemäß
GewA	Gewerbearchiv (Zeitschrift)
GewO	Gewerbeordnung
ggf.	gegebenenfalls
GG	Grundgesetz der Bundesrepublik Deutschland
GK	Gebrauchsklasse
GKG	Gerichtskostengesetz
GmbH	Gesellschaft mit beschränkter Haftung
GoA	Geschäftsführung ohne Auftrag
GSG	Gerätesicherheitsgesetz
GTÜ	Gesellschaft für Technische Überwachung mbH
GuG	Grundstücksmarkt und Grundstückswert (Zeitschrift)
GVG	Gerichtsverfassungsgesetz
h.M.	herrschende Meinung
HandwO	Handwerksordnung
HGB	Handelsgesetzbuch
HOAI	Honorarordnung für Architekten und Ingenieure
HWK	Handwerkskammer
i.d.R.	in der Regel
i.S.d./v.	im Sinne des/von
IBR	Immobilien und Baurecht (Zeitschrift)
IBRRS	Immobilien- und Baurecht, Rechtsprechung
ICC	International Chamber of Commerce (Internationale Handelskammer)
IfS	Institut für Sachverständigenwesen e.V.
IfS-Informationen	Zeitschrift des IfS
IHK	Industrie- und Handelskammer
IMR	Immobilien- und Mietrecht (Zeitschrift)
InsO	Insolvenzordnung
JurBüro	Juristisches Büro (Zeitschrift)
JVEG	Justizvergütungs- und -entschädigungsgesetz
KMB	Kunststoffmodifizierte Bitumendickbeschichtung
KrWG	Gesetz zur Förderung der Kreislaufwirtschaft und Sicherung der umweltverträglichen Bewirtschaftung von Abfällen (Kreislaufwirtschaftsgesetz)
LG	Landgericht
LL.M.	Master of Laws
Lph	Leistungsphase

LSV Bayern	Landesverband Bayern öffentlich bestellter und vereidigter sowie qualifizierter Sachverständiger e.V.
LV	Leistungsverzeichnis
m.w.N.	mit weiteren Nachweisen
MDR	Monatsschrift für Deutsches Recht (Zeitschrift)
MediationsG	Mediationsgesetz
Mio.	Million
MüKo	Münchener Kommentar
n.F.	neue Fassung
NF	Nutzfläche
NJW	Neue Juristische Wochenschrift (Zeitschrift)
NJW-RR	NJW Rechtsprechungs-Report (Zeitschrift)
Nr.	Nummer
NVwZ-RR	Neue Zeitschrift für Verwaltungsrecht Rechtsprechungs-Report
NZBau	Neue Zeitschrift für Baurecht und Vergaberecht
ö.b.u.v.	öffentlich bestellt und vereidigt
OG	Obergeschoss
OLG	Oberlandesgericht
PartGG	Gesetz über Partnerschaftsgesellschaften Angehöriger Freier Berufe (Partnerschaftsgesellschaftsgesetz)
PartGmbB	Partnerschaftsgesellschaft mit beschränkter Berufshaftung
PD	Privatdozent
PMBC	Polymer Modified Bituminious thick Coatings
ProdSG	Gesetz über die Bereitstellung von Produkten auf dem Markt (Produktsicherheitsgesetz)
Prof.	Professor
r.F.	relative Luftfeuchte
RA	Rechtsanwalt/Rechtsanwältin
RBerG	Rechtsberatungsgesetz
RDG	Gesetz über außergerichtliche Rechtsdienstleistungen (Rechtsdienstleistungsgesetz)
RG	Reichsgericht
RGSt	Entscheidungen des Reichsgerichts in Strafsachen (Zeitschrift)
Rn.	Randnummer
RVG	Gesetz über die Vergütung der Rechtsanwältinnen und Rechtsanwälte (Rechtsanwaltsvergütungsgesetz)
S.	Seite
SiGeKo	Sicherheits- und Gesundheitsschutzkoordinator
SOBau	Schlichtungs- und Schiedsordnung für Baustreitigkeiten
sog.	sogenannt
StGB	Strafgesetzbuch
StPO	Strafprozessordnung

StVZO	Straßenverkehrs-Zulassungs-Ordnung
SV	Sachverständige(r)
SVO	Sachverständigenordnung
TSR	Total Solar Reflectance
TÜV	Technischer Überwachungsverein
Tz.	Textziffer
U.	Urteil
u.a.	unter anderem
u.Ä.	und Ähnliches
u.v.m.	und vieles mehr
UBA	Umweltbundesamt
UG	Unternehmergesellschaft/Untergeschoss
UrhG	Gesetz über Urheberrecht und verwandte Schutzrechte (Urheberrechtsgesetz)
usw.	und so weiter
UWG	Gesetz gegen den unlauteren Wettbewerb
v.	vom
VDE	Verband der Elektrotechnik Elektronik Informationstechnik e.V.
VDI	Verein Deutscher Ingenieure e.V.
VersR	Versicherungsrecht (Zeitschrift)
vgl.	vergleiche
VHB	Vergabe- und Vertragshandbuch für die Baumaßnahmen des Bundes
VOB	Vergabe- und Vertragsordnung für Bauleistungen
VSBG	Gesetz über die alternative Streitbeilegung in Verbrauchersachen (Verbraucherstreitbeilegungsgesetz)
VVG	Gesetz über den Versicherungsvertrag (Versicherungsvertragsgesetz)
WBK	Wasserbeanspruchungsklasse
WDVS	Wärmedämmverbundsystem
WEG	Gesetz über das Wohnungseigentum und das Dauerwohnrecht (Wohnungseigentumsgesetz); Wohnungseigentümergemeinschaft
WiVerw	Wirtschaft und Verwaltung (Zeitschrift)
WM; WuM	Wohnungswirtschaft und Mietrecht (Zeitschrift)
WUFI	Wärme und Feuchte Instationär
z.B.	zum Beispiel
ZDB	Zentralverband des Deutschen Baugewerbes
ZfBr	Zeitschrift für deutsches und internationales Bau- und Vergaberecht
ZfIR	Zeitschrift für Immobilienrecht
ZfSch	Zeitschrift für Schadensrecht
ZGS	Zeitschrift für das gesamte Schuldrecht
Ziff.	Ziffer
ZIP	Zeitschrift für Wirtschaftsrecht
ZMediatAusbV	Verordnung über die Aus- und Fortbildung von zertifizierten Mediatoren
ZPO	Zivilprozessordnung

ZSEG	Gesetz über die Entschädigung von Zeugen und Sachverständigen
ZustVBau	Zuständigkeitsverordnung im Bauwesen
ZVDH	Zentralverband des Deutschen Dachdeckerhandwerks
ZVSHK	Zentralverband Sanitär Heizung Klima
zzgl.	zuzüglich

Literaturverzeichnis

Handbücher, Kommentare, Schriftenreihen

Ahrens, H.-J., Der Beweis im Zivilprozess, 2015

Bamberger, H. G./Roth, H./Hau, W./Poseck, R. (Hrsg.), BGB, Kommentar, 5. Aufl. 2023

Bayerlein, W./Bleutge, K./Roeßner, W. (Hrsg.), Praxishandbuch Sachverständigenrecht, 6. Aufl. 2021

Beck'scher Online-Kommentar BGB, hrsg. von *Hau, W./Poseck, R., C.*, 66. Edition

Beck'scher Online-Kommentar ZPO, hrsg. von *Vorwerk, V./Wolf, C.*, 49. Edition

Bleutge, P., Die Haftung des Sachverständigen für fehlerhafte Gutachten, IfS, Schriftreihe Band 17, 2002

Bleutge, P./Schlehe, V., Sachverständige als Schiedsgutachter – Leistungsbestimmung durch Dritte. Erläuterungen, Checklisten, Vertragsmuster, Verfahrensregeln, hrsg. vom Institut für Sachverständigenwesen e.V., 6. Aufl. 2023

Boldt, A./Zöller, M., Anerkannte Regeln der Technik – Inhalt eines unbestimmten Rechtsbegriffs, Baurechtliche und -technische Themensammlung Heft 8, 2017

Dauner-Lieb, B./Langen, W., BGB: Schuldrecht, 4. Aufl. 2021

Dettmering, T./Kollmann, H., Putze in Bauwerksanierung und Denkmalpflege, 3. Aufl. 2019

Dieckert, U., Eich, S., Drohnen – Technik und Recht bei gewerblicher und behördlicher Nutzung, 2018

Englert, K./Motzke, G./Wirth, A. (Hrsg.), Baukommentar, 2. Aufl. 2009

Franke, H./Kemper, R./Zanner, C./Grünhagen, M. (Hrsg.), VOB-Kommentar. Bauvergaberecht, Bauvertragsrecht, Bauprozessrecht, 3. Aufl. 2007

Franke, H./Kemper, R./Zanner, C./Grünhagen, M./Mertens, S. (Hrsg.), VOB-Kommentar. Bauvergaberecht, Bauvertragsrecht, Bauprozessrecht, 7. Aufl. 2020

Fuchs, H./Berger, A./Seifert, W. (Hrsg.), Beck'scher HOAI- und Architektenrechts-Kommentar: HOAI, 2016

Ganten, H./Kinderreit, E: (Hrsg.), Typische Baumängel, 3. Aufl. 2019

Ganten, H./Voit, W./Jansen, G. (Hrsg.), Kommentar Vergabe- und Vertragsordnung für Bauleistungen Teil B, 3. Aufl. 2013

Geigel, R., Haftpflichtprozess, 28. Aufl. 2020

Grüneberg, C. (Hrsg.), BGB, Kommentar, 82. Aufl. 2023

Hankammer, G., Schäden an Gebäuden, Erkennen und Beurteilen, 3. Aufl. 2017

Hankammer, G., Rechtliche und technische Grundlagen & praktische Hinweise zur Abnahme von Rohbau, Dach und Fassade, Abnahme von Bauleistungen, Band 1, 5. Aufl. 2017

Hankammer, G., Messinstrumente und -verfahren & praktische Hinweise zur Abnahme von Innenausbau und Haustechnik, Abnahme von Bauleistungen, Band 2, Köln 2018

Heiermann, W./Riedel, R./Rusam, M. (Hrsg.), Handkommentar zum VOB, Teile A und B, 14. Aufl. 2017

Hommerich, C./Reiß, N., JVEG, Evaluation und Marktanalyse, 2010

Ingenstau, H./Korbion, H., hrsg. von Leupertz, S./von Wietersheim, M., VOB Teile A und B, Kommentar, 22. Aufl. 2023

Jochem, R./Kaufhold, W. (Hrsg.), HOAI-Kommentar, 6. Aufl. 2016

Kapellmann, K./Messerschmidt, B. (Hrsg.), VOB Teile A und B, Kommentar, 8. Aufl. 2022

Keldungs, K. H./Tilly, W., Beweissicherung im Bauwesen, Grundlagen, Checklisten, Textmuster, 2005

Kniffka, R./Jurgeleit, A. (Hrsg.), Bauvertragsrecht, Kommentar, 3. Aufl. 2018 und 4. Aufl. 2022

Kniffka, R./Koeble, W./Jurgeleit, A./Sacher, D. (Hrsg.), Kompendium des Baurechts. Privates Baurecht und Bauprozess, 5. Aufl. 2020

Koenen, A., Der Sachverständigenbeweis im Bauprozess, 2012

Kraus-Johnsen, I., (Hrsg.), Schimmelpilz-Handbuch, 2018

Laasch, T./Laasch, E., Haustechnik. Grundlagen – Planung – Ausführung, 2013

Leinemann, R., VOB/B-Kommentar, 7. Aufl. 2019

Leinemann, R./Hildebrandt, T., Der Bauvertrag nach VOB/B – Grundzüge des Bauvertragsrechts, 3. Aufl. 2021

Leinemann, R./Kues, J.-H. (Hrsg.), BGB-Bauvertragsrecht, Kommentar, 2. Aufl. 2023

Leupertz, S./Hettler, A., Der Bausachverständige vor Gericht, 2. Aufl. 2013

Leupertz, S./Preussner, M./Sienz, C. (Hrsg.), Bauvertragsrecht, Kommentar, 2018

Locher, U., Das private Baurecht, 8. Aufl. 2021

Locher, U./Koeble, W./Frik, W. (Hrsg.), Kommentar zur HOAI, 13. Aufl. 2016

Mansel, H.-P./Budzikiewicz, C., Das neue Verjährungsrecht, 2002

Marburger, P., Die Regeln der Technik im Recht, Habil. 1979

Meier, H. G./Stürmer, S., Sanierputzsysteme: Planung, Ausführung, Fehlervermeidung, 2021

Messerschmidt, B./Voit, W. (Hrsg.), Privates Baurecht, Kommentar, verschiedene Auflagen

Meyer, P./Höver, A./Bach, W., Oberlack, H./Jahnke, B. (Hrsg.), JVEG, Die Vergütung und Entschädigung von Sachverständigen, Zeugen, Dritten und von ehrenamtlichen Richtern, Kommentar, 27. Aufl. 2018

Motzke, G./Bauer, G./Seewald, T. (Hrsg.), Prozesse in Bausachen, 3. Aufl. 2018

Motzke, G./Preussner, M./Kehrberg, J., Die Haftung des Architekten, 2015

Münchener Kommentar zum Bürgerlichen Gesetzbuch, hrsg. von *Säcker, F. J./Rixecker, R., Oetker, H., Limperg, B.*, verschiedene Auflagen

Münchener Kommentar zur ZPO, hrsg. von *Krüger, W./Rauscher, T.*, 5. Aufl. 2016 und 6. Aufl. 2020

Musielak, H.-J./Voit, W. (Hrsg.), Kommentar zur ZPO, 20. Aufl. 2023

Nicklisch, F./Weick, G./Jansen, G./Seibel, M. (Hrsg.), Kommentar zur VOB/B, 5. Aufl. 2019

Pardey, F./Balke, R./Link, J. (Hrsg.), Schadenrecht, 2023

Pieper, H./Breunung, L./Stahlmann, G., Sachverständige im Zivilprozess – Theorie, Dogmatik und Realität des Sachverständigenbeweises, 1982

Pott, W./Dahlhoff, W./Kniffka, R./Rath, H. (Hrsg.), HOAI, Kommentar, 8. Aufl. 2006

Prütting, H./Wegen, G./Weinreich, G. (Hrsg.), BGB, Kommentar, 13. Aufl. 2018

Schneider, D., Einführung in die praktische Infrarot-Thermografie, 2. Aufl. 2022

Schoofs, O./Hafkesbrink, V., Bauvertrag und Bauprozess, 2007

Seibel, M., Der Stand der Technik im Umweltrecht, Diss. 2003

Seibel, M., Baumängel und anerkannte Regeln der Technik, 2009

Seibel, M., Selbständiges Beweisverfahren – Kommentar zu §§ 485 bis 494a ZPO unter besonderer Berücksichtigung des privaten Baurechts, 2013

Seibel, M./Zöller, M., Bauteiluntersuchung, Baurechtliche und -technische Themensammlung Heft 7, 2016

Soergel, T./Spickhoff, A., BGB, 13. Aufl. 2005

Thode, R./Wirth, A./Kuffer, J., Praxishandbuch Architektenrecht, 2. Aufl. 2016

Ulrich, J., Selbständiges Beweisverfahren mit Sachverständigen, 2. Aufl. 2008

Werner, U./Pastor, W., Der Bauprozess, 16. Aufl. 2018, 17. Aufl. 2020 und 18. Aufl. 2023

Wirth, S., Schäden an Installationsanlagen. 2. Aufl. 2014

Zimmermann, T./Zimmermann, M., Lehrbuch der Infrarotthermografie, 2012

Zöller, M./Seibel, M., Bautechnische und -rechtliche Themensammlung, Arbeitshefte ab 2011, fortlaufend erweitert (ursprüngliche Herausgeber und Begründer: *Staudt/Seibel*, Bundesanzeiger Verlag/Fraunhofer IRB Verlag)

Zöller, M., Bauschäden in Beispielen, 50 typische Schadensfälle aus der Bausachverständigenpraxis, 2020

Zöller, R. (Hrsg.), Kommentar zur ZPO, 35. Aufl. 2024

Aufsätze

Aurnhammer, E., Verfahren zur Bestimmung von Wertminderungen bei (Bau-)Mängeln und (Bau-)Schäden, BauR 1978, S. 356

Aurnhammer, E., Wert und Bewerten; einige grundsätzliche Gedanken zum Wert-Problem, BauR 1981, S. 139

Bleutge, K., Das Sachverständigenwesen in Europa – andere Länder, andere Sitten?, DS 2008, S. 283

Bleutge, P., Das Kurzgutachten: ein unbekanntes Wesen – Praxis und Theorie im Widerstreit, DS 7-8/2015, S. 172

Bleutge, P., Vergütung der gedanklichen Vorarbeit, DS 49/2022, S. 315

Breuer, R., Direkte und indirekte Rezeption technischer Regeln durch die Rechtsordnung, AöR 101/1976, S. 46

Bruns, S., Pflicht des Sachverständigen, (auch) Bauteilöffnungen vorzunehmen? Eine überzeugende Begründung ist nicht in Sicht, BauR 2015, S. 183

Crombach, E., Verstoß gegen die allgemein anerkannten Regeln der Technik durch Abweichung von Herstellerrichtlinien, MDR 2006, S. 728

Dötsch, W., Bauteilöffnungen durch gerichtliche Sachverständige, NZBau 2008, S. 217

Fährmann, K., Das handwerkliche Sachverständigenwesen, DS 4/2023, S. 83

Finkelmeier, M., Anmerkung zu BGH, Urt. v. 25.06.2020 (III ZR 119/19), NJW 2020, S. 2471

Floter, B., Das Sachverständigenwesen in Europa – Aktuelle Fragen, Antworten und Perspektiven, DS 2007, S. 8

Gierga, M./Schneider, M., Einfluss leichter, massiver Innenwände auf den Schallschutz trennender Bauteile, Bauphysik 26/2004, Heft 1, S. 36

Halfmeier, C., Grundstrukturen des bauvertraglichen Schadensersatzes, BauR 2013, S. 320

Hartung, S., Die Abnahme im Baurecht, NJW 2007, S. 1099

Heinemeyer, S., Ende der fiktiven Mängelbeseitigungskosten auch im Kaufrecht?, NJW 2018, S. 2441

Jagenburg, W., Die Entwicklung des privaten Bauvertragsrechts im Jahre 1981, NJW 1982, S. 2412

Kamphausen, P.-A., Anmerkung zu OLG Hamm, Urteil vom 23.6.1981 – 2 U 225/80, BauR 1983, S. 175

Kamphausen, P.-A., Zur mündlichen Gutachtenerläuterung in Bausachen, BauR 2007, S. 807

Kamphausen, P.-A./Warmbrunn, D., Zur Feststellung anerkannter Regeln der Bautechnik – Praxisbeispiel: Druckwasserbelastete Keller aus Stahlbeton-Elementwänden, BauR 2008, S. 25

Karczewski, T., Die Abnahme des Gemeinschaftseigentums – ein Problem des Bauträgers, NJW 2021, S. 528

Kilian, M., Die Haftung des gerichtlichen Sachverständigen nach § 839 a BGB, VersR 2003, S. 683

Kilian, M., Zweifelsfragen der deliktsrechtlichen Sachverständigenhaftung nach § 839a BGB, ZGS 2004, S. 220

Kniffka, R./Retzlaff, B., Das neue Recht nach dem Gesetz zur Reform des Bauvertragsrechts, zur Änderung der kaufrechtlichen Mängelhaftung und zur Stärkung des zivilprozessualen Rechtsschutzes (BauVG), BauR 2017, S. 1747

Leinemann, R., Das neue Bauvertragsrecht und seine praktischen Folgen, NJW 2017, S. 3113

Lenkeit, O., Das modernisierte Verjährungsrecht, BauR 2002, S. 196

Lührmann, C., Keine fiktiven Mängelbeseitigungskosten, NZBau 2018, S. 456

Motzke, G., Abschlagszahlung, Abnahme und Gutachterverfahren nach dem Beschleunigungsgesetz, NZBau 2000, S. 489

Oswald, R., Schwachstellen: Fußpunktabdichtungen in Verblendschalen, db 2003/09. S. 114

Quack, F., Zur Problematik der stillschweigenden Rechtsanwendung durch den Sachverständigen, BauR 1993, S. 161

Riehm, T., Fiktive Mängelbeseitigungskosten auf dem Weg zum Großen Zivilsenat, NJW 2021, S. 27

Sass, W., Technische Regeln und das Werkvertragsrecht, NZBau 2014, S. 137

Schlehe, V., Der Sachverständigenvertrag mit Verbrauchern: Trau schau wem!, DS 2015, S. 146

Schlünder, B., Gestaltung von Nachunternehmerverträgen in der Praxis, NJW 1995, S. 1057

Schmitz, C., Die Symptomtheorie, BauR 2015, S. 371

Seibel, M., „Stand der Technik“, „allgemein anerkannte Regeln der Technik“ und „Stand von Wissenschaft und Technik“, BauR 2004, S. 266

Seibel, M., Recht und Technik, BauR 2005, S. 490

Seibel, M., Die allgemeine Anerkennung von technischen Regeln und ihre Feststellbarkeit, ZfBR 2008, S. 635

Seibel, M., Die mündliche Erläuterung des Gutachtens durch den (Bau-)Sachverständigen nach § 411 Abs. 3 ZPO – Darstellung aus richterlicher Sicht, BauSV 5/2008, S. 53

Seibel, M., Baumangel trotz Einhaltens technischer Vorschriften, BauSV 6/2008, S. 59

Seibel, M., Die Bedeutung der Funktionstauglichkeit für die Beurteilung der Qualität einer Bauleistung, ZfBR 2009, S. 107

Seibel, M., Algen- und Schimmelbefall der Außenfassade – Zur „organischen Kontamination" als Baumangel, BauSV 3/2009, S. 48

Seibel, M., Das Abweichen von Herstellervorschriften bei der Bauausführung und die Konsequenzen für die Mangelbeurteilung, BauSV 4/2009, S. 60

Seibel, M., Aktualität technischer Regelwerke und Gutachtenerstattung – Müssen (Bau)Sachverständige die Aktualität einschlägiger technischer Regelwerke im Rahmen der Gutachtenerstattung von Amts wegen überprüfen?, BauSV 1/2010, S. 58

Seibel, M., Schallschutz im Wohnungsbau und DIN 4109 – Status quo nach der jüngeren Rechtsprechung des BGH, BauSV 2/2010, S. 67

Seibel, M., Die Anleitung des Sachverständigen durch das Gericht (§ 404a ZPO) – Inhalt und Aufgabe des gerichtlichen Beweisbeschlusses, BauSV 3/2010, S. 49

Seibel, M., Die Bedeutung des Privatgutachtens für den Bauprozess, BauSV 4/2010, S. 52

Seibel, M., Das Unterschreiten der „allgemein anerkannten Regeln der Technik" im Bauvertrag – Überlegungen zu BGH, Urteil vom 04.06.2009 (AZ: VII ZR 54/07), ZfBR 2010, S. 217

Seibel, M., Die „Ablösung" des Sachverständigen nach § 412 Abs. 1 ZPO, BauSV 2/2011, S. 66

Seibel, M., Gutachtenerstattung durch den Sachverständigen – Muss eine Auseinandersetzung mit von den Parteien zu den Gerichtsakten gereichten Fachaufsätzen stattfinden?, BauSV 3/2011, S. 72

Seibel, M., Warum der Begriff „Mangel" im gerichtlichen Beweisbeschluss grundsätzlich zu vermeiden ist, ZfBR 2011, S. 731

Seibel, M., Zur Aufgabenverteilung zwischen Gericht und Bausachverständigem – Warum der Sachverständige nicht zur Beantwortung von Rechtsfragen berufen ist, BauSV 5/2012, S. 59

Seibel, M., Welche Bedeutung haben Herstellervorschriften für die Baumangelbeurteilung?, BauR 2012, S. 1025

Seibel, M., Die Leitung der Tätigkeit des Bausachverständigen durch das Gericht – Vorschläge zur Verbesserung der Zusammenarbeit, BauR 2013, S. 536

Seibel, M., Abgrenzung der „allgemein anerkannten Regeln der Technik" vom „Stand der Technik", NJW 2013, S. 3000

Seibel, M., Konkretisierung der „allgemein anerkannten Regeln der Technik" – insbesondere außerhalb von schriftlichen technischen Regelwerken, BauR 2014, S. 909

Seibel, M., Der Sachverständige und die gerichtliche Leitung seiner Tätigkeit nach der ZPO, NJW 2014, S. 1628

Seibel, M., Müssen Sachverständige die Aktualität technischer Regelwerke bei der Gutachtenerstattung im (Bau-)Prozess von Amts wegen beachten?, BauR 2016, S. 1085

Seibel, M., Kombinationsabdichtung trotz Normierung in der DIN 18195-6 bzw. (neu) DIN 18533 keine „allgemein anerkannte Regel der Technik"? – Kritische Anmerkung zum Urteil des OLG Hamm vom 14.8.2019, NZBau 2020, S. 558

Seibel, M., Das PMBC-Urteil des OLG Hamm – Trotz Rechtskraft kein verbindliches Grundsatzurteil! – Revisionsrechtliche Erläuterungen und Klarstellungen, BauSV 1/2021, S. 52

Seibel, M., Technische Regelwerke (DIN-Normen etc.) aus richterlicher Sicht, BauSV 1/2022, S. 54

Seibel, M., Privatgutachten vor Gericht – Bedeutung des Privatgutachtens für den (privaten) Bauprozess, BauSV 2/2023, S. 53

Seibel, M., Mangelhafte Bauleistung und technische Regelwerke (DIN-Normen etc.), BauSV 4/2023, S. 55

Seibel, M., Die Bedeutung des Auslagenvorschusses für den Vergütungsanspruch des Gerichtssachverständigen – Achtung: Kostenfalle § 8a Abs. 4 JVEG!, BauSV 5/2023, S. 54

Seifert, W., Schwarze Pädagogik im Sachverständigenrecht?, NZBau 5/2017, S. 249

Siegburg, P., Zum Beweisthema des Beweisbeschlusses beim Sachverständigenbeweis über Baumängel, BauR 2001, S. 875

Steffen, M., Die unvollständige Leistungsbeschreibung – Vergütungsansprüche für nicht beschriebene aber zwingend erforderliche Leistungen, BauR 2011, S. 579

Steffen, M., Die unvollständige Leistungsbeschreibung – Vergütungsansprüche für nicht beschriebene aber zwingend erforderliche Leistungen – (Anmerkung zu KG, Urt. v. 07.09.2021 – 21 U 86/21), BauR 2022, S. 3

Sturmberg, G., Gerichtssachverständiger darf keinen anderen Gutachter (unter-)beauftragen!, IBR 2019, S. 524

Thode, R., Die wichtigsten Änderungen im BGB-Werkvertragsrecht – Schuldrechtsmodernisierungsgesetz und erste Probleme – Teil 1, NZBau 2002, S. 297

Ulrich, J., Bedeutung der Privatgutachten im Bauprozess, BauSV 1/2010, S. 52

Ulrich, J., Sachverständiger weicht von vorgegebener Bewertungsmethode ab: Keine Befangenheit!, IBR 2014, S. 264

Voit, W., Die neue Berechnung des Schadensersatzanspruchs bei Werkmängeln – Das Ende der „dritten Säule" zur Finanzierung eines Bauvorhabens?, NJW 2018, S. 2166

Vowinckel, C., Die Geltendmachung des Vorschussanspruchs nach dem Verlangen des kleinen Schadensersatzes, NZBau 2019, S. 87

Wessel, M., Übliches Architektenhonorar nach JVEG-Sätzen?, IBR 2013, S. 32

Weyer, F., Werkvertraglicher Schadensersatz nur in Höhe der tatsächlichen Mängelbeseitigungskosten?, NZBau 2013, S. 269

Zöller, M., Sachverständigenbericht: Zum Umgang mit Regeln bei der Beurteilung ausgeführter Bauleistungen am Beispiel bewitterter Treppen, IBR 2/2013, S. 127

Zöller, M., Sachverständigenbericht: Auf Messers Schneide – Regelwerke als Beurteilungsmaßstab?, IBR 1/2017, S. 1

Zöller, M./Hilliges, R./Krajewski, W./Odenwald, B., Wassereinwirkungen im Baugrund nach E DIN 4095-1, Teil 1, BauSV 3/2023, S. 10, Teil 2, BauSV 5/2023, S. 10

Stichwortverzeichnis

G

H

I

W

Z